EMC Español Avanzado

¡A toda vela!

Carmen Herrera
Paul Lamontagne

EMC Publishing

ST. PAUL • LOS ANGELES • INDIANAPOLIS

Editorial Director: Alejandro Vargas
Developmental Editor: Elizabeth Millán
Production Editor: Bob Dreas
Associate Editor: Hannah da Veiga
Copy Editor: Diego García
Proofreaders: Diego García, David Thorstad

Cover Designer: Leslie Anderson
Text Designer: Leslie Anderson
Reviewers: Ana García, Anne Gaston
Illustrator: Rolin Graphics, Inc.
Cover Image: GettyImages; Sail and Sky, Johner collection

Care has been taken to verify the accuracy of information presented in this book. However, the authors, editors, and publisher cannot accept responsibility for Web, e-mail, newsgroup, or chat room subject matter or content, or for consequences from application of the information in this book, and make no warranty, expressed or implied, with respect to its content.

Trademarks: Some of the product names and company names included in this book have been used for identification purposes only and may be trademarks or registered trade names of their respective manufacturers and sellers. The authors, editors, and publisher disclaim any affiliation, association, or connection with, or sponsorship or endorsement by, such owners.

AP is a registered trademark of the College Board, which was not involved in the production of, and does not endorse, this product.

Art and Photo Credits: Credits are included in the back matter of this text.

We have made every effort to trace the ownership of all copyrighted material and to secure permission from copyright holders. In the event of any question arising as to the use of any material, we will be pleased to make the necessary corrections in future printings. Thanks are due to the aforementioned authors, publishers, and agents for permission to use the materials indicated.

ISBN 978-0-82193-714-3

© 2008 by **EMC Publishing**, a division of EMC Corporation
875 Montreal Way
St. Paul, MN 55102
E-mail: educate@emcp.com
Web site: www.emcp.com

Printed in the United States of America

16 15 14 13 12 11   5 6 7 8 9 10

To the Student

Welcome to *EMC Español Avanzado ¡A toda vela!*, a comprehensive advanced Spanish language text that uses integrated skills and tasks to help you develop competence and confidence in reading, writing, listening, and speaking in Spanish. Perfect for any advanced Spanish course, *¡A toda vela!* also provides the breadth and depth of material to make it a valuable resource for you to prepare for the current Advanced Placement Spanish Language exam or any other upper level high school or college Spanish exam in your future.

¡A toda vela! uses authentic written and recorded materials, which include subjects as diverse and interesting as travel, art, geography, history, current events, literature, music, sports, movies, dance, social studies, sociology, and contemporary culture. These topics will give you unique insight into the Spanish-speaking world, as well as other cultures, and inspire thought-provoking in-class discussions.

As you polish your Spanish-language skills through a variety of activities—often in pairs or groups—you'll take part in guided conversations, blogs, and forums; complete challenging vocabulary and grammar exercises in context; analyze quotes or sayings; observe fun facts; and take part in preparing presentations, essays, and projects. The unique grammar exercises compel you to use your prior knowledge in order to personalize a solid and meaningful response to Spanish grammar.

Are you ready to meet the challenges and opportunities that *¡A toda vela!* holds for you?

Acknowledgments

We wish to express our sincere appreciation to the following colleagues for the many valuable suggestions they offered and their indispensable support to finalize this important project: Kent Ahern, Daniel Bender, Bant Breen, Raúl Camacho, Candelaria Díaz, Sol Gaitán, Glorianne Hamm, Michele Landry, Juan Lizcano, Don Nicole, Raquel Quintero, Isabel Segundo, Mari Sierra Ramos, and colleagues at New Trier High School (Winnetka, Illinois) and The Dalton School (New York City).

We also extend our sincere appreciation to the staff at EMC: Alex Vargas, Editorial Director; Charisse Litteken, Product Manager; Leslie Anderson, Senior Graphic Designer; Bob Dreas, Production Editor; Hannah da Veiga, Associate Editor; and Jenny Kelzenberg, Editorial Assistant. And a special thanks goes to our editor, Elizabeth Millán.

Last, but not least, *gracias* to Alejandro and Nicholas Breen-Herrera for their great patience and unconditional love.

Temas

- La literatura
- El idioma español
- El arte de escribir

Temas

- Los deportes
- Los atletas
- Los Juegos Olímpicos

Comunicación

- Hablar de los deportes
- Comprender cómo se organizan los Juegos Olímpicos
- Discutir la pasión por el fútbol
- Entender los juegos de pelota antiguos

Temas
- El arte
- El baile
- La música
- El cine, la radio y la televisión

Lección B 450

Comunicación
- Hablar de arte
- Discutir las clasificaciones de películas
- Hablar de varios géneros de música
- Comprender aspectos del imperio azteca

Capítulo 1

¡Buen viaje!

Temas

- Los viajes
- El turismo
- La inmigración

Lección

A

Objetivos

Comunicación
- Hablar de viajar, de los viajes y modos de transporte
- Justificar un viaje cultural
- Describir un hotel
- Hablar del mercado turístico
- Hablar del impacto de la tecnología sobre el turismo

Gramática
- El presente, pretérito e imperfecto del indicativo

"Tapitas" gramaticales
- *lo que* y *el que*
- adverbios
- *al* + infinitivo
- algunos usos del subjuntivo
- *aquel* y *aquello*
- el orden de los adjetivos
- reconocer ciertos tiempos verbales
- *solo* y *sólo*
- género y número de *policía*
- adverbios

Cultura
- El archipiélago San Blas (Panamá)
- Toledo (España)
- Machu Picchu (Perú)
- Hoteles originales
- La vuelta al mundo
- Cómo viajan los latinos de los EE.UU.
- Un viaje por Internet

Visite la página Web de
¡A toda vela! en
www.emcp.com

1 Conteste las preguntas

Piense en las respuestas a las siguientes preguntas. Ud. puede tomar notas si lo considera necesario. Cuando termine, compare sus respuestas —pero sin mirar sus notas— con las de un/a compañero/a.

1. ¿Por qué le atrae (o no) viajar?
2. Haga una lista de diferentes medios de transporte.
3. ¿Qué medio de transporte prefiere Ud. para viajar? ¿Por qué?
4. Nombre cinco cosas que no le permiten a uno llevar en un avión.
5. ¿Ha viajado Ud. alguna vez al extranjero? ¿Adónde? ¿Adónde le gustaría ir? ¿Por qué?
6. En sus viajes, ¿cuáles han sido los lugares que más le han llamado la atención?
7. ¿Estaría Ud. interesado/a en explorar un lugar lejano? ¿Cuál o cuáles? ¿Por qué?
8. ¿Qué lugares del mundo hispanohablantes le gustaría visitar?
9. Nombre algunos edificios, monumentos o zonas famosas para visitar en países.
10. ¿Qué piensa de los viajes de aventura? ¿Despiertan estos viajes su interés? ¿Por qué?

Toda la familia disfruta de un día en el campo.

Cita

No hay ninguna razón para alarmarse, y esperamos que disfruten del vuelo. Por cierto, ¿hay alguien a bordo que sepa pilotar un avión?

—De la película *Aterriza cómo puedas;* título original: *Airplane*

 ¿Le da miedo a Ud. ir en algún tipo de medio de transporte? ¿Por qué? Comparta su respuesta con un/a compañero/a.

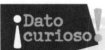

¿Sabía que existe el síndrome del acento extranjero? Existen casos en los que un individuo termina hablando inconscientemente con acento distinto al de su lengua natal o incluso en un idioma irreconocible, producto de lo que ha oído.

2 Mini-diálogos

Ud. va a crear un mini-diálogo con un/a compañero/a. Lea la descripción de la conversación antes de empezar. Puede tomar notas para organizar sus ideas, pero no las mire mientras conversa.

Escena: Dos amigos/as están en una cafetería y hablan sobre viajes que han hecho.

A: Entable una conversación sobre viajar. Pregúntele a su compañero/a sobre un viaje que hizo.

B: Hable sobre un viaje reciente.

A: Hágale dos preguntas sobre su viaje.

B: Conteste las preguntas y hágale preguntas sobre su viaje.

A: Conteste las preguntas con algún dato interesante o sorprendente.

B: Reaccione con sorpresa.

A: Haga una comentario sobre su reacción. Despídase cordialmente.

B: Despídase cordialmente.

3 Un foro

Túrnese con un/a compañero/a para leer los comentarios que dos personas han escrito en un foro sobre viajar. Fíjese en las palabras que aparecen en azul (relacionadas con el vocabulario) y en rojo (relacionadas con la gramática), ya que en las siguientes actividades se le harán preguntas sobre ellas.

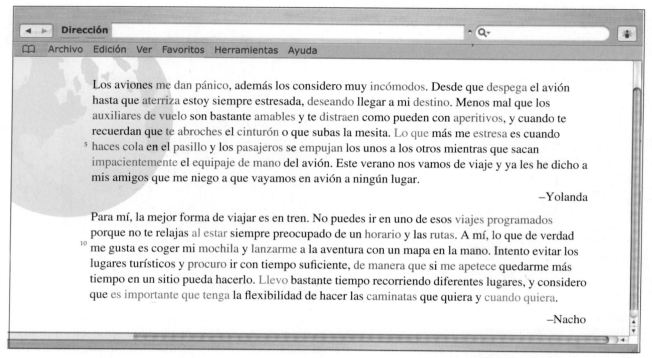

Los aviones me dan pánico, además los considero muy incómodos. Desde que despega el avión hasta que aterriza estoy siempre estresada, deseando llegar a mi destino. Menos mal que los auxiliares de vuelo son bastante amables y te distraen como pueden con aperitivos, y cuando te recuerdan que te abroches el cinturón o que subas la mesita. Lo que más me estresa es cuando
5 haces cola en el pasillo y los pasajeros se empujan los unos a los otros mientras que sacan impacientemente el equipaje de mano del avión. Este verano nos vamos de viaje y ya les he dicho a mis amigos que me niego a que vayamos en avión a ningún lugar.

–Yolanda

Para mí, la mejor forma de viajar es en tren. No puedes ir en uno de esos viajes programados porque no te relajas al estar siempre preocupado de un horario y las rutas. A mí, lo que de verdad
10 me gusta es coger mi mochila y lanzarme a la aventura con un mapa en la mano. Intento evitar los lugares turísticos y procuro ir con tiempo suficiente, de manera que si me apetece quedarme más tiempo en un sitio pueda hacerlo. Llevo bastante tiempo recorriendo diferentes lugares, y considero que es importante que tenga la flexibilidad de hacer las caminatas que quiera y cuando quiera.

–Nacho

4 Amplíe su vocabulario

Clasifique las palabras que aparecen en azul en las lecturas anteriores según sean sustantivos, adjetivos, verbos o expresiones, y relacionadas con viajar.

5 El presente del indicativo

Conteste estas preguntas o haga las siguientes actividades relacionadas con las lecturas de la Actividad 3.

1. ¿Cuándo se usa el presente del indicativo en español?
2. Busque dos usos diferentes del presente del indicativo en los comentarios del foro.
3. ¿Cómo se traduce *llevo* en este contexto?
4. Haga una lista de cinco verbos que aparecen en los foros y cuya forma en la primera persona del singular es irregular. Escriba el infinitivo del verbo y la primera persona singular.
5. Haga una lista de siete verbos que recuerde que sean irregulares en más de una persona. No es necesario que aparezcan en el texto.
6. Haga una lista de cuatro verbos de cambio vocálico en el presente que se usan en los foros. Escriba el infinitivo e indique el cambio

vocálico. Aparte de estos verbos, ¿cuáles son los otros cambios vocálicos que siguen los verbos? Dé varios ejemplos de otros verbos.
7. Haga una lista de al menos un verbo compuesto de cada uno de los siguientes: *hacer, tener, poner, traer* y *venir*. Por ejemplo: *hacer, rehacer*.
8. El verbo *escoger* tiene un cambio ortográfico en la primera persona singular del presente. ¿Cuál es el cambio y por qué se hace? Muestre los cambios que sufren los verbos con la terminación en *-uir, -gir, -guir* y *-cir/-cer*, dando un ejemplo de cada caso.
9. Conjugue *actuar* y *enviar*. ¿Dónde se coloca el acento? Escriba otros verbos que sigan la regla.

6 "Tapitas" gramaticales

Conteste estas preguntas basadas en las lecturas de la Actividad 3.

1. ¿Qué significa *lo que* en inglés? Explique la diferencia entre *lo que* y *el que*.
2. ¿Qué significa *impacientemente* en inglés? ¿Qué otros ejemplos hay de adverbios en las lecturas? Escriba una lista de otros cinco adverbios que conozca.
3. ¿Cómo traduciría *al estar* en la segunda lectura? ¿Hay otro significado de *al* más el infinitivo? ¿Cuál es?
4. Diga de qué tiempo verbal se trata *tenga* en la expresión *es importante que tenga* y por qué se usa en esta situación.
5. Diga de qué tiempo verbal se trata *quiera* en la expresión *cuando quiera* y por qué se usa en esta situación.

7 ¿Qué opina?

Reaccione a lo que cada persona ha escrito en el foro y comparta su opinión con un/a compañero/a. Incluya palabras de las lecturas que aparecen en azul.

8 Un viaje

Lea con atención el siguiente artículo, prestando atención a las palabras en azul y rojo, ya que se le harán preguntas sobre ellas.

De viaje en moto

Era todavía de noche cuando mi hermano y yo nos marchamos de casa. Dejamos atrás a nuestros padres con una sonrisa forzada, diciéndonos adiós
⁵ con la mano por un buen rato. Nunca les gustaron las despedidas. Alejandro y yo teníamos el mismo dolor en el estómago, una mezcla de nuestras emociones en aquel momento. Por fin
¹⁰ habíamos logrado hacer el viaje con el que siempre habíamos soñado. Íbamos a recorrer Sudamérica en la vieja moto de nuestro abuelo. El viento nos golpeaba la cara, y apenas oíamos lo
¹⁵ que el otro decía. Aun así manteníamos largas y apasionadas conversaciones. La niebla de la mañana apenas nos dejaba ver la carretera, lo que hacía todo mucho más interesante, más
²⁰ desafiante. Fue el comienzo de una gran aventura, nuestra gran aventura que nos cambiaría la vida. Un viaje lleno de retos, sorpresas, percances y descubrimientos. En cada cuesta
²⁵ rezábamos en silencio para que la pobre moto pudiera continuar su camino. Ahí estaba, todo un mundo a nuestro alcance.

9 Amplíe su vocabulario

Mire las palabras de la primera columna, que aparecen en la lectura anterior, y busque su definición en la segunda columna.

1. despedida
2. lograr
3. recorrer
4. apenas
5. niebla
6. desafiante
7. reto
8. percance
9. alcance

a. atravesar un lugar o un espacio
b. momento en el que se dice adiós a una persona
c. problema que surge, que no está previsto
d. conjunto de nubes que no permite ver con claridad
e. conseguir algo con esfuerzo
f. algo que es posible de obtener
g. casi no
h. objetivo, meta
i. que requiere estímulo y esfuerzo para ser logrado

10 El tiempo 🏃🏃

Con un/a compañero/a haga una lista de las palabras o expresiones que conozcan relacionadas con el tiempo atmosférico. Piensen en otras palabras o expresiones relacionadas que les gustaría saber y búsquenlas en el diccionario.

11 El imperfecto del indicativo ⊕🔍

Conteste estas preguntas relacionadas con el artículo "De viaje en moto".

1. Haga una lista de todos los verbos en pretérito, y al menos cinco en imperfecto, que aparecen en el texto.
2. Conjugue tres verbos de diferentes terminaciones en imperfecto. Diga cuáles son los verbos irregulares en este tiempo y conjúguelos. ¿Dónde se coloca el acento?
3. Explique el uso del imperfecto del indicativo.

12 "Tapitas" gramaticales ⊕🔍

Conteste estas preguntas basadas en "De viaje en moto".

1. ¿Por qué decimos *aquel momento* y no *aquello*?
2. ¿Por qué dice el autor *gran aventura* y *vieja moto*? ¿Por qué cree Ud. que pone el adjetivo delante del sustantivo? ¿Es posible decir *grande aventura*? ¿Por qué?
3. ¿Qué tiempo verbal es *habíamos soñado*? ¿Es simple o compuesto? ¿Cómo se expresarían el presente perfecto y futuro perfecto del indicativo y el presente perfecto del subjuntivo?
4. ¿Qué tiempo verbal sigue a la expresión *para que*? Escriba la misma oración en presente.

13 Escriba ✒️

En un correo electrónico explíquele a un/a amigo/a que Ud. está planeando hacer un viaje en moto. Hable de las ventajas o desventajas de este medio de transporte, hable de los retos del viaje y sugiera un recorrido para ir juntos/as.

14 ¿Pretérito o imperfecto? 📖

Échele una ojeada al artículo que sigue, prestando atención a las palabras en azul y rojo, ya que se le harán preguntas sobre ellas. Luego lea el artículo y complételo con el pretérito o el imperfecto de los verbos entre paréntesis según el contexto.

No creo que quiera ser más aventurero después de mi experiencia en mi último viaje. __1.__ (*Ser*) un desastre. En cuanto __2.__ (*llegar*) a la aduana, __3.__ (*acercarse*) un policía y __4.__ (*deshacer*) todo mi equipaje. Después de un par de horas por fin me __5.__ (*dejar*) ir. Más tarde un extrañísimo taxista me __6.__ (*dejar*) abandonado en una calle que __7.__ (*estar*) bastante oscura, y en un lugar muy solitario. Apenas __8.__ (*haber*) gente por allí. En cuanto __9.__ (*alejarse*) me di cuenta de que se había llevado mi cartera. A este punto __10.__ (*estar*) completamente mojado por la lluvia y hambriento, y he de reconocer que __11.__ (*tener*) hasta un poco de miedo. __12.__ (*Estar*) muy débil y no __13.__ (*tener*) fuerzas ni para hacer una llamada a mis padres para pedirles ayuda. __14.__ (*Estar*) agotado física y moralmente y me __15.__ (*doler*) los huesos. Ese __16.__ (*ser*) sólo el comienzo de un agotador viaje. Yo __17.__ (*querer*) aventura..., bien, ¡pues la __18.__ (*tener*)!

haber + de.
to have to
do something

15 Amplíe su vocabulario ⌕

Según el contexto del artículo anterior, ¿cuál es la mejor traducción?

1. acercarse
   a. to get suspicious
   b. to be interviewed
   c. to be seen
   d. to get close

2. deshacer
   a. to do again
   b. to undo
   c. to do with care
   d. to scan

3. equipaje
   a. equipment
   b. boxes
   c. documents
   d. luggage

4. oscuro
   a. dark
   b. long
   c. uncertain
   d. dangerous

5. solitario
   a. lonely
   b. solid
   c. narrow
   d. exciting

6. alejarse
   a. to turn over
   b. to look at
   c. to analyze
   d. to move away

7. cartera
   a. backpack
   b. mail carrier
   c. wallet
   d. money

8. mojado
   a. dirty
   b. overlooked
   c. wet
   d. excited

9. débil
   a. poor
   b. unwise
   c. depressed
   d. weak

10. agotador
   a. exhausting
   b. horrible
   c. challenging
   d. exciting

16 El pretérito y el imperfecto ⌕

Conteste estas preguntas relacionadas con el texto de la Actividad 14.

1. ¿Qué verbos aparecen en pretérito? ¿Y en imperfecto?
2. ¿Cuándo se usa el pretérito, y cuándo el imperfecto? Incluya ejemplos.
3. ¿Cuál es la diferencia entre estas oraciones?

Conocimos a un vagabundo.
Ángela no quiso salir.
José Manuel tuvo unas ideas estupendas.
El carro costó una millonada.

Conocíamos a un vagabundo.
Ángela no quería salir.
José Manuel tenía unas ideas estupendas.
El carro costaba una millonada.

¿Puede pensar en algún otro ejemplo similar? ¿Cuál?

17 "Tapitas" gramaticales ⌕

Conteste estas preguntas basadas en el texto de la Actividad 14.

1. ¿Cuál es la diferencia entre *solo* y *sólo*?
2. Hable sobre el género y número de la palabra *policía*.
3. ¿Qué hacemos cuando tenemos dos adverbios seguidos en una oración?

Cita

He descubierto que no hay forma más segura de saber si amas u odias a alguien que hacer un viaje con él.
—Mark Twain (1835–1910),
escritor y periodista
estadounidense

¿Está Ud. de acuerdo con lo que dice? ¿Por qué? Hable con un/a compañero/a sobre esto. Compartan sus experiencias.

¡Dato curioso!

¿Sabía que México significa "en el ombligo de la luna"? La palabra viene del idioma náhuatl *Metztli* (luna) y *xictli* (ombligo). Los aztecas lo pronunciaban *Meshico*. Los españoles lo escribían *México* ya que no existía la pronunciación de la *j*. Cuando cambió la grafía de la *x* a la *j* se le empezó a llamar *Méjico* pero se siguió escribiendo *México*.

18 Familia de palabras

Complete la tabla con el verbo, sustantivo o adjetivo apropiado, y la traducción correspondiente.

Verbos

Verbo	Traducción
acercarse (a)	_____
_____	to adapt oneself (to)
alejarse (de)	_____
_____	to rent
arriesgarse (a)	to risk
asustarse (de)	_____
_____	to land
atreverse (a)	_____
comenzar (a)	_____
divertirse	_____
emocionarse	to be moved, excited
llover	_____
_____	to obtain, achieve
_____	to sit down
sorprenderse (de)	to be surprised (by)

Sustantivos

Sustantivo	Traducción
la cercanía	closeness, proximity
la adaptación	_____
la lejanía	_____
_____	rent
_____	risk
el susto	
el aterrizaje	_____
el atrevimiento	daring
_____	beginning
_____	fun
_____	excitement
el logro	achievement
	seat
la sorpresa	surprise

Adjetivos

Adjetivo	Traducción
_____	close
adaptable	adaptable, versatile
lejano	_____
_____	rented
arriesgado	risky
X	easily frightened
X	brave, daring
divertido	_____
emocionado	moved, excited
X	rainy
(estar) sentado	_____
	surprising

19 ¿Verbo, sustantivo o adjetivo?

Complete las oraciones usando la forma correcta de las palabras que aparecen en la tabla, ya sea verbo, sustantivo o adjetivo. En el caso del sustantivo puede que necesite artículo. Siga el modelo.

MODELO Carmen siempre nos cuenta historias muy ___ (*divertirse*).
divertidas

1. Cuando ___ (*acercarse*) las vacaciones de verano algunas mujeres buscan la fórmula mágica para obtener una nueva figura.
2. Según las autoridades, durante esta semana, si viaja por carretera existirá siempre ___ (*arriesgarse*) de encontrar un atasco.
3. Desde ___ (*comenzar*) acordaron separarse si alguno de los dos deseaba cambiar de ruta.
4. Los turistas por lo general están ___ (*sorprenderse*) por la cordialidad y hospitalidad de la gente de la isla.
5. Si la nueva programación infantil del hotel no resultara ___ (*divertirse*), podrían producirse bajas de hasta un 30 por ciento.
6. Lo importante es ser ___ (*atreverse*). Con miedo jamás descubrirás nuevas experiencias.
7. Se paralizarán las reformas del aeropuerto por encontrarse muy ___ (*acercarse*) a un complejo turístico.
8. Cuando perdimos el equipaje el miércoles pasado, nos llevamos un buen ___ (*asustarse*).
9. ¡Reserve hoy su ___ (*sentarse*) en la guagua para visitar la zona histórica de Santo Domingo!
10. Aviso: En caso de que hoy ___ (*llover*), quedarán suspendidas las actividades al aire libre.

Cita

Cuando se viaja en avión solamente existen dos clases de emociones: el aburrimiento y el terror.
—Orson Welles (1915–1985), actor y director de cine estadounidense

¿Está de acuerdo con lo que dice? ¿Por qué? Hable sobre sus experiencias o las de alguien conocido.

¡Dato curioso!

El origen de las banderas de los países fue militar. Según cuentan, se empezaron a usar para no confundirse y no atacar al ejército equivocado. La bandera de Bolivia tiene tres rayas. La roja representa la lucha popular, la amarilla la riqueza del suelo y la verde la agricultura.

20 Panamá

Échele una ojeada al artículo que sigue para ver de qué se trata, prestando atención a las palabras en azul, ya que se le harán preguntas sobre su significado después. Luego lea el artículo y decida cuál de las dos palabras entre paréntesis es la correcta para completar cada oración y escríbala.

Un destino para los Robinson del siglo XXI
FRANCISCO LÓPEZ-SEIVANE

El archipiélago de San Blas lo componen una ringlera de islitas que __1.__ (*se ubicaron / se ubican*) a lo largo de la ⁵costa caribeña de Panamá. Los indios kuna, dueños y señores de __2.__ (*los / las*) islas y de la larga franja de tierra firme que __3.__ (*se* ¹⁰*extiende / se extienda*) frente a ellas a lo largo de 226 kilómetros, sólo __4.__ (*ocupa / ocupan*) unas pocas y no permiten que nadie __5.__ (*construye / construya*) hoteles en sus paraísos. ¹⁵Prefieren que los visitantes __6.__ (*llegan / lleguen*) con cuentagotas, dispuestos a __7.__ (*alojan / alojarse*) en los precarios chamizos de que disponen. La fórmula funciona para __8.__ (*aquel / aquellos*) viajeros que, huyendo de las playas masificadas, buscan refugio en ²⁰lugares auténticos, donde la falta de comodidades se ve ventajosamente compensada por el sosiego, __9.__ (*el / la*) belleza incontaminada, el contacto directo con __10.__ (*un / una*) naturaleza de tarjeta postal y el atractivo de __11.__ (*descubren / descubrir*) ²⁵la cultura indígena.

Lo primero que se __12.__ (*percibe / perciben*) nada más descender de la pequeña avioneta que nos __13.__ (*trae / traer*) dando saltos desde Panamá es que el tiempo discurre con gran parsimonia y la gente __14.__ ³⁰(*se mueve / se mueven*) con extraña lentitud, como si __15.__ (*el / la*) realidad formara parte de una película a cámara lenta. __16.__ (*Los / Las*) sonrisas duran una eternidad en los rostros y nadie parece tener prisa en dar __17.__ (*el / la*) siguiente paso. Sobre el barrizal de ³⁵la selva, alguien ha __18.__ (*haga / hecho*) un camino de sacos de arena que __19.__ (*hay / haya*) que transitar hasta la playa. Me acompaña en silencio __20.__ (*un / una*) muchedumbre colorida y curiosa de indios kuna que __21.__ (*ha / han*) acudido a recibir el avión de la ⁴⁰mañana. Soy el único pasajero, así que me acomodo a mis anchas en el pequeño cayuco a motor que __22.__ (*espera / espere*) en la orilla y __23.__ (*un / unos*) minutos más tarde desembarcamos en Uaguitupu ("la casa del delfín"), __24.__ (*una / unas*) de las 400 islas ⁴⁵del archipiélago.

www.elmundo.es

21 ¿Qué significa?

Mire las palabras de la primera columna, que aparecen en la lectura anterior, y busque su traducción en la segunda columna.

1. a lo largo de
2. dueño
3. permitir
4. paraíso
5. dispuesto a
6. masificado
7. falta de
8. sosiego
9. belleza
10. lo primero que
11. dar saltos
12. discurrir
13. lentitud
14. rostro
15. siguiente paso
16. selva
17. arena
18. muchedumbre
19. a mis anchas
20. orilla
21. desembarcar

a. to jump
b. face
c. crowd
d. sand
e. to disembark
f. shore
g. owner
h. beauty
i. feel at home
j. to go by
k. along
l. crowded
m. jungle
n. tranquility
o. willing to
p. slowness
q. lack of
r. paradise
s. to allow
t. the first (thing) that
u. next step

22 Una invitación misteriosa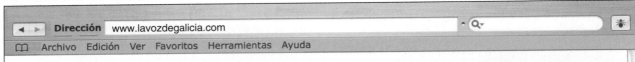

Échele una ojeada al artículo que sigue para ver de qué se trata, prestando atención a las palabras en azul, ya que se le harán preguntas sobre ellas. Luego lea el artículo y decida qué forma de las palabras entre paréntesis es la correcta y escríbala. No se olvide de escribir y acentuar las palabras correctamente.

◄ ► **Dirección** www.lavozdegalicia.com ⌄ Q▾

Archivo Edición Ver Favoritos Herramientas Ayuda

Para los amantes del misterio, del miedo y del suspense
Ocio, diversión y mucha imaginación

Una alternativa especial para un fin de semana diferente

Patricia Iglesias/Redacción digital

Se trata de __1.__ (*un*) fin de semana en una casa rural a las afueras de San Martín de Montalbán (Toledo), conocida como *La Quinta de la Casa de Melque*. Esta casa rural, con capacidad para ⁵veinticinco personas, __2.__ (*servir*) de telón de fondo para __3.__ (*un*) noche muy especial. Los visitantes o viajeros —junto a un grupo de actores— serán los protagonistas de una misteriosa historia llena de miedo y suspense ¹⁰que se __4.__ (*desarrollar*) en el interior de la casa rural de la Quinta de Melque y en sus recintos exteriores, como el Cementerio de la familia Montalbán, la Noria, el Pozo...

Un viaje alternativo para __5.__ (*el*) amantes ¹⁵de los viajes curiosos y originales y para los que sencillamente __6.__ (*buscar*) pasar un fin de semana inolvidable y __7.__ (*lleno*) de emociones.

__8.__ (*El*) guión se nutre de __9.__ (*aquel*) leyendas urbanas que todos hemos __10.__ (*escuchar*) alguna

²⁰vez y cuenta, además, con referencias cinéfilas a clásicos del género como __11.__ (*El*) otros o *La residencia*.

Antes de __12.__ (*el*) llegada a __13.__ (*el*) mansión —previa reserva de plaza— el visitante recibe ²⁵por correo, e-mail o fax una carta de Doña Julia Almazán, viuda de Sotogrande, __14.__ le (*invitar*) a su casa tras un largo retiro de la vida pública. La misiva también __15.__ (*hacer*) algunas recomendaciones para asistir a su casa: "incluir en __16.__ (*el*) ³⁰equipaje indumentaria apropiada para el banquete y una prenda de abrigo por si __17.__ (*hacer*) frío en las inmediaciones de la casa. Por razones personales, __18.__ (*el*) anfitriona no permitirá el uso de teléfonos móviles, entre otras cuestiones".

³⁵Al __19.__ (*caer*) el sol, el séquito de sirvientes de la Sra. Almazán recibe a los invitados y los conduce a __20.__ (*el*) habitaciones, último refugio de luz en una casa condenada a la penumbra por la __21.__ (*extraño*) enfermedad que __22.__ (*padecer*) ⁴⁰su dueña...

Gracias a sus actores, guionistas y especialistas es posible __23.__ (*remontarse*) a otra época formando parte de aventuras en las que se puede __24.__ (*ser*) ayudado por un mago, aconsejado ⁴⁵por un anciano arqueólogo, __25.__ (*perseguir*) por ladrones del desierto, cautivado por una bailarina del vientre, aventuras con __26.__ (*el*) piratas...

www.lavozdegalicia.com

---

23 ¿Qué palabra es?

Mire las palabras de la primera columna, que aparecen en la lectura anterior, y busque su sinónimo, antónimo o definición en la segunda columna.

1. a las afueras de
2. telón
3. protagonista
4. desarrollar
5. amante
6. inolvidable
7. guión
8. llegada
9. reserva de plaza
10. viuda
11. indumentaria
12. anfitriona
13. último
14. penumbra
15. padecer
16. perseguir

a. ropa
b. salida
c. lo que se recuerda
d. casada
e. invitada
f. cortina
g. primero
h. sufrir
i. enemigo
j. en el centro
k. personaje principal
l. progresar
m. pedir una habitación
n. andar tras de
o. sol
p. lo que leen los actores

24 Lea, escuche y escriba/presente

Vuelva a leer los textos completos de las Actividades 20 y 22. Luego escuche la grabación "Al encuentro de la aventura" y tome las notas necesarias. Escriba un ensayo o haga una presentación en clase contestando esta pregunta: "¿Qué hace que las personas sientan la necesidad de irse de aventura?" No se olvide de citar las fuentes debidamente.

Cita → cuaderno

Viajar es una buena forma de aprender y de superar miedos.
—Luis Rojas Marcos (1943–), psiquiatra español

 ¿Está de acuerdo con lo que dice? ¿Por qué? Dé ejemplos que ilustren esta cita y compártalos con un/a compañero/a.

•Dato ¡curioso!
Los indios mazatecas en México viven en el estado de Oaxaca. En su idioma se llaman *ha shuta enima*, que quiere decir "los que trabajamos el monte, humildes, gente de costumbre". Su idioma es tonal, y por eso a los que no son de la región les parece una lengua silbada o cantada.

Échele una ojeada al artículo que sigue para ver de qué se trata, prestando atención a las palabras en azul, ya que se le harán preguntas sobre ellas. Luego lea el artículo y decida cuál de las dos palabras entre paréntesis es la correcta para completar cada oración y escríbala.

Machu Picchu
Viaje y turismo

Machu Picchu, desde __1.__ (*a / que*) fuera descubierta __2.__ (*el / en*) 24 de julio de 1911 __3.__ (*por / con*) el norteamericano Hiram Bingham, ha sido considerada, por su asombrosa magnificencia
⁵ y armoniosa construcción, __4.__ (*como / es*) uno de los monumentos arquitectónicos y arqueológicos más importantes __5.__ (*en el / del*) planeta.

Localizada a 2,400 m.s.n.m.*, en la provincia __6.__ (*de / en*) Urubamba, departamento del Cusco,
¹⁰ Machu Picchu (Cumbre Mayor, en castellano) sorprende por la forma __7.__ (*como / en*) que las construcciones __8.__ (*en / de*) piedra se desplie-gan sobre una loma estrecha y desnivelada, __9.__ (*cuyos / cuales*) bordes —un farallón de 400
¹⁵ metros de profundidad— forman el cañón por el que se llega __10.__ (*hacia / al*) río Urubamba.

Machu Picchu es una ciudadela rodeada de misterio porque __11.__ (*hasta / para*) ahora los arqueólogos __12.__ (*sí / no*) han podido descifrar
²⁰ la historia y __13.__ (*el / la*) función de esta pétrea ciudad de __14.__ (*más / casi*) un kilómetro de extensión, erigida __15.__ (*por / para*) los incas en una mágica zona geográfica, __16.__ (*donde / dónde*) confluyen lo andino y lo amazónico.

²⁵ Quizás el misterio de Machu Picchu nunca __17.__ (*es / sea*) desvelado del todo; hasta ahora, __18.__ (*solo / sólo*) existen hipótesis y conjeturas. __19.__ (*Por / Para*) algunos, fue un puesto de avanzada de las proyecciones expansionistas incaicas;
³⁰ otros creen que fue un monasterio, __20.__ (*donde / dónde*) se formaban las niñas (acllas) que servirían __21.__ (*a / al*) Inca y al Willac Uno (Sumo sacerdote). Se presume porque de los 135 cuerpos encontrados __22.__ (*por / en*) las
³⁵ investigaciones, 109 fueron de mujeres.

__23.__ (*El / La*) sorprendente perfección y belleza de los muros de Machu Picchu —construidos __24.__ (*unidos / uniendo*) piedra sobre piedra,

__25.__ (*o / sin*) cemento ni pegamento— han hecho
⁴⁰ surgir mitos sobre su edificación.

Cuentan __26.__ (*de / que*) un ave llamada Kak`aqllu, conocía la fórmula __27.__ (*por / para*) ablandar las piedras, pero que por un mandato, quizás de los antiguos dioses incaicos, se __28.__
⁴⁵ (*la / le*) arrancó la lengua. También __29.__ (*se / él*) dice que existía una planta mágica que disolvía la roca y podía compactar __30.__ (*le / la*).

Pero más allá __31.__ (*en / de*) los mitos, el verdadero encanto de Machu Picchu, declarado
⁵⁰ Patrimonio Cultural de la Humanidad, __32.__ (*es / está*) en sus plazuelas, en sus acueductos y torreones de vigilancia, __33.__ (*en / por*) sus observatorios y en __34.__ (*su / sus*) Reloj Solar, evidencias __35.__ (*de / por*) la sabiduría y la técnica
⁵⁵ de los constructores andinos.

*m.s.n.m.= metros sobre el nivel del mar

www.enjoyperu.com

26 ¿Qué significa?

Mire las palabras de la primera columna, que son de la lectura anterior, y busque su traducción en la segunda columna.

1	asombroso	a.	to soften
2.	desplegarse	b.	depth
3.	loma	c.	to emerge
4.	estrecho	d.	uneven
5.	desnivelado	e.	speculation
6.	profundidad	f.	revealed
7.	rodeado	g.	small square
8.	pétreo	h.	astonishing
9.	desvelado	i.	glue
10.	conjetura	j.	narrow
11.	muro	k.	surrounded
12.	pegamento	l.	of stone
13.	surgir	m.	wall
14.	edificación	n.	to pull out
15.	ablandar	o.	to spread out
16.	arrancar	p.	hill
17.	plazuela	q.	building

27 Lea, escuche y escriba/presente

Vuelva a leer el texto completo sobre Machu Picchu, y luego escuche la grabación "Recorriendo el Camino Inca". Tome notas de las dos fuentes y escriba un ensayo o haga una presentación en clase sobre "Razones por las que se aconseja hacer un viaje cultural". No se olvide de citar las fuentes debidamente.

28 Hoteles originales

Échele una ojeada al artículo que sigue para ver de qué se trata, prestando atención a las palabras en azul, ya que se le harán preguntas sobre ellas. Luego lea el artículo y decida cuáles son las palabras que mejor completan las oraciones y escríbalas. Las palabras que faltan pueden tener cualquier función gramatical (por ejemplo, pueden ser verbos, sustantivos, artículos, preposiciones), pero deben tener sentido en la oración. No se olvide de escribir y acentuar las palabras correctamente.

Dirección www.elmundo.es

Archivo   Edición   Ver   Favoritos   Herramientas   Ayuda

Especial: Hoteles
Dulces (y originales) sueños

Entrar __1.__ prisión, dormir bajo __2.__ agua, refugiarse en un faro o alojarse en un iglú __3.__ algunas de las originales alternativas para pasar __4.__ noche frente __5.__ los tradicionales hoteles de las grandes urbes. De Europa a Oceanía, damos __6.__ vuelta al mundo y rescatamos los alojamientos __7.__ innovadores, divertidos y originales del atlas. Desde __8.__ cárcel en Australia hasta un submarino en Florida, sin olvidar un palacio __9.__ sal en Bolivia, el hotel sólo para niños de Londres, una fábrica de té en Sri Lanka o __10.__ antigua estación de tren de Cádiz.

Un clásico del hielo
La vida se puede ver de muchos colores y en Jukkasjarvi predomina __11.__ blanco. En la Escandinavia profunda de hielos y nieves perpetuas, hay __12.__ ser un poco esquimal para sobrevivir. En este entorno, __13.__ idea de un hotel de hielo parece hasta lógica, pero si además convencen __14.__ artistas de todo el mundo __15.__ que cada temporada construyan las habitaciones, la rentabilidad está asegurada. Así, cada iglú __16.__ distinto, aunque en todos el equipamiento es básico: una cama de hielo cubierta de pieles de reno y sacos de dormir contra la hipotermia. __17.__ la mañana el cliente se despierta con una bebida caliente hecha de frutos silvestres, __18.__ especie de anticongelante para poder desayunar a continuación. __19.__ actividades son incontables, desde pesca en hielo __20.__ baño nocturno en un jacuzzi.

Suecia. Jukkasjarvi.Tel: 00 46 980 66 800 Internet: www.icehotel.com Habitaciones: 30 / Precio: 1.900 coronas

The Tea Factory
"Reciclaje" industrial
Estamos en la antigua Ceilán, ante __21.__ paisaje increíble __22.__ la niebla roza __23.__ montañas de Nuwara Eliya. Entre __24.__ densidad de los arbustos del té, un edificio blanco se perfila en el horizonte —*The Tea Factory*, una antigua procesadora de té convertida __25.__ hotel. La plantación __26.__ el sueño del señor Flowerdew, un inglés victoriano __27.__ eligió Ceilán como hogar. __28.__ de muchos años y diferentes dueños, la fábrica se cerró en 1973. Veinte años __29.__ tarde y después de un gran trabajo de rehabilitación, pasó a __30.__ un hotel. Las vistas __31.__ espectaculares y las actividades dentro y __32.__ del hotel incontables. Como toque sentimental, el edificio __33.__ una pequeña fábrica __34.__ los clientes, tras recolectar las hojas de té, asisten __35.__ proceso de secado y empaquetado.

Sri Lanka. Kandapola, Nuwara Eliya. Reservas en Aitken Spence Hotels (315 Vauxhall St. Colombo, 2.Tel: 0094 11 230 84 08. Internet: www.aitkenspence-hotels.com/teafactory). Habitaciones: 57 / Precio: 115 dólares.

Cuevas Pedro Antonio de Alarcón
Tiempo de bandoleros
Así de primeras, lo de las cuevas suena __36.__ troglodita o a bandolero, pero __37.__ vez que se visitan __38.__ realidad es bien distinta. Las cuevas son las originales, y datan __39.__ la época en que los moros __40.__ expulsados de Granada; aquéllos __41.__ se resistían a abandonar el aire andaluz construyeron unas cuevas como refugio. __42.__ cueva es un pequeño apartamento con cocina, salón, dormitorio y cuarto __43.__ baño. En algunas __44.__ chimenea y en todas, calefacción. En verano no __45.__ falta aire acondicionado ya __46.__ la propia construcción mantiene __47.__ temperatura constante __48.__ 19 grados. Además hay cuevas para todos __49.__ gustos, con jacuzzi __50.__ parejas románticas, con dos habitaciones para los __51.__ viajan con niños... El edificio central alberga un restaurante y una sala de conferencias. __52.__ tiene piscina.

Granada. Barriada San Torcuato. Guadix. Tel: 958 664 986. Internet: www.andalucia.com/cavehotel/cuevas.htm.

www.elmundo.es

29 ¿Qué significa? 🔍

Mire las palabras de la primera columna, que aparecen en la lectura anterior,
y busque su traducción en la segunda columna.

1.	faro	a.	scenery
2.	alojamiento	b.	sleeping bag
3.	fábrica	c.	to lightly touch
4.	predominar	d.	bandit
5.	profundo	e.	home
6.	temporada	f.	view
7.	asegurado	g.	converted
8.	reno	h.	lodging
9.	saco de dormir	i.	factory
10.	silvestre	j.	deep
11.	nocturno	k.	to date
12.	paisaje	l.	reindeer
13.	rozar	m.	lighthouse
14.	convertido	n.	for all tastes
15.	hogar	o.	touch
16.	vista	p.	chimney
17.	toque	q.	to dominate
18.	bandolero	r.	nocturnal
19.	de primeras	s.	heat
20.	datar	t.	at first
21.	salón	u.	assured
22.	chimenea	v.	to house
23.	calefacción	w.	season
24.	para todos los gustos	x.	wild
25.	albergar	y.	living room

30 Su hotel ✒

Ud. es una persona muy creativa y aventurera y acaba de abrir un hotel muy original.
Haga una descripción del hotel similar a las que aparecen en la lectura anterior. Se la va
a mandar a la sección de anuncios de un periódico, para así captar a posibles clientes.
Escriba el artículo usando el tiempo presente e intente usar algunas de las "tapitas"
gramaticales y el vocabulario que ha repasado en esta lección.

Cita

Si quieres viajar hacia las estrellas,
no busques compañía.
> —Heinrich Heine (1797–1856),
> escritor alemán

 ¿Por qué piensa que pudo
haber hecho este comentario?
Comparta su opinión con un/a
compañero/a.

¡Dato curioso!

¿Dónde está la Península "No entiendo"? La península de Yucatán (México) tiene ese nombre curioso. Se cuenta que al llegar los conquistadores españoles a ese lugar, preguntaron cómo se llamaba. Los indígenas les contestaron: "Yucatán, Yucatán". Y así se le llamó Yucatán a la península. *Yucatán* en el idioma indígena significaba "No entiendo".

31 Antes de leer

¿Ha viajado Ud. —o le gustaría viajar— a muchos sitios? ¿Por qué? ¿Le gustan los viajes en los que ve muchas cosas en poco tiempo? ¿Por qué? ¿Sabe quién era Julio Verne?

32 Un viaje

Lea con atención el pasaje que sigue, fijándose en el contenido y las palabras en azul, ya que se le harán preguntas sobre ellas.

El viaje
Un pulso a Julio Verne

JAVIER PÉRES DE ALBÉNIZ

Cuando recojo la maleta en el aeropuerto de Barajas mis articulaciones chirrían como goznes oxidados. Tengo en los riñones el recuerdo de 30 despegues y aterrizajes, y en los músculos el
[5] castigo de 75 horas de vuelo. No lo veo, ni lo siento, pero sé que mi trasero tiene la forma del asiento de un Boeing 767 de Lan Chile. Once nuevos sellos de otros tantos países ilustran mi pasaporte, y en la cabeza me bulle un torbellino de sensaciones. Aca-
[10] bo de dar la vuelta al mundo y ¡me río de los que sienten el jet lag! Cuando das la vuelta al mundo en 15 días ni te paras a pensar en estos pequeños inconvenientes (A): comes, duermes y vives sumergido en ese jet lag, una sensación algodonosa
[15] que te mantiene las 24 horas del día en una nube. Cuando das la vuelta al mundo en 15 días viajas contra el tiempo, desprecias la lógica, desafías la razón y pones tu cuerpo contra las cuerdas. Tus experiencias anteriores (B) no sirven de nada: dar
[20] la vuelta al mundo es comenzar a viajar. Es iniciar una nueva forma de vida.

Julio Verne imaginó una vuelta al mundo en un tiempo récord: 40 días. Phileas Fogg era un tipo adinerado y flemático, pero muy lento. Cien años
[25] después de la muerte del escritor francés hemos rebajado esa cifra soñada hasta dejarla en 15 días. Quince días, once países de los cinco continentes, 75 horas de vuelo, 50.598 kilómetros... ¿Se puede disfrutar de un viaje realizado a esta velocidad? ¿Es
[30] posible ver o aprender algo, desplazándose a este frenético ritmo? La respuesta es sí. Sí, siempre que los vuelos (C) se coordinen con precisión milimétrica, que estén muy claros los lugares a visitar y que el viajero no se arrugue ante la falta de sueño
[35] o de comodidades (D). «¡Lejos! ¡Lejos! ¡Aquí el lodo está formado por nuestros llantos!», escribió un Baudelaire que pensaba que cada viaje es un cambio de vida, y que los verdaderos viajeros son aquéllos que parten por partir.
[40] (...) Nunca es sencillo regresar de un buen viaje. No es fácil poner en orden tantas imágenes, sensaciones, cambios de olor, de horario... Julio Verne tenía razón, se puede dar la vuelta al mundo en 15 días, pero hubiese preferido hacerlo en 40.
[45] —Pareces cansado, tienes mala cara —me dice mi hija.

—No son los años, cariño, son los kilómetros —le contesto imitando a Indiana Jones.

www.elmundo.es

33 ¿Qué significa?

Mire las palabras de la primera columna, que aparecen en la lectura anterior, y busque su traducción en la segunda columna.

1. recoger	a. take off		
2. maleta	b. hinge		
3. gozne	c. to pick up		
4. riñón	d. to enjoy		
5. despegue	e. speed		
6. aterrizaje	f. to lower		
7. nube	g. mud		
8. desafiar	h. to wrinkle		
9. adinerado	i. simple		
10. rebajar	j. landing		
11. cifra	k. to look bad		
12. disfrutar	l. dear		
13. velocidad	m. kidney		
14. arrugar	n. suitcase		
15. lodo	o. cloud		
16. sencillo	p. to challenge		
17. tener mala cara	q. rich		
18. cariño	r. number		

34 ¿Ha comprendido?

1. ¿Qué le ocurre al protagonista de la historia en el aeropuerto de Barajas?
   a. Pierde su maleta.
   b. Describe sus últimas horas de viaje.
   c. Recuerda su viaje en avión.
   d. Describe la sensación de cansancio que tiene.

2. ¿Qué acaba de hacer el autor del texto?
   a. Se ha recuperado del *jet lag*.
   b. Se ríe recordando su travesía.
   c. Ha dado la vuelta al mundo.
   d. Ha pasado una quincena en casa con su hija.

3. ¿Qué piensa nuestro escritor acerca de un viaje tan rápido?
   a. No es posible disfrutar a ese ritmo.
   b. Aprendes mucho, pero sobre todo de la precisión de los aviones.
   c. La falta de sueño te impide sentirte bien en este viaje.
   d. Es una buena experiencia, con la que se aprende y disfruta si se descansa y si todo está bien organizado.

4. ¿Qué cambiaría el protagonista de este viaje?
   a. Visitaría menos países.
   b. Nada, de esta forma le parece perfecto.
   c. Lo pensará cuando ponga en orden sus ideas.
   d. Quince días están bien, pero preferiría hacerlo en 40.

5. ¿Qué ocurre con su hija a la llegada al aeropuerto?
   a. Su hija está muy agotada y de muy mal humor.
   b. Le dice cuántos años ha estado viajando.
   c. Tiene una corta conversación con una pequeña broma.
   d. Hablan sobre cine.

35 ¿Cuál es la pregunta?

Según lo que acaba de leer, escriba una pregunta lógica para estas respuestas.

1. Treinta veces
2. Once
3. Quince días
4. Julio Verne
5. Phileas Fogg
6. Muchísima organización
7. Setenta y cinco
8. Su hija
9. Con humor

36 ¿Qué piensa Ud.?

¿Qué cree que significa la expresión "viajar por viajar"? ¿Y otras similares como "comer por comer", "hablar por hablar" y "leer por leer"?

37 ¿Dónde va?

La siguiente frase se puede añadir a "Un pulso a Julio Verne": *que desagradan a tantos.* ¿Dónde encajaría mejor la frase?

1. Posición A, línea 13
2. Posición B, línea 19
3. Posición C, línea 32
4. Posición D, línea 35

Cita

Olviden toda idea acerca de ciudades perdidas, viajes exóticos y agujerear el mundo. No hay mapas que lleven a tesoros ocultos y nunca hay una X que marque el lugar.
　　—De la película *Indiana Jones y la última cruzada*

 ¿Piensa que existen tesoros ocultos? Si encontrara Ud. un mapa que mostrara donde hay un tesoro, ¿lo buscaría o se lo daría a las autoridades? Hable de lo que haría con un/a compañero/a.

¡Dato curioso!

Cuando Colón llegó a Costa Rica vio que muchos nativos llevaban bonitas joyas alrededor del cuello. Por eso los españoles pensaron que habían llegado a una costa muy rica.

38 Antes de leer

¿Cuál es el medio de transporte preferido por la gente en su ciudad o país? ¿Y por su familia? ¿Y por Ud.? ¿Suele Ud. comprar algún recuerdo cuando viaja? ¿Qué recuerdos le gusta comprar (o recibir)?

Lea con atención el siguiente artículo, prestando atención a las palabras en azul porque se le harán preguntas sobre ellas.

Viajan y gastan más

Los latinos de este país hacen más paseos en auto, tren o avión que otros grupos minoritarios

Lourdes López
Redactora de Vida y Estilo

Un estudio reciente de la Asociación Estadounidense de la Industria de Viajes (TIAA) mostró cómo los latinos encabezan la lista de viajeros respecto a otros grupos minoritarios, ya sea en automóvil, autobús, tren o avión. [5]Esto ha ayudado al repunte del sector turismo, el cual fue uno de los más afectados a consecuencia de los atentados del 11 de septiembre de 2001.

"Hemos detectado un fuerte mercado entre las familias latinas con un 20% de crecimiento entre el año 2000 [10]a 2002", comenta la portavoz de TIAA, Cathy Keefe, quien enfatiza un ascenso en el crecimiento del sector turismo paralelo al aumento de la población, al referirse especialmente a la minoría más grande de Estados Unidos. "Los resultados del estudio *The Minority* [15]*Traveler* indicaron viajes más frecuentes entre los latinos y con un mayor número de personas debido a la tendencia de viajar con la familia, incluyendo niños y otros parientes".

Les gusta la compañía

Según el estudio de TIAA, el 33% de los latinos prefiere [20]viajar con tres o más miembros de la familia, incluyendo hijos menores de 18 años. El estudio también descubrió que prefieren más el automóvil a otros medios de transporte. "El 75% de ese grupo utiliza el automóvil en sus viajes y en promedio tienen una edad de 45 años, [25]un poco más joven del promedio nacional que es de 47 años", explica Keefe.

"Un poco más de tres cuartos del total de este grupo viaja por recreación y sólo el 10% lo hace por negocios. Se ha notado también que los latinos prefieren primero [30]lugares abiertos, más económicos, y también les gusta visitar lugares históricos, festivales y eventos con diferentes actividades". Los diez estados con mayor número de viajeros latinos son: California, Texas, Florida, Nuevo México, Nueva York y Arizona.

Recursos

[35]TIAA ha creado un sitio de la Internet, especial para apoyar y facilitar el itinerario a los aficionados a los viajes. Ingrese a seeamerica.org desde el sitio de TIIA, donde encontrará información detallada de los estados y los destinos más importantes de este país.

[40]"El sitio seeamerica.org es una herramienta eficiente y de uso fácil para programar un viaje en este país", explica Keefe. "La información está dividida por regiones, por parques nacionales y cuenta con mapas, fotos, itinerarios y la descripción de destinos más populares. [45]También se describen las principales atracciones, ofertas, paquetes, consejos y otros".

Otros resultados

- El estudio de TIAA también detectó que los viajeros latinos tienden a pasear a lugares cercanos a su domicilio, con excepción de familias que tienen [50]parientes en otros estados o países.
- Los latinos gastan en viajes un promedio de 523 dólares por año sin incluir el transporte.
- Un tercio de sus viajes incluyen a menores de 18 años.
- [55]Las preferencias del 34% de este grupo son las compras, le siguen los sitios abiertos en un 16%, y en el 14% se ubican los parques de diversiones. Los paseos a sitios históricos y playas ascienden ambos a un 13% respectivamente.
- [60]Sólo el 15% de los viajeros latinos opta por utilizar el avión. Existe una tendencia a usar el autobús y el tren.
- Ciudades preferidas por los viajeros latinos: Las Vegas, NV; San Antonio, TX; San Diego, CA; [65]Houston, TX; Orlando, FL; Riverside/San Bernardino, CA; Phoenix-Mesa, AZ; Orange County, CA; San Francisco, CA.

www.laopinion.com

40 Vocabulario 🔍

Mire las palabras que aparecen en la primera columna abajo y que también aparecen en azul en la lectura anterior. Busque su correspondiente sinónimo o definición entre las palabras de la segunda columna.

1. reciente
2. encabezar
3. portavoz
4. pariente
5. en promedio
6. tres cuartos
7. itinerario
8. herramienta
9. un tercio
10. ascender

a. estar entre los primeros
b. subir
c. la media
d. ¾
e. instrumento utilizado para trabajar manualmente
f. persona que representa algo o a alguien
g. ruta, camino sugerido con paradas y lugares de interés
h. ⅓
i. familiar
j. de hace poco

41 ¿Ha comprendido?

1. ¿A qué ha ayudado la movilidad de los latinos en Estados Unidos?
   a. Al resto de minorías que viven en Estados Unidos
   b. A la mejora del tren y otros medios de transporte
   c. A superar el trágico 11 de septiembre de 2001
   d. A la mejora económica del sector turístico

2. ¿Por qué ha crecido el turismo de los latinos en Estados Unidos?
   a. Son una parte importante del mercado.
   b. Son la minoría más grande en el país.
   c. Viajan varios miembros de una misma familia al mismo tiempo.
   d. Todas las respuestas anteriores

3. ¿Cuál es el propósito más común de los viajes de los latinos?
   a. Usar el automóvil como medio de transporte
   b. Negocios, fundamentalmente
   c. Viajes de ocio a lugares económicos y con diferentes actividades
   d. Viajar con tres o más miembros de la familia

4. ¿Qué proporciona el sitio Web seeamerica.org?
   a. Información sobre el turismo en algunos estados de Estados Unidos
   b. Foros para aficionados a los viajes internacionales
   c. Información para programar un viaje por Estados Unidos
   d. Itinerarios, lugares de interés fuera de Estados Unidos

5. ¿Qué opción es la preferida entre los viajeros latinos?
   a. Parques de diversiones
   b. Sitios históricos y playas
   c. Lugares abiertos y festivales
   d. Viajes organizados

42 Responda brevemente

¿Cree Ud. que existe un mercado turístico destinado solamente a los grupos minoritarios? Si su respuesta es afirmativa, ¿qué lugares son? Si su respuesta es negativa, ¿qué destinos crearía Ud. para algunos grupos minoritarios?

43 Se titula...

Piense en otro título para el artículo que acaba de leer. ¿Por qué lo ha escogido?

44 Lea, escuche y escriba/presente 👥

Vuelva a leer el texto completo de "Viajan y gastan más" y luego escuche la grabación "Un domingo sin automóviles, compromiso ciudadano". Tome notas y escriba un ensayo o haga una presentación en clase contestando la pregunta, "¿Hacemos un uso responsable del transporte?" Mencione las consecuencias ambientales y no se olvide de citar las fuentes debidamente.

45 Antes de leer 🧍🧍

¿Cómo suele Ud. planear un viaje? ¿Ha ido alguna vez a una agencia de viajes? ¿Qué piensa de las agencias de viajes en su ciudad? ¿Cree que terminarán desapareciendo? Después de un viaje, ¿con quién comparte sus experiencias cuando regresa?

46 Los viajes 📖

Lea con atención el siguiente artículo y fíjese bien en las palabras en azul. Luego se le harán preguntas sobre este vocabulario.

Mensaje en una pantalla

Hola, estoy preparando un viaje a Argentina y me gustaría que me ayudarais a organizarme, ya que pretendo ir por libre y tengo muchas dudas. Visitaré Buenos Aires, Iguazú y el glaciar Perito Moreno, pero no sé cuántos días son necesarios para conocer
[5]*medianamente bien estos lugares (A). Además, me gustaría ir a Tierra del Fuego. También quiero saber posibles destinos alternativos, qué compañías aéreas funcionan mejor desde España o tienen los mejores precios. ¿Alguien puede informarme? Muchas gracias de antemano.*

Yolanda

Hace unos años Yolanda hubiera colgado este mensaje en un tablón de anuncios de, por ejemplo, el hall de cualquier facultad junto con un número de teléfono de contacto. [5]También podría haberlo publicado en un periódico. Las posibilidades de que alguien le hubiera contestado, si no nulas sí eran pocas. Era como lanzar una botella con un mensaje a la inmensidad del océano. (...)

[10]Organizar y comprar un viaje por Internet se vuelve así algo tan sencillo como hacerse un traje a medida en un sastre de toda la vida. A través de los foros de viajeros se obtiene información de los hoteles más céntricos [15](B), de la calidad de sus servicios así como fotos de las habitaciones, por no hablar de la relación calidad/precio... Y lógicamente este fenómeno provoca que las primeras empresas en comprender la importancia [20]de estar al tanto de lo que de ellas se dice en la Red han sido las vinculadas (C) más directamente con el turismo. El mito de las tierras patagónicas donde se siente una inmensa soledad ya no lo es tanto. No sólo [25]por los miles de visitantes que reciben cada año, sino por los relatos que muchos de estos "aventureros" del siglo XXI "cuelgan" de los modernos tablones de anuncios —llamados ahora foros (D). Estos perfectos manuales de [30]viaje intentan que el próximo en aventurarse donde el mundo se acaba no deje de visitar los rincones más interesantes de este territorio que algunos se atreven a "vender" como inexplorado... —Che, por cierto 'mina', [35]que tengas un bonito viaje!

www.paradores.es

47 Vocabulario 🔍

Mire las palabras que aparecen en la primera columna abajo y que también aparecen en azul en la lectura anterior. Busque su correspondiente sinónimo o definición entre las palabras de la segunda columna.

1. por libre
2. medianamente
3. alternativo
4. compañía aérea
5. facultad
6. lanzar
7. céntrico
8. estar al tanto
9. vincular
10. rincón
11. atreverse a

a. otra opción
b. tirar, arrojar
c. por cuenta propia, solo
d. lugar escondido
e. situado en el centro de una ciudad
f. unir, relacionar
g. empresa que organiza el vuelo
h. más o menos, aproximadamente
i. parte de la universidad
j. arriesgarse a hacer algo
k. informado, saber qué pasa

48 ¿Ha comprendido?

1. ¿De qué se trata el artículo?
   a. Sobre alguien que pide ayuda en la preparación de su viaje
   b. Sobre los comentarios y respuestas que uno encuentra en un blog
   c. Sobre viajeros que usan Internet como la herramienta más útil antes de un viaje
   d. Las agencias de viajes y su futuro en el siglo XXI

2. ¿Qué escribe Yolanda?
   a. Un e-mail a un compañero para indicarle la ruta de su viaje
   b. Una consulta acerca de los precios en España para volar a Argentina
   c. Un mensaje en un blog pidiendo ayuda para la organización de su viaje
   d. Una respuesta a un comentario en un blog argentino

3. ¿Por qué Internet resulta lo más sencillo para el viajero?
   a. Es más cómodo hacerlo desde casa.
   b. La calidad del servicio de la página es mejor que la de una agencia.
   c. La información es más concreta y el viajero configura su propio viaje.
   d. Uno puede ver las fotos de los lugares donde planea ir.

4. Según el texto, ¿ayudan los relatos de los foros en Internet a conocer nuevos lugares?
   a. Sí, son los nuevos manuales de viajes, donde uno puede encontrar información detallada de lugares desconocidos.
   b. No ayudan cuando alguien quiere realizar un viaje a un lugar inexplorado.
   c. Sí, ayudan, pero hay que ser cauto porque muchas veces no son reales.
   d. No ayudan, porque siempre quieren vender algo nuevo.

49 ¿Dónde va? 🔍

La siguiente frase se puede añadir al "Mensaje en una pantalla": *y que están tan de moda.* ¿Dónde encajaría mejor la frase?

1. Posición A, línea 5 (de la introducción)
2. Posición B, línea 15
3. Posición C, línea 21
4. Posición D, línea 29

50 ¿Inglés o español?

En el texto anterior aparece la palabra *hall*. ¿Cree que existe esta palabra en español? Piense en otras palabras de origen inglés que han pasado a formar parte del castellano, y las de origen español que ya son parte del inglés. Dé algunos ejemplos.

51 Lea, escuche y escriba/presente

Vuelva a leer el artículo completo de "Mensaje en una pantalla", y luego escuche la grabación "Viajes por la cara". Tome notas y escriba un ensayo o haga una presentación en clase contestando la pregunta, "¿Cómo han cambiado los viajes con la tecnología?" Incluya información de las dos fuentes citándolas debidamente.

Cita

Jamás viajo sin mi diario. Siempre debería llevarse algo estupendo para leer en el tren.
—Oscar Wilde (1854–1900), dramaturgo y novelista irlandés

Cuando viaja Ud., ¿escribe en su diario? ¿Piensa que es una buena idea? Comparta su opinión con un/a compañero/a.

¡Dato curioso!

La palabra *guagua* significa autobús en varios países de Latinoamérica como Cuba y la República Dominicana. Dicen que tiene su origen en la época en la que los americanos llegaron a Cuba, a principios del siglo XX cuando trajeron unos carros a los que llamaban *wagon*. Al no saber los cubanos pronunciar la palabra en inglés bien, de ahí surgió la palabra.

El salto Iguazú

52 Vacaciones: ¿una verdadera pesadilla?

Lea las posibles respuestas primero y después escuche la grabación "Vacaciones, ¿una verdadera pesadilla?" Escoja la mejor respuesta para cada pregunta que escuchará en la grabación.

1. (Pregunta que escuchará en la grabación.)

   a. Salen a visitar a familiares.
   b. Toman su descanso con armonía.
   c. Desaparece el bienestar y todo se complica.
   d. En ocasiones el tiempo o el hotel puede ocasionar imprevistos.

2. (Pregunta que escuchará en la grabación.)

   a. Planearlo todo previamente para evitar imprevistos.
   b. No crear falsas ilusiones para evitar sentirse frustrado con el mundo real.
   c. Evitar viajar con niños porque se ponen insoportables.
   d. Asegurarse de que el tráfico, el hospedaje y el tiempo serán favorables.

3. (Pregunta que escuchará en la grabación.)

   a. Porque cada uno tiene una idea diferente de las vacaciones y distintos gustos por las actividades que quieren realizar
   b. Porque no existe comunicación entre ambos y en ocasiones no hablan más de 20 minutos al día
   c. Porque la pareja no está preparada para afrontar una convivencia así de intensa
   d. Las respuestas a y c

4. (Pregunta que escuchará en la grabación.)

   a. El hombre valora más el descanso mientras que la mujer prefiere el lujo.
   b. La mujer prefiere este tiempo para realizar algún deporte pero el hombre se inclina por la relajación y el descanso.
   c. La mujer desea tomar el tiempo como descanso y el hombre prefiere realizar otras actividades.
   d. El lujo y la comodidad es más importante para el hombre; para la mujer, basta con el descanso.

53 Hoteles originales

Escuche las grabaciones sobre "Hoteles originales" y luego conteste las preguntas.

Primer hotel
1. ¿Qué se les da a los clientes cuando llegan al hotel?
2. ¿Quién les lleva la comida a las habitaciones?
3. ¿Cómo se entretienen en el hotel?

Segundo hotel
1. ¿Dónde se encuentra este hotel?
2. ¿Qué es especial de este hotel?
3. ¿Quiénes son los dos escritores que se mencionan?
4. Mencione tres temas diferentes de los libros que hay en las habitaciones que uno puede reservar.

Tercer hotel
1. ¿Qué tipo de hotel es?
2. ¿Dónde está ubicado?
3. ¿Qué se hace con el ingrediente que se menciona?
4. ¿A qué se parece el paisaje que rodea el hotel?
5. ¿Cuál es la mejor época del año para ir? ¿Por qué?

Cuarto hotel
1. ¿Dónde se encuentra este hotel?
2. ¿Cuál es el requisito para poder ser un cliente de este hotel?
3. ¿Cómo entretienen a los jóvenes?
4. ¿Cómo se visten para las cenas de gala?
5. ¿Qué hacen con los huéspedes antes de irse a dormir?

54 Participe en una conversación

Ud. va a participar en una conversación. Primero lea la descripción de la conversación y piense en algunas palabras o expresiones que le serían útiles. Organice sus ideas, haciendo predicciones sobre lo que se le pueda preguntar o comentar. Una descripción de lo que va a escuchar aparece abajo en color. Participe en la conversación grabando las respuestas o escribiéndolas en su cuaderno.

Escena: Ya están planeando Macarena y Ud. una escapada para el fin de semana.

Macarena:	(*Suena el teléfono.*) Macarena llama por teléfono.
Ud.:	• Conteste.
Macarena:	Le explica por qué ha llamado.
Ud.:	• Dele una excusa.
Macarena:	Sigue la conversación. Le hace una pregunta.
Ud.:	• Conteste su pregunta, sorprendido/a por su sugerencia.
Macarena:	Sigue la conversación. Le hace otras preguntas.
Ud.:	• Háblele sobre sus preferencias para estos tipos de viajes. Explique las razones.
Macarena:	Sigue la conversación y le hace más preguntas.
Ud.:	• Haga un comentario y despídase.

¡A escribir!

55 Texto informal: un blog

Escriba en un blog. Describa su último viaje (puede ser real o ficticio). Incluya lo siguiente:

- Su destino.
- El medio de transporte y cómo le fue.
- Una anécdota.
- Termine con una pregunta.

56 Texto informal: un consejo

En un foro alguien pide consejo sobre un lugar para pasar unas vacaciones en Latinoamérica. Busque información en Internet y dele consejos a esta persona.

- Dele razones para visitar este país.
- Dele consejos útiles para el viaje.
- Recomiéndele ciudades, festivales y actividades culturales.

57 Ensayo: viajar

Escriba un ensayo contestando la pregunta, "¿Es importante viajar?"

58 Ensayo: el transporte público

Escriba un ensayo en el que compare las ventajas y desventajas del transporte público.

59 En parejas

Intercambie sus ensayos con los de un/a compañero/a. Exprésele su opinión sobre el contenido y el uso del idioma.

Consejo

Antes de empezar, lea las pautas para escribir textos informales en la pág. 480 del Apéndice. Mientras escribe el texto tenga presente los objetivos. Cuando termine, verifique que ha cumplido con todo lo que se describe en la lista y reflexione sobre su trabajo.

Consejo

Antes de empezar, lea las pautas para escribir ensayos en la pág. 480 del Apéndice. Mientras escribe el ensayo tenga presente los objetivos, y no se olvide de ponerle un título original. Cuando termine, verifique que ha cumplido con todo lo que se describe en la lista y reflexione sobre su trabajo.

¡A hablar!

60 Charlemos en el café

Ud. va a debatir los siguientes temas con un/a compañero/a. Uno estará a favor de lo que se ha dicho y otro en contra. El debate durará varios minutos. El/La estudiante que esté de acuerdo comenzará el debate y hablará por unos diez segundos. Cuando el/la profesor/a lo indique, el/la otro/a estudiante tomará la palabra y expresará su opinión por otros diez segundos, y así sucesivamente.

1. El que no viaja sabe menos.
2. Los políticos deberían viajar a otros países.
3. Es necesario que el presidente de un país hable otros idiomas.
4. El coche es el mejor medio de transporte.
5. Es bueno viajar a algún sitio solo/a y hacerlo a menudo.

61 ¿Qué opinan?

Converse con un/a compañero/a sobre estas situaciones o preguntas.

1. Si se quedara Ud. sin dinero en un país extranjero, ¿qué haría?
2. ¿Cuáles cree que son los dos países hispanohablantes más visitados? ¿A qué se debe?

62 Presentemos en público

Conteste una de las siguientes preguntas o haga una presentación sobre uno de los temas durante varios minutos en clase. Organice sus ideas antes de hacer la presentación, busque las palabras necesarias y, después de practicar, presente en clase sin mirar las notas.

1. ¿Cree que viajar hace que uno aprecie más su país? ¿Por qué?
2. Si pudiera ser embajador/a de Estados Unidos en algún país hispanohablante, ¿adónde le gustaría ir? ¿Por qué?
3. Va a ser un gran experto sobre un país hispanohablante. Presente el país a sus compañeros. Hable de su historia, sistema político, lugares para visitar, fauna, etc., y prepárese para las preguntas que le harán.
4. Explique cómo los viajes o ideas de los exploradores, inventores, escritores, viajeros o historiadores han tenido un impacto en la vida de los demás.

Consejo

Antes de empezar, lea las pautas para presentaciones formales en la pág. 481 del Apéndice. Mientras formula su presentación tenga presente los objetivos. Cuando termine la presentación, verifique que ha cumplido con todo lo que se describe en la lista y reflexione sobre el trabajo que hizo.

63 ¡Manos a la obra!

Trabaje en un grupo de cuatro o cinco estudiantes para llevar a cabo uno de los siguientes proyectos y presentarlo en clase.

- Les han encargado que trabajen en la sección de viajes del periódico local y les han pedido que escriban sobre un país. Les han dado dos hojas del periódico para hacerlo. Decidan el país y los diferentes temas; por ejemplo, la historia, el ocio, los lugares de interés, y los formatos: la publicidad, las cartas al director, las tiras cómicas. Luego elaboren los artículos.

- Presenten un país del mundo hispano a la clase. Hablen de su historia, situación geográfica, sistema de gobierno, gastronomía, tradiciones y turismo.

- Hagan un anuncio para promover el uso del transporte público en su ciudad. Decidan si va a ser un anuncio gráfico, de radio o de televisión.

- Inventen un producto que haga que los viajes sean más placenteros. Preséntenselo a sus posibles compradores/compañeros. Puede ser un producto realmente interesante o absurdo. En cualquier caso, deben pensar en una buena estrategia para convencer al público.

Vocabulario

Verbos

abrocharse	to fasten
albergar	to house
apetecer	to feel like
arrancar	to pull up/out, start
arrugar(se)	to wrinkle
ascender (ie)	to raise
asegurar	to ensure
caber	to fit
colgar (ue)	to hang (up)
convencer	to convince
desafiar	to challenge
desplegarse (ie)	to spread out
desvelar	to reveal
discurrir	to go by
encabezar	to lead, head
golpear	to hit
guiar	to guide
influir	to influence, have influence
intentar	to try
lanzar	to throw
lograr	to achieve, obtain
padecer	to suffer
perseguir (i)	to pursue
pretender	to expect; to try
provocar	to cause
rebajar	to lower
recoger	to pick up
recorrer	to travel, go through
reñir (i)	to quarrel
soler (ue)	to be in the habit of
surgir	to come up
vincular	to link
volar (ue)	to fly
volver(se) (ue)	to go back

Verbos con preposición

verbo + a:

atreverse a	to dare to
conducir a	to drive to
ir a	to go to
llegar a	to arrive at
regresar a	to return to

verbo + con:

abrigarse con	to keep warm with
quedar con	to arrange to meet with

verbo + de:

acabar de + infinitivo	to have just finished doing something
alejarse de	to move away from
datar de	to date from
disfrutar (de)	to enjoy (doing something)
marcharse de	to go away from
regresar de	to return from
reírse (i) de	to laugh at

verbo + en:

alojarse en	to stay in
convertir (ie, i) en	to turn into
desarrollar en	to develop into
quedar en + infinitivo	to agree to do something
sentarse (ie) en	to sit down in/on

verbo + por:

conducir por	to drive by
pasar por	to go by

Sustantivos

el	alojamiento	accommodations
el/la	anfitrión/anfitriona	host, hostess
la	arena	sand
el	atasco	bottleneck
el	aterrizaje	landing
la	belleza	beauty
la	bienvenida	welcome
la	calefacción	heat
la	caminata	long walk
el	cariño	affection; *in direct speech:* darling
la	cifra	figure
el	cinturón	seatbelt, belt
la	despedida	good-bye
el	despegue	takeoff
el	destino	destination
el/la	dueño/a	owner
la	edificación	building
el	entorno	environment, surroundings
la	época	period
el	equipaje	luggage
el	guión	script
la	herramienta	tool
el	hogar	home
el	horario	schedule
la	lentitud	slowness
la	llegada	arrival
la	maleta	suitcase
la	muchedumbre	crowd
la	niebla	fog
la	nube	cloud
la	orilla	shore, riverbank
el	paisaje	landscape, scenery
el	paraíso	paradise
el/la	pariente/a	relative, family member
la	penumbra	semi-darkness, half-light
el	percance	mishap

la	**piedra**	stone
el/la	**portavoz**	spokesperson
la	**profundidad**	depth
el	**promedio**	average
el	**relato**	tale, story
el	**reto**	challenge
el	**rostro**	face
la	**sabiduría**	wisdom
el	**salón**	living room
el	**sello**	stamp
la	**soledad**	loneliness; solitude
el	**sosiego**	serenity, peace
el	**tablón de anuncios**	bulletin board
la	**temporada**	season
el	**tercio**	(one) third
el	**toque**	touch
el/la	**viajero/a**	traveler
la	**vista**	view
la	**viuda**	widow

Adjetivos

adinerado, -a	rich
apasionado, -a	enthusiastic
asombroso, -a	amazing, astonishing
aventurero, -a	adventurous
desafiante	challenging
desnivelado, -a	uneven
dispuesto, -a	willing
entusiasmado, -a	excited
espantoso, -a	horrible
estrecho, -a	narrow
estupendo, -a	wonderful
forzado, -a	forced
inolvidable	unforgettable
lujoso, -a	luxurious
mareado, -a	dizzy, seasick
masificado, -a	overcrowded
nocturno, -a	night, nocturnal
peligroso, -a	dangerous
poblado, -a	populated
profundo, -a	deep
rebajado, -a	reduced
reciente	recent
rodeado, -a	surrounded
sencillo, -a	simple

silvestre	wild
último, -a	last

Adverbios

a menudo	often
demasiado	too, too much
lógicamente	logically
rara vez	rarely, not usually
temprano	early

Expresiones

a las afueras de	in the outskirts of
a lo largo de	along, through
(acomodarse) a sus anchas	(to make oneself) at home
con retraso	delayed
dar la bienvenida	to welcome
dar pánico	to get scared by smthg
dar saltos	to jump
de primeras	at first
estar al alcance de	to be reachable, obtainable
estar al tanto de	to be up-to-date
estar dispuesto a	to be willing to
(la) falta de	(the) lack of
hacer cola	to wait in line
(la) hora de vuelo	flight time
lo primero que	the first (thing) that
muchas gracias de antemano	to thank beforehand
no perder de ojo	to not lose sight of
para todos los gustos	for all tastes
¡Qué va!	No way!
(la) reserva de plaza	reservation
(el) siguiente paso	(the) next step
tener falta de sueño	to be deprived of sleep
tener mala cara	to look bad/sick
tres cuartos de	three quarters of

A tener en cuenta

Formación de sustantivos

Algunos nombres se forman con el participio de un verbo:
comer, la comida; entrar, la entrada
ir, la ida; llegar, la llegada
mirar, la mirada; salir, la salida
volver, la vuelta

Sustantivos femeninos:
-dad: la ciudad, la soledad
-ión: la excursión, la impresión
-tad: la dificultad, la facultad
-umbre: la costumbre, la muchedumbre
las islas: las Baleares, las Malvinas
las letras del abecedario: la *a*, la *b*, la *c*, la *d*,...

Sustantivos masculinos:
-aje: el equipaje, el pasaje
-án: el holgazán, el huracán
los colores: el azul, el gris, el morado
los números: el uno, el veintitrés
los días y meses: el lunes, el último octubre
los árboles: el manzano, el naranjo
los lagos, océanos, ríos, mares y montañas: el Amazonas, los Andes, el Everest
algunos que terminan en *-ma*: el clima, el dilema, el idioma
nombres compuestos: el abrelatas, el paraguas, el rascacielos

Lección

B

Objetivos

Comunicación
- Hablar de la inmigración
- Explorar las tribulaciones y el impacto del turismo
- Discutir el bilingüismo y el biculturalismo

Gramática
- El pretérito y el imperfecto del indicativo

"Tapitas" gramaticales
- el género de los sustantivos
- el sufijo *-ísmo*
- palabras negativas
- verbos reflexivos
- apócopes: *algún/alguno*; *cualquier/cualquiera*
- algunos usos del subjuntivo
- verbos como *gustar*
- usos de *e, al, la mayoría de* y *todos los*

Cultura
- La inmigración
- Tradiciones y costumbres
- Cochabamba (Bolivia)
- Los indígenas y sus lenguas

Visite la página Web de *¡A toda vela!* en www.emcp.com

Para empezar

1 Conteste las preguntas

Piense en las respuestas a las siguientes preguntas. Ud. puede tomar notas si lo considera necesario. Cuando termine, compare sus respuestas —pero sin mirar sus notas— con las de un/a compañero/a.

La Tomatina

1. Explique la diferencia entre "viajar por placer" y "viajar por obligación".
2. Nombre diferentes situaciones en las que las personas se ven obligadas a viajar.
3. ¿Qué piensa de la inmigración? ¿Por qué son necesarios los inmigrantes para un país?
4. ¿Hay muchos inmigrantes en la zona donde vive? ¿De dónde viene la mayoría de ellos?
5. ¿Cree que es fácil para los hijos de los inmigrantes adaptarse al nuevo país? ¿Por qué?
6. ¿Qué piensa que ocurre con la cultura y tradiciones cuando una persona se muda a otro país?
7. ¿Es fácil adaptarse a otras culturas? ¿Por qué? ¿Ha tenido Ud. problemas para comunicarse con gente que habla otro idioma?
8. ¿Cree que las personas saben apreciar otras culturas y costumbres cuando viajan? ¿A qué se debe?
9. ¿Piensa que el turismo puede afectar a la gente de un país o región? ¿De qué manera?
10. ¿Qué tradiciones de otros países conoce?

2 Mini-diálogos

Ud. va a crear un mini-diálogo con un/a compañero/a. Lea la descripción de la conversación antes de empezar. Puede tomar notas para organizar sus ideas, pero no las mire mientras conversa.

Escena: En la parada del metro dos amigos/as ven a una persona con una extraña vestimenta, típica de su país, y comienzan una conversación sobre otras culturas.

A:	Comience la conversación. Exprese su opinión sobre las tradiciones.
B:	Hágale preguntas sobre sus comentarios. Pregúntele su opinión al respecto.
A:	Exprese su opinión. Pregúntele sobre su tradición preferida.
B:	Contéstele. Hable sobre algo que es tradicional en su familia.
A:	Reaccione a su comentario. Hable sobre algo que es tradicional en su familia.
B:	Reaccione a su comentario. Háblele de una tradición en un país hispanohablante.
A:	Reaccione a su comentario. Háblele de otra tradición en un país hispanohablante.
B:	Despídase cordialmente.
A:	Despídase cordialmente.

Cita

La tradición no se hereda, se conquista.
   —André Malraux (1901–1976), novelista y político francés

¿Está Ud. de acuerdo con lo que dice? ¿Por qué? ¿Qué tradiciones sigue su familia? Comparta su opinión con un/a compañero/a.

¡Dato curioso!

Se dice que en la Edad Media las madres les tapaban la boca a sus hijos pequeños que bostezaban porque pensaban que el diablo podría penetrar en su cuerpo.

3 Un foro

Túrnese con un/a compañero/a para leer los comentarios que dos personas han escrito en un foro sobre sus diferentes experiencias en otros países. Fíjese en las palabras que aparecen en azul (relacionadas con el vocabulario) y en rojo (relacionadas con la gramática), ya que en las siguientes actividades se le harán preguntas sobre ellas.

Dirección ◄ ► 🔍

📖 Archivo   Edición   Ver   Favoritos   Herramientas   Ayuda

Mi trabajo

Pedro Ruíz

Cuando acepté el trabajo pensé que todo iba a ser de otra forma. No es que no me interesara lo que hacía, el problema era que siempre estaba con mi maleta para arriba y para abajo. Algunos colegas ⁵tenían celos de mí porque pensaban que tenía la oportunidad de ver sitios nuevos e ir a hoteles lujosos. Sin embargo no era oro todo lo que relucía. De las ciudades a las que iba sólo veía el aeropuerto, a mi taxista y la sala de reuniones. Por ¹⁰otro lado nunca disfrutaba de los hoteles ya que estaba muerto de cansancio y sólo quería dormir en cuanto llegaba de mis reuniones de negocios, y al día siguiente solía madrugar. Lo peor de todo es que no pude gozar de mi familia durante esos años, ¹⁵pues apenas la veía. Eso sí, mi mujer estaba contentísima porque conseguí muchas millas para volar a Florida con la familia. Aunque gané bastante dinero y tuve mucho éxito profesional, no conseguí acostumbrarme a este estilo de vida. ²⁰Cuando mi jefe oyó lo desgraciado que era me despidió al instante. Sorprendí a mi jefe cuando lo abracé unas cien veces. Estoy seguro de que nunca pensó que un empleado reaccionaría así al recibir este tipo de noticia.

Nuestra tierra

Isabel Segundo

Nunca me explicaron muy bien mis padres por qué se vinieron a vivir aquí pero sé que a menudo se acordaban de su tierra. Siempre me decían que preferían no hablar del tema y cambiaban de conversación inmediatamente, al igual que hacían cuando veían a un político platicar en las noticias. ⁵"Tonterías" —decían los dos al mismo tiempo en cuanto los oían. A mi hermana y a mí nos hacía gracia y siempre nos mirábamos y nos reíamos. Las dos nacimos acá, pero somos de allá según nuestros padres. Aunque nunca les dijimos nada, en el fondo nos resultaba difícil sentirnos de algún sitio que nunca habíamos visto. Mis padres siempre quisieron llevarnos ¹⁰un día a "nuestra tierra" —como ellos la solían llamar. Siempre lo decían, aunque nunca lo hacían. "Un día iremos todos juntos" —gritaban emocionados cuando durante la sobremesa nos contaban anécdotas de los parientes que dejaron allá. Pero creo que en el fondo tenían miedo de ser extranjeros en su propia tierra, de que ya no se sintieran de ningún país. ¹⁵Nosotros siempre asentíamos y les decíamos "¡Claro que sí!, un día vamos todos". Por desgracia, tal y como siempre sospeché, los años pasaron y no hemos conseguido ir a "nuestra tierra" como ellos la llamaban. Quizás ese día nunca llegue.

4   Amplíe su vocabulario ⓘ🔍

Defina en español o escriba un sinónimo o expresión similar para cada una de las palabras o expresiones que aparecen en azul en las lecturas anteriores.

5   El pretérito 👤👤 ⓘ🔍

Trabaje con un/a compañero/a y conteste estas preguntas basadas en, o relacionadas con, los textos de la Actividad 3.

1. ¿Qué verbos del texto están en pretérito?
2. Conjuguen los verbos *subir, ir, dar* y *despedirse* en pretérito.
3. Escriban el pretérito de estos verbos en la primera y tercera persona singular: *saber, andar, querer, venir, producir, caber, traducir, obtener.*
4. ¿Cuál es el pretérito de *haber*?
5. Escriban el pretérito de estos verbos en la primera persona del singular y plural, y escriban su significado: *equivocarse, tragar, sacar, marcar, ahogarse, alcanzar, colgar, aterrizar.*
6. ¿Cuál es el pretérito de la segunda y tercera persona del singular de *huir, concluir* y *caerse*?
7. ¿Cuál es el pretérito de los siguientes verbos: *advertir, seguir, conseguir, reír*?

6   "Tapitas" gramaticales ⓘ🔍

Conteste estas preguntas basadas en las lecturas de la Actividad 3.

1. Explique por qué usamos las siguientes palabras en el género indicado: *el problema, la oportunidad, el taxista, unas cien veces, ese tema, un día.* Piense en otros ejemplos para cada caso y escriba dos ejemplos de cada uno.
2. ¿Por qué se usa la palabra *e* en la frase "ver sitios nuevos e ir a hoteles lujosos"? Piense en otros ejemplos que ilustren la regla.
3. Explique *contentísima.* Piense en la regla, incluyendo las formas irregulares. No se olvide de ilustrar su explicación con ejemplos.
4. Explique *aunque gané.* ¿De qué tiempo verbal se trata? ¿Podemos decir *aunque gane*? Explique su respuesta.
5. Explique el uso de las palabras negativas en *nunca les dijimos nada.* ¿Por qué usamos *nada* y no *algo*? Haga una lista de las palabras negativas al lado de su correspondiente afirmativa. Escriba las reglas.
6. ¿Son verbos reflexivos *mirar* y *reír*? Explique *nos mirábamos* y *nos reíamos.* Ilustre la explicación con otros ejemplos.
7. Explique por qué se utiliza *algún* en la frase *de algún sitio.* ¿Cuándo se utilizan *alguno* y *algunos*?
8. ¿De qué tiempo verbal se trata en la oración "Quizás ese día nunca llegue"? Explique por qué se usa en este contexto. *Llegue* es también la conjugación para otro tiempo verbal. ¿De cuál se trata?

7   ¿Qué opina? ✍

Reaccione a lo que cada persona ha escrito en el foro y hágale un comentario por escrito a cada uno. Incluya palabras del vocabulario nuevo que aparecen en azul y algunas "tapitas" gramaticales de la Actividad 6.

8   En mi opinión... ✍

Ud. es auxiliar de vuelo. Escriba su opinión en un foro de trabajo.

• Hable de las razones por las que Ud. eligió este trabajo.
• Hable sobre su experiencia en su trabajo.
• Diga si se lo recomendaría a otra persona. Explique su respuesta.

9 Una gira

Lea con atención el siguiente artículo, prestando atención a las palabras en azul y rojo, ya que se le harán preguntas sobre ellas.

De gira

El grupo tuvo sus retos en sus comienzos. Aunque eran jóvenes y no les importaba viajar, no siempre resultaba fácil. Al contar con bajo presupuesto, cada viaje era siempre una pequeña aventura. En 5 la mayoría de las ocasiones viajaban largas horas en autobuses públicos, compartiendo asientos con otras personas que al verlos con esas vestimentas, los examinaban de arriba abajo desaprobando su ropa y tatuajes. Siempre estaban faltos de sueño 10 antes de un concierto, tuvieron un par de accidentes leves e innumerables incidentes. Debían pasar 24 horas al día juntos durante estas largas giras por lo que terminaban con una pelea prácticamente diaria, como nos relata con una sonrisa uno de ellos. No 15 obstante, según cuentan, esos viajes, todas esas horas juntos, les aseguró una amistad para toda la vida. Con tres Grammys ganados, es un grupo que sigue prefiriendo viajar en autobús por mucho que ganen. Eso sí, ya no van como antes pues ni 20 toman transporte público ni comparten la misma habitación. Ahora van siempre en tres autobuses privados cualquiera que sea su destino, decorados como los más lujosos hoteles de cinco estrellas y con todas las comodidades imaginables como un 25 jacuzzi, sala de masajes y otros pequeños antojos que los ricos y famosos se pueden permitir.

10 Amplíe su vocabulario

Defina las palabras o expresiones que aparecen en azul, o escriba un sinónimo o expresión similar para cada una.

11 El pretérito y el imperfecto

¿Cuándo usamos cada tiempo? Escriba una oración para cada situación en la que se use el pretérito o el imperfecto.

12 "Tapitas" gramaticales

Conteste las siguientes preguntas relacionadas con el artículo anterior.

1. Explique qué es especial del verbo *importar*. Escriba una lista de otros ocho verbos que siguen la misma regla.
2. ¿Cuál es la diferencia entre *al contar* y *al verlos*? ¿Significa *al* lo mismo en las dos frases?
3. ¿Se puede usar *la mayoría de* en masculino?
4. *Diario* significa "todos los días". ¿Cómo cree que se dice "todos los meses"? ¿Y "todos los años"?
5. ¿Por qué decimos *cualquiera que sea* y no *cualquier que sea*? ¿Qué diferencia hay entre las dos palabras?
6. ¿Por qué usamos *ni...ni* y no *o...o* después de la expresión *ya no*?

13 ¿Qué piensa Ud.?

Según el texto de la Actividad 9, ¿qué cree que significa "por mucho que ganen"?

14 ¿Quién viaja?

Piense en otra profesión que requiera viajar mucho. Un/a amigo/a le comenta que quiere hacer este tipo de trabajo. Escríbale un correo diciéndole lo que Ud. piensa.

- Hable sobre las ventajas y desventajas de esta profesión.
- Dígale si es necesario que hable otros idiomas y explique por qué.
- Sugiérale otra profesión que requiera viajar menos.

Cita

El mundo es un libro, y los que no viajan leen solamente una página.
—San Agustín (354–439), obispo, filósofo y Padre de la Iglesia Latina

¿Está de acuerdo con lo que dice? ¿Por qué? Hable sobre sus experiencias o las de alguien conocido con un/a compañero/a.

¡Dato curioso!

Uno de los medios de transporte más populares en Argentina es el "colectivo". Aunque haya más de cien líneas diferentes de autobuses en Buenos Aires, cada uno tiene un color distinto según la línea que sea. Otro tipo de autobús —aunque más caro— es el "diferencial", donde ofrecen aperitivos y bebidas, y puede hasta tener asientos reclinables y aseo.

15 Familia de palabras

Complete la tabla con el verbo, sustantivo o adjetivo apropiado y la traducción correspondiente.

Verbos		Sustantivos		Adjetivos	
aspirar	to aspire	_____	aspiration, ambition	X	
beneficiar	_____	_____	benefit	_____	useful, beneficial
_____	to cross	_____	crossing	cruzado	crossed
decepcionar	_____	_____	disappointment	decepcionante,	
desarrollar	_____	_____	development	decepcionado	_____
_____	to descend, fall	el descenso	fall	_____	developed
_____	to lead, head	el encabezamiento, el encabezado	heading	descendente	descending
impulsar	to promote, stimulate	_____	impulse, stimulus	X	
ingresar	to come in, enter	_____	entry, admission	impulsivo	impulsive
mover	_____	el movimiento		X	
_____	to protect	_____	protection	_____ , movible	mobile, movable
_____	to separate	_____	separation		protective
				separado, separatista	separated, separatist
sorprender	_____	_____		_____	surprising
transportar	to transport; to take	_____	transportation	transportable	
vivir	_____	_____	life	_____	alive

16 ¿Verbo, sustantivo o adjetivo? 🔍

Complete las oraciones usando la forma correcta de las palabras que aparecen en la tabla, ya sea verbo, sustantivo o adjetivo. En el caso del sustantivo puede que necesite artículo. Siga el modelo.

MODELO Desgraciadamente, el gobierno no se preocupa de ___ (*vivir*) digna de ese grupo étnico.
    <u>la vida</u>

1. Manifestó ante la multitud que admiraba el valor de quienes dejaban sus países porque ___ (*aspirar*) a una vida mejor.
2. La compañía aérea está actualmente promocionando ___ (*beneficiar*) de tener una tarjeta de fidelidad con ellos.
3. Parece ser que hubo un accidente grave en ___ (*cruzarse*) que hay por aquí cerca.
4. La nueva cadena hotelera de origen alemán ha despertado reacciones que van desde la ilusión hasta la completa ___ (*decepcionar*). Compruébelo visitando el foro de clientes.
5. La mayoría de los sociólogos que he tenido ocasión de conocer, defienden la importancia de los inmigrantes en ___ (*desarrollar*) de la parte norte del país.
6. Según los últimos estudios, hace unos años ___ (*descender*) el número de estudiantes que viaja con esa agencia de viajes.
7. Puerto Vallarta ___ (*encabezar*) la lista de los principales destinos en la costa de México.
8. No le dieron el trabajo a Juan como auxiliar de vuelo por considerarlo una persona demasiado ___ (*impulsar*) y con gran dificultad para controlar sus emociones.
9. No olvide de leer las condiciones de ___ (*ingresar*) para ciudadanos con nacionalidad puertorriqueña.
10. Gracias a la tecnología, especialmente al uso del teléfono ___ (*mover*), la distancia y el tiempo dejaron de ser un problema en su profesión.

11. En esta zona existían numerosas áreas ___ (*proteger*) pero ha costado mucho que sean respetadas tanto por los gobiernos, como por la misma población.

12. Hace poco leí en la prensa sobre un juicio muy famoso en el que una aerolínea hizo que una madre de nacionalidad argentina viajara ___ (*separar*) de su hijo de diecinueve meses. ¡No me lo puedo creer!

13. Es ___ (*sorprender*) que esa línea aérea no haya aumentado las tarifas.

14. Van a tener que hacer algo con el problema del ___ (*transportar*) en esta ciudad. Hoy he tardado una hora y media en llegar.

15. Después de nuestro viaje a Brasil, ya pude apreciar cómo ___ (*vivir*) los indígenas de ese país.

17 Un viaje peligroso

Échele una ojeada al pasaje que sigue para ver de qué se trata, prestando atención a las palabras en azul, ya que se le harán preguntas sobre su significado después. Luego lea el artículo y decida cuál de las dos palabras entre paréntesis es la correcta para completar cada oración y escríbala.

Con el miedo al mar en el cuerpo

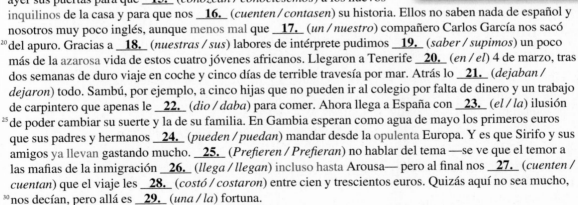

Ellos tuvieron suerte, otros no __1.__ (*pueden / puedan*) contarlo. Sambú, Sirifo, Jerry y Ansu lo tienen claro: no __2.__ (*vuelvan / volverían*) a cruzar el Atlántico en patera. La experiencia __3.__ (*fue / era*) tan dura que les ha dejado huella. Pero ahora no piensan en __4.__ (*vuelven / volver*). De ⁵momento __5.__ (*conseguían / han conseguido*) llegar a España y ya __6.__ (*duermen / duerman*) y __7.__ (*coman / comen*) caliente. Ahora les __8.__ (*queda / quedan*) por delante la difícil tarea de conseguir un trabajo. En principio todos miran al otro extremo del país. Hacia Girona y Barcelona donde __9.__ (*residen / residan*) sus familiares y amigos y donde tienen ¹⁰más posibilidades de conseguir un empleo. Será en condiciones de miseria pero, en __10.__ (*ellas / sus*) circunstancias, sin papeles y con __11.__ (*un / una*) orden de expulsión a la espalda, a poco más __12.__ (*pueden / puedan*) aspirar.

Mientras no alcanzan su El Dorado, __13.__ (*el / los*) cuatro gambianos ¹⁵descansan ya en el centro de acogida que Cáritas tiene en Vilaxoán. Francisco Rodríguez y Manuel Castroagudín nos __14.__ (*abrían / abrieron*) ayer sus puertas para que __15.__ (*conozcan / conociésemos*) a los nuevos inquilinos de la casa y para que nos __16.__ (*cuenten / contasen*) su historia. Ellos no saben nada de español y nosotros muy poco inglés, aunque menos mal que __17.__ (*un / nuestro*) compañero Carlos García nos sacó ²⁰del apuro. Gracias a __18.__ (*nuestras / sus*) labores de intérprete pudimos __19.__ (*saber / supimos*) un poco más de la azarosa vida de estos cuatro jóvenes africanos. Llegaron a Tenerife __20.__ (*en / el*) 4 de marzo, tras dos semanas de duro viaje en coche y cinco días de terrible travesía por mar. Atrás lo __21.__ (*dejaban / dejaron*) todo. Sambú, por ejemplo, a cinco hijas que no pueden ir al colegio por falta de dinero y un trabajo de carpintero que apenas le __22.__ (*dio / daba*) para comer. Ahora llega a España con __23.__ (*el / la*) ilusión ²⁵de poder cambiar su suerte y la de su familia. En Gambia esperan como agua de mayo los primeros euros que sus padres y hermanos __24.__ (*pueden / puedan*) mandar desde la opulenta Europa. Y es que Sirifo y sus amigos ya llevan gastando mucho. __25.__ (*Prefieren / Prefieran*) no hablar del tema —se ve que el temor a las mafias de la inmigración __26.__ (*llega / llegan*) incluso hasta Arousa— pero al final nos __27.__ (*cuenten / cuentan*) que el viaje les __28.__ (*costó / costaron*) entre cien y trescientos euros. Quizás aquí no sea mucho, ³⁰nos decían, pero allá es __29.__ (*una / la*) fortuna.

De momento, Sambú y __30.__ (*su / sus*) compañeros pasarán unos días en la casa de San Cibrán, compartiendo vida con otras personas sin hogar entre los __31.__ (*quienes / cuales*) hay, también, inmigrantes como ellos. Franklin y Sadu ya llevan una temporadita allí, de modo que __32.__ (*puedan / podrán*) enseñarles cómo funciona el centro. Cáritas da comida, ropa, cobijo y cariño pero también tiene un fantástico ³⁵invernadero y una hermosa huerta en la que __33.__ (*hay / haya*) mucho por hacer. Lo próximo que toca es plantar patatas, así que no sería raro ver a Jerry y Ansu con el *sacho* en la mano.

www.lavozdegalicia.es

18 ¿Qué significa?

Mire las palabras de la primera columna, que aparecen en la lectura anterior, y busque su traducción en la segunda columna.

1. tenerlo claro
2. dejar huella
3. quedar por delante
4. conseguir
5. residir
6. aspirar
7. alcanzar
8. acogida
9. inquilino
10. menos mal
11. azaroso
12. opulento
13. ya llevar
14. incluso hasta
15. compartir
16. temporadita
17. de modo que
18. funcionar
19. cobijo
20. raro

a. to live
b. risky
c. welcome
d. to work
e. shelter
f. so that
g. to already have
h. to reach
i. even to
j. to obtain
k. affluent
l. to seek to accomplish
m. resident
n. strange
o. to understand
p. to leave a mark
q. to lie ahead
r. to share
s. short period of time
t. thank goodness

19 En sus propias palabras

Haga un resumen oral o por escrito de lo que acaba de leer.

20 Los inmigrantes

Échele una ojeada al artículo que sigue para ver de qué se trata, prestando atención a las palabras en azul. Decida qué forma de las palabras entre paréntesis es la correcta y escríbala. No se olvide de escribir y acentuar las palabras correctamente.

Nuestra buena gente

Hablar sobre los inmigrantes es oscilar entre dos extremos

Los manifiestos públicos sobre los extranjeros que han __1.__ (*llegar*) a vivir en este país __2.__ (*ir*) de un lado a otro: o se __3.__ (*hacer*) discursos grandiosos y casi siempre muy generales indicando lo beneficiosos que __4.__ (*ser*) para esta sociedad, o se __5.__ (*el*) denigra indicando __6.__ (*el*) que roban, __7.__ (*el*) que quitan, __8.__ (*el*) que consumen
5 en servicios públicos.

Pero cada día, en __9.__ (*este*) ciudad (y en muchas otras), __10.__ (*mil*) de inmigrantes trabajan. Y no __11.__ (*el*) hacen sólo en el campo, en la fábrica, en el restaurante o en __12.__ (*el*) esquina. También __13.__ (*ser*) maestros, científicos, artistas, escritores, religiosos, periodistas y __14.__ (*tanto*) otras profesiones que no __15.__ (*pertenecer*) a
10 __16.__ (*ninguno*) grupo o raza en particular.

www.laopinion.com

21 ¿Cuál no está relacionada?

Mire las palabras a continuación. De cada grupo de cuatro, escoja la que no esté relacionada con la palabra del artículo anterior.

1. oscilar
   a. variar
   c. fluctuar
   b. oponer
   d. vacilar

2. extranjero
   a. nacional
   c. extraño
   b. ajeno
   d. remoto

3. beneficioso
   a. provechoso
   c. costoso
   b. útil
   d. benéfico

4. denigrar
   a. difamar
   c. denotar
   b. desacreditar
   d. calumniar

5. pertenecer
   a. ser de
   c. ser aceptado
   b. corresponder
   d. provocar

6. ninguno en particular
   a. todos
   c. ningunos
   b. ni uno solo
   d. nadie

22 Lea, escuche y escriba/presente

Vuelva a leer el texto completo de "Nuestra buena gente". Luego escuche la grabación "Inmigrantes y mercado laboral" y tome las notas necesarias. Escriba un ensayo o haga una presentación en clase desde el punto de vista de un inmigrante, y sugiera algunas soluciones para el problema de la falta de trabajo en su país. Puede consultar otras fuentes, pero cite todas debidamente.

Refrán

Más vale lo malo conocido, que lo bueno por conocer.

 ¿Está de acuerdo con este refrán? ¿Piensa que se puede aplicar a la vida de un inmigrante? ¿Cree que puede aplicarlo a otros contextos que no estén relacionados con viajar? Dé ejemplos y compártalos con un/a compañero/a.

¡Dato curioso!

Es tradición arrojarle arroz a los novios. Esto comenzó en una época de escasez, cuando se lo tiraba a los jóvenes para desearles que tuvieran suficiente alimento y prosperidad. En Babilonia y Mesopotamia echaban dulces a los esposos frente a la puerta de su nuevo hogar, para compartir con ellos lo dulce y lo bueno que puede ofrecer la vida en pareja.

23 Un turista 📖

Échele una ojeada al artículo que sigue para ver de qué se trata. Fíjese bien en las palabras en azul porque se le harán preguntas sobre ellas. Luego decida cuál de las dos palabras entre paréntesis es la correcta para completar cada oración y escríbala.

Tribulaciones de un turista en Shangai

En __1.__ (*a / un*) reciente viaje organizado a China, viví muchas anécdotas por culpa de las diferencias __2.__ (*de la / del*) idioma. En __3.__ (*las / los*) calles de Shangai, muchos letreros no __4.__ (*son / están*)
⁵escritos en inglés sino en un ininteligible mandarín. Era verano y hacía mucho calor de bochorno. Me __5.__ (*entró / tuve*) sed y le dije al guía que me separaba un momento del grupo __6.__ (*por / para*) entrar en una tienda a comprar una botella de
¹⁰agua. "¿Necesita ayuda?", dijo amablemente el encargado de la agencia de viajes. "No __7.__ (*hace / es*) falta, ya llevo un diccionario", indiqué. Entré en la tiendecilla y pedí agua al venerable anciano que estaba sentado en el mostrador junto
¹⁵a unos nietos. "Shuí", pronuncié muy despacio __8.__ (*al / mientras*) leía la palabra en el diccionario. El hombre sonrió, se metió en un rincón y volvió con unas frutas. "Shuî gûo", contestó con una sonrisa. __9.__ (*Tuve / Puse*) cara de decepción y
²⁰repetí "Shuí".
El viejo y los nietos asintieron y rebuscaron en unas estanterías. Pero __10.__ (*trajo / volvió*) con unas gafas de sol. "Shuí", insistió __11.__ (*en / con*) una sonrisa cortés. Desesperado, abrí el frigorífico
²⁵y tomé una botella de agua mineral. "Shuí", aclaré

mientras la ponía en el mostrador. __12.__ (*Un / El*) dependiente y los niños mostraron una cara __13.__ (*de / con*) sorpresa y luego se __14.__ (*les / los*) iluminó el rostro. No paraban __15.__ (*X / de*) reír y
³⁰de repetir "Shuí". __16.__ (*Con / Sin*) entender nada, puse un billete grande en su mano y, tras hacer una reverencia, me marché con mi botella. __17.__ (*El / La*) guía me explicó que gafas, fruta o agua __18.__ (*se / los*) pronuncian parecido pues sólo
³⁵varía el acento, que puede ser ascendente, descendente o plano. __19.__ (*Solo / Sólo*) un nativo es capaz de apreciar la diferencia. __20.__ (*Todas / Todos*) los días se aprende algo nuevo.

www.europamochila.es

24 ¿Cuál no pertenece? 🔍

Mire las palabras a continuación. De cada grupo de cuatro, escoja la que no esté relacionada con la palabra de la lectura.

1. reciente
   a. ayer
   b. esta mañana
   c. hace años
   d. hace poco

2. por culpa de
   a. por error
   b. en nombre de
   c. debido a
   d. culpable

3. letrero
   a. licenciado
   b. aviso
   c. anuncio
   d. cartel

4. ininteligible
   a. poco claro
   b. muy inteligente
   c. difícil de comprender
   d. sin mucho sentido

5. mostrador
   a. que molesta
   b. tablero
   c. que muestra
   d. mesa

6. rincón
   a. lugar
   b. esquina
   c. ritmo
   d. sitio

7. cortés
   a. bien educado
   b. amable
   c. agradable
   d. antipático

8. desesperado
   a. muy molesto
   b. disgustado
   c. sin esperanza
   d. muy feliz

9. billete
   a. libro
   b. moneda
   c. dinero
   d. en efectivo

25 Lea, escuche y escriba/presente

Vuelva a leer el texto completo de "Tribulaciones de un turista en Shangai" y luego escuche la grabación "El bilingüismo le da seguridad". Tome notas de las dos fuentes y escriba un ensayo o haga una presentación en clase sobre "Los desafíos de viajar a un país donde no hablen su idioma". No se olvide de citar las fuentes debidamente.

26 Las tradiciones

Échele una ojeada a la siguiente lectura para ver de qué se trata. Luego decida cuáles son las palabras que mejor completan cada oración y escríbalas. No se olvide de escribir y acentuar las palabras correctamente.

Las uvas de la suerte

__1.__ muchas tradiciones __2.__ se han llevado a cabo en un país o región durante años, pero hay __3.__ que son más recientes de __4.__ que creemos o que han tenido un origen muy diferente __5.__ que nos imaginábamos. Es el caso de
⁵las uvas de fin de año, que se ha convertido en una de las tradiciones más esperadas en España. Me contaron que __6.__ origen en este caso no fue ni cultural ni religioso, __7.__ que fue más bien económico. A __8.__ del siglo XIX los productores de uvas no sabían qué hacer con un excedente
¹⁰que tuvieron ese año. Un grupo de empresarios __9.__ una original idea, creando __10.__ tradición que se continúa desde entonces. Hoy en día todos celebran esta costumbre, que consiste __11.__ tomarse estas doce uvas al son de las campanadas para __12.__ buena suerte el resto del año. Yo me río __13.__ estas cosas, y más ahora que me he enterado __14.__ cómo surgió. No obstante cumplo con la tradición ya que tampoco me atrevo
¹⁵ __15.__ no tomarlas. Por lo tanto todos los años, en Noche Vieja, una a una me __16.__ tomo todas bien calladita... por si acaso. ¿Y __17.__ fuera verdad?

27 Lea, escuche y escriba/presente

Vuelva a leer el texto completo de "Las uvas de la suerte" y luego escuche la grabación "El luto en diferentes países". Tome notas de las dos fuentes y escriba un ensayo o haga una presentación en clase sobre "El origen de las tradiciones". No se olvide de citar las fuentes debidamente.

Cita

Si rechazas las costumbres, tienes miedo de la religión, evitas hablar a la gente y nunca pruebas la comida, mejor quedarte en casa.
—James Michener (1907–1997), escritor estadounidense

 ¿Por qué piensa que pudo haber hecho este comentario? Comparta su opinión con un/a compañero/a.

¡Dato curioso!

Dicen que hace un tiempo en Santo Domingo cuando una persona moría y su féretro cruzaba la calle, las personas tiraban agua a la calle por si el difunto había muerto con sed.

28 Antes de leer

¿Su familia siempre ha vivido donde vive ahora? ¿Se ha mudado en alguna ocasión? ¿De dónde? ¿Cuáles son los motivos por los que una familia se muda a otro lugar o a otro estado? Cuando alguien se muda, ¿qué cree que es lo que suele hacer para adaptarse mejor? ¿Le gustaría vivir en otro lugar? ¿Adónde se iría a vivir? ¿Qué haría para adaptarse mejor a la nueva situación? ¿Cree que le costaría hacerlo? ¿Por qué?

29 Una carta

Lea con atención el pasaje que sigue, que es parte del guión de la película *Spanglish*. Fíjese en las palabras en azul, ya que le ayudarán a comprender la lectura y luego se le harán preguntas sobre ellas.

Para el Decano de Admisiones.
Universidad de Princeton

La persona más influyente: mi mamá. Sin comparación.

Creo que he estado preparándome para esta redacción desde hace... doce años, en México, el día en que mi papá se fue.

Tanta era la necesidad de mi mamá de protegerme, que no me dejaba verla llorar. El truco consistía en superarlo cuanto antes y lo más a solas posible. Tanta era mi
⁵necesidad de protegerla a ella, que yo siempre fingía que no la oía.

Mi mamá me retuvo en México todo el tiempo que pudo para arraigarme en todo lo latino hasta que por fin vio llegar nuestra última oportunidad para cambiar.

Nos iríamos a Estados Unidos. "No más de una lágrima. No más de una... una... pero bien 'llorá'".

¹⁰Ella sería mi México. Como esta solicitud de admisión es un documento público diré simplemente que nuestro viaje a los Estados Unidos lo hicimos en... tercera clase.

Para poder educarme debidamente mi mamá necesitaba toda la seguridad posible de su propia cultura. Así que pasamos de largo Texas, con sólo el 34 % de hispanos, camino de Los Ángeles, con el 48 % de hispanos.

¹⁵Unos pocos minutos perdidas en un ambiente extranjero y a la vuelta de la esquina, volvíamos a estar en casa.

La prima favorita de mi mamá, Mónica, nos dio cobijo. En los seis años siguientes ninguna de nosotras se aventuró al exterior de nuestra nueva comunidad. Mamá hacía dos trabajos, cobrando un total de 450 dólares a la semana. Y las dos
²⁰hacíamos todo lo posible para que las cosas funcionasen. Estábamos contentas y bien. Ojalá hubiera tenido siempre seis años... pero yo estaba floreciendo y... quedó claro que tendría que dejar su trabajo nocturno para tenerme vigilada.

A los pocos días se dirigía a una entrevista de trabajo. Necesitaba 450 dólares de un sólo empleo y eso significaba que después de estar tanto tiempo en Estados
²⁵Unidos, por fin entraba en una tierra extranjera.

Cristina Moreno

30 ¿Cuál es la palabra?

Mire las palabras de la primera columna, que aparecen en la lectura anterior, y busque su traducción en la segunda columna.

1. decano
2. influyente
3. redacción
4. dejar ver
5. consistir en
6. cuanto antes
7. fingir
8. arraigarse
9. solicitud
10. propio
11. pasar de largo
12. cobrar
13. todo lo posible
14. entrevista

a. to pretend
b. application
c. to charge
d. own
e. to pass through
f. dean
g. everything possible
h. interview
i. as soon as possible
j. influential
k. to consist of
l. written piece
m. to take root
n. to allow to see

31 ¿Ha comprendido?

1. ¿Qué edad tiene Cristina Moreno?
2. ¿Por qué sentía la madre de Cristina Moreno la necesidad de protegerla?
3. ¿Cómo cree Ud. que llegaron a Estados Unidos?
4. ¿Cómo encontraron la seguridad que iban buscando en Estados Unidos? ¿Por qué era tan esencial para su madre?
5. ¿Cuánto tiempo se quedaron con Mónica?
6. Explique el significado de la última oración: "...eso significaba que después de estar tanto tiempo en Estados Unidos, por fin entraba en una tierra extranjera".
7. En esta carta que escribe para el decano hay muchas connotaciones culturales. Nómbrelas.
8. ¿Qué empleo piensa Ud. que termina consiguiendo la madre de Cristina? ¿Qué otras posibilidades hay para un extranjero que no sepa hablar inglés muy bien?

32 Lea, escuche y escriba/presente

Vuelva a leer el guión de la película *Spanglish* y luego escuche la grabación "Entre dos mundos". Tome notas de las dos fuentes y escriba un ensayo o haga una presentación en clase sobre el siguiente tema: "Viviendo entre dos culturas". No se olvide de citar las fuentes debidamente.

33 Antes de leer

¿Cuáles son los destinos más populares de los turistas estadounidenses? ¿Cuál cree Ud. que es el medio de transporte preferido por los estadounidenses? ¿Y por su familia? ¿Y por Ud.? ¿Suele Ud. comprar algún recuerdo cuando viaja? ¿Cuál? ¿Quiénes se benefician del turismo? ¿Quiénes se perjudican?

Lea con atención el siguiente artículo y use el contexto para descubrir el significado de las palabras en azul, ya que se le harán preguntas sobre ellas.

Estadísticas El año pasado visitaron la ciudad y las provincias del departamento 169.173 turistas, es decir un 26,5 por ciento más que en 2004 cuando la cantidad de visitantes llegó a 133.294.

Turismo reportó altas ganancias este año; esperan un año similar

La práctica del turismo en Cochabamba generó un movimiento económico aproximado de 11,4 millones de dólares durante la gestión este año y se constituyó en una de las principales actividades generadoras de [5] empleo.

Representantes del sector prevén que el próximo año el rubro experimente también buenas ganancias, especialmente por la estabilidad.

[10] Según estadísticas de la Unidad de Turismo de la Prefectura, del total de ingresos percibidos por la actividad turística, el rubro de la hostelería se benefició con 27,2 por ciento, alimentos con 15,9 por ciento, transporte con 13,7, artesanías con 10,6, recreación con 12,9 y otros, como el [15] comercio, con el 19,7 por ciento.

El año pasado llegaron a la ciudad y a las provincias del departamento 169.173 turistas (32.545 extranjeros y 136.628 nacionales), es decir un 26,5 por ciento más que en [20] 2004 cuando la cantidad de visitantes fue de 133.294 (22.827 extranjeros y 110.467 nacionales).

Considerando que los visitantes tienen una permanencia promedio de dos noches y [25] realizan un gasto promedio diario de 50 dólares los extranjeros y 30 dólares los nacionales, se establece que el turismo dejó un beneficio neto de $11,4 millones para el departamento, sin tomar en cuenta el movimiento [30] económico generado por el turismo familiar o comunitario, muy frecuente en los últimos años.

Esta última modalidad turística capta visitantes extranjeros y nacionales en viviendas familiares de la ciudad o comunidades campesinas de las provincias, [35] con un promedio de permanencia que supera los cinco días y gastos promedio día de 25 a 30 dólares, que van en directo beneficio de los anfitriones, que les proporcionan hospedaje y alimentación a precios módicos.

[40] No existen estadísticas sobre la cantidad de visitantes y el movimiento económico que genera este tipo de turismo, pero se estima que uno de cada 10 turistas que llega a Cochabamba opta por el turismo comunitario o solidario, que es impulsado por varios [45] municipios de las 16 provincias del departamento.

El jefe de la Unidad de Turismo de la Prefectura, Salvador Lobo, dice que este año la afluencia de turistas puede fácilmente registrar un crecimiento mayor al 30 por ciento, considerando que todos los [50] indicadores económicos, sociales e incluso políticos son favorables, para convertirse en una de las principales actividades generadoras de empleo y movimiento económico en Cochabamba y el país.

Laguna en Pairumani (Cochabamba)

Entre los indicadores mencionó la estabilidad social, la [55] transitabilidad de las carreteras, la capacidad hotelera instalada en la ciudad y el trópico de Cochabamba, la cada vez mayor conciencia en autoridades municipales sobre la incidencia del turismo en el desarrollo regional, el clima y la variedad de comidas, [60] la diversidad de pisos ecológicos, la arquitectura colonial de las provincias, la arqueología incaica y más de 1.000 atractivos.

www.lostiempos.com

35 ¿Qué palabra es? 🔍

Complete las oraciones con la palabra apropiada del recuadro. Escriba el artículo cuando sea necesario.

por ciento	según	alimentos	promedio de
beneficio neto	precios módicos	crecimiento	

1. ___ los expertos, el turismo ha mejorado este año.
2. Los turistas pasan ___ una semana en las playas.
3. ___ de los productos les atraen a los consumidores.
4. Mi negocio va muy bien. Tuve ___ de más de $75.000. Es casi el cincuenta ___ más de lo que gané el año pasado.
5. En aquel país, casi todos ___ son importados.
6. ___ de la economía ha ayudado a muchos trabajadores a vivir mejor que sus padres.

36 ¿Ha comprendido?

1. ¿Por qué se esperan buenas ganancias para la economía de Cochabamba?
   a. Porque vendrá un mayor número de turistas
   b. Porque el crecimiento se mantendrá estable
   c. Porque en este año habrá más empleo
   d. Por la nueva gestión de la economía

2. ¿Qué actividad se benefició más del turismo?
   a. Las actividades de ocio
   b. El sector hotelero
   c. Los medios de transporte
   d. El comercio de artesanía

3. ¿Qué grupos turísticos generan, con total seguridad, mayor riqueza en Cochabamba?
   a. El nuevo turismo familiar
   b. Los turistas que provienen del mismo país
   c. Los visitantes de otros países
   d. Los turistas que pernoctan dos noches

4. ¿Por qué la afluencia de turismo superará el 30%?
   a. Porque generará más empleo
   b. Porque existen favorables indicadores económicos, políticos y sociales
   c. Por la mejora en las infraestructuras, el clima y la diversidad de pisos ecológicos
   d. Las respuestas b y c

5. ¿Parece positiva la incidencia de turistas en Cochabamba?
   a. No para las autoridades municipales
   b. Sí, por generar empleo
   c. Sí, porque ayuda a mover la economía del país
   d. Las respuestas b y c

37 ¿Cuál es la pregunta? 🔍

Escriba una pregunta lógica, según el artículo que acaba de leer, para estas respuestas.

1. 50 dólares
2. 26.5 más
3. Generar empleo
4. 11,4 millones de dólares

38 Lea, escuche y escriba/presente 👥

Vuelva a leer el texto sobre el turismo en Cochabamba y luego escuche la grabación "España aumenta un 6% la llegada de turistas extranjeros en el primer semestre, con 25,5 millones". Tome las notas necesarias de las dos fuentes y escriba un ensayo o haga una presentación en clase contestando la pregunta, "¿Qué influencia tiene el turismo en la economía de un país?" No se olvide de citar las fuentes debidamente.

39 Antes de leer 👥

¿Qué sabe Ud. de las poblaciones indígenas? ¿Cree que existen muchos grupos indígenas en la actualidad? ¿Piensa que hay alguno que no ha sido influenciado por las civilizaciones occidentales? ¿Cómo se benefician y cómo se perjudican estas poblaciones con la influencia de la cultura occidental?

Dos amigos ecuatorianos

Una familia ecuatoriana

Un niño peruano

Lea con atención el artículo que sigue y fíjese en las palabras en azul, usando el contexto y lo que sabe de cognados para descubrir su significado, ya que se le harán preguntas sobre ellas.

Los indígenas: los sacrificados

Son aproximadamente el 5% de la población mundial, y están en franca desventaja frente al empuje arrollador de la cultura occidental (A). A pesar de ser pocos, representan más del 90% de la ⁵diversidad cultural de nuestro planeta. En medio de la tempestad, tratan de mantener su modo de vida, su cultura, su identidad. Muchos de ellos conservan costumbres que desde el mundo que se autodenomina "civilizado" calificamos como ¹⁰ancestrales o primitivas. Desde occidente se observa con curiosidad —y con impertinencia a veces— sus pinturas corporales, sus plumas y abalorios, sus rituales y sus tradiciones. Se estudian sus leyendas, sus mitos y sus ¹⁵comportamientos. Valoran sobremanera la fuerza del grupo porque son conscientes de que sólo así es posible sobrevivir. Los yanomamis no comprenden la avaricia. Los esquimales no sabrían vivir sin un profundo sentido de la ²⁰solidaridad (B). Y se cuenta que en Borneo, los penan tienen una sola palabra para designar los conceptos "él", "ella" y "ello", sin embargo tiene seis formas distintas de referirse a "nosotros". ¿Qué forma de vida se esconde detrás de eso? ²⁵¿Qué podrían enseñarnos sobre la relación con los demás?

Lo cierto es que es imposible trazar características en común. Si acaso podría decirse que todos conservan, de formas distintas y en distintas ³⁰intensidades, un mismo tesoro: el contacto con la naturaleza y con la tierra, algo que la cultura occidental ha ido progresivamente perdiendo. La naturaleza es la fuente de todos los remedios que necesitamos, pero su conocimiento está ³⁵lógicamente en manos de quienes no han perdido el contacto con la tierra (C). Empresas de varios sectores han visto en este conocimiento la gallina de los huevos de oro, una incalculable fuente de beneficios con un coste ridículo. Por ⁴⁰eso las multinacionales persiguen la sabiduría indígena, por los enormes beneficios que ello les reporta. Para elaborar un medicamento, un laboratorio necesita experimentar con alrededor de 10.000 plantas. Cuando echa mano del ⁴⁵conocimiento de las tribus del Amazonas, o de Papúa Nueva Guinea, se elabora un fármaco por cada dos plantas que estudia, con la consiguiente multiplicación de las ganancias. Desde anticonceptivos hasta neutralizadores de ⁵⁰veneno de serpientes, desde anticancerígenos hasta laxantes. La naturaleza es la farmacia más completa (D), si se sabe dónde buscar. Muchas organizaciones en todo el mundo luchan por preservar estas civilizaciones, ayudándoles a ⁵⁵mantener sus derechos frente al empuje del mercado.

www.revistafusion.com

41 ¿Qué significa?

Empareje las palabras de la primera columna con su definición o sinónimo en la segunda columna.

1. aproximadamente
2. franca
3. desventaja
4. empuje arrollador
5. identidad
6. conservar
7. ancestral
8. abalorios
9. valorar
10. sobremanera
11. avaricia
12. trazar
13. si acaso
14. remedio
15. la gallina de los huevos de oro
16. ridículo
17. echar mano
18. fármaco

a. solución
b. absurdo
c. excesivamente
d. tener en estima
e. tal vez
f. más o menos
g. de los antepasados
h. gran ventaja
i. medicina
j. sincera
k. ayudar
l. adornos
m. describir
n. gusto por acumular riquezas
o. guardar
p. prejuicio
q. gran fuerza
r. descripción

42 ¿Ha comprendido?

1. ¿Cómo se encuentra la población indígena en el mundo?
   a. Intentan preservar su civilización frente al abuso occidental.
   b. Tienen una ventaja con Occidente de un 90%.
   c. Intentan influir en la cultura occidental.
   d. Son pocos pero están en una situación ventajosa.

2. ¿Cuál es su idea de supervivencia?
   a. Piensan que el individuo es el centro de la cultura.
   b. No usan la avaricia para acumular riqueza.
   c. Refuerzan la idea de comunidad y grupo frente al individualismo.
   d. Se encomiendan a la divinidad en sus rituales.

3. ¿Existe algún aspecto que compartan todos los indígenas del planeta?
   a. No es posible encontrar un rasgo en común.
   b. No, entienden el mundo de forma diferente.
   c. Sí, comparten una oposición al mundo occidental.
   d. Sí, comparten un acercamiento al mundo natural.

4. Según el texto, ¿cuál es la posición de las compañías farmacéuticas?
   a. Intentan encontrar nuevas soluciones acudiendo al mundo indígena.
   b. Les interesa encontrar la fórmula indígena para ahorrar costes.
   c. Utilizan los métodos de los indígenas aunque tengan menos ganancias.
   d. No existe una conexión entre el mundo indígena y el mundo globalizado.

5. ¿Por qué recurren al mundo indígena las compañías farmacéuticas?
   a. Amplían sus ganancias con los conocimientos indígenas.
   b. El mundo natural es más eficaz.
   c. Con los conocimientos, los indígenas ganan en rentabilidad.
   d. Las compañías ayudan al desarrollo indígena.

43 ¿Dónde va? 🔍

La siguiente frase se puede añadir a "Los indígenas: los sacrificados": *mientras que nosotros cada vez la cuidamos menos*. ¿Dónde encajaría mejor la frase?

1. Posición A, línea 3
2. Posición B, línea 20
3. Posición C, línea 36
4. Posición D, línea 52

44 Lea, escuche y escriba/presente

Vuelva a leer "Los indígenas: los sacrificados" y luego escuche la grabación "Conocer el mundo". Tome las notas necesarias de las dos fuentes y escriba un ensayo o haga una presentación en clase contestando estas preguntas: "¿La creencia de un pueblo es fruto de su cultura? ¿Qué sucede con la cultura de un país o región cuando llegan personas con otras tradiciones y culturas?" No se olvide de citar las fuentes debidamente. Póngale un título original al ensayo.

Cita

Para conocer a la gente hay que ir a su casa.
— Johann Wolfgang Goethe (1749–1832), poeta, novelista y dramaturgo alemán

¿Cree que solamente podemos llegar a conocer a las personas en su país? ¿Por qué? ¿A qué se debe? Hable sobre sus experiencias o las de alguien conocido.

¡Dato curioso!

Es una tradición entre los indígenas guaraníes en Bolivia que el pretendiente de una joven trabaje durante un año para su futuro suegro antes de poder casarse.

45 Benditos sean los animales

**Lea las preguntas primero y después escuche la grabación
"Benditos sean los animales". Luego conteste las preguntas.**

1. Escriba el nombre de cinco animales que nombran en la grabación.
2. ¿Qué tipo de celebración es?
3. ¿Desde cuándo se celebra?
4. ¿Cuál es el animal que normalmente encabeza la procesión?
5. ¿Qué animales eran los más escandalosos?
6. ¿Participaba algún político?
7. ¿Por qué se celebra esta tradición?

46 Lenguas perdidas

**Lea las posibles respuestas primero y después escuche la grabación "Lenguas perdidas".
Escoja la mejor respuesta para cada pregunta que escuchará en la grabación.**

1. (Pregunta que escuchará en la grabación.)

   a. Entre 30.000 y 60.000
   b. Entre 3.000 y 6.000
   c. Entre 13.000 y 16.000
   d. Entre 3.000 y 16.000

2. (Pregunta que escuchará en la grabación.)

   a. Un símbolo de una cultura pero no necesariamente un medio de comunicación
   b. Un medio de comunicación pero no es importante para la cultura
   c. Una cultura que quizás se olvide
   d. Un medio de comunicación y un símbolo de una cultura

3. (Pregunta que escuchará en la grabación.)

   a. Entre 13.000 y 60.000
   b. Sólo veinte
   c. Más de seis mil
   d. Unas seis mil

4. (Pregunta que escuchará en la grabación.)

   a. Unas 3.000
   b. 6.000
   c. Sólo veinte
   d. Más de 100.000

5. (Pregunta que escuchará en la grabación.)

   a. Porque lo hablan millones de personas
   b. Porque lo hablan más de 100.000 personas
   c. Porque tiene su origen en el esperanto
   d. Porque tiene una gramática fácil y por Internet

6. (Pregunta que escuchará en la grabación.)

   a. Que sus hablantes nunca aprenderán inglés
   b. Que estarán más protegidas y se harán más fuertes
   c. Que tendrán más riesgo de desaparecer
   d. Que terminarán siendo salvadas por la tecnología

47 Participe en una conversación 💿

Ud. va a participar en una conversación. Primero lea la descripción de la conversación y piense en algunas palabras o expresiones que le serían útiles. Organice sus ideas, haciendo predicciones sobre lo que se le pueda preguntar o comentar. Una descripción de lo que va a escuchar aparece abajo en color. Participe en la conversación grabando las respuestas o escribiéndolas en su cuaderno.

Escena: Ud. es una persona muy conocida y por su posición tiene que viajar mucho. Hoy, le hacen una entrevista en un programa de televisión.

El presentador:	En un programa de televisión el presentador le pide algo.
Ud.:	• Conteste.
	• Dele la información que le pide.
El presentador:	Sigue la conversación. Le hace una pregunta.
Ud.:	• Conteste su pregunta.
	• Cuente una anécdota muy corta.
El presentador:	Sigue la conversación. Le hace una pregunta.
Ud.:	• Háblele sobre sus preferencias. Explique las razones.
El presentador:	Sigue la conversación. Le hace otra pregunta.
Ud.:	• Contéstele y dele detalles sobre lo que le pide.
El presentador:	Sigue la conversación y le pide algo.
Ud.:	• Haga un comentario e intente usar una expresión que ha aprendido o repasado en esta lección.

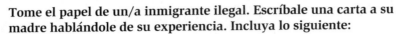

¡A escribir!

48 Texto informal: una carta

Tome el papel de un/a inmigrante ilegal. Escríbale una carta a su madre hablándole de su experiencia. Incluya lo siguiente:

- Háblele de su experiencia para poder llegar a su destino.
- Hable del medio, o de los medios, de transporte que usó.
- Describa su primera impresión de su nuevo destino.
- Despídase.

49 Texto informal: un correo electrónico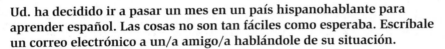

Ud. ha decidido ir a pasar un mes en un país hispanohablante para aprender español. Las cosas no son tan fáciles como esperaba. Escríbale un correo electrónico a un/a amigo/a hablándole de su situación.

- Describa el país en el que está.
- Describa sus primeros días.
- Hable de sus retos y sus miedos.
- Piense en ideas para mejorar la situación.

Consejo

Antes de empezar, lea las pautas para escribir textos informales en la pág. 480 del Apéndice. Mientras escribe el texto tenga presente los objetivos. Cuando termine, verifique que ha cumplido con todo lo que se describe en la lista y reflexione sobre su trabajo.

Consejo

Antes de empezar, lea las pautas para escribir ensayos en la pág. 480 del Apéndice. Mientras escribe el ensayo tenga presente los objetivos, y no se olvide de ponerle un título original. Cuando termine, verifique que ha cumplido con todo lo que se describe en la lista y reflexione sobre su trabajo.

50 Ensayo: estudiar en el extranjero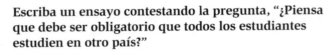

Escriba un ensayo contestando la pregunta, "¿Piensa que debe ser obligatorio que todos los estudiantes estudien en otro país?"

51 Ensayo: la inmigración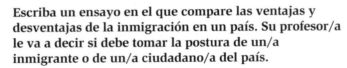

Escriba un ensayo en el que compare las ventajas y desventajas de la inmigración en un país. Su profesor/a le va a decir si debe tomar la postura de un/a inmigrante o de un/a ciudadano/a del país.

52 En parejas

Intercambie sus ensayos con los de un/a compañero/a. Exprésele su opinión sobre el contenido y el uso del idioma.

¡A hablar!

53 Charlemos en el café

Hable con sus compañeros sobre estos temas.

1. ¿Está igualmente aceptado que viaje una madre o un padre por cuestiones laborales? ¿Qué consecuencias tienen estos viajes en la familia?
2. Haga una lista de cinco personas famosas que se ven obligadas a viajar. Hable de los motivos por los que lo deben hacer y su posible impacto en otras personas al viajar.
3. ¿Son todos los inmigrantes tratados por igual? ¿Cuáles serán las razones por las que unos son más aceptados que otros por la sociedad? Explique su respuesta.
4. Cuando Ud. nota que alguien habla con acento extranjero, ¿cómo reacciona? ¿Cómo cree que otras personas reaccionan? ¿Cómo reaccionan otras personas al escuchar su acento en español?
5. ¿Cómo cree que el acento extranjero de una persona influye en la percepción que se tiene de ella?

Clienta mexicana en un supermercado de Estados Unidos

54 ¿Qué opinan?

Converse con un/a compañero/a sobre estas preguntas.

1. ¿Cuáles son las tradiciones más conocidas de los Estados Unidos?
2. ¿Cuáles son las tradiciones más conocidas de otros países?
3. ¿Piensa que en los Estados Unidos se valora el aprendizaje de idiomas? ¿A qué se debe?

55 Presentemos en público 🎙

Hable sobre uno de los siguientes temas durante varios minutos en clase. Organice sus ideas antes de hacer la presentación, busque las palabras necesarias y, después de practicar, presente en clase sin mirar las notas.

1. Hable sobre los retos que tienen los hijos de inmigrantes.
2. Hable sobre el choque entre diferentes culturas. ¿Por qué sucede? Conforme pasa el tiempo, ¿piensa que somos más o menos tolerantes? Proponga una solución al problema de la intolerancia con respecto a otras culturas.
3. Hable sobre los diferentes tipos de turistas.
4. ¿Qué piensa de la globalización y de su impacto en las tradiciones y cultura de un país?

Consejo

Antes de empezar, lea las pautas para presentaciones formales en la pág. 481 del Apéndice. Mientras formula su presentación tenga presente los objetivos. Cuando termine la presentación, verifique que ha cumplido con todo lo que se describe en la lista y reflexione sobre el trabajo que hizo.

Lección 1B   55

56 ¡Manos a la obra!

Trabaje en un grupo de cuatro o cinco estudiantes para llevar a cabo uno de los siguientes proyectos y presentarlo a la clase.

- Investiguen sobre una tradición o fiesta original en un país del mundo hispano. Intenten que sea una no muy conocida por los otros compañeros de clase. Promocionen la tradición o fiesta en su escuela o universidad, e intenten conseguir que venga el máximo número de participantes a verla. Pueden usar carteles, camisetas, concursos, etc. para promocionar la fiesta o tradición.

- Los miembros de su grupo tuvieron que emigrar a otro país. Expliquen en una rueda de prensa los motivos por los que tomaron esta decisión. Hablen de su viaje (pueden mostrar fotos y recuerdos), de los retos, del país donde están ahora y su adaptación al mismo. Prepárense para responder a las preguntas de sus compañeros.

- Hagan una lista de consejos y reglas para ser un buen turista. Preséntenlo en un cartel, un folleto o en PowerPoint.

- Hagan una rueda de prensa en la que hablan de una persona que ha ganado un premio por ser "el/la mejor turista". Expliquen a la clase qué es lo que hizo para merecer dicho premio.

- Piensen en películas o series de televisión donde aparezcan personas de otros países o culturas. Hablen sobre las películas y series y describan los personajes. ¿Cómo son tratados? ¿Son estereotipos de extranjeros? ¿Creen que reflejan el problema del choque cultural? Propongan un tema para una película que refleje lo que han aprendido o repasado en este capítulo.

La tradición del gaucho sigue vigente en Argentina y Uruguay.

Vocabulario

Verbos

alcanzar	to reach
arraigarse	to take root, establish oneself in a place
asentir (ie, i)	to agree, consent
cobrar	to charge
compartir	to share
conmemorar	to commemorate
conseguir (i)	to achieve, obtain
conservar	to conserve, keep
denigrar	to discredit
enfrentar	to face
equivocarse	to be wrong, be mistaken
fingir	to pretend
funcionar	to work
madrugar	to wake up early
oscilar	to oscillate, sway
pertenecer	to belong
perturbar	to disturb
residir	to live, reside
trazar	to outline, describe
valorar	to value

Verbos con preposición

verbo + a:

acostumbrarse a	to get accustomed to
aprender a	to learn to
dirigirse a	to go to, head toward
renunciar a	to resign

verbo + con:

acabar con	to finish off, end
amenazar con	to threaten to/with
soñar (ue) con	to dream about

verbo + de:

aprovecharse de	to take advantage of
despedirse (i) de	to say good-bye to
gozar de	to enjoy
huir de	to run away from
olvidarse de	to forget about
tratar de	to try to

verbo + en:

embarcar en	to embark on smthg
entrar en	to go into
incluir en	to include in/on
meterse en	to get in/into
tardar en	to take time to

verbo + por:

luchar por	to fight for
preocuparse por	to worry about
viajar por	to travel by

Sustantivos

el	abalorio	bead; *pl.*, adornments
la	acogida	welcome, reception
el	antojo	craving
el	beneficio	benefit
el	billete	bill
el/la	campesino/a	agricultural worker; peasant
la	censura	censorship
el/la	ciudadano/a	citizen
el	cobijo	shelter
el	crecimiento	growth
el	decano	(university) dean
el	desfile	parade
la	desventaja	disadvantage
el	dilema	dilemma
el	discurso	speech
la	economía	economy
el	empleo	employment
el	empuje	push, drive
la	entrevista	interview
el	fármaco	medicine
el/la	gobernante	leader
la	igualdad	equality
el	letrero	sign
el/la	líder	leader
la	meta	goal
la	pobreza	poverty
el	rechazo	denial
la	redacción	written piece, writing
el	riesgo	risk
el	rincón	corner
la	solicitud	application

Adjetivos

anual	annual
azaroso, -a	risky
cortés	polite
desesperado, -a	desperate
diario, -a	daily
diurno, -a	morning
influyente	influential
mensual	monthly
módico, -a	moderate
opulento, -a	affluent
propio, -a	own
provechoso, -a	profitable, worthwhile
raro, -a	strange
tanto, -a	so much; *pl.*, so many, as many

Adverbios

apenas	barely
bastante	sufficiently, quite
debidamente	properly
ya no	no longer

Expresiones

el acuerdo de paz	peace treaty
al + infinitivo	on, when + -ing form of verb
al igual que	like, just like
bien educado, -a	well mannered
la crisis económica	economic crisis
cuanto antes	as soon as possible
de modo que	so that
de otra forma	in another way
dejar huella	to leave a trace, mark
en el fondo	deep down
en la mayoría de las ocasiones	most of the time
estar muerto de cansancio	to be dead tired
el golpe de estado	coup
hacer falta	to need
hacerle gracia a uno	to find smthg funny
hacer todo lo posible	to do whatever is possible
(la) mayoría de las veces	most of the time
menos mal	thank goodness
pasar de largo	to pass by (*ignore*)
por ciento	per cent
por culpa de	because of, through the fault of
por desgracia	unfortunately
por lo que	by what
el régimen político	political regime
según	according to
tenerlo claro	to understand (it)

A tener en cuenta

Verbos como *gustar*

aburrir	to bore
agradar	to be pleasing, please
apetecer	to crave, yearn for
bastar	to suffice, be enough
convenir	to suit, be convenient
doler (ue)	to hurt
encantar	to delight, charm
faltar	to lack
fascinar	to fascinate
fastidiar	to bother, annoy
hacer falta	to need
importar	to matter
interesar	to interest
molestar	to bother
parecer	to seem
preocupar	to worry
quedar	to be left
sobrar	to be more than enough, be too much
sorprender	to surprise

Capítulo **2**

Temas

- Cómo se definen y qué valoran
- Cómo viven
- Cómo hablan

¡Gente joven!

Objetivos

Comunicación
- Estar a la moda
- Los valores de los jóvenes
- Cómo se definen los jóvenes
- Las aspiraciones de los jóvenes

Gramática
- *Ser*, *estar* y *haber*
- Verbos reflexivos y construcciones reflexivas
- *Por* y *para*

"Tapitas" gramaticales
- *acabar* + gerundio
- *pero, sino, sino que*

Cultura
- La influencia de la moda
- Los jóvenes en su tiempo libre
- Metas y aspiraciones de los jóvenes
- El lenguaje de la gente joven
- La mayoría de edad

Visite la página Web de *¡A toda vela!* en www.emcp.com

Para empezar

1 Conteste las preguntas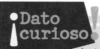

Piense en las respuestas a las siguientes preguntas. Ud. puede tomar notas si lo considera necesario. Cuando termine, compare sus respuestas —pero sin mirar sus notas— con las de un/a compañero/a.

1. ¿Qué suele hacer los fines de semana? ¿Hasta qué hora se queda cuando sale? ¿A qué dedica el domingo?
2. ¿Cree que Ud. cambió mucho cuando llegó a la adolescencia? ¿En qué notó los cambios?
3. ¿Qué tipo de ropa llevan los jóvenes ahora? ¿En qué se diferencia de la ropa que llevan los adultos? ¿Cree que a los mayores les gusta esta moda o que la comprenden?
4. ¿Quiénes están más a la moda? ¿Los quinceañeros, los veinteañeros o los treintañeros?
5. ¿Cómo son los piratas informáticos vistos por su generación?
6. ¿Qué imagen suelen tener los jóvenes de sí mismos?
7. ¿Los jóvenes de su generación tienen más o menos interés en la política que sus padres? ¿A qué se debe?
8. ¿Cómo es el lenguaje de los jóvenes? ¿Cómo se diferencia del lenguaje de sus padres? ¿Y del de sus abuelos?
9. ¿Hasta qué edad se es joven? ¿Se considera joven? ¿Qué marca el final de la juventud?
10. ¿Los jóvenes pueden mejorar el mundo a su alrededor? ¿De qué forma?

2 Mini-diálogos

Ud. va a crear un mini-diálogo con un/a compañero/a. Lea la descripción de la conversación antes de empezar. Puede tomar notas para organizar sus ideas, pero no las mire mientras conversa.

Escena: En una de sus clases, entre ejercicio y ejercicio su amigo/a y Ud. hacen planes para el fin de semana.

A:	Entable una conversación sobre el fin de semana. Pregúntele sobre sus planes.
B:	Reaccione con frustración. Dígale que no tiene planes. Pregúntele sobre los suyos.
A:	Conteste su pregunta. Invítelo/la.
B:	Acepte la invitación. Sugiérale otra actividad.
A:	Reaccione con emoción. Sugiérale otra actividad.
B:	Reaccione con emoción. Dele su número del móvil.
A:	Hágale un comentario sobre su profesor(a). Despídase.
B:	Despídase. Haga un comentario positivo sobre sus planes del fin de semana.

Cita

De mis disparates de juventud lo que más pena me da no es el haberlos cometido, sino el no poder volver a cometerlos.
—Pierre Benoît (1886–1962), novelista francés, miembro de la Acadèmie française

¿Cree que se cometen muchos disparates por ser joven? ¿A qué se deberá? ¿Se arrepiente de ellos? Comparta sus opiniones con un/a compañero/a.

¡Dato curioso!

El concepto de *joven* ha cambiado con el paso del tiempo. En la época medieval una persona de veintidós años no era considerada joven, al ser ésta la media de esperanza de vida en aquellos tiempos. También influye el país y la cultura sobre el concepto de ser joven.

3 Una fiesta

Túrnese con un/a compañero/a para leer lo que una chica escribió sobre una fiesta. Fíjese en las palabras que aparecen en azul (relacionadas con el vocabulario) y en rojo (relacionadas con la gramática), ya que en las siguientes actividades se le harán preguntas sobre ellas.

El otro día mis amigos y yo fuimos a una fiesta. Estuvo muy bien aunque al principio era un poco rollo. Yo no estaba muy segura de que quisiera
5 salir ese día. Paula me mandó un mensaje al móvil y me dijo que estaba lista, que me daba media hora para que me arreglara. Yo, aunque estaba muerta de sueño no pude decirle que
10 no. Estaba tan ilusionada... Ella es muy buena gente y somos íntimas desde hace siglos. Así que me puse un vestido verde muy mono y salimos. Fuimos a una fiesta donde había mucha gente
15 y allí vimos a Fernando. Él y yo nunca nos habíamos llevado bien pero nos quedamos hablando por horas. Mi amiga se acercaba de vez en cuando y

me murmuraba al oído: "Pero, ¿estás
20 ciega? ¿No ves quién es?" A mí, nada de esto me importaba. ¡Estaba tan atento y gracioso! En la fiesta, tomamos unas tapas riquísimas que había preparado Alex. Eran unos dátiles con bacon que
25 estaban increíbles. Fue una noche inolvidable. ¡Ah, se me olvidaba! Desde aquel día Fernando y yo estamos saliendo. Sí, ahora somos novios, y cuando mi amiga me recuerda con una
30 sonrisita que lo odiaba, yo suspiro y le digo con ojos de enamorada: "¿No dicen que el amor es ciego? Hay que hacerle caso a las emociones". Y le guiño un ojo amistosamente.

—Yolanda

4 Amplíe su vocabulario

Defina en español las palabras o expresiones que aparecen en azul, o escriba un sinónimo o expresión similar para cada una.

5 *Ser, estar y haber*

Con un/a compañero/a, haga estas actividades relacionadas con la lectura anterior.

1. Hagan una lista con las palabras y expresiones que aparecen con *ser* y *estar* en la lectura y expliquen la regla para su uso.
2. Escriban los ejemplos donde el verbo *haber* ha sido usado.
3. Ya saben que el significado de algunos adjetivos cambia según se use *ser* o *estar*. Por ejemplo, en la lectura se usa *estar seguro* para significar *to be sure*. ¿Qué significa *ser seguro*? Piensen en otros cinco adjetivos que cambian de significado según se usen con *ser* o *estar*. Pueden usar algunos ejemplos de la lectura además de sus propios ejemplos.

6 ¿Ser, estar o *haber*?

Complete el texto con el verbo *ser*, *estar* o *haber* en el tiempo correspondiente.

Ayer por la noche hubo una reunión para los estudiantes que __1.__ en la clase de mi hermano. __2.__ para formar un club de cine este año pues todos __3.__ unos fanáticos de la gran pantalla. Aunque yo __4.__ agotado fui con Paco para acompañarlo. Al principio no pudimos encontrar la sala, ya que iba a __5.__ en un edificio pero luego __6.__ en otro. Cuando por fin encontramos
⁵la clase, ya __7.__ llegado casi todo el mundo. Apenas __8.__ asientos libres. __9.__ muy divertido, todos __10.__ muy agradables y las conversaciones __11.__ muy vivas. Alfonso __12.__ el líder de este grupo y __13.__ un tío bastante listo que __14.__ estado interesado en el cine durante mucho tiempo y que seguramente __15.__ un actor o director algún día aquí en Argentina. Nos dijo a todos que __16.__ que hacer carteles y hablar con más chicos para que se
¹⁰unan al club. El club __17.__ abierto a todos aquellos que quieran participar. Así que si __18.__ interesado, tú también puedes __19.__ miembro. ¡Anímate! ¡ __20.__ muy bien, en serio!

7 Escriba 🏃🏃 ✎

Con un/a compañero/a, escriba un diálogo entre jóvenes en el que hablen sobre un club o página de Internet. Subraye los verbos *ser*, *estar* y *haber* que haya usado.

8 En una novela 📖

Lea el siguiente texto literario. Fíjese en las palabras que aparecen en azul y rojo, ya que en las siguientes actividades se le harán preguntas sobre ellas.

Era uno de esos días que te pasas tumbada en la cama sin nada que hacer. Aquel día decidí que intentaría conseguir mi primera cita con Mauricio. En cuanto le hablé de él a mi amiga Carmen, se empeñó en que tenía que arriesgarme y tratar de vernos.

⁵Le llamé a su móvil y le dije:

—Hola. Soy Gema Enríquez. Nos conocimos el otro día por el centro. ¿Te acuerdas?

—Pues claro que lo recuerdo. Nos conocimos hace una semana, ¿verdad? Fue cuando me quitaste el sitio para aparcar. Eres tú, ¿no?

¹⁰En ese momento me puse nerviosísima y comencé a tartamudear. ¿Cómo pude haber olvidado ese pequeño detalle? No me hizo nada de gracia que me recordara el incidente. Me esforcé por sonar normal y fue cuando empezó a reírse y me dijo que nos tomáramos algo fresquito juntos.

"Vaya, vaya. Un gracioso", pensé.

¹⁵Tenía la costumbre de recordar sólo lo bueno que me pasaba cada día, es por lo que había olvidado que el día que nos vimos por primera vez estaba de mal humor, pues me había enfadado con Virginia, de quien no te puedes fiar ni un pelo. Así que decidí pasearme por el centro comercial. Vi que un coche quería aparcar, pero hice una maniobra un poco arriesgada y le quité el sitio a Mauricio, a quien no conocía entonces. Su amigo se enfadó mucho conmigo por lo ocurrido, pero Mauricio me defendió
²⁰y consoló cuando empecé a llorar como loca. Sí, se me había olvidado esa parte de nuestro primer encuentro.

Eran las once y diez. Como era de esperar, llegué diez minutos tarde a mi cita para hacerme la interesante. La cena fue inolvidable. Nos reímos a carcajadas por horas, nos divertimos como nunca y nos dimos cuenta de que teníamos mucho en común. Se portó como un auténtico caballero conmigo.
²⁵Nos miramos el uno al otro, y me dio un abrazo cuando nos despedimos en mi portal. Cuando me volví y miré por encima del hombro, ya no estaba. Se había marchado. Entonces lo vi. Vi a un tipo muy raro con una chaqueta de cuero que se acercaba hacia mí rápidamente. Se me cayeron las llaves al suelo y no me dio tiempo recogerlas. Menos mal que en ese momento apareció Mauricio. Le echó una mirada fulminante al extraño, y ése se encogió de hombros y se fue inmediatamente. Acabamos saliendo un
³⁰par de meses, hasta que choqué con otro coche que conducía este chico muy simpático... Pero eso ya es otra historia.

Gema

9 Amplíe su vocabulario

Con un/a compañero/a traduzca al inglés las palabras de "En una novela" que aparecen en azul.

10 Verbos reflexivos y construcciones reflexivas

Con un/a compañero/a, haga estas actividades relacionadas con la lectura de la Actividad 8.

1. Hagan una lista de los verbos reflexivos que aparecen y tradúzcanlos.
2. Escriban los verbos que se usan para indicar que algo es recíproco.
3. ¿Qué función tiene *el uno al otro*?
4. Hagan una lista de otros diez verbos reflexivos que conozcan.
5. Algunos verbos cambian su significado cuando son reflexivos. Escriban diez verbos que cambien su significado según lleven pronombre reflexivo o no e incluya la traducción al inglés. Por ejemplo: despedir: *to fire*; despedirse: *to say good-bye*.
6. ¿Cómo traduciría al inglés *se me cayeron las llaves*? ¿Cuál es la traducción literal? ¿Cuál es la regla?

11 "Tapitas" gramaticales

Conteste estas preguntas basadas en la lectura de la Actividad 8.

1. ¿Cómo se traduce *acabamos saliendo*? Escriba una frase parecida usando *acabar* más el gerundio.
2. ¿Cómo se traduce *pero*? Escriba tres oraciones que ilustren el uso de *pero, sino* y *sino que*.

12 ¿Reflexivo o no?

Lea el siguiente texto y escriba la forma correcta de los verbos en pretérito, imperfecto o infinitivo. Decida si hay que usar el pronombre reflexivo o no.

Ayer yo __1.__ (*levantar / levantarse*) enfermo y como quien dice con el pie izquierdo; lo único que __2.__ (*apetecer / apetecerme*) era __3.__ (*acostar / acostarse*) de nuevo, pero Pablo __4.__ (*hacer / hacerse*) que fuera a
⁵clase. Cuando yo __5.__ (*ir / irse*) de camino a clase, __6.__ (*tropezar / tropezarse*) dos veces con algo que había en el piso. Al principio __7.__ (*creer / creerse*) que sólo fue casualidad y __8.__ (*decir / decirse*) que mi suerte iba a cambiar. Evidentemente no fue así.

Llegué tarde a mi primera clase que era con el profesor más duro de toda la universidad. Este
¹⁰señor a menudo __9.__ (*preguntar / preguntarse*) sobre la lección anterior a dos o tres de los alumnos, así que nada más entrar y siguiendo mi mala racha me __10.__ (*tocar / tocarse*) a mí. Obviamente yo no __11.__ (*acordar / acordarse*) de nada. De repente empecé a temblar y a tartamudear, y __12.__ (*poner / ponerse*) muy nervioso por lo que un par de mis amigos se rieron al verme así. Lo único en lo que yo pensaba era en __13.__ (*acostar / acostarse*) otra vez.
¹⁵Es por lo que __14.__ (*ir / irse*) a mi casa justo después de esa clase; creo que __15.__ (*enfermar / enfermarse*) más del mal rato que había pasado. Cuando Pablo me vio pensó que era una excusa y __16.__ (*enojar / enojarse*) conmigo. Pero no __17.__ (*preocupar / preocuparse*) lo que me decía. Sabía que necesitaba unas horitas más de sueño. __18.__ (*Negar / Negarse*) rotundamente a __19.__ (*levantar / levantarse*). __20.__ (*Quitar / Quitarse*) los zapatos y __21.__
²⁰(*meter / meterse*) directamente en la cama. Cerré los ojos y __22.__ (*dormir / dormirse*) en seguida. Ya se sabe, lo que mal empieza peor acaba...

13 Un diálogo 👥 ✒️

Con un/a compañero/a escriba un diálogo entre jóvenes sobre algo que les pasó (real o ficticio). Subraye los verbos reflexivos que use.

14 Un mensaje en el teléfono 📖

Lea el siguiente mensaje que un joven le dejó a un amigo en su móvil.

Hola Marcos:

Soy Francisco. Pasaba por tu casa cuando iba para el trabajo y me paré un momento para saludarte. Tengo un empleo a tiempo parcial por las tardes cerca de tu casa. Para ser una cosa temporal no está mal. Lo hago para sacarme
[5] un dinero extra para las vacaciones. Oye, ¿qué tal si quedamos para mañana por la mañana? Podemos irnos juntos a clase y si nos da tiempo nos vamos por la moto que me compré. Voy a pedirle a Ángel que vaya a trabajar mañana por mí por un par de horas. Para eso están los amigos, ¿a que sí? Llámame. Ay, por
[10] cierto, ayer vi por casualidad a Enrique y dice que se va para Cartagena en dos días. Me preguntó por ti. Bueno, ya te cuento.

15 *Por* y *para* 🔍 👥

Trabaje con un/a compañero/a para hacer estas actividades relacionadas con el mensaje anterior.

1. Hagan una lista de las frases en las que *por* y *para* aparecen en el texto, tradúzcanlas al inglés y expliquen por qué se usa la preposición en cada caso.
2. Expliquen las reglas de cuándo se usa *por* y *para* y escriba una oración para cada una.
3. Escriban diez expresiones que usen *por* o *para*.

16 Un fin de semana 👥 ✒️

Escriba una composición sobre su fin de semana en la que muestre los distintos usos de *por* y *para*. Numere cada uso y escriba la regla al lado. Comparta su composición con la de un/a compañero/a. Comenten sobre la forma y el contenido.

17 Más con *por* y *para*

Lea el siguiente diálogo y complételo con *por* o *para*.

Santiago: Hola Luis. ¿Cómo te va? Estaba __1.__ llamarte pero he tenido un mal día. __2.__ fin me han dado la nota del proyecto en el que tanto trabajé y estoy muy frustrado. Ya sabes que estuve trabajando __3.__ lo menos __4.__ dos semanas en el proyecto y __5.__ lo visto mi profesor cree que no he puesto suficiente interés. No comprendo __6.__ qué me ha puesto esta nota. __7.__ todo lo que trabajé, no me la merezco.

Luis: Bueno, no te preocupes __8.__ ahora, ¡que es sábado! ¿__9.__ qué no dejas todos estos problemas __10.__ el lunes? Venga, que hoy he salido __11.__ ti. Ya sabes que me quería quedar en casa __12.__ ver el partido que echaban hoy.

Santiago: De acuerdo. ¿__13.__ qué no vamos __14.__ la casa de Marcos? Creo que hoy tiene una fiesta __15.__ celebrar su cumpleaños. Creo que me mandó su dirección __16.__ correo electrónico. ¿Tú la tienes?

Luis: Sí, claro, __17.__ supuesto. ¿__18.__ cuánto tiempo crees que nos quedaremos? __19.__ lo visto la fiesta empieza pronto, quizás volvamos a tiempo __20.__ ver el partido. __21.__ si acaso, voy a llevar mi carro.

Cita

Haría cualquier cosa por recuperar la juventud, excepto hacer ejercicio, madrugar o ser un miembro útil de la comunidad.

— Oscar Wilde (1854–1900), dramaturgo y novelista irlandés

¿Qué es lo que le da más rabia de ser joven? ¿Qué es lo que más le gusta de ser joven? Comparta su opinión con un/a compañero/a.

¡Dato curioso!

Mientras que muchos mayores suspiran por esos recuerdos de la juventud, y en ocasiones hacen lo imposible por mantenerla, muchos jóvenes y niños están deseando ser mayores. Por el contrario, a muchos de los "baby boomers", estadounidenses nacidos entre 1946 y 1964, les cuesta renunciar a la idea de que ya no son jóvenes.

18 Familia de palabras

Complete la tabla con el verbo, sustantivo o adjetivo apropiado, y la traducción correspondiente.

Verbos		Sustantivos		Adjetivos	
agradecer	to be grateful, appreciate	el agradecimiento	_____	_____	grateful
aislar	_____	el aislamiento	_____	_____	isolated
consentir	to allow, consent	el consentimiento	_____	consentido	spoiled
consumir	to consume	el consumismo;	_____;		
		el/la consumidor(a)	_____		
_____	to experiment	la experiencia	experience	experimentado	_____
influir	_____	_____		influyente	_____
mentir	to lie	_____		mentiroso	_____
oprimir	_____	la opresión	oppression	oprimido	_____
rebelarse	_____	la rebeldía		_____	
_____	to remember	el recuerdo	memory	recordado	remembered
tranquilizar	to calm (down)	_____			calm, quiet, peaceful
valorar	_____	el valor	_____	valorado; valioso	_____; valuable

19 ¿Verbo, sustantivo o adjetivo?

Complete las oraciones usando la forma correcta de las palabras que aparecen en la tabla, ya sea verbo, sustantivo o adjetivo. En el caso del sustantivo puede que necesite artículo.

1. Todos coinciden en ___ (*influir*) que tienen los famosos en la moda.
2. Mis padres dicen que mi hermana se ha puesto muy ___ (*rebelarse*) últimamente.
3. Siempre hemos ___ (*agradecer*) el respeto que nos muestran los profesores.
4. Almudena ha enfermado al sentirse ___ (*aislar*) en la clase.
5. El encargado trató de mostrar ___ (*tranquilizar*) todo el tiempo durante la crisis, al tratarse de gente joven.
6. El joven *yuppie* se hizo famoso a base de muchas ___ (*mentir*).
7. Los chicos a menudo se quejaban de ___ (*oprimir*) que sentían para sacar buenas notas.
8. Muchos quisieron ___ (*experimentar*) cuando llegaron a la universidad por lo que se tiñeron el pelo y se dieron un corte raro.
9. Siempre hemos estado ___ (*agradecer*) por el trato recibido por nuestros profes.
10. No tengo muchos ___ (*recordar*) de mi infancia. ¡Qué rabia! Me frustra muchísimo.

Cita

A diferencia de la vejez, que siempre está de más, lo característico de la juventud es que siempre está de moda.

—Fernando Savater (1947–), filósofo español

¿Está de acuerdo con este comentario? ¿Por qué? ¿Qué otras características tiene la juventud? ¿Y la vejez? Comparta su opinión con un/a compañero/a.

20 ¡Y hasta lleva arete...!

Échele una ojeada al artículo que sigue para ver de qué se trata, prestando atención a las palabras en azul, ya que se le harán preguntas sobre su significado después. Luego lea el artículo y decida cuál de las dos palabras entre paréntesis es la correcta para completar cada oración y escríbala.

¡Y hasta lleva arete...!

LUCÍA LEMOS

Javier **1.** (*fue / era*) un niño muy tranquilo y juicioso hasta que **2.** (*terminó / terminaba*) [5] la primaria. Sus padres jamás tenían motivo para retarle y **3.** (*se sintieron / se sentían*) muy orgullosos de él. [10] En las vacaciones previas a **4.** (*su / sus*) ingreso a la secundaria, sin embargo, su actitud **5.** (*comenzó / comenzaba*) a cambiar y, con ello, **6.** (*vinieron / venían*) **7.** (*los / las*) dolores de [15] cabeza de los papás. ¡ **8.** (*Es / Está*) otro chico!, decían, se **9.** (*ha vuelto / volvía*) revoltoso, y con mal genio; ni **10.** (*el / él*) mismo **11.** (*sepa / sabe*) lo que **12.** (*quiere / quiera*).

[20] Efectivamente, esos **13.** (*sean / son*) **14.** (*los / las*) síntomas de que el niño **15.** (*esté / está*) dejando de serlo y pasa por **16.** (*ese / esa*) etapa difícil, que **17.** (*asuste / asusta*) a padres y madres de [25] familia, **18.** (*llamado / llamada*) adolescencia.

Alrededor de los 11 años en todos **19.** (*los / las*) seres humanos se **20.** (*produzcan / producen*) cambios importantes, que [30] **21.** (*vayan / van*) desde lo físico y hormonal, hasta **22.** (*el / la*) carácter y **23.** (*el / la*) comportamiento. **24.** (*El / La*) educación y **25.** (*el / la*) comunicación juegan **26.** (*un / uno*) papel muy [35] importante cuando se **27.** (*esté / está*) pasando por **28.** (*este / esta*) situación. Los chicos y chicas, como ya **29.** (*digamos / dijimos*), están atravesando momentos difíciles.

[40] Sin retos ni sermones, ellos, aunque no **30.** (*parece / parezca*), están ávidos de oír a sus padres, están asustados, **31.** (*se sientan / se sienten*) vulnerables y necesitan a alguien en **32.** (*quien / quienes*) confiar [45] pero que, a **33.** (*el / la*) vez, los **34.** (*deja / deje*) actuar y desarrollarse.

www.hoydomingo.com

21 ¿Qué significa? 🔍

Mire las palabras de la primera columna, que aparecen en la lectura anterior, y busque su traducción en la segunda columna.

1.	juicioso	a.	behavior
2.	primaria	b.	to stop
3.	retar	c.	symptom
4.	orgulloso	d.	frightened
5.	actitud	e.	sermon
6.	revoltoso	f.	to play a role
7.	mal genio	g.	to have confidence
8.	síntoma	h.	character
9.	dejar de	i.	to go through
10.	pasar por una etapa difícil	j.	elementary school
11.	carácter	k.	to challenge
12.	comportamiento	l.	wise
13.	jugar un papel	m.	proud
14.	atravesar	n.	bad temper
15.	sermón	o.	rebellious
16.	asustado	p.	attitude
17.	confiar	q.	to go through a bad period

22 Influenciados por la moda 📖

Échele una ojeada al artículo que sigue para ver de qué se trata, prestando atención a las palabras en azul, ya que se le harán preguntas sobre ellas. Luego lea el artículo y decida qué forma de las palabras entre paréntesis es la correcta para completar cada oración y escríbala. No se olvide de escribir y acentuar las palabras correctamente.

¿Esclavos/as de la moda?
LUCÍA LEMOS

En la adolescencia, los jóvenes __1.__ (*sentirse*) inseguros. El estar a la moda __2.__ (*lo*) proporciona esa auto-suficiencia y __3.__ (*lo*) ayuda a actuar sin temores.

¿Le __4.__ (*suceder*) a usted que de pronto __5.__ (*encontrarse*) con que su hija, que odiaba __6.__ (*ponerse*) falda aparece con una supercorta? ¿O le sorprende ver a su hijo con __7.__ (*un*) corte de cabello bastante "rarito" de la noche a la mañana? Y, para completar su sorpresa, todos __8.__ (*su*) amigos tienen __9.__ (*un*) pinta igual.

Antes de __10.__ (*entrar*) en *shock*, encienda la televisión y __11.__ (*mirar*) si encuentra a __12.__ (*el*) personajes de __13.__ (*el*) telenovela con una facha bastante parecida a __14.__ (*el*) de su hijo o hija.

Generalmente la moda __15.__ (*imponerse*) a través de lo que usan __16.__ (*el*) artistas de cine, de televisión o ciertos personajes a __17.__ (*el*) que quieren promocionar __18.__ (*el*) medios de comunicación.

__19.__ (*El*) marcas también tienen su época y __20.__ (*quien*) no __21.__ (*lo*) usa "no está en nada". Eso trae consigo que __22.__ (*el*) que está "in" sea mucho más cara que la que __23.__ (*estar*) de moda hace algunos meses.

Muchos jóvenes se rebelan contra el uso de uniforme de colegio, pero no __24.__ (*darse*) cuenta de que, cuando __25.__ (*estar*) fuera de las aulas, tal vez están más uniformados con sus amigos y amigas. ¿Es esto __26.__ (*ser*) esclava o esclavo de la moda?

Si usted detesta lo que lleva encima o se aterra de verlo __27.__ (*salir*) con un pantalón tres tallas más grande y casi sin sostenerse en __28.__ (*el*) cintura, lo peor que puede hacer __29.__ (*ser*) criticarle o regañarle. Eso sólo __30.__ (*provocar*) que se desate su rebeldía y __31.__ (*seguir*) haciéndolo, ya no por seguir la moda sino por darle la contraria.

Aunque le __32.__ (*parecer*) "aterradora" la moda, salga de compras con ellos y, con todo el tino posible, demuéstreles, frente a __33.__ (*un*) espejo, si lo que __34.__ (*querer*) comprar va o no con su edad, tamaño, peso y estructura.

www.hoydomingo.com

23 ¿Qué palabra es? 🔍

Mire las palabras de la primera columna, que aparecen en la lectura anterior, y busque su sinónimo o definición en la segunda columna.

1. inseguro		a.	ocurrir
2. proporcionar		b.	desobediencia
3. autosuficiencia		c.	odiar
4. temor		d.	extraño
5. suceder		e.	de pronto
6. corte		f.	clase
7. cabello		g.	miedo
8. rarito		h.	buen juicio
9. de la noche a la mañana		i.	reñir
10. pinta		j.	enseñar
11. marca		k.	período
12. época		l.	estilo
13. aula		m.	ofrecer
14. detestar		n.	de un fabricante concreto
15. aterrarse		o.	soltar, dar salida a algo
16. regañar		p.	independencia
17. desatar		q.	asustarse
18. rebeldía		r.	sin seguridad
19. tino		s.	pelo
20. demostrar		t.	facha

24 Lea, escuche y escriba/presente 👣

Vuelva a leer los textos completos de las Actividades 20 y 22 y después escuche la grabación "Nuestros problemas" y tome las notas necesarias. Escriba un ensayo o haga una presentación en clase contestando esta pregunta: "¿Por qué les gusta a los jóvenes estar a la moda?" No se olvide de citar las fuentes debidamente.

Cita

La moda que se adelanta diez años a su época es indecente; diez años después de ésta resulta horrorosa; un siglo después se convierte en romántica.
      —Anónimo

 ¿Está de acuerdo con lo que dice? ¿Por qué? Dé ejemplos que ilustren esta cita. Comparta sus opiniones con un/a compañero/a.

¡Dato curioso!

La ropa de moda es un negocio de miles de millones de dólares. Cada vez más jóvenes tienden a comprar ropa de marca de diseñadores famosos. Aunque sean accesorios o cosméticos, pocos jóvenes se escapan de las campañas publicitarias destinadas a atraerlos como clientes.

25 ¿Qué quieres ser cuando seas mayor?

Échele una ojeada al artículo para ver de qué se trata, prestando atención a las palabras en azul, ya que se le harán preguntas sobre ellas. Luego lea el artículo con atención y decida cuál de las dos palabras entre paréntesis es la correcta para completar cada oración y escríbala.

Yo de mayor quiero ser hacker

ELENA F. VISPO

Estamos __1.__ (*ante / delante*) una generación que __2.__ (*ha / haya*) nacido con el móvil debajo __3.__ (*de / del*) brazo y no concibe la vida __4.__ (*sin / con*) ordenador. Tienen, además,
5 un mundo creado __5.__ (*a / con*) su medida: Internet.

La gran diferencia __6.__ (*entre / con*) estos jóvenes y __7.__ (*les / los*) anteriores es que los del 2000 __8.__ (*están / han*) convivido __9.__ (*X /*
10 *con*) la tecnología desde que tienen memoria. Es el mismo perro __10.__ (*en / con*) distinto collar: de nuevo, es una forma de distinguirse __11.__ (*en / de*) los adultos, que se acercan __12.__ (*a / en*) las nuevas tecnologías con
15 mucha más cautela. Los jóvenes __13.__ (*están / son*) los primeros en asumir las novedades y __14.__ (*les / los*) que más partido le sacan a __15.__ (*el / lo*) que hay; para ellos puede tener la misma importancia poseer el último modelo
20 en deportivos __16.__ (*de / que*) un MP3. Son los reyes del teléfono móvil: mientras los adultos __17.__ (*el / lo*) usan sólo __18.__ (*por / para*) llamar, los jóvenes aprovechan todas las prestaciones (mensajes de texto, juegos,
25 conexión a Internet...). "Internet y el teléfono móvil __19.__ (*los / les*) da una sensación __20.__ (*en / de*) pertenecer a esa tribu de iguales que __21.__ (*son / están*) comunicándose continuamente, y eso genera lazos de cohesión",
30 argumenta [el sociólogo español Amando] de Miguel. Y ya tienen un mercado propio: existen modelos __22.__ (*de / en*) teléfonos con diseño y prestaciones especialmente pensados __23.__ (*por / para*) ellos. Hay una amplia franja
35 con un poder adquisitivo considerable, y __24.__ (*son / están*) dispuestos __25.__ (*en / a*) pagar por tener lo último. El término, recién acuñado, __26.__ (*es / está*) tecnopijos.

La gallina de los huevos __27.__ (*en / de*) oro
40 __28.__ (*es / está*) Internet. Lo que __29.__ (*por / para*) muchos adultos __30.__ (*es / está*) un

¿Se imagina Ud. la vida sin su computadora o teléfono móvil?

mundo hermético, __31.__ (*por / para*) ellos __32.__ (*es / está*) su mundo. __33.__ (*Es / Está*) el sueño de todo adolescente: representa un lugar
45 donde uno puede __34.__ (*ser / estar*) lo que se quiera, donde __35.__ (*X / se*) puede escoger una personalidad diferente cada día. __36.__ (*El / La*) tradicional rebeldía juvenil toma como modelo __37.__ (*X / a*) los hackers, piratas informáticos
50 que consiguen introducirse __38.__ (*en / dentro*) ordenadores protegidos __39.__ (*por / para*) el gobierno o las grandes empresas. Algunos buscan boicotearlos; otros, simplemente llaman la atención.

55 Los tecnopijos __40.__ (*son / están*) la generación más preparada __41.__ (*en / de*) los últimos tiempos, los que más información manejan. Y, al contrario que la mayoría de las tribus urbanas, no parece __42.__ (*X / que*) vayan a
60 desaparecer, sino a expandirse. __43.__ ("*Hace / Atrás*) cincuenta años muy poca gente llevaba reloj de pulsera", argumenta Amando de Miguel, "y hoy __44.__ (*quien / quienes*) no lo lleva __45.__ (*es / está*) porque no quiere. Pues el
65 móvil, __46.__ (*por / para*) ejemplo, es casi __47.__ (*el / lo*) mismo". Los adolescentes de ahora __48.__ (*son / están*) los adultos del futuro; y las tecnologías evolucionan a su mismo ritmo.

www.revistafusion.com

26 ¿Cuál de las dos?

Escoja la mejor palabra para completar cada oración.

1. Si uno hace algo con mucha cautela, lo hace con mucha ___ (*prisa / precaución*).
2. Sacarle partido es ___ (*jugar con / aprovecharse de*) algo.
3. Si convives con tu hermano, vives ___ (*separado de / con*) él.
4. Una palabra nueva es una recién ___ (*argumentada / acuñada*).
5. Marta es parte de nuestro grupo; ella ___ (*pertenece / concibe*) al grupo.
6. Yo no imagino el mundo sin mi teléfono móvil. No ___ (*convivo / concibo*) la idea de vivir sin él.
7. Ricardo siempre tiene las últimas ___ (*franjas / novedades*) de la tecnología.
8. Ellos intentan mantener los ___ (*lazos / collares*) con sus ex colegas. Los ven una vez al mes.
9. Cecilia siempre ___ (*llama la atención / asume*) con esa ropa tan exagerada que lleva.
10. La abogada ___ (*concibe / argumenta*) que las zonas verdes están desapareciendo.
11. Mi hermanito dice que ___ (*de mayor / al contrario que*) quiere ser periodista.
12. ___ (*Una franja / Un collar*) es un adorno.
13. Hay que ___ (*asumir / concebir*) responsabilidad cuando uno es mayor de edad.
14. Les comenté a mis compañeros que deben de (*sacar partido / llamar la atención*) al Internet y les di algunos buenos trucos.

27 Lea, escuche y escriba/presente

Vuelva a leer el texto completo de "Yo de mayor quiero ser hacker", y luego escuche la grabación "Historias de crackers y hackers". Tome notas de las dos fuentes y escriba un ensayo o haga una presentación en clase para contestar la pregunta, "¿Qué piensa del hecho de que muchos jóvenes sueñen con ser hackers?". No se olvide de citar las fuentes debidamente.

28 ¿Qué opinan?

Échele una ojeada al pasaje que sigue, y que continúa en la página siguiente, para ver de qué se trata, teniendo en cuenta que es una encuesta hecha a un grupo de jóvenes españoles. Preste atención a las palabras en azul porque se le harán preguntas sobre ellas. Luego lea el artículo con atención y decida cuáles son las palabras que mejor completan las oraciones y escríbalas.

Y tú, ¿qué valoras?

La solidaridad y el voluntariado **1.** valores en alza entre los jóvenes. Eso de donar tiempo y trabajo en favor **2.** los más desprotegidos **3.** una idea apoyada **4.** gran número de
5 jóvenes. Los espacios de más aceptación **5.** los referidos a la defensa de los derechos humanos y enfermos **6.** SIDA. Ecología, pacifismo, ayuda a refugiados **7.** inmigrantes y movimientos a favor **8.** la mujer le siguen en la
10 lista **9.** preocupaciones sociales.

Muchos jóvenes optan por trabajar de voluntarios en comedores de beneficencia.

¿Qué haces __10.__ fines de semana?

La oferta __11.__ muy variada. Su tiempo __12.__ lo ocupan en ir de cafés o cafeterías, ir al cine o teatro, salir de discoteca, ir de excursión, practicar deportes, asistir [15] a conciertos, etc. Ahora no oiremos __13.__ nadie decir __14.__ se va de monte, sino __15.__ hace trekking. El pádel ha desbancado al tenis y el snowboard __16.__ esquí. La escalada libre, el puenting, el [20] hidrospeed, el rafting... cuentan __17.__ día con más adeptos. Prima el deporte de riesgo y aventura, aunque el tumbing también tiene sus seguidores. No __18.__ deporte nuevo pero sí muy adecuado __19.__ amenizar [25] los domingos, después __20.__ haberse levantado tarde. Consiste __21.__ tumbarse en un sofá a ver la televisión, echen __22.__ que echen, cambiando de canal __23.__ intercambiando algún que otro sueñecito.

¿Cómo ves __24.__ los políticos?

[30] Directamente les otorgan un "cero patatero", como diría un famoso político. Los jóvenes constituyen el sector de población __25.__ menos vota; valoran negativamente la política, castigándola __26.__ la indiferencia. [35] Se ríen __27.__ la imagen que dan nuestros políticos __28.__ en plena campaña electoral visitan los mercados —poniendo cara de normales—, dando la mano __29.__ los tenderos y a las mujeres __30.__ cesta de [40] la compra y monedero en mano. Les consideran "un grupo de desencantados de __31.__ década prodigiosa que no hablan el lenguaje __32.__ la vida. Sólo exponen utopías y cosas abstractas __33.__ nadie entiende y [45] que luego tergiversan __34.__ llegan al poder", asegura Luis F. __35.__ veintidós años.

www.revistafusion.com

29 Vocabulario

Mire las palabras de la primera columna, que aparecen en el artículo anterior, y busque su traducción en la segunda.

1. voluntariado	a. fitting
2. en alza	b. human rights
3. donar	c. to assure
4. derechos humanos	d. to punish
5. pacifismo	e. shopkeeper
6. pádel	f. follower
7. desbancar	g. electoral campaign
8. adepto	h. channel
9. de riesgo	i. to donate
10. adecuado	j. to lie down
11. amenizar	k. to award
12. tumbarse	l. disillusioned
13. canal	m. pacifism
14. otorgar	n. risky
15. castigar	o. marvelous
16. campaña electoral	p. to make pleasant
17. tendero	q. volunteerism
18. desencantado	r. to replace
19. prodigioso	s. rising
20. asegurar	t. paddle ball

30 ¿Cuáles son tus aficiones?

Escriba un artículo para un periódico en el que hable sobre las aficiones de los jóvenes de su edad. ¿En qué están interesados? ¿Cómo pasan los fines de semana? Use algunas de las "tapitas" gramaticales y el vocabulario de la lección.

Cita

Oh capitán, mi capitán.
—De la película *El club de los poetas muertos (Dead Poets' Society)*

¿Ha visto la película *El club de los poetas muertos*? ¿Qué profesores le han inspirado o le han servido de modelos? ¿Cree que es importante tener buenos modelos? ¿Por qué? Comparta sus opiniones con un/a compañero/a.

¡Dato curioso!

Algo más del 55 por ciento de los usuarios de videoconsolas tienen más de 18 años. Hoy en día se contratan a escritores de prestigio para idear el guión y se cuenta incluso con actores que recrean las expresiones faciales de los personajes y con especialistas que sirven como modelos para que los movimientos sean más realistas.

31 Antes de leer

¿Qué cree que piensan los adultos de los jóvenes? ¿Qué cinco adjetivos usaría Ud. para describir a los jóvenes de su edad? ¿En quién se fijan como modelo los jóvenes de su edad? ¿Por qué?

32 ¿Qué se dice de algunos jóvenes españoles?

Lea con atención el pasaje que sigue, fijándose en el contexto para entender las palabras en azul, ya que se le harán preguntas sobre ellas.

Jóvenes 2006. ¿Cómo son?

MARILÓ HIDALGO

Dicen que son difíciles de entender, egoístas, consumistas, independientes, bastante tolerantes y con poco sentido del deber y del sacrificio, (A). Pero, ¿qué dicen ellos? ¿Cómo se ven? ¿Qué piensan? ¿Cuáles son sus problemas y sus valores?

¿Qué imagen tienen de sí mismos?

Pantalones caídos, piercing, tatuajes, camisetas ajustadas, mochila, deportivos, móvil de última generación, reproductor MP3. Pelo largo, corto, con cresta, esculpido, teñido en colores
5 imposibles. Esta es una estética bastante común entre los jóvenes de hoy, aunque también hay otras. Una estética marcada por la publicidad, el consumismo y esa necesidad de ser diferente, atrevido, rebelde que al final se convierte, como
10 dice el periodista Vicente Verdú en su libro, en una "igualdad que ahoga". Pero, ¿qué hay detrás de esta imagen (B)?

Según el estudio "Jóvenes españoles de hoy" —realizado con jóvenes de 15 a 24 años— que
15 acaba de presentar la Fundación Santa María, ante la cuestión de cómo definirían a los jóvenes de su edad, añaden rasgos como éstos: "consumistas" (60%), "rebeldes" (54%), "pensando sólo en el presente" (38%),
20 "independientes" (34%), "egoístas" (31%), "con poco sentido del deber" (27%). Para encontrar algún aspecto positivo en esta descripción como "leales en la amistad", "solidarios", "tolerantes", "trabajadores", "maduros", "sacrificados" hay
25 que desplazarse hasta los últimos lugares de la lista con porcentajes irrisorios" (C) —apunta el sociólogo Javier Elzo, responsable de una parte de este estudio—, los jóvenes se atribuyen en notorio mayor grado los rasgos negativos que los
30 positivos. La conclusión se impone: los jóvenes del año 2005 tienen una baja autoestima que

además es notoriamente más acentuada que la de los jóvenes del año 1994 —fecha del anterior informe. Estamos ante uno de los datos más
35 preocupantes del estudio".

Si vamos un poco más allá y preguntamos por los modelos a los que les gustaría parecerse, encontramos respuesta en el sondeo de opinión (D).

40 Cuatro de cada diez jóvenes (41%) declara no tener personas en su entorno cercano o social a quien imitar o parecerse. Un porcentaje parecido declara no tener modelos vitales (E).

Y un 15% no tiene opinión formada en ese
45 sentido. Quienes declaran tener referentes de vida (58%) miran hacia la familia, concretamente a la figura del padre. Los siguientes modelos de importancia para estos jóvenes, señala el informe del INJUVE (Instituto
50 para la Juventud), son los deportistas (16%) y los actores y cantantes (11%). Los amigos (3%), los personajes de la cultura (3%), los políticos (2%) o las grandes fortunas (2%) no parecen tener demasiada aceptación entre los modelos
55 a seguir.

www.revistafusion.com

33 ¿Qué significa?

Mire las palabras de la primera columna, que aparecen en el artículo anterior, y busque su definición o sinónimo en la segunda.

1. tatuaje
2. ajustado
3. de última generación
4. teñido
5. ahogar
6. rasgo
7. solidario
8. tolerante
9. irrisorio
10. apuntar
11. autoestima
12. modelo
13. sondeo
14. entorno
15. referente

a. característica
b. ridículo
c. encuesta
d. confianza en sí mismo
e. alrededor
f. pintura en el cuerpo
g. referencia
h. oprimir, no permitir respirar
i. lo más reciente
j. ejemplo
k. estrecho
l. pintado
m. unido a otros por intereses y responsabilidades
n. que respeta a los demás
o. anotar

34 ¿Ha comprendido?

1. Según el texto, ¿cuál es la estética de los jóvenes de hoy?
   a. Llevan pantalones grandes y el pelo de color.
   b. Usan siempre el móvil y escuchan música.
   c. Intentan ir todos iguales.
   d. Van según la publicidad y la norma de consumo.

2. ¿Se consideran los jóvenes a sí mismos tolerantes?
   a. Sí, lo colocan a la cabeza de la lista.
   b. No, se consideran a sí mismos intolerantes.
   c. No es un valor que destaquen de sí mismos.
   d. Sí, es su segunda característica después de la consumista.

3. ¿Por qué se atribuyen los jóvenes de hoy malos hábitos?
   a. Porque los han educado así
   b. Porque se consideran inferiores, con poca estima hacia sí mismos
   c. Porque están preocupados por los estudios
   d. Porque piensan sólo en el presente

4. Según los sondeos realizados, ¿tienen los jóvenes del 2005 algún modelo o ejemplo?
   a. Sí, los encuentran en la publicidad deportiva.
   b. Sí, es la figura paterna en el 90% de los casos.
   c. Los amigos son el modelo principal.
   d. La mayoría no tiene un modelo claro en quien inspirarse.

35 ¿Cuál es la pregunta?

Según lo que acaba de leer, escriba una pregunta lógica para estas respuestas.

1. La publicidad y el querer sentirse diferente
2. En 2005
3. Está en el último lugar de la lista de los jóvenes
4. Porque no se valoran a sí mismos
5. La figura del padre
6. En un estudio del Instituto de la Juventud

36 Resuma en un gráfico

Haga un gráfico en el que resuma lo que dice la autora del artículo.

37 ¿Dónde va?

Las siguientes frases han sido extraídas del texto anterior. Vuelva a leer las oraciones donde hay una letra en color. Escriba la letra correspondiente al lado de las frases a continuación. Tenga en cuenta que hay una frase que sobra.

1. que proyectan
2. en otras palabras
3. o por lo menos eso es lo que opina una mayoría de adultos que les observa con preocupación
4. o parecerse
5. que realizó el Instituto de la Juventud (INJUVE) el pasado año
6. a quienes imitar

Cita

Los jóvenes de hoy no parecen tener respeto alguno por el pasado ni esperanza alguna por el porvenir.
—Hipócrates (460–377 a. de J. C.), médico griego, llamado "el padre de la medicina moderna"

 ¿Piensa que los adultos siempre han opinado igual de los jóvenes? ¿Cree que tienen razón? ¿Piensa que cuando eran jóvenes actuaban de forma diferente? ¿A qué se debe? Comparta su opinión con un compañero/a.

¡Dato curioso! Hoy los jóvenes de España son chicos muy preparados: han salido al extranjero, hablan varios idiomas y han hecho estudios superiores, pero sólo cuatro de cada diez llegarán a tener un trabajo acorde con sus estudios. Los sueldos de los otros jóvenes son muy bajos y les cuesta conseguir vivienda e independizarse.

38 Antes de leer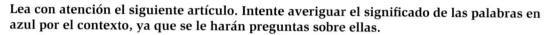

¿Cree que los jóvenes tienen un lenguaje diferente al de los adultos? ¿Qué palabras o frases son típicas de su generación? ¿Ud. usa muchos vocablos propios de su generación? ¿Cambia Ud. cómo habla, dependiendo de con quién hable? ¿Escribe de la misma manera cuando lo hace por Internet? ¿Comete más o menos faltas de ortografía cuando usa un medio electrónico? ¿Usa la gente joven palabras en otro idioma para sonar más moderna?

39 Las jergas

Lea con atención el siguiente artículo. Intente averiguar el significado de las palabras en azul por el contexto, ya que se le harán preguntas sobre ellas.

Jergas: cada día nace una nueva palabra

Elena F. Vispo

El lenguaje es algo vivo, y las palabras nacen, crecen, evolucionan y, en ocasiones, mueren. A veces ocurre tan rápido que los académicos no lo asimilan y no queda constancia de ellas.

Muchas palabras nacen y mueren con la costumbre, y otras evolucionan con ella. Una de las acepciones de *ocupar* es tomar posesión de un edificio; *okupar*, en cambio, es una forma [5]de vida.

Si bien el objetivo fundamental de estas jergas es diferenciar al que las habla del que no las habla (en este caso, al joven del adulto, o a un grupo o tribu de otra), lo cierto es que casi nunca se [10]inventa nada. La palabra *guiri* (por extranjero), que hace pocos años se empezó a oír en las zonas turísticas, ya la usaba Galdós en sus *Episodios nacionales*. Las palabras de jerga son en su mayoría compuestas, o extraídas por algún tipo de [15]afinidad con su significado original, como *loro* (radiocassette, porque en los años ochenta se puso de moda llevarlo por la calle apoyado en el hombro) o *ciego* (borracho o drogado, porque ve mal).

[20]El filón es, de nuevo, la tecnología. Este es el terreno donde la jerga tiene un sentido excluyente, especialmente para los adultos. Si no *controlas* no es fácil entender que "en un chat me enteré de una web donde bajar archivos piratas de [25]MP3". No es otro idioma, aunque a muchos se lo parezca. O quizá sí: es el lenguaje de Internet. Un lugar donde no hay puntos ni comas, ni mayúsculas, ni acentos, cosa de la que muchos educadores están alertando: los exámenes uni-[30]versitarios con faltas de ortografía y problemas a la hora de expresarse ya no son una excepción. Y no es que los jóvenes sean incultos; saben mucho, pero sólo de lo que les interesa.

La madre de casi todas estas jergas es el inglés, [35]la lengua de las nuevas tecnologías. Los jóvenes del 2000 tienen un inglés fluido; quizá no sea muy académico, pero es más que suficiente para apañarse en la red. De modo que ya no se molestan en traducirlo en los otros terrenos de [40]la vida. Especialmente en la música: durante un *rave party* (fiestas *techno* que suelen durar, al menos, un par de días), lo mejor es reponer fuerzas en un *chill-out* (sesión de música *ambient* suave). Está por todas partes: aunque no te [45]dé *feeling*, ahora mismo es más *fashion* el *look* de *bad boy* que el *grunge*.

Muchas de estas palabras permanecerán. Así ocurrió con *ratón* y *colega*. Y muchas otras desaparecerán, pero tampoco importa: siem-[50]pre habrá jóvenes que necesiten, generación tras generación, reinventar el mundo a través del lenguaje.

www.revistafusion.com

40 Vocabulario 🔍

Mire las palabras que aparecen en la primera columna abajo y que también aparecen en la lectura anterior. Busque su correspondiente sinónimo o definición entre las palabras de la segunda columna.

1. jerga
2. controlar
3. mayúscula
4. falta de ortografía
5. inculto
6. apañarse
7. de modo que
8. durar
9. reponer fuerzas
10. por todas partes

a. recobrar la energía
b. error que se comete al escribir
c. que no tiene conocimientos
d. así que
e. vocabulario típico de un grupo social
f. lo contrario de minúscula
g. llevar un período largo de tiempo
h. dominar
i. en cada lugar
j. ser autosuficiente

41 ¿Ha comprendido?

1. ¿Qué significa que una palabra nace y muere?
   a. Que cambia continuamente su significado
   b. Que proviene de otra lengua
   c. Que se usaba en el castellano antiguo
   d. Que se usa durante poco tiempo

2. ¿Cuál es la función de las jergas?
   a. Inventar nuevas palabras
   b. Servir de distintivo social y cultural
   c. Recordar palabras antiguas
   d. Que sólo nos entiendan nuestras amistades

3. ¿De dónde provienen muchas de las nuevas palabras?
   a. De Internet
   b. De la música
   c. Casi siempre, del inglés
   d. De los chats

42 Responda brevemente

¿Le gusta hablar con sus amigos con un lenguaje especial que suelen usar los jóvenes? ¿Por qué? ¿Qué piensa cuando un adulto usa este tipo de lenguaje?

43 Se titula...

Piense en otro título para el artículo que acaba de leer. Explique por qué lo ha elegido.

44 Lea, escuche y escriba/presente 👣

Vuelva a leer "Jergas: cada día nace una nueva palabra" y luego escuche la grabación "¿Qué es el lenguaje de los jóvenes?". Escriba un ensayo o haga una presentación en clase contestando la pregunta, "¿Por qué los jóvenes crean su propio lenguaje?". No se olvide citar las fuentes debidamente.

45 Antes de leer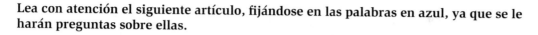

¿Cuál cree que es el período más feliz de la vida de una persona: la infancia, la juventud, la madurez o la vejez? ¿Le gusta o le molesta cumplir años? ¿Cree que cambiará de opinión en unos años? ¿Por qué?

46 ¿Cuándo se es adulto?

Lea con atención el siguiente artículo, fijándose en las palabras en azul, ya que se le harán preguntas sobre ellas.

¿A qué edad nos convertimos en adultos?

Ya soy mayor

Se mire por donde se mire, la infancia es el período más feliz (A). Es cierto que nos pasamos toda la niñez deseando crecer, pero inevitablemente, llegados a la edad adulta, tarde o temprano aflora la añoranza
[5] del mundo infantil.

Los científicos han querido cuantificar hasta qué grado llega esta nostalgia. El último informe sobre la juventud española elaborada por INJUVE (Instituto de la Juventud) revela, por ejemplo, que el 43% de
[10] los jóvenes de entre 15 y 29 años asegura que los niños son mucho más felices (B). Sólo un 6% muestra malos recuerdos de su niñez.

Posiblemente, los datos serían similares si se inquiriera a personas de entre 40 y 50 años sobre sus
[15] recuerdos de juventud porque, al fin y al cabo, crecer no es otra cosa que ir dejando atrás etapas que nunca más volverán ¿o, quizás, no?

Hay gente que piensa que el proceso de desarrollo y crecimiento del ser humano es muy simple, que es
[20] algo que está escrito en nuestros genes y que, con la compresión completa del genoma conseguiremos un conocimiento pleno del comportamiento de nuestra especie en las diferentes etapas de su vida. Pero otros científicos consideran que la cosa no es tan sencilla
[25] y que, en realidad, los pasos de la evolución del ser humano no son tan evidentes. En otras palabras, que no existe respuesta rápida a la pregunta: ¿cuándo dejamos de ser niños?

Basta volver a los datos del informe del INJUVE antes
[30] mencionado (C). Dicho estudio sobre la población juvenil española utilizó como muestra a personas de entre 15 y 29 años. Desde el punto de vista de un psicólogo, estas dos edades serían pues, las que marcan el umbral de entre la juventud y la infancia,
[35] por debajo, y la juventud y la edad adulta, por arriba. Hoy en día, se considera joven, sin ninguna duda, a una persona menor de 30 años. Pero hace apenas unas décadas (no digamos hace un par de siglos) un treintañero estaba ya en la plenitud de su adultez.

[40] En la Edad Media, con 30 años se era ya un anciano. A los 19 años Arthur Rimbaud había escrito la totalidad de su obra importante; a los 21, Cleopatra era una veterana reina de Egipto; a los 22, Charles Darwin empezaba a revolucionar el mundo de la biología a
[45] bordo del *Beagle*... Pero en España de comienzos del siglo XXI, a un hombre o una mujer de 29 años se les considera muestra representativa de la juventud y se les pregunta sobre sus miedos antes de convertirse en adulto.

Depende de la cultura y del período histórico

[50] No es extraño. La consideración de la juventud no es homogénea entre distintos pueblos, ni entre diferentes períodos históricos. Existen factores sociológicos, biológicos, psicológicos y legales que hacen variar los umbrales de entre los diferentes estados evolutivos.
[55] Veamos algunos de ellos. Desde el punto de vista social, la madurez se identifica con la capacidad de desenvolverse de manera independiente afectiva, económica y legalmente en el entorno en que se vive. Si se pregunta a los jóvenes españoles cuándo
[60] consideran que van a dejar de serlo, la edad promedio resultante es 34 años. Esos mismos jóvenes creen que dejaron de ser niños, (D), a los 15 años. O sea, que la propia percepción de la juventud que tienen los que de ella aún disfrutan es diferente a la que tienen los
[65] adultos. Para un sociólogo, se deja de ser joven a los 30; para un joven, se empieza a ser adulto a los 34.

Si en las sociedades tradicionales el paso de la infancia a la responsabilidad madura era casi directo —el niño se convertía en guerrero y la niña en madre
[70] en un solo acto— ahora ese salto es más complejo. Los niños dejan de serlo pronto, sí, pero no para hacerse "mayores" sino para ingresar en una larga etapa de juventud que sólo se abandona cuando se quiere, o se puede dejar el hogar familiar. Y es que
[75] cuesta mucho dejar de ser joven.

Revista *Muy Interesante*

47 Vocabulario ⌕

Mire las palabras a continuación. De cada grupo de cuatro, escoja la que no esté relacionada con la palabra de la lectura.

1. añoranza
   a. melancolía
   b. olvido
   c. nostalgia
   d. recuerdo

2. inquirir
   a. interrogar
   b. preguntar
   c. consultar
   d. encontrar

3. etapa
   a. parada
   b. fase
   c. período
   d. ciclo

4. pleno
   a. total
   b. completo
   c. 100%
   d. a mitad

5. mencionar
   a. referir
   b. nombrar
   c. omitir
   d. citar

6. umbral
   a. entrada
   b. final
   c. comienzo
   d. portal

7. desenvolverse
   a. manejarse
   b. apañarse
   c. valerse
   d. dormirse

8. ingresar
   a. salir
   b. entrar
   c. incorporarse
   d. formar parte

48 ¿Ha comprendido?

1. Según el artículo, ¿es la infancia un período feliz en nuestras vidas?
   a. No, solemos tener malos recuerdos de nuestra niñez.
   b. Sí, pero estamos todo el tiempo con nostalgia.
   c. Sí, los niños suelen ser más felices que los mayores.
   d. No, porque nos preocupamos por cosas sin importancia.

2. Hoy en día, en España, ¿cuándo deja una persona de ser joven?
   a. Depende de su comportamiento.
   b. Tiene que decidirlo un psicólogo.
   c. Es adulto a partir de los 30 años.
   d. Se es adulto con 29 años.

3. ¿La edad en la que empieza y termina la juventud es universal?
   a. Sí, las etapas están muy definidas en la sociedad en general.
   b. No, cada persona decide cuándo deja de ser joven.
   c. Sí, un adulto hoy en día es igual en todos los países.
   d. Existen generalidades, pero depende del tiempo y los valores culturales.

4. ¿Qué quiere decir la expresión "Se mire por donde se mire"?
   a. Es importante observar...
   b. Posiblemente...
   c. Considerando todos los aspectos...
   d. Parece ser...

49 ¿Dónde va? ⌕

Las siguientes frases han sido extraídas del artículo anterior. Vuelva a leer las oraciones donde hay una letra en color. Escriba la letra correspondiente al lado de las frases a continuación. Hay una frase que sobra.

1. que los adultos
2. para comprender cuán difíciles son las definiciones en este terreno
3. quienes se creían mayores
4. como media
5. de nuestras vidas

50 Lea, escuche y escriba/presente

Vuelva a leer el artículo "¿A qué edad nos convertimos en adultos?" y luego escuche la grabación, que es parte del mismo artículo. Tome notas y escriba un ensayo o haga una presentación en clase contestando la pregunta, "¿Cree que los niños dejan de ser niños demasiado pronto?" Incluya información de las dos fuentes, citándolas debidamente.

Cita

Los cuarenta son la edad madura de la juventud; los cincuenta la juventud de la edad madura.
—Victor Hugo (1802–1885), escritor francés

 ¿Hasta que edad cree Ud. qué se es joven? ¿Cree que nuestra sociedad valora demasiado o muy poco la juventud? ¿A qué se debe? Comparta sus opiniones con un/a compañero/a.

¡Dato curioso!

¿Qué es el síndrome de Peter Pan? Los psicólogos lo atribuyen a la resistencia a asumir las responsabilidades propias de la edad adulta. El síndrome fue identificado por el estadounidense Dan Kiley y se manifiesta como un estado de ansiedad e inseguridad permanente, ligado a la negativa a independizarse del entorno maternal.

¡A escuchar!

51 Wall Street

Lea las posibles respuestas primero y después escuche la grabación "Con el punto de mira en Wall Street". Escoja la mejor respuesta para cada pregunta que escuchará en la grabación.

1. (Pregunta que escuchará en la grabación.)

   a. Porque sus padres nunca pudieron darle una educación
   b. Porque es latino, y no quiere olvidar sus raíces
   c. Porque sus padres siempre le prometieron una educación
   d. Porque tuvo que trabajar duro para pagar su propia educación

2. (Pregunta que escuchará en la grabación.)

   a. Sí, tiene cinco hermanos.
   b. Sí, tiene ocho hermanos.
   c. Sí, tiene cuatro hermanos.
   d. No se menciona nada al respecto.

3. (Pregunta que escuchará en la grabación.)

   a. Ha trabajado como agente de bolsa en Wall Street.
   b. Ha trabajado en la Universidad de Long Island.
   c. Ha recibido un prestigioso premio otorgado a minorías.
   d. Ha estado empleado por casi un año en el Credit Suisse de Nueva York.

4. (Pregunta que escuchará en la grabación.)

   a. Ser bailarín de salsa profesional y profesor de la Universidad de Long Island
   b. Trabajar para el SEO y ser bailarín de salsa
   c. Tener un puesto fijo en la banca y ganar más premios
   d. Tener un puesto fijo en la banca y motivar a otros jóvenes

52 ¿Somos mayores ya?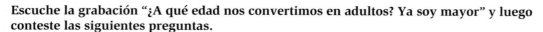

Escuche la grabación "¿A qué edad nos convertimos en adultos? Ya soy mayor" y luego conteste las siguientes preguntas.

1. ¿Cuáles son los tres puntos importantes para los jóvenes?
2. ¿Por qué los jóvenes se demoran tanto para marcharse de la casa de los padres?
3. ¿Están los jóvenes abiertos a otros modelos de familia? ¿Cual es la razón?
4. ¿Quieren los jóvenes comprometerse con una pareja?

53 Participe en una conversación 💿

Ud. va a participar en una conversación. Primero lea la descripción de la conversación y piense en algunas palabras o expresiones que le serían útiles. Organice sus ideas, haciendo predicciones sobre lo que se le pueda preguntar o comentar. Una descripción de lo que va a escuchar aparece abajo en color. Participe en la conversación grabando las respuestas o escribiéndolas en su cuaderno.

Escena: Su padre habla con usted sobre los programas televisivos que ve su hermano pequeño.

Padre:	Plantea el problema.
Ud.:	• Conteste. • Dele su opinión.
Padre:	Elabora el problema.
Ud.:	• Exprésele su opinión.
Padre:	Sigue elaborando el problema.
Ud.:	• Dele su opinión. • Sugiérale una solución.
Padre:	Sigue la conversación.
Ud.:	• Anímele. • Propóngale una actividad para realizar en familia.
Padre:	Interrumpe la conversación.

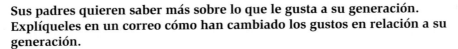

¡A escribir!

54 Texto informal: un blog

Escriba en un blog. Hable sobre sus gustos y los de sus amigos. Incluya lo siguiente:

- Hable sobre la ropa que se lleva.
- Hable sobre el tipo de música que se escucha.
- Termine con una pregunta.

55 Texto informal: un correo electrónico

Sus padres quieren saber más sobre lo que le gusta a su generación. Explíqueles en un correo cómo han cambiado los gustos en relación a su generación.

- Hábleles sobre lo que se lleva y lo que es más "in".
- Compare su generación con la de sus padres.
- Recomiéndeles participar en una actividad con sus amigos.

56 Ensayo: los niños mimados

Escriba un ensayo contestando la pregunta, "¿Cree que los niños de hoy en día están demasiado mimados por sus padres?"

57 Ensayo: los videojuegos

Escriba un ensayo en el que exponga los beneficios y consecuencias del uso de los videojuegos por los jóvenes.

58 En parejas

Intercambie sus ensayos con un/a compañero/a. Exprésele su opinión sobre el contenido y el uso del idioma.

> **Consejo**
>
> Antes de empezar, lea las pautas para escribir textos informales en la pág. 480 del Apéndice. Mientras escribe el texto tenga presente los objetivos. Cuando termine, verifique que ha cumplido con todo lo que se describe en la lista y reflexione sobre su trabajo.

> **Consejo**
>
> Antes de empezar, lea las pautas para escribir ensayos en la pág. 480 del Apéndice. Mientras escribe el ensayo tenga presente los objetivos, y no se olvide de ponerle un título original. Cuando termine, verifique que ha cumplido con todo lo que se describe en la lista y reflexione sobre su trabajo.

¡A hablar!

59 Charlemos en el café

Ud. va a debatir los siguientes temas con un/a compañero/a. Uno estará a favor de lo que se ha dicho y otro en contra. El debate durará varios minutos. El/La estudiante que esté de acuerdo comenzará el debate y hablará por unos diez segundos. Cuando el/la profesor/a lo indique, el/la otro/a estudiante tomará la palabra y expresará su opinión por otros diez segundos, y así sucesivamente.

1. Los jóvenes de hoy en día son víctimas de la publicidad.
2. Los niños de hoy en día consiguen todo lo que quieren. Están demasiado mimados.
3. Debido a las nuevas tecnologías los jóvenes no saben relacionarse entre ellos.
4. Los jóvenes siguen la moda para ser aceptados por los demás.
5. Los móviles aíslan a los jóvenes.
6. Ud. tomaría una píldora que le permitiera ser joven toda su vida.

60 ¿Qué opinan?

Converse con un/a compañero/a sobre estas situaciones o preguntas.

1. ¿Cuáles son las cinco cosas más importantes para los jóvenes de su edad? Escríbalas en orden de importancia y explique por qué son importantes.
2. ¿Qué está de moda entre los jóvenes de su generación? ¿Qué está pasado de moda? Hablen sobre música, ropa, deportes, comida, aparatos tecnológicos, etc.

61 Presentemos en público

Conteste una de las siguientes preguntas durante varios minutos en clase. Organice sus ideas antes de hacer la presentación, busque las palabras necesarias y, después de practicar, presente en clase sin mirar las notas.

1. ¿Es fácil ser joven en estos tiempos? ¿Cuáles son las ventajas y los inconvenientes?
2. ¿Está deseando dejar de ser joven?
3. ¿Qué es lo que define a los jóvenes de los Estados Unidos?
4. ¿Cómo son los modelos en los que se fija la gente joven de su generación?

> **Consejo**
>
> Antes de empezar, lea las pautas para presentaciones formales en la pág. 481 del Apéndice. Mientras formula su presentación tenga presente los objetivos. Cuando termine la presentación, verifique que ha cumplido con todo lo que se describe en la lista y reflexione sobre el trabajo que hizo.

Proyectos

62 ¡Manos a la obra!

Trabaje en un grupo de cuatro o cinco estudiantes para llevar a cabo uno de los siguientes proyectos y presentarlo a la clase.

- Les han encargado que trabajen en la sección de gente joven del periódico y les han pedido que diseñen toda esta sección. Tienen asignadas dos hojas del periódico para hacerlo. Decidan los diferentes temas; por ejemplo, música, pasatiempos, los lugares de interés, y los formatos: la publicidad, las cartas al director, las tiras cómicas.

- Presenten a un joven típico de su edad. Hablen de su vida, metas, amistades, pasatiempos, gustos, etc.

- Presenten a un joven de su edad, pero esta vez a modo irónico, según la forma en la que los jóvenes son percibidos por algunos mayores.

- Propongan un nuevo club del colegio o de la universidad que refleje los nuevos gustos y tendencias. Descríbanlo, denle un nombre e intenten captar a nuevos miembros cuando se lo presenten a sus compañeros.

- Entrevisten a una persona de un país hispanohablante, y pregúntenle sobre los jóvenes en su país. Elaboren de quince a veinte preguntas interesantes y graben las respuestas.

Vocabulario

Verbos

abrocharse	to fasten
amenizar	to make pleasant
asegurar	to assure
asumir	to assume, take on
atravesar	to go through
castigar	to punish
consolar (ue)	to console, comfort
convivir	to live with
desanimar	to discourage
desbancar	to replace
desear	to wish
durar	to last; to take time
encajar	to fit in
manejar	to handle; to drive
otorgar	to grant
parecerse	to look like
pasarse	to go too far
ponerse	to become; to place oneself
portarse	to behave
regañar	to scold, rebuke, tell off
reponer fuerzas	to recover
retar	to challenge
señalar	to point (to)
soportar	to stand, bear
suceder	to occur, happen
tartamudear	to stutter
tumbarse	to lie down

Verbos con preposición

verbo + a:

arriesgarse a	to risk
exponerse a	to expose oneself to
pertenecer a	to belong to

verbo + con:

conformarse con	to be satisfied with
contentarse con	to be happy/satisfied with; to make do with
entretenerse con	to amuse oneself with
quedar bien/mal con	to make a good/bad impression on
romper con	to break up with

verbo + de:

avergonzarse (ue) de	to be ashamed of
burlarse de	to make fun of
cansarse de	to become tired of
depender de	to depend on
presumir de	to think one is, boast of being
quejarse de	to complain about

verbo + en:

apoyarse en	to lean/rely on
empeñarse en	to make an effort to, insist on
esforzarse (ue) en	to try very hard to

verbo + para:

tener motivos para	to have reasons for

verbo + por:

interesarse por	to take an interest in
tener por	to take for, considered

Sustantivos

el/la	adepto/a	follower, supporter
el	agradecimiento	gratitude
la	amistad	friendship
el/la	anciano/a	elderly man/woman
el	apuro	jam, fix
la	autoestima	self-esteem
el	carácter	character
el	comportamiento	behavior
la	conjetura	conjecture
el	cuero	leather
los	derechos humanos	human rights
el	desempleo	unemployment
el	diseño	design
el	disparate	silly/stupid thing or action
la	edad adulta	adulthood
la	etapa	stage
la	facha	appearance (*colloquial*)
el	fallo	fault, mistake
la	falta de ortografía	spelling mistake
el	filón	gold mine (*colloquial*)
el	ingreso	entry
la	jerga	slang
el	lazo	link
el	mando	remote control
la	marca	brand
la	mayúscula	capital letter
la	niñez	childhood
el	pacifismo	pacifism
el	paso	step
el	peso	weight
la	pinta	appearance
el	portal	doorway
el/la	quinceañero/a	fifteen-year-old
el	rasgo	feature
el	recuerdo	memory
el	rollo	bore (*slang*)
el	síntoma	symptom
el	sondeo	poll
el	tamaño	size

el	tatuaje	tattoo
el	temor	fear
el	terreno	field
el	tino	common sense
el	tipo	type, sort, guy
el/la	treintañero/a	thirty-year-old
el/la	veinteañero/a	twenty-year-old
el	voluntariado	voluntary service

Adjetivos

ajustado, -a	tight
atrevido, -a	daring
caído, -a	fallen; hanging, droopy
capacitado, -a	qualified, trained
complejo, -a	complex
deportivo, -a	sports (*before nouns*)
fluido, -a	fluid, smooth
gracioso, -a	funny
inculto, -a	uncultured, uneducated
inseguro, -a	unsafe; insecure
leal	loyal
maduro, -a	mature
orgulloso, -a	proud
pleno, -a	full
preocupante	worrisome, worrying
prodigioso, -a	marvelous
realista	realistic
rebelde	rebellious
revoltoso, -a	rebellious
solidario, -a	in solidarity, supportive
teñido, -a	dyed
tolerante	tolerant

Adverbios

alrededor	around
de pronto	suddenly
efectivamente	effectively

Expresiones

a pesar de	in spite of
al fin y al cabo	finally
de última generación	most recent
de verdad	really
desde el punto de vista de	from the point of view of
en serio	seriously
no estar para bromas	not to be in a joking mood
no ser para tanto	it's not such a big deal
para ser sincero	to be sincere
por lo visto	apparently
por más que	no matter how hard
por poco	by little
por si acaso	if by any chance
por supuesto	of course
por todas partes	everywhere
por último	finally
¡Qué lata!	What a bore!
¡Qué lío!	What a mess!
sacar partido de	to profit from
se mire por donde se mire	wherever one looks
sin embargo	nevertheless
sin ninguna duda	without (any) doubt
tarde o temprano	sooner or later

A tener en cuenta

Usos de *se*:

1. Cuando tenemos dos pronombres. *Le* se convierte en *se*.
   ¿Le diste la fotocopia? Sí, se la di.

2. Reflexivos. Tercera persona.
   Siempre se equivoca cuando maneja el carro.

3. Construcción recíproca.
   No se miran a la cara.

4. El *se* accidental.
   Se me cayeron las hojas al suelo.

5. Impersonal.
   Se busca secretaria / cantante para grupo / informático/a / diseñador(a) de páginas web.

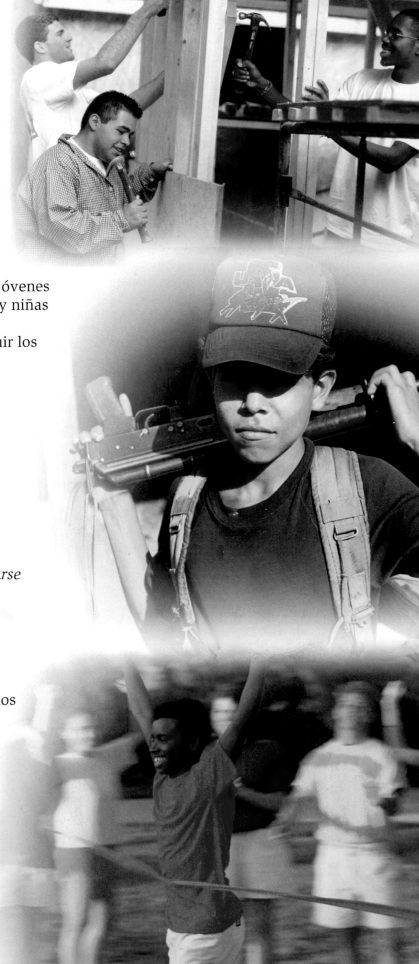

Lección

B

Objetivos

Comunicación
- Conocer los problemas de otros jóvenes
- Describir el mundo de los niños y niñas de la calle
- Hablar de la importancia de seguir los estudios

Gramática
- El futuro
- Los tiempos perfectos
- Los participios pasados
- La voz pasiva

"Tapitas" gramaticales
- algunos usos del subjuntivo
- *tomar* y *hacer*
- *respeto* y *respecto*
- *volverse, ponerse, hacerse, quedarse*

Cultura
- Los jóvenes indígenas
- Albergues para jóvenes
- La emancipación de los jóvenes
- Los niños soldados
- Los hispanoamericanos en Estados Unidos
- Los niños y niñas de la calle
- Los peligros de la tecnología

Visite la página Web de
¡A toda vela! en
www.emcp.com

1 Conteste las preguntas

Piense en las respuestas a las siguientes preguntas. Puede tomar notas si lo considera necesario. Cuando termine, compare sus respuestas —pero sin mirar sus notas— con las de un/a compañero/a.

1. ¿Cuáles son los retos que tienen los jóvenes de Estados Unidos?
2. ¿En qué actividades de la comunidad participan los jóvenes?
3. ¿Qué tipo de voluntariado le gustaría hacer a Ud.? ¿Por qué? ¿Qué tipo de voluntariado hace? ¿Por qué?
4. ¿Qué tipo de problemas tienen los jóvenes de su generación? ¿Cómo suelen resolver estos problemas?
5. ¿Qué problemas cree que afrontan los jóvenes de las comunidades indígenas? ¿Son similares a los suyos?
6. ¿A qué edad se suelen emancipar los jóvenes estadounidenses? ¿Por qué cree que muchos jóvenes españoles y latinoamericanos se emancipan más tarde?
7. A la hora de elegir una universidad, ¿suelen los estadounidenses elegir una que esté cerca de casa? ¿La distancia es un factor que influye en su elección? ¿Qué otros factores influyen?
8. ¿Están los niños de todo el mundo protegidos actualmente? ¿Qué problemas afrontan muchos de los jóvenes?
9. ¿Qué sabe de los niños de la calle?
10. ¿Por qué razones dejan algunos jóvenes de estudiar?

2 Mini-diálogos

Ud. va a crear un mini-diálogo con un/a compañero/a. Lea la descripción de la conversación antes de empezar. Puede tomar notas para organizar sus ideas, pero no las mire mientras conversa.

Escena: En el gimnasio Ud. y su amigo/a mantienen una conversación sobre sus ídolos.

A: Hable con su compañero/a sobre alguien famoso que admire. Pregúntele qué piensa de esta persona.

B: Exprese su opinión. Pregúntele más sobre esta persona.

A: Conteste sus preguntas. Pregúntele sobre una de las personas que admira.

B: Conteste su pregunta. Dele detalles.

A: Exprese descontento. Dele razones por la que no le gusta esa persona.

B: Defienda a su ídolo. Y dígale cómo ha influido en su vida.

A: Discúlpese por lo que piensa decirle, pero continúe con sus comentarios. Despídase amistosamente.

B: Despídase de mal humor.

Refrán

El joven conoce las reglas, pero el viejo las excepciones.

Hable sobre el significado de este refrán. ¿Cree que es cierto? Comparta su opinión con un/a compañero/a.

¡Dato curioso!

Los jóvenes perciben de forma diferente la influencia de sus familias en función de su edad y su nivel económico, pero no por ser chicos o chicas.

3   En una novela 📖

Lea el siguiente texto literario. Fíjese en las palabras que aparecen en azul (relacionadas con el vocabulario) y en rojo (relacionadas con la gramática), ya que en las siguientes actividades se le harán preguntas sobre ellas.

Hemos acordado que esta noche será la noche. Pensamos escapar del campamento de madrugada, cuando todos estén dormidos. Lo hemos planeado minuciosamente durante meses. Les prepararemos la cena a los soldados como de costumbre, mientras que conversamos con las otras
5 chicas del campamento. Después Ana y yo nos escaparemos en cuanto veamos el momento adecuado. Saldremos de esta pesadilla, seremos libres y volveremos con nuestros seres queridos. Seremos cuidadosas y no despertaremos ninguna sospecha, todo saldrá bien. Aquí nos estamos volviendo locas. Nos iremos juntas y podremos, ...pero ¿qué será ese ruido?
10 ¿quién gritará tanto?...

De golpe todos los gritos cesaron. Sólo se oía un leve murmullo. María se acercó a donde estaba el bullicio, abrió paso entre la multitud y allí vio a su amiga. Ana yacía inmóvil. Con una extraña sonrisa de vencedora. De alguna forma había podido escapar de allí. Había triunfado. María siguió con sus
15 planes. "Lo haré sola. Como no lo haga esta noche, nunca saldré viva de aquí". Y así lo hizo. Hoy en día reside en Nueva York. Habrá publicado su primer libro en unos meses. En la portada veremos una fotografía de las dos íntimas amigas, sonrientes, antes de que fueran secuestradas por la guerrilla. "¿Será más fácil para mi hija pequeña? ¡Disfruto tanto oyéndola hablar
20 sobre lo que quiere ser de mayor!" —piensa mientras le cepilla el pelo. "Te recogeré el pelo y te haré una coleta. A Ana le encantaba que la peinara así." María sonríe, aunque se ha puesto un poco sentimental. Las dos amigas se escaparon de algún modo juntas. Sabe que Ana siempre estará a su lado.

4   ¿Qué significa? 🔍

Según el contexto del texto anterior, empareje cada palabra de las dos primeras columnas con su traducción correspondiente en la tercera y cuarta columna.

1. acordar	14. murmullo	a. camp	n. uproar
2. campamento	15. bullicio	b. to wake up	o. winner
3. madrugada	16. multitud	c. to cease	p. close
4. minuciosamente	17. yacer	d. thoroughly	q. motionless
5. de costumbre	18. inmóvil	e. to decide	r. ponytail
6. en cuanto	19. vencedor	f. murmur	s. as usual
7. ser querido	20. triunfar	g. multitude	t. suspicion
8. despertar	21. residir	h. cover	u. loved one
9. sospecha	22. portada	i. to triumph	v. suddenly
10. salir bien	23. íntimo	j. kidnapped	w. to lie
11. de golpe	24. secuestrado	k. light, slight, trivial	x. to reside
12. cesar	25. coleta	l. as soon as	y. dawn
13. leve		m. to go well	

5 El futuro

Conteste estas preguntas relacionadas con la lectura de la Actividad 3.

1. ¿Cómo se forma el futuro de los verbos regulares?
2. Escriba 13 verbos irregulares que recuerde en el futuro en la tercera persona del singular. Puede usar verbos compuestos.
3. ¿Qué otros verbos o expresiones se usan para indicar el futuro? Escriba un ejemplo.
4. Haga una lista de los verbos que aparecen en futuro en el texto de la Actividad 3.
5. ¿Cómo se traduce *I hope you will come*? ¿Qué tiempo es?
6. *¿Qué será? ¿Quién gritará? ¿Será más fácil?* ¿Qué tiempo verbal ha sido usado? ¿Por qué se usa en este contexto? ¿Cómo lo traduciría? Escriba otro ejemplo.

6 "Tapitas" gramaticales

Conteste estas preguntas basadas en la lectura de la Actividad 3.

1. ¿Cómo traduciría "Como no lo haga esta noche"? ¿De qué tiempo verbal se trata? Escriba una frase similar.
2. ¿Qué tiempo verbal es *peinara*? Escriba una frase similar usando el mismo tiempo.
3. ¿Cómo se traduce "se ha puesto un poco sentimental"? ¿Puede pensar en otros ejemplos con *ponerse*? ¿Cuáles son? ¿Cuál es la diferencia entre *ponerse, hacerse, quedarse* y *volverse*?

7 Entrevistando a María

Usted es un/a periodista que ha leído sobre la historia de María, quien fue secuestrada y obligada a ser una niña soldado. Le han pedido a Ud. que le haga una entrevista. Escriba diez preguntas para hacerle (incluya el vocabulario y las "tapitas" gramaticales de las actividades anteriores).

8 Los jóvenes indígenas

Lea el siguiente artículo, prestando atención a las palabras en azul y rojo, ya que se le harán preguntas sobre ellas.

Estos nuevos tiempos representan un reto para los jóvenes indígenas de nuestro país. Todo a nuestro alrededor se mueve a un ritmo acelerado. No obstante, un grupo de jóvenes ha llamado recientemente la atención de los medios de comunicación por su actitud positiva ante las dificultades
[5] y por su capacidad de lucha. Han escrito miles de cartas a políticos y a empresarios destacados solicitando ayuda para mejorar la situación. Por fin, y en gran parte gracias a la prensa, que ha difundido la noticia, y a su continua lucha y esfuerzo, han sido oídos. Para finales de año habrán abierto una organización sin ánimo de lucro que desempeñará un papel
[10] muy importante para apoyar la creciente inquietud de nuestros jóvenes. Quieren superarse y conseguir sus metas, y están dispuestos a hacer todo lo que sea necesario. Saben que son el futuro, y por eso luchan por sus derechos. Han hecho todo lo que está en sus manos y han conseguido un cambio histórico. En una sociedad donde los adultos toman todas las
[15] decisiones, los jóvenes han logrado ser escuchados. Según los medios, en unos meses habrán hecho mejoras importantes. Durante todo este proceso los jóvenes indígenas han demostrado que han aprendido mucho sobre las nuevas tecnologías, han mejorado sus destrezas y su formación para ser personas cultas, y han llegado a conocerse más como individuos. A la luz de los acontecimientos, los mayores, siempre tratados con respeto, y quienes se habían
[20] opuesto tajantemente a cualquier cambio, se han comprometido a hacer un esfuerzo para comprender sus demandas.

9 ¿Qué significa? (¿?)

Elija la mejor traducción de cada palabra, según la lectura.

1. alrededor
   a. outskirts
   b. according
   c. around
   d. surroundings

2. empresario
   a. company
   b. business owner
   c. worker
   d. boss

3. destacado
   a. shown
   b. emphasized
   c. stressed
   d. distinguished

4. solicitar
   a. to ask for
   b. to pray to
   c. to work up
   d. to set up

5. prensa
   a. printer
   b. pressure
   c. press
   d. dam

6. difundir
   a. to defend
   b. to obstruct
   c. to spread
   d. to support

7. esfuerzo
   a. support
   b. amount
   c. effort
   d. strength

8. sin ánimo de lucro
   a. non-profit
   b. for profit
   c. without luxury
   d. without encouragement

9. desempeñar
   a. to help
   b. to change
   c. to disdain
   d. to play

10. apoyar
    a. to support
    b. to oppose
    c. to bring
    d. to recover

11. creciente
    a. turning
    b. changing
    c. increasing
    d. involving

12. superarse
    a. to suppress
    b. to excel
    c. to defeat
    d. to obtain

13. meta
    a. challenge
    b. measure
    c. medal
    d. objective

14. lograr
    a. to make
    b. to accomplish
    c. to get
    d. to find

15. mejora
    a. improvement
    b. good
    c. change
    d. better

16. destreza
    a. method
    b. skill
    c. capacity
    d. right

17. culto
    a. cult
    b. educated
    c. culture
    d. worshipped

18. a la luz de
    a. with the idea of
    b. in light of
    c. to the sun of
    d. to the light of

19. acontecimiento
    a. event
    b. date
    c. firm
    d. accounting

20. tajantemente
    a. in a bad manner
    b. in a good manner
    c. secretly
    d. categorically

10 Un resumen 👤👤

Con un/a compañero/a haga un resumen del artículo "Los jóvenes indígenas" en un gráfico o dibujo y preséntelo a la clase.

11 Los tiempos perfectos: el presente perfecto, el pluscuamperfecto, el futuro perfecto (¿?)

Conteste estas preguntas relacionadas con la lectura de la Actividad 8.

1. ¿Cómo se conjuga un verbo en presente perfecto? ¿Y en pluscuamperfecto? ¿Y en futuro perfecto?
2. Haga una lista de diez participios pasados irregulares.
3. ¿Por qué lleva acento el verbo *oír* en el participio pasado? ¿Qué otros verbos siguen esta regla? Escriba el participio pasado de cinco de estos verbos.
4. Haga una lista de los verbos que aparecen en presente perfecto, pluscuamperfecto o futuro perfecto en el texto.

12 El participio pasado ❓🔍

Conteste estas preguntas relacionadas con la lectura de la Actividad 8.

1. ¿Cómo se forma el participio pasado?
2. ¿Qué sucede cuando se usa un participio pasado como adjetivo?
3. Busque casos en los que el participio es usado como adjetivo en la lectura anterior.
4. Escriba cuatro oraciones con participios usados como adjetivos.

13 "Tapitas" gramaticales ❓🔍

Conteste estas preguntas basadas en la lectura de la Actividad 8.

1. ¿Por qué decimos *están dispuestos* y no *son dispuestos*?
2. ¿Por qué se usa el subjuntivo en la frase *hacer todo lo que sea necesario*?
3. ¿Por qué decimos *tomar decisiones* y no *hacer decisiones*?
4. ¿Cuándo se usa *respeto* y cuándo *respecto*?

14 Nuestros retos ✒️

Ud. es uno de los jóvenes descritos en el artículo anterior. Escríbale un correo electrónico a un/a amigo/a en el que describa sus experiencias durante todo el proceso. No se olvide de usar el vocabulario y las "tapitas" gramaticales de la lectura.

- Hable de las razones por las que decidió unirse a la lucha.
- Hable de las metas, los logros y los retos.
- Comente sus expectativas para el futuro.

15 Los tiempos verbales 📃

Lea el siguiente texto y complételo con el presente perfecto, pluscuamperfecto, futuro perfecto o participio de los verbos entre paréntesis, según el contexto.

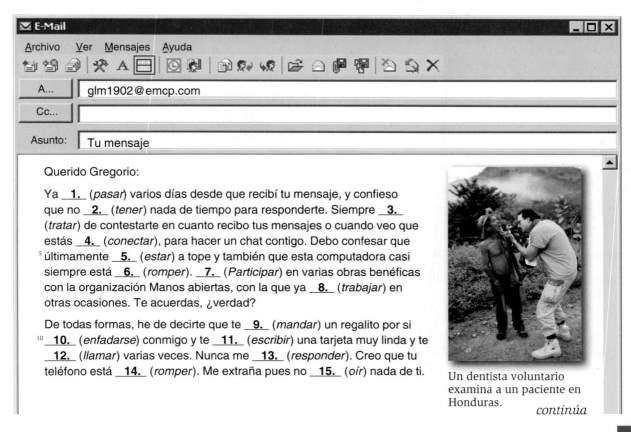

E-Mail ▯□☒

Archivo   Ver   Mensajes   Ayuda

A...   glm1902@emcp.com

Cc...

Asunto: Tu mensaje

Querido Gregorio:

Ya __1.__ (*pasar*) varios días desde que recibí tu mensaje, y confieso que no __2.__ (*tener*) nada de tiempo para responderte. Siempre __3.__ (*tratar*) de contestarte en cuanto recibo tus mensajes o cuando veo que estás __4.__ (*conectar*), para hacer un chat contigo. Debo confesar que
5 últimamente __5.__ (*estar*) a tope y también que esta computadora casi siempre está __6.__ (*romper*). __7.__ (*Participar*) en varias obras benéficas con la organización Manos abiertas, con la que ya __8.__ (*trabajar*) en otras ocasiones. Te acuerdas, ¿verdad?

De todas formas, he de decirte que te __9.__ (*mandar*) un regalito por si
10 __10.__ (*enfadarse*) conmigo y te __11.__ (*escribir*) una tarjeta muy linda y te __12.__ (*llamar*) varias veces. Nunca me __13.__ (*responder*). Creo que tu teléfono está __14.__ (*romper*). Me extraña pues no __15.__ (*oír*) nada de ti.

Un dentista voluntario examina a un paciente en Honduras.

continúa

16. (*Hacer*) varios trabajos de voluntaria junto a mis colegas y __17.__ (*ser*) bastante gratificante. Por haber __18.__ (*escribir*) un cuento corto para los niños de aquí, me

15 __19.__ (*otorgar*) un premio y __20.__ (*salir*) en los periódicos. ¡Yo! ¡En los periódicos, ¡imagínate! Aunque __21.__ (*rechazar*) el premio pues ya sabes que no me gusta ser __22.__ (*tratar*) de ninguna forma especial o recibir ningún tipo de halago. Además, siempre __23.__ (*ser*) muy tímida, ya lo sabes. Vuelvo dentro de poco. En tan sólo dos semanas ya __24.__ (*terminar*) nuestra misión y __25.__ (*irse*) de aquí . Espero verte

20 pronto. La verdad es que aquí soy __26.__ (*tratar*) como una reina y __27.__ (*disfrutar*) muchísimo con la experiencia. Todos nosotros __28.__ (*aprender*) mucho de los niños, ya que siempre dan por sentado cosas que los demás nunca tendrán. Te echo mucho de menos. Estoy deseando verte.

Un abrazo muy fuerte.

25 P. D. Te __29.__ (*incluir*) unas fotos que nos __30.__ (*hacer*) hace poco.

16 La voz pasiva

Escriba oraciones completas con las palabras que aparecen a continuación. Use el verbo *ser* en futuro y el segundo verbo como participio pasado, más otras palabras que desee añadir. Siga el modelo.

MODELO   programa / ser / ver   *El programa será visto por millones de personas.*

1. gritos / ser / oír
2. políticos / ser / secuestrar
3. fuego / ser / apagar
4. niños / ser / obligar
5. armas / ser / romper
6. programa / ser / ver
7. noticia / ser / leer
8. artículo / ser / imprimir
9. ventanas / ser / abrir
10. ensayo / ser / escribir
11. equipaje / ser / proveer
12. patatas / son / freír

Refrán

La juventud vive de la esperanza, la vejez del recuerdo.

¿Está de acuerdo con esta afirmación? ¿Por qué? Comparta su opinión con un/a compañero/a.

¡Dato curioso!   Cada vez hay más jóvenes que triunfan en el mundo de los negocios. Aunque antes hubiera sido impensable, cada vez resulta bastante común ver en la portada de un periódico noticias de jóvenes que se hacen millonarios de la noche a la mañana. A diferencia de los jóvenes de otras generaciones que simplemente soñaban con el éxito, éstos luchan por realizar sus sueños.

17 Familia de palabras

Complete la tabla con el verbo, sustantivo o adjetivo apropiado, y la traducción correspondiente.

Verbos		Sustantivos		Adjetivos	
abusar	to abuse	el abuso	abuse	abusado	abused
agravar	_____	_____	seriousness	grave	_____
apresar	_____	el preso	prisoner	apresado	_____
encarcelar	_____	la cárcel	_____	_____	jailed
experimentar	_____	la experiencia	_____	_____	experienced
fracasar	_____		failure	fracasado	_____
luchar	_____	la lucha	_____		_____
		la mejora	_____	mejor, mejorado	_____ , _____
oprimir	_____	_____	oppression	oprimido	_____
_____	to promote	la promoción	_____	promovido	_____
secuestrar	_____	el secuestro	_____		kidnapped
tratar	_____	el trato	treatment	tratado	_____
violar	_____ ;	la violación	violation; rape	violado	_____ ; _____

18 ¿Verbo, sustantivo o adjetivo?

Complete las oraciones usando la forma correcta de las palabras que aparecen en la tabla, ya sea verbo, adjetivo o sustantivo. En el caso del sustantivo puede que necesite artículo.

1. Unos empresarios han sido juzgados por ___ (tratar) que le han dado a sus empleados.
2. La prensa ha logrado llamar la atención sobre el chico y pensamos que al final no irá a ___ (encarcelar).
3. A partir del mes que viene, la organización sin ánimo de lucro en la que trabaja mi hermana ___ (promover) el aprendizaje de otro idioma entre los jóvenes.
4. Un grupo de personas cultas hará un estudio sobre ___ (fracasar) escolar de estos jóvenes.
5. Una multitud se ha acercado al alcalde para denunciar ___ (agravar) de la situación.
6. A la luz de los acontecimientos, ¿___ (mejorar) la seguridad en este barrio? Nadie quiere que más jóvenes sean ___ (violar).
7. El gobernador ha recibido muchos halagos por apoyar tajantemente ___ (mejorar) de las escuelas de la zona.
8. Ha sido muy gratificante comprobar que gracias a que Pili es una gran ___ (luchar), ha logrado lo que nadie logró.
9. Seguramente nunca se recuperará, después de ___ (oprimir) sufrida en su niñez.
10. Seguramente no le habrán otorgado el premio a Gloria por haber ___ (fracasar) en su anterior proyecto.

Refrán

¡Si el joven supiera y el viejo pudiera!

¿Qué cree que significa este refrán? Comparta su opinión con un/a compañero/a. Piensen en ejemplos. Intenten escribir otro refrán con un significado similar.

¡Dato curioso! Cada vez hay más organizaciones y encuentros para promover las habilidades, capacidades creativas y fluidez tecnológica en los niños. Un ejemplo de ello es la organización FRIDA, Fondo Regional para la Innovación Digital en América Latina y el Caribe.

19 Acogiendo a jóvenes 📖

Échele una ojeada al texto que sigue para ver de qué se trata, prestando atención a las palabras en azul. Luego lea el pasaje y decida cuál de las dos palabras entre paréntesis es la correcta para completar cada oración y escríbala.

Al rescate de los jóvenes

Andrea Marchetti, director de programas de Jóvenes Inc., __1.__ (*explicó / explicaba*) que el albergue de emergencia __2.__ (*está / es*) preparado para acoger a siete muchachos. Se __3.__ (*les / le*) brinda la oportunidad para que __4.__ (*comiencen / comienzan*) a cambiar __5.__ (*su / sus*) vidas. En la vivienda eventual, __6.__ (*pueden / ⁵puedan*) estar hasta 18 meses y la __7.__ (*ofrecen / ofrezcan*) a los jóvenes que demuestran que necesitan un lugar estable donde vivir mientras alcanzan sus metas como __8.__ (*terminar / terminen*) de estudiar y __9.__ (*ahorrar / ahorran*) para un apartamento.

"__10.__ (*Hay / Haya*) varias condiciones para __11.__ (*el / la*) vivienda eventual. Los ¹⁰jóvenes tienen que __12.__ (*estar / estén*) trabajando y tener __13.__ (*algún / alguna*) meta que __14.__ (*quieran / quieren*) alcanzar. Por supuesto que no se __15.__ (*les / los*) permite __16.__ (*ninguna / ningún*) tipo de droga y tienen que __17.__ (*comportarse / se comporten*) bien", señaló Marchetti.

El padre Estrada __18.__ (*agregó / agregaba*) que la idea de los albergues surgió para ¹⁵__19.__ (*atender / atiendan*) a los jóvenes inmigrantes indocumentados que venían __20.__ (*huyendo / huían*) de la guerra de Centroamérica o de la pobreza en México en la década de los 80 y que por __21.__ (*cualquiera / cualquier*) motivo terminaban solos frente a la Placita Olvera.

"Al principio __22.__ (*eran / fueron*) jovencitos de 11 a 15 años a __23.__ (*quien / ²⁰quienes*) se atendía en los albergues. Con el tiempo se ha ido modificando y ahora __24.__ (*son / sean*) jóvenes de 18 a 24 años, en la mayoría inmigrantes, que necesitan un lugar donde los guíen para ser productivos", dijo el padre Estrada. "__25.__ (*Uno / Un*) 90% de los jóvenes que ayudamos son inmigrantes, hay __26.__ (*algún / alguno*) que otro afroamericano y asiático, pero en su mayoría son latinos".

²⁵Otro de __27.__ (*los / las*) programas de esta organización sin fines de lucro __28.__ (*es / sea*) el Centro de Aprendizaje, donde __29.__ (*dan / den*) clases de computación, de inglés y, además, __30.__ (*los / les*) enseñan cómo conseguir trabajo. Este centro __31.__ ³⁰(*atiende / atienda*) a tres grupos de veinte muchachos cada uno y trabaja en conjunto con preparatorias locales y con el Departamento de Servicios ³⁵Familiares del Condado.

www.laopinion.com

---

20 Amplíe su vocabulario ⌕

Mire las palabras de la primera columna, que aparecen en el artículo anterior, y busque su definición o sinónimo en la segunda.

1. acoger
2. brindar
3. estable
4. alcanzar
5. ahorrar
6. agregar
7. sin fines de lucro

a. lo contrario de gastar
b. añadir
c. ofrecer
d. no pretende ganar dinero
e. admitir, proteger
f. que no cambia
g. conseguir

21 Jóvenes con identidad 📖

Échele una ojeada al artículo para ver de qué se trata, prestando atención a las palabras en azul. Luego lea el artículo y decida qué forma de las palabras entre paréntesis es la correcta para completar cada oración y escríbala. No se olvide de escribir y acentuar las palabras correctamente.

Jóvenes del Kollasuyo van en cruzada andina

Un grupo de jóvenes de Ecuador, Perú, Bolivia y Argentina, __1.__ (*motivar*) en __2.__ (*fortalecer*) la identidad andina, participa en __3.__ (*el*) II Encuentro Indígena
⁵del Kollasuyo, __4.__ (*organizar*) por __5.__ (*el*) agrupación Tinku Juvenil.

Ayer compartieron __6.__ (*uno*) de sus actividades con __7.__ (*el*) población al realizar __8.__ (*un*) ritual andino en la plaza
¹⁰14 de septiembre. La q'oa, __9.__ (*preparar*) con elementos simbólicos de la cultura incaica y __10.__ (*acompañar*) de coca, marcó la celebración de __11.__ (*el*) jóvenes.

Los representantes de __12.__ (*el*)
¹⁵comunidades del Kollasuyo __13.__ (*encomendarse*) a la madre tierra, Pachamama, en agradecimiento a los productos que __14.__ (*éste*) da a los pueblos andinos y para solicitar __15.__ (*lo*)
²⁰protección.

El I Encuentro de Jóvenes del Kollasuyo __16.__ (*realizarse*) en Argentina, en 2004. Los organizadores __17.__ (*elegir*) a Bolivia como sede del segundo evento y preparan
²⁵__18.__ (*un*) ritual para recibir el solsticio de verano, informó __19.__ (*el*) portavoz del grupo Tinku, Ramiro Saravia.

El grupo Tinkus Cochabamba. La palabra *tinkus* significa "encuentro" o "reunión" en quechua.

El II Encuentro __20.__ (*incluir*) en su agenda el tratamiento de temas culturales en
³⁰__21.__ (*el*) sociedad actual, como la educación intercultural y __22.__ (*el*) cosmovisión andina, además de la alimentación y salud en __23.__ (*el*) Andes.

Los jóvenes realizan __24.__ (*el*) mayoría
³⁵de __25.__ (*su*) actividades en __26.__ (*el*) Facultad de Humanidades de la UMSS. Los organizadores anunciaron que __27.__ (*el*) rituales andinos __28.__ (*tener*) lugar en la plaza, porque el objetivo es __29.__ (*difundir*)
⁴⁰las expresiones de __30.__ (*el*) Andes.

www.lostiempos.com

22 Amplíe su vocabulario

Mire las palabras de la primera columna, que aparecen en el artículo anterior, y busque su definición o sinónimo en la segunda.

1. compartir
2. realizar
3. coca
4. encomendarse
5. solicitar
6. solsticio
7. tener lugar
8. difundir

a. llevar a cabo, hacer, efectuar
b. pedir
c. ocurrir
d. ofrecer lo que se tiene a los demás
e. planta
f. extender, divulgar una noticia
g. comienzo de una estación
h. ofrecerse al cuidado o protección de alguien

23 Lea, escuche y escriba/presente

Vuelva a leer los textos completos de las Actividades 19 y 21. Luego escuche la grabación "Adolescentes en peligro" y tome las notas necesarias. Escriba un ensayo o haga una presentación en clase contestando esta pregunta: "¿Cuáles son los problemas con los que se enfrentan los jóvenes en las calles?" No se olvide de citar las fuentes debidamente.

Cita

Lo que se le dé a los niños, los niños darán a la sociedad.
—Karl Menninger (1893–1990), médico estadounidense; uno de los fundadores de la Clínica Menninger, un centro psiquiátrico

¿Está de acuerdo con esta afirmación? ¿Por qué? Comparta su opinión con un/a compañero/a y dele unos ejemplos.

¡Dato curioso!

En Honduras más de 300.000 niños abandonan la escuela para trabajar. Más de la mitad (60%) de estos niños dejan de trabajar y se dedican a pedir por la calle. Se calcula que alrededor de 50 menores de edad son asesinados cada año, y casi nunca se aclaran estos crímenes.

24 Emancipándose

Échele una ojeada al artículo para ver de qué se trata e intente descubrir el significado de las palabras en azul por el contexto, ya que se le harán preguntas sobre ellas. Luego lea el artículo y decida cuál de las dos palabras entre paréntesis es la correcta para completar cada oración y escríbala.

¿Por que los jóvenes no se van de casa?

MARILÓ HIDALGO

Según datos del Instituto de la Juventud, el 77% de jóvenes españoles menores de 30 años conviven en el domicilio familiar. La falta de empleo y la dificultad de acceso a una vivienda son las primeras razones argumentadas para justificar esta situación.

Generación *baby boom*

Se calcula que __1.__ (*en / de*) los más de trescientos millones de personas __2.__ (*que / quienes*) habitan en la UE, más __3.__ (*de / que*) 50 millones __4.__ (*son / están*) jóvenes
5 entre 15 y 25 años. Esto representa __5.__ (*un / uno*) 16,5% de la población total. Nos encontramos __6.__ (*sobre / en*) un momento histórico, especialmente __7.__ (*por / en*) nuestro país, ya que nunca se había contado
10 con tal porcentaje de gente joven y, según los demógrafos, este fenómeno no volverá __8.__ (*X / a*) producirse en los próximos años. La __9.__ (*gran / grande*) mayoría de estos jóvenes son consecuencia del denominado
15 *baby boom*, la explosión demográfica de los años sesenta a setenta y cinco. Han pasado más __10.__ (*de / que*) veinticinco años desde entonces y __11.__ (*esta / ésta*) generación cuenta ya __12.__ (*con / X*) la edad perfecta
20 para independizarse y formar su propio hogar, pero rompiendo todos los pronósticos, __13.__ (*nos / X*) encontramos con una situación digna de estudio: los jóvenes rehuyen emanciparse.

España, según el último estudio realizado a
25 los jóvenes __14.__ (*por / para*) el Instituto de la Juventud (INJUVE), es uno de los países de la UE __15.__ (*donde / quienes*) más personas jóvenes dependen económicamente __16.__ (*de / en*) sus padres (un 62%). En 15 años

30 esta cifra apenas __17.__ (*ha / han*) variado. Otra cuestión que ellos argumentan en sus cuestionarios es la dificultad __18.__ (*de / por*) acceder a una vivienda. España es el país comunitario con __19.__ (*menos / más*) hogares
35 unipersonales, __20.__ (*sólo / solo*) un 13,4% frente a otros países del entorno europeo como Dinamarca, que cuenta __21.__ (*con / en*) un 54,6% __22.__ (*por / según*) la última encuesta del Instituto Nacional de Estadística
40 (INE). Y es que nuestro país dispone __23.__ (*del / de*) menor parque de viviendas en alquiler de la UE. De 1996 al 2000, el precio de la vivienda ha aumentado un 50%, cosa que no han __24.__ (*hecho / dicho*) los sueldos
45 de los jóvenes, __25.__ (*lo / el*) que imposibilita un acceso real a la vivienda. María Sánchez, auxiliar de clínica, se queja __26.__ (*sobre / de*) no ganar suficiente dinero para poder hacerse cargo de los gastos que acarrea vivir __27.__
50 (*sola / sóla*). "No puedo vivir __28.__ (*por / para*) mi cuenta —asegura— porque no me siento independiente económicamente. Los precios de los alquileres están altísimos y no puedo ahorrar __29.__ (*por / para*) comprarme un piso
55 porque tengo que ayudar __30.__ (*en / para*) casa".

www.revistafusion.com

25 ¿Qué significa?

Mire las palabras de la primera columna y busque su definición o sinónimo en la segunda.

1. domicilio
2. habitar
3. emanciparse
4. encuesta
5. disponer
6. sueldo
7. gasto
8. vivir por tu cuenta

a. casa, hogar
b. solo
c. salario
d. vivir, alojarse
e. lo contrario de ahorro
f. tener, poseer
g. irse de la casa de los padres y pagar sus propios gastos
h. una serie de preguntas que se hacen para obtener opiniones

26 Lea, escuche y escriba/presente

Vuelva a leer el texto completo de la Actividad 24. Luego escuche la grabación "La emancipación de los jóvenes en España" y tome las notas necesarias. Escriba un ensayo o haga una presentación en clase sobre este tema: "Los problemas que afrontan los jóvenes en España para emanciparse". No se olvide de citar las fuentes debidamente.

27 Niños soldados

Échele una ojeada al artículo para ver de qué se trata e intente descubrir el significado de las palabras en azul por el contexto, ya que se le harán preguntas sobre ellas. Luego lea el artículo y decida cuáles son las palabras que mejor completan las oraciones y escríbalas.

Pequeños soldados

La guerra no es __1.__ los niños. __2.__ de los ingredientes que no deberían faltar en la infancia es la protección. El niño __3.__ sentirse seguro en su entorno y con las personas que lo rodean. __4.__ año las guerras desplazan a millones de niños de sus hogares y los separan de sus familias. UNICEF apunta que casi la mitad de los 3,6 millones de personas que murieron en conflictos
5 armados desde 1990 eran menores de edad. Y no sólo eso. Se calcula además que más de 300.000 niños en __5.__ el mundo han sido alistados y luchan __6.__ soldados en guerras y conflictos armados. No __7.__ distinción entre niños y niñas. Los encontramos __8.__ África mayoritariamente, pero también en Latinoamérica o Asia.

Niño soldado del Congo

"En muchos lugares los niños __9.__ considerados ciudadanos de segunda clase porque no __10.__ productivos. Las altas tasas de mortalidad infantil hacen __11.__ a veces ni siquiera sean registrados, porque no se sabe __12.__ van a sobrevivir o no".

Son utilizados __13.__ mensajeros o como
¹⁰espías. Se __14.__ encarga colocar cargas
explosivas y tienen que aprender __15.__
manejar armas ligeras. También __16.__
les usa como escudos humanos __17.__
protegerse de las ráfagas enemigas. No
¹⁵disparán __18.__ un niño, ¿no? Son un
ejército barato, fácil __19.__ manipular, poco
conflictivo y obediente. ¿ __20.__ puede pedir
más? La mayoría han __21.__ morir a sus
padres a manos __22.__ enemigo y ven en la
²⁰posibilidad de incorporarse __23.__ ejército
o a la guerrilla, una puerta abierta hacia un
futuro inexistente. Con un fusil en la mano,
un niño de diez años se convierte __24.__ un
adulto y comprueba que impone respeto a
²⁵su alrededor. A muchos les proporcionan
alcohol y drogas __25.__ amortiguar los efectos

del combate. Algunos son obligados
__26.__ pasar duras pruebas, como matar
a algún miembro __27.__ su familia o
³⁰algún compañero para poder integrarse o
sencillamente para salvar la propia vida.
Así __28.__ van curtiendo.

La reeducación y reinserción es sumamente
complicada. Después __29.__ haber sido
³⁵adultos, no toleran fácilmente que se __30.__
vuelva a tratar __31.__ niños. Algunos han
combatido __32.__ los ocho años, están
habituados a empuñar un arma —su __33.__
preciada posesión— y conseguir con ella
⁴⁰__34.__ que quieran. Y luego están los
recuerdos de todo lo vivido y de todo lo visto.

www.revistafusion.com

28 ¿Qué significa?

Mire las palabras de la primera columna y busque su definición o sinónimo en la segunda.

1. entorno
2. desplazar
3. alistado
4. tasa de mortalidad
5. encargar
6. ráfaga
7. disparar
8. incorporarse
9. fusil
10. amortiguar
11. empuñar

a. pedir
b. conjunto de disparos
c. hacer menos intenso, suavizar
k. adscrito al ejército
d. trasladar
e. formar parte de
f. sujetar un arma
g. arma de fuego
h. alrededor, ambiente
i. hacer funcionar un arma
j. número de muertes

Dicho

Los jóvenes van por grupos, los adultos en parejas y los viejos van solos.

¿Qué piensa de este dicho? ¿Coincide con lo que ha podido observar? Comparta su opinión con un/a compañero/a.

Dato curioso

Los niños y niñas soldados suelen tener entre los diez y los dieciocho años, e incluso hay niños más jóvenes. En muchos casos constituyen hasta la cuarta parte de los combatientes. En algunos países son juzgados como adultos, e incluso se les condena a la pena de muerte.

¡A leer!

29 Antes de leer

¿Le gusta leer? ¿Por qué? ¿Qué es lo que más le atrae de la lectura? ¿Cree que la lectura es un hábito común entre los jóvenes? ¿Cuál es su estilo favorito? ¿Cuál es el último libro que ha leído en inglés? ¿Y en español?

30 Entre dos culturas

Lea el siguiente artículo con atención e intente descubrir el significado de las palabras en azul por el contexto, ya que se le harán preguntas sobre ellas.

Padre e hijo; uno es residente de los EE.UU.; el otro, ciudadano.

Novela expone realidad bicultural de jóvenes latinos
Mario Bencastro

Birmingham (Alabama). La más reciente novela del salvadoreño Mario Bencastro explora la compleja realidad bicultural de jóvenes latinos inmigrantes a EE.UU.

5 Escrita para un público joven, *Viaje a la tierra del abuelo*, de la editorial Arte Público, aborda los conflictos, preocupaciones y sueños de los jóvenes inmigrantes con gran acierto.

Parte de su éxito es que Bencastro buscó la ayuda de 10 estudiantes latinos de las escuelas Belmont High y OnRamp Arts de Los Ángeles, quienes sugirieron temas y opiniones para integrar a la trama.

De este modo, las situaciones e ideas que la novela propone exhiben una vitalidad y una vigencia rara vez 15 vista en la literatura juvenil contemporánea.

La historia se centra en la vida de Sergio, un adolescente que ha pasado la mayor parte de su corta vida en Los Ángeles, pero que a los 16 años comienza a cuestionar su identidad nacional y cultural.

20 La novela comienza con la muerte repentina del abuelo, quien alguna vez le dijera a Sergio que si la muerte le encontraba en EE.UU. que por favor lo llevara a enterrar a su país.

Entre las aventuras y los obstáculos del joven en su lucha 25 por cumplir con los deseos de su abuelo, el autor logra exponer muchos de los retos que enfrentan los jóvenes latinos al intentar equilibrar el mundo de sus padres y el suyo.

Como toda novela de aprendizaje, el viaje se convierte 30 en herramienta de autodescubrimiento y durante la travesía, el joven comienza a cuestionar las ideas que más arraigadas tenía sobre su identidad.

Sutilmente Bencastro inserta situaciones que resonarán en sus lectores, como las escuelas sucias y abarrotadas 35 —la propia Belmont High donde estudia el personaje—, jóvenes pandilleros, adolescentes embarazadas y estudiantes que se duermen en las clases porque tienen que trabajar de noche para ayudar a sus familias.

Pero de igual modo abundan los personajes clave e 40 inspiradores, como la trabajadora social de la escuela, quienes le inyectan esperanza y optimismo a la historia.

Dos mundos

Como muchos jóvenes latinos, el personaje vive entre dos mundos completamente diferentes aunque con ciertos puntos de contacto entre sí. Ajeno pero heredero 45 del mundo de sus padres, Sergio se esfuerza por comprender la historia de El Salvador, sus tradiciones, su lengua y su política, pero siempre se aventaja el mundo de afuera donde el inglés, la televisión y los deportes capturan su imaginación y le facilitan 50 relacionarse con sus compañeros.

El personaje expone su identidad bifurcada con palabras simples pero abarcadoras, condensando en un solo párrafo la problemática de la juventud bicultural.

"El cuerpo de mis padres estaba en los Estados Unidos, 55 pero su corazón estaba en su patria", escribe.

"Yo estaba de cuerpo y corazón en el país norteamericano, pero cuando llegaba de la calle a la casa, el mundo de mis padres no dejaba de afectarme y entonces yo me sentía como si entrara en un espacio extraño".

60 De este modo, el viaje a El Salvador y su regreso a EE.UU. constituyen para el personaje la ida y vuelta de un enorme descubrimiento.

Los increíbles percances que le acontecen durante su travesía se hacen más verosímiles con la historia de 65 otros personajes menores cuyas tragedias personales pueden hallarse resumidas en cualquier periódico fronterizo.

Viaje a la tierra del abuelo es una inolvidable novela de aprendizaje que de seguro servirá de trampolín a los 70 jóvenes lectores para adentrarse en la obra madura de Bencastro.

(Bencastro, Mario. *Viaje a la tierra del abuelo.* Houston: Arte Público, 2004)

31 ¿Qué significa?

Mire las palabras de la primera columna y busque su definición o sinónimo en la segunda.

1. abordar _approach_
2. acierto _wisdom_
3. trama _plot_
4. repentino _sudden_
5. enterrar _buried_
6. cumplir
7. equilibrar _balance_
8. arraigado _deeprooted_
9. abarrotado _crowded_
10. embarazada
11. ajeno _foreign_
12. estar de cuerpo y corazón
13. percance _mishap_
14. acontecer _happen_

a. de pronto
b. mujer que espera un bebé
c. habilidad, éxito, destreza _skill_
d. llevar a cabo, realizar _carry out_
e. completamente _completely_
f. tratar
g. asunto, argumento _issue_
h. mantener en proporción _proportion_
i. afirmado, establecido _established_
j. dar sepultura
k. imprevisto, contratiempo _unexpected_
l. lleno _fill_
m. suceder _happen_
n. distante

½ cada

32 ¿Ha comprendido?

1. ¿Cuál es el tema principal de la novela de Bencastro?
   a. La inmigración de El Salvador a Estados Unidos
   b. Los problemas de los jóvenes con la generación de sus abuelos
   c. La realidad cultural de la joven población emigrada a Estados Unidos
   d. El viaje de un inmigrante joven

2. ¿De dónde procede el éxito de su obra?
   a. De su experiencia como inmigrante salvadoreño
   b. De testimonios reales e ideas de jóvenes
   c. De la promoción de la editorial Arte Público
   d. De los departamentos de las universidades de Los Ángeles

   2pts cada

3. ¿Qué problema encuentra Sergio en la novela?
   a. La trágica muerte de su abuelo
   b. La dificultad de llevar a su abuelo a su país de origen
   c. Entender la cultura de su familia
   d. No se siente comprendido por la trabajadora social de la escuela.

4. ¿Qué les ocurría a los padres de Sergio?
   a. Ya no querían volver a su país.
   b. Se sentían frustrados porque su hijo no entendía su cultura latina.
   c. Nunca se separaron emocionalmente de su país de origen.
   d. Querían volver a Latinoamérica con toda la familia.

5. ¿Qué significa la expresión _servirá de trampolín_?
   a. Ayudará.
   b. Impedirá.
   c. Ilusionará.
   d. Saltará.

33 ¿Cuál es la pregunta?

Según el artículo que acaba de leer, escriba una pregunta lógica para estas respuestas.

1. Para cumplir el deseo de su abuelo
2. Quién es realmente
3. Entre dos mundos
4. En un gran descubrimiento

1 pt cada

34 ¿Qué piensa Ud.?

"El cuerpo de mis padres estaba en los Estados Unidos, pero su corazón estaba en su patria". ¿Cree que esto describe el dilema de muchos inmigrantes? ¿Por qué? Discútalo con un/a compañero/a.

35 Comparta experiencias

Con un/a compañero/a hable sobre el origen de sus antepasados. ¿De dónde vinieron? ¿Por qué razones? Comparta alguna historia curiosa sobre su llegada y adaptación a este país.

36 Se titula…

Piense en otro título para la crítica que acaba de leer. ¿Por qué lo ha escogido?

Cita

El mejor medio para hacer buenos a los niños es hacerlos felices.
—Oscar Wilde (1862–1900), dramaturgo y escritor irlandés

 ¿Está de acuerdo con lo que dijo? ¿Cree que si un niño no se comporta bien es porque no es feliz? Comparta su opinión con un/a compañero/a.

¡Dato curioso!

¿Sabía que ahora hay "buzones" para bebés abandonados? A veces las criaturas son abandonadas en plena calle, donde se mueren. Para evitar esta tragedia, en algunas ciudades europeas han instalado las BabyBox, incubadoras callejeras para que las madres dejen a sus bebés dentro, sin que sus vidas corran peligro.

37 Antes de leer 👥

¿Quiénes son los niños de la calle? ¿Por qué cree que están en esta situación? ¿En qué países se da este tipo de situación? ¿Cómo cree que sobreviven?

38 Los niños de la calle 📖

Lea el siguiente artículo con atención e intente averiguar el significado de las palabras en azul por el contexto, ya que se le harán preguntas sobre ellas.

Los niños y niñas de la calle

Carles Vidal
Periodista especializado en desarrollo e infancia

"A ellos, los que también sonríen con los pequeños gestos, los que agradecen la presencia ante tanta ausencia, los que sobreviven a la indiferencia, los nacidos del Sur que llaman a nuestras conciencias...".

—Poema anónimo dedicado a los niños y adolescentes inmigrantes de la calle

Niños de la calle: ¿Por qué?

Existen al menos 18 millones de niños de la calle en la India, 40 millones en América Latina y cerca de 100 millones en todo el mundo. Chicos que nacen y mueren en las calles a causa de la ⁵pobreza, el abandono o la desestructuración familiar (provocada por el abuso psicológico o sexual, o el alcoholismo). Todos ellos demuestran una falta importante de afecto ante una sociedad que los margina. Ya sea en Delhi, Yakarta, Durban ¹⁰o recientemente en muchos países del Norte, el número de niños de la calle continúa creciendo sin cesar.

Ningún niño escoge la calle

Buena parte de los niños de la calle mantienen algún vínculo familiar y sobreviven robando, ¹⁵pidiendo limosna, vendiendo periódicos o lustrando zapatos para ayudar, de esta manera, a completar los ingresos de sus familias. Son lo que conocemos como niños *en* la calle.

Sin embargo, otros muchos han roto con todo ²⁰vínculo familiar y hacen de la calle su modo de vida: los conocemos como niños *de* la calle. En este caso se trata de menores que viven en grupo con otros chicos, entorno a la figura de un líder, y se apoyan en la prostitución y los pequeños hurtos ²⁵para sobrevivir.

La mayoría son adictos a las drogas, desde la heroína al pegamento común. En Estados Unidos y en Europa es la cocaína; para los niños y niñas de la calle en Centroamérica es algo mucho más ³⁰simple pero igual de mortal: pegamento para los zapatos. Narcóticos de base solvente, fácilmente disponibles y baratos. Estos solventes —tollueno, ciclohexano, etc.— llegan a una parte del cerebro de los niños y niñas suprimiendo las sensaciones ³⁵de hambre, frío y soledad. Pero también hace que sus cerebros se desvanezcan, causando daños irreversibles e incluso la muerte repentina. La compañía que los produce gana millones con ellos.

Según los datos de UNICEF, hay unos 40 millones ⁴⁰de niños de la calle en América Latina, y más de la mitad de ellos inhalan pegamento de base solvente. En total, 20 millones de clientes que consumen alrededor de 20 millones de galones de pegamento al mes. Eso sí que es un GRAN negocio.

www.canalsolidario.org
EFE/www.enbuenasmanos.com

39 Amplíe su vocabulario 🔍

Mire las palabras de la primera columna y busque su definición o sinónimo en la segunda según el contexto del artículo que acaba de leer.

1. gesto
2. provocado
3. marginar
4. pedir limosna
5. ingresos
6. vínculo
7. modo
8. apoyarse en
9. hurto
10. pegamento
11. disponible
12. cerebro
13. suprimir
14. irreversible

a. dinero que se gana
b. forma
c. sustancia química que se usa para pegar
d. expresión de la cara o cuerpo
e. rogar que le hagan un donativo
f. unión
g. parte interior de la cabeza
h. accesible
i. anular, eliminar
j. robo
k. ayudarse de
l. lo que no se puede cambiar
m. causado
n. aislar

40 ¿Ha comprendido?

1. ¿Por qué hay tantos niños de la calle en el mundo?
   a. Por la pobreza, el abandono y la falta de familia
   b. Por el abuso de drogas
   c. Por el alcoholismo infantil
   d. Por el aislamiento social

2. ¿Cómo sobreviven diariamente los niños de la calle?
   a. Con la ayuda de la familia
   b. Gracias a la ayuda de las casas de acogida
   c. Con el apoyo de sus amigos
   d. Con la delincuencia o pequeños trabajos

3. ¿Cuál es la droga más común entre los niños en Centroamérica?
   a. La cocaína
   b. La heroína
   c. El pegamento
   d. El alcohol

4. ¿Cuáles son los efectos secundarios del uso de los solventes?
   a. La muerte lenta
   b. Las alucinaciones
   c. No tienen efectos secundarios.
   d. La supresión de sensaciones

41 Responda brevemente

¿Cuál es la diferencia entre niños *de* la calle y niños *en* la calle?

42 ¿Cuál es la pregunta?

Escriba una pregunta lógica, según el artículo que acaba de leer, para estas respuestas.

1. 100 millones
2. Porque el número continúa creciendo
3. Porque pueden hasta morir y les daña el cerebro
4. Un gran negocio

43 Lea, escuche y escriba/presente

Vuelva a leer "Los niños y niñas de la calle" y luego escuche la grabación "¿Oportunidades?". Tome notas y escriba un ensayo o haga una presentación en clase sobre el tema de los niños de la calle. Mencione las causas y proponga soluciones. No se olvide de citar las fuentes debidamente.

La barriada de La Ciénaga en Santo Domingo (República Dominicana)

44 Antes de leer 👥

¿Qué tecnología lleva consigo en este momento? ¿Cree que es más fácil para los jóvenes usar la tecnología que para los adultos? ¿A qué se debe?

45 Las adicciones 📖

Lea con atención el siguiente artículo, prestando atención a las palabras en azul.

Las adicciones sin drogas atrapan a los jóvenes

ELENA ESCALA SÁENZ

Las nuevas tecnologías han dado origen a un tipo de adicción bien distinto al generado por las sustancias químicas. Los chats de Internet, la telefonía móvil o los videojuegos están provocando numerosos
5 casos de dependencia entre los adolescentes en situación de riesgo, que encuentran en estas herramientas un refugio que les aleja de sus problemas emocionales o familiares.

Las nuevas tecnologías han pasado a formar parte de
10 las denominadas adicciones psicológicas o adicciones sin drogas. El uso abusivo de los videojuegos, los teléfonos móviles e Internet ha hecho que muchos jóvenes establezcan una relación de dependencia con estas herramientas.

15 "Se trata de conductas repetitivas que resultan placenteras en las primeras fases, pero que después no pueden ser controladas por el individuo. Es habitual que este tipo de adicciones psicológicas se combinen con una o varias adicciones a sustancias químicas",
20 ha señalado Enrique Echeburua, catedrático de la Facultad de Psicología de la Universidad del País Vasco, durante su participación en las "VI Jornadas sobre Adolescentes, Dependencias y Nuevos Medios de Comunicación", (A) con la colaboración de la
25 Delegación del Gobierno para el Plan Nacional Sobre Drogas.

Pero las nuevas tecnologías no generan por sí mismas la adicción: las personas con determinados problemas previos son las que más recurren a ellas y hacen un
30 uso indebido de las mismas. "Debemos reflexionar sobre su valor educativo y sobre los efectos negativos que tienen en los jóvenes (B). Bajo el comportamiento adictivo normalmente subyacen problemas más profundos (C)", ha indicado Bartomeu Catalá,
35 presidente de la Asociación Proyecto Hombre.

Los jóvenes que se encuentran en situación de riesgo son aquellos que han crecido en un ambiente familiar poco propicio para su desarrollo, que poseen una baja autoestima y que tienden a huir de un mundo adulto
40 que les resulta hostil refugiándose en las nuevas tecnologías.

Adolescentes: firmes candidatos

Los adolescentes parecen ser firmes candidatos a sufrir este tipo de dependencias porque (D) deben adaptarse a numerosos cambios físicos y emocionales. "Muchos

45 jóvenes recurren al teléfono móvil o a los chats de Internet porque son incapaces de aceptar su imagen corporal. Con estas tecnologías pueden distorsionarla y convertirse en el 'yo ideal' que la sociedad reclama", ha indicado Luis Bononato, presidente de la Asociación
50 Proyecto Hombre de Jerez.

Este comportamiento les impide desarrollar sus habilidades sociales, les hace hipersensibles a los juicios y acrecienta sus sentimientos de inseguridad. En estos casos la familia debe prestar atención a
55 los primeros signos de alarma que se asocian al comportamiento adictivo, como son la tendencia al aislamiento, la ruptura de las relaciones sociales, el fracaso escolar o la agresividad.

Las claves para superar este tipo de dependencias
60 pasa por solucionar los problemas de base, fomentar la comunicación familiar, restablecer la confianza con los padres y los amigos y aceptar la imagen corporal, (E). En la actualidad dos jóvenes se encuentran bajo tratamiento en Proyecto Hombre debido a su adicción
65 al teléfono móvil, pero son muchos más los que solicitan información sobre este tipo de dependencias.

Tecnofobia y Tecnofilia

El desarrollo tecnológico ha dado origen a dos nuevos términos que se refieren a la actitud que las personas tienen ante los últimos avances:

70 Tecnofilia: supone un interés acentuado por las tecnologías con cierta dependencia imaginaria con la máquina. Tienen una fe ciega en las tecnologías y se caracterizan por ser consumidores indiscriminados.

Tecnofobia: los tecnofóbicos están convencidos de que
75 los avances tecnológicos producen tensiones sociales y psicológicas, y que son responsables de los desastres que se viven en el campo social, económico y cultural.

www.ondasalud.com
EFE/www.enbuenasmanos.com

46 Amplíe su vocabulario 📖

Mire las palabras de la primera columna y busque su definición o sinónimo en la segunda columna.

1. dar origen a	a. pertenecer
2. distinto	b. inapropiado
3. herramienta	c. no tener la aptitud de hacer algo
4. formar parte de	d. dar lugar a
5. denominado	e. imposibilitar
6. indebido	f. serio
7. profundo	g. llamado
8. incapaz	h. imprescindible, crucial
9. impedir	i. instrumento
10. clave	j. vencer una dificultad
11. superar	k. diferente

47 ¿Ha comprendido?

1. ¿Por qué las nuevas tecnologías dan lugar a problemas de dependencia en los jóvenes?
   a. Porque los separa de otros problemas como los familiares o sus propias emociones
   b. Porque nunca pueden controlarlas
   c. Porque casi siempre son adictivas
   d. Porque provocan fuertes emociones

2. ¿Es la tecnología siempre adictiva?
   a. Sí, siempre crea dependencia.
   b. No, la adicción es algo exagerado.
   c. Sólo durante la juventud
   d. Sólo cuando se usa de una forma inadecuada

3. ¿Por qué los adolescentes tienen más riesgo de dependencia?
   a. Pasan mucho tiempo solos.
   b. Sus familias no los comprenden.
   c. Se sienten inseguros y necesitan desarrollarse de otro modo.
   d. La sociedad los rechazan continuamente.

4. ¿Cuáles son los síntomas de una dependencia de las nuevas tecnologías?
   a. Que no salen de casa
   b. Que no tienen amigos
   c. Que pasan mucho tiempo delante del ordenador
   d. Poca comunicación, distanciamiento y problemas en la escuela

5. Los tecnofóbicos, ¿piensan que los nuevos adelantos en la tecnología ayudan al desarrollo humano?
   a. Piensan que ayudan pero es mejor no usarlos.
   b. Nunca los han usado, y no tienen ni idea de cómo hacerlo.
   c. Creen que son la causa de los desajustes en el mundo.
   d. Dependen de ellos completamente en su vida diaria.

48 ¿Dónde va? ⓘ

Las siguientes frases han sido extraídas del texto anterior. Vuelva a leer las oraciones donde hay una letra en color. Escriba la letra correspondiente al lado de las frases a continuación. Hay una frase que sobra.

1. a los que hay que dar respuesta
2. organizadas por la Asociación Proyecto Hombre
3. se encuentran en un período en el que
4. que es uno de los factores que más contribuyen a la adicción
5. porque piensan
6. que están en situaciones de riesgo

49 Lea, escuche y escriba/presente 👣

Vuelva a leer "Las adicciones sin drogas atrapan a los jóvenes" y luego escuche la grabación "Adictos a los medicamentos". Tome notas y escriba un ensayo o haga una presentación en clase sobre "Las adicciones en los jóvenes". No se olvide de citar las fuentes debidamente.

Refrán

Jóvenes y viejos, todos necesitamos consejos.

 ¿Está de acuerdo con este refrán? ¿Acepta Ud. los consejos fácilmente o, por el contrario, le cuesta aceptarlos? ¿Cree que es más fácil aceptar consejos cuando uno es más joven? ¿Por qué? Hable de este tema con un/a compañero/a.

¡Dato curioso! La mayoría de los pacientes suele tomar medicamentos de manera responsable, aunque no siempre es así. Tan sólo en Estados Unidos, alrededor de 9 millones de personas hicieron un uso indebido de algún medicamento el año pasado. Mientras que unos lo hicieron de forma no intencional, otros lo hicieron debido a la adicción que algunos de estos medicamentos pueden crear en los pacientes.

50 Deserciones escolares

Lea las posibles respuestas primero y después escuche la grabación "Deserciones escolares". Escoja la mejor respuesta para cada pregunta que escuchará en la grabación.

1. (Pregunta que escuchará en la grabación.)

   a. No había escuela en su pueblo.
   b. El maestro no iba a las clases todos los días.
   c. No había maestro.
   d. No le gustaba.

2. (Pregunta que escuchará en la grabación.)

   a. Hacer un curso de locución
   b. Tener los papeles migratorios para ser policía
   c. Ser famoso y ganar 1.200 dólares al día
   d. Ser un buen locutor y aconsejar a los demás

3. (Pregunta que escuchará en la grabación.)

   a. Quiere vivir en México.
   b. Prefiere ser independiente y trabajar.
   c. No le han validado los estudios de México.
   d. Ha vuelto a la escuela de nuevo.

4. (Pregunta que escuchará en la grabación.)

   a. Se llevaba mal con una profesora.
   b. Faltaba tanto a clase que le avergonzaba volver.
   c. Volvió a México para siempre y allí no pudo estudiar.
   d. Las respuestas a y b

5. (Pregunta que escuchará en la grabación.)

   a. No habla inglés bien.
   b. No sabe a quién pedir consejos.
   c. Se avergüenza de volver a su vieja escuela.
   d. Todas las respuestas son correctas.

6. (Pregunta que escuchará en la grabación.)

   a. Siempre me duele la cabeza.
   b. Se me ocurren muchas ideas.
   c. No ando bien de la cabeza.
   d. Todas las respuestas son correctas.

51 Voto Latino 💿

Antes de escuchar la grabación "Voto Latino" repase las palabras a continuación y escoja la mejor traducción.

1. propósito
   - a. issue
   - b. purpose
   - c. change
   - d. prospect
2. asunto
   - a. aim
   - b. term
   - c. subject
   - d. assault
3. raíz
   - a. native
   - b. root
   - c. place
   - d. ending
4. propio
   - a. same
   - b. different
   - c. own
   - d. proper
5. bienestar
   - a. comfort
   - b. goodness
   - c. well-being
   - d. good life
6. cura
   - a. health
   - b. cure
   - c. happiness
   - d. illness
7. empleo
   - a. employment
   - b. wealth
   - c. richness
   - d. practice
8. carrera
   - a. study
   - b. career
   - c. job
   - d. course

52 Voto Latino

Conteste estas preguntas según la grabación.

1. ¿Qué es Voto Latino?
2. ¿Hacia quién está dirigido?
3. ¿Es financiado el grupo sólo por los propios miembros de VL?
4. ¿Cuántos votantes latinos hay registrados en Estados Unidos? ¿Cuántos más deberían de usar su voto?
5. ¿Es necesaria la creación de una organización política y social latina en Estados Unidos? ¿Por qué?

53 Participe en una conversacíon 💿

Ud. va a participar en una conversación. Primero lea la descripción de la conversación y piense en algunas palabras o expresiones que le serían útiles. Organice sus ideas, haciendo predicciones sobre lo que se le pueda preguntar o comentar. Una descripción de lo que va a escuchar aparece abajo en color. Participe en la conversación grabando las respuestas o escribiéndolas en su cuaderno.

Escena: Su amigo Manuel llega a su casa. Ud. acaba de ver un documental sobre la situación de unos niños. Los dos entablan una conversación.

Manuel:	Le saluda. Le hace una pregunta.
Ud.:	• Conteste. • Háblele un poco sobre ello.
Manuel:	Sigue la conversación y le hace unas preguntas.
Ud.:	• Conteste sus preguntas.
Manuel:	Le hace otra pregunta.
Ud.:	• Dele detalles sobre lo que le pide.
Manuel:	Le hace más preguntas.
Ud.:	• Siga la conversación. • Háblele sobre este tema.
Manuel:	Hace un comentario y le hace una pregunta.
Ud.:	• Piense en una idea para contestarle.

¡A escribir!

54 Texto informal: un blog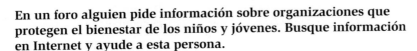

Escriba en un blog. Hable sobre las injusticias que sufren los jóvenes de su edad en el lugar donde estudia.

- Hable sobre lo que no le gusta.
- Cuente alguna anécdota.
- Proponga soluciones.
- Termine con una pregunta.

55 Texto informal: un foro

En un foro alguien pide información sobre organizaciones que protegen el bienestar de los niños y jóvenes. Busque información en Internet y ayude a esta persona.

- Dele los nombres de tres o cuatro organizaciones.
- Describa los servicios que prestan.
- Explíquele un poco sobre la historia de estas organizaciones.

56 Ensayo: los jóvenes indígenas

Escriba un ensayo sobre el futuro de los jóvenes indígenas.

57 Ensayo: los estudios

Escriba un ensayo sobre la importancia de no abandonar los estudios.

58 En parejas

Intercambie sus ensayos con los de un/a compañero/a. Exprésele su opinión sobre el contenido y el uso del idioma.

Consejo

Antes de empezar, lea las pautas para escribir textos informales en la pág. 480 del Apéndice. Mientras escribe el texto tenga presente los objetivos. Cuando termine, verifique que ha cumplido con todo lo que se describe en la lista y reflexione sobre su trabajo.

Consejo

Antes de empezar, lea las pautas para escribir ensayos en la pág. 480 del Apéndice. Mientras escribe tenga presente los objetivos, y no se olvide de ponerle un título original. Cuando termine, verifique que ha cumplido con todo lo que se describe en la lista y reflexione sobre su trabajo.

¡A hablar!

59 Charlemos en el café

Ud. va a debatir los siguientes temas con un/a compañero/a. Uno estará a favor de lo que se ha dicho y otro en contra. El debate durará varios minutos. El/La estudiante que esté de acuerdo comenzará el debate y hablará por unos diez segundos. Cuando el/la profesor/a lo indique, el/la otro/a estudiante tomará la palabra y expresará su opinión por otros diez segundos, y así sucesivamente.

1. El comportamiento —tanto malo como bueno— de los famosos influye en sus admiradores.
2. Los jóvenes de hoy están expuestos a más peligros que sus padres y abuelos.
3. Los padres deberían estar más pendientes de sus hijos.
4. Los videojuegos crean adicciones.
5. Las nuevas tecnologías crean demasiados peligros y estrés para los jóvenes.

60 ¿Qué opinan?

Converse con un/a compañero/a sobre estas situaciones o preguntas.

1. Si le dijeran que uno de los productos que consume o usa habitualmente ha sido hecho por mano de obra infantil, ¿lo seguiría comprando? ¿Por qué?
2. ¿Cuáles cree que son tres países en los que el ejército recluta a niños soldados? ¿En qué se basa su opinión? ¿Para qué los reclutarán?
3. ¿Cree que en los países desarrollados aún usan algún tipo de mano de obra infantil? ¿Qué tipo de trabajos suelen ser?
4. ¿Qué famosos dan ejemplo ayudando a los jóvenes? ¿Qué hacen para ayudarlos?
5. ¿Qué impulsa a los jóvenes a dejar sus estudios?

¿Sabía que Oprah Winfrey ha ayudado a muchos jóvenes?

61 Presentemos en público

Hable sobre uno de los siguientes temas durante varios minutos en clase. Organice sus ideas antes de hacer la presentación, busque las palabras necesarias y, después de practicar, presente en clase sin mirar las notas.

1. Los niños de la calle.
2. Los problemas más serios que afrontan los jóvenes hoy día y cómo pueden solucionarlos.
3. Los mayores no deberían criticar a los jóvenes por la manera en que se visten.
4. Los jóvenes extranjeros en Estados Unidos y los posibles conflictos que puedan tener debido a su biculturalismo.
5. Sugerencias para que los jóvenes españoles puedan emanciparse.

Consejo

Antes de empezar, lea las pautas para presentaciones formales en la pág. 481 del Apéndice. Mientras formula su presentación tenga presente los objetivos. Cuando termine la presentación, verifique que ha cumplido con todo lo que se describe en la lista y reflexione sobre el trabajo que hizo.

62 ¡Manos a la obra!

Trabaje en un grupo de cuatro o cinco estudiantes para llevar a cabo uno de los siguientes proyectos y presentarlo a la clase.

- Hagan el papel de un niño soldado. Describan en un diario su experiencia durante los tres primeros días cuando llega al campamento.

- Hagan un póster en el que denuncien los malos tratos a los niños.

- Investiguen sobre las *sweatshops* (fábricas donde se explotaban a los trabajadores) y hagan una presentación a la clase.

- Hagan una campaña publicitaria para denunciar uno de los temas tratados en la lección. Piensen en los anuncios para la radio, la prensa y la televisión.

- Piensen en una causa que les gustaría defender. Denle un nombre a su organización, establezcan las metas, piensen en la publicidad que le darán y cómo conseguirán el dinero.

- Hagan diez predicciones para el año 2040 que puedan afectar a los jóvenes. Piensen en algunas que puedan crear controversia. Discútanlas en clase.

- Hagan predicciones sobre cómo será la vida de sus otros compañeros de clase en el 2025. Escriban un pequeño párrafo sobre cada uno. Hablen sobre su profesión, dónde vivirán, su vida personal, etc.

Niño soldado de Nicaragua

Vocabulario

Verbos

abordar	to approach
acoger	to welcome
acontecer	to happen
acordar (ue)	to decide
agravar	to make worse
agregar	to add
ahorrar	to save
amortiguar	to lessen, cushion, absorb
apoyar	to support
brindar	to provide
cesar	to cease, stop
colocar	to place
cometer	to commit
confesar (ie)	to confess
demostrar (ue)	to demonstrate, show
desempeñar	to carry out, fulfill
desplazar	to displace, move
difundir	to spread
disparar	to shoot
disponer	to dispose
emanciparse	to emancipate, gain independence
encargar	to put in charge, entrust
enterrar (ie)	to bury
explorar	to explore
facilitar	to make easy; to offer
golpear	to beat (up)
habitar	to inhabit
impedir (i)	to impede
justificar	to justify
manipular	to manipulate
nacer	to be born
oprimir	to oppress
plantearse	to take into consideration
proporcionar	to supply
realizar	to carry out
salvar	to save
sobrevivir	to survive
solicitar	to ask for
superarse	to excel
tener lugar	to take place
tolerar	to tolerate
triunfar	to triumph
yacer	to lie (recline)

Verbos con preposición

verbo + a:

encomendarse (ie) a	to commend oneself to
oponerse a	to oppose
resistirse a	to resist

verbo + con:

contar (ue) con	to count on

verbo + de:

abusar de	to abuse
arrepentirse (ie) de	to repent; to regret
dejar de	to stop

verbo + en:

influir en	to influence

verbo + por:

apasionarse por	to become very interested in
terminar por	to end up

Sustantivos

el	abandono	abandonment
el	acierto	wise decision/move
el	acontecimiento	event
la	actitud	stance, attitude
el	arma (f.)	weapon
el	bienestar	well-being
el	bullicio	uproar
la	carrera	career
el	cerebro	brain
la	clave	key
el	conflicto armado	armed conflict
la	convivencia	coexistence, living together
la	creencia	belief
el	daño	pain, damage
la	delincuencia	crime, delinquency
el/la	delincuente	delinquent, criminal
la	demanda	demand
la	destreza	skill
el	domicilio	home address, legal residence
el	ejército	army
el/la	empresario/a	businessman/woman
la	encuesta	poll, survey
el	esfuerzo	effort
la	esperanza	hope
el	gasto	expense
el	gesto	gesture
el	hurto	robbery, theft
la	infancia	childhood
la	juventud	youth
los	medios (de comunicación)	media
la	mejora	improvement
el/la	menor	minor, underage person
el	modo	way
la	mortalidad	mortality
la	multitud	crowd

el	murmullo	murmur
las	obras benéficas	charity
la	organización sin ánimo de lucro	nonprofit organization
el	papel	role
la	población	town; population
la	portada	cover (of a book, magazine)
el	premio	prize
la	raíz	root
el	ser querido	loved one
la	sospecha	suspicion
el	sueldo	salary
la	vejez	old age
el/la	voluntario/a	volunteer

Adjetivos

alarmante	alarming
arraigado, -a	deeply rooted
creciente	growing
culpable	guilty
culto, -a	educated
desamparado, -a	defenseless, vulnerable
desmesurado, -a	excessive
distinto, -a	different
estable	stable
estricto, -a	strict

grave	serious
inmóvil	motionless
íntimo, -a	close, intimate
oprimido, -a	oppressed
repentino, -a	sudden
saludable	healthy

Adverbios

| minuciosamente | thoroughly |
| tajantemente | categorically |

Expresiones

¿Cómo está permitido?	How is it allowed?
con tal de que	provided that
¡Es increíble!	It's unbelieveable!
¡Me parece fatal!	It seems terrible/awful!
¡No hay derecho!	That's not fair!
¡No me digas!	You don't say!/I don't believe it!
¡No me lo puedo creer!	I just can't believe it!
¡Pobrecitos!	Poor things!
¡Qué barbaridad!	How terrible/awful!
¡Qué cruel!	How cruel!
¡Qué injusticia!	What injustice!
salir bien	to go well, turn out well
tener el alma en vilo	to be worried
tener ganas de	to feel like

A tener en cuenta
Cognados y falsos cognados

carácter: personality • (*literary*) character: **personaje**

conferencia: lecture • conference: **congreso**

coraje: anger, rage • courage: **valor, valentía**

decepción: disappointment • deception: **engaño**

distinto: different • distinct: **particular, marcado**

embarazada: pregnant • embarrassed: **avergonzado**

gol: soccer goal, scored point • goal: **meta, objetivo**

gracioso: funny • gracious: **amable, cortés**

pena: grief • pain: **dolor**

quieto: still, calm • quiet: **callado, silencioso**

quitar: to remove • to quit: **dejar de, dimitir**

raza: race (*ethnicity*) • race (*sports*): **carrera**

sensible: sensitive • sensible: **sensato**

simpático: nice • sympathetic: **compasivo, comprensivo**

soportar: to tolerate • to support: **apoyar**

sujeto (*persona*): individual • subject: **tema**

tenso: tense, stressed • tense (*of a verb*): **tiempo verbal**

últimamente: lately • ultimately: **en última instancia**

Capítulo **3**

Temas

- Comidas típicas
- Alimentos
- Restaurantes

¡Que aproveche!

117

Objetivos

Comunicación

- Hablar de diferentes platos tradicionales
- Describir una receta
- Opinar sobre la comida
- Hablar de la influencia culinaria de otras culturas

Gramática

- El presente del subjuntivo
- El subjuntivo en cláusulas nominales
- Los mandatos y la voz pasiva

"Tapitas" gramaticales

- formación de adjetivos
- *el hecho de que*
- formas del progresivo
- identificar ciertos tiempos verbales
- el artículo masculino con sustantivos femeninos
- el orden de los pronombres
- *Que aproveche* y otras expresiones con *que*

Cultura

- La comida típica de diferentes países hispánicos
- El origen de ciertos alimentos
- Comida tradicional y comida moderna
- El mate
- Auge de la comida latina

Visite la página Web de
¡A toda vela! en
www.emcp.com

1 Conteste las preguntas

Piense en las respuestas a las siguientes preguntas. Ud. puede tomar notas si lo considera necesario. Cuando termine, compare sus respuestas —pero sin mirar sus notas— con las de un/a compañero/a.

1. ¿Qué sabe de la comida de los países hispanohablantes?
2. ¿Le gusta la comida mexicana? ¿Qué platos mexicanos conoce? ¿Qué le parecen?
3. ¿Cuál es la diferencia entre la tortilla española y la tortilla mexicana?
4. ¿Piensa que la comida mexicana es parecida a la española? Explique su respuesta.
5. ¿Qué platos típicos de otros países hispánicos conoce? ¿Cuáles diría que son algunos de los ingredientes básicos de estos platos?
6. ¿Por qué cree que hay tantas diferencias entre las comidas de los distintos países hispanohablantes?
7. ¿Le gusta comer en restaurantes? ¿Por qué? ¿Con quién va normalmente?
8. ¿Qué le gusta pedir cuando va a un restaurante?
9. ¿Le gusta cocinar o le gustaría aprender a hacerlo? ¿Por qué? ¿Cuál es su especialidad?
10. ¿Cuáles diría que son las tres frutas más populares en los Estados Unidos? ¿Cuáles son algunas frutas que nos llegan de Latinoamérica?

2 Mini-diálogos

Va a crear un mini-diálogo con un/a compañero/a. Lea la descripción de la conversación antes de empezar. Puede tomar notas para organizar sus ideas, pero no las mire mientras conversa.

Escena: Ud. va caminando por la calle y de repente ve a un/a amigo/a a quien que no veía desde hacía mucho tiempo.

A:	Salúdelo/la. Exprese sorpresa y emoción.
B:	Salude a su amigo/a e invítele a comer.
A:	Acepte con entusiasmo. Pregúntele sobre sus gustos en la comida. Pregúntele a qué tipo de restaurantes le gusta ir.
B:	Dígale el tipo de comida que le gusta a Ud. Sugiera un restaurante.
A:	Reaccione a su sugerencia negativamente. Sugiera otro lugar.
B:	Continúe la conversación. Invéntese una excusa para no ir.
A:	Despídase cordialmente.
B:	Despídase cordialmente.

Dicho

Sobre gustos no hay nada escrito.

¿Qué cree Ud. que significa este viejo dicho? ¿Cuál es su equivalente en inglés? Describa una situación en la que sea apropiado usarlo. Comparta sus opiniones y ejemplos con un/a compañero/a.

¡Dato curioso!

El aguacate es una fruta, no una verdura como muchos piensan. Los primeros aguacates datan del año 500 a. de J. C. y se encontraban en la zona de México. Los aztecas le daban mucha importancia, y los primeros españoles que llegaron al país estaban fascinados por esta fruta; no obstante, no se llegó a comercializar hasta principios del siglo XIX. Hoy en día se cultivan más de cuatrocientas especies.

Vocabulario y gramática en contexto

3   Un blog

Túrnese con un/a compañero/a para leer los comentarios que dos personas han escrito en un blog. Fíjese en las palabras que aparecen en azul (relacionadas con el vocabulario) y en rojo (relacionadas con la gramática), ya que en las siguientes actividades se le harán preguntas sobre ellas.

→ You've got to try it!

¡Hay que probarlo!   JUAN PABLO

Como estamos de vacaciones en Ecuador, mis padres me dicen todo el tiempo que pruebe cosas nuevas para tener así más experiencias. Lo que esperan es que pruebe el cuy, que es un
5 plato de por aquí un tanto peculiar. Yo les estoy diciendo constantemente que me resulta imposible, ya que no me entra por los ojos, pero nada, que no me hacen caso y me andan insistiendo con tono hasta un poco amenazador. La verdad
10 es que si alguno de Uds. se atreve, vale la pena que lo prueben algún día, aunque no tenga buena pinta. Me extraña que a los de aquí se les haga la boca agua al verlo, pero según ellos merece la pena que todos tengan este tipo de experiencia. Por lo visto no está mal, para ser una especie de conejo de indias. Parece ser que sabe a pollo o algo así, o al menos eso es lo que me han dicho mis padres. Les invito a que lo prueben, pero he de
15 reconocer que me avergüenzo de no tener el valor suficiente para hacerlo. Es soprendente para mí, pues siempre me había considerado muy aventurero. En el fondo, ¡perro ladrador poco mordedor! ¡Ja, ja, ja!

¡Que no sea rojo, por favor! ¡Se lo ruego!   ESTRELLA

Yo estoy harta de que mis padres me digan que tengo que probarlo todo. ¡Qué asco me da cuando hacen que me tome cosas de color rojo! No puedo ni ver el tomate, ni las fresas, ni los pimientos... Nada, es que no me entra en la cabeza cómo quieren que pruebe algo que no me entra por los ojos. Y me enoja que me prometan que si algo está para chuparse
5 los dedos, que si al menos debo probarlo, que si... bla, bla, bla. ¡Es absurdo! No es que no quiera tomarlo, es que no puedo tomarlo. El hecho de que me digan que me van a castigar si no lo como no me ayuda a superarlo para nada. Te pongo por ejemplo lo que me pasó el otro día, para que te hagas una idea de lo que me ocurre un día sí y otro no. El otro día vi una pizza completamente cubierta de salsa de tomate en mi plato y, sin darme cuenta,
10 solté un grito espeluznante que enfadó a mis padres muchísimo. Es por lo que ahora estoy castigada sin salir. ¡Qué rabia me da! Puede que ésta sea la gota del agua que colme el vaso. ¡Esto se tiene que acabar!

4   ¿Positivo o negativo?

Haga una lista y clasifique las expresiones que aparecen en azul en las lecturas anteriores según sean positivas o negativas.

5 Amplíe su vocabulario 🔍

Mire las palabras y expresiones de la primera columna y busque su definición en la segunda. ¿Cree que sería correcto usar algunas de estas expresiones en un contexto formal? ¿Cuáles?

1. no entrar por los ojos
2. tener buena pinta
3. hacerse la boca agua
4. merecer la pena
5. no estar mal
6. estar harto de
7. darle asco
8. no poder ni ver algo (o alguien)
9. no entrar en la cabeza
10. estar para chuparse los dedos
11. darle rabia

a. cuando algo está tan exquisito que uno aprovecha hasta el último bocado
b. ser agradable a la vista
c. no interesarle algo porque no le gusta lo que ve
d. no poder comprender algo
e. no gustarle algo para nada y sentir cierto malestar
f. estar muy cansado de algo
g. producir más saliva al ver algo que le gusta
h. detestar algo o a alguien
i. enojar, frustrar
j. valer el esfuerzo
k. ser bastante bueno

6 El presente del subjuntivo 🔍

Conteste estas preguntas relacionadas con los blogs anteriores. Todas tienen que ver con el presente del subjuntivo.

1. Escriba los verbos que aparecen en el presente del subjuntivo en los blogs.
2. Conjugue los verbos *comerse*, *ponerse* y *llenarse* en la segunda persona informal del singular.
3. Conjugue los verbos *almorzar*, *oler* y *mostrar* en la segunda persona formal del singular.
4. Conjugue los verbos *masticar*, *sacar*, *apagar*, *utilizar*, *gozar* y *especializarse* en la primera persona del singular.
5. Conjugue los verbos *pedir*, *servir*, *hervir*, *freír* y *advertir* en la primera persona del plural.
6. Conjugue los verbos *escoger*, *elegir* y *fingir* en la segunda persona informal del singular.
7. Conjugue los verbos *sustituir* y *atribuir* en la primera persona del plural.
8. Conjugue los verbos *convencer* y *producir* en la tercera persona del singular.
9. Conjugue *seguir* en la primera persona del plural.
10. Conjugue los verbos *enviar* y *continuar* en la tercera persona del plural.
11. Conjugue *dormir* en la segunda persona informal del singular y la primera persona del plural.
12. ¿Cuántos verbos irregulares recuerda? (No tienen que aparecer en estos blogs.) Haga una lista de diez de ellos en el infinitivo y conjúguelos en la primera persona del singular del presente del subjuntivo.
13. ¿Qué es especial del verbo *dar* en el presente del subjuntivo?

7 "Tapitas gramaticales" 🔍

1. Escriba los adjetivos que aparecen en rojo en los blogs y explique lo que se ha hecho para transformarlos en adjetivos. ¿Qué otras formas hay de transformar un infinitivo en adjetivo?
2. ¿Qué tiempo verbal le sigue a *el hecho de que*? ¿Por qué motivo?
3. ¿Qué tiempo verbal es *andan insistiendo*? Escriba otras dos formas para expresar lo mismo.
4. ¿Qué tiempo verbal le sigue a *cuando hacen que*? ¿Por qué?
5. ¿Qué tiempo verbal les sigue a *ya que* y *es que*? ¿Y a *no es que* y *puede que*? ¿Por qué?

8 ¿Qué opina?

Reaccione a lo que cada persona ha puesto en el blog y hágale al menos dos comentarios por escrito a cada uno. Incluya palabras del vocabulario que aparecen en azul y subráyelas cuando las use. Termine su blog con una pregunta.

9 Cláusulas nominales

1. ¿Qué es una cláusula nominal?
2. ¿En qué diferentes categorías se pueden clasificar las cláusulas nominales? Nombre cinco.
3. Busque cinco ejemplos de cláusulas nominales en los blogs anteriores.

10 ¿Infinitivo, indicativo o subjuntivo?

Lea el siguiente párrafo y complételo con el infinitivo, el presente del indicativo o el presente del subjuntivo de los verbos entre paréntesis; a veces tendrá que elegir entre *ser* y *estar*. Explique por qué se usa el subjuntivo en cada caso; por ejemplo, con una expresión de emoción, de deseo, de duda o negación, o después de una expresión impersonal.

__1.__ (*Ser / Estar*) extraño pero mi novia me ha dicho que __2.__ (*ir*) a comer a su casa dentro de dos días. La verdad __3.__ (*ser / estar*) que no __4.__ (*apetecerme*) para nada, pero me ha dicho que más vale que __5.__ (*acercarse*) por allá si quiero __6.__ (*salvar*) nuestra relación. Se ha empeñado en que __7.__ (*conocer*) a sus padres. Es cierto que nosotros __8.__ (*llevar*)
5 dos años saliendo, pero tengo un poco de miedo de que no les __9.__ (*caer*) bien. Además, más vale que le __10.__ (*decir*) otra vez a Patricia que __11.__ (*ser / estar*) vegetariano, pues normalmente se le __12.__ (*olvidar*), lo que termina siendo un drama. No es que no me __13.__ (*gustar*) sus padres, pero __14.__ (*ser / estar*) un poco tímido y prefiero __15.__ (*mantenerse*) al margen de la familia de mi novia. ¡Quién __16.__ (*saber*)! Es posible que no __17.__ (*ser / estar*)
10 tan malo después de todo y __18.__ (*terminar*) llevándome bien. Por otra parte, temo que __19.__ (*terminar*) agobiado y no __20.__ (*decir*) ni una palabra durante la velada. Es que... no __21.__ (*saber*) por qué Patricia me mete en estos líos. ¡Qué chica!

11 Una sopa riquísima

Lea con atención la siguiente receta para el gazpacho andaluz.

Gazpacho andaluz
Ingredientes para 4 personas

1 pan grande (sólo la miga interior)
4 cucharadas de aceite de oliva
1 kilo de tomates rojos enteros
1 diente de ajo
1 litro de agua
sal y vinagre de vino

Para la guarnición:

1 ó 2 pimientos verdes picados
1 cebolla mediana picada
1 pepino
1 huevo duro

Preparación

Se introduce el pan en un recipiente con agua para que así sea más fácil quitarle la corteza (cuando el pan esté mojado le podrá sacar la miga fácilmente). Una vez que se tenga la miga del pan, ésta se pone en un recipiente para batirla con los demás ingredientes. Se le añade el
5 tomate troceado sin piel (para que luego uno no se la encuentre cuando lo tome), el aceite, el ajo, la sal, el vinagre y el agua. A continuación se bate todo junto y se prueba. Si queda muy espeso, se le puede añadir más agua. Si por otro lado está un poco soso, se le echa más sal, y si necesita más ajo, se puede picar más ajo. En resumen, siempre se
10 puede aderezar al final según el gusto de cada uno. Entonces se pican todos los ingredientes para la guarnición y se ponen en un cuenco. Por último, se sirve el gazpacho en recipientes individuales con la guarnición por encima o al lado (esto último es más apropiado), para que cada uno se eche una cucharada de lo que desee. ¡Que aproveche!

12 Amplíe su vocabulario (¿?)

Según la receta que acaba de leer, ¿qué significan las siguientes expresiones de la receta?

1. el diente de ajo
2. la miga de pan
3. si queda muy espeso
4. soso
5. aderezar

13 Los mandatos y la voz pasiva (¿?)

Con un/a compañero/a haga las siguientes actividades basadas en la receta.

1. Escriban de nuevo la receta usando el mandato con la forma *tú*.
2. Escriban las siguientes oraciones usando la voz pasiva.
   a. Se introduce el pan.
   b. Se le añade el tomate.
   c. Se pican los ingredientes.
   d. Se sirve el gazpacho.

14 "Tapitas gramaticales" (¿?)

1. ¿Es masculino o femenino el sustantivo *agua*? ¿Qué artículo definido se usa con *agua*? ¿Y con *aguas*? ¿Por qué? Escriba otros dos sustantivos que sigan la misma regla.
2. Explique la posición de los pronombres en la frase "se le puede añadir más agua". ¿Cuál es la regla?
3. *La sal* es un sustantivo. ¿Cuál es el adjetivo correspondiente?
4. ¿Qué tiempo verbal se utiliza en la siguiente expresión: ¡*Que aproveche!*? En inglés, ¿qué tiempo verbal se utilizaría? Escriba otras tres expresiones similares con *que*.

15 Su blog

Un amigo suyo le pide consejo para prepararle una cena a una chica que le gusta.
Escríbale un correo electrónico dándole consejos. Use expresiones nuevas y subráyelas.

- Aconséjele sobre lo que debe preparar.
- Explíquele cómo debe hacerlo.
- Deséele suerte y dele un par de consejos más para que la cita sea un éxito.

Dicho

Donde comen dos, comen tres.

¿Qué característica humana cree que describe este viejo dicho? ¿Qué cree que dice sobre la cultura latina? Describa una situación en la que sea apropiado usarlo. Comparta sus opiniones con un/a compañero/a.

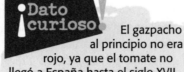

El gazpacho al principio no era rojo, ya que el tomate no llegó a España hasta el siglo XVII. Al principio se le consideraba una comida de gente humilde, quienes le echaban agua a la crema de pan y aceite para poder comer más. Dicen que la esposa de Napoleón III, una andaluza, lo puso de moda entre las clases más altas.

Idioma

16 Familia de palabras

Complete la tabla con el verbo, sustantivo o adjetivo apropiado y la traducción correspondiente.

Verbos		Sustantivos		Adjetivos	
aderezar	to dress a salad; to season	_____	dressing, seasoning	aderezado	_____ , _____
aportar	to contribute	_____ , la aportación	contribution	aportado	_____
atender	to serve a customer	la atención	kindness, attention	_____	polite, attentive
_____	to beat (food)	el batido; la batidora	_____ ; _____	batido	beaten
_____	to cook	_____ ; el cocido	cook; stew	cocido	cooked; boiled
_____	to cover	el cubierto	piece of cutlery; plates, napkin, etc. before each diner	_____	covered
_____	to taste	la degustación	_____	X	
_____ _____		el hervor		_____	boiled
remojar	to soak	el remojo	soak, soaking	remojado	soaked
_____ _____		el pegamento	glue	_____ ,	sticky, stuck
pelar	to peel	_____	skin	pelado	peeled, smooth
picar	to be hot	X		_____	spicy
reposar	to let stand, rest (food)	el reposo	rest	reposado	_____
tapar	to put a lid on, cover	_____	lid	tapado	_____
trocear	to slice	_____	slice, piece	troceado	_____

17 ¿Verbo, sustantivo o adjetivo?

Complete las oraciones usando la forma correcta de las palabras que aparecen en la tabla, ya sea verbo, sustantivo o adjetivo. En el caso del sustantivo puede que necesite artículo.

1. ¿Por qué no ___ (*tapar*) tú la sopa hasta que los invitados se sirvan? Como te descuides se va a enfriar.
2. Después de hacer galletas se me quedaron las manos bastante ___ (*pegar*).
3. Un buen amigo italiano me ha comentado que es mejor echar la sal al agua antes de que empiece a ___ (*hervir*). Pruébalo, es un buen truco para que los espaguetis estén más sabrosos.
4. Dicen que es bueno que no le quites ___ (*pelar*) a la manzana ya que tiene muchas vitaminas.
5. ¿Me das ___ (*trocear*) de tarta? Ya lo sé. Éste es el tercer ___ (*trocear*), pero ya sabes que soy muy golosa. ¡Hijo, que no puedo resistir la tentación!
6. ¡Qué hambre tengo! Acabo de ___ (*batir*) unas fresas en ___ (*batir*) y estoy por prepararme otro. ¡Cómo me gusta ___ (*batir*) de fresa! Por cierto, ¿por casualidad sabes cuándo es la temporada de las fresas? Es probable que éstas sean de invernadero.
7. No me apetece ir a este restaurante porque el otro día nos ___ (*atender*) muy mal. Fueron bastante maleducados con nosotros y tardaron muchísimo en servirnos.
8. ¿Por qué no dejas que ___ (*reposar*) el arroz con pollo un poco antes de que lo comamos? Estará mejor. ¡Ay, qué rico... ya se me está haciendo la boca agua!
9. ¡No me distraigas! No quiero que la comida ___ (*pegarse*) mientras hablo contigo.
10. Llevo dos horas esperando en la mesa y todavía nadie me ___ (*atender*). No aguanto más, ¡estoy muerto de hambre! ¡Qué venga alguien, que ya estoy harto!
11. José echó demasiado chile en la salsa. ¡Es tan ___ (*picar*) que quema! De todas formas soy un adicto al ___ (*picar*), me lo tomo con todo.
12. No sé qué elegir de la carta. ¿Por qué no pedimos el menú de ___ (*degustar*)? Así probamos un poquito de cada plato. Por lo visto está para chuparse los dedos.

Dicho

La vida es como una receta de comida, la sazón se la pones tú.

 ¿Por qué es importante ponerle sazón a la vida? ¿Cuál es la sazón que Ud. pone a la vida? Describa la sazón que aportan unas personas que Ud. admira. Comparta sus opiniones con un/a compañero/a.

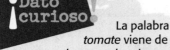

La palabra *tomate* viene de *tomatl*, que es de origen náhuatl, el idioma de muchos de los indígenas de México. A pesar de ser hoy imprescindible en toda cocina, no le llamó la atención a los españoles cuando lo vieron por primera vez. Los italianos no lo usaron hasta el siglo XVIII.

18 Los paradores

Échele una ojeada al artículo que sigue para ver de qué se trata, prestando atención a las palabras en azul, ya que se le harán preguntas sobre ellas. Luego lea el artículo y decida cuál de las palabras entre paréntesis es la correcta para completar cada oración y escríbala.

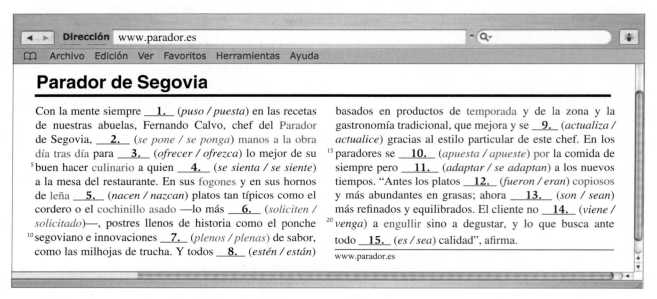

Parador de Segovia

Con la mente siempre __1.__ (*puso / puesta*) en las recetas de nuestras abuelas, Fernando Calvo, chef del Parador de Segovia, __2.__ (*se pone / se ponga*) manos a la obra día tras día para __3.__ (*ofrecer / ofrezca*) lo mejor de su ⁵buen hacer culinario a quien __4.__ (*se sienta / se siente*) a la mesa del restaurante. En sus fogones y en sus hornos de leña __5.__ (*nacen / nazcan*) platos tan típicos como el cordero o el cochinillo asado —lo más __6.__ (*soliciten / solicitado*)—, postres llenos de historia como el ponche ¹⁰segoviano e innovaciones __7.__ (*plenos / plenas*) de sabor, como las milhojas de trucha. Y todos __8.__ (*estén / están*) basados en productos de temporada y de la zona y la gastronomía tradicional, que mejora y se __9.__ (*actualiza / actualice*) gracias al estilo particular de este chef. En los ¹⁵paradores se __10.__ (*apuesta / apueste*) por la comida de siempre pero __11.__ (*adaptar / se adaptan*) a los nuevos tiempos. "Antes los platos __12.__ (*fueron / eran*) copiosos y más abundantes en grasas; ahora __13.__ (*son / sean*) más refinados y equilibrados. El cliente no __14.__ (*viene / ²⁰venga*) a engullir sino a degustar, y lo que busca ante todo __15.__ (*es / sea*) calidad", afirma.

www.parador.es

19 ¿Qué significa?

Según el contexto del artículo que acaba de leer, empareje cada palabra de la primera columna con su definición o sinónimo de la segunda.

1. parador
2. ponerse manos a la obra
3. día tras día
4. culinario
5. fogón
6. leña
7. cochinillo asado
8. solicitar
9. pleno
10. temporada
11. apostar por
12. copioso
13. engullir

a. lleno
b. época del año
c. parte de un árbol que se trocea y se usa como combustible
d. depositar la confianza en algo
e. comenzar a hacer algo
f. edificio histórico convertido en hotel y propiedad del gobierno
g. tragar casi sin masticar
h. sección de la cocina donde se calienta la comida
i. relacionado con la cocina
j. abundante
k. cerdo pequeño al horno
l. a diario
m. pedir

20 Un chef

Escriba un artículo para un periódico sobre un nuevo chef que está muy de moda últimamente (puede ser real o inventado). Siga el modelo del artículo anterior e incluya tantas palabras nuevas como pueda. Subráyelas en el artículo.

Estrategia

Escribir un artículo sobre una persona para un periódico implica crear interés y presentar las ideas o los hechos con claridad y brevedad. Hay que incluir algunas anécdotas interesantes. Trate de crear una imagen de la persona y organizar lo que va a decir antes de empezar a escribirlo.

21 La comida mexicana

Échele una ojeada al cuento que sigue para ver de qué se trata. Fíjese en las palabras en azul, ya que se le harán preguntas sobre ellas. Luego lea el cuento y decida qué forma de los verbos entre paréntesis es la correcta para completar cada oración y escríbala.

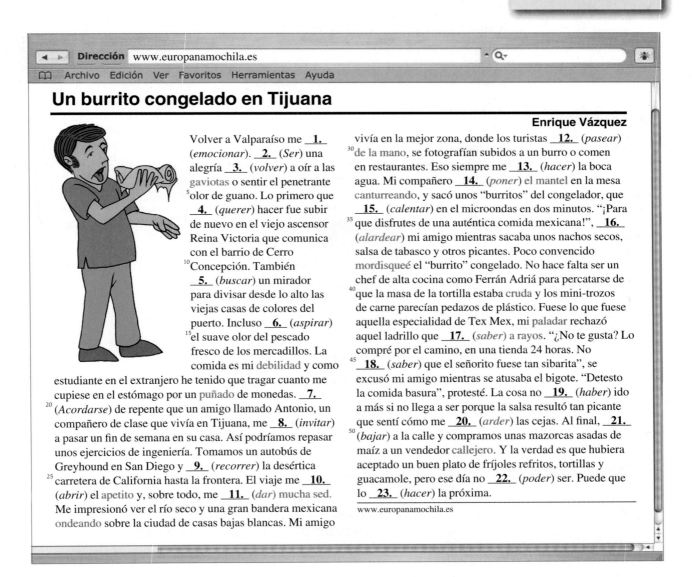

Dirección www.europanamochila.es

Archivo   Edición   Ver   Favoritos   Herramientas   Ayuda

Un burrito congelado en Tijuana

Enrique Vázquez

Volver a Valparaíso me __1.__ (*emocionar*). __2.__ (*Ser*) una alegría __3.__ (*volver*) a oír a las gaviotas o sentir el penetrante [5]olor de guano. Lo primero que __4.__ (*querer*) hacer fue subir de nuevo en el viejo ascensor Reina Victoria que comunica con el barrio de Cerro [10]Concepción. También __5.__ (*buscar*) un mirador para divisar desde lo alto las viejas casas de colores del puerto. Incluso __6.__ (*aspirar*) [15]el suave olor del pescado fresco de los mercadillos. La comida es mi debilidad y como estudiante en el extranjero he tenido que tragar cuanto me cupiese en el estómago por un puñado de monedas. __7.__ [20](*Acordarse*) de repente que un amigo llamado Antonio, un compañero de clase que vivía en Tijuana, me __8.__ (*invitar*) a pasar un fin de semana en su casa. Así podríamos repasar unos ejercicios de ingeniería. Tomamos un autobús de Greyhound en San Diego y __9.__ (*recorrer*) la desértica [25]carretera de California hasta la frontera. El viaje me __10.__ (*abrir*) el apetito y, sobre todo, me __11.__ (*dar*) mucha sed. Me impresionó ver el río seco y una gran bandera mexicana ondeando sobre la ciudad de casas bajas blancas. Mi amigo

vivía en la mejor zona, donde los turistas __12.__ (*pasear*) [30]de la mano, se fotografían subidos a un burro o comen en restaurantes. Eso siempre me __13.__ (*hacer*) la boca agua. Mi compañero __14.__ (*poner*) el mantel en la mesa canturreando, y sacó unos "burritos" del congelador, que __15.__ (*calentar*) en el microondas en dos minutos. "¡Para [35]que disfrutes de una auténtica comida mexicana!", __16.__ (*alardear*) mi amigo mientras sacaba unos nachos secos, salsa de tabasco y otros picantes. Poco convencido mordisqueé el "burrito" congelado. No hace falta ser un chef de alta cocina como Ferrán Adriá para percatarse de [40]que la masa de la tortilla estaba cruda y los mini-trozos de carne parecían pedazos de plástico. Fuese lo que fuese aquella especialidad de Tex Mex, mi paladar rechazó aquel ladrillo que __17.__ (*saber*) a rayos. "¿No te gusta? Lo compré por el camino, en una tienda 24 horas. No [45]__18.__ (*saber*) que el señorito fuese tan sibarita", se excusó mi amigo mientras se atusaba el bigote. "Detesto la comida basura", protesté. La cosa no __19.__ (*haber*) ido a más si no llega a ser porque la salsa resultó tan picante que sentí cómo me __20.__ (*arder*) las cejas. Al final, __21.__ [50](*bajar*) a la calle y compramos unas mazorcas asadas de maíz a un vendedor callejero. Y la verdad es que hubiera aceptado un buen plato de fríjoles refritos, tortillas y guacamole, pero ese día no __22.__ (*poder*) ser. Puede que lo __23.__ (*hacer*) la próxima.

www.europanamochila.es

22 ¿Qué significa?

Según el contexto del artículo que acaba de leer, empareje cada palabra de la primera columna con su definición o sinónimo de la segunda.

1. gaviota
2. debilidad
3. puñado
4. apetito
5. dar mucha sed
6. ondear
7. de la mano
8. poner el mantel
9. canturrear
10. alardear
11. mordisquear
12. crudo
13. paladar
14. saber a rayos
15. arder
16. callejero

a. producir la necesidad de beber
b. cantar en voz baja y tararear
c. de la calle
d. dar pequeños bocados a un alimento
e. poca cantidad de algo
f. presumir
g. ave de plumas blancas que vive en la costa
h. saber fatal
i. sin cocer
j. quemar, abrasar
k. parte de la boca que identifica el sabor
l. ganas de comer
m. movimiento que hace una bandera con el viento
n. flaqueza, punto débil
o. poner una tela para comer
p. agarrados de la mano

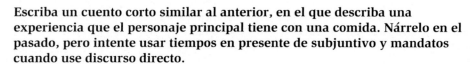

Estrategia

Escribir un cuento corto implica saber dar detalles generales del fondo y de los personajes, usar el discurso indirecto o directo, y escribir una introducción y una conclusión. Trate de crear una escena y organizar lo que va a decir antes de empezar a escribirlo.

23 Un cuento

Escriba un cuento corto similar al anterior, en el que describa una experiencia que el personaje principal tiene con una comida. Nárrelo en el pasado, pero intente usar tiempos en presente de subjuntivo y mandatos cuando use discurso directo.

Dicho

El amor entra por la cocina.

 ¿Está de acuerdo con esto? ¿Cree que este dicho se refiere por igual a los hombres y a las mujeres? Comparta opiniones con un/a compañero/a.

¡Dato curioso! La presencia del tenedor en Europa se debe a los italianos, quienes encontraron en él un invento muy útil para comer pasta. Algunos lo rechazaron durante muchos años porque pensaban que estaba relacionado con el demonio. Hasta el siglo XVIII casi todos los europeos comían con los dedos.

24 Lea, escuche y escriba/presente

Vuelva a leer el cuento completo de la Actividad 21. Luego escuche la grabación "La comida de México" y tome las notas necesarias. Escriba un ensayo o haga una presentación en clase contestando la siguiente pregunta: "¿Qué es la comida mexicana?" No se olvide de citar las fuentes debidamente.

25 El Mambo Café 📄

Échele una ojeada al artículo que sigue para ver de qué se trata, prestando atención a las palabras en azul. Luego lea el artículo y decida cuál de las palabras entre paréntesis es la correcta para completar cada oración y escríbala.

Frutas y especias del Caribe
Unidas dan sazón al menú del restaurante Mambo Café

KATIA RAMÍREZ BLANKLEY

Cuando __1.__ (*es / se*) habla de cocina caribeña, la __2.__ (*mayor / mayoría*) de la gente piensa en comida cubana: plátanos fritos, frijoles negros, ropa vieja y fricasé de pollo. Pero, como dice Aureliano Moreno,
5 propietario __3.__ (*de / del*) restaurante Mambo Café, un auténtico negocio de comida de este tipo tiene __4.__ (*X / que*) incluir la sazón de Puerto Rico, Jamaica, República Dominicana y las __5.__ (*unas / demás*) islas del Caribe. Y ése es precisamente el éxito del negocio de Moreno,
10 ubicado __6.__ (*X / en*) el 10032 del bulevar Venice en Culver City, donde __7.__ (*algunos / además*) de unos deliciosos platanitos fritos y frijoles negros, el comensal puede degustar una exquisita variedad __8.__ (*de / con*) platos sazonados con frutas y exóticas especias
15 caribeñas.

__9.__ (*Un / Uno*) de los platillos más llamativos es el pollo en salsa de mango y curry, que consiste en una pechuga de pollo asada a __10.__ (*una / la*) parrilla, cubierta __11.__ (*con / por*) una salsa que incluye
20 mango en tiritas, tomate, curry, piña y pasas. Muy sabrosa, también, la paella de mariscos, el pollo negro, condimentado con diez especias diferentes y salsa inglesa y el pollo preparado __12.__ (*por / con*) una receta tradicional de Jamaica, que lleva siete clases __13.__ (*en /
25 de*) chiles. También tienen aperitivos, sopas, ensaladas, sándwiches y una rica variedad de postres.

"El secreto de nuestra cocina es el balance adecuado de __14.__ (*los / unos*) ingredientes", dice Moreno, __15.__ (*cual / quien*) se confiesa enamorado __16.__ (*de / con*)

30 la cocina caribeña. "Así como __17.__ (*un / una*) artista mezcla colores y texturas, nosotros combinamos carnes, vegetales, frutas, hierbas y especias para obtener sabores diferentes y que __18.__ (*la / le*) gusten a la gente."

El menú de Mambo Café no es muy extenso, pero es que
35 todo se prepara justo cuando el cliente lo ordena. __19.__ (*Sin / Con*) embargo, a diario hay entre cuatro o cinco platillos especiales que elaboran con ingredientes que estén en temporada. "Durante la hora de almuerzo los platillos que más se venden son los hechos de pollo o
40 los vegetarianos; pero en la noche tienen más salida los mariscos", cuenta Moreno.

En el Mambo Café, además __20.__ (*de / con*) la rica comida y el esmerado servicio, el cliente encuentra entretenimiento en vivo y __21.__ (*el / un*) ambiente muy
45 acogedor. Los jueves por la noche hay música tipo blues latino a cargo __22.__ (*de / del*) argentino Massimo Corsini, y los viernes y sábados hay un conjunto que interpreta música tropical o un trío que canta boleros. Los precios son cómodos y la comida que se sirve
50 __23.__ (*es / está*) abundante. Casi todos los platos se sirven acompañados con arroz blanco, frijoles negros y unos deliciosos plátanos fritos que se deshacen en la boca.

El restaurante __24.__ (*abre / cierra*) sus puertas
55 __25.__ (*los / las*) siete días a la semana de 11:00 de la mañana a 9:30 de la noche, a excepción de los domingos que abre después __26.__ (*X / de*) las 5:00 de la tarde. También ofrece servicios de banquetes para fiestas o eventos especiales.

60 Mambo Café está ubicado __27.__ (*X / en*) el 10032 de Venice Blvd., en Culver City. Para más información llamar __28.__ (*al / el*) teléfono (310) 558-3106.

www.laopinion.com

26 ¿Qué significa? 🔍

Según el contexto del artículo que acaba de leer, empareje cada palabra de la primera columna con su definición o sinónimo de la segunda.

1. ropa vieja	a. cuidado
2. propietario	b. agradable, que le hace sentir a uno bien, a gusto
3. sazón	c. apropiado
4. comensal	d. aderezado
5. sazonado	e. plato típico de Cuba
6. llamativo	f. que llama la atención
7. pechuga	g. dueño
8. pasa	h. al igual que
9. adecuado	i. gusto, sabor
10. así como	j. persona que come en la mesa con otros
11. esmerado	k. al cuidado de
12. acogedor	l. uva seca
13. a cargo de	m. comida especial a la que asisten muchos invitados
14. deshacerse	n. pecho de un ave
15. banquete	o. descomponerse, disolverse

27 Investigue

Busque información en Internet sobre la cocina argentina, venezolana o cubana. Escriba un informe de unas 250 palabras sobre una de ellas y cite las fuentes que ha consultado. Use los tiempos presentados en la lección, y enumérelos cuando lo haga.

28 Una bebida especial

Échele una ojeada al artículo que sigue para ver de qué se trata, fijándose en las palabras en azul. Luego lea el artículo y decida cuál es la palabra que mejor completa cada oración y escríbala. No se olvide de escribir y acentuar las palabras correctamente.

Dirección www.recetanet.freeservers.com

Archivo Edición Ver Favoritos Herramientas Ayuda

El mate... Su historia

Cuando los Jesuitas __1.__ expulsados de los dominios españoles en el año 1769, __2.__ redujo considerablemente el cultivo de la planta de yerba mate. Federico Naumann logró __3.__ germinación de las semillas de yerba mate en 1901, en la colonia Nueva Germania en 5 Paraguay, y obtuvo en consecuencia el producto resultado __4.__ ella.

En la Argentina __5.__ primera plantación importante __6.__ realizó en 1903 en la Provincia de Misiones, donde dos siglos antes __7.__ habían hecho los padres de la compañía de Jesús.

En __8.__ actualidad se la cultiva en __9.__ región noroeste de la 10 Argentina, de Paraguay y en el sur de Brasil, y han fracasado todos los intentos __10.__ cultivos en regiones con las mismas características climáticas como en América del Norte, Asia o África.

Durante la colonización española y __11.__ principios del __12.__ XIX las familias tradicionales utilizaban todos __13.__ días mates 15 revestidos en plata con pie y asas __14.__ mismo metal, pero el verdadero mate __15.__ se utiliza para servir la infusión es __16.__ variedad de calabaza en forma __17.__ pera que se convierte en un recipiente abriendo en la parte más estrecha la boca circular, se __18.__ sacan las semillas y se dejan secar.

Existe __19.__ importante colección __20.__ mates en algunos museos de __21.__ ciudad de Buenos Aires.

El mate: tradición y significados

20 • El mate amargo significa indiferencia.

• El mate dulce __22.__ amistad.

• El mate con café significa ofensa perdonada.

• El mate __23.__ azúcar quemada significa simpatía.

• El mate con canela significa __24.__ ocupas mi pensamiento.

25 • El mate __25.__ leche significa estima.

• El mate con cáscara __26.__ naranja significa ven __27.__ buscarme.

www.recetanet.freeservers.com

29 ¿Qué significa?

Mire las palabras de la primera columna, que aparecen en la lectura anterior, y busque su significado en la segunda.

1. cultivo
2. semilla
3. fracasar
4. asa
5. canela
6. estima
7. cáscara

a. parte de un recipiente por donde se sujeta o agarra
b. siembra, plantación
c. piel de ciertas frutas, como la de los cítricos
d. corteza de las ramas de un árbol que se usa en postres y helados por su aroma y sabor
e. consideración o aprecio que se tiene de alguien o algo
f. no conseguir el resultado esperado
g. grano de un fruto

30 Lea, escuche y escriba/presente

Vuelva a leer el texto completo sobre el mate, y luego escuche la grabación "El sabor de Argentina". Tome notas de las dos fuentes y escriba un ensayo o haga una presentación en clase sobre la comida de Argentina. No se olvide de citar las fuentes debidamente.

Dicho

¡Me entra antes por los ojos que por la boca!

¿Qué significa? ¿Le ha sucedido esto alguna vez con la comida? ¿Con qué comida en particular? ¿Cree que esto le pasa a la mayoría de las personas? Comparta su opinión con un/a compañero/a.

¡Dato curioso!

El maíz siempre ha jugado un papel importantísimo en las civilizaciones maya y azteca. Formaba parte de sus creencias religiosas, festividades y nutrición. Estos pueblos decían que el maíz incluso formó la carne y la sangre de los seres humanos. Aunque tuvo su origen en América Central, posteriormente el maíz se extendió por otras zonas de las Américas.

31 Antes de leer

¿Qué sabe Ud. del chocolate? ¿Sabe de dónde procede? ¿Es diferente el chocolate caliente en los Estados Unidos y en otros países? ¿Qué compañía cree que comercializó el chocolate por primera vez?

32 El chocolate

Lea con atención el siguiente artículo e intente averiguar el significado de las palabras en azul por el contexto, ya que se le harán preguntas sobre ellas.

Y el chocolate espeso

Fue el oro negro de las culturas precolombinas, y de ahí pasó a las mesas europeas más nobles. Hoy, una buena taza humeante es un lujo al alcance de los que tienen tiempo.

5 El refrán "las cosas claras y el chocolate espeso" nos da la pauta de cómo tomar el chocolate: espeso, cocido, bien movido y humeante; para que al mojar los churros, picatostes, bizcochos, magdalenas... éstos queden impregnados del sabroso líquido y, 10 así, irlo degustando poco a poco, para acabar con un vaso de agua fresca que aclare la garganta de tan calurosa bebida.

Hacer chocolate es todo un ritual de origen noble que se ha democratizado con distinta intensidad 15 en Europa ya que, según la Federación Española de Asociaciones del Dulce, España consumió en 2003 cerca de cuatro kilos por persona: el último puesto de un listado encabezado por Suiza, Austria y Bélgica. Manjar de reyes, hoy está exento de 20 connotaciones sociales y lo único que se precisa para tomar un buen chocolate es tener tiempo (A). Aunque las viejas chocolateras de barro estén en desuso, la manera más eficaz sigue siendo trocear las pastillas de chocolate con las manos y retirar la 25 leche a punto de hervir para desleír con cuidado los trozos. Cuando estén totalmente disueltos, se tapa el recipiente y se deja reposar. Después de dos minutos, el chocolate se mezcla hasta que tenga una unidad y sea una crema, que se vierte en un 30 recipiente de cobre, latón, hierro o loza. A continuación, se añade más leche.

Antaño, se ponía al fuego mientras hervía y se movía constantemente con el molinillo o la cuchara de madera que hacen que el batido del chocolate 35 tome cuerpo. En estos momentos de reposo es cuando los aromas se relajan, se concentran

y adquieren un aspecto satinado. Se sirve en taza de loza o porcelana con 40 asa, para cogerla sin quemarse, y de boca ancha para facilitar el mojado. Los acompañamientos son muy variados, aunque los 45 churros —masa de agua, harina y sal, frita en aceite de oliva—, son quizá el más apropiado. En este punto interviene el gusto y, por lo tanto, es aconsejable probarlo con bizcochos, 50 magdalenas, picatostes, pan recién hecho o incluso uvas, para luego poder elegir con conocimiento de causa.

Pero no siempre se ha tomado así. Los mayas machacaban las semillas del árbol del cacaotero 55 con bayas, y las mezclaban con agua de lluvia. Bien batido, conseguían una refrescante y espumosa bebida, esencial para combatir el calor pegajoso en esas latitudes.

Posteriormente, los indios aztecas mejoraron la 60 receta calentando el líquido y endulzándolo con vainilla y miel (B). Llamaron a su bebida xocoalt, que significa "agua amarga". El Código Florentino, una de las principales fuentes históricas que describen la vida azteca, denomina al chocolate "la bebida 65 de los nobles" (utilizada, junto con el polvo de oro, como moneda), y observa que debe prepararse con sumo cuidado debido a su "naturaleza poderosa". Esta bebida daba tanta vitalidad a los guerreros, que las culturas precolombinas creyeron que el fruto 70 del cacao encerraba temibles poderes mágicos. Los sacerdotes lo usaron en rituales y curaciones.

Aunque Colón regresó a Europa con las primeras bayas de cacao, nadie supo qué hacer con ellas, por lo que se olvidaron en favor de otros bienes [75]comerciales. Los europeos probaron por primera vez este alimento cuando Moctezuma recibió a Hernán Cortés con un cuenco de espumoso y caliente chocolate líquido. En 1528, cuando Cortés regresó a España, trajo consigo la receta de los [80]aztecas para preparar la bebida de chocolate (C). La primera cocina de Europa en ponerla a prueba fue la de los monjes cistercienses del monasterio de Piedra, en Zaragoza. Sin embargo, debido a la fama de brebaje mágico, los frutos fueron confinados [85]en monasterios y la fórmula de la bebida divino secreto, sólo para ser disfrutada por los más ricos y nobles. Fue a principios del siglo XVII cuando el viajero italiano Antonio Carletti acercó el fruto al resto de Europa; por primera vez, el chocolate [90]estuvo al alcance de la gente llana. Allá por 1700, las chocolaterías estaban tan en boga como las cafeterías y se convirtieron en punto de reunión de golosos de toda clase y condición social.

La idea de mezclar el chocolate con la leche no [95]surgió hasta el siglo XVIII; de ahí que la expresión "como agua para chocolate", que significa estar hirviendo o airado, haga referencia a la manera americana de prepararlo. El primer chocolate con leche fue producido en Suiza en 1875 por Daniel [100]Peter, en colaboración con Henri Nestlé, utilizando para ello la ya famosa leche condensada Nestlé. De este modo, se inició la era de la producción de chocolate en serie. Desde finales del siglo XIX y durante el siglo XX, las chocolaterías proliferaron [105]por toda Europa, convirtiéndose en el lugar donde acabar la velada y el más dulce aliado antes de regresar a casa de madrugada (D).

En el siglo XXI, lo tomamos como cacao soluble. El chocolate se reserva para meriendas y [110]celebraciones. Aunque en nuestros días no lo consideramos la panacea universal, el que fue alimento-golosina-medicamento goza de buena reputación. La energía, que ya alababan los mayas, le viene por su aporte en hidratos de carbono, [115]rico en elementos minerales, potasio, fósforo y magnesio; además, tiene vitaminas como la tiamina (B_1) y el ácido fólico, regulador del metabolismo. Los lípidos o grasas provienen de la manteca de cacao, rica en ácido esteárico, que no aumenta el [120]nivel de colesterol en sangre. Después de tantas bondades, el chocolate tiene que lidiar con su fama de alimento hipercalórico. Una taza de este manjar de 200 ml. contiene unas 210 calorías. Tomado en una dieta equilibrada, no favorece el aumento [125]de peso. Tiene un efecto reconstituyente en el organismo, es apropiado para todas las edades y, cómo no, para adentrarse en las largas tardes de otoño.

www.parador.es

33 Amplíe su vocabulario (¿?)

Según el contexto del artículo que acaba de leer, ¿cuál es la mejor traducción de cada palabra?

1. humeante
   a. humid
   b. piping hot
   c. suffocating
   d. humble

2. al alcance de
   a. far from
   b. challenging for
   c. impossible for
   d. within reach of

3. mojar
   a. to try
   b. to soak
   c. to cover
   d. to mix

4. impregnado
   a. filled
   b. coated
   c. sprinkled
   d. washed

5. manjar
   a. delicacy
   b. snack
   c. recipe
   d. dessert

6. barro
   a. glass
   b. plastic
   c. clay
   d. cardboard

7. desuso
   a. disuse
   b. oblivion
   c. abandonment
   d. oversight

8. eficaz
   a. useless
   b. exciting
   c. effective
   d. effortless

9. pastilla
   a. tablet
   b. paste
   c. bag
   d. pinch

10. disuelto
    a. lit
    b. disintegrated
    c. dissolved
    d. blended

continúa

11. reposar
    a. to rest
    b. to leave
    c. to calm
    d. to repossess

12. loza
    a. china
    b. glass
    c. metal
    d. wood

13. masa
    a. massive
    b. amazement
    c. dough
    d. cream

14. harina
    a. sugar
    b. flour
    c. cereal
    d. grain

15. machacar
    a. to thrash
    b. to flatten
    c. to crush
    d. to grow

16. espumoso
    a. sparkling
    b. frothy
    c. sweet
    d. gorgeous

17. pegajoso
    a. sticky
    b. sweet
    c. harmful
    d. intense

18. amargo
    a. bland
    b. sweet
    c. spicy
    d. bitter

19. sumo
    a. extreme
    b. most
    c. plus
    d. peerless

20. brebaje
    a. bubble
    b. food
    c. potion
    d. ointment

21. llano
    a. clear
    b. flat
    c. common
    d. level

22. goloso
    a. overweight
    b. cook
    c. Galician
    d. having a sweet tooth

23. surgir
    a. to suggest
    b. to develop
    c. to produce
    d. to seem

24. manteca
    a. mantle
    b. seed
    c. butter
    d. oil

34 ¿Ha comprendido?

1. ¿Quiénes eran las personas que tomaban al principio el chocolate?
   a. Los mayas y los aztecas
   b. Los españoles
   c. La clase alta
   d. Los suizos, austriacos y belgas

2. ¿Qué ingredientes tiene una taza de chocolate?
   a. Cacao, leche y crema
   b. Cobre, latón, hierro o loza
   c. Agua y cacao
   d. Cacao y leche

3. ¿Para qué se usaba el chocolate antiguamente?
   a. Para la magia y guerras
   b. Como moneda
   c. Como medicina
   d. Todas las anteriores

4. ¿Por qué no tuvo éxito al principio el chocolate en España?
   a. Era bebida sólo para la clase alta.
   b. No sabían cómo tomarlo.
   c. Se le relacionaba con la magia.
   d. No se podía cultivar allí.

5. Cuando las chocolaterías se hicieron famosas en los siglos XIX y XX, se visitaban habitualmente _____.
   a. como lugar para conversar
   b. como lugar para ir después de salir por la noche
   c. como lugar para merendar y tener celebraciones
   d. como lugar donde ver a los amigos

6. ¿Qué es lo malo del chocolate?
   a. Nada, si se toma con moderación.
   b. Engorda.
   c. No es bueno para el colesterol.
   d. No se le recomienda a los ancianos.

7. ¿Qué cree que significa la expresión "las cosas claras y el chocolate espeso"?
   a. Cada persona es diferente.
   b. Hay que llamar a las cosas por su nombre.
   c. La única forma de tomar el chocolate es "espeso".
   d. No significa nada en particular.

35 ¿Dónde va?

La siguiente frase ha sido extraída del texto anterior: *aunque no tuvo el éxito que se esperaba.* **¿Dónde encajaría mejor la frase?**

1. Posición A, línea 21
2. Posición B, línea 61
3. Posición C, línea 80
4. Posición D, línea 107

36 Lea, escuche y escriba/presente

Vuelva a leer el artículo "Y el chocolate espeso" y luego escuche la grabación "El chocolate. Un dulce rodeado de mitos". Tome las notas necesarias. Escriba un ensayo o haga una presentación en clase sobre "El chocolate, ayer y hoy". No se olvide de citar las fuentes debidamente.

Dicho

El que se pica es porque ajo come.

Si alguien dijera algo negativo sobre Ud., ¿le molestaría mucho si no fuera verdad? Y si fuera verdad, ¿cómo reaccionaría? ¿Está de acuerdo con que aquellas personas que se enfadan mucho es porque de verdad ocultan algo? Comparta su opinión con un/a compañero/a.

¡Dato curioso!

El café fue descubierto hace siglos por unos pastores. Éstos se dieron cuenta de que las cabras que ellos cuidaban habían comido del fruto de la planta de café, y corrían y saltaban durante toda la noche en vez de dormir. Los pastores se lo contaron al abad de un monasterio, y él les pidió que se lo trajeran. De esa fruta se hizo una bebida... quizás la más popular del mundo.

37 Antes de leer

Con un/a compañero/a escriba una lista de las cinco comidas más típicas en los Estados Unidos. Cuando alguien de otro país habla de la comida típica estadounidense, ¿a qué cree que se refiere? ¿En qué se basan? ¿Cree que esas ideas son ciertas? Conversen sobre el tema.

38 ¿Ketchup o salsa?

Lea con atención el siguiente artículo e intente averiguar el significado de las palabras en azul por el contexto, ya que se le harán preguntas sobre ellas.

EE.UU. consume más salsa que ketchup

¿Sabía Ud. que en Estados Unidos actualmente se vende más salsa que ketchup? Este hecho contundente demuestra la creciente influencia de la comida latina en la dieta del país y ha llevado a la
[5] *industria de restaurantes a concluir que "los tacos son las hamburguesas del sigo XXI".*

"América está cambiando", advierte Denyse Selesnick, directora de mercadotecnia internacional de la Asociación Nacional de
[10] Restaurantes (NRA por sus siglas en inglés), que agrupa a 900 mil establecimientos que emplean al 9 por ciento de la fuerza laboral del país y esperan ventas este año por 476 mil millones de dólares. La especialista dice que la tendencia hacia las
[15] comidas étnicas se explica porque "ahora somos más sofisticados en nuestros gustos". Selesnick cita que a nivel nacional una de cada cuatro personas se declara "comensal aventurero", lo que sigue ampliando la influencia latina entre una
[20] población que en promedio come 5.3 veces a la semana en restaurantes. "Este hecho ha derivado en una fusión de salsas mexicanas con la llamada cocina principal y por eso actualmente se vende más salsa que ketchup en este país", apunta.

[25] El fenómeno no podía seguir pasando desapercibido para la Asociación Nacional de Restaurantes, que por primera vez incluyó un Pabellón de Cocina Internacional en su muestra anual. Aunque la idea apenas surgió en marzo
[30] pasado, la agrupación logró convocar a treinta empresas proveedoras procedentes de diez países, incluidos México, El Salvador, Brasil, Guatemala, Uruguay y España. Por supuesto no podía faltar una compañía productora de salsas. Jacinto
[35] Esteban, director de exportaciones de La Sabrosa, confía en que la muestra anual le permitirá ampliar significativamente su participación en el mercado estadounidense. "Actualmente ya distribuimos nuestros productos en Texas y California", refiere
[40] mientras ayuda a numerosos potenciales clientes para la empresa basada en Monterrey, México.

La misma apuesta la está haciendo el gobierno de Brasil, que incluso envió a la muestra anual a su Ministra de Turismo, María Luisa Campos
[45] Machado. Despachando en el exhibidor de su país, la funcionaria encabeza una delegación de empresas que buscan convertirse en proveedores de la prometedora industria de restaurantes de los Estados Unidos.

[50] La influencia de la comida latina en la dieta de los estadounidenses tiene relación directa con el creciente poder de compra y sofisticación de la comunidad hispana en Estados Unidos. En un estudio, la NRA afirma que los hispanos gastan
[55] 55 mil millones de dólares al año en restaurantes, comparado con $51 mil millones que erogan los afro-americanos y $25 mil millones que invierten los asiático-americanos. En términos porcentuales, esta industria debe satisfacer el paladar hispano-
[60] americano porque es la minoría que más gasta en sus establecimientos. El informe de la NRA establece que en 1990 el poder adquisitivo de la población en general fue de 4 billones 277 mil millones de dólares, de los cuales 3 billones 738
[65] mil millones fueron aportados por los blancos; 316 mil millones por los afro-americanos; 117 mil millones por los asiático-americanos; y 223 mil millones por los hispanos. Entre 1990 y el año 2000 el poder adquisitivo de los hispanos en
[70] EE.UU. creció un 120 por ciento, superando por mucho a todos los demás grupos étnicos. Para los negocios latinoamericanos la oportunidad de convertirse en proveedores de la industria de restaurantes estadounidense seguirá latente por
[75] muchos años.

Ante la contundencia de las cifras, es fácil comprender la conclusión de que "los tacos son las hamburguesas del siglo XXI". Sin duda, la especialista Denyse Selesnick no se equivoca
[80] cuando asegura que "América está cambiando". ¡Buen provecho!

www.laraza.com

---

39 ¿Qué significa?

Empareje cada palabra de la primera columna con su definición o sinónimo correspondiente en la segunda.

1. contundente
2. advertir
3. agrupar
4. ampliar
5. desapercibido
6. convocar
7. proveedor
8. apuesta
9. despachar
10. encabezar
11. erogar
12. establecimiento
13. poder adquisitivo

a. capacidad de compra
b. estar entre los primeros
c. distribuidor de un producto
d. que llena, que convence
e. que no llama la atención
f. contribuir
g. llamar a reunir
h. extender
i. atender
j. restaurante, tienda, negocio
k. reunir en grupos
l. confianza en algo aunque conlleve un riesgo
m. avisar

40 ¿Cuál es la pregunta?

Según lo que acaba de leer, escriba una pregunta lógica para estas respuestas.

1. Al venderse más salsa que ketchup
2. Una mayor tendencia hacia lo étnico
3. Aventureros
4. La Asociación Nacional de Restaurantes

41 ¿Ha comprendido?

1. ¿Por qué incluyó la Asociación Nacional de Restaurantes un nuevo Pabellón de Cocina Internacional?
   a. Porque quieren ser más étnicos
   b. Porque venden mucha salsa
   c. Porque el director es mexicano
   d. Porque los gustos en este país están cambiando

2. ¿Qué es La Sabrosa?
   a. Las palabras que describen la salsa mexicana
   b. Una compañía que está en Guatemala, Uruguay, España, México y Brasil
   c. Una compañía que lleva salsa al mercado estadounidense
   d. Un grupo de famosos mariachis que asistieron a la convención anual

3. Según el artículo, ¿cuál es la minoría en Estados Unidos que gasta menos en restaurantes?
   a. Los afro-americanos
   b. Los hispanos
   c. Los asiático-americanos
   d. Los extranjeros

42 Más preguntas

1. Explique la oración "Los tacos son las hamburguesas del siglo XXI". ¿Está de acuerdo? ¿Por qué?
2. ¿Cuántas veces a la semana come la población latina en un restaurante? ¿Y Ud.?

43 Lea, escuche y escriba/presente

Vuelva a leer el texto "EE.UU. consume más salsa que ketchup". Luego escuche la grabación "Comida latina, primer lugar en Estados Unidos" y tome las notas necesarias. Escriba un ensayo o haga una presentación en clase sobre "El auge de los restaurantes étnicos en los Estados Unidos". No se olvide de citar las fuentes debidamente.

Dicho

Desayunar como rey, comer como príncipe y cenar como mendigo.

 ¿Qué cree que significa este viejo dicho? ¿Es así como come Ud.? Hable sobre esto con un/a compañero/a.

Los chiles picantes son muy apreciados por muchos, y temidos por otros tantos. El color rojo no indica que el chile va a ser picante. Lo que en realidad pica son las venas del chile, y no la semilla como muchos creen. Si algunas de esas semillas pican es por estar en contacto con dichas venas. Aquellas venas que tienen color amarillento indican que ese chile va a ser muy potente. En ese caso, después de comerlo, un remedio es tomar leche, yogur, helado, pan, zumo de tomate o limón. No se aconseja beber agua.

¡A escuchar!

44 El sabor de Colombia 💿

Lea las preguntas primero y después escuche "Descubrir el sabor de Colombia". Luego conteste las preguntas.

1. ¿Qué culturas han influido en la gastronomía de Colombia?
2. Nombre tres platos típicos del país.
3. ¿En qué consiste uno de los platos más llamativos del país conocido como "la hormiga culona"?
4. ¿Por qué se dice que las frutas son el tesoro de Colombia?
5. Nombre cinco frutas que se cultivan en Colombia.

Un vendedor de plátanos en Armenia, Colombia

45 Sazón con tradición

Lea las posibles respuestas primero y después escuche "Sazón con tradición". Escoja la mejor respuesta para la pregunta que escuchará en la grabación.

1. (Pregunta que escuchará en la grabación.)

   a. En cualquier momento
   b. Después de unas semanas
   c. Después de varios años
   d. No se sabe.

2. (Pregunta que escuchará en la grabación.)

   a. De Venezuela, Bolivia, Guatemala y Portugal
   b. De Venezuela, Bolivia, Guatemala y Panamá
   c. De Venezuela, España, Guatemala y Colombia
   d. De todos los países latinoamericanos, España y Portugal

3. (Pregunta que escuchará en la grabación.)

   a. Eligió lo más original.
   b. Eligió lo más reconocido.
   c. Eligió lo que más se echa de menos.
   d. Eligió las mejores recetas.

4. (Pregunta que escuchará en la grabación.)

   a. La variedad
   b. La creatividad
   c. El colorido
   d. El precio

46 Participe en una conversación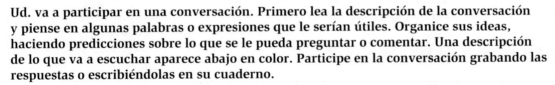

Ud. va a participar en una conversación. Primero lea la descripción de la conversación y piense en algunas palabras o expresiones que le serían útiles. Organice sus ideas, haciendo predicciones sobre lo que se le pueda preguntar o comentar. Una descripción de lo que va a escuchar aparece abajo en color. Participe en la conversación grabando las respuestas o escribiéndolas en su cuaderno.

Escena: Ud. es la tía de Juan, quien la ha llamado porque quiere preparar un plato auténtico de un país hispánico para el club de español. Él sabe que Ud. es famosa en todo San Antonio por su don en la cocina.

Ud.:
- (*Suena el teléfono.*) Conteste.

Juan: Juan la llama por teléfono y la saluda.

Ud.:
- Salúdelo.
- Pregúntele sobre su llamada.

Juan: Le explica por qué la ha llamado.

Ud.:
- Dele detalles.

Juan: Sigue la conversación. Le hace una pregunta.

Ud.:
- Conteste su pregunta y continúe con otros detalles.

Juan: Sigue la conversación.

Ud.:
- Dele un consejo.

Juan: Se despide, pero le hace otra pregunta.

Ud.:
- Contéstele y despídase.

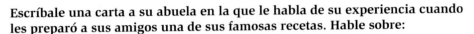

¡A escribir!

47 Texto informal: una carta

Escríbale una carta a su abuela en la que le habla de su experiencia cuando les preparó a sus amigos una de sus famosas recetas. Hable sobre:

- La receta que decidió preparar.
- El motivo de su elección.
- Cómo fue la elaboración del plato.
- Cómo reaccionaron sus compañeros.

> **Consejo**
>
> Antes de empezar, lea las pautas para escribir textos informales en la pág. 480 del Apéndice. Mientras escribe el texto tenga presente los objetivos. Cuando termine, verifique que ha cumplido con todo lo que se describe en la lista y reflexione sobre su trabajo.

48 Texto informal: un correo electrónico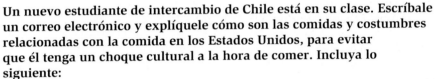

Un nuevo estudiante de intercambio de Chile está en su clase. Escríbale un correo electrónico y explíquele cómo son las comidas y costumbres relacionadas con la comida en los Estados Unidos, para evitar que él tenga un choque cultural a la hora de comer. Incluya lo siguiente:

- Primero, dele la bienvenida al país.
- Describa la comida en los Estados Unidos y los platos que él debe probar. Incluya los platos típicos de su región.
- Mencione los horarios y otras costumbres relacionadas con la comida aquí y pregúntele cómo se comparan con lo que se hace en Chile.
- Hágale un par de sugerencias, y deséele una buena estancia.

49 Ensayo: comer en casa

Hoy en día cada vez más personas optan por comer en un restaurante o comer algo por la calle. Escriba un ensayo contestando la pregunta, "¿Piensa Ud. que se debería comer más a menudo en casa"?

50 Ensayo: las recetas de las abuelas

En muchas ocasiones oímos a los mayores decir "En mis tiempos,..." o "Las cosas ya no son lo que eran...". Escriba un ensayo contestando las siguientes preguntas: "¿Qué piensa que les pasará a las recetas de las abuelas? ¿Qué recetas cree que sobrevivirán en veinte años y cuáles no? ¿Perdería su familia parte de su identidad si algunas no se conservaran?"

> **Consejo**
>
> Antes de empezar, lea las pautas para escribir ensayos en la pág. 480 del Apéndice. Mientras escribe el texto tenga presente los objetivos, y no se olvide de ponerle un título original. Cuando termine, verifique que ha cumplido con todo lo que se describe en la lista y reflexione sobre su trabajo.

51 En parejas

Intercambie sus ensayos con un/a compañero/a. Exprésele su opinión sobre el contenido y el uso del idioma.

¡A hablar!

52 Charlemos en el café

Ud. va a debatir los siguientes temas con un/a compañero/a. Uno estará a favor de lo que se ha dicho y otro en contra. El debate durará varios minutos. El/La estudiante que esté de acuerdo comenzará el debate y hablará por unos diez segundos. Cuando el/la profesor/a lo indique, el/la otro/a estudiante tomará la palabra y expresará su opinión por otros diez segundos, y así sucesivamente.

1. Las comidas en familia son muy importantes y todos los miembros de una familia siempre deben cenar juntos.
2. La comida mediterránea es mucho mejor y más sana que la comida típica de los Estados Unidos.
3. El café y los refrescos con cafeína —por ser un tipo de droga— deberían estar prohibidos.
4. Es necesario comer una variedad de alimentos y probar comida exótica de vez en cuando.
5. Todo el mundo debe aprender a cocinar.

53 ¿Qué opinan?

Converse con un/a compañero/a sobre estas preguntas.

1. ¿Cuáles son los restaurantes más populares de la zona en la que vive? ¿A qué se debe?
2. ¿Cuáles son los quince alimentos imprescindibles de la cocina americana (de los Estados Unidos)?
3. ¿Cómo definiría la cocina americana?
4. ¿Cuál es el porcentaje que se le suele pagar a un/a camarero/a por sus servicios? ¿Piensa que el salario de los camareros debería ser pagado por los restaurantes como en otros países?

54 Presentemos en público

Conteste una de las siguientes preguntas o haga una presentación oral sobre uno de los temas durante varios minutos en clase. Organice sus ideas antes de hacer la presentación, busque las palabras necesarias y, después de practicar, presente en clase sin mirar las notas.

1. Para una familia grande, ¿cuáles son las ventajas y desventajas de comer en un restaurante o llevar comida hecha a casa?
2. Hable sobre el fenómeno de la comida rápida en los Estados Unidos.
3. Elija un país hispano y hable sobre la comida típica de allí.
4. Cada vez hay más personas que optan por evitar la carne y el pescado en sus dietas. ¿Qué piensa que les impulsa a las personas a tomar una decisión de este tipo?

Consejo

Antes de empezar, lea las pautas para presentaciones formales en la pág. 481 del Apéndice. Mientras formula su presentación tenga presente los objetivos. Cuando termine la presentación, verifique que ha cumplido con todo lo que se describe en la lista y reflexione sobre el trabajo que hizo.

55 ¡Manos a la obra!

Trabaje en un grupo de cuatro o cinco estudiantes para llevar a cabo uno de los siguientes proyectos y presentarlo en clase.

- Les han encargado que trabajen en la sección de gastronomía en el periódico del centro donde Uds. estudian. Decidan las diferentes secciones que va a haber. Por ejemplo, puede haber recetas, artículos, publicidad, cartas o tiras cómicas. Hagan el diseño y las ilustraciones o busquen fotos que van a acompañar esta sección.

- Van a celebrar una feria de comida internacional. Decidan qué países deben de ser representados y qué comidas típicas van a preparar para la feria. Preparen un cartel o un anuncio publicitario con una lista de por lo menos cuatro países, sus platos típicos y la lista de ingredientes o las recetas para por lo menos cuatro de estos platos. Deben acompañar la presentación con ilustraciones o fotos.

- Hoy en día es cada vez más evidente que los nuevos restaurantes siempre corren el riesgo de no tener éxito. Pero Uds. tienen una idea que no puede fallar, y por eso van a abrir un restaurante. Tengan presente lo siguiente: ¿Cuáles son tres factores importantes a considerar antes de abrir un nuevo restaurante? ¿Cómo van a garantizar que su restaurante no va a fracasar? ¿Cuál sería un buen nombre y lema? ¿Cómo lo piensan decorar? Presenten su proyecto a los posibles inversores (o sea, sus compañeros de clase). Diseñen un cartel o un anuncio para el periódico y un menú. Asimismo, describan el lugar del establecimiento y sus horas.

La bombonería La Violeta, Madrid

Vocabulario

Verbos

actualizarse	to be up-to-date
advertir (ie)	to inform; to warn
alabar	to praise
alardear	to boast
antojarse	to have a craving for, feel like
arder	~~to burn~~ *to scorch; to feel something is burning*
batir	to beat
canturrear	to hum
cocer (ue)	to cook
convocar	to convene, call together
cortar	to cut
degustar	to taste, sample
despachar	to dispatch, wait on (*a customer*)
engullir	to gulp, gobble
ensuciarse	to get dirty
freír (i)	to fry
hervir (ie)	to boil
iniciar	to begin
mezclar	to mix
mojar	to soak, wet
mordisquear	to nibble
picar	to be hot; to chop
quedarse	to stay
quemar	to burn
quitar	to remove
rechazar	to reject
sofreír (i)	to sauté, fry lightly

Picante: spicy (handwritten annotation)

Verbos con preposición

verbo + a:

añadir a	to add to

verbo + con:

servir (i) con	to serve with

verbo + de:

acordarse (ue) de	to remember
llenarse de	to fill up with
provenir de	to come from

verbo + en:

insistir en	to insist on

verbo + para:

quedarse para	to stay for

verbo + por:

apostar por	to bet on

Sustantivos

el	aceite de oliva	olive oil
el	apetito	appetite
el	asa (*f.*)	handle
el	barro	clay
la	canela	cinnamon
la	cáscara	rind, (egg) shell
el/la	comensal	table guest
la	corteza	skin (*of fruit*)
el	cubierto	cover (plate, napkin, etc. set for each *comensal*); cutlery
el	cultivo	crop
la	debilidad	weakness
el	diente (de ajo)	clove (of garlic)
el	éxito	success
el	fogón	stove
la	gaviota	seagull
la	grasa	fat
la	harina	flour
el	horno (de leña)	(wood-burning) oven
la	loncha	slice (*of meat*)
la	loza	china
el	manjar	special dish, delicacy
la	masa	dough
la	mazorca	corncob
la	mezcla	mixture
la	miga (de pan)	inside part of bread
la	muestra	sample
el	paladar	palate
el	parador	roadside inn, state-owned hotel
la	pasa	raisin
la	pastilla	tablet
la	pechuga	breast (*of fowl*)
el	pedazo	piece
la	piel	skin
el/la	propietario/a	owner
el/la	proveedor(a)	supplier
el	puerto	port
el	puñado	handful, fistful
el	sabor	flavor
la	sazón	flavoring, seasoning
la	semilla	seed
la	tajada	slice
la	velada	evening, get-together

Adjetivos

w/ a person or at a place (handwritten annotation)

acogedor(a)	cozy, welcoming
adecuado, -a	appropriate
amargo, -a	bitter
amenazador(a)	threatening
amplio, -a	wide
congelado, -a	frozen
contundente	convincing, conclusive
copioso, -a	abundant
crudo, -a	raw
cubierto, -a	covered

desapercibido, -a	unnoticed
eficaz	effective, efficient
esmerado, -a	careful, meticulous
espeluznante	horrifying, terrifying
espeso, -a	thick
goloso, -a	having a sweet tooth
lleno, -a	full
pegajoso, -a	sticky
refinado, -a	refined
rico, -a	good, delicious
salado, -a	salty
seco, -a	dry
sorprendente	surprising
soso, -a	bland

Expresiones

abrir el apetito	to whet someone's appetite
además de	besides, apart from
al alcance de	within reach of
al fin y al cabo	finally
al gusto (de)	to order, to individual taste
chuparse los dedos	to lick one's fingers
dar hambre	to make someone hungry
dar sed	to make someone thirsty
darle asco	not to stand something, make someone sick
darle rabia a alguien	to make someone angry
(no) entrar en la cabeza	to (not) understand
(no) entrar por los ojos	to be easy (hard) on the eyes
estar a cargo de	to be in charge of
estar en boga	to be in vogue, fashion
estar harto de	to be fed up with
estar para chuparse los dedos	to be finger-licking good
hace un rato	a while ago
hacerse la boca agua	to make one's mouth water
manos a la obra	let's get to work
merecer la pena	to be worth it
no poder ni ver algo (o alguien)	not to be able to stand something (or someone)
nunca digas de esta agua no beberé	you can never say that you won't do something
el poder adquisitivo	purchasing power
poner el mantel / la mesa	to set the table
ponerse como una sopa	to get soaked
ponerse como un tomate	to get very red
ser como pan comido	to be easy
tener buena (mala) pinta	to look good (bad)
tener malas uvas	to be nasty
valer la pena	to be worth it

A tener en cuenta

Usar sufijos para crear palabras nuevas:

-ado denota conjunto o golpe, entre otros significados:

la cuchara	la cucharada
el puño	el puñado

-ero denota pertenencia o relación:

el café	el cafetero
la sal	el salero

-udo y *-azo* denotan aumento y, a veces, burla:

la panza	el panzudo
el éxito	el exitazo

tener mala pinta
↓
to look fishy

Objetivos

Comunicación
- Hablar de las comidas y las dietas
- Discutir el tema del hambre mundial
- Hablar del impacto de la propaganda sobre lo que comemos

Gramática
- El imperfecto, el presente perfecto y el pluscuamperfecto del subjuntivo
- El condicional perfecto del indicativo

"Tapitas" gramaticales
- las preposiciones que siguen a algunos verbos
- *ni...ni*
- los demostrativos
- algunos usos del subjuntivo
- el significado de *crear* y *creer*
- el prefijo *des-*

Cultura
- La alimentación vegetariana
- La carne
- El hambre
- Comer en Madrid
- De compras por la comida
- Los menús escolares
- La comida rápida
- La comida como Patrimonio de la Humanidad

Visite la página Web de
¡A toda vela! en
www.emcp.com

1 Conteste las preguntas

Piense en las respuestas a las siguientes preguntas. Ud. puede tomar notas si lo considera necesario. Cuando termine, compare sus respuestas —pero sin mirar sus notas— con las de un/a compañero/a.

1. ¿Desayuna Ud. todos los días? ¿Qué suele tomar para desayunar?
2. ¿Toma café por la mañana o durante el día? ¿Cuánto toma? ¿Cómo le afecta a Ud. la cafeína?
3. ¿Qué suele tomar en las distintas comidas? ¿Se salta alguna comida? ¿Cuál?
4. ¿Cómo piensa que ha cambiado la industria de alimentación en los últimos años?
5. ¿Toma alimentos orgánicos o ecológicos? ¿Qué piensa de este tipo de alimentos? ¿Cree que merece la pena pagar lo que cobran? ¿Por qué?
6. En la mayoría de los casos, cuando va al supermercado, ¿son las frutas y las verduras de la zona, de otra región del país o son de importación? ¿Por qué piensa que hay una diferencia en los precios de las frutas y verduras según el origen de ellas y la temporada cuando las compra?
7. ¿Piensa que es normal encontrar todo tipo de frutas y verduras en cualquier época del año? ¿A qué se debe?
8. ¿Ha comido alguna vez comida exótica, como insectos (por ejemplo, hormigas o saltamontes) en chocolate? Si no, ¿le gustaría probarlos?
9. Mire las fotos. Hable durante un par de minutos sobre lo que le sugieren.
10. ¿Cómo puede la comida orgánica proteger la vida del planeta? ¿Cómo se cultivan los productos orgánicos? ¿Por qué la comida orgánica siempre es más cara que otra que no sea orgánica?

2 Mini-diálogos

Va a crear un mini-diálogo con un/a compañero/a. Lea la descripción de la conversación antes de empezar. Puede tomar notas para organizar sus ideas, pero no las mire mientras conversa.

Escena: En el supermercado, dos personas están cerca de los puestos de fruta escogiendo algunas para llevar.

A:	Ve a su amigo/a con un carrito lleno. Salúdelo/la y hágale un comentario sobre los precios de la comida y la calidad de la fruta.
B:	Salude a su amigo/a y quéjese de la calidad de la fruta.
A:	Dígale que está de acuerdo. Compare las manzanas con los melocotones.
B:	Dígale que tiene razón. Exprese su preocupación por el uso de los productos químicos en la fruta.
A:	Reaccione a su comentario. Dele otro ejemplo.
B:	Despídase cordialmente con actitud negativa sobre el asunto.
A:	Despídase cordialmente con actitud positiva sobre el asunto.

Cita

Una comida lubrifica los negocios.
—James Boswell (1740–1795), autor y abogado escocés

 ¿Qué significa esta cita? ¿Está de acuerdo? ¿Por qué? Comparta sus opiniones con un/a compañero/a.

¡Dato curioso! La comida orgánica es un sistema de nutrición en el que las frutas, legumbres y verduras son cultivadas sin pesticidas y regadas con agua natural no tratada, es decir, no dañan de ninguna forma la tierra. Algunos dicen que es un tipo de alimentación que protege la vida del planeta y la salud de los consumidores.

Vocabulario y gramática en contexto

3 Un foro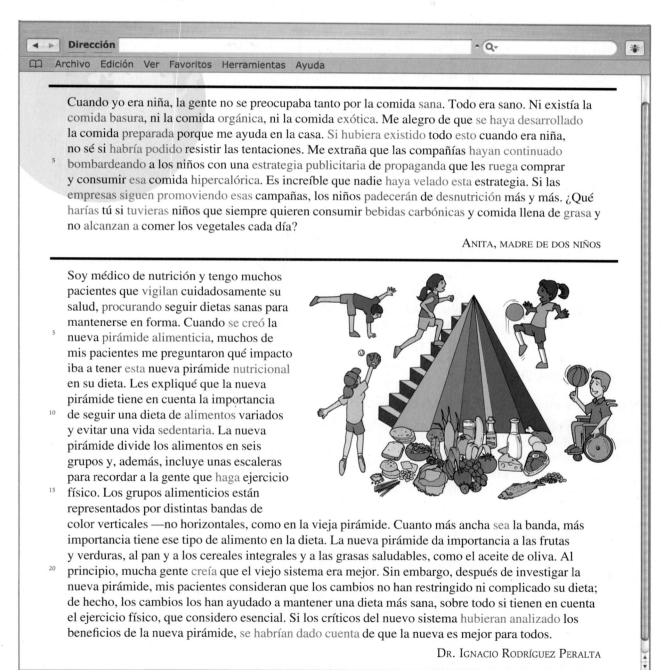

Túrnese con un/a compañero/a para leer los comentarios que dos personas han escrito en un foro sobre la comida. Fíjese en las palabras que aparecen en azul (relacionadas con el vocabulario) y en rojo (relacionadas con la gramática), ya que en las siguientes actividades se le harán preguntas sobre ellas.

Dirección

Archivo   Edición   Ver   Favoritos   Herramientas   Ayuda

Cuando yo era niña, la gente no se preocupaba tanto por la comida sana. Todo era sano. Ni existía la comida basura, ni la comida orgánica, ni la comida exótica. Me alegro de que se haya desarrollado la comida preparada porque me ayuda en la casa. Si hubiera existido todo esto cuando era niña, no sé si habría podido resistir las tentaciones. Me extraña que las compañías hayan continuado
5   bombardeando a los niños con una estrategia publicitaria de propaganda que les ruega comprar y consumir esa comida hipercalórica. Es increíble que nadie haya velado esta estrategia. Si las empresas siguen promoviendo esas campañas, los niños padecerán de desnutrición más y más. ¿Qué harías tú si tuvieras niños que siempre quieren consumir bebidas carbónicas y comida llena de grasa y no alcanzan a comer los vegetales cada día?

ANITA, MADRE DE DOS NIÑOS

Soy médico de nutrición y tengo muchos pacientes que vigilan cuidadosamente su salud, procurando seguir dietas sanas para mantenerse en forma. Cuando se creó la
5   nueva pirámide alimenticia, muchos de mis pacientes me preguntaron qué impacto iba a tener esta nueva pirámide nutricional en su dieta. Les expliqué que la nueva pirámide tiene en cuenta la importancia
10   de seguir una dieta de alimentos variados y evitar una vida sedentaria. La nueva pirámide divide los alimentos en seis grupos y, además, incluye unas escaleras para recordar a la gente que haga ejercicio
15   físico. Los grupos alimenticios están representados por distintas bandas de color verticales —no horizontales, como en la vieja pirámide. Cuanto más ancha sea la banda, más importancia tiene ese tipo de alimento en la dieta. La nueva pirámide da importancia a las frutas y verduras, al pan y a los cereales integrales y a las grasas saludables, como el aceite de oliva. Al
20   principio, mucha gente creía que el viejo sistema era mejor. Sin embargo, después de investigar la nueva pirámide, mis pacientes consideran que los cambios no han restringido ni complicado su dieta; de hecho, los cambios los han ayudado a mantener una dieta más sana, sobre todo si tienen en cuenta el ejercicio físico, que considero esencial. Si los críticos del nuevo sistema hubieran analizado los beneficios de la nueva pirámide, se habrían dado cuenta de que la nueva es mejor para todos.

DR. IGNACIO RODRÍGUEZ PERALTA

4   Las comidas y las empresas 🔍

Clasifique las palabras que aparecen en azul y rojo en las lecturas anteriores usando las siguientes categorías: adjetivos, sustantivos y verbos relacionados con comidas, y verbos y sustantivos relacionados con las empresas.

5   Amplíe su vocabulario 🔍

Según el contexto de los artículos anteriores, empareje las palabras de la primera columna con su definición o sinónimo correspondiente en la segunda.

1. sano	a. compañía
2. comida basura	b. pedir con insistencia
3. orgánico	c. perseguir sin parar, atacar
4. exótico	d. refresco con gas
5. preparado	e. intentar
6. bombardear	f. sin productos químicos o pesticidas
7. estrategia publicitaria	g. sufrir
8. rogar	h. forma geométrica triangular
9. hipercalórico	i. fuera de lo normal
10. empresa	j. de poco movimiento
11. padecer	k. ya hecho
12. desnutrición	l. saludable, nutricional
13. bebida carbónica	m. propaganda
14. grasa	n. relacionado con la comida
15. alcanzar	o. muy pocas vitaminas y minerales
16. vigilar	p. con poca nutrición y mucha grasa
17. procurar	q. con muchas calorías
18. pirámide	r. manteca de un animal
19. alimenticio	s. comida
20. alimento	t. atender cuidadosamente
21. sedentario	u. conseguir

6   El subjuntivo 🔍

Conteste estas preguntas relacionadas con los textos de la Actividad 3.

1. ¿Qué tiempo y modo es *tuvieras*? ¿Por qué se usa esta forma del verbo aquí? Hable de otros usos de este tiempo.
2. Haga una lista de los verbos en el presente perfecto del subjuntivo que aparecen en las lecturas y explique por qué se usa el subjuntivo en cada caso.
3. Conjugue tres verbos de diferentes terminaciones en el presente perfecto del subjuntivo. Escriba seis participios pasados irregulares.
4. Cite los verbos en el pluscuamperfecto del subjuntivo y en el condicional perfecto (del indicativo) que aparecen en las lecturas. Explique por qué se usan estos dos tiempos verbales con la palabra *si*. Vuelva a escribir las oraciones donde aparecen estos tiempos, pero use el imperfecto del subjuntivo y haga cualquier cambio que sea necesario para justificar el uso de este tiempo.
5. Forme seis oraciones que tengan que ver con la comida: tres con la palabra *si* y el imperfecto del subjuntivo, y tres con la palabra *si*, el pluscuamperfecto del subjuntivo y el condicional perfecto. Explique por qué ha tenido que usar el subjuntivo en cada ejemplo.

7 "Tapitas" gramaticales

Conteste estas preguntas relacionadas con las lecturas de la Actividad 3.

1. ¿Qué preposiciones siguen a los verbos *preocuparse, alegrarse* y *darse cuenta*?
2. Vuelva a escribir la oración "Ni existía la comida basura, ni la comida orgánica, ni la comida exótica" empezándola con las palabras *La comida basura...*
3. Busque las formas de *este* y *eso* en los textos anteriores. ¿Cuál es la regla para su uso?
4. Haga una tabla que nombre los tiempos verbales con *si* en el pasado que se usan en las lecturas.
5. ¿Cuál es la diferencia entre *crear* y *creer*? Use las oraciones de las lecturas con estas dos palabras para explicar la diferencia.
6. El adjetivo *nutricional* viene de la palabra *nutrición*; búsquela en la lectura anterior. ¿Cuál es la diferencia entre *la nutrición* y *la desnutrición*? Dé otros tres ejemplos con el prefijo *des-* que tienen que ver con el tema de la comida. Pueden ser palabras que ya conoce, o que busque en el diccionario.
7. Busque los ejemplos del presente del subjuntivo en el segundo artículo y explique su uso.

8 ¿Qué opina?

Reaccione a lo que cada persona ha escrito en el foro y comparta su opinión con un/a compañero/a. Incluya palabras de las lecturas que aparecen en azul.

9 La comida

Trabaje con un/a compañero/a para contestar las siguientes preguntas.

1. Dé un ejemplo de las comidas siguientes: la comida basura, la comida orgánica, la comida exótica y la comida preparada. ¿Ha pensado más en el alimento mismo o la marca y dónde se venden estas comidas? ¿Por qué?
2. ¿Siempre tienen malos efectos las estrategias publicitarias de propaganda para la comida? ¿Puede pensar en algunas que han tenido buenos efectos? ¿Cuáles son?
3. ¿Hay censura de las estrategias publicitarias de propaganda para la comida? ¿Quién las ha censurado? ¿Cómo? ¿Puede pensar en algunos ejemplos censurados y el efecto de la censura? ¿Cuáles son?
4. ¿Conoce la nueva pirámide alimenticia? ¿Sigue sus recomendaciones todos los días? ¿Cuáles son los seis grupos alimentarios?

10 La pirámide alimenticia

En una tabla, compare la vieja pirámide alimenticia con la nueva. Explique los cambios.

11 Buenos consejos

Lea el siguiente texto y complételo con el pluscuamperfecto del subjuntivo, el condicional perfecto o el pluscuamperfecto del indicativo de los verbos entre paréntesis, según el contexto. ¡Ojo! Hay una respuesta en el presente del indicativo.

Consejos de un viejo

¡Jóvenes! Si yo __1.__ (*saber*) los efectos de los productos químicos en la comida, yo __2.__ (*comer*) menos comida basura, menos comida preparada y menos comida hipercalórica en mi juventud. ¿No les molesta que las grandes empresas nos __3.__ (*bombardear*) con su propaganda sin tener en cuenta el efecto de su comida en nuestros cuerpos? Si ellos lo
5 __4.__ (*planear*) mejor, yo no __5.__ (*tener*) tantos problemas con mi salud ahora. Me imagino que nadie __6.__ (*reconocer*) el efecto de tantos aditivos en la comida. Si ellos lo __7.__ (*descubrir*) antes no lo __8.__ (*proclamar*) porque se querían beneficiar de las ventas de comidas basura e hipercalórica. ¿Por qué piensan Uds. que ellos no lo __9.__ (*revelar*) al público? Siempre es cuestión de ganar dinero. Y ahora yo sufro. Si yo __10.__ (*cuidar*) mejor
10 mi salud en los cincuenta años pasados, yo __11.__ (*disfrutar*) mejor de la vida ahora. No puedo creer que los cincuenta años pasados __12.__ (*causar*) tantas dificultades. ¡Tengan cuidado, jóvenes! ¡Velen por su salud!

12 Amplíe su vocabulario

Según el contexto del artículo anterior, ¿cuál es la mejor traducción?

1. tener en cuenta
   a. to realize   b. to pay
   c. to take into account   d. to damage
2. salud
   a. health   b. healthy
   c. well-being   d. nutrition
3. aditivo
   a. addict   b. ad
   c. additive   d. addictive
4. beneficiar
   a. to benefit   b. to be fit
   c. to lose profit   d. to rely

5. cuidar
   a. to care for   b. to cost
   c. to be careful   d. to urbanize
6. disfrutar
   a. to live   b. to trust
   c. to distrust   d. to enjoy
7. velar por
   a. to sail   b. to damage
   c. to watch over   d. to guard

Cita

La carne nunca fue la mejor comida, pero su uso ahora es doblemente objetable, desde que las enfermedades en los animales están incrementándose rápidamente.
—Ellen G. White (1827–1915), reformadora de salud vegetariana

 La cita de Ellen G. White data de 1902. ¿Todavía tiene relevancia en el siglo XXI? ¿Cómo y por qué? Comparta sus opiniones con un/a compañero/a.

13 ¿Qué opina?

Con un/a compañero/a, reaccione a lo que aconseja el viejo a los jóvenes en la Actividad 11.

¡Dato curioso! La primera comida del día, el desayuno, irrumpe un período de ayuno muy prolongado. Mientras dormimos, muchas funciones cerebrales también "se duermen" y al levantarse necesitan del aporte energético del desayuno para reactivarse para el día.

14 Familia de palabras

Complete la tabla con el verbo, sustantivo o adjetivo apropiado y la traducción correspondiente.

Verbos		Sustantivos		Adjetivos	
afectar	to affect, have an effect on	el efecto	effect	afectado	_____
_____	to feed	la alimentación	nourishment, feeding	alimenticio, alimentario	_____ , _____
amenazar	to threaten	_____	threat	amenazante	_____
consumir	_____	el consumo; el/la consumidor (a)	consumption; _____	consumido	_____
contaminar	to pollute	_____	pollution	contaminado	_____
empeorar	_____	lo peor	the worst part	peor	_____
engrasar	to grease	la grasa	_____	grasiento, grasoso	_____
_____	to balance	el equilibrio	balance	_____	balanced
_____	to improve	lo mejor	_____	_____	best
repartir	to distribute	el reparto	_____	_____	distributed
surtir	_____	el surtido	assortment	_____	stocked, supplied
X		la carne	_____	cárnico	_____
X		la leche	_____	lácteo	_____
X		la obesidad	_____	obeso	obese
X		los vegetales; las legumbres	vegetables; _____	vegetariano; vegetal	_____ ; _____

15 ¿Verbo, sustantivo o adjetivo? 🔍

Complete las oraciones usando la forma correcta de las palabras que aparecen en la tabla, ya sea verbo, sustantivo o adjetivo. En el caso del sustantivo puede que necesite artículo.

1. A veces es difícil ___ (*alimentar*) a una familia numerosa. El costo de la comida es espantoso.
2. Algunos nutricionistas dicen que nosotros ___ (*amenazar*) a nuestra salud cuando comemos tanta comida con aditivos.
3. Siempre salen estudios sobre cómo ___ (*afectar*) a los niños la propaganda de la comida basura.
4. En la primavera, a los pescadores del noroeste de los Estados Unidos les gusta pescar cuando los ríos están ___ (*surtir*) de salmones.
5. Unos platos ___ (*vegetal*) con muchas legumbres, como zanahorias, pepinos y lechuga, ahora aparecen en los menús de los restaurantes de comida rápida.
6. Con tanta propaganda a favor de la dieta sana, la calidad de la comida preparada y la cantidad y calidad de la comida sana en los restaurantes de comida rápida ___ (*mejorar*).
7. Un almuerzo ___ (*equilibrar*) consiste en poca carne, muchas legumbres frescas y fruta.
8. Muchos niños americanos son gordos por falta de ejercicio pero ___ (*obeso*) crece como problema mundial.
9. Me gusta ayudar en ___ (*repartir*) de comida a los sin hogar.
10. Muchos ___ (*consumir*) de hamburguesas prefieren tomarlas con papas fritas.
11. El uso de productos químicos ___ (*contaminar*) la calidad de muchos alimentos.
12. El ama de casa siempre tiene un gran ___ (*surtir*) de alimentos sanos en casa.

continúa

13. ___ (*Mejor*) de la comida orgánica es que es muy saludable. ___ (*Peor*) es que cuesta más.

14. No tolero bien los productos ___ (*leche*) como el helado, la crema o el queso.

15. ___ (*Consumir*) de mucho café puede hacerle daño.

16. Comer mucha comida basura ___ (*amenazar*) la salud de los jóvenes.

17. A los vegetarianos no les apetecen los productos ___ (*cárnico*) porque no consumen carne.

18. Muchas veces los dueños de los restaurantes basan sus menús especiales en los gustos de los ___ (*consumidor*).

19. Muchas nuevas madres necesitan consejos con ___ (*alimentar*) de sus bebés.

20. La falta de ejercicio puede ___ (*empeorar*) la salud de cada persona.

Cita

Hay que comer para vivir, y no vivir para comer.
—Molière (1622–1673),
dramaturgo francés, de la corte
del Rey Luis XIV

¿Qué opina de la cita de Molière? ¿Hay algunas personas en nuestra sociedad actual que viven para comer? ¿Qué problemas resultan al seguir esa actitud? Comparta sus opiniones con un/a compañero/a.

¡Dato curioso! El *Diccionario Panhispánico* registra las palabras *lonche, lonchera* y *lonchería* que se derivan de la palabra *lunch*. Estas palabras son transformaciones hechas por los hispanohablantes para referirse a una comida ligera. Se oyen en ciudades como Miami, donde conviven el español y el inglés.

16 El hambre

Échele una ojeada al artículo que sigue para ver de qué se trata, prestando atención a las palabras en azul, ya que se le harán preguntas sobre ellas. Luego lea el artículo y decida cuál de las palabras entre paréntesis es la correcta para completar cada oración y escríbala.

El mundo en desequilibrio

Tres __1.__ (*cuarto / cuartas*) partes de la humanidad no han probado ni probablemente probarán una hamburguesa de queso, ni una bolsa de patatas fritas, __2.__ (*o / ni*) los bollos rellenos de chocolate. Jamás tendrán problemas con el colesterol ni se pelearán con la báscula. ¿Saben cuidarse? No. Las tres cuartas partes de la humanidad __3.__ (*pasa / pasan*) hambre.

Mientras miles de personas mueren cada año por las enfermedades derivadas del abuso de alimentos, la __4.__ (*mejor / mayor*) parte del planeta no tiene qué comer. Las cifras son tan espectaculares que la
5 imaginación no alcanza para valorar la gravedad de la situación. Más de 30.000 personas mueren todos los días __5.__ (*de la / de*) hambre en el mundo; de ellas, tres cuartas partes son personas __6.__ (*menores / mayores*) de cinco años. Eso supone la muerte de 11 millones de
10 personas __7.__ (*el / al*) año, además de los millones que padecen enfermedades relacionadas tanto con la falta de vitaminas y minerales, como con la contaminación de los alimentos y la insalubridad del agua. Según las fuentes, las cantidades varían, posiblemente porque es
15 absolutamente imposible __8.__ (*que calcule / calcular*) los números reales de la tragedia de la hambruna. La esperanza de vida en un país subdesarrollado se __9.__ (*situa / sitúa*) en torno a los 38 años, mientras que en el primer mundo se alcanzan con facilidad los
20 70. La desnutrición crónica provoca un crecimiento limitado, fatiga permanente y debilidad __10.__ (*extremo / extrema*), lo que hace al cuerpo mucho más vulnerable al padecimiento de todo tipo de enfermedades. En un estado grave de desnutrición, una persona no es
25 capaz de mantener ni __11.__ (*cualquiera / siquiera*) las funciones vitales básicas. En 2002, la Organización de las Naciones Unidas __12.__ (*para / por*) la Agricultura y la Alimentación (FAO) dio la voz de alarma: la reducción del hambre en el mundo se ha detenido. __13.__ (*Somos /*
30 *Estamos*) muy lejos de alcanzar el objetivo de la Cumbre Mundial de la Alimentación de 1996, que ponía de plazo hasta el 2015 para reducir a la mitad el número de personas que __14.__ (*sufre / sufren*) hambre. Para lograr este propósito, la disminución de personas hambrientas
35 debería __15.__ (*ser / estar*) de 24 millones por año, cosa que está lejos de las cifras actuales. El África Subsahariana sigue registrando las peores cifras. Para

realmente poner freno al problema del hambre sería __16.__ (*necesario / necesaria*) una actuación coordinada
40 a nivel global, con la colaboración de todo el mundo desarrollado, consciente __17.__ (*a / de*) que un problema de semejante envergadura hipoteca el futuro de todos. No es posible __18.__ (*mantener / mantenerse*) siempre en el desequilibrio. La FAO ha calculado que serían
45 necesarios 24.000 millones de euros anuales hasta el año 2015 para reducir a la mitad las cifras del hambre. No es demasiado dinero, __19.__ (*teniendo / tener*) en cuenta el que se emplea para otros fines. Numerosos estudios se han encargado de dejar __20.__ (*claro /*
50 *claros*) que el problema no es la escasez, __21.__ (*pero / sino*) una mala gestión empeñada en servir a los intereses del primer mundo. Tampoco es cierto que falte tierra para cultivar, ya que por distintas razones, sólo un 44% del terreno cultivable se dedica a la producción de
55 alimento. El resto no produce. Los terratenientes y las grandes empresas propietarias consideran el suelo __22.__ (*como / cómo*) una inversión rentable, más que una fuente de alimento. Por otra parte, muchas de las que sí se cultivan están dedicadas enteramente a
60 la exportación. El desigual reparto de las tierras deja desposeídos a los campesinos locales y es una de las principales razones de la escasez de __23.__ (*alimentos / unos alimentos*). Si las tres cuartas partes del planeta no reciben su ración, cabe preguntarse, ¿cuánto consume
65 el cuarto restante? Y también, ¿cuánto alimento se tira en el mundo desarrollado?

www.revistafusion.com

17 Amplíe su vocabulario ¿?

Según el contexto del artículo anterior, ¿cuál es la mejor traducción?

1. bollo relleno
    a. stuffed cake
    b. filled roll
    c. ice-cream filled
    d. none of these

2. báscula
    a. level of cholesterol
    b. diet
    c. scale
    d. image

3. cifra
    a. number
    b. code
    c. statistic
    d. quote

4. alcanzar
    a. to reject
    b. to imply
    c. to reveal
    d. to reach

5. valorar
    a. to devalue
    b. to attain
    c. to value
    d. to consider

6. tres cuartas partes
    a. 25%
    b. 3 out of 4
    c. 34%
    d. 70%

7. insalubridad del agua
    a. stagnant water
    b. unhealthiness of water
    c. murky water
    d. lack of freshwater

8. fuente
    a. fountain
    b. research
    c. source
    d. number

9. poner plazo
    a. to put a time limit
    b. to put in the forefront
    c. to put a halt to
    d. to put down

10. lograr
    a. to end
    b. to achieve
    c. to locate
    d. none of these

11. poner freno
    a. to eliminate
    b. to accelerate
    c. to end
    d. none of these

12. envergadura
    a. heaviness
    b. girth
    c. with a vegetarian diet
    d. importance

13. encargarse
    a. to take charge
    b. to announce
    c. to feel responsible
    d. none of these

14. terrateniente
    a. landowner
    b. land lover
    c. down to earth
    d. none of these

15. desigual reparto
    a. unequal choice
    b. unequal favoritism
    c. unequal distribution
    d. unequal importance

16. desposeído
    a. possessed
    b. homeless
    c. poor
    d. none of these

17. cuarto restante
    a. remaining room
    b. remaining quarter
    c. still one-fourth
    d. one-fourth still

18. tirar
    a. to save
    b. to hoard
    c. to grow
    d. to throw away

18 Lea y escriba/presente

Vuelva a leer el texto completo sobre el hambre y, basándose en él, haga un resumen por escrito u oral contestando las siguientes preguntas: "¿Cuál es el tema principal del artículo? ¿Cuáles son otros tres temas relacionados al tema principal? ¿Cómo espera ayudar la organización FAO? ¿Cuáles son algunos obstáculos para resolver este problema?"

19 La alimentación vegetariana

Échele una ojeada al artículo que sigue para ver de qué se trata, prestando atención a las palabras en azul, ya que se le harán preguntas sobre ellas. Luego lea el artículo y decida qué forma de las palabras entre paréntesis es la correcta para completar cada oración y escríbala. No se olvide de escribir y acentuar las palabras correctamente.

Mitos sobre la alimentación vegetariana

Existe la creencia popular de que la alimentación vegetariana es más saludable que una alimentación que incluya carne __1.__ (*o*) otros productos derivados de animales. Lo cierto [5] es que todo tipo de alimentación __2.__ (*contar*) con beneficios nutritivos y puede también presentar aspectos problemáticos. La selección de alimentos que escoge la persona es el factor que determina si una alimentación __3.__ (*ser*) [10] saludable o no. Si se elige una alimentación vegetariana, es importante asegurarse de ingerir cantidades suficientes de vitamina B_{12} y calcio, especialmente durante la adolescencia. Una alimentación vegetariana bien planeada tiende [15] a incluir niveles menores de grasa saturada y colesterol, así como niveles más __4.__ (*alto*) de fibra y nutrientes derivados de las plantas que una alimentación no vegetariana. Especialistas en nutrición de la Extensión Cooperativa de [20] la Universidad de California citan diversas investigaciones que __5.__ (*indicar*) que una alimentación con __6.__ (*tal*) características puede reducir el riesgo de desarrollar diabetes, presión arterial alta, problemas del corazón y obesidad. [25] Sin embargo, los beneficios mencionados pueden obtenerse también con una alimentación que __7.__ (*incluir*) productos animales. Planeando cuidadosamente y consumiendo carnes magras y productos animales con poca [30] grasa, así como frutas y verduras, se puede llevar una alimentación con poca grasa saturada y colesterol y rica en fibra y nutrientes derivados de plantas. Además, el consumo de productos animales facilita obtener las cantidades [35] recomendables de calcio, zinc, hierro y vitamina B_{12}. Si se desea seguir una dieta vegetariana,

es importante elegir alimentos con miras a prevenir [40] deficiencias de minerales y vitaminas. En particular, hay que asegurar el consumo [45] de alimentos ricos en calcio, zinc, vitamina D y vitamina B_{12}, así como hierro en algunos casos. [50] Entre las mejores fuentes de esta vitamina se __8.__ (*encontrar*) los cereales, leche de soja y "carnes" vegetales fortificadas con vitamina B_{12}. El calcio es otra sustancia de importancia particular [55] para los vegetarianos, especialmente si son adolescentes, pues el crecimiento principal de los huesos ocurre durante esos años.

__9.__ (*Quien*) consumen huevos y productos lácteos __10.__ (*ingerir*) niveles de calcio iguales [60] o mayores que quienes no consumen una alimentación vegetariana. Sin embargo, quienes evitan por completo el consumo de productos animales tienen niveles de calcio generalmente menores que los lacto-ovo-vegetarianos y los no [65] vegetarianos. Los nutricionistas recomiendan que la manera más sencilla de consumir una alimentación saludable consiste en:

- incluir una amplia variedad de alimentos
- elegir aquellos con poca grasa, colesterol y [70] azúcar
- incluir alimentos con mucha fibra y
- comer todo con moderación.

www.laraza.com

20 ¿Qué significa? 🔍

Mire las palabras de la primera columna, que aparecen en la lectura anterior, y busque su definición o sinónimo en la segunda.

1. ingerir		a.	sin mucha grasa
2. tender a		b.	planta leguminosa procedente de Asia
3. fibra		c.	persona que no consume carne pero consume productos lácteos y de huevos
4. magro		d.	parte del esqueleto humano
5. mira		e.	defecto
6. deficiencia		f.	consumir
7. soja		g.	especialista en nutrición
8. hueso		h.	inclinarse
9. lacto-ovo-vegetariano		i.	objeto o propósito
10. nutricionista		j.	filamento de los tejidos orgánicos vegetales o animales

21 Lea, escriba/presente 👣

Vuelva a leer el artículo completo sobre la alimentación vegetariana y luego escriba un menú para el desayuno, almuerzo y cena de un/a vegetariano/a, teniendo en cuenta los consejos en la lista al final del artículo. Haga una búsqueda de la alimentación vegetariana, de los lacto-ovo-vegetarianos y de las vitaminas esenciales en cada dieta. Describa la dificultad de encontrar platos vegetarianos en la mayoría de los restaurantes, y cómo se puede seguir una dieta vegetariana en un restaurante típico.

22 La carne 📖

Échele una ojeada al artículo que sigue para ver de qué se trata, prestando atención a las palabras en azul, ya que se le harán preguntas sobre ellas. Luego lea el artículo y decida qué forma de las palabras entre paréntesis es la correcta para completar cada oración y escríbala. No se olvide de escribir y acentuar las palabras correctamente.

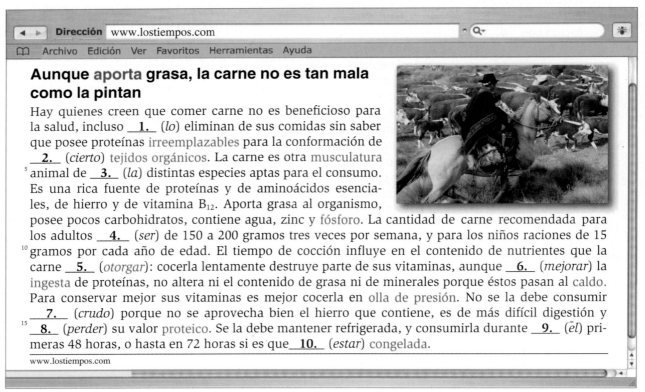

Dirección www.lostiempos.com

Archivo   Edición   Ver   Favoritos   Herramientas   Ayuda

Aunque aporta grasa, la carne no es tan mala como la pintan

Hay quienes creen que comer carne no es beneficioso para la salud, incluso __1.__ (*lo*) eliminan de sus comidas sin saber que posee proteínas irreemplazables para la conformación de __2.__ (*cierto*) tejidos orgánicos. La carne es otra musculatura
5 animal de __3.__ (*la*) distintas especies aptas para el consumo. Es una rica fuente de proteínas y de aminoácidos esenciales, de hierro y de vitamina B_{12}. Aporta grasa al organismo, posee pocos carbohidratos, contiene agua, zinc y fósforo. La cantidad de carne recomendada para los adultos __4.__ (*ser*) de 150 a 200 gramos tres veces por semana, y para los niños raciones de 15
10 gramos por cada año de edad. El tiempo de cocción influye en el contenido de nutrientes que la carne __5.__ (*otorgar*): cocerla lentamente destruye parte de sus vitaminas, aunque __6.__ (*mejorar*) la ingesta de proteínas, no altera ni el contenido de grasa ni de minerales porque éstos pasan al caldo. Para conservar mejor sus vitaminas es mejor cocerla en olla de presión. No se la debe consumir __7.__ (*crudo*) porque no se aprovecha bien el hierro que contiene, es de más difícil digestión y
15 __8.__ (*perder*) su valor proteico. Se la debe mantener refrigerada, y consumirla durante __9.__ (*él*) primeras 48 horas, o hasta en 72 horas si es que __10.__ (*estar*) congelada.

www.lostiempos.com

23 Amplíe su vocabulario

Según el contexto del artículo que acaba de leer, empareje cada palabra de la primera columna con su definición o sinónimo de la segunda.

1. aportar *contribución*
2. irreemplazable *irreplaceable*
3. tejido orgánico *organic tissue*
4. musculatura *muscles*
5. fósforo *phosp*
6. otorgar *to grant*
7. ingesta *consumption*
8. caldo *broth*
9. olla de presión *pressure cooker*
10. proteico
11. congelado *frozen*

a. elemento químico, inflamable y luminoso en la oscuridad
b. recipiente para cocer rápidamente
c. enfriado
d. que no se puede sustituir
e. líquido que resulta de cocer los alimentos en agua
f. de proteínas
g. acción de ingerir
h. estructura de células de los órganos
i. conjunto de los músculos del cuerpo
j. contribuir
k. dispensar, ceder

24 Lea, escuche y escriba/presente

Vuelva a leer el texto completo de la Actividad 22 y luego escuche la grabación "¿Por qué comer carne es malo para el planeta?" y tome las notas necesarias. Escriba un ensayo o haga una presentación en clase sobre este tema: "Las ventajas y las desventajas de comer carne". No se olvide de citar las fuentes debidamente.

Cita

La esperanza es un buen desayuno, pero una mala cena.
—Francis Bacon (1561–1626), autor inglés

¿Qué sugiere Francis Bacon con esta cita? ¿Qué tiene que ver la esperanza con las comidas? ¿Se refiere la cita al momento del día cuando uno come, a la cantidad de comida o a las dos cosas? Comparta sus opiniones con un/a compañero/a.

¡Dato curioso!

La quinua real es considerada un alimento "perfecto". Es "el grano de oro de los Andes" y el cereal más nutritivo del mundo. Se encuentra sólo en Bolivia. Su proteína de alto valor biológico y la ausencia de colesterol la convierten en un excelente sustituto de la carne.

Échele una ojeada al artículo que sigue para ver de qué se trata, fijándose en las palabras en azul. Luego lea el artículo y decida cuáles son las palabras que mejor completan las oraciones y escríbalas. No se olvide de escribir y acentuar las palabras correctamente.

Bueno, barato y saludable

Diversos locales transforman con materias primas de calidad el concepto de comida rápida

Productos frescos, platos imaginativos y bocadillos integran la nueva cocina urbana

Una y otra vez la pregunta se repite: ¿Es posible comer rápido y bien sin __1.__ facturas desmesuradas? ¿Existen establecimientos __2.__ Madrid donde los productos __3.__ razonablemente buenos y la
⁵cocina posea __4.__ calidad? Afortunadamente, en los dos últimos __5.__ se han inaugurado locales que calcan los patrones norteamericanos, sin que por ello incurran en los pecados de la comida basura. Y, por supuesto, han abierto sus puertas algunas
¹⁰bocadillerías capaces de desempeñar una función parecida. Si admitimos con Ferran Adrià que el concepto *fast food* (comida rápida) no corresponde a un __6.__ de comida sino a una manera de tratar y servir los alimentos, es evidente que en años
¹⁵venideros la dignificación de la comida rápida pasará por __7.__ buenos productos y por manipularlos de la forma adecuada. No hay __8.__ ejemplo que el de las hamburguesas. Si se elaboran con carnes nobles cortadas a cuchillo constituyen una exquisitez, pero
²⁰si proceden de recortes de desecho se convierten en el símbolo de la __9.__ alimentación. Más aún cuando las patatas se fríen en __10.__ infectas, como suele ser habitual. En Madrid, los bocadillos y los montaditos siguen ganando la batalla al *fast food* basado en
²⁵la hamburguesa. Se reconozca o no, pocas cosas resultan más suculentas que un bocadillo de calidad. Entre los últimos locales de comida rápida en llegar a la capital figuran dos de interés. En La Montadería,

bar angosto que __11.__ mediodía se llena a rebosar,
³⁰la oferta de montaditos y bocadillos es inabarcable. No menos interesante resulta La Paninoteca d'E, decorada a la última, que podría definirse como la catedral de los bocadillos para *gourmets*. Bajo la asesoría del conocido cocinero Sergi Arola
³⁵(La Broche), recién fichado por la casa, se __12.__ ofreciendo dos de sus especialidades más deliciosas: los bocadillos de torta del Casar con rúcola y los mediterráneos de jamón. Con hechuras más firmes, aunque fiel a la idea de restaurante informal, abrió
⁴⁰sus __13.__ hace algunos meses el ya popular Fast Good, una idea del celebérrimo Ferran Adrià para la cadena NH. No __14.__ trata de un *fast food* corriente, porque los productos __15.__ dignos y se preparan de manera adecuada. Tampoco es un *quick service*
⁴⁵(servicio fulminante), pero sí entronca con la idea de *fast casual* (rápido y desenfadado) y de *self-service* (autoservicio). En Fast Good se puede paladear una de las hamburguesas con patatas más nobles de la ciudad o unos buenos huevos fritos con jamón.

www.elpais.es

26 Amplíe su vocabulario 🔍

Según el contexto del artículo anterior, ¿cuál es la mejor traducción de cada palabra de la primera columna?

1. local	a. narrow
2. factura desmesurada	b. signed on
3. incurrir	c. sandwiches
4. bocadillería	d. building, premises
5. desempeñar	e. worthy
6. venidero	f. high-quality item
7. exquisitez	g. to be subject to
8. recortes de desecho	h. out-of-sight bill
9. bocadillos y montaditos	i. to overflow
10. angosto	j. up-to-date
11. rebosar	k. sandwich shop
12. inabarcable	l. arugula
13. a la última	m. very famous
14. asesoría	n. to carry out
15. fichado	o. consultation
16. rúcola	p. leftovers
17. hechura	q. coming
18. celebérrimo	r. endless
19. digno	s. to connect
20. entroncar	t. style

27 El menú ✒

Escriba un anuncio impreso y un menú creativo para uno de los tres restaurantes mencionados al final del artículo anterior. En el anuncio, describa las ventajas de comer en el restaurante. Puede acompañar el anuncio con fotos o ilustraciones.

Refrán

A buen hambre, no hay mal pan.

¿Está de acuerdo con lo que dice este refrán? ¿Por qué? ¿Qué piensa que significa buen hambre y mal pan? Comparta sus opiniones con un/a compañero/a.

¡Dato curioso!

Las bases de la comida rápida son la rapidez de servicio, los horarios amplios, los precios económicos y una vastísima red de establecimientos. La película *Super Size Me* trató de exponer por qué los norteamericanos están engordando. Nos pregunta quién tiene la culpa: ¿el individuo que no tiene auto-control sobre lo que come, o las empresas de comida rápida y su propaganda?

28 Antes de leer

¿Quién suele hacer la compra en su casa? ¿Cuántas veces por semana se va al supermercado? ¿Suele comprar comida preparada, comida orgánica o qué otro tipo de comida? ¿Qué es más importante a la hora de escoger la comida: la calidad o el precio?

29 De compras

Lea el siguiente artículo con atención. Fíjese en las palabras en azul e intente averiguar su significado por el contexto, ya que se le harán preguntas sobre ellas.

Solteros y parejas sin hijos compran la comida más cara

El nuevo modelo social se empieza a reflejar en la cesta de la compra de los españoles (A). Los llamados hogares emergentes, es decir, los formados por solteros, parejas sin hijos y familias
[5] monoparentales, tienen unos hábitos de consumo muy distintos de los de la familia tradicional: comen más fuera de casa; les gustan las marcas, la calidad y la comida saludable, y son los más abiertos a la innovación. Por ello, estos nuevos hogares ya
[10] representan el 56% del gasto en alimentación, unos 33.000 millones de euros anuales, según el informe *Nuevos modelos de hogar: todo un reto para la innovación*, elaborado por la asociación de fabricantes y distribuidores Aecoc y la consultora
[15] TNS, presentado ayer en el marco del salón Alimentaria. En España hay un millón de personas de menos de 50 años que viven solas, y representan el 20% de los hogares (B). Es una tasa aún baja si se compara con las de otros países europeos,
[20] como Finlandia, Alemania y Holanda, donde estos hogares ya representan el 35% del total. El 41% de estos consumidores comen regularmente fuera de casa (frente al 11% de la población general) y sólo el 31% cree que tienen tiempo para cocinar (frente
[25] al 53% general). Estas personas "se alimentan de forma más desestructurada, pican más y suelen hacerlo frente al televisor", explica el director de TNS para el sur de Europa, Josep Montserrat. Los hogares unipersonales representan el 13% total del
[30] gasto, y el 43% restante corresponde a las parejas de mediana edad en que trabajan ambos y no tienen

hijos (C). Los consumidores de ambos grupos son "impulsivos y caprichosos, atrapados por el tiempo y más preocupados por la salud y el aspecto físico que
[35] el resto", señala el informe. De hecho, por ejemplo, compran el triple de pasta fresca que el resto, y el doble de cremas y sopas preparadas.

Salud y calidad

Su preferencia por la comida rápida o fácil de preparar no significa que no les preocupe seguir
[40] una dieta mediterránea. Al contrario, los solteros y las parejas sin hijos han convertido la salud en una "obsesión" y el 79% de ellos declaran que les gusta seguir una dieta sana, hasta el punto de que el 66% de los integrantes de este grupo aseguran que están
[45] dispuestos a pagar más por un producto de mayor calidad (D). No hay diferencias entre el hábito de consumo de la mujer que vive sola y el hombre, según los expertos, aunque en el caso de las parejas el comprador masculino es más impulsivo porque
[50] está menos acostumbrado a hacer la compra...

www.elpais.es

30 Amplíe su vocabulario

Elija la palabra del recuadro que mejor completa cada oración. Incluya los artículos cuando sean necesarios.

monoparental	marca	gasto	marco	tasa	picar
unipersonal	de mediana edad	caprichoso	atrapado	integrante	mayor calidad

(handwritten annotations: brand, expanding, framework, rate, to chop, sole, impulsive, caught, member, best quality)

1. Un sinónimo de *contexto* es ___.
2. Una persona que tiene unos 50 años es una persona ___.
3. Una familia con solamente la madre o el padre es una familia ___.
4. Comer en pequeñas cantidades es ___.
5. Actuar sin razón aparente es ser ___.
6. Una familia con una persona es una familia ___.
7. Burger King es un ejemplo de ___ de comida basura.
8. Un sinónimo de *aprisionado* es ___.
9. Un miembro es ___.
10. Un sinónimo de *proporción* es ___.
11. Lo contrario de una condición inferior es una de ___.
12. ___ de la comida rápida puede ser más alto que la comida preparada en casa.

31 ¿Ha comprendido?

Empareje las oraciones 1–6 con el grupo o grupos que correspondan (a–f). Sobran algunos grupos.

1. Están dispuestos a pagar más por un producto de mayor calidad.
2. Comen más fuera de casa; les gustan las marcas, la calidad y la comida saludable.
3. Están menos acostumbrados a hacer la compra.
4. Pican más que otros grupos y suelen alimentarse frente al televisor.
5. Son los más abiertos a la innovación en alimentación.
6. Se preocupan más por la salud y el aspecto físico.

a. los solteros, parejas sin hijos y familias monoparentales
b. los solteros y parejas sin hijos
c. las personas de menos de 50 años que viven solos
d. los compradores masculinos que viven solos
e. los compradores masculinos y femeninos que viven solos
f. la familia tradicional

32 ¿Dónde va?

La siguiente oración se puede añadir al artículo anterior: *No suelen comer comida basura sino comida preparada.* **¿Dónde encajaría mejor la oración?**

1. Posición A, línea 2
2. Posición B, línea 18
3. Posición C, línea 32
4. Posición D, línea 46

Refrán

El mundo es una gran olla, el corazón la cuchara. Según cómo remuevas, te saldrá la comida.
—Refrán Zen

 ¿Qué opina de este refrán? Explíquelo. ¿Qué hay en la olla de una mala persona? ¿De una buena persona? ¿Cómo es la comida de Ud. en este momento de su vida, y cómo llegó a ser así? Comparta sus opiniones con un/a compañero/a.

33 Antes de leer

¿Las cafeterías estadounidenses ofrecen mucha comida sana a los estudiantes? En su escuela o universidad, ¿cuáles son las comidas más populares que sirve la cafetería? ¿Suele Ud. comprar la comida del día en su escuela? ¿Bebe mucha agua cada día? ¿Cuánta? ¿Consume muchas bebidas carbónicas? ¿Por qué? ¿Se da cuenta del número de calorías que consume cada día? ¿Cómo?

34 Los menús escolares

Lea con atención el artículo que sigue. Intente averiguar el significado de las palabras en azul por el contexto, ya que se le harán preguntas sobre ellas.

Inglaterra prohíbe la comida basura en los colegios

Las máquinas dispensadoras no podrán ofrecer patatas fritas y caramelos y se revisarán los menús escolares.

Se acabó la comida grasienta, demasiado salada y muy rica en azúcares en los colegios ingleses. La secretaria de Educación del Gobierno de Tony Blair, Ruth Kelly, ha anunciado esta mañana durante [5] una entrevista con la BBC una intensa campaña para mejorar la alimentación de los menores que incluirá la prohibición de dispensar comida basura en todos los colegios de Inglaterra. Gales, Escocia e Irlanda del Norte ya habían emprendido [10] iniciativas similares. A partir del próximo mes de septiembre las máquinas dispensadoras no podrán ofrecer patatas fritas, caramelos o bebidas azucaradas. Además, la semana que viene una comisión encargada de analizar la alimentación en [15] los colegios presentará sus conclusiones y anunciará los criterios nutricionales que serán obligatorios en los menús escolares. El Gobierno británico lanzó una cruzada para mejorar la comida en los colegios a raíz de una campaña del chef televisivo Jamie

[20] Oliver en la que se denunciaba la mala calidad de la misma. El Ejecutivo se comprometió entonces a aumentar en 50 peniques (unos 70 céntimos de euro) el presupuesto en alimentación por niño al día y crear una comisión para establecer mínimos [25] nutricionales. "Lo que Jamie ha hecho es realmente bueno porque ha puesto de manifiesto lo importante que es para los niños comer sano", ha asegurado Kelly. En total, Londres gastará 280 millones de libras esterlinas (400 millones de euros) en comida [30] escolar en los próximos tres años. Se espera que a lo largo de la tarde la responsable de Educación detalle estas propuestas en el transcurso del Congreso del Partido Laborista que se celebra en la localidad de Brighton. La comisión, que incluye nutricionistas, [35] proveedores de catering y expertos en educación, pretende limitar el número de días que se sirven patatas fritas en los colegios y también ha respaldado la prohibición de bebidas carbónicas y chocolate en los colegios. Se supone que el Gobierno seguirá [40] sus recomendaciones aunque se enfrenta a una dura resistencia de los fabricantes de comida y bebidas y con las compañías privadas del sector del catering.

www.elpais.es

35 Amplíe su vocabulario 🔍

Según el contexto del artículo que acaba de leer, empareje cada palabra de la primera columna con su definición o sinónimo de la segunda.

1. máquinas dispensadoras	a. país del Reino Unido al oeste de Inglaterra
2. grasiento	b. con mucha sal
3. salado	c. proyectar
4. campaña	d. al comienzo
5. Gales	e. refresco con gas
6. Escocia	f. cruzada
7. emprender	g. implicarse
8. a partir de	h. centésima parte de la libra esterlina
9. lanzar	i. donde se puede comprar una bebida enlatada
10. comprometerse	j. favorecer
11. penique	k. moneda inglesa
12. presupuesto	l. con mucha grasa
13. libra esterlina	m. país del Reino Unido al norte de Inglaterra
14. transcurso	n. lapso de tiempo
15. respaldar	o. iniciar
16. bebida carbónica	p. coste y gastos

36 ¿Ha comprendido?

1. ¿Qué van a prohibir en las máquinas dispensadoras en los colegios de Inglaterra?
   a. Algunos alimentos que tienen mucho azúcar
   b. Algunos alimentos que tienen mucha grasa
   c. Algunos alimentos que tienen mucho azúcar y algunos que tienen mucha grasa
   d. No habrá máquinas dispensadoras en los colegios.

2. ¿Cuál es el propósito de esta nueva campaña?
   a. Unas compañías privadas de catering se quejaban y el Gobierno quiere arreglar la situación.
   b. El Gobierno quiere mejorar la alimentación de los menores en los colegios.
   c. El Gobierno quiere ahorrar dinero con esta campaña.
   d. El Gobierno ha creado una comisión encargada de analizar seriamente la alimentación en los colegios.

3. ¿En qué están de acuerdo el Gobierno y Jamie Oliver?
   a. Piensan que la comida de los escolares es de mala calidad.
   b. Piensan que con una campaña en la televisión se puede mejorar la situación.
   c. Piensan que la propaganda de la comida rápida contribuye a empeorar la situación.
   d. Dicen que van a gastar más dinero para mejorar la situación.

4. ¿Qué cambios proponen en los colegios?
   a. Van a abolir las patatas fritas, las bebidas carbónicas y el chocolate.
   b. Van a abolir las bebidas carbónicas y las patatas fritas.
   c. Van a abolir las patatas fritas y el chocolate.
   d. Van a abolir las bebidas carbónicas y el chocolate y van a limitar los días cuando se pueden servir patatas fritas.

5. ¿Quiénes se oponen a esta decisión y por qué?
   a. Los fabricantes de comida y bebidas y las compañías privadas del sector del catering se oponen porque se supone que van a perder dinero.
   b. Las compañías privadas del sector del catering se oponen porque se supone que los fabricantes de comida y bebidas van a ganar todo el dinero ahora.
   c. Los fabricantes de comida y bebidas se oponen porque se supone que las compañías privadas del sector del catering van a ganar todo el dinero ahora.
   d. Nadie se opone porque todos piensan que es mejor para los escolares.

37 Antes de leer

¿Dónde ha visto una lista de ingredientes con las calorías y la cantidad de grasas y otros componentes de los alimentos? ¿Por qué se coloca el contenido nutritivo de los alimentos en la etiqueta? ¿Hay algunos iconos de la comida rápida norteamericana conocidos mundialmente? ¿Cuáles son los más conocidos?

38 Un icono

Lea con atención el siguiente artículo, prestando atención a las palabras en azul, ya que se le harán preguntas sobre ellas.

El payaso de McDonald's cambia de imagen

La figura icónica de la empresa (A) de comida rápida se estiliza, adopta ropa más deportiva y estimula a los más jóvenes a hacer ejercicio. El cambio de imagen de McDonald's (B) ha afectado a su veterana mascota, Ronald, el payaso que lleva 42 años promocionando hamburguesas y bolsas de patatas. En su afán por limpiar su imagen de fabricante de comida hipercalórica, la compañía estadounidense (C) ha decidido estilizar a su icono más conocido y vestirlo con atuendos más deportivos. La transformación no sólo se limita a su imagen: Ronald se dedicará desde ahora a promover el ejercicio físico entre los más jóvenes.

www.elpais.es

Un McDonald's en Buenos Aires

39 Amplíe su vocabulario

Mire las palabras en la primera columna, que aparecen en el artículo anterior, y busque su correspondiente sinónimo o definición entre las palabras de la segunda.

1. figura icónica	a. con muchas calorías
2. empresa	b. experto
3. estilizarse	c. ropa
4. veterano	d. corporación
5. afán	e. cambio
6. fabricante	f. estimular, fomentar
7. hipercalórico	g. creador
8. atuendo	h. caracterizarse
9. transformación	i. deseo
10. promover	j. símbolo muy reconocido

40 ¿Ha comprendido?

1. ¿Cuál podría ser otro título del artículo?
   a. McDonald's recupera clientes
   b. Un icono más deportista
   c. McDonald's apoya los deportes
   d. Todas las anteriores

2. Se usa *payaso* para describir a Ronald McDonald. ¿Qué otras palabras del texto lo caracterizan?
   a. Mascota, figura icónica y empresa
   b. Mascota y empresa
   c. Mascota, figura icónica e icono
   d. Figura icónica y empresa

3. ¿Por qué quieren cambiar la imagen de Ronald McDonald?
   a. La imagen es muy vieja; necesitan algo más joven.
   b. La imagen es demasiado conocida; necesitan algo nuevo.
   c. Quieren animar a los jóvenes a practicar deportes y mostrar que McDonald's promueve la buena salud.
   d. Quieren transformar su imagen de comida hipercalórica en comida más sana.

4. Se usa *empresa* para describir a McDonald's. ¿Qué otras palabras del texto lo caracterizan?
   a. Fabricante de comida, compañía e icono
   b. Fabricante de comida e icono
   c. Fabricante de comida y compañía
   d. Compañía e icono

41 ¿Dónde va?

La siguiente frase se puede añadir al texto anterior: *que tiene más de treinta mil locales y sirve a más de 50 millones de personas cada día en más de 119 países mundialmente.* ¿Dónde encajaría mejor la frase?

1. Posición A, línea 1
2. Posición B, línea 4
3. Posición C, línea 8
4. Las respuestas 2 y 3

42 Lea, escuche y escriba/presente

Vuelva a leer los textos "Inglaterra prohíbe la comida basura en los colegios" y "El payaso de McDonald's cambia de imagen". Luego escuche la grabación "McDonald's informará al consumidor del valor nutritivo de la comida" y tome las notas necesarias. Escriba un ensayo o haga una presentación en clase sobre el tema "Comida nutritiva y buena salud: el gobierno y las empresas ayudan a los jóvenes". No se olvide de citar las fuentes debidamente.

Cita

La sociedad está dividida en dos grandes clases: la de los que tienen más comida que apetito y la de los que tienen más apetito que comida.

–Nicolas Chamfort (1741–1794), académico y escritor francés

¿Qué significa esta cita y qué piensa de ella? ¿De qué otras formas dividiría el mundo? Comparta sus opiniones con un/a compañero/a.

¡Dato curioso!

¿Sabía que 800 millones de personas pasan hambre en el mundo actual? Según estadísticas de las Naciones Unidas, cada cinco segundos muere un niño de hambre; uno de cada cinco niños en Estados Unidos es peligrosamente obeso; 10 millones de personas mueren cada año debido al hambre o las enfermedades que provocan y acentúan la malnutrición.

43 Todas las dietas funcionan

Primero lea las preguntas y observaciones que siguen, y después escuche la grabación "Todas las dietas funcionan; el que falla es el ser humano". Luego haga un resumen de las respuestas que hace el Dr. Rolla a estas preguntas y observaciones.

1. Trabaja como endocrinólogo en un país donde el sobrepeso supone un problema de salud fundamental.
2. ¿No se da sólo en los países más avanzados?
3. ¿Obesidad y anorexia son dos manifestaciones de una misma enfermedad?
4. ¿Cómo se ha llegado a este estado de una excesiva obesidad?
5. No todos los obesos son iguales.
6. ¿Cómo debe ser una dieta para bajar de peso?
7. En el crecimiento de la obesidad ha influido la comida basura.
8. El chocolate o un buen helado alivian cuando uno está deprimido.

44 Dietas

Lea las posibles respuestas y después escuche la grabación "Dietas". Escoja la mejor respuesta para cada pregunta que escuchará en la grabación.

1. (Pregunta que escuchará en la grabación.)
   a. Un día
   b. Una semana
   c. Dos semanas
   d. Un mes

2. (Pregunta que escuchará en la grabación.)
   a. Cinco kilos
   b. Diez kilos
   c. Dos kilos
   d. Nunca dice.

3. (Pregunta que escuchará en la grabación.)
   a. Estaba comiendo muchos pasteles, mucho pan y muchas patatas fritas.
   b. Se miró en el espejo un día y decidió hacerlo.
   c. No le servían unos pantalones de verano.
   d. Todas las respuestas son correctas.

4. (Pregunta que escuchará en la grabación.)
   a. El pan y el chocolate
   b. El pan y las galletas
   c. El pan y las patatas fritas
   d. Las patatas fritas y las galletas

5. (Pregunta que escuchará en la grabación.)
   a. Entre la mente y tu estómago
   b. Entre tus instintos mentales y físicos
   c. Entre tu conciencia y tu voluntad
   d. Todas las respuestas son correctas.

6. (Pregunta que escuchará en la grabación.)

    a. Están celosos y quieren molestarte.
    b. Quieren premiar tus esfuerzos.
    c. Te admiran.
    d. Odian las dietas.

7. (Pregunta que escuchará en la grabación.)

    a. Antes pensaba que eran héroes; ahora piensa que son tontos.
    b. Antes pensaba que eran tontos; ahora piensa que son héroes.
    c. Antes pensaba que eran demenciales; ahora piensa que son repulsivos.
    d. Antes pensaba que eran repulsivos; ahora piensa que son demenciales.

45 Participe en una conversación 💿

Ud. va a participar en una conversación. Primero lea la descripción de la conversación y piense en algunas palabras o expresiones que le serían útiles. Organice sus ideas, haciendo predicciones sobre lo que se le pueda preguntar o comentar. Una descripción de lo que va a escuchar aparece abajo en color. Participe en la conversación grabando las respuestas o escribiéndolas en su cuaderno.

Escena: Ud. está mirando la televisión y ve muchos anuncios de comida. Le empieza a entrar hambre. De repente, suena el teléfono. Es una agencia de publicidad que quiere saber si ha visto un nuevo anuncio sobre una pizza-combo con entrega a domicilio. Conteste las preguntas del agente.

Ud.:	• (*Suena el teléfono.*) Conteste el teléfono.
El agente:	Se presenta y le hace una pregunta.
Ud.:	• Contéstele afirmativamente.
El agente:	Le hace otra pregunta.
Ud.:	• Dele detalles del anuncio que acaba de ver.
El agente:	Sigue la conversación y le hace una pregunta.
Ud.:	• Continúe con los detalles.
El agente:	Sigue la conversación y le hace más preguntas.
Ud.:	• Continúe con los detalles pero reaccione negativamente a sus preguntas.
El agente:	Sigue la conversación y le pide un consejo.
Ud.:	• Dele un consejo para ayudarlo.
El agente:	Se despide.
Ud.:	• Despídase.

46 Texto informal: un correo electrónico

Escriba un correo electrónico a su hermana que está estudiando en la universidad, lejos de casa. Ella acaba de ponerse a dieta, pero el régimen le cuesta. Escríbale un mensaje que le anime a continuar. Hable sobre:

- Los beneficios de ponerse a dieta.
- Las distracciones que le impiden continuar.
- Cómo Ud. va a ayudarle a tener éxito.

47 Texto informal: otro correo electrónico

Primero lea el artículo que sigue, prestando atención a las palabras en azul, ya que se le harán preguntas sobre ellas. Luego haga el papel del novio y escriba un correo electrónico a su novia después del incidente. Describa:

- El problema que tuvo.
- Las infracciones que Ud. cometió.
- Las sanciones contra Ud.

> **Consejo**
>
> Antes de empezar, lea las pautas para escribir textos informales en la pág. 480 del Apéndice. Mientras escribe el texto tenga presente los objetivos. Cuando termine, verifique que ha cumplido con todo lo que se describe en la lista y reflexione sobre su trabajo.

Comida rápida en helicóptero

Expedientado un soldado británico que usó un aparato Lynx del Ejército para llevar una pizza a su novia.

Tener un detalle galante con su novia le ha costado una sanción a un militar británico y unos cuantos miles de libras al Ejército del Reino Unido. Un teniente de helicópteros del escuadrón 659 del
[5] Ejército del Aire con base en Suffolk, al este de Inglaterra, ha sido castigado por utilizar el aparato que pilotaba para llevar una pizza a su novia, según informa *The Sun*. El incidente tuvo lugar el pasado 25 de enero. El piloto, de 25 años, compró el menú
[10] para su novia en un establecimiento de comida rápida y, aprovechando un vuelo rutinario, se desvió de su ruta y dirigió el aparato, un helicóptero Lynx, unos 50 kilómetros, hacia la zona donde su pareja, también militar, se encontraba de manio-
[15] bras. Según un portavoz del ministerio de Defensa

citado por la agencia Reuters, se decidió no retirar el carnet al piloto por consideración a las especiales circunstancias de su escapada. El Ejército no ha facilitado ni el nombre del enamorado infractor, ni
[20] el coste de su travesura, ni la sanción aplicada, ni los ingredientes de la pizza.

www.elpais.es

48 Amplíe su vocabulario

Según el contexto del artículo anterior, ¿cuál es la mejor traducción?

1. expedientar
2. libra
3. castigar
4. vuelo rutinario
5. maniobra
6. portavoz
7. escapada
8. infractor
9. coste
10. travesura

a. spokesperson
b. routine flight
c. escapade
d. price
e. prank
f. to bring disciplinary action against
g. pound
h. to punish
i. maneuver
j. offender

49 Ensayo: los régimenes

Escriba un ensayo sobre "Los beneficios y los obstáculos de seguir un régimen".

50 Ensayo: la comida rápida

Escriba un ensayo contestando la pregunta, "La comida rápida: ¿conveniente pero a qué costo?"

51 En parejas

Intercambie sus ensayos con los de un/a compañero/a. Exprésele su opinión sobre el contenido y el uso del idioma.

> **Consejo**
> Antes de empezar, lea las pautas para escribir ensayos en la pág. 480 del Apéndice. Mientras escribe el texto tenga presente los objetivos, y no se olvide de ponerle un título original. Cuando termine, verifique que ha cumplido con todo lo que se describe en la lista y reflexione sobre su trabajo.

¡A hablar!

52 Charlemos en el café

Ud. va a debatir los siguientes temas con un/a compañero/a. Uno estará a favor de lo que se ha dicho y otro en contra. El debate durará varios minutos. El/La estudiante que esté de acuerdo comenzará el debate y hablará por unos diez segundos. Cuando el/la profesor/a lo indique, su compañero/a tomará la palabra y expresará su opinión por otros diez segundos, y así sucesivamente.

1. La comida basura debería estar prohibida en los colegios.
2. Una dieta vegetariana es más saludable que una dieta que admite carne.
3. Hay que colocar una etiqueta en los alimentos que muestre si éstos han sido alterados genéticamente.
4. Opine a favor o en contra de los alimentos orgánicos.

53 ¿Qué opinan?

Con un/a compañero/a conteste las siguientes preguntas y converse sobre los temas.

1. ¿Qué imagen de los Estados Unidos promueven las figuras icónicas de la comida rápida a través de la estrategia publicitaria de esas empresas?
2. ¿Qué efecto ha tenido la globalización de la alimentación en los hábitos alimenticios de la gente en los Estados Unidos? ¿Qué efecto ha tenido en la comida que hay en los supermercados? ¿En los restaurantes de su ciudad? ¿En el paladar norteamericano?

54 Presentemos en público

Ud. va a contestar la siguiente pregunta: "¿Cómo puede la cocina de una nación representar la cultura del país ante el mundo?" Haga una presentación del caso de la comida mexicana a la UNESCO. Justifique cómo la comida mexicana tiene los valores de la antigüedad, la continuidad histórica, la originalidad y la autenticidad. Use las tres fuentes a continuación para preparar su presentación y tome las notas necesarias. Primero, lea el artículo siguiente con atención.

Consejo

Antes de empezar, lea las pautas para presentaciones formales en la pág. 481 del Apéndice. Mientras formula su presentación tenga presente los objetivos. Cuando termine la presentación, verifique que ha cumplido con todo lo que se describe en la lista y reflexione sobre el trabajo que hizo.

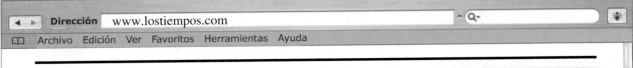

Dirección www.lostiempos.com

Archivo   Edición   Ver   Favoritos   Herramientas   Ayuda

La comida mexicana, patrimonio cultural

Primera parte

Es la primera vez que un país pide que reconozcan su gastronomía como Patrimonio de la Humanidad. La próxima vez que coma un taco, una quesadilla, un mole poblano o algunas de las variedades de enchiladas mexicanas, tenga en cuenta que no sólo estará disfrutando de
5 una de las comidas más ricas y variadas del mundo, siéntase también un privilegiado porque estará disfrutando de una gastronomía que está a un paso de ser considerada Patrimonio de la Humanidad. Y no se trata de una exacerbación del nacionalismo mexicano, sino que se ha constatado que cumple los requisitos establecidos por la UNESCO
10 para recibir esta valoración. Es por eso que el Gobierno, instituciones y la sociedad civil de este país han presentado su candidatura ante la agencia internacional y la están promoviendo por todo el mundo para tratar de convencer al grupo de 19 expertos que revisarán la solicitud y que darán su veredicto el próximo 25 de noviembre en París...
La UNESCO establece que para que un bien cultural sea inscrito como Patrimonio Intangible de la
15 Humanidad debe tener, entre sus principales valores: antigüedad, continuidad histórica, originalidad y autenticidad. Requisitos que no son fáciles de reunir, pero que la comida mexicana cumple a cabalidad.

"Tenemos técnicas especiales para hacer nuestros alimentos que tienen historia y una larga tradición que se ha conservado desde la época prehispánica y que en otros casos se ha mestizado dándole sabor y características
20 especiales, pero que ha empezado a ser desvirtuado a medida que se ha ido popularizando en todo el mundo y por el predominio de la 'comida rápida'", dice Pilar Fausto González, chef mexicana con 30 años de experiencia e instructora del Instituto Gastronómico de Estudios Superiores, S.C. (IGES) de Querétaro. Y añade: "Hay tanta diversidad que por mucho
25 tiempo la gente del norte conocía muy poco las características de la cocina del sur y viceversa, lo mismo ocurría con la del centro de la República, pero la mayor parte de nuestra cocina tiene como base el maíz. Incluso decimos que 'México es el país del maíz'". Ahora no es lo único, porque también está el chile (ají) y en algunas regiones predominan más otros
30 vegetales o diversos tipos de insectos que son comestibles.

El maíz sigue siendo el ingrediente más importante de la comida mexicana, cultivo considerado sagrado por las culturas prehispánicas y que aún lo sigue siendo para las comunidades indígenas. La mazorca ha sido utilizada como moneda, ha representado símbolos míticos y está vinculada a las expresiones artísticas y artesanales. Del maíz se hace la tortilla, que sigue siendo una parte importante de la dieta
35 del mexicano. Se estima que en México diariamente se consumen cerca de 300 millones de tortillas, y para satisfacer esa demanda ya existen máquinas que las elaboran en grandes cantidades; sin embargo, en muchas partes del país las mujeres aún siguen haciéndolas de la manera tradicional.

www.los tiempos.com

Ahora escuche la grabación "La comida mexicana, patrimonio cultural" y después lea la segunda parte del artículo con atención.

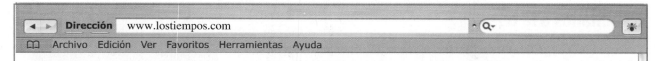

Dirección www.lostiempos.com

Archivo   Edición   Ver   Favoritos   Herramientas   Ayuda

La comida mexicana, patrimonio cultural
Segunda parte

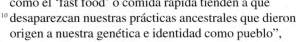

Con maíz también se elaboran más de 370 tipos de tamales. Los hay de todos los sabores y con él se realizan platillos como el pozole, enchiladas, tostadas, chilaquiles y muchos otros platos que son de consumo
⁵ popular. "En México estamos luchando por el rescate y la preservación de elementos que son símbolos de nuestra nacionalidad y de nuestro pasado, porque creo que somos lo que comemos y las nuevas tendencias como el 'fast food' o comida rápida tienden a que
¹⁰ desaparezcan nuestras prácticas ancestrales que dieron origen a nuestra genética e identidad como pueblo", dice González. Junto al maíz, el frejol, la calabaza (zapallo) y el chile han sido parte de la alimentación básica del mexicano durante siglos, pero quizás éste último sea el más popular en el mundo.

Un aspecto que ha caracterizado a la comida mexicana ha sido el mestizaje entre los usos y alimentos
¹⁵ originarios con los extranjeros que llegaron de España, Francia y Estados Unidos. Un ejemplo de ello es el mole, que es una salsa espesa preparada con más de 35 ingredientes. Su preparación lleva varias horas y cada región tiene uno diferente o varios; como es el caso de Oaxaca, donde se preparan siete variedades: entre ellas el mole negro, amarillo, el verde, etc. Sin embargo, el más famoso es el poblano. Sobre su origen hay muchas leyendas, pero una de las más conocidas sitúa su creación en los
²⁰ conventos de las religiosas en la época colonial. No menos llamativa es la variedad de comidas en base a los saltamontes o "chapulines", gusanos y otros insectos que más que platos exóticos son una fuente nutricional importante. Lo cierto es que aún hay mucho por hablar y degustar de la gastronomía de este país y que se podrá apreciar y conocer más, si el 25 de noviembre la UNESCO llega a darle el valor que se merece. Del mismo modo podría abrir las puertas para que la cocina de otras regiones de América
²⁵ Latina sean valoradas y preservadas. La mesa está servida.

www.los tiempos.com

55 ¡Manos a la obra!

Trabaje con un grupo de cuatro o cinco estudiantes para llevar a cabo uno de los siguientes proyectos y presentarlo en clase.

- La directiva de su escuela o universidad está considerando cambios en el servicio de la cafetería. Expresen su opinión de lo que tienen que dejar y lo que tienen que cambiar. Ofrezcan sugerencias para mejorar la comida y el servicio.

- Van a preparar un almuerzo "especial" para cuatro invitados este sábado. De los cuatro, hay un vegetariano, otro que no puede tomar muchos productos lácteos, una a quien le encanta la comida orgánica y otra que no puede comer mariscos. Piensen en el menú ideal que será del agrado de todos. Después, decidan qué productos van a comprar y si van solamente al supermercado o a algún mercado especial y por qué.

- Elijan una gastronomía hispana que piensan sea digna de ser nombrada Patrimonio de la Humanidad. Hagan una lista de los platos nacionales de varios países hispanos. Discutan todas las sugerencias y decidan qué gastronomía merece el título y por qué.

- Elijan una dieta popular o un programa de ejercicio que promete hacer perder peso o sentirse mejor. Describan las ventajas y desventajas de seguir la dieta o el programa. Decidan cuál es mejor —la dieta o el programa de ejercicio físico— y expliquen por qué.

- Busquen en periódicos, revistas o Internet y elijan tres anuncios en español que venden comida o tres anuncios en español de un restaurante. Preparen una presentación sobre el contenido de cada anuncio. Decidan cuál es el mejor y hagan sugerencias para mejorar los otros dos anuncios.

Vocabulario

Verbos

adelgazar	to get thin, lose weight
alcanzar	to reach, catch up with
aliviar	to relieve
bombardear	to bombard
consumir	to consume
dañar	to damage, harm
desempeñar	to play, perform
desviarse	to deviate
emprender	to undertake
engañar	to trick, deceive
engordar	to get fat, put on weight
estilizar	to characterize
estimular	to stimulate
fichar	to sign up with, sign on
impedir (i)	to forbid, prevent
incurrir	to incur
ingerir	to ingest
paladear	to savor, relish
picar	to snack
probar (ue)	to taste
procurar	to try to, endeavor to
promover (ue)	to promote
regar (ie)	to water
rogar (ue)	to beg, plead
valorizar	to value
vigilar	to watch

Verbos con preposición

verbo + a:

aportar a	to contribute
comprometerse a	to promise to
empezar (ie) a	to begin to
proceder a	to proceed
tender a	to tend to, incline

verbo + con:

amenazar con	to threaten with
enfrentarse con	to face up to
entroncar con	to be connected with

verbo + de:

alegrarse de	to be happy about
beneficiar de	to benefit from
darse cuenta de	to realize
encargarse de	to take charge of
padecer de	to suffer from
proceder de	to originate from
tratarse de	to be about

verbo + en:

comprometerse en	to get involved in

verbo + por:

velar por	to watch over

Sustantivos

el	afán	zeal
la	alimentación	nourishment, feeding
el	alimento	food
la	antigüedad	antiquity
la	autoestima	self-esteem
el	ayuno	fast
la	bebida carbónica	carbonated drink
el	caldo	broth
la	calidad	quality
la	campaña	campaign
la	cantidad	quantity
la	comida basura (rápida)	junk (fast) food
la	comida exótica	exotic food
la	comida orgánica	organic food
la	comida vegetariana	vegetarian food
la	compañía	company, business
el/la	consumidor(a)	consumer
el	consumo	consumption
la	deficiencia	deficiency
el	desequilibrio	imbalance
la	desnutrición	malnutrition
la	empresa	business, company
el	equilibrio	balance
la	escasez	shortage
el	fabricante	manufacturer
la	factura	bill
la	fibra	fiber
la	gravedad	seriousness
la	hambruna	hunger, starvation
el	hierro	iron (*mineral*)
el	hueso	bone
el	icono	icon
la	ingesta	consumption
el	local	premises
el	lonche	lunch
la	lonchería	restaurant for lunch
la	maca	bruise (*on fruit*)
la	máquina dispensadora	vending machine
la	mascota	pet, mascot
el/la	nutricionista	nutritionist
la	obesidad	obesity
el	patrimonio	heritage
el	presupuesto	budget
los	(productos) químicos	chemicals
el	puesto	stand
la	quinua	quinoa (*Bolivian grain*)
el	régimen	diet
el	reparto	distribution

el	sobrepeso	excessive weight
la	soja	soya
la	subalimentación	undernourishment
la	tasa	rate
la	travesura	prank

Adjetivos

alimentario, -a	nourishing
alimenticio, -a	nutritious
caprichoso, -a	capricious, impulsive
cárnico, -a	relating to meat
celebérrimo, -a	very famous
desmesurado, -a	vast, enormous, excessive
fresquito, -a	really fresh
genial	wonderful
grasiento, -a	greasy
hipercalórico, -a	with high caloric content
impensado, -a	unexpected
inoloro, -a	odorless
insípido, -a	tasteless, insipid
irreemplazable	irreplaceable
lácteo, -a	lactose, dairy
liviano, -a	light
magro, -a	lean
monoparental	relating to a single parent
nutritivo, -a	nutritious
obeso, -a	obese
oloroso, -a	smelly
orgánico, -a	organic
rentable	profitable, worthwhile
saludable	healthy
sano, -a	healthy
sedentario, -a	sedentary
vasto, -a	vast, immense
venidero, -a	future

Expresiones

a la última	up to date
a partir de	beginning from
en gran medida	in great part
entrega a domicilio	home delivery
la estrategia publicitaria/ de propaganda	advertising strategy
la figura icónica	icon, symbol
la insalubridad del agua	unhealthiness of water
mayor calidad	best quality
no dar abasto	to not cope
pasar hambre	to endure hunger
pese a	in spite of
poner freno	to stop, halt
tener en cuenta	to take into account

A tener en cuenta

Prefijos

des- denota negación o el significado opuesto:

el ayuno	el desayuno
empeñar	desempeñar
el equilibrio	el desequilibrio
igual	desigual
la nutrición	la desnutrición
el orden	el desorden

hiper- denota exceso:

activo	hiperactivo
calórico	hipercalórico
el mercado	el hipermercado

mono- denota único o solo:

cromático	monocromático
parental	monoparental
tono	monótono

auto- denota mismo o propio:

el control	el autocontrol
la estima	la autoestima
el retrato	el autorretrato
el servicio	el autoservicio

Capítulo 4

Temas

- Cómo es el ser humano
- Héroes, villanos y otros famosos
- Hispanos influyentes

Personalidad y personalidades

Objetivos

Comunicación

- Opinar sobre personas y personalidades
- Hablar sobre manías y fobias
- Hablar sobre el amor, la envidia y las mentiras
- Describir cómo nos comunicamos
- Opinar sobre el poder de la mente

Gramática

- El subjuntivo en cláusulas adjetivales y con expresiones impersonales
- El subjuntivo en cláusulas adverbiales

"Tapitas" gramaticales

- *aun* y *aún*
- expresiones con *lo*
- los nexos
- el orden de los adjetivos

Cultura

- Conceptos del amor
- Fobias, manías y miedos
- Atracción por lo malo o prohibido
- La comunicación no verbal
- Elementos de la personalidad
- Los mentirosos

Visite la página Web de
¡A toda vela! en
www.emcp.com

1 Conteste las preguntas

Piense en las respuestas a las siguientes preguntas. Ud. puede tomar notas si lo considera necesario. Cuando termine, compare sus respuestas —pero sin mirar sus notas— con las de un/a compañero/a.

1. ¿Qué tipo de persona es Ud.? ¿Qué tres palabras usaría para describirse a sí mismo/a?
2. ¿Se considera una persona positiva o negativa? Dé un ejemplo de un problema y su actitud ante él.
3. ¿Le resulta fácil expresar sus sentimientos a otra persona? ¿Suele decirles a sus amigos o familiares que los quiere, o prefiere que "lo intuyan"?
4. ¿Se enamora con facilidad o le cuesta enamorarse?
5. ¿Le resulta fácil mentir? ¿Por qué?
6. ¿Tiene algún tipo de fobia? ¿Cuál?
7. ¿Tiene manías? ¿Qué manías son las más comunes?
8. ¿Qué cualidades valora más en los amigos y amigas? ¿Y en los familiares?
9. ¿Cuáles son tres rasgos positivos y tres negativos de la personalidad?
10. ¿Qué cualidades considera que deben tener los profesores?

2 Mini-diálogos

Ud. va a crear un mini-diálogo con un/a compañero/a. Lea la descripción de la conversación antes de empezar. Puede tomar notas para organizar sus ideas, pero no las mire mientras conversa.

Escena: En el almuerzo Ud. y su amigo/a mantienen una conversación sobre otros amigos.

A:	Hable con él/ella sobre uno/a de sus amigos. Describa su personalidad y pregúntele qué piensa de esta persona.
B:	Exprese su opinión. Pregúntele qué piensa de otro/a amigo/a que tienen.
A:	Conteste sus preguntas. Hable sobre la personalidad de esta persona. Háblele sobre una de las manías que tiene (puede inventársela si no la tiene).
B:	Reaccione con sorpresa. Háblele sobre una de las manías que Ud. tiene.
A:	Reaccione a su comentario. Quede para verse otro día y despídase.
B:	Acepte la invitación. Despídase y recuérdele algo que tiene que hacer.

Cita

Todo hombre es como la luna: con una cara oscura que a nadie enseña.

—Mark Twain (1835–1910), escritor y humorista estadounidense

¿Es pesimista u optimista esta cita? ¿Por qué? ¿Cree que la mayoría de las personas tienen una cara oscura? Cite algunos ejemplos y comparta su opinión con un/a compañero/a.

¡Dato curioso!

Según unos investigadores, los gestos también se heredan. En un experimento se le pidió a un grupo de personas ciegas y a algunos de sus familiares que reaccionaran a ciertas situaciones para mostrar cómo se sentían cuando estaban tristes, contentos, frustrados, etc., mientras todos los gestos fueron grabados. Los científicos comprobaron que los gestos eran muy similares o iguales, aun en el caso de los ciegos que jamás habían podido observar a otras personas.

3 David Aron 👥 📖

Túrnese con un/a compañero/a para leer el siguiente artículo. Fíjese en las palabras que aparecen en azul (relacionadas con el vocabulario) y en rojo (relacionadas con la gramática), ya que en las siguientes actividades se le harán preguntas sobre ellas.

Personas con una gran personalidad

No conozco a nadie que sea tan positivo como David Aron. Es una de esas personas que siempre le busca el lado positivo a las cosas. En realidad no conozco a nadie
5 que motive a sus compañeros tanto como él. Por esta razón es fácil que muchos le sigan a todas las tiendas donde trabaja. Desafortunadamente, por algún motivo es imposible que yo pueda tener esa actitud, así
10 que esta mañana fui a su tienda y le pregunté con cierta vergüenza cómo lo hacía. Él me contestó cariñosamente: "Es importante que te levantes cada día y tomes la decisión de estar de buen humor y no de mal humor.
15 Si alguien te critica por algo es mejor que aprendas de ello y que no seas una víctima. En resumen, es indispensable que tomes una actitud positiva ante cada situación sin importarte el qué dirán. ¡Tú eliges!" Me fui de
20 allí tranquilo y con mucha más confianza en mí mismo de la que había tenido en siglos. Por desgracia, me acabo de enterar de que justo después de mi visita un sinvergüenza entró a robarle y le disparó en el pecho. Por
25 suerte lo llevaron enseguida al hospital. No obstante, al estar herido gravemente, todos los médicos pensaron: "Es imposible que este hombre sobreviva". Al verles la cara David comprendió que estaba entre la vida y la
30 muerte y les dijo como pudo con una débil sonrisa: "Tranquilos. Hagan lo que puedan, pero por favor, recuerden que aún estoy vivo, no muerto". Como resultado, los médicos reaccionaron de inmediato y le preguntaron:
35 "Señor, ¿es alérgico a algún medicamento?" David les respondió: "No, no hay nada a lo que sea alérgico. Bueno, sí, una cosa: a las balas". Todos rieron y comprendieron lo importante que es que uno tenga una actitud
40 positiva. ¿Y tú? ¿Cómo ves el vaso? ¿Medio lleno o medio vacío?

4 Vocabulario 🔍

Defina en español el significado de las palabras en azul que aparecen en la lectura anterior.

5 El subjuntivo en cláusulas adjetivales y con expresiones impersonales 🔍

Conteste estas preguntas relacionadas con la lectura de la Actividad 3.

1. Haga una lista de los verbos que se usan en el subjuntivo en el artículo anterior y explique por qué se usaron.
2. ¿Qué es una cláusula adjetival?
3. Escriba ocho expresiones impersonales que estén seguidas del subjuntivo, pero que no aparezcan en el artículo anterior.
4. Escriba una expresión impersonal seguida del indicativo. No tiene por qué aparecer en el artículo anterior.

6 "Tapitas" gramaticales

1. ¿Cómo traduciría *aún*? ¿Qué significa cuando se escribe sin acento? Escriba una oración con cada uno de estos ejemplos.
2. ¿Cómo traduciría *lo importante*? Escriba una oración usando *lo* con otro adjetivo.
3. Los nexos, tales como *en realidad,* sirven para conectar las ideas en una oración. ¿Cuáles son los otros nexos que se usan en el artículo?

7 Una carta al periódico

Ud. es uno de los empleados de David Aron. Después de que su jefe haya sido asaltado, un periódico local le ha pedido que describa el tipo de persona que es para luego escribir un artículo sobre él. Escriba una carta al periódico de unas 200 palabras. Use nexos, verbos en subjuntivo y algunas palabras del artículo de la Actividad 3 y subráyelos.

8 Sobre el amor

Lea con atención el siguiente texto, fijándose en las palabras en azul y en rojo, ya que se le harán preguntas sobre ellas.

¿Qué es el amor?

Un grupo de profesionales le propuso a varios niños la siguiente pregunta: ¿Qué significa amar a una persona? Las respuestas obtenidas fueron más amplias y profundas de lo que los profesionales pudieron imaginar. Aquí tienen algunas de ellas.

5 Cuando alguien te ama, cada vez que diga tu nombre lo hará de una manera diferente al resto.

El amor es cuando sales a comer con alguien y le das tus papas fritas sin que te importe.

Amor es cuando después de que le digas a un chico que te gusta su camisa, él se la ponga todos los días.

10 Amor es cuando mi mami ve a mi papi después de trabajar y le dice que es más guapo que Brad Pitt, sin que le importe que esté sudoroso y oloroso.

Amor es cuando mi perrito me chupaba la cara con cariño todos los días aunque lo dejara solo cada vez que me iba a la escuela.

Amor es cuando mis padres piensan siempre en nosotros antes de hacerlo en ellos mismos.

15 Amor es cuando mi abuelo le pinta las uñas a mi pobre abuela quien tiene artritis, a fin de que se sienta tan bella como de costumbre.

Amor es lo que hace que mi hermana me dé toda su ropa para que yo la use, y luego ella tiene que ir a comprársela nueva.

Amor es cuando mis abuelos siempre van de la mano dondequiera que vayan, después de tantos años
20 juntos.

Amor es cuando mi papá se queda en el trabajo hasta muy tarde a fin de que podamos irnos todos juntos una semana de vacaciones en verano.

Amor es cuando mis padres entran en nuestra habitación y nos besan en la frente con cariño sin que lo sepamos.

25 Amor es cuando mi madre prueba siempre primero la sopa para que nadie se queme.

Amor es cuando mis padres me dicen "Muy bien" aunque me equivoque.

En resumidas cuentas, después de leerlo, puede ser que te haga pensar en cosas a las que normalmente no le sueles prestar atención; por lo tanto, en cuanto puedas, dile a un ser querido que lo amas, en caso de que se haya olvidado de lo que sientes por él o por ella.

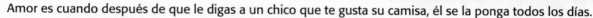
www.enbuenasmanos.com

9 Amplíe su vocabulario ⊘⚲

¿Cuál es la mejor definición según el contexto del artículo que acaba de leer?

1. amplio
2. profundo
3. de una manera
4. el resto
5. sudoroso
6. oloroso
7. chupar
8. uña
9. dondequiera
10. a fin de que

a. que huele mal
b. parte dura que crece al final de los dedos
c. de una forma
d. mojar o humedecer con la lengua
e. a/en cualquier parte
f. para que
g. extenso
h. los demás
i. serio, trascendente, hondo
j. con sudor, con la piel húmeda por la transpiración

10 Cláusulas adverbiales ⊘⚲

1. ¿Qué es una cláusula adverbial? ¿Cómo van introducidas en la oración principal?
2. Haga una lista de las situaciones en las que aparece el subjuntivo después de una cláusula adverbial en el texto anterior. Escriba el significado en inglés de dichas palabras o expresiones.

11 "Tapitas" gramaticales ⊘⚲

1. La palabra *mismo* cambia de significado según vaya delante o detrás del sustantivo. ¿Qué significa en este contexto: "en ellos mismos"? ¿Cómo se traduce cuando se usa delante del nombre?
2. Escriba los diferentes significados de los siguientes adjetivos, según vayan delante o detrás del nombre: *antiguo, cierto, grande, nuevo, pobre* y *simple*. ¿Qué le ocurre al adjetivo *grande* cuando va delante de un sustantivo singular?

12 El amor es... 👫

Con un/a compañero/a haga un gráfico con formas originales en el que los dos describan qué es el amor. Luego, preséntenlo a la clase.

13 Un correo electrónico ✒

Un amigo suyo está un poco deprimido porque ha sido rechazado por la persona que ama. Escríbale un correo electrónico para animarle. Use el vocabulario, las estructuras repasadas y las tapitas gramaticales de la lección. Subraye las palabras nuevas y las estructuras que use.

- Hable de la situación en la que está.
- Hable de todas las cualidades que tiene.
- Anímele a hacer nuevos planes para el futuro.

14 El subjuntivo

Escriba oraciones completas usando como base las palabras dadas, más una cláusula adverbial o adjetival con el subjuntivo. Siga el modelo.

MODELO Ramón / ir / sin que
Ramón siempre se va sin que nos podamos despedir de él.

1. Este ejercicio / ser / para que
2. Yo / no ir / a menos que
3. Tú / no venir / sin que
4. Ser / bienvenido / quienquiera que
5. Los estudiantes de New Trier / esperar / cuando
6. Bant Breen / llamar por teléfono / a menos que
7. Magdalena / ser tímida / a menos que
8. Mi médico / ponerme una inyección / en caso de que

15 Indicativo o subjuntivo

Vicente le mandó el siguiente mensaje electrónico a una de sus mejores amigas. Complételo con la forma correcta del verbo según sea indicativo o subjuntivo; a veces tendrá que elegir entre *ser y estar*.

Cita

Un optimista ve una oportunidad en toda calamidad, un pesimista ve una calamidad en toda oportunidad.
—Sir Winston Churchill (1874–1965), primer ministro británico y premio Nobel de Literatura

 ¿Está de acuerdo con lo que dijo Sir Winston? ¿Qué tipo de persona se considera Ud.? Comparta su opinión con un/a compañero/a.

¡Dato curioso! Un estudio de la Clínica Mayo de Estados Unidos revela que las personas optimistas viven alrededor de un 19 por ciento más que las pesimistas. Los resultados surgen de un estudio realizado a 839 personas, quienes participaron en un sondeo de personalidad que las clasificó de optimistas, pesimistas o un poco de ambas. Esto confirma, tal y como se lleva pensando durante siglos, que la mente y el cuerpo están vinculados.

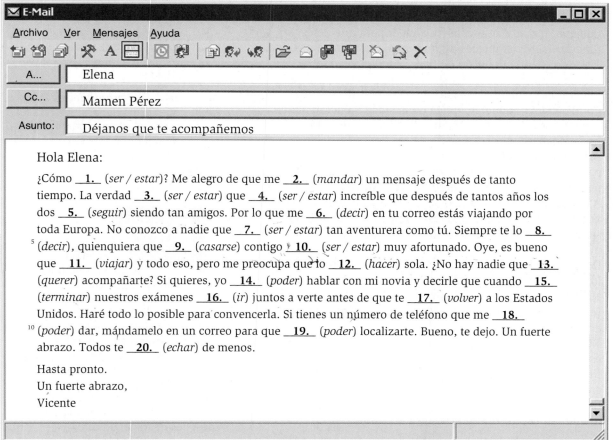

E-Mail

Archivo   Ver   Mensajes   Ayuda

A...   Elena
Cc...   Mamen Pérez
Asunto: Déjanos que te acompañemos

Hola Elena:

¿Cómo __1.__ (*ser / estar*)? Me alegro de que me __2.__ (*mandar*) un mensaje después de tanto tiempo. La verdad __3.__ (*ser / estar*) que __4.__ (*ser / estar*) increíble que después de tantos años los dos __5.__ (*seguir*) siendo tan amigos. Por lo que me __6.__ (*decir*) en tu correo estás viajando por toda Europa. No conozco a nadie que __7.__ (*ser / estar*) tan aventurera como tú. Siempre te lo __8.__
⁵ (*decir*), quienquiera que __9.__ (*casarse*) contigo __10.__ (*ser / estar*) muy afortunado. Oye, es bueno que __11.__ (*viajar*) y todo eso, pero me preocupa que lo __12.__ (*hacer*) sola. ¿No hay nadie que __13.__ (*querer*) acompañarte? Si quieres, yo __14.__ (*poder*) hablar con mi novia y decirle que cuando __15.__ (*terminar*) nuestros exámenes __16.__ (*ir*) juntos a verte antes de que te __17.__ (*volver*) a los Estados Unidos. Haré todo lo posible para convencerla. Si tienes un número de teléfono que me __18.__
¹⁰ (*poder*) dar, mándamelo en un correo para que __19.__ (*poder*) localizarte. Bueno, te dejo. Un fuerte abrazo. Todos te __20.__ (*echar*) de menos.

Hasta pronto.
Un fuerte abrazo,
Vicente

16 Familia de palabras

Complete la tabla con el verbo, sustantivo o adjetivo apropiado, y la traducción correspondiente.

Verbos		Sustantivos		Adjetivos	
aislar(se)	_____	el aislamiento	_____	aislado	_____
atraer		_____	_____	atractivo	_____
avergonzarse	*to be ashamed*	_____	_____	avergonzado	_____
coquetear	*to flirt*	el coqueteo		_____	_____
_____	*to be depressed*	la depresión	*depression*	deprimido	_____
emocionarse	_____		*emotion*	emocionado	_____
enamorarse	_____	el amor; el/la enamorado/a	_____ ; _____	enamorado	_____
_____	*to deceive*	el engaño			
estresarse	_____		*stress*	estresante	_____
fracasar		el fracaso			

17 ¿Verbo, sustantivo o adjetivo? 🔍

Complete las oraciones usando la forma correcta de las palabras que aparecen en la tabla, ya sea verbo, adjetivo o sustantivo. En el caso del sustantivo puede que necesite artículo.

1. Luciano, haz lo que tengas que hacer para que dejes de ___ (*deprimirse*), y empieces a tomar una actitud más positiva. Tienes que tomar control de tus ___ (*emocionarse*).
2. Dondequiera que vaya, Gustavo siempre termina usando ___ (*engañarse*), incluso con las personas que ama.
3. Por desgracia, Rafael le presta demasiada atención al qué dirán y, como resultado, cuando sale a la calle está ___ (*avergonzarse*) por su aspecto físico.
4. Aunque no lo pareciera, la actriz estuvo tres horas arreglándose para la rueda de prensa, ya que, como todos sabemos, es una persona bastante ___ (*coquetear*).
5. A menos que le ___ (*atraer*) sinvergüenzas como él, no creo que Alfonso tenga ninguna oportunidad con Teresa. Ella siempre siente ___ (*atraer*) por los chicos buena gente y sin maldad.
6. Después de haber ___ (*engañar*) a casi todos sus amigos, éstos lo han ___ (*aislarse*) y prácticamente no le hablan a José Luis.
7. Nunca se comportó muy bien y, para colmo, en cuanto ___ (*enamorarse*) Felipe de Almudena, se olvidó de todos sus amigos.
8. No me entra en la cabeza cómo Quique es tan pesimista y está siempre ___ (*deprimirse*), ya que es una persona muy ___ (*atraer*) e inteligente, y con muchas buenas cualidades. ¿No crees?
9. Era un secreto a voces que todo aquello era una trampa, el que lo intentara sólo conseguiría ___ (*fracasar*).

Cita

Si en lo profundo de mi corazón tuviera la certeza de que mañana se acabaría el mundo, me gusta pensar que soy el tipo de persona que aun así hoy plantaría un árbol.
—Martin Luther King (1929–1968), pastor baptista y líder de los derechos civiles en los Estados Unidos

👥 Bajo estas circunstancias, ¿cree que Ud. perdería la esperanza o seguiría luchando por el futuro? ¿Por qué? Discuta esto con un/a compañero/a.

¡Dato curioso! Según un estudio hecho por la Universidad de Queensland, Australia, las personas que toman cafeína son más propensas a decir que sí cuando alguien les intenta persuadir de algo. Los investigadores les pidieron sus opiniones a los participantes antes y después de haber tomado café. Se descubrió que la mayoría de las personas eran más fáciles de persuadir para así cambiar su opinión inicial después de tomar un café.

10. Ya te he dicho miles de veces que mientras ___ (*avergonzarse*) tanto de cantar en público, difícilmente te van a contratar para cantar en una banda hasta que tengas más confianza en ti misma.

11. Aunque su novio la ___ (*engañar*) constantemente, aún se siente ___ (*atraerse*) por él.

12. No hay nadie que ___ (*estresarse*) tan fácilmente como Pepe. Está todo el tiempo ___ (*estresarse*), y por nada. Este chico se ahoga en un vaso de agua.

18 ¡Qué fobia me da!

Échele una ojeada al artículo que sigue para ver de qué se trata, prestando atención a las palabras en azul, ya que se le harán preguntas sobre ellas. Luego lea el artículo y decida cuál de las dos palabras entre paréntesis es la correcta para completar cada oración y escríbala.

El mundo de las fobias

Tengo unas __1.__ (*cuantos / cuantas*) fobias y no me dejan llevar una vida normal, pero no es que __2.__ (*puedo / pueda*) evitarlo... Tengo fobia a __3.__ (*les / los*) lugares __4.__ (*cerrados / cerradas*), a las alturas y a los perros. __5.__ (*Muchos / Muchas*) veces en la discoteca __6.__ (*me agobio / me agobie*) muchísimo y quiero que todo el mundo __7.__ (*se va / se vaya*) de allí, pero como es imposible me __8.__ (*tengo / tenga*) que marchar yo. Algunas personas piensan que __9.__ (*estoy / esté*) un poco loca, pero no sé cómo soportar la presión.

El otro día __10.__ (*fui / iba*) por la calle paseando cuando un perro se me abalanzó y me __11.__ (*puse / ponía*) a gritar desesperada. Todo el mundo que __12.__ (*estaba / estaban*) alrededor acudió porque pensaban que el animal me __13.__ (*ha / había*) mordido, pero sólo me __14.__ (*fue / estaba*) lamiendo. Fue un espectáculo, yo gritaba, el perro me lamía y la gente se partía de risa. ¡Qué vergüenza! Pero es que nadie lo __15.__ (*comprende / comprenda*); mis padres creen que __16.__ (*es / sea*) una tontería y que se me __17.__ (*pasaré / pasará*), pero yo pienso que con mi edad ya se __18.__ (*me / mi*) habría pasado si fuera sólo eso.

Por __19.__ (*le / lo*) menos con mis fobias puedo hacer __20.__ (*un / una*) vida diaria más o menos normal. Conozco a gente que __21.__ (*los / las*) tiene de lo más surrealista: miedo a los espejos, a los sueños, al fuego o incluso a los hospitales. Sin ir más lejos, una de mis mejores amigas tiene una fobia tremenda __22.__ (*a / al*) número trece; y puede llegar a convertirse en una pesadilla para ella y para __23.__ (*la / los*) que la rodeamos: si vamos a una cafetería y __24.__ (*nos sentamos / nos sentemos*) en la mesa trece, quiere que nos __25.__ (*vamos / vayamos*) de allí; como vea el número trece en la carta, o incluso en la cuenta, __26.__ (*se ponga / se pone*) nerviosa y empieza a pensar que ya durante todo el día __27.__ (*tenga / tendrá*) mala suerte; incluso __28.__ (*nos hemos ido / nos hayamos*) con la comida en la mesa. Algunas veces me enojo pero yo la entiendo mejor que __29.__ (*los / las*) demás, porque si me pasara a mí actuaría igual que ella. A los demás del grupo les cuesta un poco más de trabajo, pero intento que la __30.__ (*comprenden / comprendan*) haciéndoles ver que ella no __31.__ (*los / lo*) hace con mala intención, es sólo un problema que, con paciencia, se puede llevar más o menos bien.

Sólo pido que cuando __32.__ (*tendrá / tenga*) compañeras de apartamento __33.__ (*pueden / puedan*) entenderlo y __34.__ (*aceptan / acepten*) que mis fobias vienen conmigo a todos lados.

Mari Sierra Ramos Castro

19 Amplíe su vocabulario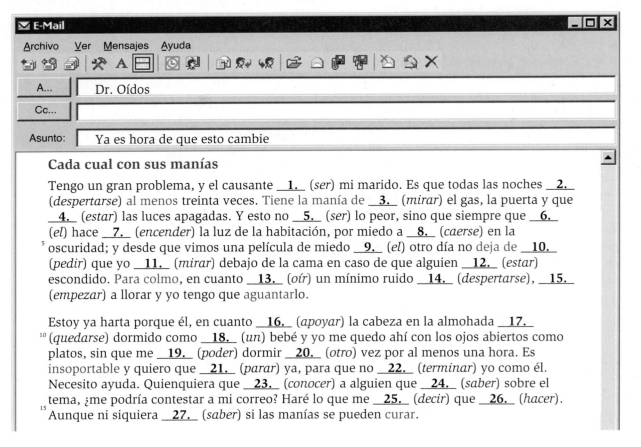

¿Cuál es la mejor traducción según el contexto del artículo que acaba de leer?

1. altura
   a. tallness
   b. height
   c. atlas
   d. stature

2. marcharse
   a. to match
   b. to march
   c. to leave
   d. to make

3. soportar
   a. to support
   b. to assist
   c. to endure
   d. to sustain

4. partirse de risa
   a. to part with rice
   b. to laugh one's head off
   c. to smile from ear to ear
   d. to leave laughing

5. ¡Qué vergüenza!
   a. What a view!
   b. What a pity!
   c. How upsetting!
   d. How embarrassing!

6. ser una tontería
   a. to be a silly person
   b. to be a silly thing
   c. to feel silly
   d. to be a passing thing

7. tremendo
   a. trembling
   b. shaking
   c. terrible
   d. fearful

8. rodear
   a. to film
   b. to travel
   c. to surround
   d. to rope in

9. intentar
   a. to intend
   b. to try
   c. to pursue
   d. to intensify

20 Pero,... ¡qué manía!

Échele una ojeada al siguiente artículo para ver de qué se trata, prestando atención a las palabras en azul, ya que se le harán preguntas sobre ellas. Luego lea el artículo y decida qué forma de las palabras entre paréntesis es la correcta para completar cada oración y escríbala. No se olvide de escribir y acentuar la palabra correctamente.

E-Mail

Archivo   Ver   Mensajes   Ayuda

A...   Dr. Oídos

Cc...

Asunto: Ya es hora de que esto cambie

Cada cual con sus manías

Tengo un gran problema, y el causante __1.__ (ser) mi marido. Es que todas las noches __2.__ (despertarse) al menos treinta veces. Tiene la manía de __3.__ (mirar) el gas, la puerta y que __4.__ (estar) las luces apagadas. Y esto no __5.__ (ser) lo peor, sino que siempre que __6.__ (el) hace __7.__ (encender) la luz de la habitación, por miedo a __8.__ (caerse) en la
5 oscuridad; y desde que vimos una película de miedo __9.__ (el) otro día no deja de __10.__ (pedir) que yo __11.__ (mirar) debajo de la cama en caso de que alguien __12.__ (estar) escondido. Para colmo, en cuanto __13.__ (oír) un mínimo ruido __14.__ (despertarse), __15.__ (empezar) a llorar y yo tengo que aguantarlo.

Estoy ya harta porque él, en cuanto __16.__ (apoyar) la cabeza en la almohada __17.__
10 (quedarse) dormido como __18.__ (un) bebé y yo me quedo ahí con los ojos abiertos como platos, sin que me __19.__ (poder) dormir __20.__ (otro) vez por al menos una hora. Es insoportable y quiero que __21.__ (parar) ya, para que no __22.__ (terminar) yo como él. Necesito ayuda. Quienquiera que __23.__ (conocer) a alguien que __24.__ (saber) sobre el tema, ¿me podría contestar a mi correo? Haré lo que me __25.__ (decir) que __26.__ (hacer).
15 Aunque ni siquiera __27.__ (saber) si las manías se pueden curar.

He buscado información por todos lados, __28.__ (*haber*) leído en Internet que tiene que __29.__ (*seguir*) una rutina, como comer y dormir siempre a la misma hora; pero no __30.__ (*saber*) si con eso bastará. Es que ni se fía de mí; yo lo miro todo antes para que él no tenga que hacerlo y le __31.__ (*decir*) que está todo bajo control, pero no puede evitarlo, tiene que ir a
20 revisarlo para __32.__ (*asegurarse*). __33.__ (*El*) problema es que desde que le dio por hacer eso yo apenas __34.__ (*dormir*), y luego en el trabajo se me __35.__ (*cerrar*) los ojos continuamente y por mucho café que __36.__ (*tomar*) no puedo mantenerme despierta. Ya me __37.__ (*dar*) miedo que me __38.__ (*despedir*) y __39.__ (*tener*) que buscarme otro trabajo, con lo que tardé en encontrar éste... y seguro que me __40.__ (*pagar*) menos. Pronto __41.__ (*tener*) que tomar medidas drásticas
25 e irme a dormir a otra habitación, pero yo no __42.__ (*querer*) eso y seguro que él tampoco, quizás así __43.__ (*acabarse*) el problema: si le doy a elegir entre sus manías y yo.

Para esta noche __44.__ (*haber*) alquilado una película de Jack Nicholson, una que se llama *Mejor imposible*. A ver si viéndola mi marido comprende lo absurdo de __45.__ (*el*) situación. A ver si __46.__ (*conseguir*) dormir al menos unas horitas sin que me __47.__ (*despertar*) con sus historias.
30 Dicen que con la edad las personas __48.__ (*volverse*) más maniáticas. Conociendo a mi marido seguro que se __49.__ (*lo*) ocurre alguna otra cosa nueva en cuanto __50.__ (*poder*). ¡Necesito ayuda profesional tan pronto como __51.__ (*ser*)! ¡No lo soporto más!

Mari Sierra Ramos Castro

21 ¿Qué significa?

Según el contexto del artículo que acaba de leer, empareje cada palabra de la primera columna con su definición o sinónimo de la segunda.

1. cada cual con sus manías
2. al menos
3. tener la manía de
4. dejar de
5. para colmo
6. aguantar
7. insoportable
8. curar
9. por mucho que
10. despedir
11. lo absurdo de la situación
12. conseguir

a. inaguantable
b. cesar de, parar de
c. obtener
d. sanar
e. echar a un empleado de un trabajo
f. cada uno tiene una forma particular de hacer las cosas
g. como mínimo
h. tener una forma especial y particular de hacer algo
i. además de todo esto
j. lo ridículo del caso
k. soportar
l. no importa cuántas veces

22 Lea, escuche y escriba/presente 🐾

Vuelva a leer el texto completo de la Actividad 20. Luego escuche el diálogo entre tres amigos —Luis, José y Laura— en la grabación "Todos tenemos alguna manía" y tome las notas necesarias. Escriba un ensayo o haga una presentación en clase contestando la pregunta, "¿Qué piensa de las manías?" No se olvide de citar las fuentes debidamente.

Refrán

De tal palo, tal astilla.

Al igual que sucede con las características físicas, ¿cree que las manías y las fobias también se heredan? ¿Qué evidencia tiene de esto? Comparta su opinión con un/a compañero/a y dele ejemplos.

¡Dato curioso!

Últimamente se habla de nuevas manías, fobias y adicciones. Por ejemplo, la adicción al trabajo, bastante común en Estados Unidos, donde se le conoce por el nombre *Workaholism*; la de la compra compulsiva o la de la adicción al móvil o al pasatiempo japonés *sudoku*. ¡Pero que no se preocupen los amantes del chocolate! Por lo visto el chocolate, aunque engancha, no se le considera adicción porque una vez satisfecha la necesidad de comerlo, el deseo desaparece.

23 Atracción fatal 📖

Échele una ojeada al artículo que sigue e intente averiguar el significado de las palabras en azul por el contexto, ya que se le harán preguntas sobre ellas. Luego lea el artículo y decida cuál de las palabras entre paréntesis es la correcta para completar cada oración y escríbala.

¿Por qué triunfan los malos?

Los odiamos, admiramos y caemos __1.__ (*en / sobre*) las trampas afectivas de __2.__ (*los / las*) canallas. Los psicólogos y psiquiatras investigan a qué __3.__ (*se / X*) debe la atracción __4.__ (*por / para*)
5 el lado oscuro.

Algunos __5.__ (*son / sean*) drogadictos, otros narcisistas, los __6.__ (*hay / haya*) dominantes, chulos y delincuentes. Pero tienen __7.__ (*el / un*) atractivo al __8.__ (*que / quien*) pocos se pueden
10 resistir. ¿Cuál __9.__ (*es / sea*) la clave de su éxito? ¿Por qué nos atraen si no nos convienen?

"Nos gusta coquetear __10.__ (*para / con*) el lado oscuro de la vida __11.__ (*por qué / porque*) la actividad social a la que estamos sometidos nos
15 obliga __12.__ (*a / X*) adoptar ciertas normas de comportamiento", explica Juan Carlos Revilla, profesor __13.__ (*en / de*) Psicología Social de la Universidad Complutense __14.__ (*en / de*) Madrid. Representan, desde el punto __15.__ (*de / X*) vista
20 psicoanalítico, aspectos inconscientes de nosotros mismos __16.__ (*cuales / que*) no nos atrevemos __17.__ (*a / X*) expresar. Son el espejo __18.__ (*sobre / en*) el que vemos nuestro "yo" más reprimido.

¿A __19.__ (*quién / quiénes*) no __20.__ (*lo / le*)
25 gustaría vivir una historia de amor y lujo? La top model Kate Moss lo hace, y adereza su existencia con grandes dosis de frivolidad, drogas, escándalos y __21.__ (*la / X*) policía. Y aun así, triunfa. __22.__ (*Le / La*) siguen contratando, pagando fortunas por
30 dejarse fotografiar, seduciendo a los medios y a las marcas exclusivistas. Un milagro que __23.__ (*se / X*) repite en decenas de personajes famosos, como

el rockero Tommy Lee, acusado __24.__
35 (*de / para*) maltratar a su ex pareja, Pamela Anderson, y __25.__ (*la / el*) líder de Oasis, Liam
40 Gallagher, a __26.__ (*que / quien*) no le preocupa llegar borracho a una rueda de prensa
45 o cancelar un concierto media hora antes __27.__ (*de / X*) que empiece.

Admiración, envidia,
50 odio, deseo. Los sentimientos se confunden __28.__ (*cuándo / cuando*) una de estas personas aparece. Según Freud, la explicación __29.__ (*esta / está*) en esa parte demoníaca __30.__ (*cual / que*) cada uno de nosotros llevamos dentro; es un instinto natural
55 hacia la transgresión y la no aceptación de normas y leyes. De ahí a la maldad absoluta __31.__ (*haya / hay*) un abismo, porque tan perversas fuerzas __32.__ (*sean / son*) contrarrestadas con las pulsiones de vida —los sentimientos positivos— del
60 individuo. Sólo de la compensación __33.__ (*para / entre*) ambas fuerzas nace el equilibrio.

www.quo.wanadoo.es

24 ¿Qué significa? 🔍

Empareje cada palabra de la primera columna (que continúa en la página siguiente) con su definición o sinónimo de la segunda, según el contexto del artículo que acaba de leer.

1. admirar
2. trampa
3. investigar
4. oscuro
5. drogadicto
6. atraer
7. coquetear
8. comportamiento
9. inconsciente
10. lujo

a. forma de actuar
b. tratar a alguien o algo de mala manera
c. plan concebido para engañar a alguien
d. lo contrario de bondad
e. estudiar a fondo, indagar
f. declaraciones que se hacen durante reuniones con periodistas
g. lo contrario de claro
h. apreciar a alguien
i. sentimiento de aversión muy intenso
j. nombre de un producto

continúa

11. contratar	k. persona que tiene una adicción a las drogas
12. seducir	l. traer hacia sí
13. marca	m. flirtear
14. decena	n. lo contrario de despedir
15. maltratar	o. conjunto de diez unidades
16. rueda de prensa	p. sin darse cuenta
17. odio	q. riqueza
18. maldad	r. persuadir sutilmente

25 Lea, escuche y escriba/presente

Vuelva a leer el texto completo de la Actividad 23. Luego escuche la grabación "Atracción por lo imposible" y tome las notas necesarias. Escriba un ensayo o haga una presentación en clase contestando la pregunta, "¿Por qué cree que nos atraen a veces las cosas que no podemos conseguir?" No se olvide de citar las fuentes debidamente.

26 Gestos que hablan de ti

Échele una ojeada al artículo que sigue para ver de qué se trata, prestando atención a las palabras en azul, ya que se le harán preguntas sobre ellas. Luego lea el artículo y decida cuáles son las palabras que mejor completan las oraciones y escríbalas. No se olvide de escribir y acentuar las palabras correctamente.

El cuerpo habla más que la boca

Konstantin Stanislavsky, teórico de la interpretación, afirmaba que para **1.** actor no bastaba con interpretar un personaje; había **2.** convertirse **3.** él. Para ello, el actor
5 debía rescatar **4.** propias experiencias y emociones, y asimilarlas a las del personaje; así, tenía que sumergirse de tal forma **5.** él, que el público no viera ya **6.** un determinado intérprete, sino **7.** un hombre
10 de carne y hueso sintiendo, viviendo.

Todo esto, **8.** teoría, **9.** muy bien. Se puede, quizá, declamar o recitar un texto a **10.** perfección. Pero, ¿ **11.** puede controlar en su totalidad el lenguaje no verbal?

15 "En realidad", afirma **12.** investigador Mark L. Knapp en su obra *La comunicación no verbal*, "somos conscientes de algunas conductas no verbales, y ejercemos sobre ellas un considerable control". Algunas, ¿pero todas?
20 Antes **13.** responder, conviene tener **14.** cuenta que los expertos estiman en cerca de **15.** millón las claves y señales que emitimos. "Desde críos, **16.** aprendido **17.** controlar lo que queremos transmitir, pero hay **18.** ser
25 un gran actor **19.** manejar la mirada, **20.** gestos, las posturas".

"La comunicación no verbal se puede dominar mucho, pero al 100%, creo que no", señala Maribel Reyes, profesora de Comunicación y
30 Publicidad de la Universidad Rey Juan Carlos. He ahí la clave: lo queramos **21.** no, es el cuerpo **22.** habla por nosotros, mucho más **23.** nuestras palabras.

Lo anterior parece ser corroborado también por
35 el antropólogo Ray Birdwhistell, **24.** asegura que una persona habla unos diez **25.** once minutos diarios (una oración sólo ocupa 2,5 segundos); pero eso, en una conversación normal, sólo supone **26.** 35% del significado
40 social, frente al 65% que transmite la comunicación no verbal.

www.quo.wanadoo.es

27 Amplíe su vocabulario

Según el contexto del artículo que acaba de leer, busque la mejor definición o sinónimo de cada palabra.

1. rescatar
   a. recobrar
   b. proteger
   c. ir
   d. ayudar

2. sumergirse
   a. introducirse
   b. hundirse
   c. tirarse
   d. perderse

3. de carne y hueso
   a. real
   b. de cerca
   c. pequeño
   d. tranquilo

4. a la perfección
   a. sin defectos
   b. sin problemas
   c. natural
   d. campestre

5. lenguaje
   a. capacidad
   b. trabajo
   c. mensaje
   d. idioma

6. comunicación no verbal
   a. expresiones de la cara o cuerpo
   b. comunicar por señas
   c. mensaje
   d. idioma

7. conducta
   a. manejo
   b. atajo
   c. camino
   d. comportamiento

8. convenir
   a. estar de acuerdo
   b. ser aconsejable
   c. necesitar
   d. ir con alguien

9. clave
   a. llave
   b. estado
   c. problema
   d. punto importante

10. señal
    a. mensaje
    b. marca
    c. curación
    d. solución

11. crío
    a. adulto
    b. adolescente
    c. persona mayor
    d. niño

12. manejar
    a. utilizar
    b. cambiar
    c. dirigir
    d. buscar

13. mirada
    a. olfato
    b. acción de fijar la vista
    c. señal
    d. acción de mover el cuerpo

14. gesto
    a. cambio
    b. expresión del rostro o cuerpo
    c. acto
    d. movimiento

Cita

No hay malas hierbas ni hombres malos; sólo hay malos cultivadores.
—Víctor Hugo (1802–1885), escritor francés

 ¿Qué piensa de esta cita? ¿Quiénes son los cultivadores? Comparta su opinión con un/a compañero/a.

¡Dato curioso!

Según el Instituto del Cine Americano (AFI, American Film Institute), éstos son los cinco villanos y los cinco héroes más famosos de la pantalla, y sus películas. Los malos: Dr. Hannibal Lecter, *El silencio de los inocentes*; Norman Bates, *Psicosis*; Darth Vader, *El imperio contraataca*; la malvada bruja del oeste, *El mago de Oz*; la enfermera Ratched, *Alguien voló sobre el nido del cuco*. Por otro lado, los buenos: Atticus Finch, *Matar a un ruiseñor*; Indiana Jones, *En busca del arca perdida*; 3. James Bond, *Dr. No*; Rick Blaine, *Casablanca*; Will Kane, *Sólo ante el peligro*.

¡A leer!

28 Antes de leer

¿Cree en el amor a primera vista? ¿Es posible enamorarse más de una vez? ¿Qué tipo de sentimientos produce el amor? ¿Le gusta estar enamorado/a? ¿Por qué?

29 El amor

Lea con atención el siguiente artículo. Intente averiguar el significado de las palabras en azul por el contexto, ya que se le harán preguntas sobre ellas.

Enamoradictos

Jorge Loayza

Hay un tipo de personas a las que se suele llamar "enamoradizos", porque pareciera que siempre están a la espera de una nueva pareja. Y cuando llega, viven la relación con una intensidad casi incontenible. Son de los que opinan que el amor no tiene estación pues —como el sol de una ciudad tropical— puede salir en cualquier época del año. Y a cada rato.

Esperaba que llegaras

esperaba primavera

pues sabía que traías (A)

—Palito Ortega

Si el amor es una droga, los enamoradizos son sus adictos más incurables. Los que con una dosis intravenosa de pasión hacen latir sus
[5] corazones, ver cosas que no existen y caminar como sonámbulos. Una droga que probaron de adolescentes y que no desean dejar aunque ya tengan muchos años con ese vicio maldito.

[10] El actor Jesús Delaveaux debe ser uno de los enamoradizos conocidos más incurables de este país. "Estoy convencido de que soy un enamorado del amor, y ahora que no tengo pareja
[15] espero una para tener ese sentimiento y vibrar, como me pasó hace poco con una chica española y sentí que la adrenalina fluía", reconoce con una cara de púber ilusionado y la misma
[20] mirada con la que, a los 14 años, se enamoró de una chica de 13 y su corazón latía con sólo verla pasar en el bus.

Ahora tiene 56 años, no recuerda
[25] cuántas veces se ha enamorado, pero sí tiene cinco dedos de frente

para enumerar las relaciones que le desangraron (B). Y hasta cuándo seguirá como el muchacho que
[30] busca enamorarse una vez más. Dice que llegará a los 80 años y (C). "Me enamoraré otra vez".

El psicoanalista Fernando Maestre define a la persona enamoradiza como
[35] al tipo pasional que no puede tener un vínculo con la otra persona si no tiene un compromiso muy grande de involucrarse, enamorarse y poner los sentimientos de por medio. Tiene que
[40] enamorarse de todas maneras como una forma única de relación. "Pero se le pasa rápido", añade el especialista.

Y no sólo eso. Un enamoradizo cuando está en pleno proceso de pasión
[45] regala flores o bombones a su pareja, le escribe poemas, la llama todo el día. Es como si se narcotizara de su propio amor. "Por eso muchas veces no soportan la separación y buscan
[50] otras personas para tener las mismas sensaciones. Además, ellos no pueden tener varias parejas a la vez, sino

sólo una a quien le agarran camote", precisa el doctor Maestre.

[55] En situaciones más graves, esos tipos llegan a tomar decisiones descabelladas. Es decir, hacen actos de amor sin medir las consecuencias, como abandonar los estudios o
[60] escapar de casa para seguir a la pareja. ¿Y acaso los enamoradizos sólo pueden ser los adolescentes? No. El doctor Maestre dice que la adolescencia es la típica edad de esas
[65] personas, pero todo puede continuar en la adultez.

Otra característica es que esos casos se dan más en el hombre, porque es él quien busca, el que llama, invita
[70] a salir y por eso tiene más facilidad de jugar ese rol. "En cambio ellas, generalmente, presentan casos de amores platónicos", (D).

Pero si hay algo de cierto en este tema
[75] es que se hace muy difícil determinar quién ha llegado a ese grado de pasión tan intenso. El actor y recordado galán

continúa

de la telenovela "Natacha", Paul Martin, dice que en su caso el
[80] amor no tiene estación pues puede enamorarse en invierno, primavera o verano. Ahora, a los 39 años de edad, reconoce que vive ese proceso con gran intensidad y que le es
[85] imposible fingirlo, pero descarta que se le califique de enamoradizo (E).

"El amor es motor de muchas cosas y si uno lo va a hacer a medias o poner parámetros, no llega a
[90] disfrutar de lo que realmente es ese sentimiento. Sin embargo, también he tenido algunas temporadas en las que deseé estar solo porque no había encontrado a esa persona
[95] ideal", reflexiona Martin.

Sólo así se entiende cómo, de enamorado, ha hecho cosas como llevar mariachis a la playa (F) o viajar al extranjero
[100] por un año siguiendo a la que fue su amada Sonia Smith. "Cuando uno siente algo por una mujer, empiezan los latidos del corazón, se
[105] elevan las pulsaciones y se escarapela el cuerpo, pero ese sentimiento es indescriptible porque es algo tan complejo y bonito que

[110] no hay palabras", dice mirando al parque frente a su casa.

Adicto a ti

El psiquiatra Javier Manrique explica que el hombre enamoradizo es como un tipo adicto a la cocaína. Es que
[115] durante el enamoramiento el cerebro produce una cantidad elevada de endorfinas que provocan que (G), pierda el hambre, vea todo "color de rosa" y se piense que está en las
[120] nubes.

"Y cuando las endorfinas decaen, esa persona tiene la necesidad de estar de nuevo así. Entonces corta la relación y comienza a buscar

[125] otra pareja para tener el nivel de endorfinas adecuado. Por eso es como un tipo de adicción a la cocaína o marihuana", explica el doctor.

[130] Además, el doctor Manrique dice que los enamoradizos son personas muy particulares, generalmente dependientes, histriónicas u obsesivas, y necesitan estar
[135] constantemente con esa emoción.

Para el especialista, la manera de curar a esos tipos que constantemente están buscando pareja es tratar de cambiarles los
[140] esquemas mentales que, quizá, han aprendido de sus padres. Pero también se debe solucionar algo en la parte biológica: cuando hay una baja de serotonina —un
[145] neurotransmisor que ejerce una acción relajante en el cerebro— es indicador de un proceso de depresión, pero también de una obsesión hacia una
[150] persona especial. Entonces, ¿los enamoradizos se pueden curar? Es muy posible, aunque también pueden morir de una sobredosis. Sólo así habrán amado hasta la
[155] muerte.

Agencia EFE

30 ¿Qué significa? 🔍

Según el contexto del artículo que acaba de leer, empareje cada palabra de la primera columna (que continúa en la página siguiente) con su definición o sinónimo de la segunda.

1. enamoradizo
2. a cada rato
3. latir
4. sonámbulo
5. vicio
6. vibrar
7. enumerar
8. involucrarse
9. pasar algo rápido
10. regalar
11. bombón
12. agarrar camote
13. grave

a. resolver
b. no durar
c. eliminar
d. estar distraído
e. tan impresionante, que es difícil de describir
f. persona perfecta para uno, la media naranja de uno
g. presentar como cierto o real lo que es imaginado o irreal
h. ser extremadamente positivo
i. emocionarse, sentir el cuerpo temblar de entusiasmo
j. persona que se enamora con facilidad
k. adicción a algo
l. serie de televisión de melodrama, culebrón
m. complicado, difícil

continúa

14. platónico	n. a menudo, constantemente
15. telenovela	o. relacionarse, implicarse
16. fingir	p. persona que anda mientras duerme
17. descartar	q. palpitar el corazón
18. persona ideal	r. contar o enunciar
19. indescriptible	s. desinteresado
20. complejo	t. tomarle cariño a algo
21. ver todo "color de rosa"	u. pequeño dulce de chocolate
22. estar en las nubes	v. serio
23. solucionar	w. dar a uno una cosa en muestra de afecto

31 ¿Ha comprendido?

1. ¿Qué siente ahora Jesús Delaveaux?
    a. Tiene pareja y vive el amor intensamente.
    b. Busca de nuevo el amor.
    c. No quiere enamorarse más.
    d. Se ha enamorado de una española.

2. ¿Qué es para Fernando Maestre un enamoradizo?
    a. El que tiene varias parejas al mismo tiempo
    b. Aquel que necesita comprometerse con el matrimonio para vivir el amor
    c. Quien se enamora sin ningún tipo de vínculo con la otra persona
    d. El que vive intensamente el amor, en todos sus aspectos, sin ser estas aventuras demasiado largas

3. ¿Cómo describe Javier Manrique el enamoramiento?
    a. Decae el nivel de endorfinas y la persona se siente bien.
    b. Sube el nivel de endorfinas y el enamorado se comporta de forma diferente y más positiva.
    c. Es un estado en el que la persona nunca deja de buscar una nueva pareja.
    d. Es la necesidad de tener un compromiso.

4. ¿Pueden los enamoradizos curarse?
    a. Sí, se curan si cambian sus patrones mentales o su aspecto biológico.
    b. No, serán así hasta la muerte.
    c. Sí, con una medicación para la depresión se curan.
    d. No, siempre estarán cambiando de pareja.

32 ¿Cuál es la pregunta?

Según lo que acaba de leer, escriba una pregunta lógica para estas respuestas.

1. Una dosis intravenosa de pasión
2. Cincuenta y seis años
3. Regala flores y bombones, escribe poemas y llama a la chica todo el día.
4. No, un enamoradizo también puede ser un adulto.
5. Sí, cambiando sus esquemas mentales

33 ¿Dónde va?

Las siguientes frases han sido extraídas del texto anterior. Vuelva a mirar el artículo, fijándose en las letras de color, y escriba la letra que mejor corresponda a cada frase.

1. continuará buscando el amor
2. como muchos pueden pensar
3. el órgano del pecho izquierdo
4. para mí un nuevo amor
5. para que le toquen a su pareja
6. dice el psicoanalista
7. la persona se sienta bien

34 ¿Qué piensa Ud.?

Discuta la siguiente oración con un/a compañero/a: *Soy un enamorado del amor.* ¿Qué piensa de esta afirmación? ¿Piensa que hay culturas más pasionales que otras? ¿A qué se debe?

35 Se titula...

Piense en otro título para el artículo que acaba de leer. ¿Por qué lo ha escogido?

36 Escuche y escriba/presente

Después de leer el artículo "Enamoradictos", escuche la grabación "Necesito más emoción". Tome notas y escriba un ensayo o haga una presentación en clase contestando la pregunta, "¿Por qué hay gente que se enamora constantemente?" Incluya información de las dos fuentes, citándolas debidamente.

Proverbio

El amor y la tos no pueden ocultarse.
—Proverbio italiano

 ¿Está de acuerdo con este proverbio? ¿Qué signos muestran que alguien está enamorado/a? Comparta su opinión con un/a compañero/a.

¡Dato curioso!

En una de las páginas de su sitio Web, Portal Mix hace una propuesta para votar por la película que narra las más bellas historias de amor. Aquí están algunas de las candidatas: *Casablanca, Pretty Woman, Moulin Rouge, Titanic, El padre de la novia, Doctor Zhivago, Drácula, Ghost* y *Dirty Dancing.* ¿Por cuál votaría? ¿Por qué?

37 Antes de leer

¿Qué es la personalidad? ¿Se nace con una personalidad determinada o depende de otros factores? ¿Se puede cambiar la personalidad?

38 ¿Cómo somos?

Lea el siguiente artículo con atención e intente averiguar el significado de las palabras en azul por el contexto, ya que se le harán preguntas sobre ellas.

Renovarse o morir

¿Te gustaría mejorar? ¿Cambiar tu personalidad? Seguro que alguna vez has pensado en ello; la ciencia te puede enseñar a hacerlo.

[5] Desde el comienzo del psicoanálisis, Freud aseguró que parte de nuestra personalidad es debida a cómo nos afecta nuestro entorno; la Escuela de [10] la Personalidad lo estudió y Jung, discípulo del padre del psicoanálisis, (A).

Mediante un estudio, se ha llegado a la conclusión de que de los 20 a [15] los 30 hay una mayor disciplina y organización; a partir de esta edad, somos más sociables y generosos; y en la medida que vamos madurando, hay una [20] decadencia en nuestras relaciones sociales, somos más "cerrados" cuantos más años pasan.

Nuestra personalidad es única, pero todas dependen de cinco [25] elementos: extraversión, afabilidad, conciencia, estabilidad y apertura. Estos cinco rasgos son comunes y variables; (B), como los combinemos y la cantidad que [30] "echemos" de cada uno, dará un resultado u otro completamente distinto.

¿Realmente podemos modificarnos? Según recientes [35] investigaciones sí es posible, todo depende de nuestras ganas y nuestra habilidad para ello. Nuestra capacidad de cambio se deberá a tres circunstancias o factores: [40] primero, cuando tenemos un vasto conocimiento sobre nosotros mismos y somos capaces de

realizar estos cambios en nuestra personalidad sin necesidad de que [45] (C); el segundo, es un cambio en nuestro entorno, éste cambia y nosotros cambiamos con él, por ejemplo: mucha gente al empezar a vivir sola se vuelve más huraña [50] y asocial, no es por convicción propia, es de manera totalmente inconsciente, pero es más reacia a compartir sus cosas y a convivir con otras personas. El tercer factor [55] son los sucesos que ocurren de manera inesperada, un suceso tanto positivo como negativo puede hacer que te conviertas en una persona completamente [60] distinta, con un amplio abanico de posibilidades, desde un ser completamente triste y deprimido hasta ser la persona más feliz y segura.

[65] Al menos un 52% de nuestro carácter está determinado por el ambiente en el que nos encontramos; evidentemente también nuestra personalidad [70] está relacionada con nuestra herencia genética, (D) hay varios niveles en la estructura de nuestra personalidad y gran parte de ésta depende de nuestro entorno. Por [75] esto mismo somos capaces de cambiar nuestra personalidad si lo deseamos y creemos que podemos llegar a hacerlo, y hay una manera muy simple: cambiando lo que [80] nos rodea, el ambiente en el que nos movemos, hacia otro más propicio; esto modifica nuestra actitud, esto es mucho más fácil que cambiarnos a nosotros mismos.

[85] Curiosamente unos psicólogos de la Universidad de Texas han descubierto que cuando hablamos otro idioma algunas características básicas como la extraversión y el [90] neurotismo, cambian para que nos parezcamos a los que hablan ese otro idioma; estos cambios son adaptaciones al nuevo ambiente; estos cambios son mucho más [95] fáciles hasta los 40 ó 50 años. Se pueden cambiar ciertos rasgos de la personalidad, como los arranques de ira o la timidez; si podemos controlarlos podemos [100] hacer grandes progresos en este campo. Es necesario darse cuenta de la necesidad de evolucionar, ese es el primer paso para llegar a convertirnos en la persona que [105] realmente queremos llegar a ser.

www.quo.wanadoo.es

39 Vocabulario 🔍

Según el contexto del artículo que acaba de leer, ¿cuál es la mejor traducción para cada palabra de las dos primeras columnas?

1. mejorar	13. huraño	a. unexpected	m. to mature
2. asegurar	14. asocial	b. immense	n. capable
3. entorno	15. ser más reacio a	c. depressed	o. field
4. sociable	16. inesperado	d. anger	p. really
5. madurar	17. deprimido	e. first step	q. to be reluctant
6. cerrado	18. herencia	f. skill	r. unsociable
7. rasgo	19. ira	g. shyness	s. characteristic
8. gana	20. timidez	h. to improve	t. willingness, desire
9. habilidad	21. campo	i. asocial	u. friendly
10. capacidad	22. primer paso	j. inheritance	v. to assure
11. vasto	23. realmente	k. environment	w. ability
12. capaz		l. narrow-minded	

40 ¿Ha comprendido?

1. ¿Qué hipótesis seguían Freud, Jung y la Escuela de la Personalidad?
   a. Que el entorno es clave para nuestra personalidad
   b. Que la personalidad cambia cada vez que cambia nuestro entorno
   c. Que genéticamente nuestra personalidad cambia
   d. Que cambiamos de personalidad continuamente

2. Según los estudios, ¿qué sucede cuando vamos madurando?
   a. Que somos más ordenados y serios
   b. Que no podemos cambiar nuestra personalidad
   c. Que nos cuesta más trabajo relacionarnos con otras personas
   d. Que tenemos más capacidad para relacionarnos

3. ¿Cómo son los rasgos en los que se basan todas las personalidades?
   a. Son parecidos entre ellos y necesarios.
   b. Son únicos y combinables.
   c. Son distintos y personales.
   d. Son necesarios y únicos.

4. ¿Qué tenemos que tener para modificar nuestra personalidad?
   a. Conocimiento sobre nosotros mismos
   b. Necesidad de cambiar
   c. Recursos monetarios
   d. Deseo de cambiar y capacidad para ello

5. ¿Cuál es el tercer factor que puede hacer cambiar nuestra personalidad?
   a. Los cambios bruscos de tiempo
   b. Los cambios dentro de nosotros mismos
   c. Los cambios en las personas que nos rodean
   d. Los cambios de manera accidental

6. ¿Cuál es la manera más fácil de cambiar nuestra personalidad?
   a. Cambiándonos a nosotros mismos
   b. Cambiando lo que nos rodea
   c. Intentando evolucionar y ser felices
   d. Solucionando nuestros problemas

7. ¿Qué paso hay que dar primero para cambiar nuestra personalidad?
   a. Conocerse a sí mismo
   b. Compararse con las demás personas
   c. Intentar ser feliz
   d. Darse cuenta de que tenemos que cambiar

41 ¿Dónde va?

Las siguientes frases han sido extraídas del texto anterior. Vuelva a leer las oraciones donde hay una letra en color. Escriba la letra correspondiente al lado de las frases a continuación.

1. es como una receta
2. pero estos estudios aseguran que
3. ratificó esta teoría
4. una circunstancia externa lo fuerce

42 ¿Cuál es la pregunta?

Según el artículo que acaba de leer, escriba una pregunta lógica para estas respuestas.

1. De los 20 a los 30
2. Extraversión, afabilidad, conciencia, estabilidad y apertura
3. Un cambio en nuestro entorno
4. Estos cambios son adaptaciones al nuevo ambiente.

43 Antes de leer

¿Cree que es fácil mentir? ¿Por qué les resulta más fácil mentir a algunas personas que a otras? ¿Cómo se siente cuando descubre que alguien le ha mentido? ¿Y cuando es descubierto/a?

44 Las mentiras

Lea el siguiente texto con atención e intente averiguar el significado de las palabras en azul, ya que se le harán preguntas sobre ellas.

Un cerebro preparado para mentir
Los mentirosos compulsivos tienen un cerebro diferente

Estudio

El cerebro de los mentirosos patológicos y el de las personas consideradas normales es diferente.

El éxito cinematográfico de Jim Carrey (*Mentiroso compulsivo*) no es sólo una historia inventada para incrementar la taquilla sino que, una vez más, la realidad supera a la ficción. El protagonista de la
[5] película es el ejemplo perfecto (**A**), en el que se pone de manifiesto que los mentirosos compulsivos tienen un 22% más de materia blanca en el cerebro en comparación con las personas normales.

La materia blanca puede ser la respuesta a las
[10] constantes mentiras de algunas personas; sin embargo, surge la eterna duda del ámbito científico: ¿son estas diferencias en el cerebro la causa o el efecto de mentir continuamente? Lo cierto es que la distinción entre los cerebros de los mentirosos compulsivos y las personas
[15] consideradas normales es significativa.

"Mentir requiere un gran esfuerzo, es como leer la mente", reconoce Adrian Raine, uno de los autores del estudio, "el mentiroso tiene que ser capaz de comprender el pensamiento del otro y suprimir sus
[20] emociones o regularlas porque no puede parecer nervioso", señala.

La corteza prefrontal del cerebro de los mentirosos compulsivos está compuesta por una cantidad mucho mayor de materia blanca (**B**). Esta parte del cerebro es
[25] la encargada de controlar la capacidad para mantenerse al tanto de muchos fragmentos de información de forma simultánea, así como de ordenar y ponderar estos datos a medida que se van acumulando y descubrir pautas en esa información.

[30] Según el estudio, las personas que engañan de forma patológica tienen un 22% más de materia blanca que las personas consideradas normales; (**C**). A partir de ahora las investigaciones se dirigirán a determinar si esto es una causa o una consecuencia de las constantes
[35] mentiras.

Un trastorno de la personalidad

Pseudología fantástica: éste es el nombre que recibe el trastorno de la personalidad al que lleva el hábito de mentir. Es una compulsión provocada por el deseo de causar admiración en los demás y atraer su atención y
[40] aprecio. Por este motivo, los mentirosos compulsivos inventan unos hechos y una historia, es decir, se imaginan una vida diferente a la que tienen.

Lo patológico comienza cuando las mentiras se hacen cada vez más grandes pudiendo llevar incluso
[45] a cometer delitos. El mentiroso se comporta igual que un actor que interpreta un papel que debe resultar creíble, lo que requiere un gran esfuerzo para que el "personaje" no se confunda con su realidad.

Pero surge un problema: el mentiroso patológico
[50] nunca podrá disfrutar de los halagos y admiración que recibe de los demás porque es consciente de que no se dirigen a él sino al personaje inventado. Finalmente, la mentira no le lleva a ningún sitio.

La mentira facilita las relaciones sociales

La mentira es un mecanismo de adaptación emocional
[55] para eludir la realidad e incluso, según algunos investigadores, facilita las relaciones sociales. La capacidad de mentir es natural en las especies como mecanismo de protección. En este sentido hay estudios que ponen de manifiesto que la gente miente
[60] constantemente y sin ninguna necesidad; sin embargo, estas mentiras se llaman coloquialmente mentiras piadosas, ya que no tienen ninguna consecuencia negativa y están motivadas por el deseo de halagar a los demás.

[65] Sólo hay una situación en la que mentir es prácticamente imposible: el autismo. Diversos estudios demuestran que los autistas son incapaces de mencionar cosas que no existen ya que su cerebro tiene menor proporción de sustancia blanca (**D**), lo que
[70] apoya la hipótesis de que la capacidad de mentir está relacionada con la cantidad de materia blanca en el cerebro.

www.websalud.com

45 Vocabulario (¿?)

Defina o dé un sinónimo o ejemplo en español de las palabras que aparecen en azul en el artículo anterior.

46 ¿Ha comprendido?

1. ¿La película *Mentiroso compulsivo* refleja sólo un fenómeno de ficción?
   a. No, esos mismos casos existen en la vida real.
   b. Sí, es una película de Jim Carrey.
   c. Sí, es una exageración para ganar dinero con el cine.
   d. No, pero sólo el 22% es realidad.

2. ¿Son diferentes los cerebros de los mentirosos compulsivos?
   a. Sí, son más inteligentes porque leen mucho.
   b. No se sabe, es un enigma científico.
   c. Sí, la diferencia se encuentra en la cantidad de materia blanca.
   d. Sí, ellos no tienen materia blanca.

3. ¿Por qué los mentirosos compulsivos se inventan historias?
   a. Porque les gusta la fantasía
   b. Porque quieren tener una vida distinta
   c. Porque quieren llamar la atención y que la gente los admire
   d. Las respuestas a y b

4. ¿Son felices los mentirosos compulsivos?
   a. Sí, porque siempre reciben halagos
   b. No, porque se descubre que son actores
   c. No lo saben, porque se confunden con su verdadera personalidad.
   d. No, porque los halagos son para el personaje inventado

5. ¿Qué son mentiras piadosas?
   a. Mentiras graves, que resultan creíbles
   b. Pequeños insultos hacia los demás
   c. Mentiras de poca importancia
   d. Mentiras que son dichas inconscientemente, sin uno darse cuenta

47 ¿Dónde va? (¿?)

Las siguientes frases han sido extraídas del texto de la Actividad 44. Vuelva a mirar el artículo, fijándose en las letras de color y escriba la letra que mejor corresponda a cada frase. Hay una frase que sobra.

1. para mentir
2. por el contrario, tienen un porcentaje menor de materia gris
3. que de materia gris
4. que de sustancia gris
5. que podría ilustrar un estudio publicado en el *British Journal of Psychiatry*

48 ¿Cuál es la pregunta? 🔍

Según lo que acaba de leer en la Actividad 44, escriba una pregunta lógica para estas respuestas.

1. Pseudología fantástica
2. Cuando las mentiras se hacen peligrosamente grandes
3. Porque lo necesitamos como mecanismo de protección
4. Aquel que padece autismo
5. Halagar a los demás

49 Lea, escuche y escriba/presente 👥

Vuelva a leer "Un cerebro preparado para mentir". Luego escuche el diálogo entre Carlos y Alfredo en la grabación "Pero, ¡deja de mentir!" y tome las notas necesarias. Escriba un ensayo o haga una presentación en clase sobre las mentiras y las mentiras piadosas. No se olvide de citar las fuentes debidamente.

Cita

El cuerpo humano es el carruaje; el yo, el hombre que lo conduce; el pensamiento son las riendas, y los sentimientos los caballos.
　　—Platón (427–347 a. de J. C.), filósofo griego

👥 ¿Qué piensa de este comentario? Con un/a compañero/a invente una metáfora sobre el hombre y su personalidad, similar a la que hizo Platón en su época. Adáptela a los nuevos tiempos.

¡Dato curioso!

¿Sabe que según un artículo de la BBC, dependiendo de su postura al dormir así es su personalidad? Hay seis tipos distintos. Con estos datos se puede saber si es sensible, atento o seguro de sí mismo.

> Hola, buenas tardes. Me llamo Luis Alfredo.

50 El hombre que dijo que llamaría

Lea las posibles respuestas primero y después escuche el diálogo entre dos amigas —Lola y Tamara— en la grabación "El hombre que dijo que llamaría". Escoja la mejor respuesta para la pregunta que escuchará en la grabación.

1. (Pregunta que escuchará en la grabación.)

   a. Sobre una cita que una de ellas tuvo el día anterior
   b. De una cita que Tamara tendrá al día siguiente
   c. De un antiguo compañero de clase
   d. De un robo a un chico joven

2. (Pregunta que escuchará en la grabación.)

   a. Le gustó su peinado.
   b. La llamó antes de irse a dormir.
   c. La acompañó a casa después de cenar.
   d. Quiso conocer a su familia.

3. (Pregunta que escuchará en la grabación.)

   a. No la llamó y ninguna de ellas conoce el motivo.
   b. No la llamó porque le robaron la cartera.
   c. No la llamó porque tenía el teléfono averiado.
   d. No; fue a su apartamento sin avisar.

4. (Pregunta que escuchará en la grabación.)

   a. No; él tiene que llamar.
   b. No; no tiene su teléfono.
   c. Sí; pero su amiga, Lola, llamará primero en su nombre.
   d. Sí; quiere tener otra cita y enseñarle su nuevo "look".

51 El Amor y el Tiempo

Escuche la grabación "El Amor y el Tiempo" y luego conteste las preguntas.

1. Nombre cuatro de los valores y sentimientos que había en la isla.
2. ¿Qué problema surgió en la isla?
3. ¿Qué le contestó la Riqueza al Amor?
4. ¿Y el Orgullo?
5. ¿Y la Tristeza?
6. Al final, ¿quién le ayudó al Amor? ¿Por qué?

52 Participe en una conversación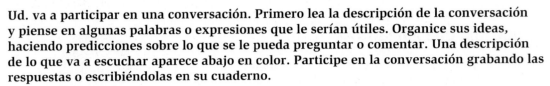

Ud. va a participar en una conversación. Primero lea la descripción de la conversación y piense en algunas palabras o expresiones que le serían útiles. Organice sus ideas, haciendo predicciones sobre lo que se le pueda preguntar o comentar. Una descripción de lo que va a escuchar aparece abajo en color. Participe en la conversación grabando las respuestas o escribiéndolas en su cuaderno.

Escena: Una amiga, Elena, lo/la llama por teléfono para hablar de unos planes que Uds. habían hecho y para describir algo que le pasó.

Ud.:	•	(*Suena el teléfono.*) Conteste.
Elena:		Lo/La saluda y le explica por qué llama.
Ud.:	•	Salúdela y exprese su gran interés por el plan.
Elena:		Le hace un comentario sobre la situación.
Ud.:	•	Muestre decepción y frustración (use al menos dos expresiones de subjuntivo).
Elena:		Le hace un comentario y le pide consejos.
Ud.:	•	Siga la conversación.
	•	Dele dos consejos (use al menos dos expresiones de subjuntivo).
Elena:		Le hace una afirmación en forma de pregunta.
Ud.:	•	Niegue esa afirmación con firmeza.
Elena:		Le hace un comentario.
Ud.:	•	Use una expresión de emoción, siga la conversación y despídase.

¡A escribir!

53 Texto informal: los envidiosos

Escriba en un blog y hable sobre el siguiente tema: **Las malas experiencias que ha tenido —o las que pueda tener— con personas envidiosas.**

- Hable sobre lo que piensa del tema.
- Cuente alguna anécdota.
- Termine con una pregunta a los lectores del blog.

54 Texto informal: las supersticiones

En un foro, hable sobre el tema de las supersticiones.

- Exprese su opinión sobre el tema.
- Confiese tener una superstición (real o imaginaria).
- Pida consejos para "curarse" de esta superstición.

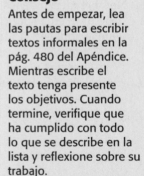

Consejo

Antes de empezar, lea las pautas para escribir textos informales en la pág. 480 del Apéndice. Mientras escribe el texto tenga presente los objetivos. Cuando termine, verifique que ha cumplido con todo lo que se describe en la lista y reflexione sobre su trabajo.

55 Ensayo: tener una actitud positiva

Escriba un ensayo sobre la importancia de tener una actitud positiva en la vida.

56 Ensayo: la personalidad

Escriba un ensayo contestando la pregunta, "¿Se puede cambiar la personalidad?"

57 En parejas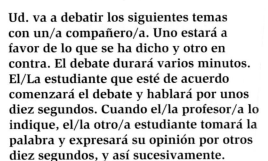

Intercambie sus ensayos con los de un/a compañero/a. Exprésele su opinión sobre el contenido y el uso del idioma.

Consejo

Antes de empezar, lea las pautas para escribir ensayos en la pág. 480 del Apéndice. Mientras escribe el ensayo tenga presente los objetivos, y no se olvide de ponerle un título original. Cuando termine, verifique que ha cumplido con todo lo que se describe en la lista y reflexione sobre su trabajo.

¡A hablar!

58 Charlemos en el café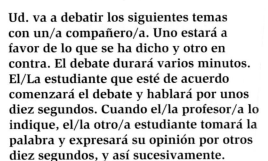

Ud. va a debatir los siguientes temas con un/a compañero/a. Uno estará a favor de lo que se ha dicho y otro en contra. El debate durará varios minutos. El/La estudiante que esté de acuerdo comenzará el debate y hablará por unos diez segundos. Cuando el/la profesor/a lo indique, el/la otro/a estudiante tomará la palabra y expresará su opinión por otros diez segundos, y así sucesivamente.

1. Mentir es aceptable.
2. Cada persona tiene una personalidad determinada desde que nace.
3. "Dime con quien andas y te diré quien eres".
4. Si un estudiante se porta mal en clase es porque quiere llamar la atención.
5. En el fondo, nadie es malo.
6. Si una persona es tímida, los profesores nunca deberían hacerle presentar en clase.
7. Los animales también tienen miedos, celos y manías.
8. Las personas que son quejicas (que se quejan constantemente) lo son porque siempre hay alguien que las escucha.

59 ¿Qué opinan?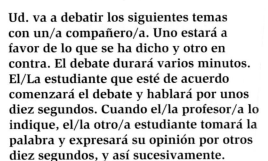

Converse con un/a compañero/a sobre estas preguntas.

1. ¿Cuáles son las ventajas y las desventajas de ser una persona que siempre dice lo que piensa?
2. ¿Cómo les hacemos ver a las personas que queremos lo que sentimos por ellas?
3. ¿Qué cree que es más importante: ser inteligente o ser listo?
4. ¿Colecciona cosas? ¿Cree que esto se puede convertir en una manía? Explique su respuesta.

60 Presentemos en público

Conteste una de las siguientes preguntas o haga una presentación oral sobre uno de los temas durante varios minutos. Organice sus ideas antes de hacer la presentación, busque las palabras necesarias y, después de practicar, presente en clase sin mirar las notas.

1. "No hay enfermedades sino enfermos". Hable sobre el poder de la mente.
2. ¿Quién ha sido una persona importante en su vida? ¿Cómo lo/la ha influenciado?
3. ¿Por qué nos gusta ponerle "etiquetas" a la gente?
4. ¿En qué se parecen y en qué se diferencian los chicos de las chicas?

Consejo

Antes de empezar, lea las pautas para presentaciones formales en la pág. 481 del Apéndice. Mientras formula su presentación tenga presente los objetivos. Cuando termine la presentación, verifique que ha cumplido con todo lo que se describe en la lista y reflexione sobre el trabajo que hizo.

Proyectos

61 ¡Manos a la obra!

Trabaje en un grupo de cuatro o cinco estudiantes para llevar a cabo uno de los siguientes proyectos y presentarlo en clase.

- Hagan un cartel y presenten las cinco virtudes y defectos de nuestra sociedad. Acompañen las presentaciones con anécdotas e historias.

- Acaba de ser descubierto un nuevo país. Hablen de su ubicación, su bandera, idioma, los principios que se siguen, el tipo de gobierno, cómo son las personas que viven allí; hablen de su personalidad, aspecto físico, vestimenta, etc.

- Escriban una fábula sobre la envidia. Hagan las ilustraciones necesarias.

- ¿Cuáles son las cinco cosas más importantes para los seres humanos de nuestra sociedad? ¿Y para los de sociedades menos avanzadas? Comparen los valores de las dos sociedades; hablen de sus diferencias y de lo que tienen en común.

- Escriban un cuento para niños en el que les hablen sobre una cualidad o defecto del ser humano.

Vocabulario

Verbos

admirar	to admire
aguantar	to tolerate, stand, bear
asegurar	to assure
atraer	to attract
contratar	to contract; to hire
convenir (ie)	to be advisable, convenient
costar (ue)	to find difficult; to cost
curar(se)	to get well
desear	to want, desire
descartar	to eliminate, put aside
despedir (i)	to fire
elegir (i)	to choose
eludir	to elude, avoid
enumerar	to list
facilitar	to make easier
fingir	to pretend
indignarse	to get angry
intuir	to sense, intuit
investigar	to investigate
latir	to beat
madurar	to mature
maltratar	to mistreat, abuse
manejar	to manage
reducir	to reduce
regalar	to give (a present)
rescatar	to rescue
rodear(se)	to be surrounded
sobrecogerse	to be moved, deeply affected
solucionar	to solve
sumergirse	to be submerged
vibrar	to vibrate, quiver
volverse (ue)	to turn into

Verbos con preposición

verbo + a:

ponerse a	to begin to
ser reacio a	to be reluctant to

verbo + con:

coquetear con	to flirt with

verbo + de:

enamorarse de	to fall in love with
enterarse de	to find out about
estar a punto de	to be about to
pensar (ie) de	to think about (opinion)
(+ sustantivo)	

verbo + en:

involucrarse en	to be involved in
pensar (ie) en	to think of

Sustantivos

la	admiración	admiration
la	altura	height
el	bombón	chocolate candy
la	capacidad	ability
la	clave	key (solution)
el	comportamiento	behavior
la	conducta	conduct
la	confianza	confidence
el/la	crío/a	child
la	decena	(unit of) ten
la	envidia	envy
la	gana	desire, wish
la	habilidad	skill
el	halago	praise, flattery
la	herencia	inheritance; heritage
la	hipótesis	hypothesis, unproved theory
la	inquietud	worry, concern
la	ira	anger
el	lujo	luxury
la	maldad	evil
la	manía	obsession, funny little way
el	medicamento	medicine
la	mente	mind
la	mirada	look
el	odio	hatred
la	paciencia	patience
la	pauta	guideline
la	persona ideal	ideal person
la	postura	position
el/la	protagonista	protagonist, main character
el	rasgo	physical characteristic
la	rueda de prensa	press conference
el	sentimiento	feeling
la	señal	sign, signal
el/la	sinvergüenza	shameless person, rascal, scoundrel
el/la	sonámbulo/a	sleepwalker
la	timidez	shyness
la	tontería	silly/stupid thing
la	trampa	trap
el	trastorno	disorder
la	vergüenza	shame, embarrassment
el	vicio	vice

Adjetivos

acogedor(a)	cozy, welcoming
alérgico, -a	allergic
amplio, -a	complete; wide
brusco, -a	abrupt
capaz	capable
cariñoso, -a	affectionate
complejo, -a	complex
débil	weak
deprimido, -a	depressed
drástico, -a	drastic
enamoradizo, -a	inclined to fall in love easily; easily infatuated
eterno, -a	eternal
grave	solemn; serious; seriously ill
huraño, -a	unsociable
inconsciente	irresponsible; unaware
indescriptible	indescribable
inesperado, -a	unexpected
insoportable	unbearable
mandón/mandona	bossy
mentiroso, -a	lying
mimado, -a	spoiled
provocado, -a	provoked; angered
sudoroso, -a	sweaty
tímido, -a	timid, shy
tranquilo, -a	calm
tremendo, -a	terrible, tremendous

Adverbios

al menos	at least
cariñosamente	affectionately
curiosamente	curiously
realmente	really; actually

Expresiones

a cada rato	every five minutes, *[continuously]* very often
a la perfección	perfectly
abanico de posibilidades	range of possibilities *[rango]*
ahogarse en un vaso de agua *[variety]* *[to drown]*	to get worked up about nothing
al verles la cara	on seeing their faces
cada cual con sus manías	everyone with their funny little ways
cada vez que	each time that
la comunicación no verbal	nonverbal communication
de carne y hueso	of flesh and blood; to have feelings *[of flesh and bone]*
echar de menos	to miss *[a person or action]*
el qué dirán	what others will say
entre la vida y la muerte	between life and death
¡es una tontería!	it's a silly/stupid thing!

estar de buen (mal) humor	to be in a good (bad) mood
estar en las nubes	to be absentminded
llamar la atención	to attract attention
lo absurdo de la situación	the absurdity of the situation
nada de nada	nothing at all
¡no faltaba más!	don't mention it!
¡oye!	hey!, excuse me
para colmo	on top of that
partirse de risa *[cracking up]*	to laugh one's head off, split one's sides laughing
pasársele rápido	to get over (something) quickly
¡Qué vergüenza!	How shameful!, How embarrassing!
ser indispensable	to be indispensable
sin cesar	ceaseless
tener un don *[ability/talent]*	to have a special gift (for doing something)
tiene la manía de	he/she has this little thing/obsession about
ver todo "color de rosa" *[naive]* *[everything is good]*	to see everything through rose-colored glasses

A tener en cuenta

Nexos (Palabras y expresiones útiles para unir ideas)

a fin de cuentas	when it comes down to it, when all's said and done
a lo mejor	maybe
a pesar de	in spite of
actualmente	nowadays, at the present time
como consecuencia	as a result/consequence
como resultado	as a result
de hecho	in fact
en conclusión	in conclusion
en primer lugar, en segundo lugar	in the first place, in the second place
en realidad	actually
en resumen	to summarize
por consiguiente	thus, therefore
por desgracia	unfortunately
por eso	for that reason
por esta razón	for this reason
por este motivo	for this reason, motive
por lo general	in general
por lo tanto	thus, therefore
por mucho (café) que	no matter how much (coffee)
por si acaso	just in case
puesto que	since, because
ya que	since

entre la espada y la pared → between a sword and a wall.

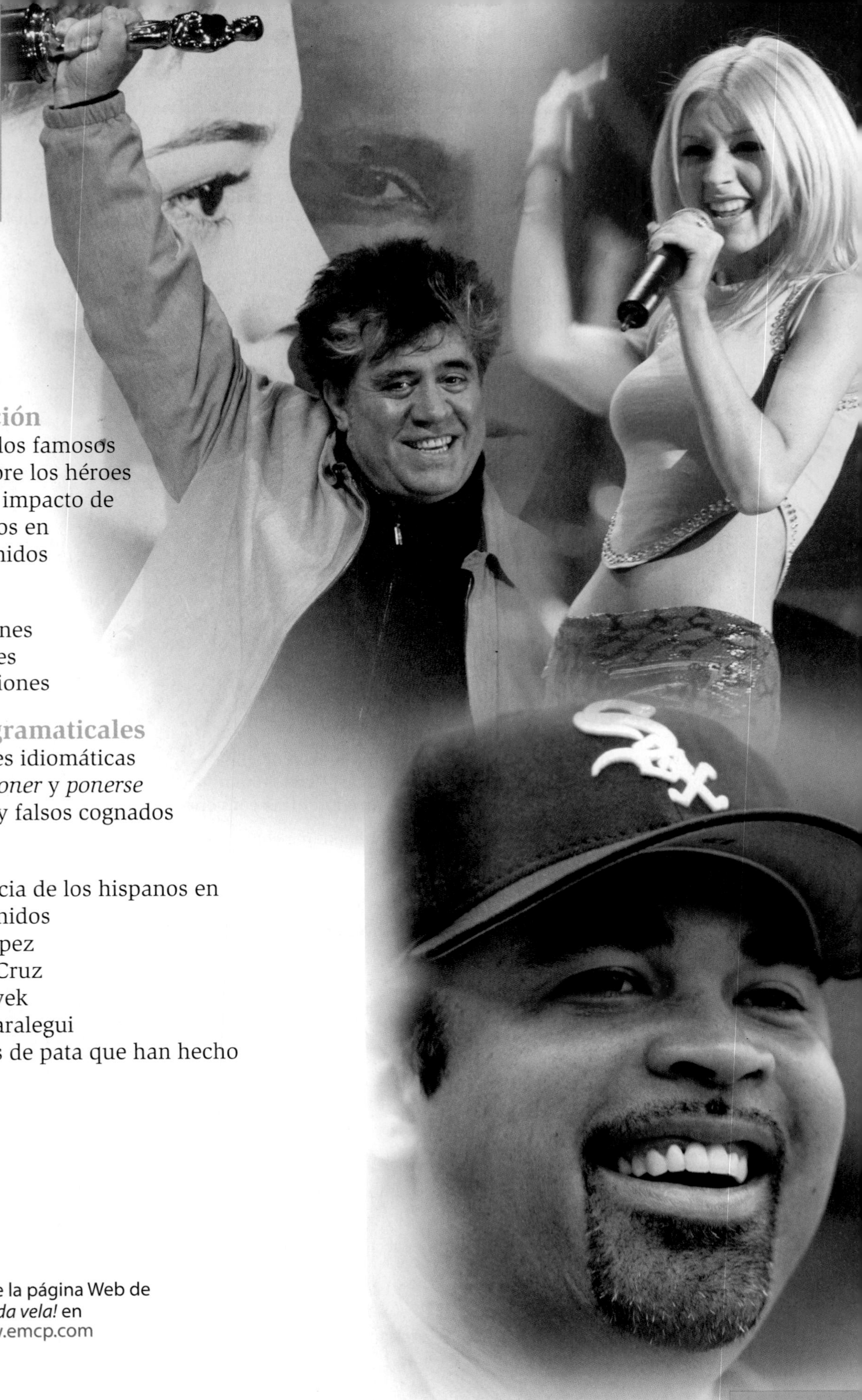

Objetivos

Comunicación
- Hablar de los famosos
- Opinar sobre los héroes
- Discutir el impacto de los hispanos en Estados Unidos

Gramática
- Preposiciones
- Pronombres
- Comparaciones

"Tapitas" gramaticales
- expresiones idiomáticas con *dar, poner* y *ponerse*
- cognados y falsos cognados

Cultura
- La influencia de los hispanos en Estados Unidos
- George López
- Penélope Cruz
- Salma Hayek
- Cristina Saralegui
- Meteduras de pata que han hecho historia

Visite la página Web de
¡A toda vela! en
www.emcp.com

1 Conteste las preguntas

Piense en las respuestas a las siguientes preguntas. Ud. puede tomar notas si lo considera necesario. Cuando termine, compare sus respuestas —pero sin mirar sus notas— con las de un/a compañero/a.

1. ¿Qué es la fama? ¿Cree que la fama es algo eterno?
2. ¿Por qué se hace alguien famoso?
3. ¿Qué tipo de premios se conceden a personas famosas o importantes?
4. En su opinión, ¿quiénes son actualmente los tres hispanohablantes más famosos?
5. Nombre a cinco actores hispanohablantes.
6. ¿Cree que lo latino está de moda? ¿En qué campo hay más hispanohablantes conocidos?
7. ¿Cree que los famosos están orgullosos de ser famosos? ¿Por qué?
8. ¿Cree que los famosos tienen más manías y hacen cosas más extravagantes que los que no lo son? ¿A qué se debe?
9. Nombre tres héroes de fama mundial y explique por qué, desde su punto de vista, son héroes.
10. ¿Piensa que un héroe busca la fama? ¿Por qué?

Carolina Herrera, diseñadora de modas venezolana

2 Mini-diálogos

Ud. va a crear un mini-diálogo con un/a compañero/a. Lea la descripción de la conversación antes de empezar. Puede tomar notas para organizar sus ideas, pero no las mire mientras conversa.

Escena: En el gimnasio Ud. y su amigo/a mantienen una conversación sobre sus ídolos.

A:	Hable con su compañero/a sobre alguien famoso/a quien Ud. admira. Pregúntele a su compañero/a qué piensa de esta persona.
B:	Exprese su opinión. Pregúntele más sobre esta persona.
A:	Conteste sus preguntas. Pregúntale sobre una de las personas que admira.
B:	Conteste su pregunta. Dele detalles.
A:	Exprese desacuerdo. Explique por qué esta persona no es de su agrado.
B:	Defienda a su ídolo.
A:	Discúlpese por su tono. Haga un comentario agradable y despídase amistosamente.
B:	Quede con su amigo/a para ver un espectáculo. Despídase.

Refrán

Crea fama y échate a dormir.

¿Qué cree que quiere decir este refrán? ¿Está de acuerdo? ¿Por qué? Comparta su opinión con un/a compañero/a.

¡Dato curioso! Hay una empresa francesa que transforma a las personas anónimas en "famosas". Estas personas van escoltadas por guardaespaldas y perseguidas por paparazzi y admiradores. Es como un teatro y toda esta representación puede llegar a costar unos 4.000 dólares.

3 Un blog

Túrnese con un/a compañero/a para leer el siguiente blog. Fíjese en las palabras que aparecen en azul (relacionadas con el vocabulario) y en rojo (relacionadas con la gramática), ya que en las siguientes actividades se le harán preguntas sobre ellas.

Dirección | Q▾

Archivo Edición Ver Favoritos Herramientas Ayuda

¡Qué ilusión!

El otro día quedé en verme con una amiga en el Café El Brillante. Habíamos quedado en vernos a las tres, pero como no tenía ganas de estar de pie esperándola, pedí un café y me puse a leer un periódico. Estaba por irme
[5] cuando alrededor de las cuatro apareció Marisol con la sonrisa de oreja a oreja de siempre y con una camiseta de algodón muy de moda. Me contó en voz baja que se había tropezado con un actor famoso y que por eso llegaba tarde. Yo ya estaba acostumbrada a sus retrasos
[10] y aun más a sus excusas. Si ustedes la conocieran sabrían que nunca llega a tiempo a ningún lado. Al verme enojada me miró la cara y me dijo que no era para tanto. En el fondo no me enojé con ella, pero me quedé allí de mala gana. Yo le dije que a mí no me gustan ese tipo de famosos, y que sin embargo admiro muchísimo
[15] a aquellas personas que han hecho algo bueno por la sociedad. Me gusta leer sus biografías y pensar en su trayectoria. Es el caso de las personas que reciben uno de los galardones más preciados de todos en reconocimiento por los logros obtenidos a lo largo de su carrera: los premios Nobel, y le hablé a Marisol de por qué empezó todo esto a llamarme la atención. De hecho empecé a interesarme por estos premios cuando una profesora me contó en la escuela cómo empezó todo. Por lo visto Alfredo Nobel era un
[20] químico inventor de origen sueco que consiguió inventar un explosivo menos peligroso del que se usaba hasta entonces. No fue un camino fácil; un ejemplo de ello es el hecho de que en una de las explosiones en su laboratorio murió su hermano. A pesar de ello, Nobel siguió con su sueño y consiguió una gran fortuna con dicho invento y algunos otros. Su fortuna fue grandísima, pero según me contaron estaba horrorizado por el uso que se le dio a su invento ya que empezó a ser usado en la guerra y por lo tanto muchas personas
[25] fallecieron. Es por lo que Alfred Nobel, un filántropo entre otras muchas cosas, decidió donar a su muerte toda su fortuna a aquellas personas que con sus descubrimientos, investigaciones u obras cambiaron el curso de la historia gracias al aporte que le dieron a la sociedad.

Después de mi aburrida charla sobre los premios Nobel, vi como alguien se acercaba a mi amiga Marisol, le ponía la mano en el hombro y le decía: "¿Otra vez tú por aquí?". Era Armando Alconcer, el famosísimo
[30] actor de las telenovelas. Me puse a tartamudear como una tonta, no podía creer que en ese momento no tenía ninguna cámara a mano. Les interrumpí maleducadamente, le di la mano y dos besos y le supliqué que me firmara un autógrafo en una servilleta de papel. Mi amiga se puso colorada y me miraba horrorizada por mi comportamiento infantil, pero a mí no me importaba. Le di las gracias y cuando me fui, me puse a contarle la historia a todas mis amigas. Al fin y al cabo, todas las reglas tienen su excepción,
[35] ¿no? Fue el día más emocionante de toda mi vida. Al día siguiente, en cuanto llegué a clase en seguida les mostré orgullosa a todos mi preciada servilleta. Ah, y además empecé a interesarme más por las revistas del corazón. En el fondo, siempre buscaba alguna historia en la que hablaran de mi príncipe azul.

4 Amplíe su vocabulario 🔍

Empareje cada palabra con su definición o sinónimo, según el contexto del artículo anterior.

1. quedar en
   - a. ir a
   - b. pedir
   - c. citarse
   - d. llegar tarde

2. retraso
   - a. tardanza
   - b. camino
   - c. cancelación
   - d. costumbre

3. enojado
   - a. alegre
   - b. triste
   - c. enfadado
   - d. risueño

4. biografía
   - a. historia
   - b. camino
   - c. cancelación
   - d. costumbre

5. trayectoria
   - a. lugar
   - b. camino recorrido
   - c. parada
   - d. costumbre

6. galardón
   - a. dinero
   - b. trabajo
   - c. premio
   - d. victoria

7. logro
   - a. llegada
   - b. trayecto
   - c. éxito
   - d. ampliación

8. fortuna
   - a. capital
   - b. opulencia
   - c. carácter
   - d. particularidad

9. fallecer
   - a. caer
   - b. herir
   - c. morir
   - d. resurgir

10. filántropo
    - a. dadivoso
    - b. bienhechor social
    - c. caballeroso
    - d. respetuoso

11. obra
    - a. estudio
    - b. trabajo
    - c. recorrido
    - d. caminante

12. telenovela
    - a. película
    - b. animación
    - c. serial
    - d. programa

13. tartamudear
    - a. hablar con errores
    - b. hablar entrecortado
    - c. hablar otro idioma
    - d. corregir al hablar

14. orgulloso
    - a. tranquilo
    - b. serio
    - c. trabajador
    - d. feliz por los logros obtenidos

5 Preposiciones 👥 🔍

Trabaje con un/a compañero/a y conteste estas preguntas relacionadas con la lectura de la Actividad 3.

1. Escriban y traduzcan las palabras o expresiones con preposiciones que aparecen en rojo.
2. Hagan una lista de seis expresiones con cada una de las siguientes preposiciones: *a, en* y *de* e incluyan la traducción. Pueden ser expresiones que no aparezcan en la lectura.

6 "Tapitas" gramaticales 🔍

1. Busque las expresiones idiomáticas con el verbo *dar* que aparecen en el texto. Escriba otras tres e incluya la traducción.
2. Busque las expresiones idiomáticas que aparecen en el texto con el verbo *poner* o *ponerse*. Escriba dos expresiones más con estos verbos, y su correspondiente traducción al inglés.

7 Una entrevista ✒

Ud. es periodista y le han pedido que le haga una entrevista a uno de los candidatos (puede ser real o ficticio) al próximo premio Nobel. Escriba diez preguntas para hacerle e incluya el vocabulario y algunas tapitas gramaticales de las actividades anteriores. Subraye las palabras nuevas.

8   Los héroes

Lea con atención el siguiente texto, prestando atención a las palabras en azul y rojo.

Mis héroes

¿Quién no creía en los héroes cuando era niño? Pues bien, los que yo recuerdo con cariño son los dibujos animados del Hombre Araña y El Zorro. Eran los dos héroes de más éxito cuando éramos pequeños. Mi hermano Fernando y yo siempre nos acurrucábamos en el sofá para ver la serie del mejor héroe de todos: *Las aventuras*
5 *del Zorro* (y su caballo Plata). ¡Qué buen nombre para un caballo!, ¿verdad? La música, la vestimenta, el caballo: todo era un mito. Aun ahora, aunque esté un poco anticuada, se la recomiendo a quien quiera pasar un buen rato.

Hay un libro del que les quiero hablar hoy y que es sobre él. Se titula, lógicamente, *Zorro*. Lo que más me gustó es la perspectiva con la que la autora, Isabel Allende,
10 escribió sobre el legendario personaje, Diego de la Vega, a quien nos describe antes de convertirse en el legendario Zorro. ¿A quién no le gusta este valiente, apasionado, carismático y aventurero personaje? Tanto hombres como mujeres caen rendidos a sus pies. Allende nos da una interesante panorámica de la California de los años 1790 y de la España de principios del siglo XIX ocupada por las tropas de Napoleón.
15 Según cuentan, la escritora chilena decidió llevar la historia a España porque durante esa época había mucha acción en Europa, donde se estaban gestando grandes cambios, tales como la Revolución Francesa entre muchos otros. Es uno de los períodos más fascinantes de la historia. Un dato curioso es el hecho de que Allende decidiera hacer al joven héroe de la máscara y el traje negro mestizo. Es
20 un libro fascinante. Si quieres leer algo que sea ameno, cómpratelo sin dudarlo —seguro que te va a gustar. Por lo que he oído van a llevar la historia al cine y quizás la protagonice alguien del estilo de Johnny Depp. Ojalá que escojan a alguien como él, pues yo siempre se lo digo a mi amigo Julián, que no hay nadie como él, cuyo talento para este tipo de personajes es indiscutible, como ya lo demostró en la película *Don*
25 *Juan de Marco*. Muchos coinciden conmigo en que es uno de los mejores actores para este tipo de personaje.

9   Amplíe su vocabulario

¿Cuál es la mejor traducción?

1. éxito
   a. exit
   b. popular
   c. success
   d. failure

2. acurrucarse
   a. to hum
   b. to play
   c. to curl up
   d. to hide

3. legendario
   a. old
   b. character
   c. celebrity
   d. legendary

4. carismático
   a. pleasant
   b. nice
   c. charismatic
   d. chaotic

continúa

5. caer rendidos a sus pies
   a. to render to the feet
   b. to fall faint
   c. to keep falling on one's feet
   d. to surrender at one's feet
6. tropas
   a. troops
   b. ropes
   c. friends
   d. traps
7. gestar
   a. to recommend
   b. to advise
   c. to develop
   d. to spend
8. ameno
   a. boring
   b. easy to read
   c. funny
   d. enjoyable

10 Defina las palabras 🔍

Defina en español las siguientes palabras: *héroe, dibujo animado, mito, anticuado, valiente* y *mestizo*.

11 Pronombres 🔍

Trabaje con un/a compañero/a y conteste estas preguntas relacionadas con la lectura de la Actividad 8.

1. Identifiquen por categorías (objeto directo, objeto indirecto, relativo) los pronombres en las expresiones o palabras que aparecen en rojo y expliquen su uso.
2. ¿Cuáles son los cinco pronombres relativos más comunes?
3. ¿Qué significa *lo que*? ¿Cuándo se usa? Den un ejemplo.
4. ¿Se puede usar *que* o *quien* con una preposición delante? Den un ejemplo con cada palabra.
5. ¿Qué significa *cuyo*? ¿Con qué elemento de la oración concuerda? ¿Cómo debe concordar? Den otro ejemplo.
6. ¿Cuál es la diferencia entre un objeto directo y uno indirecto?
7. ¿Dónde se coloca el pronombre del objeto directo o indirecto? Den ejemplos para cada situación.
8. ¿Dónde se colocan los pronombres cuando hay dos seguidos en la misma oración?

12 Comparaciones

Conteste las siguientes preguntas.

1. ¿Cuáles son los diferentes comparativos en español?
2. ¿Por qué se usa *que* unas veces en la segunda parte de la comparación, y en otras *de*?
3. ¿Son comparativas las palabras terminadas en *-ísimo* (*alto, altísimo*)? ¿Qué cambio consonántico sufren algunas de estas palabras?
4. ¿Qué significa *más que* en la oración, "No tiene más que diez dólares"?
5. ¿Cuáles son los comparativos irregulares? ¿Dónde se colocan?
6. ¿Cómo se expresan las comparaciones de igualdad?
7. ¿Cómo se forma el superlativo en español?

13 "Tapitas" gramaticales

1. ¿Cuál es la traducción de *exit* en español?
2. ¿Significa *success* un suceso o hecho ocurrido repentinamente? Si no, ¿qué significa?
3. Traduzca al español las siguientes palabras: *no exit, without success*.
4. ¿Qué nombre reciben en español las palabras de ambos idiomas que se parecen y significan lo mismo como, por ejemplo, *sofá/sofa* y *aventura/adventure*? ¿Y cuando las palabras se parecen pero no significan lo mismo como, por ejemplo, *soportar* y *to support*?

14 Un superhéroe

Ud. es un superhéroe. Escríbale un correo electrónico a uno de sus compañeros. Use el vocabulario y algunas tapitas gramaticales de la lección.

- Hable de cómo se convirtió en superhéroe.
- Hable de sus poderes especiales.
- Compare su vida con la de una persona normal.
- Hable de sus logros y sus retos.

15 Preposiciones

Lea las siguientes oraciones y complételas con la preposición adecuada: *a, con, de, en, por* o *para*. No se olvide de hacer las contracciones necesarias con *de* y *a*, más el artículo. Use las palabras del recuadro para explicar por qué se usa cada preposición.

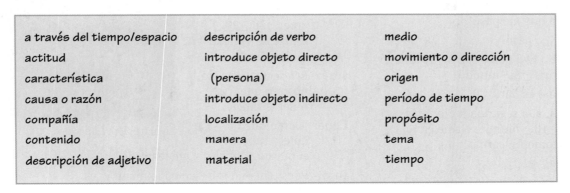

a través del tiempo/espacio	descripción de verbo	medio
actitud	introduce objeto directo	movimiento o dirección
característica	(persona)	origen
causa o razón	introduce objeto indirecto	período de tiempo
compañía	localización	propósito
contenido	manera	tema
descripción de adjetivo	material	tiempo

1. Eduardo llegó ___ el mercado, se sentó ___ la silla y empezó ___ sacar los alimentos ___ las bolsas.
2. Carmen consiguió ahorrar ___ comprar la blusa ___ seda que era cara, pero que se la habían dado ___ sólo $50.
3. Habían viajado ___ cinco horas ___ pie y llegaron ___ un café al borde del camino. Le preguntaron ___ la dueña ___ cuántos kilómetros quedaba el pueblo más cercano.
4. La mesera les sirvió ___ mala gana porque era tarde. Después ___ beber un jugo ___ naranja y comer arroz ___ camarones, continuaron el paseo ___ el campo.
5. Como no llegamos ___ tiempo no pudimos entrar ___ el concierto porque el teatro estaba lleno ___ gente hasta la puerta.
6. Elisa y Juan Pedro viajan de vez en cuando ___ países latinos y compran cosas hechas ___ mano ___ los indígenas.
7. Llegaré mañana ___ la tarde. No puedo volar hoy ___ el mal tiempo y estoy muerto ___ cansancio. Trataré ___ buscar un hotel ___ dormir.
8. Néstor se dedica ___ la ecología porque le gustaría acabar ___ los problemas del mundo. Sabe que si no hacemos algo, ___ treinta años muchas especies habrán desaparecido.

16 Comparativos y pronombres

Complete el siguiente diálogo con las palabras del recuadro. ¡Ojo! Algunas se usarán más de una vez, pero otras no se usarán.

menos	te	tan	tantas	quién
lo	me	tanto	más	del
la	de	tanta	que	como
le		tantos		

José: Lupe, hoy he tenido uno de los días __1.__ emocionantes __2.__ toda mi vida. Diego y yo íbamos a ir al café al __3.__ solemos ir todos los días, cuando __4.__ digo a mi amigo __5.__ yo tenía mucha hambre y por eso que fuéramos mejor al restaurante __6.__ hay al lado porque había menos gente y así nos servirían antes. Los dos entramos, y ¡adivina qué me pasó!

Lupe: ¿Qué __7.__ pasó?

José: Pues, vi a Eva Longoria. Sí, a la mujer más guapa __8.__ mundo.

Lupe: Bueno, no es para __9.__.

José: Perdona, a la segunda mujer más guapa __10.__ mundo. Nadie es __11.__ guapa como tú, cariño.

Lupe: Sí, sí, ya, ya.

José: Pues sí. ¿Quién podía imaginárselo? ¿Ella aquí? ¿Al lado mío?

Lupe: ¿Y qué __12.__ dijiste? ¿__13.__ pediste un autógrafo? Seguro que sí, ¿se __14.__ pediste? Ándale, cuéntame todo.

José: ¡Que va!, no quería que pensara que soy un admirador pesado. Pensé, … ¿qué haría Joey? ¿Sabes __15.__ es, no? El de *Friends*.

Lupe: Sí, claro. El Don Juan.

José: Exacto. Siempre terminaba con las chicas __16.__ guapas __17.__ todas. Así que me acerqué a Eva y __18.__ dije,

La actriz Eva Longoria

"¿Qué pasa? ¿Qué estás haciendo?" en voz baja, con las manos en los bolsillos de mis jeans y mirándola de reojo. Como si no me interesara demasiado.

Lupe: No me __19.__ puedo creer. ¿Se __20.__ dijiste de verdad? ¿Y qué te dijo?

José: Errr, bueno, en fin, no creo que __21.__ quieras saber.

Lupe: ¡Cómo que no __22.__ quiero saber! Por supuesto. Dímelo. ¿Qué te pasó?

José: Pues tenía un refresco en la mano y me __23.__ tiró en la cabeza.

Lupe: ¿Cómo? ¿Y tú que le dijiste?

José: Creo que le dije… ¡me encantas, Eva! Eres __24.__ mala __25.__ en la serie *Mujeres desesperadas*.

Lupe: ¡No __26.__ __27.__ puedo creer!

José: ¡Que no te enojes, Lupe! Que sólo la vi de lejos. Es que me quedé de piedra y no reaccioné a tiempo.

Cita

¿Quién no sabe que en México seguimos al pie de la letra el precepto bíblico de alabar a los muertos? A los vivos los elogiamos cuando pueden darnos algo.

—Amado Nervo (1870–1919), escritor mexicano

¿Cómo describiría el tono de esta cita? ¿Está de acuerdo? ¿Piensa que algunas personas sólo se hacen famosas después de morir? Explique sus respuestas y comparta sus opiniones con un/a compañero/a.

¡Dato curioso! Cuando se habla de famosos también se suele hablar del mundo que los rodea, y en muchas ocasiones, éste es de gran lujo y dinero excesivo. Los sueldos de los famosos muestran cifras asombrosas. Oscilan entre los cinco y los 225 millones de dólares, o incluso más. ¡Imagina lo que Ud. podría hacer con ese dinero?

17 Familia de palabras

Complete la tabla con el verbo, sustantivo o adjetivo apropiado y la traducción correspondiente.

Verbos		Sustantivos		Adjetivos	
_____	to support	_____	_____	apoyado	_____
drogarse	_____	la droga; el/la drogadicto/a	_____ ; _____		
empeñarse	_____	_____		empeñado	_____
fallecer	_____	_____	death		_____
_____	to influence	_____	influence	influyente	_____
luchar	to fight			luchador	_____
obsesionarse	_____	la obsesión		obsesionado	_____
superar	_____	la superación	overcoming		_____
_____	to triumph	el triunfo	_____	triunfante	_____

18 ¿Verbo, sustantivo o adjetivo? ⓘ🔍

Complete las oraciones usando la forma correcta de las palabras que aparecen en la tabla, ya sea verbo, sustantivo o adjetivo. En el caso del sustantivo puede que necesite artículo.

1. Los padres de Óscar y Paco siempre ___ (empeñarse) en que sus hijos ___ (triunfar) en la escuela. En el fondo, esta disciplina fue lo que los ayudó a ser unos exitosos hombres de negocios.

2. La adolescencia es una edad difícil, pues los chicos no siempre ___ (superar) los miedos propios de la edad. Los padres en ocasiones viven en una continua ___ (luchar) con sus hijos.

3. Es importante que los famosos hagan un buen uso de su situación privilegiada, que ___ (apoyar) causas benéficas y que ___ (luchar) por un mundo más equitativo.

4. Al administrador del cantante de mayor ___ (triunfar) se le quitó de golpe la sonrisa que solía tener en las ruedas de prensa cuando tuvo que comunicarle a los periodistas que su cliente llevaba más de dos años siendo ___ (drogarse), y es por eso que tuvo que ser ingresado en una clínica.

5. Por lo visto, le dieron varios galardones cuando se enteraron de que ___ (fallecer). Aunque su mujer estaba orgullosa, también estaba apenada, pues no reconocieron su talento hasta su ___ (fallecer).

6. Cuando la gente supo que el profesor iba a visitar su antiguo colegio comenzaron a llegar alrededor de cincuenta y tantas personas a pie, ___ (empeñarse) en visitarlo. Al fin y al cabo, se había convertido en una de las personas más ___ (influir) de la vida de muchos.

7. Debo de reconocer que estaba totalmente ___ (obsesionarse) con este actor de la telenovela "Amor y celos" y lo peor es que un día tropecé con él, y aunque tenía un poco de encanto, no es para tanto. Además me dio un autógrafo de mala gana. Creo que ya ___ (superar) mi ___ (obsesionarse) por él.

8. Cuando los concursantes, a pesar de ser grandes ___ (luchar), no consiguieron el premio, volvieron a sus casas un poco deprimidos y se acurrucaron en el sofá para seguir viendo el programa con sus familiares, quienes siempre les habían mostrado su ___ (apoyar).

Cita

El éxito tiene muchos padres, pero el fracaso es huérfano.
—John F. Kennedy (1917–1963), 35° presidente de los Estados Unidos

👥 ¿Cree que es cierto lo que dice? ¿A qué se debe? Cite unos ejemplos de su propia experiencia. Comparta sus experiencias y opiniones con un/a compañero/a.

continúa

9. Somos conscientes de que la música que mi banda y yo tocamos es muy ___ (*influir*) en los jóvenes, y es por eso que hemos decidido que los ___ (*apoyar*) en su ___ (*luchar*) contra ___ (*drogarse*) y daremos un concierto gratis.

10. Patricia y José estaban muy orgullosos; al fin y al cabo gracias a su ___ (*empeñarse*) lograron que muchos ___ (*drogarse*) superaran su adicción y triunfaran en su lucha.

19 Los hispanos

Échele una ojeada al artículo que sigue para ver de qué se trata, prestando atención a las palabras en azul, ya que se le harán preguntas sobre ellas. Luego lea el artículo y decida cuál de las dos palabras entre paréntesis es la correcta para completar cada oración y escríbala.

La influencia de los hispanos

Lo latino arrasa

Se lleva __1.__ (*lo / el*) latino. __2.__ (*Cientos / Cientas*) de artistas, cocineros, diseñadores, arquitectos, médicos, empresarios y demás __3.__ (*en / del*) mundo latino __4.__ (*están / estén*)
5 arrasando en otros países, tanto de América como de Europa o Asia. Estamos de moda. Hace años __5.__ (*fue / era*) prácticamente imposible ver a un sudamericano en la televisión o en los periódicos, pero ahora todo __6.__ (*ser / es*)
10 distinto. __7.__ (*Hemos / Hayamos*) ganado Oscars, Grammys, Emmys; incluso __8.__ (*estamos / estemos*) siendo considerados como mejores cocineros y diseñadores __9.__ (*que / de*) los franceses, __10.__ (*quien / quienes*)
15 siempre habían sido los que __11.__ (*dominaron / dominaban*) estas facetas.

__12.__ (*Empezamos / Empecemos*) a influir en la forma de vestir, de peinarnos, de comportarnos; el resto del mundo comienza a vernos como un
20 espejo en el que muchas personas se andan __13.__ (*mirar / mirando*) a diario. Tenemos que __14.__ (*ser / estar*) orgullosos de __15.__ (*nuestro / nuestros*) antepasados y de toda la cultura de __16.__ (*el / la*) que hemos sido
25 beneficiarios, porque aunque en ocasiones nos cueste creerlo, somos gente muy __17.__ (*afortunado / afortunada*). Hoy en día __18.__ (*nos / nosotros*) invitan a __19.__ (*mil / miles*) de fiestas, salimos en __20.__ (*cien / cientos*)
30 de los canales y emisoras... ¡Tenemos éxito! ¿Quién __21.__ (*fue / iba*) a decirlo a mediados del siglo XX? Hasta hace poco __22.__ (*fue / era*)

El Pabellón Quadracci del Museo de Arte de Milwaukee, diseñado por Santiago Calatrava

común __23.__ (*verlos / vernos*) jugando en las grandes ligas; no obstante, ya empezamos a
35 tomar otros tipos de cargos en la administración y marketing. Hemos __24.__ (*avanzando / avanzado*) a pasos agigantados y todo gracias a nuestros propios méritos, y aunque todavía tenemos miles de problemas de integración,
40 hay que __25.__ (*recordemos / recordar*) que no __26.__ (*es / sea*) fácil, pero luchando, y con buena cara, podremos llegar a __27.__ (*cualquier / cualquiera*) lugar. Como modelos a seguir tenemos el ejemplo de grandes triunfadores:
45 cantantes como Shakira y Jennifer López, arquitectos como Santiago Calatrava, cocineros innovadores como Ferrá Adriá y otros muchos que nos demuestran que quienes __28.__ (*trabajan / trabajen*) duro __29.__ (*puedan /
50 podrán*) conseguir sus sueños.

Isabel Segundo

20 ¿Qué significa?

Según el artículo que acaba de leer, ¿cuál es la mejor definición o sinónimo de cada palabra?

1. empresario
   a. persona que trabaja para una empresa
   b. persona que tiene mucha presión
   c. persona que tiene una empresa
   d. persona que tiene una imprenta

2. arrasar
   a. destruir
   b. tener un gran éxito
   c. levantar
   d. tirar

3. distinto
   a. idéntico
   b. diferente
   c. heterogéneo
   d. homogéneo

4. comportarse
   a. suponer
   b. portarse
   c. componerse
   d. encerrarse

5. resto
   a. lo sobrante
   b. basura
   c. ruina
   d. descanso

6. antepasado
   a. antiguo
   b. pasado de moda
   c. familiar ya muerto
   d. anteayer

7. costar
   a. ser caro
   b. ser difícil
   c. causar
   d. dormir

8. cargo
   a. peso
   b. empleo
   c. problema
   d. cargamento

9. agigantado
   a. enorme
   b. alegre
   c. pequeño
   d. de fantasía

10. con buena cara
    a. guapo
    b. saludable
    c. con buen humor
    d. con buenos modales

El cantante puertorriqueño Marc Anthony

21 George López

Échele una ojeada al artículo que sigue para ver de qué se trata, prestando atención a las palabras en azul, ya que se le harán preguntas sobre ellas. Luego lea el artículo y decida qué forma de las palabras entre paréntesis es la correcta para completar cada oración y escríbala. No se olvide de escribir y acentuar las palabras correctamente.

George López

George López es __1.__ (uno) de los comediantes y presentadores más __2.__ (importante) de la industria televisiva hoy en día.
5 __3.__ (El) programa, The George López Show, es uno de __4.__ (el) más vistos y es __5.__ (producir) por la encantadora actriz Sandra Bullock. Ya va por
10 su __6.__ (quinto) temporada. López es considerado uno de los cómicos más prestigiosos del país.

Su autobiografía, Why are you crying?, __7.__ (tener) mucho éxito, y varios discos __8.__ (lo) han
15 ayudado a apoderarse de un Grammy, e incluso + inf __9.__ (ser) comentarista durante la temporada 2003–2004 de la Liga de Fútbol Americano. Por otro lado, también ha dado conciertos de __10.__ (uno) lado a otro de los Estados Unidos e incluso
20 ha actuado para el Presidente del país. También __11.__ (participar) en la comedia Las mujeres de verdad tienen curvas, sobre los inmigrantes latinos en el país, que fue __12.__ (premiar) en
25 varios festivales internacionales y muy aclamada por la crítica y el público. la pasión

__13.__ (Un) de sus pasiones es el golf, y ha llegado a quedar
30 __14.__ (tercer) en competiciones nacionales. López vive en Los Ángeles con su mujer y sus hijos, y es __15.__ (un) de los pocos afortunados que tienen
35 una estrella en el __16.__ (conocer) paseo de la fama de Hollywood Boulevard.

El comediante participa en bastantes acciones benéficas, asimismo __17.__ (crear) una fundación con su mujer, con __18.__ (quien) está potenciando
40 la educación en Los Ángeles, y ha hecho un __19.__ (grande) esfuerzo para ayudar a las víctimas de __20.__ (país) como El Salvador y Guatemala.

Mari Sierra Ramos Castro

22 ¿Qué significa?

Empareje las palabras de la primera columna con su definición o sinónimo de la segunda.

1. comediante
2. autobiografía
3. disco
4. comentarista
5. actuar
6. aclamar
7. afortunado
8. potenciar

a. desarrollar, impulsar
b. exaltar
c. interpretar un papel
d. cómico
e. locutor, reportero
f. agraciado, con suerte
g. diario, historia sobre su propia vida
h. lámina circular de materia plástica

Cita

A la gloria de los más famosos se adscribe siempre algo de la miopía de los admiradores.
—Georg Christoph Lichtenberg (1742–1799), científico alemán y profesor de física

¿Piensa que idolatramos demasiado a los famosos? ¿Qué piensa de los admiradores? ¿Cree que ven los defectillos de los famosos? ¿Por qué cree que a veces no les dan mucha importancia a éstos?

¡Dato curioso! ¿Ha intentado traducir algunos nombres de famosos a español? He aquí algunos: Michael Fox, Miguel Zorro; Tom Cruise, Tomasín Crucero; Nicole Kidman, Nicolasa Hombrechico; Britney Spears, Britania Lanzas; George Bush, Jorge Arbusto; Bill Gates, Guillermito Puertas; Nicholas Cage, Nicolás Jaula.

23 Salma Hayek

Échele una ojeada al artículo que sigue e intente averiguar el significado de las palabras en azul por el contexto. Luego lea el artículo y decida cuál de las dos palabras entre paréntesis mejor completa cada oración y escríbala.

Salma Hayek

Salma, __1.__ (*cuyo / cual*) nombre en hindi significa Paz, es una de las latinas más impactantes __2.__ (*del / de la*) panorama cinematográfico actual. Tiene una especial
[5] espontaneidad y simpatía __3.__ (*cual / que*) la hace tremendamente atractiva. Es considerada la latina más exuberante __4.__ (*por / para*) muchos estadounidenses.

Hija de un empresario libanés y una cantante
[10] __5.__ (*de / en*) ópera mexicana, tiene un hermano __6.__ (*quien / que*) se llama Sami. __7.__ (*X / De*) pequeña despertaba a su padre los domingos muy temprano __8.__ (*por / para*) que la llevara al cine, y se imaginaba que ella era la protagonista
[15] de la película.

Es una mujer __9.__ (*en / de*) gran carácter que siempre consigue __10.__ (*el / lo*) que se propone, hasta tal extremo que __11.__ (*por / para*) convencer a sus padres __12.__ (*por / para*) que la
[20] dejaran irse a vivir con su tía __13.__ (*en / a*) los Estados Unidos, hizo una huelga de hambre con __14.__ (*tanto / tan*) sólo doce años. Pasó parte __15.__ (*de / en*) su adolescencia en un internado de Louisiana, de donde la echaron __16.__
[25] (*por / para*) sus múltiples gamberradas, que

tenían como objetivo las monjas __17.__ (*que / quienes*) se encargaban de él.

Cuando volvió a México empezó __18.__ (*para / a*) estudiar Relaciones Internacionales en la
[30] universidad, pero dejó estos estudios __19.__ (*por / para*) tomar clases de interpretación. Comenzó __20.__ (*hacer / haciendo*) telenovelas, incluso fue protagonista de una de ellas, consiguiendo __21.__ (*gran / grande*) éxito en su país __22.__ (*de / en*)
[35] origen. Pero a ella le faltaba __23.__ (*algo / algún*), __24.__ (*así / por*) que hizo la maleta y decidió irse a la meca __25.__ (*de / del*) cine. En Los Ángeles estudió inglés __26.__ (*y / e*) interpretación, y comenzó __27.__ (*para / a*) hacer papeles en
[40] películas de poco presupuesto. __28.__ (*En / En el*) 1995 llegó su salto a la fama con la película *Desperado*, de Robert Rodríguez, junto __29.__ (*a / al*) Antonio Banderas. Después __30.__ (*con / de*) esto su vida cinematográfica ha sido casi como
[45] un camino de rosas. Fue nominada a un Oscar __31.__ (*por / para*) la película *Frida*, la __32.__ (*quien / cual*) también produjo. Ella idolatraba a la pintora Frida Khalo y deseaba llevarla __33.__ (*a / al*) cine; algunos cuentan __34.__ (*X / que*)
[50] incluso se afeitaba los pocos pelitos del "bigote" que tenía __35.__ (*para que / porque*) saliera más pelo y, así, parecerse más a la famosa artista. __36.__ (*Por / Para*) la película *Wild Wild West*, uno __37.__ (*X / de*) los protagonistas —y también
[55] creador de una de las canciones de la banda sonora—, Will Smith, __38.__ (*la / le*) pidió que participara en el video clip. __39.__ (*Lo / El*) que ella no sabía es que la iba __40.__ (*X / a*) cubrir de arañas, precisamente __41.__ (*de / con*) tarántulas.
[60] Ha sido imagen de algunas firmas de cosméticos y maquillaje, gracias __42.__ (*a / por*) su exótica belleza. Incluso ha participado __43.__ (*en / para*) la publicidad __44.__ (*en / de*) un champú.

Siempre ha mantenido su vida sentimental al
[65] margen de su imagen pública, lo que hace que todavía __45.__ (*X / se*) la respete más. __46.__ (*Uno / Una*) de sus principios es no aceptar papeles __47.__ (*que / cuales*) degraden la cultura o la sociedad latina.

Mari Sierra Ramos Castro

24 ¿Qué significa?

Empareje las palabras de la primera columna con su definición o sinónimo en la segunda, según el contexto del artículo anterior.

1. impactante
2. espontaneidad
3. exuberante
4. protagonista
5. huelga de hambre
6. internado
7. gamberrada
8. monja
9. interpretación
10. de poco presupuesto
11. salto
12. idolatrar
13. araña
14. al margen de
15. degradar

a. protesta durante la cual uno no come
b. actuación
c. impresionante
d. de bajo coste
e. adorar
f. voluptuoso, muy abundante
g. personaje principal
h. travesura extrema
i. naturalidad
j. insecto de ocho patas que caza a sus presas en una red
k. fuera de, separada de
l. lanzamiento
m. humillar
n. institución donde los estudiantes estudian y duermen
o. mujer religiosa de una orden

25 Chica Almodóvar

Échele una ojeada al artículo que sigue para ver de qué se trata, prestando atención a las palabras en azul, ya que se le harán preguntas sobre ellas. Luego lea el artículo y decida cuál es la palabra que mejor completa cada oración y escríbala. No se olvide de escribir y acentuar la palabra correctamente.

Penélope Cruz

Penélope, se llama así __1.__ canción muy conocida __2.__ cantante español Joan Manuel Serrat, es una __3.__ las actrices más atractivas __4.__ cine español. Sus gestos [5]dulces __5.__ han hecho gala del pseudónimo de Blanca Nieves. __6.__ pequeña soñaba __7.__ cuando tuviera fama sería __8.__ Audrey Hepburn, una __9.__ sus actrices favoritas; también adora __10.__ Marilyn Monroe. En el [10]año 2000, después __11.__ rodar una película con animales, decidió __12.__ vegetariana; y __13.__ que la conocen dicen que cocina las mejores hamburguesas vegetarianas __14.__ existen, están deliciosas, incluso mejor __15.__ [15]las __16.__ carne. También adora la comida japonesa y no bebe alcohol, sólo agua y Coca-Cola; __17.__ vez en cuando también pica una onza __18.__ chocolate. __19.__ pequeña tenía muy claro __20.__ lo que se quería [20]dedicar, estuvo estudiando ballet durante trece años y luego dejó el instituto __21.__ dedicarse __22.__ su pasión, el cine. Estudió arte dramático y se marchó __23.__ vivir __24.__ Nueva York. Su carrera ha sido rápida, como [25]un rayo, __25.__ sólo 32 años se ha convertido __26.__ una de las actrices más respetadas __27.__ cine español y fuera de él. Parte de esta fama es debida __28.__ su relación con el famoso actor y productor Tom Cruise, con el [30]__29.__ coincidió en el rodaje __30.__ *Vanilla Sky.*

Le encanta la música clásica y dormir, puede dormir incluso 18 horas seguidas; una __31.__ sus pasiones es __32.__ gata persa [35]Aitana, regalo de su amiga y también actriz, Aitana Sánchez-Gijón, y otra, la lectura; su libro favorito __33.__ *El guardián entre el centeno* de J.D. Salinger. __34.__ de sus vicios confesables es comprar ropa; le encantan [40]los pantalones tejanos y los colores blanco y negro. Otra curiosidad __35.__ que no usa perfume. Es muy tímida, odia __36.__ los paparazzi, y hacer entrevistas __37.__ ella es un continuo suplicio. Odia la hipocresía y la mala [45]educación, además __38.__ carácter frívolo de Hollywood, ya que lo considera demasiado falso.

__39.__ considera una persona muy celosa con su pareja. Su deporte es el baile; uno [50] __40.__ sus personajes históricos favoritos es Gandhi y uno de sus sueños, __41.__ ya no podrá cumplir, __42.__ haber conocido a la madre Teresa de Calcuta. Su próximo proyecto, tener un hijo.

26 ¿Qué significa?

Defina en español las siguientes palabras del artículo sobre Penélope Cruz: hacer gala, pseudónimo, rodar (una película), respetado, suplicio, hipocresía, mala educación.

27 Lea, escuche y escriba/presente

Vuelva a leer los textos completos de las Actividades 23 y 25. Luego escuche la grabación "Cristina Saralegui" y tome las notas necesarias. Escriba un ensayo o haga una presentación en clase sobre el tema de las mujeres hispanas influyentes.

Cita

Las oportunidades son como los amaneceres, si uno espera demasiado, se los pierde.
—William Arthur Ward (1921–1994), autor, editor, pastor y maestro estadounidense

¿Qué piensa de esta cita? ¿Es Ud. el tipo de persona que aprovecha una oportunidad? Comparta su opinión con un/a compañero/a.

¡Dato curioso!

El inventor de las papas fritas fue un chef, George Crumble, quien fue criticado en varias ocasiones por cortar las papas muy gruesas. Así, probó con un cuchillo bien afilado a cortarlas finas, y observó con grata sorpresa cómo se frieron crujientes y doradas rápidamente. Mientras que otras personas por menos se han hecho famosas, pocas personas han oído hablar de él, a quien le debemos tan delicioso invento.

¡A leer!

28 Antes de leer

¿Qué impresiones tiene sobre la cultura latina contemporánea? ¿Cree que lo latino está muy de moda en los Estados Unidos? ¿Por qué? ¿Cuál es su latino famoso preferido?

29 Los latinos

Lea el siguiente artículo con atención e intente averiguar el significado de las palabras en azul por el contexto, ya que se le harán preguntas sobre ellas.

Dirección www.univision.com

Archivo   Edición   Ver   Favoritos   Herramientas   Ayuda

Los famosos latinos se cotizan alto...

Verónica Durán, EFE

El cantante puertorriqueño, Elmer Figueroa-Arce, es mejor conocido como Chayanne.

Las empresas los usan para vender más

Todo indica que las figuras latinas están en auge. Prestigiosas firmas de moda han escogido modelos latinos para sus campañas publicitarias y los actores latinos se cotizan y suben escalafones rápidamente en ⁵la meca del cine estadounidense. Mientras, el público pierde el control con la música de Chayanne, Ricky Martin o Juanes.

Estrellas que venden con su rostro

Las estrellas latinas dan cada día más juego en las pantallas y rompen con el estereotipo de la belleza ¹⁰clásica, de tez blanca, ojos azules, cuerpo delgado y melena rubia.

Hollywood lo tiene claro: la sociedad estadounidense está cada vez más mezclada, la colonia latina es numerosa y quiere atraer al mercado latinoamericano ¹⁵rico y español, por tanto incluyen en su reparto estrellas que representan su fuerza y belleza.

Bardem y Benicio, dos viriles latinos

El actor español Antonio Banderas fue uno de los pioneros en Hollywood y quien contribuiría a abrirle las puertas de Los Ángeles a sus compatriotas, como ²⁰es el caso de Javier Bardem, cuyo *look* rudo y masculino hace soñar y sonrojarse a miles de mujeres. Su nariz rota, cuerpo corpulento y aspecto tosco le imprimen un carácter particular.

Bardem (Las Palmas de Gran Canaria, España, ²⁵1969) con paso cuidadoso pero seguro, coquetea con los productores estadounidenses, pero procura mantener su línea y no manchar su imagen con una producción mala y netamente comercial.

Así lo demuestra su reciente participación en las ³⁰super producciones *Matando a Pablo* o *Los fantasmas de Goya*, entre otras, donde comparte reparto con figuras de talla internacional como Tommy Lee Jones, Natalie Portman y Tom Cruise, entre otros.

Su consagración como actor internacional llega en ³⁵el 2000 de la mano de la película *Antes que anochezca* y cuya interpretación le valió ese año la nominación de la academia de los Oscar como mejor actor.

Asimismo, por la película *Mar adentro*, dirigida por Alejandro Amenábar, recibió el Oscar como ⁴⁰mejor película extranjera en el 2005, galardón que afianzó la trayectoria del actor español.

El puertorriqueño Benicio del Toro es otro de los actores latinos de mayor prestigio y fama en Hollywood. Su mirada sexy y aspecto viril, lo convierten ⁴⁵en uno de los hombres más atractivos del mundo del cine.

Asimismo, del Toro ha mostrado un buen olfato a la hora de seleccionar su participación en las distintas producciones, perfilándose como un actor ⁵⁰talentoso que sabe escoger sus papeles y obteniendo distintas nominaciones en los Oscar.

Este puertorriqueño obtuvo su primera nominación a los Premios de la Academia en la categoría de mejor actor secundario por su trabajo en la película ⁵⁵*Traffic*, y su segunda nominación gracias a su interpretación en *21 Gramos*.

El talento musical latino barre

Quizá es en el escenario musical en donde mejor se ensambla el espíritu latino y donde mayor repercusión genera.

60 En la última década cobran gran fuerza los ritmos, bailes y letras de distintas etnias, interpretadas por cantantes colombianos, puertorriqueños, mexicanos y españoles.

Elmer Figueroa-Arce, conocido como Chayanne 65 (Puerto Rico, 1968) es, junto con Ricky Martin, Alejandro Fernández y Juanes, uno de los músicos latinos de mayor proyección internacional.

Tienen en común un estilo propio definido, talento, un atractivo físico poderoso, son seductores 70 y por todos corre sangre latina.

Chayanne comenzó su carrera musical a los diez años con el grupo Los Chicos y a los diecisiete años grabó su primer disco en solitario.

La canción "Este ritmo se baila así" lo lanzó a 75 la fama y le mereció el Premio MTV al mejor video latino. Con temas como "Torero", o "No te preocupes por mí" ha cosechado grandes éxitos.

Su aspecto varonil, su capacidad de seducción y sus cualidades como bailarín le han valido para 80 participar en diversas producciones cinematográficas tales como *Linda Sara* o *Baila conmigo*.

Por otra parte, siguiendo las tendencias del mercado, los diseñadores de moda contratan modelos latinos para promocionar sus marcas.

85 El diseñador Ralph Lauren, se decantó por el polista argentino Nacho Figueras: elegante, exitoso y muy atractivo.

Con rasgos marcados, ojos grandes, mirada profunda y con un cuerpo de deportista profesional, 90 Nacho es la nueva imagen de la conocida marca y a su vez, se ha convertido en uno de los modelos más cotizados del mundo.

"Hay un marcado interés internacional por todo lo 'latino', la música, la literatura, la moda, el cine. 95 El mundo latino está de moda", señala Figueras.

Nacho es también uno de los mejores jugadores de polo. Tiene siete goles (el *ranking* llega a 10) y es miembro del equipo Black Watch, que juega en Palm Beach y Long Island, y en Argentina juega con el 100 equipo Centauros.

EFE/www.univision.com

30 Amplíe su vocabulario

Según el contexto del artículo que acaba de leer, empareje cada palabra de la primera columna con su definición o sinónimo de la segunda.

1. indicar *to indicate*
2. figura *figure*
3. en auge *rise up*
4. prestigioso *prestigious*
5. escoger *to choose*
6. campaña publicitaria
7. cotizar *to value on*
8. estereotipo
9. reparto *distribution*
10. hacer soñar *to wreck*
11. sonrojarse *to brush*
12. tosco *crude, rude*
13. imprimir carácter
14. manchar *to stain*
15. de talla *curving*
16. consagración *dedication recognition*
17. nominación *nomination*
18. asimismo *also*
19. buen olfato *good smell*
20. década *ethnic group*
21. etnia
22. decantarse *pour*
23. rasgo *feature off*

a. rudo, poco cuidado *rough*
b. hacer que uno desee algo *to do that one desires something*
c. personalidad *personality*
d. también *also*
e. valorar *to value*
f. raza *race*
g. imagen que se tiene de un grupo
h. característica física, facción *physical characteristic*
i. dejar huella *to leave a trace*
j. instinto *instint*
k. inclinarse, decidirse *to decide*
l. candidatura para un premio *candidate for an award*
m. ensuciar *to dirty*
n. elegir algo entre varios *choosing something among several*
o. resultado del éxito *results from success*
p. de moda *in style*
q. ponerse rojo o colorado
r. conjunto de diez años
s. de importancia *de importance*
t. que tiene influencia, autoridad *authority*
u. mostrar
v. anuncios para promocionar un producto *ads to promote a product*
w. actores de una obra o película *movie actors*

31 ¿Ha comprendido?

1. ¿Por qué están en auge los famosos latinos?
   a. Cobran menos.
   b. El cine los ha hecho famosos.
   c. Tienen otro tipo de belleza diferente.
   d. Tienen bellas melenas y cuerpos delgados.

2. ¿Es Antonio Banderas el prototipo de belleza latina?
   a. No, está ya muy anticuado.
   b. Sí, lo es gracias a la ayuda de Javier Bardem.
   c. No, sus películas son totalmente comerciales.
   d. Sí, y fue el primer latino en Hollywood y eso ayudó a latinos posteriores.

3. ¿Qué tienen en común los músicos latinos de proyección internacional?
   a. Tienen estilo personal, un atractivo físico y una naturaleza propia.
   b. Todos son cantantes.
   c. Todos empezaron su carrera a los diez años.
   d. Todos consiguieron premios de la MTV.

4. ¿Cuál es la opinión de Nacho Figueras sobre lo latino?
   a. El diseñador Ralph Lauren es elegante y atractivo.
   b. La moda de Ralph Lauren es la más conocida del mundo.
   c. Existe una moda internacional de amor por lo latino.
   d. Los latinos suelen ser explotados por las grandes compañías.

5. ¿Qué piensa que significa la expresión *Abrir las puertas*?
   a. Abrir la puerta de un camerino de artistas
   b. Echar a alguien de un lugar discretamente
   c. Cambiar las tendencias en la moda, cambiar de aires
   d. Facilitar el camino profesional

32 ¿Cuál es la pregunta?

Según lo que acaba de leer, escriba una pregunta lógica para estas respuestas.

1. El español Antonio Banderas
2. En Las Palmas de Gran Canaria
3. En el año 2005
4. La canción pertenece a Chayanne.
5. Para el diseñador Ralph Lauren

33 ¿Qué piensan?

Discuta la siguiente oración con un/a compañero/a: "Las empresas utilizan lo latino para vender más". ¿Está de acuerdo con esta afirmación? ¿Por qué?

34 Comparta experiencias

Con un/a compañero/a hable sobre sus actores y cantantes favoritos. ¿Le gusta ver videos en Internet y bajarse canciones de Internet? ¿Cómo cree que la piratería puede afectar a la industria del cine y de la música? ¿Y a los propios artistas?

35 Se titula...

Piense en otro título para esta lectura. ¿Por qué lo ha escogido?

Cita

Detrás de cada hombre con éxito, hay una mujer sorprendida.
—Anónimo

¿Qué piensa de esta cita? ¿Cree que lo escribió un hombre o una mujer? ¿Por qué? Comparta su opinión con un/a compañero/a.

¡Dato curioso!

El general Patton, héroe de la armada estadounidense, sostenía que había tenido vidas anteriores, luchando en la guerra de Troya, contra Atila, en las Cruzadas o en el ejército de Napoleón. Él aseguraba que no moriría hasta que no salieran victoriosos los aliados de la Segunda Guerra Mundial. Y así fue: tres meses después de que se rindiera Japón, un tanque, con los frenos rotos, aplastaba su coche en Alemania, causándole graves heridas que le ocasionaron una embolia, produciéndole la muerte.

36 Antes de leer

¿Qué hace que alguien se haga famoso? ¿Puede llegar alguien a hacerse famoso por algo que haya hecho mal o por algún comentario inoportuno? ¿Está de acuerdo con el dicho popular *Aunque hablen mal de ti, ¡pero que hablen!* ¿Por qué? Cite ejemplos.

37 Ideas absurdas

Lea el siguiente texto con atención e intente averiguar el significado de las palabras en azul por el contexto, ya que se le harán preguntas sobre ellas.

Meteduras de pata de famosos
CARLES VIDAL

Aquí puede ver algunas de las personas que han pasado a la posteridad, no por su talento y grandeza, sino por sus meteduras de pata.

Grandes torpes de la humanidad

El rey que creía que el café era mortal

Ni siquiera algunos reyes, portadores de la dignidad más majestuosa, se libran de inscribir su nombre en los anales de la historia de la estupidez humana. Es el caso de Gustavo III de
5 Suecia, un monarca que detestaba el café hasta el punto de creer que se trataba de una bebida letal y que su
10 consumo prolongado podía causar la muerte.

(A), se le ocurrió una absurda idea. Condenó
15 a un reo de asesinato a ser ejecutado lentamente, bebiendo doce tazas de café diarias, mientras un
20 grupo de médicos iba comprobando su progresivo deterioro físico. Pero el soberano nunca vio el desenlace del experimento, ya que murió casi diez años después, en 1792,
25 asesinado por un disidente que se llamaba Anckarström. Y en los años sucesivos fueron muriendo uno a uno los médicos (B).

De hecho, al final el único que quedó vivo fue el reo, quien acabó siendo indultado y
30 murió mucho tiempo después, por causas perfectamente naturales. Aunque eso sí, nunca dejó de tomarse sus tacitas diarias de café.

Tampoco tiene desperdicio el caso de Menelik II, emperador de Abisinia. En 1887, un empleado
35 de Thomas Alva Edison llamado Harold P. Brown inventó la silla eléctrica, y en 1890 se ejecutó con ella al primer reo: William Kleiner.

La noticia dio la vuelta al mundo y, al enterarse, el emperador abisinio hizo las gestiones para
40 comprar una que, creía, sería un símbolo de su gran poder. Pero Menelik no tuvo en
45 cuenta un detalle esencial. La silla letal sólo funcionaba con electricidad, un adelanto
50 que por aquel entonces todavía no había llegado al país africano. Evidentemente, el rey
55 no pudo achicharrar a ningún reo con aquella silla, pero, tratando de buscarle alguna utilidad, no se le ocurrió mejor idea que utilizarla como trono
60 durante algún tiempo.

La historia está repleta de bocazas y profetas de pacotilla que, por su ceguera, rechazaron

continúa

adelantos e inventos que estaban llamados a
cambiar el mundo. Es el caso de Rutherford
[65] Richard Hayes, uno de los directivos de la
compañía de telégrafos Western Union, **(C)**,
cuando Alexander Graham Bell quiso venderle
la patente de su nuevo invento, el teléfono, le
respondió con una carta que decía: "Su invento
[70] parece interesante, señor Bell, pero sinceramente
no acabo de verle su posible utilidad práctica."

Y los ejemplos de visionarios similares abundan
en todos los campos. El físico estadounidense
Lee DeForest sentenció en 1957: "El hombre
[75] nunca pisará la Luna, al margen de los posibles
adelantos científicos". Solamente doce años
después, el astronauta Neil Armstrong se
paseaba por nuestro satélite.

Igualmente, el padre del cine, Louis Lumière,
[80] sentenció que su gran invento no pasaba
de ser una curiosidad científica y que no le
veía "ninguna posibilidad de ser explotado
comercialmente". Años después, el productor
Irving Thalberg tomó el testigo de Lumière y
[85] vaticinó en 1927 el fracaso del cine sonoro,
alegando que "nadie en su sano juicio puede
soportar dos horas escuchando a un grupo de
personas hablando sin parar".

Otro que dejó escapar el negocio de su vida
[90] fue Dick Rowe, un ejecutivo de la compañía
discográfica Decca Recording Company, **(D)**,
tras escuchar las maquetas de un grupo de
muchachos melenudos, sentenció: "No me gusta
cómo suenan; además, la música de guitarra ya
[95] está pasada de moda". Pero, claro, si hubiera
sabido entonces que aquellos jóvenes eran The
Beatles...

Un desprecio similar lo sufrió en su propia carne
Ronald Reagan cuando en 1964 se presentó
[100] a una prueba para el papel de Presidente de
los EE.UU. en el filme *El mejor hombre*. El
productor, Walter R. Hagen, le rechazó alegando
que "no parece lo suficientemente inteligente
como para resultar creíble como mandatario". Se
[105] ve que, años después, los votantes no pensaron
lo mismo.

Un seguro contra extraterrestres

Es el caso del cineasta Stanley Kubrick,
quien creía firmemente en la existencia de
extraterrestres. Por eso, cuando inició el rodaje
[110] de *2001, una odisea del espacio* (1968) quiso
suscribir un seguro con la Lloyd's de Londres,
temiendo que en ese período se pudiera producir

un contacto con seres de otros mundos que
echara por tierra las tesis de su carísima película
[115] y le arruinase. **(E)** la Lloyd's no firmó el trato
alegando "altas posibilidades de riesgo".

Peor fue lo de Theodor von Bischoff, un fisiólogo
alemán y experto en anatomía de la Universidad
de Heidelberg que, a finales del siglo XIX,
[120] estudió la diferencia entre los cerebros del
hombre y de la mujer.

Terminadas sus investigaciones, llegó a la
conclusión de que el cerebro masculino pesaba
una media de 1.350 g, mientras que el femenino
[125] sólo llegaba a los 1.250 g. El investigador se
basó en esa diferencia de peso para afirmar
la superioridad intelectual del varón sobre la
mujer. Conviene señalar que es cierto que los
cerebros masculinos suelen pesar más que los
[130] femeninos, aunque ese hecho no tiene ninguna
relación con la capacidad intelectual de las
personas.

Pero von Bischoff no lo creía así, y defendió
su tesis machista **(F)**. La lástima es que, tras
[135] su muerte, uno de sus discípulos quiso pesar
el cerebro del científico. ¿Y adivinas cuál
fue el resultado? 1.245 g. Menos mal que el
pobre Bischoff ya no estaba vivo para afrontar
semejante ridículo.

www.quo.orange.es

38 Vocabulario 🔍

Empareje las palabras de la primera columna con su definición o sinónimo de la segunda, según el contexto del artículo anterior.

1. torpe _clumsy_
2. dignidad _dignity_
3. detestar _to detest, dislike_
4. reo
5. soberano _sovereign_
6. indultar
7. gestión _action, step_
8. letal _deadly_
9. bocazas
10. ceguera
11. utilidad _utility_
12. pisar _to walk on_
13. en su sano juicio _in his right mind_
14. melenudo _long-haired_
15. sufrir en su propia carne _skin_
16. machista
17. adivinar _to guess_
18. afrontar _to face_
19. ridículo

a. con pelo largo, con mucho cabello
b. uso, provecho
c. sin vista
d. decoro
e. odiar
f. preso
g. prudente, que razona
h. poner los pies en el suelo
i. lento, incompetente
j. predecir
k. rey
l. persona indiscreta que habla demasiado
m. perdonar
n. hacer frente a
o. sin lógica, absurdo
p. que puede causar la muerte
q. padecer algo personalmente
r. diligencia
s. persona que considera a las mujeres inferiores

_0.5 pt_

39 ¿Ha comprendido?

_2 pt_

1. ¿Qué pensaba el rey Gustavo III de Suecia que le pasaría a una persona si consumía mucho café?
   a. Que se le deterioraba el cuerpo
   b. Que podría llegar a fallecer
   c. Que tardaba más en morir
   d. Que se convertía en inmortal

2. ¿Por qué el emperador de Abisinia no pudo usar la silla eléctrica?
   a. La consideraba peligrosa.
   b. No entendía su funcionamiento.
   c. Carecía de electricidad.
   d. Prefirió utilizarla como trono.

3. ¿Por qué Irving Thalberg pensó que el cine sonoro sería un fracaso?
   a. Pensó que nadie soportaría por mucho tiempo las conversaciones en el cine.
   b. Creía que el cine interesante era el de aventuras y en ése no era necesario hablar.
   c. Lo veía aburrido.
   d. Creía que nadie iría al cine a ver películas sonoras ya que eran como la realidad.

4. ¿Cómo justificó Hagen el no admitir a Reagan para el papel de Presidente de los Estados Unidos?
   a. Cobraba un sueldo muy alto.
   b. Físicamente no daba la talla como Presidente.
   c. Necesitaba a alguien más listo para ese papel.
   d. Era demasiado bajo para ese papel.

5. ¿Por qué no firmó Lloyd's un seguro con Kubrick para el rodaje de *2001*?
   a. Había posibilidades de que vinieran los extraterrestres.
   b. Creían que no había necesidad de ello.
   c. No se pusieron de acuerdo con las indemnizaciones.
   d. Kubrick pensó que los extraterrestres nunca vendrían.

6. ¿Cuál era la teoría de Theodor von Bischoff?
   a. El cerebro de los hombres pesaba más que el de las mujeres.
   b. El cerebro de las mujeres era más grande que el de los hombres.
   c. Debido al mayor peso de sus cerebros, los hombres son más inteligentes que las mujeres.
   d. No tiene nada que ver el peso de los cerebros con la capacidad intelectual de los hombres y las mujeres.

40 ¿Cuál es la pregunta? 🔍

Según lo que acaba de leer, escriba una pregunta lógica para estas respuestas.

1. No, al final fue el único que quedó vivo; todos los demás murieron mucho antes que él.
2. Que no tendría ningún éxito comercial
3. No me gusta cómo suenan; además, la música de guitarra ya está pasada de moda.
4. 1.245 gramos

41 ¿Dónde va? 🔍

Las siguientes frases han sido extraídas del texto de la Actividad 37. Vuelva a mirar el artículo, fijándose en las letras de color, y escriba la letra que mejor corresponda a cada frase. Hay una frase que sobra.

1. que el rey había designado
2. quien en 1962
3. Pero lo gracioso del caso es que
4. hasta el final de su vida
5. que en 1876
6. Para demostrarlo
7. por lo que fue un gran invento

42 Lea, escuche y escriba/presente 👥

Vuelva a leer "Meteduras de pata de famosos" y luego escuche la grabación "Sentido del ridículo". Tome notas y escriba un ensayo o haga una presentación en clase contestando la pregunta, "¿Qué piensa de las personas que no actúan por miedo a equivocarse?" Mencione las causas y proponga soluciones. No se olvide de citar las fuentes debidamente.

43 Antes de leer 👫

¿Qué es un héroe? Cite a algunos héroes famosos que conozca. ¿Qué piensa de estos héroes? ¿Cree que hoy hay pocos héroes famosos? ¿Cree que hace años era más importante la figura del héroe que ahora? ¿Por qué?

44 Una paloma valiente 📖

Lea el siguiente artículo con atención e intente averiguar el significado de las palabras en azul, ya que se le harán preguntas sobre ellas.

Valentín, la paloma héroe
Un palomo sueña con ser héroe de guerra

Elena Escala Sáenz

Valiant. Dibujo animado dirigido por Gary Chapman. Guión: Jordan Katz, George Webster y George Melrod, basado (A). Música: George Fenton. Presentado por Alfa Films. Hablado en español. Duración: 76 minutos. Calificación: Apta para todo público.

Nuestra opinión: Buena

Valiant es un pequeño palomo que desea convertirse en héroe del comando de palomas mensajeras del ejército británico
[5] durante la Segunda Guerra Mundial. Entre la burla de sus compañeros y el escepticismo de sus jefes, esta ave dispuesta a servir a su patria logra ser aceptada para las más difíciles
[10] misiones y así, con valentía y entereza, comenzará sus peligrosas aventuras. Él compensa su baja estatura con grandes sueños y una audacia a toda prueba, y allí va, cruzando ríos y montañas, a llevar los mensajes vitales para la
[15] causa de los aliados, tratando de eludir a la vez los intentos para ser detectado y capturado, (B).

De los mismos productores de *Shrek*, este dibujo animado propone con calidez y ternura la prueba de fuego a que se somete su protagonista y recrea con
[20] imaginación las aventuras y desventuras del palomo que, (C) Bugsy, Lofty y Rolo, lograrán una hazaña increíble para su país. Sin ampulosidad ni violencia, el incansable Valiant deberá crecer de golpe en medio del conflicto bélico, y saldrá indemne de su
[25] misión al llegar a Londres con un parte de guerra

que le brindará, como premio, una codiciada condecoración y el amor de una paloma enfermera.

El film es un muy válido entretenimiento asentado en la comedia brillante, a lo que se agregan la
[30] tensión y el suspense, (D). Los dibujos, de impecable factura, son otras sólidas bases para que las misiones del simpático Valiant sobresalgan de un guión pensado para el público infantil, aunque también sirve de
[35] entretenimiento para los mayores. El director Gary Chapman supo manejar con habilidad un libreto que posee ternura y humor, y con estos elementos a favor el film divierte en torno de las peripecias y de las tribulaciones
[40] de ese pichón de palomo que debe hacerse adulto de golpe en un mundo más grande, (E).

Posiblemente a los más pequeños no les sea demasiado fácil internarse en los vericuetos de la
[45] guerra, pero la propuesta fílmica sale indemne a través de esas aves heroicas que, entre el peligro y las balas, cumplieron con su deber de soldados en la contienda mundial.

Ver *Valiant* es divertirse y pasar algo más de una
[50] hora apoyando al palomo en su tarea de salvar a su patria y de seducirse por su tesón y por su entrega a la misión encomendada. Y es, también, un canto a la paz y al heroísmo en medio de una trama que resume la necesidad de confraternizar entre amigos
[55] en un terreno sembrado de peligros.

www.lanacion.com

45 ¿Qué significa?

Mire las palabras de las dos primeras columnas que aparecen en la lectura anterior y busque su traducción en la tercera y cuarta columna.

1. dibujo animado
2. héroe
3. burla
4. escepticismo
5. patria
6. valentía
7. entereza
8. estatura
9. audacia
10. mensaje
11. calidez
12. ternura
13. hazaña
14. de golpe
15. indemne
16. parte de guerra
17. sólido
18. peripecia
19. contienda
20. tesón
21. sembrado

a. battle
b. message
c. height
d. unexpected event
e. strong
f. audacity
g. suddenly
h. unharmed
i. joking
j. war bulletin
k. cartoon
l. perseverance
m. hero
n. tenderness
o. integrity
p. bravery
q. skepticism
r. homeland
s. sown
t. great deed
u. warmth

46 ¿Ha comprendido?

1. ¿Qué tipo de película es: comedia o drama?
2. ¿Por qué elige un entorno bélico para desarrollar la película?
3. ¿Es Valiant un palomo humilde? ¿Por qué?

47 ¿Cuál es la pregunta?

Según lo que acaba de leer, escriba una pregunta lógica para estas respuestas.

1. Gary Chapman
2. Una hora y dieciséis minutos *one hour & 16 min*
3. *Shrek*
4. Bugsy, Lofty y Rolo
5. Una condecoración de honor y el amor de una paloma
6. Es para un público infantil, pero puede ser disfrutado también por adultos.

48 ¿Dónde va?

Las siguientes frases han sido extraídas del texto anterior. Vuelva a mirar el artículo, fijándose en las letras de color, y escriba la letra que mejor corresponda a cada frase. Hay una frase que sobra.

1. con sus amigos C
2. en una historia de George Webster A
3. elementos vitales que llevan el pulso de la historia *vivacious elements that carry*
4. al ser un palomo muy valiente *being a brave pigeon*
5. de lo que se hubiese imaginado
6. por la salvaje Brigada Halcón del enemigo B

49 Lea, escuche y escriba/presente

Vuelva a leer "Valentín, la paloma héroe" y luego escuche la grabación "El Capitán Planeta" y tome las notas necesarias. Escriba un ensayo o haga una presentación en clase contestando las preguntas, "¿Cómo influyeron en su infancia los dibujos animados? ¿Quiénes fueron sus héroes favoritos?" No se olvide de citar las fuentes debidamente.

Blog

Cita

Dios dispuso que las estupideces de los hombres fueran efímeras, pero algunas veces sus palabras las condenan a ser eternas.

—Descartes (1596–1650), filósofo, matemático y científico francés; el "padre" de la filosofía moderna

¿Está de acuerdo con este comentario? Piense en situaciones vergonzosas o absurdas que han convertido a alguien en famoso o recordado. Dé ejemplos y hable de ellos con un/a compañero/a.

¡Dato curioso! El escritor Jonathan Swift (1667–1745) mencionaba, en su obra *Los viajes de Gulliver*, "dos estrellas menores o satélites que giraban alrededor de Marte". Describió con gran precisión sus proporciones y sus órbitas. Más de siglo y medio después, en 1877, las dos lunas de Marte, bautizadas con los nombres de Fobos y Deimos, fueron descubiertas oficialmente por el astrónomo Asaph Hall (1829–1907).

¡A escuchar!

50 Manías de los famosos

Lea las posibles respuestas primero y después escuche la grabación "Manías y extravagancias de famosos". Escoja la mejor respuesta para la pregunta que escuchará en la grabación.

1. (Pregunta que escuchará en la grabación.)

   a. Hablar sobre su color favorito, el blanco
   b. Contar la manía de Jennifer López
   c. Remodelar y pintar su casa
   d. Irse de vacaciones a un hotel

2. (Pregunta que escuchará en la grabación.)

   a. Su amiga Ana
   b. Los residentes de los hoteles
   c. Los Rolling Stones
   d. Jennifer López

3. (Pregunta que escuchará en la grabación.)

   a. Pedir todos los periódicos locales
   b. Llevarse de gira sus propios muebles
   c. No tocar los muebles del hotel
   d. Alojarse en una gran casa

4. (Pregunta que escuchará en la grabación.)

   a. Camerón Díaz, que las abre con los codos
   b. Leonardo Di Caprio en su camerino
   c. Woody Allen, el más excéntrico
   d. El personaje de Ana

51 ¿Qué opina?

¿Qué cree que significa la expresión: "nadie está libre de culpa"?

52 Antes de escuchar

Repase las siguientes palabras que forman parte de la grabación que luego va a escuchar. Elija la mejor traducción.

1. dudar
   a. to doubt
   b. to shout
   c. to jump
   d. to cry

2. conservar
   a. to forget
   b. to keep
   c. to smile
   d. to be moved

3. motivo
   a. dream
   b. reason
   c. circumstance
   d. because of

4. protector
   a. spoiled
   b. strict
   c. protective
   d. jealous

5. desmotivado
   a. motivated
   b. excited
   c. unmotivated
   d. relaxed

53 Mamá, quiero ser famosa 🔘

Escuche la grabación "Mamá, quiero ser famosa" y luego conteste las preguntas.

1. ¿Cuál es el primer recuerdo de la persona que nos habla?
2. ¿Qué sueño tenía cuando era pequeña?
3. ¿Cumplió su sueño? ¿Cuál es su trabajo actualmente?
4. ¿Qué edad tiene la hija? ¿Y cuál es su sueño?
5. ¿Qué medida toma la madre para combatir el comportamiento de su hija?

54 Participe en una conversación 🔘

Ud. va a participar en una conversación. Primero lea la descripción de la conversación y piense en algunas palabras o expresiones que le serían útiles. Organice sus ideas, haciendo predicciones sobre lo que se le pueda preguntar o comentar. Una descripción de lo que va a escuchar aparece abajo en color. Participe en la conversación grabando las respuestas o escribiéndolas en su cuaderno.

Escena: Ud. es un/a famoso/a, y un periodista le va a hacer una entrevista.
Le va a hacer algunas preguntas, y Ud. debe de contestarlas.

Periodista:	Lo/La saluda. Le hace una pregunta sobre su participación en algo.
Ud.:	• Nombre la marca y dele detalles.
Periodista:	Le hace una pregunta sobre una oferta que le han hecho.
Ud.:	• Conteste su pregunta con emoción y duda.
Periodista:	Sigue la conversación y le hace una pregunta.
Ud.:	• Conteste su pregunta. Use una o dos expresiones con preposición.
Periodista:	Le pide que le dé algún consejo.
Ud.:	• Haga un comentario sobre este grupo.
	• Dele dos consejos.
Periodista:	Le hace otra pregunta.
Ud.:	• Conteste su pregunta. Use dos adjetivos y un superlativo en su respuesta.
Periodista:	Se despide.
Ud.:	• Despídase. Use una expresión de la lección.

¡A escribir!

55 Texto informal: un blog

Escriba en un blog. Hable sobre algunos famosos de hoy en día.

- Describa lo que no le gusta de ellos.
- Describa lo que le gusta de ellos.
- Cuente alguna anécdota.
- Termine con una pregunta.

56 Texto informal: un foro

En un foro, alguien que no se cree muy atractivo/a está agobiado/a porque quiere ser famoso/a y teme que su físico lo/la condicione. Escríbale un correo en el que le hable sobre el tema y le dé consejos.

- Dígale lo que piensa al respecto.
- Dele consejos útiles para llegar a ser famoso/a.
- Anímele.

57 Ensayo: la fama

Escriba un ensayo contestando la pregunta, "¿Todos buscamos la fama?".

58 Ensayo: una persona famosa

Escriba un ensayo contestando la pregunta, "¿A qué famoso admira?".

59 En parejas

Intercambie sus ensayos con los de un/a compañero/a. Exprésele su opinión sobre el contenido y el uso del idioma.

> **Consejo**
> Antes de empezar, lea las pautas para escribir textos informales en la pág. 480 del Apéndice. Mientras escribe el texto tenga presente los objetivos. Cuando termine, verifique que ha cumplido con todo lo que se describe en la lista y reflexione sobre su trabajo.

> **Consejo**
> Antes de empezar, lea las pautas para escribir ensayos en la pág. 480 del Apéndice. Mientras escribe el ensayo tenga presente los objetivos y no se olvide de ponerle un título original. Cuando termine, verifique que ha cumplido con todo lo que se describe en la lista y reflexione sobre su trabajo.

60 Charlemos en el café

Ud. va a debatir los siguientes temas con un/a compañero/a. Uno estará a favor de lo que se ha dicho y otro en contra. El debate durará varios minutos. El/La estudiante que esté de acuerdo comenzará el debate y hablará por unos diez segundos. Cuando el/la profesor/a lo indique, el/la otro/a estudiante tomará la palabra y expresará su opinión por otros diez segundos, y así sucesivamente.

1. *El fin justifica los medios* —Maquiavelo. Esto es válido en relación con la fama.
2. La fama es algo pasajero.
3. Para conseguir la fama, uno debe estar dispuesto a presentarse a un *Reality Show*.
4. Los niños pequeños no están preparados psicológicamente para afrontar la fama.
5. Los famosos de hoy no son los de antes. Hoy se hace famosa una persona por "tonterías".

Antonio Banderas firma autógrafos.

61 ¿Qué opinan?

Converse con un/a compañero/a sobre estas preguntas.

1. ¿Qué daría por un día de fama?
2. Muchos famosos venden entrevistas, pero luego se quejan si les hacen fotos sin permiso. ¿Qué piensa de esto?
3. Si va a elegir entre dos productos, y ve que uno de ellos —aunque sea un poco más caro— tiene la imagen de un famoso al que admira, ¿cuál compraría? ¿Por qué?
4. Si Ud. pudiera hacerse famoso/a por algo, ¿por qué motivo le gustaría hacerse famoso/a?
5. ¿Cuáles son las cinco cosas más importantes que se necesitan para ser famoso?
6. ¿Quiénes son los tres famosos que más admira y por qué?
7. ¿A qué héroes conoce que se hayan hecho famosos?

62 Presentemos en público

Conteste una de las siguientes preguntas o haga una presentación oral sobre uno de los temas durante varios minutos. Organice sus ideas antes de hacer la presentación, busque las palabras necesarias y, después de practicar, presente en clase sin mirar las notas.

1. Investigue la vida de alguien famoso. Describa su vida y logros y muestre fotografías de esta persona, si las consigue, a la clase.
2. Describa la vida paralela de dos personajes famosos que han llegado a la fama por diferentes motivos o caminos.
3. Si pudiera sentarse a cenar con alguien famoso, ¿al lado de quién le gustaría hacerlo? Explique por qué.
4. Si pudiera haber conocido a alguien famoso que ya no está vivo, ¿a quién le hubiera gustado conocer? ¿Por qué?

Consejo

Antes de empezar, lea las pautas para presentaciones formales en la pág. 481 del Apéndice. Mientras formula su presentación tenga presente los objetivos. Cuando termine la presentación, verifique que ha cumplido con todo lo que se describe en la lista y reflexione sobre el trabajo que hizo.

Proyectos

63 ¡Manos a la obra!

Trabaje en un grupo de cuatro o cinco estudiantes para llevar a cabo uno de los siguientes proyectos y presentarlo en clase. Si es posible, hagan algunas presentaciones en PowerPoint.

- En un cartel, comparen las vidas y las personalidades de dos famosos o dos héroes.
- Hablen sobre las quince personas más influyentes de los últimos cien años y expliquen a qué se debe su influencia.
- Hablen sobre quiénes son las quince personas más influyentes en el mundo de la música de los últimos treinta años.
- Hablen sobre quiénes son las quince personas más influyentes en la actualidad.
- Hablen sobre quiénes son los diez latinos más conocidos en la actualidad.

Vocabulario

Verbos

actuar	to act
adivinar	to guess
afrontar	to face, face up to
arrasar	to have success, victory
arruinarse	to ruin
comportarse	to behave
cotizarse	to increase in value
degradar	to humiliate, degrade
escoger	to choose
fallecer	to die
idolatrar	to worship, idolize
imponer	to impose
indicar	to indicate
infiltrarse	to infiltrate
interpretar	to interpret, perform
ir bien/mal	to go well/badly
liderar	to lead, head
manchar	to spot, soil
nominar	to nominate
potenciar	to promote development
premiar	to give an award
renunciar	to quit, renounce
rodar (ue)	to film
sonrojarse	to blush
tartamudear	to stutter

Verbos con preposición

verbo + a:

dedicarse a	to devote oneself to
hacer caso a	to pay attention to

verbo + con:

cumplir con	to comply with, carry out, do the right thing
tropezar (ie) con	to bump into

verbo + en:

acurrucarse en	to curl up in, cuddle
destacarse en	to distinguish oneself in

verbo + por:

decantarse por	to be inclined/leaning toward

Sustantivos

la	amenaza	threat
el/la	antepasado/a	ancestor
la	audacia	audacity, boldness
la	autobiografía	autobiography
el	autógrafo	autograph
el	ave *(f.)*	bird
la	biografía	biography
el/la	bocazas	big mouth, blabbermouth
la	burla	mockery, jest
la	cadena	chain
la	calidez	warmth
la	campaña	campaign
el	cargo	position, job
el/la	comediante	comedian
el/la	comentarista	commentator
el/la	compatriota	compatriot
la	consagración	reputation, acclaim
la	curiosidad	curiosity
la	década	decade
el	dibujo animado	cartoon
la	dignidad	dignity
el/la	ejecutivo/a	executive
la	entereza	integrity
la	espontaneidad	spontaneity
la	estatura	height, stature
el	estereotipo	stereotype
la	etnia	ethnic group
el/la	extraterrestre	extraterrestrial, alien
la	figura	figure
el/la	filántropo/a	philanthropist
la	fortuna	fortune
el	galardón	prize, award
la	gamberrada	total lack of manners; hooliganism
la	gestión	step, action
la	hazaña	heroic deed, exploit
el/la	héroe/heroína	hero, heroine
el	heroísmo	heroism
la	hipocresía	hypocrisy
la	huelga de hambre	hunger strike
el	inconveniente	disadvantage

la	interpretación	acting
el	logro	achievement
la	mala educación	rudeness
la	maqueta	model, mock-up
los	medios	means
el	mito	myth
la	nominación	nomination
la	paloma mensajera	carrier pigeon
el	palomo	(male) pigeon
la	patria	homeland
el	percance	accident, mishap
la	pérdida	loss
la	peripecia	vicissitude, (pl.) ups and downs
el	prejuicio	prejudice
el/la	protagonista	protagonist, main character
el	reparto	cast (of characters); distribution
el	requisito	requirement
el	retraso	delay
el	sentido del humor	sense of humor
los	seres de otros mundos	beings from other worlds
la	silla eléctrica	electric chair
el/la	soberano/a	sovereign
el	suplicio	torture
la	telenovela	soap opera
el/la	televidente	TV viewer
la	ternura	tenderness
el	tesón	determination, tenacity
el	trato	deal, treatment
la	trayectoria	trajectory, path
la	valentía	valor
el	varón	male
el/la	visionario/a	visionary
el/la	votante	voter

Adjetivos

absurdo, -a	absurd
aclamado, -a	acclaimed
afortunado, -a	lucky, fortunate
ameno, -a	enjoyable, pleasant
anticuado, -a	old-fashioned, out of style
apuesto, -a	good-looking
brillante	brilliant
carismático, -a	charismatic
consentido, -a	spoiled
conservador(a)	conservative
desconocido, -a	unknown
encantador(a)	charming
exitoso, -a	successful
impactante	powerful, impressive
legendario, -a	legendary
letal	deadly
melenudo, -a	long-haired
mezclado, -a	mixed
poderoso, -a	powerful
prestigioso, -a	prestigious, famous
respetado, -a	respected
ridículo, -a	ridiculous, absurd
sabio, -a	wise
sembrado, -a	sown, seeded

talentoso, -a	talented
torpe	clumsy
tosco, -a	rude
valiente	brave

Expresiones

al margen de	separate from, on the margin (fringes) of
asimismo	also
caer rendido	to surrender
la campaña publicitaria	advertising campaign
con buena cara	with good humor
dar la vuelta al mundo	to go around the world
de golpe	suddenly
de poco presupuesto	low budget
de talla	of considerable stature, standing
en auge	on the increase
estar dispuesto, -a	to be willing
estar pasado, -a de moda	to be out of fashion
hacer gala de algo	to display something
hacer soñar a alguien	to make someone dream
hasta el punto de	to the point of
imprimir carácter	to form/build character
lanzar(se) a la fama	to rush to fame
meter la pata	to make a mistake, stick one's foot (in one's mouth)
mirar de reojo	to look out of the corner of one's eye
nadie en su sano juicio	no one in his/her right mind
no tener más remedio	to have no other choice
pasar a la posteridad	to pass on to posterity
quedar en ver a alguien	to agree to see someone
quedarse mudo, -a	to be speechless
el salto a la fama	jump to fame
sufrir en su propia carne	to suffer in one's own skin
tener buen olfato	to have good judgment
tener un éxito rotundo	to have a resounding success
¡venga ya!	are you kidding/serious?

A tener en cuenta
Falsos cognados

actual: present, current • actual: **verdadero**

apreciar: to judge; to appreciate in value • to appreciate: **agradecer**

asistir: to attend • to assist: **ayudar**

atender: to take care of • to attend: **asistir**

éxito: success • exit: **salida**

ignorar: not to know • to ignore: **no hacer caso**

papel: piece of paper; role • (term) paper: **trabajo**

procurar: to try to • to procure: **obtener, conseguir**

realizar: to come true • to realize: **darse cuenta**

recordar: to remember • to record: **grabar**

rudo: coarse • rude: **maleducado, grosero**

sano: healthy • sane: **cuerdo**

suceder: to happen • to succeed: **tener éxito**

suceso: event • success: **éxito**

último: last • ultimate: **máximo, supremo**

Capítulo 5

Temas

- La literatura
- El idioma español
- El arte de escribir

El rincón literario

Había una vez una feria en Guadalajara...

FIL**20**años

20 años 06 Guadalajara
Feria Internacional del Libro de Guadalajara

25 nov 03 dic

¿buscas un libro?...

Centro de referencia

SALIDA DE EMERGENCIA
EMERGENCY EXIT

HIDRANTE
FIRE HOSE

235

Objetivos

Comunicación
- Hablar de los géneros literarios
- Conocer a algunos autores hispanos
- Conocer algunos movimientos de la literatura española
- Hablar del impacto de la tecnología en los libros del futuro

Gramática
- Repaso de los tiempos verbales
- Los verbos con *se*
- Los infinitivos
- Las preposiciones

"Tapitas" gramaticales
- el orden de los adjetivos
- *solo* y *sólo*
- las mayúsculas
- el pronombre de objeto indirecto
- los usos de *la, el, le* y *lo*
- el comparativo y el superlativo
- *antiguo* y *viejo*

Cultura
- El Premio Nobel
- Federico García Lorca
- Naguib Mahfouz
- Carlos Fuentes
- Pablo Neruda
- *Don Quijote de la Mancha*

Visite la página Web de
¡A toda vela! en
www.emcp.com

1 Conteste las preguntas

Piense en las respuestas a las siguientes preguntas. Ud. puede tomar notas si lo considera necesario. Cuando termine, compare sus respuestas —pero sin mirar sus notas— con las de un/a compañero/a.

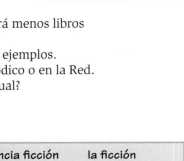

1. ¿Lee Ud. mucho? ¿Quiénes son sus autores favoritos? ¿Qué tipo de lectura prefiere?
2. Haga una lista de los autores hispanos que conoce.
3. ¿Qué sabe de los movimientos literarios? Descríbalos.
4. ¿Bajo qué circunstancias cree que alguien podría ser arrestado por lo que ha escrito? ¿Y en qué ocasiones censurada su obra o su distribución?
5. ¿Qué opina de la lectura obligatoria de ciertos libros durante el verano?
6. En el futuro, ¿piensa que será menos importante leer y más importante informarse a través de otros medios de comunicación? ¿Por qué?
7. Nombre algunas carreras en las que es importante leer mucho. ¿Estaría interesado/a en una de esas carreras? ¿Por qué?
8. ¿Qué papel jugará la tecnología en el futuro de los libros? ¿Piensa que habrá menos libros impresos y más ediciones digitales? Justifique su respuesta.
9. ¿Cree que un autor puede afectar el mundo en el que vive por su obra? Dé ejemplos.
10. Nombre los cinco libros más vendidos en estos días. Búsquelos en el periódico o en la Red. ¿Ha leído alguno de estos libros? ¿Qué revela esta lista sobre el mundo actual?

2 Mini-diálogos

Ud. va a crear un mini-diálogo con un/a compañero/a. Lea la descripción de la conversación antes de empezar. Puede tomar notas para organizar sus ideas, pero no las mire mientras conversa. Le pueden servir algunas palabras del recuadro.

la novela	la ciencia ficción	la ficción
el cuento	la literatura	la no ficción
la poesía	fantástica	la biografía
la literatura	la tragedia	la autobiografía
realista	la comedia	

Escena: Dos amigos/as están en una librería. Uno/a ("B") quiere comprar un nuevo libro. Ayúdelo/la a decidir cuál debe comprar.

A: Entable una conversación sobre los géneros literarios. Pregúntele a su compañero/a sobre las características que busca en su nuevo libro.

B: Hable sobre algunas características.

A: Después de mirar varios libros, hable de las características de un género literario que le gusta a Ud. y explique por qué.

B: Haga unos comentarios sobre la sugerencia y hágale preguntas sobre otro género literario.

A: Conteste las preguntas con información adicional.

B: Reaccione y pídale que mire otro tipo de libro.

A: Haga un comentario sobre este tipo de libro.

B: Tome una decisión sobre el tipo de libro que piensa comprar. Despídase e invítele a que compre el mismo libro para que los/las dos puedan discutirlo.

A: Reaccione a la invitación. Despídase cordialmente.

Cita

Cuando se hace uno viejo le gusta más releer que leer.
—Pío Baroja (1872–1956), novelista español

 ¿Por qué piensa que Baroja hace esta distinción en los gustos de lectura de las personas mayores? Comparta su opinión con un/a compañero/a.

¡Dato curioso! *El cantar de Mío Cid* es un gran poema épico español y es la obra más antigua de la literatura española. Se basa en la historia de un guerrero medieval del reinado de Alfonso VII (rey de Castilla y León de 1072 a 1109).

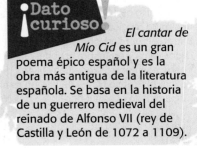

Vocabulario y gramática en contexto

3 Un foro

Túrnese con un/a compañero/a para leer los comentarios que dos personas han escrito en un foro sobre los géneros literarios y el Premio Nobel de Literatura. Fíjese en las palabras que aparecen en azul (relacionadas con el vocabulario) y en rojo (relacionadas con la gramática), ya que en las siguientes actividades se le harán preguntas sobre ellas.

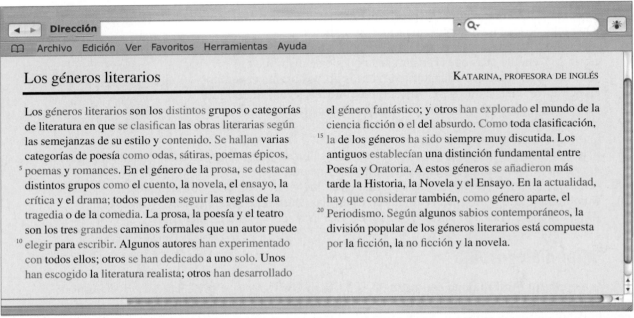

Dirección ⌄ Q⌄

Archivo Edición Ver Favoritos Herramientas Ayuda

Los géneros literarios

KATARINA, PROFESORA DE INGLÉS

Los géneros literarios son los distintos grupos o categorías de literatura en que se clasifican las obras literarias según las semejanzas de su estilo y contenido. Se hallan varias categorías de poesía como odas, sátiras, poemas épicos,
5 poemas y romances. En el género de la prosa, se destacan distintos grupos como el cuento, la novela, el ensayo, la crítica y el drama; todos pueden seguir las reglas de la tragedia o de la comedia. La prosa, la poesía y el teatro son los tres grandes caminos formales que un autor puede
10 elegir para escribir. Algunos autores han experimentado con todos ellos; otros se han dedicado a uno solo. Unos han escogido la literatura realista; otros han desarrollado el género fantástico; y otros han explorado el mundo de la ciencia ficción o el del absurdo. Como toda clasificación,
15 la de los géneros ha sido siempre muy discutida. Los antiguos establecían una distinción fundamental entre Poesía y Oratoria. A estos géneros se añadieron más tarde la Historia, la Novela y el Ensayo. En la actualidad, hay que considerar también, como género aparte, el
20 Periodismo. Según algunos sabios contemporáneos, la división popular de los géneros literarios está compuesta por la ficción, la no ficción y la novela.

Dirección ⌄ Q⌄

Archivo Edición Ver Favoritos Herramientas Ayuda

El Premio Nobel

TOMÁS, CATEDRÁTICO DE ESPAÑOL

Ha habido varios autores hispanos laureados con el Premio Nobel de Literatura por la Academia Sueca cada año desde el principio del siglo XX. En 1967, el comité le dio el Premio Nobel de Literatura a Miguel Ángel
5 Asturias, escritor y diplomático guatemalteco. El comité reconoció la obra del escritor español Camilo José Cela en 1989. Cela dominaba el lenguaje y fue un gran innovador de la narrativa en castellano. Algunos dicen que Gabriel García Márquez, periodista, editor y escritor
10 colombiano, es el maestro de la literatura hispana del siglo XX. Le entregaron el premio Nobel de Literatura en 1982. García Márquez es conocido mundialmente por el estilo que usa en sus obras, conocido como "realismo mágico". En 1945, la Academia Sueca le
15 otorgó el Premio Nobel de Literatura a una poeta, diplomática y profesora chilena, Gabriela Mistral. Otro poeta, escritor y diplomático chileno, Pablo Neruda, aceptó el Premio Nobel de Literatura en 1971. Neruda fue uno de los poetas más importantes de la lengua

Miguel Ángel Asturias

20 española del siglo XX. Honraron al poeta, ensayista y diplomático mexicano, Octavio Paz, con el Nobel en 1990.

4   Amplíe su vocabulario 🔍

Clasifique las palabras que aparecen en azul y rojo en las lecturas anteriores según sean sustantivos, adjetivos, verbos o expresiones relacionados con la literatura.

5   Repaso de todo 🔍

Conteste estas preguntas basadas en las lecturas de la Actividad 3.

1. Haga una lista de todos los verbos en el presente perfecto y el pretérito del indicativo y explique su uso en las lecturas.
2. Busque los verbos acompañados de *se* (por ejemplo, *se clasifican*) y explique el uso de *se* en cada caso.
3. Busque los infinitivos y describa tres usos diferentes de ellos en los comentarios del foro.
4. Explique el uso del imperfecto usando como ejemplo la frase "los antiguos establecían una distinción fundamental".
5. ¿Qué preposición se usa para expresar que algo pasó "durante" cierto año? Hable sobre otros usos de esta preposición.
6. Explique el uso de las preposiciones *desde, con, por* y *como* que aparecen en las lecturas.

6   Más repaso 🔍 👥

Haga las siguientes actividades con un/a compañero/a.

1. Hagan una lista de diez participios pasados irregulares. No tienen que aparecer en los comentarios del foro.
2. Hagan una lista de los verbos irregulares en el imperfecto y conjúguelos en ese tiempo verbal.
3. Miren los verbos en las lecturas anteriores y decidan cuáles son irregulares en el presente o pretérito del indicativo (no tienen por qué aparecer en estos dos tiempos en las lecturas) y hagan una lista de ellos. Hagan lo mismo con los verbos que tienen cambios ortográficos. Expliquen por qué son irregulares y por qué son necesarios los cambios ortográficos.
4. Expliquen los usos generales de las siguientes preposiciones: *desde, de, por* y *para*, y la diferencia entre *como* y *tal como*.
5. Expliquen el uso de la preposición *según* en las dos oraciones donde se encuentra.

7   "Tapitas" gramaticales 🔍

Conteste estas preguntas basadas en las lecturas de la Actividad 3.

1. ¿Qué significa *distintos grupos* y *grandes caminos* en inglés? Explique lo que significarían si fueran *grupos distintos* y *caminos grandes*.
2. Explique la diferencia ente *solo* y *sólo* basándose en la frase "otros se han dedicado a uno solo".
3. ¿Por qué se usan letras mayúsculas para las palabras *Poesía, Oratoria* y *Periodismo*? ¿Habría otro significado si llevaran letras minúsculas? ¿Cuál?
4. Explique el uso de *le* en las lecturas. Hay varios ejemplos en la segunda lectura.
5. Explique el uso de *la* en la frase "la de los géneros ha sido siempre muy discutida" y el uso de *el* en la frase "el del absurdo".
6. Explique el uso del superlativo en la frase "uno de los poetas más importantes de la lengua española".
7. Hagan una lista de los adjetivos irregulares en el comparativo y en el superlativo.

8   ¿Qué opina? 👥

Reaccione a lo que cada persona ha escrito en el foro de la Actividad 3 y comparta su opinión con un/a compañero/a. Incluya palabras del vocabulario nuevo que aparecen en azul.

Lea atentamente el siguiente artículo, prestando atención a las palabras en azul, ya que se le harán preguntas sobre ellas.

Un poeta y dramaturgo vinculado a América

Federico García Lorca, uno de los autores más importantes del movimiento literario español de la generación del 27, mantuvo una intensa vinculación con América con varias visitas al
5 continente antes de ser asesinado hace ahora 70 años. Nacido el 5 de junio de 1898 en la localidad andaluza de Fuente Vaqueros (sur de España), Lorca fue fusilado el 19 de agosto de 1936 —un mes después del inicio de la Guerra Civil— en
10 un pueblo cercano llamado Víznar... Poco antes de ser detenido en la casa de su amigo y también poeta Luis Rosales, Lorca había rehusado el exilio ofrecido por Colombia y México, cuyos embajadores en España habían expresado su
15 temor de que pudiera ser víctima de la represión de los alzados en armas. De aquellas fechas son unas declaraciones al diario *El Sol*, en las que decía sentirse "español integral" y afirmaba que le resultaría "imposible vivir fuera de mis
20 límites geográficos". Lorca se veía viviendo en España, pero tuvo una estrecha y fructífera relación con América, que comenzó en 1929, cuando cruzó por primera vez el Atlántico para dar conferencias en la Universidad de Columbia
25 (Nueva York) y enamorarse del barrio de Harlem. Esa primera experiencia dio como fruto *Poeta en Nueva York*, la más vanguardista de sus obras poéticas, que no fue publicada hasta 1940 en México, cuatro años después de su muerte.
30 La Institución Hispano-Cubana de Cultura le invitó en la primavera de 1930 a La Habana... Tras su regreso a España y el éxito de *Bodas de Sangre*, *Yerma* y *Doña Rosita la soltera*, viajó por Argentina y Uruguay en 1933 para trabajar
35 como director de teatro y ver las producciones de *Bodas de sangre*, *Mariana Pineda*, *La zapatera prodigiosa* y su propia adaptación de la comedia de Lope de Vega, *La dama boba*... Con apenas 20 años publicó su primer libro *Impresiones y*
40 *paisajes* y un año después marchó a Madrid para continuar los estudios universitarios de Derecho que comenzó en Granada en 1916. En la capital española, Lorca se instaló en la Residencia de Estudiantes, donde convivió dos años con otros

45 jóvenes que más tarde serían mundialmente conocidos, como Rafael Alberti y Salvador Dalí. Fue este último el que pintó para Lorca los decorados de su obra teatral *Mariana Pineda* en 1927, un verdadero éxito mundial que estrenó
50 mientras escribía *Romancero Gitano*, obra con la que el poeta acrecentó su fama internacional... Con la compañía Teatro Universitario La Barraca, Lorca llevó de 1932 a 1935 lo mejor del teatro clásico por todo el territorio de España, en un
55 espectáculo con el que quiso educar al pueblo y en el que, además de dirigir, se encargó de la música. Además de las obras citadas, García Lorca escribió también: *Canciones, Llanto por Ignacio Sánchez Mejías, Primeras canciones,*
60 *Seis poemas gallegos, El lenguaje de las flores* y *Amor de Don Perlimplín con Belisa en su jardín. El paseo de Buster Keaton, La niña que riega la albahaca y el príncipe preguntón* y *El misterio de los Reyes Magos* son otras de las obras de
65 Lorca, un poeta que dejó composiciones llenas de metáforas brillantes, color en las palabras y ternura infantil. Hace 70 años, durante la Guerra Civil española, fue fusilado el poeta Federico García Lorca, fusilamiento que, según la
70 última teoría, pudo estar motivado por rencillas familiares, así como por sus ideas políticas y su homosexualidad...

www.eldiariony.com

10 Amplíe su vocabulario

Según el contexto del artículo que acaba de leer, empareje cada palabra de la primera columna con su definición o sinónimo de la segunda.

1. mantener
2. vinculación
3. andaluz
4. inicio
5. rehusar
6. temor
7. alzado
8. diario
9. fructífero
10. vanguardista
11. tras
12. apenas
13. Derecho
14. convivir
15. decorado
16. estrenar
17. acrecentar
18. ternura
19. rencilla

a. rebelde
b. cariño
c. estudios para ser abogado
d. desacuerdo
e. representar un espectáculo público por primera vez
f. elemento que crea un escenario
g. aumentar
h. relación
i. después de
j. conservar
k. con intención renovadora, de avance y exploración
l. comienzo
m. miedo
n. habitar en compañía de otras personas
o. que produce un buen efecto
p. lo contrario de aceptar
q. casi no
r. de Andalucía
s. periódico

11 La carrera de un dramaturgo/poeta

Con un/a compañero/a haga una lista de las palabras o expresiones relacionadas con la carrera de un dramaturgo o poeta que conozcan. Piensen en otras palabras o expresiones relacionadas que les gustaría saber y búsquenlas en el diccionario.

12 Más repaso

Conteste estas preguntas relacionadas con "Un poeta y dramaturgo vinculado a América".

1. Haga una lista de los verbos en el pretérito y explique su uso en general. Explique en particular el uso de *quiso* y *pudo*.
2. Haga una lista de los verbos en la voz pasiva y explique su uso.
3. ¿Cómo se usa el imperfecto en la lectura? Haga un contraste entre el imperfecto y el pretérito en el artículo.
4. ¿Cómo se usa el condicional en la lectura? ¿Y el pluscuamperfecto?
5. ¿Por qué se usa el imperfecto del subjuntivo en la frase "pudiera ser víctima"? ¿Qué tipo de expresiones dictan el uso del subjuntivo?
6. Haga una lista de las preposiciones que aparecen en el texto y las frases preposicionales que las siguen. Explique el uso de estas preposiciones en la lectura y en general.

13 "Tapitas" gramaticales

Conteste estas preguntas basadas en el artículo anterior.

1. ¿Cómo se transforma un verbo en adjetivo (por ejemplo, *nacer* → *nacido*)? Busque otros ejemplos en el texto.
2. Explique el uso de *el* en las siguientes frases: "Fue este último el que pintó para Lorca..." y "con el que quiso educar al pueblo y en el que, además de dirigir, se encargó de la música". Cite otros ejemplos de pronombres relativos en el artículo.
3. Explique el uso de *lo* en la frase "Lorca llevó de 1932 a 1935 lo mejor del teatro clásico por todo el territorio de España".

14 Un correo electrónico

En un correo electrónico explíquele a un/a amigo/a que Ud. está pensando seguir con sus estudios de literatura en la universidad. Háblele sobre los beneficios de esta carrera e intente convencerle para que él/ella haga lo mismo.

15 Los verbos

Échele una ojeada al artículo que sigue para ver de qué se trata, prestando atención a las palabras en azul, ya que se le harán preguntas sobre ellas. Luego lea el artículo y decida qué forma de los verbos entre paréntesis es la correcta para completar las oraciones y escríbalas. No se olvide de escribir y acentuar las palabras correctamente.

Falleció el escritor egipcio Naguib Mahfouz

El escritor egipcio Naguib Mahfouz, primer árabe en __1.__ (*ganar*) el Premio Nobel de Literatura, __2.__ (*morir*) ayer a los 95 años; la noticia la dio su médico Hossam Mowafi. Mahfouz falleció en el hospital
5 donde __3.__ (*ser*) recluido hace más de un mes por una herida en la cabeza, tras __4.__ (*sufrir*) una caída en la calle. Según las mismas fuentes, poco antes de __5.__ (*morir*), su esposa le __6.__ (*estar*) hablando al oído y Mahfouz __7.__ (*sonreír*). El laureado autor, muy
10 conocido en América Latina por la adaptación al cine que __8.__ (*hacer*) el director mexicano Jorge Fons de su libro *El callejón de los milagros*, con Salma Hayek, __9.__ (*describir*) en sus novelas la idiosincrasia egipcia, especialmente en El Cairo antiguo. El literato __10.__
15 (*nacer*) en El Cairo el 11 de diciembre de 1911, y __11.__ (*ganar*) el Nobel en 1988. La salud de Naguib Mahfouz __12.__ (*ser*) seriamente dañada cuando en 1994 __13.__ (*ser*) apuñalado en el cuello por un

fundamentalista islámico, molesto por la forma en
20 que __14.__ (*describir*) a Dios en una de sus novelas. El frustrado atentado __15.__ (*afectar*) los nervios de su mano derecha, y __16.__ (*limitar*) seriamente su capacidad de escribir. Aun así, se __17.__ (*mantener*) activo y unas seis noches a la semana __18.__ (*reunirse*)
25 con sus amigos del círculo literario de El Cairo. En 2005 __19.__ (*publicar*) su última obra, *El séptimo cielo*, una colección de relatos sobre el más allá. En 34 novelas, centenares de cuentos y ensayos, docenas de guiones cinematográficos y cinco obras de teatro,
30 Mahfouz __20.__ (*describir*) con realismo al hombre egipcio, que se debate entre la tradición y el mundo moderno. El escenario principal de sus personajes lo fue El Cairo islámico, un barrio de mil años de antigüedad donde __21.__ (*nacer*).

www.lostiempos.com

16 Amplíe su vocabulario

¿Cuál es la mejor traducción según el contexto del artículo anterior?

1. fallecer
   a. to honor   b. to be wounded
   c. to die   d. to be born

2. recluido
   a. recruited   b. guarded
   c. confined   d. wounded

3. herida
   a. stabbing   b. hit
   c. tumor   d. wound

4. caída
   a. fall   b. attack
   c. robbery   d. accident

5. literato
   a. laureate   b. man of letters
   c. poet   d. short story writer

6. apuñalado
   a. hit   b. attacked
   c. strangled   d. stabbed

7. el más allá
   a. the absurd   b. the world beyond
   c. the occult   d. the holy world

8. centenares
   a. centuries   b. thousands
   c. hundreds   d. centennials

9. guión
   a. script   b. score
   c. scene   d. excerpt

10. escenario
    a. plot   b. setting
    c. score   d. excerpt

17 Las preposiciones y los verbos 🔍

Conteste estas preguntas basadas en el obituario de la Actividad 15.

1. Haga una lista de las preposiciones que aparecen en la lectura.
2. Explique el uso de cada preposición en el contexto de la lectura.
3. Explique por qué la mayoría de los verbos en la lectura son del mismo tiempo verbal. Indique los que no son de este tiempo verbal, y diga qué tiempos son, explicando el uso de los mismos.

18 "Tapitas" gramaticales 🔍

Conteste estas preguntas basadas en el texto de la Actividad 15.

1. Traduzca la frase "apuñalado en el cuello por un fundamentalista islámico, molesto por la forma en que describió a Dios".
2. Traduzca la frase "el frustrado atentado afectó los nervios de su mano derecha".
3. ¿Por qué se dice El Cairo *antiguo* y no *viejo*?

Cita

La pluma es la lengua de la mente.
—Miguel de Cervantes Saavedra (1547–1616), escritor español

👥 ¿Está de acuerdo con esta cita? ¿Por qué? A veces se le aconseja a uno que no escriba lo que piensa en una carta o correo electrónico. ¿Por qué será? Hable con un/a compañero/a sobre esto y comparta sus opiniones.

¡Dato curioso!

El Siglo de Oro en España fue el período en que florecieron las letras, las artes y la política del país. Comprendió la segunda mitad del siglo XVI y la primera mitad del siglo XVII. Durante ese tiempo, surgió el personaje más famoso de la literatura mundial: Don Quijote, el héroe creado por Cervantes. También aparecieron otras obras importantes durante esta época: *Lazarillo de Tormes,* una novela picaresca, y varias obras de teatro de Calderón de la Barca (*La vida es sueño*) y de Lope de Vega (*Fuenteovejuna*).

Miguel de Cervantes

Una colección de comedias de Lope de Vega, el autor más prolífico de la literatura española. Tenemos constancia de 426 comedias y 42 autos suyos.

19 Familia de palabras

Complete la siguiente tabla con la persona que crea el arte correspondiente, el arte creado y la traducción apropiada.

Las personas			El arte		
el/la autor(a)	_____		_____		*work*
_____	*critic*		_____		_____
el/la cuentista	_____		_____		_____
el/la dramaturgo/a	_____		el drama, la obra de teatro		_____,
el/la ensayista	*essayist* *writer*		_____		_____
_____			la escritura		_____
el/la literato/a	_____		_____		*literature*
_____	*novelist* *journalist*		la novela		_____
el/la poeta			_____ _____		*poetry, poem*

20 ¿Persona o su arte?

Complete las oraciones usando la forma correcta de las palabras que aparecen entre paréntesis, ya sean referencias a la persona o su arte. Use artículos cuando sean necesarios.

1. Las grandes obras de ___ (*novela*) Benito Pérez Galdós son muy largas.
2. Estoy leyendo un libro de ese gran ___ (*cuento*) mexicano, Juan Rulfo.
3. Es difícil sumar toda la buena literatura de un siglo sin incluir a todos los mayores ___ (*literatura*) en una antología.
4. No me gusta este ___ (*crítico*) que escribe las ___ (*crítico*) sobre las películas. Siempre tengo la opinión opuesta; él no aprecia el buen cine.
5. Isabel Allende, ___ (*autor*) chilena, firmó ejemplares de su nueva ___ (*autor*) en la feria del libro.
6. A veces, un escritor encuentra trabajo en la prensa, en la radio, en la televisión o en ___ (*periodismo*) y se hace ___ (*periodismo*).
7. Los ___ (*ensayo*) de Montaigne iniciaron el género. Él era ___ (*ensayo*) del Renacimiento francés.
8. Federico García Lorca, ___ (*drama*) español, está considerado como uno de los más grandes por sus ___ (*drama*) como *Yerma*, *Bodas de Sangre* y *La Casa de Bernarda Alba*.
9. Esta semana, se celebra la obra de algunos nuevos ___ (*escritor*) y la influencia mundial de sus ___ (*escritor*).
10. Gabriela Mistral, ___ (*poeta*) chilena, era también maestra de una escuela primaria. En su ___ (*poeta*), ella escribió muchos ___ (*poeta*) sobre la religiosidad, la naturaleza y la ternura.

Cita

La imaginación es más importante que el conocimiento.

—Albert Einstein (1879–1955), físico alemán y premio Nobel de Física

¿Está de acuerdo con lo que dice? ¿Por qué? Hable sobre las ventajas y desventajas de tener una imaginación viva cuando uno escribe ficción. Comparta sus opiniones con un/a compañero/a.

¡Dato curioso!

Durante la primera mitad del siglo XIX, en España surge el género literario llamado romanticismo, que es una rebelión contra la rigidez clásica y, a la vez, ofrece una actitud nueva que da importancia al sentimiento y la imaginación. Un poeta clave del romanticismo es Gustavo Adolfo Bécquer (1836–1870). A finales del siglo XIX surgen el realismo y el naturalismo. Leopoldo Alas, "Clarín" (1852–1901), escribió una novela fundamental del realismo español: *La Regenta*. Benito Pérez Galdós (1843–1920) dio forma moderna a la novela realista y fue un escritor prolífico. Entre sus obras más conocidas figuran *Episodios nacionales* (la historia de la política española en 46 tomos), *Doña Perfecta* y *Misericordia*.

21 Los poetas

Échele una ojeada al artículo que sigue para ver de qué se trata, prestando atención a las palabras en azul, ya que se le harán preguntas sobre ellas. Luego lea el artículo y decida cuál de las dos palabras entre paréntesis es la correcta para completar cada oración y escríbala.

Los poetas mueren jóvenes, según un estudio

Podría ser porque los poetas __1.__ (suelen / soler) sufrir intensamente y tienen tendencias autodestructivas, pero también podría ser porque muchos poetas alcanzan la fama de jóvenes y sus muertes prematuras llaman mucho la atención, __2.__ (expresaba / expresó) James Kaufman, del Instituto de Investigación del Aprendizaje de la Universidad Estatal de California en San Bernardino, según informó Reuters. En su investigación, publicada en la revista *Death Studies*, Kaufman estudió __3.__ (1,987 / a 1.987) escritores que murieron hace varios siglos en Estados Unidos, Europa del Este, China y Turquía; informó IBLNews. Los poetas mueren __4.__ (menores / más jóvenes) que los novelistas, los dramaturgos y otros escritores, dijo el investigador estadounidense. El científico clasificó a los autores como escritores de ficción, poetas, dramaturgos, ensayistas, historiadores y biógrafos. Pero no estudió las causas de su muerte. "Entre los escritores norteamericanos, chinos y turcos, los poetas murieron mucho más jóvenes que los autores que no __5.__ (escribían / escribieron) obras de ficción", escribió Kaufman en

el estudio. "En toda la muestra, los poetas murieron más jóvenes que todos los escritores, tanto los de ficción como los de no ficción". Como Kaufman estudió a algunos escritores que vivieron hace __6.__ (ciento / cientos) de años, es posible comparar la edad promedio a __7.__ (ella / la) que murieron con la de la población general. "Como promedio, los poetas vivieron 62 años, los dramaturgos 63, los novelistas 66 y los escritores de obras que no son de ficción vivieron 68 años", dijo Kaufman en una entrevista por correo electrónico. Kaufman también estudió la incidencia de enfermedades mentales entre los poetas. "Lo que encontré __8.__ (era / fue) muy consistente con los hallazgos de muerte. Las poetas tenían más tendencia a las enfermedades mentales que __9.__ (cualquiera / cualquier) otro tipo de escritor o __10.__ (cualquiera / cualquier) otro tipo de mujer eminente", informó. "He bautizado esto como el Efecto Sylvia Plath", dijo. Sylvia Plath fue __11.__ (un / una) poeta y novelista que se suicidó en 1963 cuando tenía 30 años.

www.lapaginadigital.com

22 Amplíe su vocabulario

Según el contexto del artículo que acaba de leer, busque la mejor definición o sinónimo de cada palabra.

1. autodestructivo
   a. que destruye su carro
   b. que se destruye a sí mismo
   c. que destruye a los demás
   d. que destruye todo

2. muestra
   a. ejemplar
   b. demostración
   c. lista de poetas vivos
   d. lista de poetas muertos

3. promedio
   a. más alto
   b. más bajo
   c. mediano
   d. menos alto

4. incidencia
   a. consecuencia
   b. efecto
   c. influencia
   d. todas las respuestas anteriores

5. hallazgo
   a. descubrimiento
   b. fantasía
   c. suicidio
   d. ninguna de las respuestas anteriores

6. eminente
   a. inferior
   b. a punto de ocurrir
   c. sobresaliente
   d. mediocre

Échele una ojeada al artículo que sigue para ver de qué se trata, fijándose en las palabras en azul, ya que se le harán preguntas sobre ellas. Luego lea el artículo y decida qué forma de las palabras entre paréntesis es la correcta para completar cada oración y escríbala. No se olvide de escribir y acentuar la palabra correctamente.

Fuentes: "Historia de familias es la base de toda literatura"

El escritor mexicano Carlos Fuentes, autor de un nuevo libro en __1.__ (*el*) que hace un recuento de relatos familiares desgarradores, considera que "la historia de las familias está
⁵ en la base de toda la literatura", y que todo evoluciona a partir de __2.__ (*el*).

En entrevista con Efe tras el lanzamiento de *Todas las familias felices* (Alfaguara, 2006), el autor señala que son las familias "una
¹⁰ base universal en __3.__ (*el*) que siempre hay historias que contar". "En la familia más feliz siempre va a haber __4.__ (*alguien*) de la propia familia que va a crear un drama, una tragedia, un obstáculo, para la felicidad de
¹⁵ esa propia familia. Es inevitable", afirma el autor de *Aura* (1962), *Cristóbal Nonato* (1987) y de un sinfín de ensayos y novelas __5.__ (*exitoso*).

En su más reciente libro, que tiene una estructura muy original, el escritor mexicano __6.__ (*elegir*)
²⁰ dieciséis historias de familias __7.__ (*infeliz*), de distinta extracción social, y armó una obra que tiene más de recopilación de cuentos que de novela. La esencia de los relatos es que __8.__ (*el*) protagonistas forman parte de cierto núcleo familiar, pero a partir de ahí cada
²⁵ historia es diferente, de clase alta o baja, tristes, duras, disparatadas, basadas en la crueldad, el sufrimiento o en el engaño.

Una novedad del libro es la inclusión de __9.__ (*uno*) especie de coro clásico entre cuento y cuento que
³⁰ representa a "la sociedad mexicana que grita", que utiliza un "lenguaje híbrido", llegado del mundo del rock y del inglés de barrio propio de pandilleros, ladrones o delincuentes.

"El coro siempre ha cumplido __10.__ (*ese*) voz desde
³⁵ Grecia, ser más allá de la voz de los personajes, que son individuales, está el coro para advertir que hay una comunidad. Es la voz de la comunidad", en este caso mexicana. La voz del coro se identifica con __11.__ (*el*) "de los humillados", "desamparados", que grita

⁴⁰ al lector "qué es de nosotros, qué queremos, por qué nos pasa esto", en tono de elegía, desgarrada y desesperada, afirma Fuentes.

"Desde la frontera norte con EE.UU. hasta __12.__ (*el*) del sur con Guatemala hay una violencia creciente en
⁴⁵ México. Son las bandas juveniles, la Mara Salvatrucha, en el norte y en el sur, los 'Zetas', al servicio del narco, los narcos mismos", __13.__ (*recordar*) el escritor.

El autor reconoce que para entender el México de hoy hay que darse cuenta de cómo funciona la violencia
⁵⁰ y los dos elementos que son su germen: la pobreza y la desigualdad. "Aquí no hay 'Osama bin Ladens' que __14.__ (*venir*) de las clases altas. No, la violencia viene desde abajo porque __15.__ (*lo*) propician las estructuras desde arriba: la injusticia en el reparto de la
⁵⁵ riqueza, el hecho de que la mitad del país __16.__ (*vivir*) en la pobreza", asegura.

"Cuando yo __17.__ (*nacer*), hace ya unas décadas, la mitad de los mexicanos vivía en la pobreza. Hoy, la mitad de los mexicanos __18.__ (*seguir*) viviendo en la
⁶⁰ pobreza. Eso no puede ser, y somos socios de Canadá y Estados Unidos con el Tratado de Libre Comercio (TLCAN), dos países muy prósperos", lamenta.

EFE/www.los tiempos.com

24 Amplíe su vocabulario

Según el contexto del artículo que acaba de leer, empareje cada palabra de la primera columna con su definición o sinónimo de la segunda.

1.	desgarrador	a.	de una banda juvenil
2.	sinfín	b.	abandonado
3.	disparatado	c.	fraude
4.	engaño	d.	doloroso
5.	híbrido	e.	mezclado
6.	pandillero	f.	lamento
7.	desamparado	g.	traficante de drogas
8.	elegía	h.	multitud
9.	narco	i.	núcleo
10.	germen	j.	irracional

¡Dato curioso!

El modernismo, un movimiento literario hispanoamericano del siglo XX, fue introducido en España por el poeta nicaragüense Rubén Darío (1867–1916). Dentro de este género también hay que destacar al español Juan Ramón Jiménez (1881–1958, y Premio Nobel 1956) y su famosísima obra *Platero y yo,* escrita en prosa poética y en la que nos describe con mucha ternura la amistad entre él y un borriquillo.

25 Lea, escuche y escriba/presente

Vuelva a leer los textos de las Actividades 21 y 23. Luego escuche la grabación "Escritora mexicana elogia a Cervantes y a Bolaño" y tome las notas necesarias. Escriba un ensayo o haga una presentación en clase contestando la pregunta, "¿Cuáles son las ventajas o las desventajas de ser escritor o poeta?" No se olvide de citar las fuentes debidamente.

Cita

Quien lee sabe mucho; pero quien observa sabe todavía más.
—Alejandro Dumas (1802–1870), escritor francés

¿Está de acuerdo con lo que dice? ¿Por qué? ¿En qué contextos se puede aplicar esta cita? ¿Qué opina sobre leer un libro e interpretarlo? Dé unos ejemplos de observaciones o interpretaciones de un texto para ilustrar esta cita. Comparta sus opiniones con un/a compañero/a.

26 Pablo Neruda

Échele una ojeada al artículo que sigue para ver de qué se trata, fijándose en las palabras en azul, ya que se le harán preguntas sobre ellas. Luego lea el artículo y decida cuál de las dos palabras entre paréntesis es la correcta para completar cada oración y escríbala.

Biografía de Pablo Neruda

1904: Ricardo Neftalí Reyes Basoalto (Pablo Neruda) nace el 12 de julio en Parral (Chile), hijo de doña Rosa Neftalí Basoalto de Reyes y de don José del Carmen Reyes Morales. En agosto muere doña Rosa Basoalto.

1910: Pablo Neruda ingresa en el Liceo de Hombres de Temuco, donde realiza todos sus estudios hasta __1.__ (*terminar / termina*) el 6º año de humanidades.

1920: En octubre adopta definitivamente para sus publicaciones el seudónimo de Pablo Neruda.

1921: Viaja a Santiago a seguir la carrera de profesor __2.__ (*de francés / del francés*) en el Instituto Pedagógico.

1927: Lo __3.__ (*nombra / nombran*) cónsul *ad honorem* en Rangún (Birmania).

1932: Regresa a Chile. Segunda edición, en texto definitivo, de *Veinte poemas de amor y una canción desesperada.*

1933: En casa de Pablo Rojas Paz conoce a Federico García Lorca.

1934: Viaja a Barcelona. En la revista *Cruz y Raya,* de Madrid, aparecen *Visiones de las hijas de Albión* y *El viajero mental,* de William Blake, __4.__ (*traducido / traducidos*) por Pablo Neruda. Conferencia y recital poético en la Universidad de Madrid, presentado por García Lorca.

Pablo Neruda

1935: Se traslada como cónsul a Madrid, donde Gabriela Mistral también ejerce funciones consulares. Homenaje a Pablo Neruda de los poetas españoles.

1936: Conoce a Delia del Carril, que habrá de __5.__ (*estar / ser*) su segunda mujer. Matan a Federico García Lorca.

1937: Regresa a Chile. Funda y preside la Alianza de Intelectuales de Chile __6.__ (*para / por*) la Defensa de la Cultura.

1938: Muere su padre. En el frente de batalla de Barcelona, en plena Guerra Civil española, se edita *España en el corazón.*

continúa

1939: Viaja a París, donde es nombrado cónsul para la emigración española. Hace gestiones a favor de los refugiados españoles; a fines de año consigue embarcar a muchos para Chile a bordo del *Winnipeg*.

1940: Llega a México, donde __7.__ (*está / es*) nombrado cónsul general.

1942: Viaja a Cuba.

1945: Es elegido senador de la República por las provincias de Tarapaca y Antofagasta. Obtiene el Premio Nacional de Literatura. Se afilia al Partido Comunista de Chile.

1948: Discurso en el senado, publicado despúes con el título de "Yo Acuso". La Corte Suprema aprueba el desafuero de Neruda como senador de la República. Los tribunales de justicia ordenan su detención. Desde esa fecha permanece oculto en Chile __8.__ (*escribiendo / escrito*) el *Canto General*.

1949: Viaja por primera vez a la Unión Soviética, donde asiste a los festejos del 150° aniversario de Pushkin.

1950: Viaja a Guatemala. Se edita *Pablo Neruda en Guatemala*. Viaja a Praga y después a París, a Roma y después a Nueva Delhi para __9.__ (*entrevistar / entrevistarse*) con Jawaharlal Nehru. Recibe el Premio Internacional de la Paz por su poema "Que __10.__ (*despierta / despierte*) el leñador".

1952: Al cabo de tres largos años revocan en Chile su orden de detención.

1954: Dona su biblioteca y su colección de caracoles a la Universidad, que acuerda financiar la Fundación Pablo Neruda __11.__ (*por / para*) el Desarrollo de la Poesía.

1955: Se casa __12.__ (*a / con*) Matilde Urrutia, su última compañera. Funda y dirige la revista *La Gaceta de Chile*, de __13.__ (*el cual / la cual*) salen tres números anuales.

1960: Comienza a edificar La Sebastiana, su casa de Valparaíso.

1961: El Instituto de Lenguas Romances de la Universidad de Yale (EE.UU.) lo nombra miembro correspondiente. Este cargo honorífico ha sido __14.__ (*consedido / concedido*) entre otros poetas a Saint-John Perse y T.S. Eliot.

1968: Viaja a Estados Unidos.

1969: Se vuelve a rumorear que su candidatura al Premio Nobel es cosa cierta.

1970: En diciembre es nombrado embajador de Chile en París.

1971: Se rumorea que Neruda __15.__ (*está / esté*) enfermo. Recibe el Premio Nobel de Literatura.

1973: En Isla Negra, en medio de la tragedia que ha cubierto a Chile y mientras los golpistas queman y destruyen sus libros, saquean La Chascona y La Sebastiana y torturan y asesinan a sus amigos, el __16.__ (*insigne poeta / poeta insigne*) salta a la eternidad.

www.laraza.com

27 Amplíe su vocabulario ¿?

¿Cuál es la mejor traducción, según el contexto del artículo anterior?

1. seudónimo
   a. synonym
   b. homonym
   c. stage name
   d. pen name

2. desafuero
   a. zeal
   b. disparity
   c. withdrawal
   d. disagreement

3. festejo
   a. feast
   b. celebration
   c. festivity
   d. all of these

4. leñador
   a. lender
   b. loaner
   c. woodcutter
   d. baby

5. donar
   a. to donate
   b. to receive
   c. to sell
   d. to buy

6. caracol
   a. seafood
   b. poem about the sea
   c. sea shell
   d. sailboat

7. honorífico
   a. horrified
   b. honorary
   c. honored
   d. honor

8. rumorear
   a. to rumor
   b. to criticize
   c. to whisper
   d. to imply

9. golpista
   a. one who scores goals
   b. one who hits hard
   c. one who defends the government
   d. one who participates in a coup

10. saquear
    a. to loot
    b. to plunder
    c. to ransack
    d. all of these

28 Lea, escuche y escriba/presente

Vuelva a leer el texto sobre la biografía de Pablo Neruda. Luego escuche la grabación "Neruda en el cine" y tome las notas necesarias de las dos fuentes. Escriba un ensayo o haga una presentación en clase sobre la obra y la influencia de Pablo Neruda. No se olvide de citar las fuentes debidamente.

29 García Lorca 📖

Échele una ojeada al artículo que sigue para ver de qué se trata, fijándose en las palabras en azul, ya que se le harán preguntas sobre ellas. Luego lea el artículo y decida cuáles son las palabras que mejor completan las oraciones y escríbalas. No se olvide de escribir y acentuar las palabras correctamente.

García Lorca, a los 70 años de su muerte

Hace 70 años, durante la Guerra Civil española, __1.__ fusilado el poeta Federico García Lorca, fusilamiento que, según la última teoría, pudo __2.__ motivado por rencillas familiares, así como por sus ideas políticas y su homosexualidad.
__3.__ hoy, todo lo que rodea a su asesinato en la madrugada del 19 de agosto de 1936, en un barranco de la población de Víznar (sureste de España), por combatientes del bando que se alzó __4.__ armas contra la República, parece estar envuelto en __5.__ incertidumbre que Laura García Lorca, sobrina del poeta, cuestiona. "Incertidumbre relativa. Creo que se __6.__ los motivos, las circunstancias principales, el lugar, aunque no exacto, pero __7.__ cierta precisión. Las circunstancias y las causas de su muerte son bastante conocidas", explica a Efe. La última hipótesis sobre su fusilamiento ha sido planteada __8.__ el documental *Lorca, el mar deja de moverse*, que no se estrenará hasta septiembre y que, según su director Emilio Ruiz Barrachina, recoge el "run run" popular que apuntaba a los primos del poeta, de la familia Roldán, __9.__ los instigadores de su ejecución.
Laura García Lorca asegura que nunca se habló sobre esa posibilidad en su casa y que __10.__ ella es una cosa "absolutamente nueva", aunque reconoce que con una parte de los Roldán su familia no tenía __11.__ relaciones. "Sé que eso no cambiará la parte fundamental de la historia y es que el crimen y asesinato de Federico García

El gobierno italiano rindió homenaje a Lorca con este sello conmemorativo.

Lorca fue un asesinato político, porque __12.__ una persona muy vinculada al proyecto de la República en todos sus aspectos y proyectos: social, educativo, cultural y político", añade. La sobrina del poeta admite que __13.__ existir más factores que intervinieran en el fusilamiento de su tío, que se produjo en los primeros __14.__ de la Guerra Civil española (1936–1939), contienda que dejó cientos de miles de víctimas y a cuyas familias el Gobierno __15.__ pretende ahora resarcir económicamente.

EFE/www.lostiempos.com

30 Amplíe su vocabulario

Según el contexto del artículo que acaba de leer, ¿cuál es la mejor definición de cada una de las siguientes palabras?

1. rodear
   a. abrir
   b. encerrar
   c. suponer
   d. determinar

2. barranco
   a. precipicio
   b. castillo
   c. mesón
   d. arroyo

3. alzarse
   a. levantarse
   b. bajar
   c. surgir
   d. esconderse

4. apuntar
   a. anotar
   b. golpear
   c. limitar
   d. crecer

5. instigador
   a. víctima
   b. policía
   c. causante
   d. criminal

6. vinculado
   a. vendido
   b. comprado
   c. mencionado
   d. relacionado

7. resarcir
   a. donar
   b. entroncar
   c. compensar
   d. cobrar impuestos

31 ¿Por qué lo asesinaron?

Haga una lista de los posibles motivos del asesinato de Lorca. Luego escriba la reacción de la sobrina del poeta a cada uno de los motivos, usando una variedad de tiempos verbales. Intente usar algunas de las "tapitas" gramaticales y el vocabulario que ha repasado en esta lección.

Cita

Escribir es como mostrar una huella digital del alma.
   —Mario Bellatín (1960–), escritor mexicano

 ¿Está de acuerdo con lo que dice? ¿Por qué? ¿Por qué usa Bellatín la imagen de la huella digital y del alma? ¿Por qué piensa que pudo haber hecho este comentario? Comparta sus opiniones con un/a compañero/a.

¡Dato curioso!

Miguel de Unamuno y Antonio Machado son los autores más representativos de la generación del 98. La obra de Unamuno trata su preocupación filosófica por los temas de la religión y la búsqueda angustiada de Dios. Cultivó todos los géneros (teatro, poesía, ensayo y prosa). Aunque era de Sevilla, Machado se sentía atraído por las tierras severas de Castilla, y a este paisaje dedicó sus mejores versos.

32 Antes de leer 👥

¿Qué sabe de la novela *Don Quijote de la Mancha* o de Cervantes? ¿Qué opina de un libro que, después de 400 años de su primera publicación, todavía tiene fama y popularidad? ¿A qué se debe?

33 El Quijote 📖

Lea el siguiente pasaje con atención e intente averiguar el significado de las palabras en azul por el contexto, ya que se le harán preguntas sobre ellas.

Don Quijote: Por qué una gran novela

Anne J. Cruz, Universidad de Miami

En 1605, en las páginas de una larga historia escrita por un autor poco conocido de nombre Miguel de Cervantes, se dibuja cabalgando por las ventosas llanuras de la ⁵ Mancha una pareja que llama la atención del lector por lo inverosímil. Un hidalgo alto, flaco y cincuentón, apenas protegido por una armadura improvisada, con el escudo enmohecido y la lanza rota, va precariamente balanceado sobre un ¹⁰ rocín famélico. A su lado, un campesino robusto y bajo se ladea en su asno, parlando y quejándose sin cesar. Lo que llevó a estas dos figuras contrastantes a abandonar su cómoda y sedentaria ¹⁵ vida en los recintos polvorientos de la meseta central española fue la creencia del hidalgo de que estaba destinado a imitar a los caballeros famosos de antaño y tomar armas para salvar el ²⁰ mundo. **(A)** Con el fin de distraerse en las noches de hastío hogareñas, el viejo solterón había vendido su hacienda por parcelas para obtener, en cambio, las novelas de caballerías que tan populares eran en la época. Al ²⁵ dedicarse solitario a su lectura durante las largas noches, su imaginación se fue impregnando de las aventuras novelescas hasta quedar convencido que también a él le tocaba rectificar todos los males del mundo. El hidalgo, cuyo apellido podría ³⁰ haber sido Quejana o Quijano, se afana en buscar unas armas entre sus herramientas de campo, ensilla un caballejo de corcel y en emulación de sus héroes literarios, se nombra caballero con el encumbrado título de don Quijote de la ³⁵ Mancha. Convence a su vecino, el campesino Sancho Panza, a que le sirva de escudero, el cual, exaltado por el deseo de aventuras de su amo y por la dudosa promesa de gobernar una ínsula, deja su rústica vivienda y acepta entusiasmado ⁴⁰ la invitación del auto-denominado caballero a unirse con él en sus pretensiones caballerescas. Los lectores de esta historia, acostumbrados a los lucidos caballeros de los cuentos medievales, jamás se habían topado con semejante pareja ⁴⁵ tan dispar. Siguiendo el modelo de los caballeros de estas novelas, don Quijote también anhela el amor de una bella doncella, distante y desdeñosa. Su amada Dulcinea, sin embargo, no es más que una figura imaginaria inventada por él para así ⁵⁰ tener a quién dedicar sus hazañas. Para confundirnos aun más, al comienzo del relato, el narrador ficticio cuenta cómo halló la historia de las aventuras de don Quijote escritas por un historiador ⁵⁵ árabe en unos trozos de papel. Al llegar al final de los primeros capítulos, ve que el relato ha terminado y sale a buscar por el pueblo algunos retazos más que contengan la continuación de ⁶⁰ la historia. Al hallarla en unos legajos en el mercado de Toledo, le paga con pasas a un morisco para que los traduzca al castellano. Éste, riéndose, le dice que allí hay algo que trata de una tal Dulcinea, mujer del pueblo ⁶⁵ que sala la carne de puerco. Feliz con el hallazgo, el narrador continúa contando la historia relatada por el mendaz historiador árabe. Por medio de esta confusión de lenguas y culturas, el autor advierte a sus lectores que a la trama de esta ⁷⁰ narración muy bien puede faltarle la verdad que deseamos y esperamos de la historia. **(B)** Es más: al guiñar el ojo ante el estereotipo promulgado por los cristianos de la mendacidad de los árabes, Cervantes claramente pone en duda la veracidad ⁷⁵ de todo escrito histórico. No se burla Cervantes de los árabes o musulmanes por sus diferencias religiosas ni culturales, sino que subraya la subjetividad del relato. A fin de cuentas, ¿a quién

continúa

hay que creerle —al historiador, al traductor o al narrador? Tampoco resulta una coincidencia que don Quijote imite ciegamente las mismas novelas de caballerías que acabaron por volverlo loco. Por el contrario, el autor del libro —autor, en fin, de una obra de literatura— se burla del poder y de la atracción de la literatura, al mismo tiempo que reconoce ese mismo poder. No en vano deciden el cura y el barbero, representantes del conservadurismo propio de la Iglesia y de la burguesía, echar a las llamas de la hoguera, parodiando los autos de fe en los cuales se quemaban a los heterodoxos religiosos, a los libros que tanto le habían costado a don Quijote. Estas advertencias sobre la subversión social de la lectura, así como la ficción inherente en la historia y la historicidad de la ficción, son sólo algunas de las principales lecciones que nos enseña *Don Quijote*, el libro que hoy en día se celebra como la primera novela moderna. Cervantes escribió el Quijote en dos partes. La primera incluye numerosos ejemplos de literatura que les eran familiares a sus lectores, muchos de ellos tomados de los romances y poemas épicos medievales que alababan a héroes ficticios. De tanto leer, don Quijote a menudo confunde las novelas de caballerías y los retazos de poemas y cuentos cortos con la realidad histórica. Esta confusión asegura que el lector comparará las hazañas de don Quijote con las historias verdaderas que en esos días circulaban como relaciones, en especial las enviadas a la corte desde el Nuevo Mundo. (C) La segunda parte del Quijote, publicada una década más tarde en 1615, se enfoca con mayor atención en las aventuras de Sancho, al alcanzar por fin el ingenioso campesino su sueño de gobernar la ínsula prometida. Mientras Sancho cobra mayor realce, se va disminuyendo en nuestro caballero el poder de la imaginación hasta que el protagonista queda al margen de varios capítulos. Como en la primera parte, la pareja inverosímil deambula por los campos, encontrándose con personajes muy parecidos a los que actualmente vivían en España en el siglo XVII. Lo sorprendente, en esta segunda parte, es que los demás ya han leído la primera; desean y esperan que don Quijote actúe de la misma manera en que actuó cuando comenzaba sus andanzas. Sufre su peor humillación en manos de los duques, nobles indolentes cuya única diversión es la de manipular la ficción antes creada por don Quijote: con gran fastuosidad, celebran en su palacio la llegada del caballero y su escudero, sólo para jugarles la broma pesada de insistir en su existencia. No obstante, por hallarse don Quijote alienado en otro tiempo y espacio, sus aventuras terminan siempre por fallar y tanto en la primera como en la segunda parte, el caballero regresa derrotado a su pueblo. Si don Quijote parece un tonto para algunos, otros lo consideran un verdadero héroe. La gente se ríe del caballero por comportarse de una manera tan irracional; sin embargo, él se aferra a los principios de la caballería andante como mejor los entiende. Vive en un mundo al revés, donde las humildes posadas se vuelven castillos imponentes y las campesinas rudas se convierten en pulcras doncellas y donde todo lo que él cree ser una realidad, no es más que una invención idealizada para los demás. De igual manera, la historia de don Quijote —como toda ficción— es sólo el producto de la imaginación de alguien (y ese alguien bien podría ser un historiador árabe como un escritor castellano). Aun así, como sucede con toda la literatura que nos envuelve en el espacio de su imaginario, los deseos y fracasos de don Quijote no son más que reflejos de los nuestros. (D)

(Conferencia dictada en el Festival de Ravinia, en el marco de las celebraciones por los 400 años de Don Quijote.)

www.laraza.com

34 Amplíe su vocabulario 🔍

Emparaje cada palabra de la primera columna con su definición o sinónimo de la segunda.

1.	cabalgar	a.	hablar
2.	inverosímil	b.	cerrar un ojo por un momento
3.	cincuentón	c.	caballo de trabajo
4.	escudo	d.	grandeza
5.	rocín	e.	aburrimiento, tedio
6.	famélico	f.	paje que acompaña a un caballero
7.	parlar	g.	que se ha nombrado a sí mismo
8.	polvoriento	h.	hecho heroico
9.	antaño	i.	montar a caballo
10.	hastío	j.	tropezar
11.	impregnar	k.	moro bautizado
12.	corcel	l.	cubierto de polvo
13.	escudero	m.	empapar, saturar
14.	ínsula	n.	persona de unos 50 años
15.	auto-denominado	o.	andar
16.	topar	p.	rendido
17.	desdeñoso	q.	improbable
18.	hazaña	r.	fragmento
19.	retazo	s.	que tiene mucha hambre
20.	legajo	t.	precioso
21.	morisco	u.	lugar pequeño
22.	mendaz	v.	arrogante
23.	guiñar	w.	aventura
24.	conservadurismo	x.	caballo ligero
25.	auto de fe	y.	mentiroso
26.	realce	z.	doctrina política
27.	deambular	aa.	insistir
28.	andanza	bb.	arma defensiva
29.	derrotado	cc.	en otro tiempo
30.	aferrarse	dd.	castigo público
31.	pulcro	ee.	atado de papeles

35 ¿Ha comprendido?

1. Según la autora, ¿cómo se caracteriza al principio la relación de los dos personajes principales?
   a. Es rústica y rudimentaria.
   b. Es difícil pensarla posible.
   c. Es muy probable.
   d. Es noble.

2. ¿Cuál es el mejor perfil del protagonista?
   a. Es un hombre distinguido, con todo lo necesario para hacerse caballero andante.
   b. Es un hombre distinguido que apenas tiene lo necesario para hacerse caballero andante.
   c. Es un hombre distinguido a quien le falta todo lo necesario para hacerse caballero andante.
   d. Es un hombre rudo que acaba de reunir todo lo necesario para hacerse caballero andante.

continúa

3. ¿Quién es "un paisano que se lamenta mucho de sus problemas"?
   a. El protagonista
   b. El rocín
   c. El hidalgo
   d. El personaje que ayuda al protagonista

4. ¿Cuál es la misión del protagonista?
   a. Proteger el mundo
   b. Abandonar la vida cómoda
   c. Conquistar el mundo
   d. Todas las respuestas anteriores

5. ¿De dónde recibe don Quijote la inspiración para aventurar con Sancho?
   a. De su hogar
   b. De los libros
   c. De la geografía española
   d. De su compañero

6. ¿Cómo recibió el protagonista el nombre de don Quijote de la Mancha?
   a. Se lo dio un escudero.
   b. Se lo dio un vecino.
   c. Así se nombró a sí mismo.
   d. Lo escogió de una de sus novelas.

7. ¿Por qué decidió Sancho Panza ayudar a don Quijote?
   a. Don Quijote le iba a pagar mucho dinero después de las aventuras.
   b. Sancho esperaba ser gobernador de una ínsula.
   c. Don Quijote le convenció hacerlo para probar su amistad.
   d. Ninguna de las respuestas anteriores

8. ¿Por qué era tan popular esta historia durante la época de Cervantes?
   a. La historia era única.
   b. Había un renacimiento de interés en cosas medievales.
   c. A los lectores les gustó la novedad de la historia.
   d. Las respuestas a y c

9. Según la autora, ¿quién puede ser el autor de esta novela?
   a. Un historiador árabe
   b. Un musulmán cristiano
   c. Un morisco que vivía en Toledo
   d. Las respuestas a y c

10. ¿De qué se burlaba el autor de esta historia?
    a. De la fuerza de gobernar
    b. De la caballería medieval
    c. De la fascinación con la literatura
    d. Las respuestas b y c

11. ¿Qué hacen el barbero y el cura para interrumpir las aventuras de don Quijote?
    a. Queman sus libros.
    b. Acusan a don Quijote de robar dinero.
    c. Advierten a don Quijote de su liberalismo.
    d. Se burlan de él.

12. ¿Cómo se pueden comparar las dos partes del libro?
    a. La primera parte se concentra en don Quijote; y la segunda, en Sancho Panza.
    b. La primera parte es un relato de personajes que son similares a la familia del autor; la segunda parte es más imaginativa.
    c. Las dos respuestas anteriores
    d. Ninguna de las respuestas anteriores

13. Explique la oración "Vive en un mundo al revés".
    a. Don Quijote es un verdadero loco.
    b. Don Quijote es un verdadero héroe.
    c. Don Quijote parece un tonto para algunos, pero otros lo consideran un verdadero héroe.
    d. Don Quijote tiene una imaginación viva cuando intercambia la realidad con un mundo de fantasía.

14. Según la autora, ¿por qué es *Don Quijote* una gran novela?
    a. Porque trata temas universales
    b. Porque capta la imaginación del lector quien puede identificarse mucho con el protagonista
    c. Porque el autor ha tenido mucho éxito en explicar los deseos y los fracasos del protagonista y los lectores aprecian la riqueza del lenguaje y el mensaje del libro
    d. Porque se entiende fácilmente el personaje de don Quijote por la riqueza del lenguaje del libro

36 ¿Cuál es la pregunta?

Escriba una pregunta lógica, según la lectura, para estas respuestas.

1. Por las ventosas llanuras de la Mancha
2. Una meseta central polvorienta
3. De tiempos antaños
4. Rectificar todos los males del mundo
5. Quejana o Quijano
6. La persona a quien don Quijote dedica sus hazañas
7. Por medio de una confusión de lenguas y culturas
8. Representan el conservadurismo de la Iglesia y la burguesía.
9. La subversión social de la lectura, la ficción inherente en la historia y la historicidad de la ficción
10. La primera novela moderna

37 ¿Qué piensa Ud.?

¿Qué cree que significa la expresión *pretensiones caballerescas*? ¿Puede ofrecer algunos ejemplos de esas pretensiones? Cítelas.

38 ¿Dónde va?

La siguiente oración ha sido extraída del texto anterior: *Son dos figuras buscando hazañas asequibles en el sur de España*. ¿Dónde encajaría mejor la oración?

1. Posición A, línea 20
2. Posición B, línea 71
3. Posición C, línea 111
4. Posición D, línea 159

Dato curioso ¿Sabía que El Quijote de Cervantes se publicó en 1605, cuatro años antes de publicarse *Hamlet*, de William Shakespeare? ¿Y que los dos genios de las letras se murieron el mismo día —el 23 de abril de 1616?

39 Antes de leer 👥

¿Piensa que la literatura europea llegó a las Américas con los primeros colonos a partir del año 1492? Si no, ¿cómo cree que llegaron los libros? ¿Quiénes leerían esa literatura?

40 El Quijote 📖

Lea el siguiente texto con atención, fijándose en las palabras en azul, ya que se le harán preguntas sobre ellas.

El Quijote en las Américas: la llegada y el exilio

Una orden real prohibía enviar al Nuevo Mundo obras "de imaginación". Sin embargo, los primeros ejemplares del Quijote llegaron en 1605, el mismo año en que salió de las prensas madrileñas. De modo
⁵que hoy se están cumpliendo, también, los 400 años de la novela en América. Aunque, en rigor, los primeros ejemplares hayan visto la luz en Valladolid a fines de 1604.

• **Las primeras huellas**
Don Quijote de la Mancha fue leído en el siglo
¹⁰XVII como mera obra de burlas. Igual tuvo un éxito inmediato, en España como en América, que fue decayendo para renacer prestigiado en el XIX. Ricardo Palma, en sus *Tradiciones peruanas* (1872), dice haber visto un ejemplar dedicado por Cervantes
¹⁵a un amigo de juventud, Juan de Avedaño, quien residía en Lima en 1606. Un año después aparecen disfraces de don Quijote y Sancho en las fiestas populares limeñas. El edicto real, que también impedía publicar en América libros de ficción,
²⁰nunca se derogó, aunque fue dejando de cumplirse. Esto explica la fecha tardía de las ediciones del Quijote en el subcontinente. La primera sale en México en 1833, donde se reeditará cinco veces más en
²⁵el siglo. En Valparaíso se realiza una edición abreviada en 1863, mientras que en 1880 sale en Montevideo el primer Quijote de América del Sur, por más que la edición argentina
³⁰—publicada en La Plata en 1904— luce en su portadilla la inscripción "Primera edición sudamericana". Hasta 1930 la anterior era desconocida. El hallazgo de esta rareza correspondió
³⁵a Arturo Xalambrí, quien atesoró una importante biblioteca cervantina. El Quijote uruguayo fue publicado en entregas por el periódico *La Colonia Española*, por lo que se ha estimado que la edición
⁴⁰no pasaría de los quinientos ejemplares. La primera referencia americana se anota en Chile, en 1746. En el Río de la Plata se encuentran ejemplares de la novela en las bibliotecas jesuíticas de Montevideo, Buenos Aires, Santa Fe y Córdoba. Con seguridad,
⁴⁵el ejemplar del Quijote de los jesuitas fue el que leyó con devoción el primer escritor montevideano.

• **Literatura cervantina**
Por toda América hubo importantes cervantistas en el siglo XIX. Pero Cervantes no fue un escritor imitado, como ocurrió con Góngora o Quevedo.
⁵⁰El que llegó más lejos fue el ecuatoriano Juan Montalvo (1833–1889). En 1882 da a conocer sus *Siete tratados*, el último de los cuales —"El buscapié", un ensayo sobre el Quijote— servirá como prólogo a los Capítulos que se le olvidaron a
⁵⁵Cervantes.

• **Cervantes en el 1900**
Cuando en 1905 se cumple el tercer centenario de la novela, la crítica española estaba dominada por

la "generación del 98". Entonces se publica *Vida de Don Quijote y Sancho*, de Miguel de Unamuno, y
60 antes o después la figura del hidalgo será retomada por casi todos los del grupo. La crisis de España encontró eco en Hispanoamérica. Aunque las causas fueran otras, la situación abonaba las mismas preguntas y parecidas respuestas. La amenaza del
65 poderío norteamericano y la necesidad de construir modelos nacionales, volcó a muchos intelectuales —como José Enrique Rodó y Rubén Darío— hacia las raíces españolas y la "raza" latina. En ese cruce, *Don Quijote de la Mancha* emergió en los discursos
70 de los centenarios de 1905 y 1916, con una carga ideológica que pronto lo transformó en mito.

• Don Quijote en el exilio

Cipriano S. Vitureira expresa en Montevideo una visión integradora del hombre —que es a la vez Quijote y Sancho— y un también nuevo
75 y enaltecedor concepto de "pueblo". De igual modo, Cervantes sigue estando por encima de los bandos, "no les pertenece ni a los pancistas ni a los quijotistas, ni a los ahítos de poder ni a los de gloria". La premonición de Cervantes sólo se
80 cumplió cabalmente con el fin de la Guerra Civil: la desaparición de España como idea histórica.

• Hispanidad y centenario

Los homenajes de los centenarios suelen ser poco propicios a la novedad. En 1916 Alfonso Reyes había advertido estos riesgos: "La mejor manera
85 de honrar al autor del Quijote es no aumentar la secta de cervantistas, sino acrecer el número de los lectores". En 1947 había dos caminos para celebrar a Cervantes: el oficial, que se nutría de una tradición fuerte en América de hispanismo conservador, y las
90 alternativas con que respondían los antifranquistas.

El homenaje de la Academia Argentina de Letras, en el que participó el Embajador de España, se cerró con un discurso del presidente Juan Domingo Perón. De nuevo el Quijote es funcional a estrategias
95 políticas y solidifica alianzas contra el poder del Norte. Perón propicia la unidad hispánica: "Recordar a Cervantes es reverenciar a la madre España; es sentirse más unidos que nunca a los pueblos que descienden legítimamente de tan noble
100 tronco; es afirmar la existencia de una comunidad cultural de la que somos parte y de una continuidad histórica que tiene en la raza su expresión objetiva más digna".

• Cervantes en la novela

Es un lugar común decir que el Quijote es la
105 primera novela de la modernidad y que muchos de sus recursos narrativos reaparecen en el siglo XX. Bastan los nombres de Jorge Luis Borges, Mario Vargas Llosa, Carlos Fuentes y hasta Guimarães Rosa, para mostrar que en América ha sido un libro
110 cuya incidencia consolida una poética irrecusable. Alejo Carpentier llamó a su autor el "padre de todas las novelas", y cuantos recibieron el Premio Cervantes lo confirmaron. "Si algún día tuviera poder suficiente, decretaría universalmente la lectura
115 de *El Quijote*", dijo Juan Carlos Onetti cuando de manos del rey Juan Carlos recibió la distinción en 1980. El amor que se le ha profesado en estas latitudes va más allá del acatamiento a un modelo de lengua —la lengua de Cervantes—, concepto
120 muy atado al discurso escolar y a un hispanismo impermeable a la dinámica social, cultural y lingüística. Entonces el Quijote abrió nuevas puertas a su propia interpretación y se convirtió en un precursor obligatorio.

www.laraza.com

41 ¿Qué significa? (i?)

Escriba una definición para cada término del recuadro. Siga el modelo.

MODELO madrileño: persona de Madrid

limeño	cervantista	quijotista
cervantino	ecuatoriano	antifranquista
montevideano	pancista	

42 Amplíe su vocabulario 🔍

¿Cuál es la mejor traducción?

1. prensa
   a. press
   b. editorial
   c. journalist
   d. publisher

2. en rigor
   a. ideally
   b. strictly speaking
   c. well organized
   d. hot off the press

3. mero
   a. poor
   b. sophisticated
   c. detailed
   d. simple

4. derogar
   a. to question
   b. to enforce
   c. to abolish
   d. to use

5. portadilla
   a. title page
   b. front cover
   c. footnote
   d. appendix

6. entrega
   a. chapter
   b. installment
   c. section
   d. none of these

7. abonar
   a. to abandon
   b. to lend weight to
   c. to avoid
   d. to question

8. enaltecedor
   a. simple
   b. complicated
   c. subtle
   d. exalted

9. ahítos
   a. those who question
   b. those who embrace
   c. those who deny
   d. those who are fed up with

10. cabalmente
    a. awkwardly
    b. simply
    c. completely
    d. partially

11. propicio
    a. extensive
    b. confusing
    c. organized
    d. favorable

12. irrecusable
    a. unchallengeable
    b. irresistible
    c. disrespectful
    d. irrational

13. acatamiento
    a. summary
    b. compliance
    c. exception
    d. none of these

43 ¿Ha comprendido?

1. ¿Por qué se consideraba la publicación de *Don Quijote* un poco rara en las Américas del siglo XVII?
   a. Se había prohibido la publicación de libros en esta época por falta del dinero.
   b. Se había prohibido la publicación de libros en esta época por falta de interés.
   c. Se había prohibido la publicación de este libro en esta época por su contenido.
   d. Ninguna de las respuestas anteriores

2. ¿Cómo se pudo notar la influencia de este libro en las Américas en el siglo XVII?
   a. Se vendieron muchos libros en las librerías peruanas.
   b. Los limeños se disfrazaron de los personajes del libro en 1607.
   c. Se publicó el libro clandestinamente en Perú en 1606.
   d. Las respuestas a y c

3. ¿Por qué se publicó el libro por entregas en Uruguay?
   a. Porque tenía muchas partes ofensivas al público y querían medir la reacción del público antes de publicar más
   b. Porque no pensaban publicar muchos ejemplares de la novela
   c. Porque había poca gente que leía en esa época
   d. Las respuestas a y c

4. ¿Cómo se transformó la popularidad del libro a partir del tercer centenario?
   a. Se disminuyó su popularidad debido al contenido.
   b. Denunciaron el libro.
   c. No se transformó; su popularidad quedó igual.
   d. Se convirtió en mito.

5. ¿Por qué mencionó Perón el libro en un discurso?
   a. Quería distanciarse de España y todo lo que representaba.
   b. Quería rendir homenaje a la grandeza del libro.
   c. Quería ayudar a la venta de los libros en su país.
   d. Quería animar a los escritores argentinos.

6. ¿Qué quiere decir "se convirtió en un precursor obligatorio"?
   a. Implica que los escritores tienen que leer este libro para comprender el género de la novela.
   b. Implica que Cervantes reaccionó a muchas influencias antes de escribir su novela.
   c. Subraya la importancia de este libro en la historia de la novela moderna.
   d. Ninguna de las respuestas anteriores

44 Responda brevemente

¿Cree que la publicación de *Don Quijote* ayudó a la unión lingüística y cultural entre España y las Américas a través de los siglos? ¿Por qué? Si su respuesta es negativa, ¿qué papel tuvo la publicación de este libro en las Américas?

45 Lea, escuche y escriba/presente

Después de leer "El Quijote en las Américas: la llegada y el exilio", escuche la grabación "El Quijote enseña que por dignidad se puede dar la vida" y tome las notas necesarias. Escriba un ensayo o haga una presentación en clase sobre el siguiente tema: "La influencia de Cervantes y de *Don Quijote* en la literatura mundial y en nuestro mundo".

Cita

El recuerdo que deja un libro es más importante que el libro mismo.
—Gustavo Adolfo Bécquer (1836–1870), poeta y prosista español

¿Está de acuerdo con esta cita? Describa los recuerdos que le ha dejado un libro que ha leído. ¿Qué opina de los que hacen análisis literarios? ¿Cuál es el valor de estos análisis? Comparta su opinión con un/a compañero/a.

Dato curioso

¿Sabía que con las ventas de tantos i-Pods se hacen más populares los audiolibros? Un audiolibro es una grabación del contenido de un libro leído en voz alta. Algunos audiolibros tienen versiones completamente dramatizadas del libro impreso, a veces con un grupo de actores, música y efectos sonoros. La mayoría de los títulos nuevos de las editoriales principales están disponibles en formato audiolibro simultáneamente con la publicación de la edición de tapa dura.

46 Una edición de Shakespeare

Lea las posibles respuestas primero y después escuche "Venden rara edición de obras de Shakespeare". Escoja la mejor respuesta para la pregunta que escuchará en la grabación.

1. (Pregunta que escuchará en la grabación.)

   a. Londinense
   b. Euro
   c. Británico
   d. Una puja

2. (Pregunta que escuchará en la grabación.)

   a. En una puja
   b. En la casa de un marchante londinense
   c. En el sótano de Sotheby's
   d. En la casa de un maestro de literatura

3. (Pregunta que escuchará en la grabación.)

   a. Una puja
   b. Un marchante londinense
   c. El fundador de Sotheby's
   d. Un maestro de literatura

4. (Pregunta que escuchará en la grabación.)

   a. Porque la edición era tan rara que necesitaban mostrarla en un lugar especial
   b. Porque había solamente unos pocos invitados a la subasta
   c. Porque el público se portaba mal en la sala donde se vendía esta edición
   d. Porque el público no cabía donde se vendía esta edición

5. (Pregunta que escuchará en la grabación.)

   a. 20 chelines
   b. 3,5 millones de libras
   c. Más de 15 millones de euros
   d. 10 mil dólares

47 Isabel Allende

Lea las posibles respuestas primero y después escuche la grabación "Isabel Allende presenta su nuevo libro en Madrid". Escoja la mejor respuesta para la pregunta que escuchará en la grabación.

1. (Pregunta que escuchará en la grabación.)

   a. Lucha por los ricos.
   b. Lucha por mejorar el mundo.
   c. Lucha por mejorar la política.
   d. Los pobres necesitan dinero y Zorro les regala mucho.

2. (Pregunta que escuchará en la grabación.)

    a. En la política
    b. En los negocios
    c. En las escuelas
    d. En la política y en los negocios

3. (Pregunta que escuchará en la grabación.)

    a. Sí, hay muchos.
    b. No, porque dice que es imposible encarnar los valores hoy en día.
    c. No personalmente, pero dice que debería existir.
    d. Sí, pero hay muy pocos.

4. (Pregunta que escuchará en la grabación.)

    a. En Barcelona
    b. En el sur de California
    c. En Chile
    d. En Barcelona y en el sur de California

5. (Pregunta que escuchará en la grabación.)

    a. Les planta una "Z" en su vestimenta.
    b. Los mata.
    c. Los hace sufrir en público.
    d. Los lleva a la policía para que los arresten.

6. (Pregunta que escuchará en la grabación.)

    a. El mito de Che Guevara
    b. El mito de la Revolución Francesa
    c. El mito de Peter Pan
    d. El mito de Robin Hood

48 Participe en una conversación

Ud. va a participar en una conversación. Primero lea la descripción de la conversación y piense en algunas palabras o expresiones que le serían útiles. Organice sus ideas, haciendo predicciones sobre lo que se le pueda preguntar o comentar. Una descripción de lo que va a escuchar aparece abajo en color. Participe en la conversación grabando las respuestas o escribiéndolas en su cuaderno.

Escena: Ud. está hablando con su amigo Rubén de una tarea para la clase de literatura.

Rubén:	Le pregunta sobre la tarea.
Ud.:	• Contéstele.
Rubén:	Le hace unas preguntas.
Ud.:	• Contéstele.
Rubén:	Sigue la conversación con más preguntas sobre la tarea.
Ud.:	• Reaccione a sus preguntas. Sugiera que usen el audiolibro.
Rubén:	Sigue la conversación con otras preguntas.
Ud.:	• Conteste sus preguntas.
Rubén:	Sigue la conversación, hace otras preguntas y se despide.
Ud.:	• Contéstele. Haga un comentario y despídase.

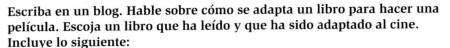

¡A escribir!

49 Texto informal: cómo se adapta un libro al cine

Escriba en un blog. Hable sobre cómo se adapta un libro para hacer una película. Escoja un libro que ha leído y que ha sido adaptado al cine. Incluye lo siguiente:

- La popularidad del libro.
- La popularidad de la película.
- La fidelidad al contenido del libro.
- La fidelidad a los personajes del libro.

50 Texto informal: cómo mejorar el vocabulario

En un foro alguien pide consejos sobre cómo podría mejorar su vocabulario (en inglés o en español). Dele consejos a esta persona.

- Dele razones para mejorar su vocabulario.
- Diséñele un plan para ir mejorando su vocabulario cada día.
- Háblele de los beneficios de leer para mejorar su vocabulario.

51 Ensayo: una carrera en letras

Escriba un ensayo contestando la pregunta, "¿Cuáles son los beneficios y los obstáculos de seguir una carrera en letras?"

52 Ensayo: los libros

Escriba un ensayo en el que hable de los beneficios y los retos de leer un libro en el formato tradicional en papel. Compare esta experiencia con la que se tendría con un audiolibro, una versión abreviada o una película.

53 En parejas

Intercambie sus ensayos con un/a compañero/a. Exprésele su opinión sobre el contenido y el uso del idioma.

Consejo

Antes de empezar, lea las pautas para escribir textos informales en la pág. 480 del Apéndice. Mientras escribe el texto tenga presente los objetivos. Cuando termine, verifique que ha cumplido con todo lo que se describe en la lista y reflexione sobre su trabajo.

Consejo

Antes de empezar, lea las pautas para escribir ensayos en la pág. 480 del Apéndice. Mientras escribe el ensayo tenga presente los objetivos, y no se olvide de ponerle un título original. Cuando termine, verifique que ha cumplido con todo lo que se describe en la lista y reflexione sobre su trabajo.

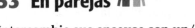

¡A hablar!

54 Charlemos en el café

Ud. va a debatir los siguientes temas con un/a compañero/a. Uno estará a favor de lo que se ha dicho y otro en contra. El debate durará varios minutos. El/La estudiante que esté de acuerdo comenzará el debate y hablará por unos diez segundos. Cuando el/la profesor/a lo indique, el/la otro/a estudiante tomará la palabra y expresará su opinión por otros diez segundos, y así sucesivamente.

1. El trabajo de los literatos contribuye poco a la vida práctica de los seres humanos.
2. La literatura de los Estados Unidos no es tan rica ni tan variada como la literatura española o latinoamericana.
3. Es necesario que alguien controle las nuevas palabras que entran en un idioma.
4. En mi opinión, el mejor periódico de los Estados Unidos es... porque....
5. Es bueno y necesario censurar los libros en las escuelas.

55 ¿Qué opinan?

Converse con un/a compañero/a sobre estas situaciones o preguntas.

1. Si Ud. pudiera hablar con cualquier escritor (actual o del pasado), ¿con quién le gustaría hablar y por qué? ¿De qué hablarían Uds.?
2. ¿Cree que la literatura refleja bien la cultura de un país? ¿Por qué? ¿Cómo lo hace?
3. Piense en las versiones múltiples de la leyenda de El Zorro. ¿Cree que vale la pena escribir una nueva versión sobre el mismo tema? ¿Qué podría ofrecer una nueva versión?

56 Presentemos en público

Conteste una de las siguientes preguntas o haga una presentación oral sobre uno de los temas durante varios minutos en clase. Organice sus ideas antes de hacer la presentación, busque las palabras necesarias y, después de practicar, presente en clase sin mirar las notas.

1. Hable de un movimiento literario que conozca bien o que quiera investigar. ¿Cómo se desarrolló este movimiento? ¿Es una escuela o un movimiento? ¿Cuál es la diferencia entre los dos?
2. Si pudiera recomendar a un autor o autora a sus compañeros, ¿a quién les recomendaría? ¿Por qué?
3. Ud. es un gran experto de un género literario y de un autor hispano (por ejemplo, la poesía del nicaragüense Rubén Darío, o las obras de teatro del español García Lorca). Presente la información a sus compañeros. Hable de la época en que escribió y de lo que ocurría política, histórica y artísticamente durante ese tiempo. Hable del impacto que tuvo el escritor y de otros escritores que ejercieron influencia sobre él (o ella). Cite al menos tres de sus obras y coméntelas.
4. Piense en un autor cuyas obras han afectado seriamente a nuestro mundo. Hable del impacto que ha tenido este autor y su obra en la vida cotidiana y en la vida literaria; por ejemplo, podría citar a Dan Brown y *El código Da Vinci*; J.K. Rowling y la serie sobre Harry Potter; John Grisham y su serie de libros sobre el crimen como *Tiempo de matar*; o Salman Rushdie y *Los versos satánicos*.

Consejo

Antes de empezar, lea las pautas para presentaciones formales en la pág. 481 del Apéndice. Mientras formula su presentación tenga presente los objetivos. Cuando termine la presentación, verifique que ha cumplido con todo lo que se describe en la lista y reflexione sobre el trabajo que hizo.

57 ¡Manos a la obra!

Trabaje en un grupo de cuatro o cinco estudiantes para llevar a cabo uno de los siguientes proyectos y presentarlo en clase.

- Les han encargado que diseñen una nueva revista literaria en su escuela o universidad. Esta revista tiene que captar el interés de los estudiantes y la comunidad. Decidan el formato y el contenido de la revista, las veces que se publicará y cómo van a solicitar artículos y encontrar autores. Expliquen también los criterios que Uds. van a seguir para aceptar o no estos artículos.

- Van a presentar una lista de los diez autores favoritos de un grupo de compañeros. Hablen de cómo se llegó a establecer la lista, por qué aparecen algunos autores en la lista y otros no. Hablen de las obras de los autores favoritos y coméntenlas.

- Hagan un anuncio para promover un nuevo club de lectores en su escuela o universidad. Decidan si va a ser un anuncio gráfico, de radio o de televisión. No se olviden de incluir las ventajas de ser miembro de este club.

- Imaginen que en su escuela o universidad han censurado un libro que Uds. iban a leer en la clase de literatura. Piensen en el título del libro y su contenido controversial (puede ser real o ficticio). Presenten una petición a la administración de la escuela, pidiéndoles que revoquen la censura. Hay que tener una buena estrategia para convencerles.

Vocabulario

Verbos

acrecentar (ie)	to increase
alzarse	to rise up
anotar	to annotate, note
apuntar	to point out
apuñalar	to stab
derogar	to abolish
derrotar	to defeat
donar	to donate
estrenar	to perform for the first time — to premire (debut)
fallecer	to die
mantener	to maintain
recluir	to confine
rehusar	to refuse
resarcir	to repay, compensate
rumorear	to rumor
saquear	to loot, plunder, ransack

Verbos con preposición

verbo + a:

aferrarse a	to cling to
unirse a	to join

verbo + con:

convivir con	to live together with
experimentar con	to experiment with / to experience
toparse con	to bump into

verbo + de:

servir (i) de	to serve as

verbo + en:

envolverse (ue) en	to become involved in

Sustantivos

el	acatamiento	compliance
la	actualidad	the present (time), nowadays
el	alzado	rebellious one
la	comedia	comedy
el	contenido	contents
la	crítica	criticism, critique
el	cuento	short story
el	decorado	set, scenery
el	derecho	law
el	desafuero	outrage
el	descubrimiento	discovery
el	diario	(daily) newspaper
la	elegía	elegy
el/la	ensayista	essayist
el	ensayo	essay
el	escenario	setting
el/la	escritor(a)	writer
el	guión	script
el	hallazgo	discovery
la	hazaña	exploit

la	incidencia	effect, impact; incidence
el	inicio	start
las	letras	Letters (*literature*)
el/la	literato/a	writer, person of letters
el	más allá	the other world
la	muestra	sample
la	oda	ode
la	Oratoria	Oratory
el	periodismo	journalism
el/la	periodista	journalist
el	poema	poem
la	portada	cover (*of a book*)
la	portadilla	title page
la	prensa	press
el	promedio	average
la	prosa	prose
la	rencilla	quarrel
la	reseña	critique, review
el/la	sabio/a	scholar, learned/wise man/woman
la	sátira	satire
el	seudónimo	pseudonym, pen name
el	sinfín	great many
el	temor	fear
la	ternura	tenderness
la	tragedia	tragedy
la	vinculación	connection, link

Adjetivos

andaluz(a)	Andalusian
autodestructivo, -a	self-destructive
contemporáneo, -a	contemporary
desamparado, -a	deserted
desgarrador(a)	heartbreaking
disparatado, -a	absurd
eminente	prominent, distinguished
fantástico, -a	fantastic, imaginary
fructífero, -a	productive, fruitful
híbrido, -a	hybrid
inverosímil	unlikely, improbable
irrecusable	unchallengeable
laureado, -a	laureate, awarded a prize
mendaz	lying, untruthful
mero, -a	mere, simple
propicio, -a	favorable
realista	realistic
vanguardista	modernist, avant-garde
vinculado, -a	connected, linked

Adverbios

apenas	hardly, scarcely
cabalmente	completely
sumamente	extremely

Expresiones

la ciencia ficción	science fiction
de tapa dura	hardcover
en rigor	strictly speaking
el género literario	literary genre
la obra de teatro	play
las obras literarias	literary works
el poema épico	epic poem
por entregas	in installments
el Premio Nobel de Literatura	Nobel Prize in Literature
el realismo mágico	magical realism
tras	after, behind

A tener en cuenta

Acentos

En todas las palabras de más de una sílaba hay una sílaba que se pronuncia con más fuerza que las demás. Las palabras con una sílaba acentuada se llaman *tónicas* y reciben los siguientes nombres según el puesto que ocupe la sílaba acentuada.

Las palabras *agudas* son las que tienen el acento en la última sílaba; llevan tilde (acento escrito) si terminan en vocal, *n* o *s*:

actualidad   derrotar   mendaz   temor   allá   guión   café   sinfín   jamás

Las palabras *llanas* o *graves* son las que tienen el acento en la penúltima sílaba; llevan tilde (acento escrito) si no terminan en vocal, *n* o *s*:

ensayo   hazaña   orden   hablamos   mariposas   débil   símil   líder

Las *esdrújulas* son las que tienen el acento en la antepenúltima sílaba; todas han de llevar tilde:

épico   exámenes   crítica   híbrido   sátira   seudónimo   fantástico   periodístico

Las *sobresdrújulas* son las que tienen el acento en la sílaba antes de la antepenúltima; todas han de llevar tilde:

envuélvamelo   anóteselos   manténganmelas

Las palabras sin sílaba acentuada se llaman *átonas*; ejemplos incluyen los artículos *el, la, los, las, lo*; algunas preposiciones como *a, de, con* y *por*, y algunos pronombres. A veces el acento escrito cambia el sentido de estas palabras:

el	**the**	él	**he**
mi	**my**	mí	**me**
tu	**your**	tú	**you**
te	**you, yourself**	té	**tea**
se	**him/her/one/yourself**	sé	**I know; be (*imperativo informal*)**
si	**if**	sí	**yes; oneself**
mas	**but**	más	**more**
de	**of, from**	dé	**give (*imperativo formal*)**

Lección

B

Objetivos

Comunicación

- Hablar de poesía
- Identificar editoriales
- Comprender la importancia de escribir bien
- Hablar de la lengua española
- Comprender cómo aprendemos

Gramática

- Estrategias de escritura: palabras y vocabulario
- Repaso de los tiempos verbales

"Tapitas" gramaticales

- *y / e*
- otros usos de *se* con verbos
- sinónimos
- *hay*
- frases en aposición
- la falta de artículos
- pronombres de objeto directo
- verbos con cambio de raíz en el presente
- verbos seguidos de preposición
- usos de *alguno, cuyo, ya* y *eso*

Cultura

- Las técnicas poéticas
- Los nuevos diccionarios
- Los editoriales
- La grafología
- La tradición de escribir cartas
- La riqueza de la lengua española
- Cómo aprendemos
- El éxito académico

Visite la página Web de
¡A toda vela! en
www.emcp.com

1   Conteste las preguntas 👥

Piense en las respuestas a las siguientes preguntas. Ud. puede tomar notas si lo considera necesario. Cuando termine, compare sus respuestas —pero sin mirar sus notas— con las de un/a compañero/a.

1. ¿Les escribe Ud. mucho a sus amigos o familiares? ¿Qué suele escribir y cuándo lo hace?
2. Cuando tiene que escribir algo para una clase, ¿qué prefiere escribir: informes u obras de algún género literario? Explique por qué tiene esta preferencia.
3. Describa los géneros literarios en los que ha tenido que escribir para sus clases. ¿Cuáles prefiere escribir? ¿Por qué?
4. ¿Cree que estamos perdiendo la costumbre de escribir cartas a mano? ¿Piensa que el correo electrónico ha mejorado la comunicación o que la ha dañado? Explique por qué.
5. ¿Qué opina sobre el arte de escribir? ¿Cree que es un arte o una profesión como otra cualquiera? Defienda su punto de vista con ejemplos concretos.
6. Nombre a algunos escritores contemporáneos que se han hecho famosos por su género literario. Describa sus obras y su estilo.
7. ¿Qué opina del teatro contemporáneo? ¿Le parece una actividad puramente social o es un vehículo literario para provocar los pensamientos del público?
8. Nombre algunas carreras en las que es importante saber escribir bien.
9. ¿Qué nos puede decir la forma de escribir sobre el carácter de una persona?
10. ¿Qué importancia tiene una carta de recomendación bien escrita para la universidad o un posible trabajo? ¿Se puede conocer a la persona descrita por lo que dice el/la escritor(a)?

2   Mini-diálogos 👥

Ud. va a crear un mini-diálogo con un/a compañero/a. Lea la descripción de la conversación antes de empezar. Puede tomar notas para organizar sus ideas, pero no las mire mientras conversa.

Escena: Un/a amigo/a le pide consejos a otro/a para escribir una composición para la clase de español.

A:	Pregúntele cuáles son los elementos necesarios para escribir una buena composición y pídale consejos sobre los posibles temas.
B:	Explíquele qué son estos elementos y mencione algunos temas.
A:	Pregúntele qué detalles debe incluir y por qué es necesario hacer un esbozo.
B:	Contéstele y dígale que debe citar fuentes en su composición.
A:	Reaccione y pídale cómo citar una fuente.
B:	Explíqueselo y despídase.
A:	Dele las gracias y despídase cordialmente.

Cita

La pluma puede llegar a ser más cruel que la espada.
—Robert Burton (1577–1640), erudito inglés

👥 ¿Bajo qué circunstancias puede ser más cruel, o más poderosa, la pluma que la espada? Comparta sus opiniones con un/a compañero/a.

¡Dato curioso! En 1975, dos años después del golpe militar en Chile, Isabel Allende se refugió en Caracas, donde empezó a escribir *La casa de los espíritus*, novela que cuenta la vida de una familia envuelta en los cambios políticos y económicos en Latinoamérica. La novela fue un éxito, y en ella hay elementos de realismo mágico, que consiste en mezclar lo real con lo sobrenatural. El creador de este género literario es el colombiano y Premio Nobel, Gabriel García Márquez.

Vocabulario y gramática en contexto

3 Un foro

Túrnese con un/a compañero/a para leer los comentarios que dos personas han escrito en un foro sobre la poesía. Fíjese en las palabras que aparecen en azul (relacionadas con el vocabulario) y en rojo (relacionadas con la gramática), ya que en las siguientes actividades se le harán preguntas sobre ellas.

Dirección | Archivo Edición Ver Favoritos Herramientas Ayuda

La poesía

ROSARIO, CATEDRÁTICA DE POESÍA CASTELLANA

La poesía es un arte bello con muchas normas y tradiciones. La poesía es una forma de articular emociones, sentimientos e ideas y se usan características estéticas del lenguaje, como la cadencia del sonido, o del sentido semántico y sintáctico de las palabras. Asimismo se expresan cuestiones sentimentales como filosóficas, metafísicas y sociales en la poesía. La principal herramienta de la poesía 5es la metáfora. La metáfora es una comparación entre términos sin usar la palabra *como*. Si se recurre a la palabra *como*, decimos que es un símil. La versificación también es intrínseca a la poesía. Es imprescindible tener en cuenta 10la acentuación interna de las palabras y la organización en estrofas. Hay estrofas de dos, cuatro, cinco y hasta ocho versos. El soneto, una de las formas clásicas más difíciles, se compone de catorce versos, generalmente 15endecasílabos divididos en dos cuartetos y dos tercetos con distintas formas de alternar las rimas. La alternancia de sílabas tónicas y átonas contribuye mucho al ritmo de la poesía.

Los versos

TOMÁS, CATEDRÁTICO DE POESÍA LATINOAMERICANA

El número de sílabas en un verso y la rima de las estrofas refuerzan la musicalidad del poema. Muchos poetas escrutan las palabras con el fin de localizar la rima perfecta. Pero igualmente prevalece el verso libre, sin ritmo aparente. Algunos eligen llamarlo prosa poética. De la misma manera 5se brota el verso blanco, que es un tipo de composición poética que se caracteriza por tener una métrica regular y carecer de rima. En inglés, normalmente se emplea el pentámetro yámbico en el verso blanco. William Shakespeare ha logrado los mejores resultados con el verso blanco inglés en sus dramas. Los japoneses colaboran en el mundo poético con el haikú 10que se compone de tres versos de 5, 7 y 5 sílabas y sin rima. El haikú tiene algunas reglas preestablecidas, pero muchos poetas optan por romperlas.

4 Amplíe su vocabulario ⚲

Clasifique las palabras que aparecen en azul y rojo en las lecturas anteriores según sean sustantivos, adjetivos, verbos o expresiones relacionados con la poesía.

5 Repaso ⚲

Conteste estas preguntas basadas en las lecturas de la Actividad 3.

1. Explique el uso de la palabra *e* en la frase *sentimientos e ideas*.
2. Busque los verbos con *se* (por ejemplo, *se usan*) y explique el uso de *se* con estos verbos.
3. Busque tres sinónimos de *también*.
4. Explique el uso de *hay* en la lectura.
5. Explique el uso de la frase "una de las formas clásicas más difíciles" en la oración "El soneto, una de las formas clásicas más difíciles, se compone de catorce versos...".
6. Traduzca la frase "con el fin de localizar la rima perfecta".
7. Explique la falta del artículo definido en la frase *en inglés*.
8. Explique el uso del presente perfecto en la oración "William Shakespeare ha logrado los mejores resultados...". ¿Por qué es indicativo y no subjuntivo?

6 "Tapitas" gramaticales 👥

Haga las siguientes actividades con un/a compañero/a.

1. Hagan una lista de los otros usos de *se* con verbos. Escriban algunos ejemplos relacionados con la poesía.
2. Den tres sinónimos de *articular* y tres de *se usa*.
3. Escriban dos oraciones relacionadas con la poesía para mostrar los usos de la palabra *hay*.
4. Expliquen otros casos donde no es necesario usar el artículo definido. Para cada caso, escriban una oración relacionada con la poesía.

7 "Tapitas" gramaticales ⚲

Conteste estas preguntas basadas en las lecturas de la Actividad 3.

1. Busque dos ejemplos del pronombre de objeto directo y explique la referencia.
2. Busque dos verbos con cambio de raíz en el presente.
3. Busque dos verbos seguidos de una preposición. Escriba una oración con estos verbos.
4. Busque ejemplos de *alguno* y explique su uso en las lecturas.

8 ¿Qué opina? 👥✒

Reaccione a lo que cada persona ha escrito en el foro de la Actividad 3 y comparta sus opiniones con un/a compañero/a. Luego escriba un poema o analice su poema favorito. Incluya palabras del vocabulario nuevo que aparecen en azul y subráyelas. Intercambie su poema o análisis del poema con un/a compañero/a para que comente sobre el trabajo que hizo.

9 Nuevo diccionario de español 📖

Lea el siguiente artículo, prestando atención a las palabras en azul y rojo, ya que se le harán preguntas sobre ellas.

La Real Academia publica un *Diccionario del estudiante* con más de 40.000 palabras

El volumen recoge definiciones de nuevo cuño que se adaptan al uso escolar

Carmen Morán

La Real Academia Española (RAE) ha sacado el *Diccionario del estudiante*, un volumen que recoge más de 40.000 palabras cuyo significado se ha redactado de nuevo y al que
5 se han añadido usos, ejemplos, frases y voces del español en América. Está elaborado para facilitar el manejo del texto a alumnos de 12 a 18 años que hablan castellano a un lado y otro del Atlántico. Un equipo de nueve filólogos ha
10 trabajado en el volumen durante seis años bajo el asesoramiento del académico Manuel Seco. El diccionario lo ha editado Santillana y cuenta con la colaboración de la Fundación Rafael del Pino. Los estudiantes de enseñanzas
15 medias podrán, por fin, encontrar la palabra *internet* en el diccionario que la Real Academia Española ha redactado de nuevo cuño para ellos. El equipo, capitaneado por la filóloga Elena Zamora, ha incluido las entradas que ya
20 recoge el diccionario para adultos, pero también aquellas que el lenguaje vivo pone en posición de salida para cuando se redacte el próximo. Se ha incluido un importante capítulo para las palabras americanas y se ha hecho una labor de
25 cotejo con los programas de las asignaturas de los niveles medios de enseñanza. La Editorial Santillana ha tirado 150.000 ejemplares de esta obra, que responde al mandato estatutario de la RAE: atender los niveles educativos. El director
30 de la RAE, Víctor García de la Concha, explicó ayer, horas antes de que los príncipes de Asturias presentaran oficialmente el diccionario, que esta obra tiene su origen en el diagnóstico generalizado de la "pobreza léxica de nuestros
35 jóvenes, no sólo en el idioma español". "Vivimos", añadió García de la Concha, "en un mundo de predominio audiovisual que facilita poco tiempo para la lectura, la principal fuente de enriquecimiento del idioma". El director de
40 la RAE calificó la situación española en este

sentido de "grave". "El diccionario no va a mejorar eso, pero sin él se operaría peor". Este volumen, en el que ha colaborado la Fundación Rafael del Pino, ha costado más de dos millones
45 de euros. El presidente del Grupo Santillana, Emiliano Martínez, ofreció otros datos: de 12 a 18 años hay 28 millones de alumnos hispanohablantes y 350.000 profesores que les atienden en sus clases de Lengua. El
50 diccionario cuesta 20,90 euros y a principios de 2006 se presentará en América.

El académico Manuel Seco relató las alegrías y sinsabores que la "agotadora" tarea de hacer un diccionario han proporcionado al equipo que
55 él mismo ha asesorado. Destacó el "rigor" y la "coherencia" que caracterizan este trabajo a pesar de lo indomable del lenguaje: "Lo más que se puede hacer con el idioma es aproximarse a él; es refractario a los moldes", añadió. Con
60 esas advertencias que ya conocen los del oficio, el equipo encargado de este diccionario inició la empresa por la letra *n*, "más inofensiva" que la *a* y con menos intríngulis que los verbos y las conjunciones.

10 Amplíe su vocabulario 🔍

Según el contexto del artículo anterior, ¿cuál es la mejor traducción de cada palabra de la primera columna?

1. cuño
2. recoger
3. redactar
4. de nuevo
5. manejo
6. filólogo
7. asesoramiento
8. editar
9. capitaneado
10. cotejo
11. tirar
12. estatutario
13. atender
14. léxico
15. enriquecimiento
16. sinsabores
17. asesorar
18. indomable
19. refractario
20. intríngulis

a. resistant, unmanageable
b. statutory
c. headed
d. troubles
e. to advise
f. invincible
g. related to words or language
h. to edit
i. to pay attention to
j. handling
k. enrichment
l. to gather together
m. again
n. to print
o. comparison
p. advice
q. difficulty
r. stamp, mark
s. one who studies language and/or literature
t. to write

11 La tarea de escribir un nuevo diccionario 🧍🧍

Con un/a compañero/a haga una lista de las palabras o expresiones que conozcan relacionadas con diccionarios. Piensen en otras palabras o expresiones relacionadas que les gustaría saber y búsquenlas en el diccionario.

12 Los tiempos verbales 🔍

Conteste estas preguntas basadas en "La Real Academia publica un *Diccionario del estudiante* con más de 40.000 palabras".

1. Haga una lista de los tiempos verbales que aparecen en el texto.
2. Explique el uso de cada tiempo verbal del artículo citando ejemplos.

13 "Tapitas" gramaticales 🔍

Conteste estas preguntas basadas en la lectura de la Actividad 9.

1. Haga una lista de los verbos seguidos de una preposición.
2. ¿Por qué se dice "más de 40.000 palabras" y no "más que 40.000 palabras"?
3. Explique el uso de *cuyo* en la frase "cuyo significado se ha redactado".
4. Explique el uso de *ya* en las frases "que ya recoge el diccionario para adultos" y "Con esas advertencias que ya conocen".
5. ¿A qué se refiere *eso* en la frase "El diccionario no va a mejorar eso"?
6. Busque y explique las referencias hechas con artículos o pronombres al diccionario o al idioma en la lectura. ¿A qué se refiere *los* en la frase "los del oficio"?

14 Escriba

En un correo electrónico explíquele a un/a amigo/a que Ud. piensa comprar el nuevo diccionario de la Real Academia. Háblele de las ventajas de tenerlo para redactar mejor las composiciones y sugiera otros beneficios para convencerle de que lo compre también.

15 Un editorial

Échele una ojeada al siguiente artículo para ver de qué se trata, prestando atención a las palabras en azul, ya que se le harán preguntas sobre ellas. Luego lea el artículo y decida qué forma de las palabras entre paréntesis es la correcta y escríbala. No se olvide de escribir y acentuar las palabras correctamente.

Editorial
El adiós al Papa Juan Pablo II

El Papa Juan Pablo II fue un hombre fundamental en la historia del siglo XX. Su figura **1.** (participar) en los cambios políticos más grandes de las últimas décadas, desde **2.** (alentar)
5 el derrumbe soviético hasta la condena a la invasión de Irak. Al mismo tiempo, brindó una espiritualidad libre de barreras religiosas a la era de un materialismo globalizado. Fue un ardiente defensor de la justicia, los inmigrantes y los
10 trabajadores. Su anticomunismo y una visión tradicionalista de la Iglesia lo **3.** (hacer) desconfiar de los movimientos **4.** (progresista), como la Teología de la Liberación; no obstante, fue un apóstol de la condición humana ante la
15 impiedad neoliberalista. El recuerdo imborrable del carisma y amor que Juan Pablo II llevó por más de 115 naciones, es un testimonio de la grandeza de este Santo Padre. El cardenal polaco Karol Wojtyla fue la gran sorpresa de
20 1978 al **5.** (convertirse) en el primer Papa "extranjero" (que no era italiano), desde el siglo XVI. Su gestión fue revolucionaria al abrir la participación laica en la Iglesia, reconciliarla con épocas espinosas de su pasado e **6.**
25 (inaugurar) relaciones con diferentes credos. Estas aperturas institucionales no le **7.** (impedir) mantenerse como un férreo defensor de la tradición teológica. Juan Pablo II dejó un legado basado en los valores de la comprensión,
30 reconciliación y la universalidad de la fe a través de su acercamiento a otras religiones. El Sumo Pontífice también fue una conciencia mundial durante 26 años al levantar incesantemente la voz a favor de la paz, la justicia y la vida. El Papa
35 peregrino, como también era conocido, recorrió literalmente el mundo llegando a un promedio de un viaje cada tres meses. En cada parada **8.** (haber) encuentros multitudinarios con los fieles, homenajes de su Santidad a las culturas
40 locales y un infaltable mensaje de esperanza para la juventud. En las cinco visitas que realizó a México, Juan Pablo II compartió humildemente su devoción a la Virgen de Guadalupe, creando una comunión de sentimiento con este pueblo
45 que lo amó tanto. Estas escenas de festividad y regocijo se vivieron en toda América en las numerosas visitas del pastor a su rebaño. El Papa **9.** (mantener) un dinámico apostolado pese a que en los últimos años su salud fue
50 **10.** (deteriorarse) con rapidez. Era un hombre de fe inquebrantable, que inspiró a millones con su ejemplo al enfrentar a la muerte con pasión. No mostró durante toda su enfermedad un solo momento de frustración, aun con el terrible
55 padecimiento del mal de Parkinson. Enfrentó esta adversidad con un digno testimonio de sufrimiento y voluntad, dando un ejemplo como lo hizo toda su vida. Es por eso que el mundo entero se declaró de luto porque perdió a un
60 **11.** (grande) líder.

www.laraza.com

16 Amplíe su vocabulario 🔍

Según el contexto del artículo anterior, ¿cuál es la mejor traducción de cada palabra?

1. derrumbe
   a. take down
   b. invasion
   c. spy activity
   d. none of these answers

2. no obstante
   a. without exception
   b. unless
   c. nevertheless
   d. although

3. impiedad
   a. pity
   b. impropriety
   c. lack of pity
   d. lack of piety

4. imborrable
   a. forgettable
   b. impenetrable
   c. unforgettable
   d. fleeting

5. laico
   a. religious
   b. lay
   c. sectarian
   d. credible

6. espinoso
   a. spy
   b. secret
   c. thorny
   d. simple

7. credo
   a. creed
   b. believer
   c. belief
   d. a and c

8. férreo
   a. strong
   b. weak
   c. fearful
   d. bold

9. legado
   a. arrival
   b. legacy
   c. legitimacy
   d. league

10. peregrino
    a. eternal
    b. migratory
    c. wandering
    d. b and c

11. multitudinario
    a. with few people
    b. with many people
    c. with many sides
    d. with few sides

12. los fieles
    a. the protesters
    b. the usual crowd
    c. the faithful
    d. the most popular

13. infaltable
    a. precise
    b. innovative
    c. not lacking
    d. inevitable

14. regocijo
    a. pick up
    b. feast
    c. rejoicing
    d. repentance

15. rebaño
    a. clergy
    b. flock
    c. leader
    d. minister

16. inquebrantable
    a. unbreakable
    b. breakable
    c. unforgettable
    d. forgettable

17. de luto
    a. luxury
    b. in mourning
    c. in despair
    d. in place

17 Un editorial 🔍

Conteste estas preguntas relacionadas con el texto de la Actividad 15.

1. Haga una lista de los elementos que caracterizan "El adiós al Papa Juan Pablo II" como editorial.
2. Explique la diferencia entre un editorial y un artículo periodístico sobre la vida o las acciones de una personalidad.

18 "Tapitas" gramaticales

Conteste estas preguntas basadas en el artículo anterior.

1. Dé algunos ejemplos del vocabulario y de la construcción desarrollada o especial que caracteriza este artículo como editorial.
2. Traduzca la oración "No mostró durante toda su enfermedad un solo momento de frustración, aun con el terrible padecimiento del mal de Parkinson".

Cita

Las novelas no las han escrito más que los que son incapaces de vivirlas.
—Alejandro Casona (1903–1965), dramaturgo español

¿Está de acuerdo con lo que dice Alejandro Casona? ¿Por qué habrá hecho Casona un comentario sobre las novelas siendo dramaturgo? ¿Piensa que los novelistas viven su vida pasivamente, a través de sus personajes fascinantes? Cite una novela o algún autor que cumpla el sentimiento de la cita. Comparta sus opiniones y respuestas con un/a compañero/a.

¡Dato curioso! ¿Sabía que el millonario escandinavo Alfred Nobel nombró en su testamento las cinco categorías que recibirían el Premio Nobel? Una de ellas fue la de Literatura. La Academia Sueca selecciona al galardonado cada año. El Nobel incluye un importante premio económico, actualmente unos 10 millones de coronas suecas (algo más de un millón de euros). De los casi cien Nobel de Literatura del siglo XX, diez fueron hispanohablantes. Solamente dos personas rechazaron este prestigioso premio: Boris Pasternak (ruso) en 1958 y Jean-Paul Sartre (francés) en 1964.

La poeta chilena, Gabriela Mistral, recibe el Premio Nobel del Rey Cristián X de Dinamarca en 1945.

19 Familia de palabras

Complete la tabla con el verbo, persona u otro sustantivo, y la traducción correspondiente.

Verbos		Personas		Sustantivos		
_____	to accentuate	X		la acentuación, _____		accentuation, accent
_____ asesorar	_____	el/la aprendiz(a) el/la asesor(a)	apprentice, trainee _____	el aprendizaje _____	_____ _____	
corregir	to correct to edit	el/la corrector(a) de pruebas el/la editor(a)	proofreader _____	la corrección _____	_____ editorial	
escrutar leer X redactar	_____ _____ _____	X _____ _____	reader poet person who writes a draft, editor	el escrutinio _____ _____, _____ la redacción	_____	poem, poetry
sentir	_____	_____	sentimentalist	_____		feeling

20 ¿Verbo, persona u otro sustantivo? 🔍

Complete las oraciones usando la forma correcta de las palabras que aparecen en la tabla, ya sea verbo, persona u otro sustantivo. En el caso de ser persona u otro sustantivo puede que necesite artículo.

1. De niña, esta novelista pasaba los días ___ (*leer*) libros de ficción y ___ (*poeta*). De buena ___ (*leer*), pasó a ser una magnífica escritora por su afán de ___ (*lector*) tanto.
2. Además de tener un buen equipo de ___ (*editar*), el escritor tuvo la suerte de tener un buenísimo ___ (*corregir*), quien leyó todas las páginas de su libro.
3. Es dificilísimo ___ (*acento*) un poema para escribirlo en pentámetro yámbico.
4. Muchas biografías no transmiten los verdaderos ___ (*sentir*) de la persona cuya vida se expone.
5. Quiero que tú me ___ (*corregir*) todos los errores que cometo en castellano. ¿De acuerdo?
6. La consejera de la escuela ofrece unas pruebas de ___ (*asesor*) individual y confidencial para conocer las habilidades y los fallos de los estudiantes.
7. Los ___ (*editor*) de algunos periódicos locales son muy liberales y no me gusta leerlos. De vez en cuando, parece que nadie los ___ (*editor*).
8. Se nota que a Luisa le cuesta ___ (*redactar*) informes en inglés. Sus ___ (*redactar*) en español son mucho mejores, pues es su lengua materna.
9. Hay varias teorías sobre ___ (*aprender*). Es muy común que los estudiantes sepan cuáles de las inteligencias múltiples de Howard Gardner los ayudan a ___ (*aprender*).
10. La ___ (*poeta*) de Federico García Lorca incluye colecciones de ___ (*poeta*) como *Romancero gitano* y *Poeta en Nueva York*.
11. Pedro, lee cuidadosamente el trabajo antes de entregárselo a la profesora, porque ya sabes que ella somete todo nuestro trabajo a un ___ (*escrutar*) meticuloso.

Cita

Poesía es la unión de dos palabras que uno nunca supuso que pudieran juntarse, y que forman algo así como un misterio.

—Federico García Lorca (1898–1936), poeta y dramaturgo español

¿Qué le parece esta definición de poesía? ¿Le gusta? ¿Por qué? Escriba otra definición de poesía. Comparta sus opiniones con un/a compañero/a y hable de un poema cuyos elementos cumplen la definición dada por Lorca (o la suya). Hablen también sobre la originalidad necesaria para crear poesía.

¡Dato curioso!

Según José Ortega y Gasset, filósofo y ensayista español, el ensayo es "la ciencia sin la prueba explícita". Se reconoce el ensayo como un género didáctico que se escribe con una perspectiva personal incluyendo citas, proverbios, anécdotas y recuerdos personales en un estilo sencillo dirigido al público en general. Algunos ensayistas latinoamericanos de renombre son: José Martí (Cuba), Mario Benedetti (Uruguay) y Octavio Paz (México).

El escritor uruguayo Mario Benedetti

21 ¿Cómo escribes?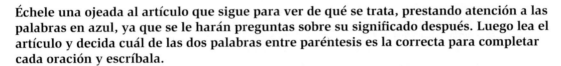

Échele una ojeada al artículo que sigue para ver de qué se trata, prestando atención a las palabras en azul, ya que se le harán preguntas sobre su significado después. Luego lea el artículo y decida cuál de las dos palabras entre paréntesis es la correcta para completar cada oración y escríbala.

Dime cómo escribes y te diré quién eres

ALICIA MORANDI, REDACTORA DE VIDA Y ESTILO

La grafología revela características profundas de nuestra personalidad

Aunque utilizamos __1.__ (*el / la*) mano para escribir, esta acción no es puramente muscular. En realidad, es una expresión de toda nuestra personalidad, ya que el cerebro es quien __2.__ (*guia / guía*) la mano. Desde esta perspectiva,
5 la grafología o análisis de la escritura, funciona como una radiografía mental y emocional del individuo. Aunque la validez de la grafología __3.__ (*ha sido / era*) probada en los últimos 60 años, su origen se remonta __4.__ (*de / a*) épocas muy antiguas, incluso cuando la comunicación escrita se
10 __5.__ (*realizó / realizaba*) no a través de letras sino de signos y figuras. Para explorar más a fondo el mensaje que encierra nuestra escritura, *La Opinión* entrevistó a Ariel Kochane, grafólogo argentino de extensa trayectoria, __6.__ (*cuyos / con*) estudios en Sudamérica y también en
15 Estados Unidos —en la Universidad de California en Los Ángeles— y egresado de la Sociedad Internacional de Grafoanálisis. "Al igual que los sueños, la escritura es también una expresión del subconsciente, __7.__ (*pero / sino*) contrario a la naturaleza efímera del sueño, los símbolos
20 de la escritura permanecen en el papel, permitiendo al grafólogo descifrar las emociones ocultas", dijo el experto, que recordó __8.__ (*sentir / sintiendo*) fascinación a una

temprana edad al notar que cada persona escribía de una manera diferente. Desde entonces la grafología se instaló
25 en su vida. Según Kochane, más que una técnica esta disciplina es una ciencia, no sólo porque pone en evidencia los rasgos de la personalidad y los cambios por los que atraviesa, __9.__ (*pero / sino*) que ayuda a reconocer aptitudes y __10.__ (*redactar / corregir*) factores que obstaculizan el
30 desarrollo personal. "Mi objetivo es dar una solución al problema de la persona que acude a __11.__ (*mi / mí*) y, si es posible, ayudarla a crecer". Y prosiguió: "La grafología puede acelerar el descubrimiento de un conflicto interno que está presente desde hace muchos años, y la grafoterapia
35 se puede usar entonces para orientar a la persona a hallar respuestas. Incluso, __12.__ (*sí / si*) se combina con una terapia psicológica pueden obtenerse mejores resultados".

• *De lo superficial a lo profundo*
Según Kochane, por medio de la grafología se pueden realizar análisis precisos, desde verificación
40 de documentos en un proceso judicial, hasta asuntos personales y psicológicos. "Cuando escribimos, el cerebro transmite ondas que llegan a la mano y produce una energía que manifiesta aspectos de la personalidad, desde los superficiales hasta los más íntimos. Para __13.__ (*eso /
45 esa*) necesitamos hacer un análisis grafológico profundo, basado en una cierta cantidad de letra manuscrita. El estado de ánimo, el medio ambiente y la época en que se vive influyen en los resultados", aclaró. La firma, a pesar

continúa

de que la cambiamos a menudo, es muy significativa en el
50 aspecto psicológico porque básicamente es la identidad de
la persona __14.__ (*frente / enfrente*) al mundo. "La firma
del ex presidente Richard Nixon es notable. Si se compara
su firma cuando __15.__ (*ocupaba / ocupó*) la presidencia
y luego cuando es forzado a renunciar al cargo, son
55 completamente diferentes; la última parece una línea recta
como __16.__ (*el / la*) que se registra cuando una persona
muere de un infarto", puntualizó Kochane.

• *Descifrando mensajes ocultos*

Según el grafólogo, la letra es como una huella digital, y la
edad para realizar su análisis es a partir de la adolescencia
60 en adelante. "Analizar la letra es __17.__ (*como / cómo*)
observar una pintura", manifestó Kochane. "Se miran en
conjunto los trazos, presión, ritmo y velocidad con que se
escribe, relacionando la letra anterior con la que le sigue
y la unión entre ellas. Por ejemplo, en el caso de 'Jack
65 el Destripador', la unión de las palabras en su escritura
refleja una personalidad explosiva que puede cometer
atrocidades, y esto es común en otros asesinos en serie".
Todas las letras del abecedario manifiestan mensajes
__18.__ (*por / para*) igual, pero la forma en que se dibujan
70 es lo que ofrece las pistas. De acuerdo a Kochane, la *t* es
una de las letras más reveladoras. "La barra de la *t* que
atraviesa a la más larga tiene que ver con la voluntad y
energía de la persona dependiendo de su largo. Para ver si
la persona es idealista o realista hay que fijarse si la barra
75 __19.__ (*es / está*) ubicada arriba o más abajo, pero también
hay que mirar la presión y si tiene el mismo espesor
que el resto; por lo general, si es más fina refleja menos
voluntad", explicó. Por otra parte, el grafólogo indicó que
la inclinación de las letras es un indicador importante. "Si
80 la letra es vertical, la persona es más bien tranquila; si la
letra se empieza a inclinar hacia adelante, es una persona
voluntariosa, pero si el ángulo es realmente inclinado,
este individuo puede perder el control fácilmente, y si la
letra va hacia la izquierda, es una persona introvertida".
85 Según el experto, la letra sigue un patrón porque el
cerebro tiene una manera de hacerla y si alguien quiere
copiarla, tiene que escribir muy lentamente, perdiendo
fluidez y dejando una línea temblorosa. "El grafólogo
que examina un documento legal está todo el tiempo
90 comparando la presión y los trazos, y básicamente es así
cómo se descubre si el documento __20.__ (*sea / es*) falso.

Pero en este caso no está analizando la personalidad del
ejecutante".

• *Cómo funciona*

El interesado en analizar su letra, debe escribir __21.__ (*a /
95 al*) mano una página con bastante texto, en una hoja sin
líneas. Finalmente debe firmar el papel, y si tiene firmas
de años anteriores es importante incluirlas. Asimismo,
debe formular la pregunta que __22.__ (*desea / desee*) sobre
el área de su interés, tal como vocación, compatibilidad
100 de caracteres, etc. En caso de compatibilidad amorosa,
se necesita la letra y firma de ambas partes. Si se quiere
explorar un problema de la infancia, es mejor presentar
también letra de esa época. Después de __23.__ (*efectuar /
efectuado*) el análisis, se concreta otra cita con el
105 grafólogo por si existen preguntas o dudas. Cada caso
es totalmente individual y confidencial. "La grafología
no reemplaza a una terapia, pero __24.__ (*ahora / ahorra*)
mucho tiempo porque ofrece pistas al psicólogo", dijo
Kochane. "Muchos de los trabajos que __25.__ (*me doy
110 cuenta / realizo*) son para psicólogos que me dan la
letra de su paciente para analizar y así pueden agilizar
las sesiones. Con la grafología se llega más rápido al
problema y de ahí ya es cuestión de buscar la solución".

Usos de la grafología

• Orientación vocacional. Evaluación de aptitudes __26.__
115 (*y / e*) intereses para la elección de carreras, negocios
__27.__ (*o / u*) empleos. Detectar la vocación es una
inquietud común entre los adolescentes.
• Compatibilidad de caracteres. Al comparar la letra de una
pareja, puede descubrirse si existe compatibilidad o si
120 se prevén dificultades. Asimismo, la letra puede revelar
infidelidad o averiguar si conviene asociarse con ciertas
personas para establecer un negocio.
• Salud. Hay estudios que indican que la grafología puede
detectar problemas de salud.
125 • Informes de negocios. Selección de personal __28.__ (*por /
para*) un puesto. Crédito. Asesoramiento.
• Informes legales. Examen de firmas o documentos
sospechosos de falsedad. Es común su uso en los
tribunales por sospechas en casos de testamentos.
130 • Informes criminales. Por ejemplo, si hay sospecha de
crimen en un caso de suicidio y hay una carta, al analizarla
se detecta si en realidad fue o no suicidio.

www.laopinion.com

---

22 Amplíe su vocabulario 🔍

Según el contexto del artículo que acaba de leer, ¿cuál es la mejor definición o sinónimo de cada palabra?

1. grafología
   a. interpretación de la fuente
   b. análisis de escritura
   c. escritura a mano
   d. escritura con lápiz

2. radiografía
   a. estudios por medio de la radio
   b. fotos por medio de una cámara digital
   c. fotos por medio de los rayos X
   d. ninguna de las respuestas anteriores

3. letra
   a. elemento de escritura
   b. personaje
   c. símbolo matemático
   d. carta

4. encerrar
   a. confinar
   b. recluir
   c. internar
   d. todas las respuestas anteriores

5. egresado
   a. asistido
   b. graduado
   c. aprendido
   d. todas las respuestas anteriores

6. efímero
   a. natural
   b. de corta duración
   c. de larga duración
   d. amplio

7. descifrar
   a. interpretar
   b. conocer
   c. captar
   d. todas las respuestas anteriores

8. obstaculizar
   a. ayudar
   b. parar
   c. incluir
   d. destruir

9. manuscrito
   a. legal
   b. escrito a mano
   c. documentado
   d. firmado

10. renunciar al cargo
    a. dejar el puesto
    b. terminar su mandato
    c. continuar en su segundo mandato
    d. aceptar un nuevo mandato

11. recto
    a. ondulado
    b. arbitrario
    c. sin curvas
    d. todas las respuestas anteriores

12. infarto
    a. fiebre
    b. catarro
    c. obstrucción del hígado
    d. problema médico del corazón

13. huella digital
    a. impresión de una cámara
    b. impresión de un dedo
    c. impresión de la televisión
    d. impresión de la mente

14. trazo
    a. letra
    b. línea
    c. barra
    d. signo

15. abecedario
    a. números
    b. escritura
    c. alfabeto
    d. todas las respuestas anteriores

16. espesor
    a. fluidez
    b. flojedad
    c. anchura
    d. ninguna de las respuestas anteriores

17. patrón
    a. modelo
    b. dueño
    c. favor
    d. apoyo

18. ejecutante
    a. poeta
    b. dramaturgo
    c. escritor
    d. ninguna de las respuestas anteriores

19. compatibilidad
    a. batalla
    b. coexistencia
    c. negatividad
    d. contrariedad

20. pista
    a. huella
    b. indicio
    c. signo
    d. todas las respuestas anteriores

21. agilizar
    a. parar
    b. transformar
    c. facilitar
    d. abandonar

22. informe
    a. reportaje
    b. hecho
    c. dato
    d. b y c

23. testamento
    a. documento oficial de impuestos
    b. documento de herencia
    c. discurso sobre la muerte de alguien
    d. discurso público sobre la escritura

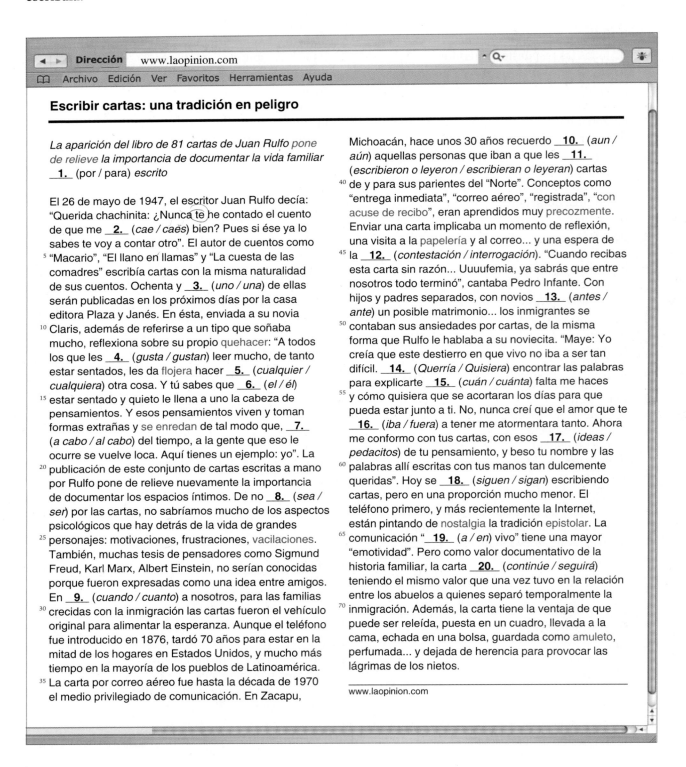
Échele una ojeada al artículo que sigue para ver de qué se trata, prestando atención a las palabras en azul, ya que se le harán preguntas sobre ellas. Luego lea el artículo y decida cuál de las dos palabras entre paréntesis es la correcta para completar cada oración y escríbala.

Dirección www.laopinion.com   Q▾

Archivo   Edición   Ver   Favoritos   Herramientas   Ayuda

Escribir cartas: una tradición en peligro

La aparición del libro de 81 cartas de Juan Rulfo pone de relieve la importancia de documentar la vida familiar __1.__ (por / para) *escrito*

El 26 de mayo de 1947, el escritor Juan Rulfo decía: "Querida chachinita: ¿Nunca te he contado el cuento de que me __2.__ (cae / caes) bien? Pues si ése ya lo sabes te voy a contar otro". El autor de cuentos como

5 "Macario", "El llano en llamas" y "La cuesta de las comadres" escribía cartas con la misma naturalidad de sus cuentos. Ochenta y __3.__ (uno / una) de ellas serán publicadas en los próximos días por la casa editora Plaza y Janés. En ésta, enviada a su novia

10 Claris, además de referirse a un tipo que soñaba mucho, reflexiona sobre su propio quehacer: "A todos los que les __4.__ (gusta / gustan) leer mucho, de tanto estar sentados, les da flojera hacer __5.__ (cualquier / cualquiera) otra cosa. Y tú sabes que __6.__ (el / él)

15 estar sentado y quieto le llena a uno la cabeza de pensamientos. Y esos pensamientos viven y toman formas extrañas y se enredan de tal modo que, __7.__ (a cabo / al cabo) del tiempo, a la gente que eso le ocurre se vuelve loca. Aquí tienes un ejemplo: yo". La

20 publicación de este conjunto de cartas escritas a mano por Rulfo pone de relieve nuevamente la importancia de documentar los espacios íntimos. De no __8.__ (sea / ser) por las cartas, no sabríamos mucho de los aspectos psicológicos que hay detrás de la vida de grandes

25 personajes: motivaciones, frustraciones, vacilaciones. También, muchas tesis de pensadores como Sigmund Freud, Karl Marx, Albert Einstein, no serían conocidas porque fueron expresadas como una idea entre amigos. En __9.__ (cuando / cuanto) a nosotros, para las familias

30 crecidas con la inmigración las cartas fueron el vehículo original para alimentar la esperanza. Aunque el teléfono fue introducido en 1876, tardó 70 años para estar en la mitad de los hogares en Estados Unidos, y mucho más tiempo en la mayoría de los pueblos de Latinoamérica.

35 La carta por correo aéreo fue hasta la década de 1970 el medio privilegiado de comunicación. En Zacapu,

Michoacán, hace unos 30 años recuerdo __10.__ (aun / aún) aquellas personas que iban a que les __11.__ (escribieron o leyeron / escribieran o leyeran) cartas

40 de y para sus parientes del "Norte". Conceptos como "entrega inmediata", "correo aéreo", "registrada", "con acuse de recibo", eran aprendidos muy precozmente. Enviar una carta implicaba un momento de reflexión, una visita a la papelería y al correo... y una espera de

45 la __12.__ (contestación / interrogación). "Cuando recibas esta carta sin razón... Uuuufemia, ya sabrás que entre nosotros todo terminó", cantaba Pedro Infante. Con hijos y padres separados, con novios __13.__ (antes / ante) un posible matrimonio... los inmigrantes se

50 contaban sus ansiedades por cartas, de la misma forma que Rulfo le hablaba a su noviecita. "Maye: Yo creía que este destierro en que vivo no iba a ser tan difícil. __14.__ (Querría / Quisiera) encontrar las palabras para explicarte __15.__ (cuán / cuánta) falta me haces

55 y cómo quisiera que se acortaran los días para que pueda estar junto a ti. No, nunca creí que el amor que te __16.__ (iba / fuera) a tener me atormentara tanto. Ahora me conformo con tus cartas, con esos __17.__ (ideas / pedacitos) de tu pensamiento, y beso tu nombre y las

60 palabras allí escritas con tus manos tan dulcemente queridas". Hoy se __18.__ (siguen / sigan) escribiendo cartas, pero en una proporción mucho menor. El teléfono primero, y más recientemente la Internet, están pintando de nostalgia la tradición epistolar. La

65 comunicación "__19.__ (a / en) vivo" tiene una mayor "emotividad". Pero como valor documentativo de la historia familiar, la carta __20.__ (continúe / seguirá) teniendo el mismo valor que una vez tuvo en la relación entre los abuelos a quienes separó temporalmente la

70 inmigración. Además, la carta tiene la ventaja de que puede ser releída, puesta en un cuadro, llevada a la cama, echada en una bolsa, guardada como amuleto, perfumada... y dejada de herencia para provocar las lágrimas de los nietos.

---

www.laopinion.com

24 Amplíe su vocabulario 🔍

Mire las palabras de la primera columna, que aparecen en la lectura anterior, y busque su definición o sinónimo en la segunda.

1. poner de relieve
2. quehacer
3. flojera
4. enredarse
5. vacilación
6. con acuse de recibo
7. precozmente
8. papelería
9. nostalgia
10. epistolar
11. amuleto *charm*

a. mezclarse
b. temprano y prematuro
c. reliquia *heirloom*
d. relativo a las cartas
e. donde se venden productos para escribir cartas
f. elevar la importancia
g. debilidad
h. recuerdos del pasado
i. deber
j. certificado
k. indecisión

25 Lea, escuche y escriba/presente 👣

Vuelva a leer "Escribir cartas: una tradición en peligro". Luego escuche la grabación "Escritores y niños" y tome las notas necesarias. Escriba un ensayo o haga una presentación en clase sobre la necesidad de escribir —ya sean cartas o novelas de fantasía y terror. No se olvide de citar las fuentes debidamente.

Cita

Los jóvenes de hoy no parecen tener respeto alguno por el pasado ni esperanza alguna por el porvenir.
—Hipócrates (460–377 a. de J. C.), médico griego, llamado "el padre de la medicina moderna"

¿Piensa que los adultos siempre han opinado igual de los jóvenes? ¿Cree que tienen razón? ¿Piensa que cuando eran jóvenes actuaban de forma diferente? ¿A qué se debe? Comparta su opinión con un/a compañero/a.

●Dato ¡curioso!

¿Sabía que las cartas formales, en particular las cartas comerciales, contienen un encabezamiento (el nombre y la dirección de la empresa a quien se dirige la carta), la fecha, el saludo, la exposición del asunto, la despedida con fórmulas fijadas por la costumbre y la firma? Las cartas informales no son tan estructuradas ni populares porque la gente piensa que es más fácil e inmediato enviar un correo electrónico o un mensaje instantáneo en los salones de chat de la Red.

Échele una ojeada al artículo que sigue para ver de qué se trata, prestando atención a las palabras en azul, ya que se le harán preguntas sobre ellas. Luego lea el artículo y decida qué forma de las palabras entre paréntesis es la correcta para completar cada oración y escríbala. No se olvide de escribir y acentuar las palabras correctamente.

El futuro del español empieza ahora

No ha sido una espera corta, pero sí ha valido la pena. El *Diccionario Panhispánico de Dudas* ha sido presentado recientemente como norma uniformadora de __1.__ (*nuestro*) idioma. Las Academias de la Lengua
5 de Latinoamérica, incluida la de Estados Unidos, la de España y la de Filipinas (un total de 22) han terminado los trabajos preparatorios __2.__ (*dar*) como resultado la mayor y más completa obra en español donde se ponen remedio a las dudas de expresión y escritura de
10 más de cuatrocientos millones de personas que utilizan este idioma diariamente. Así, la correcta utilización del idioma común será teóricamente más fácil. El objetivo final siempre ha estado marcado por la búsqueda de la cohesión y el mantenimiento de la unidad del idioma,
15 pero dentro de la variedad. El proyecto ha tenido una duración de seis años. La idea __3.__ (*empezar*) a tomar cuerpo durante el primer congreso del español en Zacatecas (México) en 1999. La propuesta en __4.__ (*aquello*) entonces fue realizada por las Academias
20 Hispanoamericanas, más concretamente, corrió a cargo de Alfredo Matus, director de la Academia de Chile. En ese momento, parecía muy complicado que la idea __5.__ (*llegar*) a un final feliz. Sin embargo, todos los representantes de las entidades lingüísticas de los
25 distintos países pusieron en marcha un trabajo serio y productivo, que ha dado como resultado final una obra admirable. Una gran novedad, que se puede apreciar en el resultado final, es su carácter panhispánico. Hecho que queda reflejado con la participación de las veintidós
30 Academias de la Lengua. El consenso entre __6.__ (*él*) ha significado el triunfo de todas. Un trabajo en equipo que abre el camino al futuro. El dogmatismo a ultranza no tiene cabida y ha dado paso a un reconocimiento de la variedad y de la riqueza del idioma. No se trata de
35 imponer sino, por encima de las diferencias existentes en las distintas regiones o países, extraer la forma mayoritaria para su generalización. __7.__ (*Convertirse*) en una herramienta de uso para el ciudadano de la

calle y para las Academias. No sólo se explica si algo
40 es correcto o no. También nos encontramos por qué puede surgir el error, además de explicarnos la regla que hay que utilizar en cada caso y por qué es así. El componente práctico emana en cada una de las 7.250 entradas que componen el trabajo. La empresa
45 Telefónica, dedicada a la telefonía en América del Sur, Caribe y España ha sido __8.__ (*el patrocinador*) del proyecto. Por otra parte, la editorial Santillana es la encargada de la publicación de la obra, que consta de más de __9.__ (*ochocientos*) páginas. La presentación de
50 esta "biblia" del español tuvo lugar en la sede de la Real Academia de la Lengua Española en Madrid, dándose cita allí gran cantidad de representantes de los medios de comunicación (prensa, radio y televisión) de los países hispanoparlantes. Estos __10.__ (*comprometerse*)
55 a adoptar en sus medios la nueva normativa sacada a la luz. La responsabilidad que ahora tienen los periódicos y emisoras de radio y televisión en la apropiada difusión del idioma es muy grande pero será bien llevada. Así sea.

www.laraza.com

27 Amplíe su vocabulario 🔍

Según el contexto del artículo que acaba de leer, ¿cuál es la mejor traducción?

1. valer la pena
   a. to be worth the wait
   b. to cause pain
   c. to be worth the trouble
   d. to cause others to notice

2. ponerse remedio
   a. to repair
   b. to give help
   c. to offer solutions
   d. to cause doubts

3. objetivo
   a. goal
   b. reason
   c. strategy
   d. all of these

4. tomar cuerpo
   a. to embody
   b. to be financed
   c. to take off
   d. to take shape

5. propuesta
   a. budget
   b. outline
   c. proposal
   d. final product

6. correr a cargo de
   a. to be overrun by
   b. to run to the ground by
   c. to be headed by
   d. to be financed by

7. poner en marcha
   a. to put into gear
   b. to run with
   c. to honor
   d. to accelerate

8. novedad
   a. new aspect
   b. novelty
   c. originality
   d. all of these

9. dogmatismo a ultranza
   a. practical advice
   b. extreme assertiveness
   c. simple teaching
   d. detailed example

10. cabida
    a. room
    b. cause
    c. explanation
    d. doubt

11. mayoritario
    a. majority
    b. minority
    c. most basic
    d. most respected

12. emanar
    a. to define
    b. to help
    c. to come from
    d. to stop

13. sede
    a. branch office
    b. headquarters
    c. new director
    d. none of these

14. sacar a la luz
    a. to enlighten
    b. to dim
    c. to translate
    d. to publish

28 Lea, escuche y escriba/presente 🗣

Vuelva a leer el texto completo de "El futuro del español empieza ahora" y luego escuche la grabación "Nueva enciclopedia en la Red y en español". Tome notas de las dos fuentes y escriba un ensayo o haga una presentación en clase sobre cómo los diccionarios y los libros disponibles en la Red facilitan escribir español correctamente. No se olvide de citar las fuentes debidamente.

29 El enriquecimiento del español

Échele una ojeada al artículo que sigue para ver de qué se trata, prestando atención a las palabras en azul, ya que se le harán preguntas sobre ellas. Luego lea el artículo y decida cuáles son las palabras que mejor completan las oraciones y escríbalas. No se olvide de escribir y acentuar las palabras correctamente.

¿Cómo puedes enriquecer el idioma?

Gracias a que en Los Ángeles hay niños de todo Hispanoamérica, sin salir de California puedes aprender el mejor español del mundo

Buenos días, ésta es su página infantil, hoy Interneto y Canario tienen el día libre. Empezaremos primero con un trabalenguas para niños que __1.__ mejorar su español: "Tres tristes chamacos, cipotes, pibes
⁵patojos, morros, guachitos, pispiretos y trasterrados trazaron con tiza el *blackboard*".

¿Qué palabras están fuera de lugar? No. Te equivocaste. La única
¹⁰palabra que está fuera de lugar es *blackboard*, porque __2.__ español hay otra que sirve para referirse a la superficie de
¹⁵madera donde se escribe: *pizarrón*. Por lo demás, es posible que en muchas ocasiones, los niños mexicanos __3.__ "gis" y
²⁰no tiza, y que a un niño salvadoreño le digan cipote, y a un mexicano chamaco, y eso es perfectamente válido.

²⁵• **Palabras malas y buenas** Decía el profesor Antonio Alatorre, mi paisano de Autlán, Jalisco, que el idioma siempre estaba mezclando nuevas palabras, pero que deberíamos saber bien cuándo una nueva palabra es necesaria. __4.__ ejemplo, es una burrada
³⁰decir marqueta en lugar de mercado. Aunque está bien decir tianguis, en lugar de *Swapp Meet*, ya que ese tipo de mercados se parecen a los que tenían __5.__ muchos años los mexicanos. Una nueva palabra es necesaria cuando quieres decir de
³⁵manera más bonita y precisa algo. Y no es tan necesaria, cuando la vas a usar sólo porque ignoras cómo decirlo (para eso están los tumbaburros... quiero decir los diccionarios). El profe Alatorre tenía razón, y déjame decirte que él no es ningún tonto.
⁴⁰Él sabe latín, inglés, francés, griego y español, y estudió en la Universidad de la Sorbona y es maestro en el Colegio de México. En Los Ángeles, todos los niños podrían aprender el __6.__ español del mundo, si tan sólo abrieran las orejas para __7.__
⁴⁵cómo los inmigrantes de distintos países usan el idioma. Un niño mexicano no debería tener miedo a usar una palabra de un niño salvadoreño, y __8.__ revés.

• **Escucha a tus amigos** Yo tuve un amigo uruguayo
⁵⁰en la ciudad de México. Se llamaba Rafael Romano. Era un viejito "macanudo" que cuando preguntaba por mi hijo decía, "¿Dónde está el guachito?". También tuve muchos amigos salvadoreños que le decían "cipote", aunque su mamá, cuando se
⁵⁵lo comía a besos, le __9.__ de cariño, "venga acá babosada".

• **Lee libros de otros países** Un buen día cayó en mis manos el libro
⁶⁰*Cuentos para Cipotes*, de Salarrué. Las palabras salvadoreñas eran tantas que tuve que usar el diccionario de Pedro
⁶⁵Geoffroy Rivas. Así supe que "pechito" era delgadito, y "cachimbón" es "cool" o sea, "muy bueno para algo". En la
⁷⁰literatura popular de otros países se usan palabras que __10.__ todos los que hablan el español, pero también algunas
⁷⁵que sólo en un lugar las usan. Si tú eres buen lector y buen conversador, pronto aprenderás muchas palabras que sonarán muy bien.

• **Haz tu propia literatura** Si me está leyendo
⁸⁰un profe, aquí le mando una __11.__: si tiene estudiantes de varios orígenes nacionales, ¿por qué no les da la tarea de hacer un texto con palabras de varios __12.__? ¡Vaya pues!... Aquí les va un ejemplo: "La vida es un cachumbambé: hoy estás
⁸⁵arriba, mañana no sé". Según me dijo mi amigo Manuel, en Cuba "cachumbambé" es un sube y baja, esos juegos de los parques donde se trepan los cipotes. Tú podrías usar tu imaginación para combinar palabras de varios orígenes.

⁹⁰• **Cuídate __13.__ las palabras** El guachito llegó un día a Zacapu a visitar __14.__ su abuelo Fausto. Su mamá, que era salvadoreña, se sorprendió de cómo Don Fausto le llamaba a su esposa desde el jardín. "¡Chuuucha..!", llamaba Don Fausto, "tráeme la

95 toalla". La mamá del guachito le daba una risilla al escuchar "chucha", y es que no entendía que en México "Chucho" es la forma que le dicen a los Jesús, y como la esposa de Don Fausto era Jesusa, pues le decían "Chucha".

100 • **Palabras parecidas, significados distintos**
Muchas palabras del inglés se parecen a __15.__ del español. Esto hace más fácil guardarlas en tu cabeza. Pero hay otras que aunque son parecidas, significan cosas diferentes. "Facilities" no significa
105 "facilidades", sino "instalaciones", o sea las cosas que se construyeron en un lugar. Una amiga una vez tenía gripe, y en una reunión muy importante les dijo a todos: discúlpenme de cómo hablo, porque estoy "constipated". Todos se rieron, porque
110 *I am constipated* __16.__ "estoy estreñida" o sea que no puede hacer popó. Ella quería decir que traía la nariz tapada, o constipada.

• **Me enseñaron mis amigos** Gracias a Romano supe que "macanudo" es "a todo dar". Gracias a Martha
115 supe que "cachimbón" es "fregón". Gracias a Fernando supe que "pana" es decir amigo. Gracias a Gladys supe que "arrecho" es un poco terco. Gracias a Leticia supe que "Che" es decir "compa". Gracias a Pilar supe que "vaina" era asunto. ¿Ves cómo
120 puedes aprender de tus amigos?

• **Y el diccionario español** Por supuesto que el diccionario de la Real Academia Española de la Lengua te sirve. Es un libro muy pesado que puede servir como pisapapeles... ¡Estoy vacilando! En
125 realidad, el diccionario te dice lo que significa una palabra en distintos países del continente americano. Sin embargo, algunas veces hay palabras imprecisas. ¿Por qué?... ¡Porque el idioma cambia más rápido que los diccionarios!

www.laopinion.com

30 Amplíe su vocabulario 🔍

Según el contexto del artículo que acaba de leer, ¿cuál es la mejor definición o sinónimo?

1. infantil
   a. para los adultos
   b. para los estudiantes mayores
   c. para los estudiantes serios
   d. para los niños

2. trabalenguas
   a. rima de palabras que se parecen
   b. juego de sentido de palabras
   c. experto en idiomas
   d. crucigrama

3. burrada
   a. chiste
   b. barbaridad
   c. rumor
   d. hecho

4. risilla
   a. chiste
   b. pequeña sonrisa
   c. vergüenza
   d. pequeño susto

5. tapado
   a. congestionado
   b. abierto
   c. cubierto
   d. enfermo

6. pisapapeles
   a. documento importante
   b. estatua pesada
   c. objeto que se pone sobre los papeles para que no se muevan
   d. ventilador

7. impreciso
   a. fijo
   b. relevante
   c. concreto
   d. indeterminado

31 Escriba 🔍

Haga una tabla de las palabras con distintos sentidos que aparecen en el artículo anterior. Busque su significado en la Red y busque más palabras de este tipo, notando el origen de las variaciones que encuentre.

Cita

Nunca releo mis libros, porque me da miedo.
–Gabriel García Márquez (1927–), escritor colombiano

¿Por qué habrá hecho este comentario García Márquez? ¿Qué cree que pasaría si los autores volvieran a leer sus obras después de publicarlas? Comparta sus opiniones con un/a compañero/a.

¡Dato curioso! Un editorial es un género periodístico que consiste en un texto que explica, valora y juzga un hecho noticioso actual de especial importancia. Los editoriales suelen ser sobre la política, la injusticia y las tendencias de la cultura popular.

32 Antes de leer

Ud. está aprendiendo mucho, ¿pero ha pensado alguna vez en cómo aprende? ¿Recuerda cómo aprendió a leer y escribir? ¿Cómo lo hizo? ¿Qué método le parece el mejor para enseñar a un niño a leer y escribir?

33 El rol de la imaginación

Lea el siguiente artículo atentamente, prestando atención a las palabras en azul, ya que se le harán preguntas sobre ellas.

Para aprender se necesita imaginar

El doctor Allan Paivio explica la teoría que destaca la importancia de las imágenes para la adquisición de habilidades de lectura y escritura

Junto con su colega Mark Sadoski, el doctor Allan Paivio es el autor de un libro de nombre complicado: *A Dual Coding Theory of Reading and Writing*. En español simple, el libro dice
5 sencillamente que el aprendizaje se da por dos vías: las imágenes y las palabras, y que mientras más fuertes son las primeras, más fácilmente se incorporan las segundas. De ahí que sea altamente recomendable no solamente
10 enseñarles a los niños a repetir palabras, sino proporcionarles imágenes y experiencias de aprendizaje. "La inteligencia a través de imágenes es anterior al lenguaje", dice Paivio, en un descanso de una conferencia reciente sobre
15 problemas de aprendizaje realizada en Anaheim. El profesor retirado de la Universidad de Ontario considera que cuando hay una buena cantidad de imágenes almacenadas en la memoria, el aprendizaje del lenguaje es más eficiente. De
20 esta manera, si un estudiante es llevado con frecuencia a museos, galerías, parques, desfiles, conciertos, edificios públicos... el aprendizaje del lenguaje vinculado a esos temas será más marcado. "De niño tuve mucha libertad para
25 aprender", dice Paivio, "no estuve en una escuela muy restringida. Me gustaba dibujar y jugar. Sin embargo, me hubiera gustado tener más experiencias de aprendizaje". En ese tiempo la televisión no estaba muy desarrollada, y los libros
30 no tenían la cantidad y calidad de ilustraciones que ahora tienen. Aun así, Paivio no ve ninguna de las dos cosas como un problema en sí. "Es un problema si sólo obtienen información de la televisión", dice el investigador. "Pero si hay un
35 buen equilibrio con la lectura, pueden reforzar el aprendizaje". En cuanto a los libros para niños, que según algunos expertos mientras menos imágenes tengan mejor, Paivio cree en lo opuesto: "Debe haber imágenes en los libros para
40 niños". **(A)**

¿Cómo aprendió usted?

El capítulo "*Imagery and Text*", del libro de Sadoski y Paivio, lo dedican a tratar de entender cómo se ha enseñado a leer y escribir en tiempos pasados, para luego proponer cómo se
45 debería hacer. De manera muy resumida éstas son algunas de las formas: griegos y romanos pensaban que la memoria funcionaba mejor si se visualizaban lugares, si se usaba la poesía y el lenguaje hablado para retener datos. En
50 la Edad Media se usaba la meditación y los manuscritos iluminados para hacer la lectura más memorable. En el Renacimiento y la Reforma hubo dos tendencias: una de Dante, para recordar mediante la literatura, y otra la
55 de la tradición protestante, para enfatizar más las representaciones verbales. Posteriormente, pasando por diferentes etapas, hasta nuestros días se ha ensayado el uso de alfabetos, silabarios, cuadernos de escritura, tarjetas de
60 memorización, lectura en silencio, lectura en voz alta, uso de maquetas... ¿Recuerda usted cuando la maestra le pedía que trajera de su casa un pomo con algodón húmedo y una semilla? ¿O cuando pasaba al frente del salón de clases
65 a leer en voz alta...? Bueno, todo esto estaba sustentado en alguna de esas teorías. **(B)** Ahora bien, lo que pretenden Paivio y Sadoski es integrar todo esto en la llamada "Teoría dual", en la que el aprendizaje sea abundante tanto

[70] en imágenes como en palabras. No solamente imágenes reales, sino imágenes descritas en los textos: el payaso traía una nariz de pelota roja y unos zapatos grandísimos... Esto puede servir a maestros y padres de familia por igual.

Lea, vea, pregunte...

[75] Imagínese que usted lleva a su hijo al Museo de Historia Natural. Están ahí, frente al esqueleto de un enorme dinosaurio o de un tigre dientes de sable. Luego, cuando llegan a su casa, mientras comen un buen filete de pescado conversan [80] sobre lo que vieron. Usted le pregunta por qué cree que algunos animales se hicieron más pequeños o cómo se imagina que vivían los lagartos de aquel tiempo. (C) Finalmente, le pide que le escriba a un primo una cartita sobre [85] lo que vio, o que anote en su diario algo de esa experiencia. Con eso, usted habrá usado muchos de los métodos de aprendizaje que se han discutido arriba y facilitará el entendimiento de algunas palabras como *evolución*. Esto es lo [90] que pretende la teoría de Paivio y Sadoski. "Esta teoría puede ser vista como un paso importante para resolver el antiguo pleito entre quienes creen más en el uso ya sea de imágenes o palabras como forma de aprender e integrar el lenguaje. [95] Algo que se ha dado desde la antigüedad", destacan en su libro los investigadores. Para una explicación más profunda, ellos llaman *logogens* a aquellas "unidades" de palabras que "jalan" de la memoria un recuerdo. (D) En cambio, *imagens* [100] son las "representaciones no verbales" que hacen lo mismo. Usted no tiene que romperse la cabeza tratando de entender a fondo esto. Baste un ejemplo: una luz roja indica peligro (*imagens*) lo mismo que la palabra "peligro" (*logogens*).

Ejercicios que le servirán

[105] La forma de crear imágenes para apoyar la adquisición del lenguaje es diversa. Va desde una visita a un museo hasta la apreciación de una película o una lectura ayudada con una conversación.

[110] Estas son algunas ideas que usted podría poner en práctica con sus hijos:

- Llévelos a conocer lugares nuevos de la ciudad y luego pregúnteles qué fue lo que más les impresionó, qué les gustó, por qué, qué cosas [115] hubieran hecho diferente...

Cualquier momento es bueno para hablar de lo que han observado sus hijos a lo largo del día.

- Después de la lectura de un libro o un texto de una revista, pregúnteles cómo eran los personajes de la historia, de qué se trata, cómo se imaginan ellos qué ocurrió.

[120] - Converse en cualquier momento sobre las cosas cotidianas que les suceden, poniendo mayor atención en las cualidades (color, tamaño, forma...).

- Muéstrele fotografías y material audiovisual de [125] cosas que luego podrían estudiar en la escuela.

- Además de dar consejos, usted póngase de ejemplo. Ofrézcales imágenes de alguien que lee libros cotidianamente. Platíqueles de lo que está leyendo.

[130] - Desde muy pequeños, ponga en las manos de sus hijos libros con ilustraciones, aunque no sepan leer.

- Sintonice canales que le ofrezcan diversidad de imágenes del mundo y de actividades humanas, [135] antes que de violencia y destrucción.

- Estimule la escritura de diarios personales (las vacaciones son una buena oportunidad).

www.laopinion.com

34 Amplíe su vocabulario 🔍

Empareje cada palabra de las dos primeras columnas con su definición o sinónimo.

1. aprendizaje
2. almacenado
3. restringido
4. proponer
5. retener datos
6. maqueta
7. pomo
8. sustentado

9. payaso
10. lagarto
11. pleito
12. tratarse
13. cotidiano
14. platicar
15. sintonizar

a. modelo
b. limitado
c. actor cómico
d. controversia
e. proyectar
f. de cada día
g. escoger
h. acto de aprender

i. mantenido
j. acumulado
k. charlar
l. recordar hechos
m. especie de reptil
n. referirse
o. vaso

35 ¿Ha comprendido?

1. Según los autores Sadoski y Paivio, ¿cuáles son dos actividades que se benefician de usar su imaginación?
   a. Conversar y leer
   b. Conversar y escribir
   c. Leer y escribir
   d. Conversar y aprender

2. ¿De dónde vienen esas imágenes de las cuales hablan los autores?
   a. De las visitas a los museos
   b. De los festejos
   c. De las funciones musicales
   d. Todas las respuestas anteriores

3. Según Paivio, ¿por qué puede ser la televisión un obstáculo a este proceso?
   a. Es problema si es la única fuente de imágenes.
   b. Es problema porque es una actividad muy pasiva.
   c. No es problema para algunos niños.
   d. Es problema porque hay demasiadas imágenes.

4. Explique lo siguiente: "En cuanto a los libros para niños, que según algunos expertos mientras menos imágenes tengan mejor, Paivio cree en lo opuesto: 'Debe haber imágenes en los libros para niños'".
   a. Paivio no cree en el valor de las imágenes; algunos expertos creen que los libros deben tener una gran cantidad de imágenes.
   b. Algunos expertos no creen en el valor de las imágenes; Paivio cree que los libros deben tener una gran cantidad de imágenes.
   c. Paivio cree en el valor de las imágenes; algunos expertos creen que los libros no deben tener una gran cantidad de imágenes.
   d. Las respuestas b y c

5. ¿A quién se le atribuye esta teoría de aprendizaje: fijar las imágenes después de reflexionar y leer los documentos con muchas ilustraciones religiosas?
   a. A los griegos y los romanos
   b. A los sabios del Renacimiento y de la Reforma
   c. A los sabios de la Edad Media
   d. A los sabios contemporáneos

6. ¿A quién se le atribuye esta teoría de aprendizaje: estimular su capacidad de recordar con poemas y con la conversación?
   a. A los griegos y los romanos
   b. A los sabios del Renacimiento y de la Reforma
   c. A los sabios de la Edad Media
   d. A los sabios contemporáneos

7. ¿A quién se le atribuye esta teoría de aprendizaje: aprender el abecedario, leer en clase, leer enfrente de los demás y usar muchos modelos?
   a. A los griegos y los romanos
   b. A los sabios del Renacimiento y de la Reforma
   c. A los sabios de la Edad Media
   d. A los sabios contemporáneos

8. ¿Para qué usó el autor el ejemplo de la visita al Museo de Historia Natural?
   a. Para ilustrar los defectos de la teoría de los sabios contemporáneos
   b. Para ilustrar su teoría dual
   c. Para dar un ejemplo práctico de los defectos de la teoría de los sabios contemporáneos
   d. Las respuestas b y c

9. Según el autor, ¿de qué deben hablar los adultos y los niños en sus conversaciones?
   a. De los detalles de un libro que ha leído el niño
   b. De los libros que ha leído el adulto
   c. De los eventos del día
   d. Todas las respuestas anteriores

10. ¿Cuál es un sinónimo de *dar consejos*?
   a. Asesorar
   b. Avisar
   c. Recomendar
   d. Todas las respuestas anteriores

36 ¿Cuál es la pregunta?

Según el artículo que acaba de leer, escriba una pregunta lógica para estas respuestas.

1. El aprendizaje se da por dos vías: las imágenes y las palabras.
2. Repetir palabras y proporcionarles imágenes y experiencias de aprendizaje
3. El aprendizaje del lenguaje es más eficiente.
4. Silabarios
5. Un diario
6. Integrar el lenguaje
7. Son el color, el tamaño, y la forma.

37 ¿Qué piensa Ud.?

¿Qué opina de la influencia de la televisión sobre el aprendizaje del lenguaje? Cite ejemplos de la buena y la mala influencia de la televisión en el aprendizaje de la escritura y de la lectura.

38 ¿Dónde va?

La siguiente oración ha sido extraída de la lectura anterior: *Así, le hace pensar en lo que ha visto hoy durante la visita.* ¿Dónde encajaría mejor esta oración?

1. Posición A, línea 40
2. Posición B, línea 66
3. Posición C, línea 83
4. Posición D, línea 99

Cita

El escritor original no es aquel que no imita a nadie, sino aquel a quien nadie puede imitar.

—François-René de Chateaubriand (1768–1848), escritor, político y diplomático francés

¿Qué opina de lo que nos dice Chateaubriand? ¿Conoce a un escritor original que cumpla las características de Chateaubriand? Escriba una definición personal de la originalidad y diga qué cosas no se pueden imitar. Comparta sus opiniones con un/a compañero/a.

¡Dato curioso!

¿Sabía que en Argentina existe la Biblioteca Braille Circulante con más de 3.000 libros transcritos al sistema Braille, en su mayor parte por copistas voluntarios? Los copistas usan la última tecnología para producir libros a través de las modernas impresoras Braille. Sus materiales se distribuyen a todo el país de forma gratuita. También tiene libros parlantes que son una alternativa a la lectura por el sistema Braille. Las grabaciones son de la mejor calidad y hechas por locutores voluntarios. La Biblioteca tiene más de 1.000 libros parlantes.

39 Antes de leer 👥

¿Piensa que la lectura y el saber escribir un ensayo organizado afectan su éxito académico? ¿Cómo? Dé ejemplos.

40 El éxito académico 📖

Lea el siguiente texto con atención, fijándose en las palabras en azul y las expresiones en rojo, ya que se le harán preguntas sobre ellas.

Tu hijo y el éxito académico

Todo padre desea que su hijo sea un alumno de éxito, pero no todos saben cómo fomentarlo. La clave reside en lo que hacen los padres cuando sus hijos no están en la escuela. Hay que dar varios pasos en casa para garantizar el triunfo en el aula

1 Crear en casa una "cultura de lectura".
La lectura es la base de todas las destrezas que se aprenden en la escuela.
[5] El amor a la misma ayuda a los estudiantes con su vocabulario y sus habilidades de resolver problemas. Por lo tanto, los
[10] padres deben comenzar desde temprano a inculcar en los niños el hábito de lectura. Primeramente, asegúrate de que el niño advierta que valoras la lectura. Muéstrale que lees
[15] por placer, y que la lectura es necesaria para numerosas actividades cotidianas. Léele recetas, orientaciones para llegar a un sitio y periódicos en alta voz cuando estés realizando alguna tarea hogareña.
[20] Cuando el niño tenga edad de comenzar a leer, pídele que sea él o ella quien te los lea. El Departamento de Educación de los EE.UU. recomienda que los niños vean televisión menos de dos horas al día. Enséñales a tus hijos que la lectura puede ser tan divertida como
[25] la televisión. Asegúrate de que en casa tengan a mano libros y revistas apropiados a la edad de los niños, y exhórtalos a leer libros en vez de encender el televisor. El Departamento de Educación cuenta con una guía de actividades divertidas para estimular a que los niños
[30] lean en su sitio Web www.ed.gov. Mientras más lea el niño durante la enseñanza elemental, más fácil será la lectura en niveles superiores.

2 Estimula a tus hijos a que resuelvan problemas por sí mismos. Si los padres están listos para resolver el más
[35] mínimo problema que puedan confrontar sus hijos

—desde atarse los zapatos hasta limpiar el jugo que derramaron— los chicos no querrán realizar proyectos en la escuela. En vez de precipitarte a ayudarlos, elógialos cuando resuelvan la dificultad por su cuenta
[40] (sin embargo, el elogio debe venir sólo si tiene éxito en la solución de una tarea difícil. El encomio por cada logro no los estimulará a enfrentar nuevos retos). Si no pueden resolver un problema de matemáticas, no les muestres
[45] la respuesta, sino impúlsalos a probar un método diferente para solucionar la ecuación. Enséñale a tu hijo a dividir grandes tareas en pequeños pasos. Un estudiante que pueda separar
[50] la limpieza de su dormitorio en la separación de la ropa para lavar, tender la cama y pasar el plumero, podrá llevar
[55] a cabo posteriormente proyectos importantes, como reportes de libros y carteles para la feria de Ciencias en clase. No te olvides de premiar al niño por
[60] comenzar temprano un proyecto y organizar el tiempo debidamente, comprándole un libro nuevo o llevándolo a tomar un helado. La adquisición de esa habilidad ¡impedirá que tenga que estar despierto hasta altas horas de la noche para terminar
[65] una composición o ensayo en el Bachillerato y la Universidad!

Finalmente, deja que el niño asuma la responsabilidad de sus propios errores. Si el maestro te dice que tu "angelito" habla demasiado en clase, o no entregó
[70] a tiempo la tarea, no trates de defenderlo. Pídele a tu hijo que te cuente su versión de la historia y, si es cierto lo que dijo el maestro, déjalo que acepte las consecuencias de sus actos, lo cual le ayudará a actuar más responsablemente en el futuro.

[75] **3** La escuela, una prioridad. Los padres que desean hijos con alto rendimiento académico, deben

Nombre: Carmen Rivera
Literatura	A
Ciencias	A
Matemáticas	A
Geografía	A
Historia	A
Lengua española	A
Educación física	A

enseñarles la gran importancia que reviste la escuela. La mejor manera de inculcarles esta idea es trabajar con el maestro. El primer día de clases, infórmate [80] acerca de las normativas del distrito, y el curso de estudio. Entérate de lo que el niño debe ser capaz de hacer al final del curso, y ayúdalo a alcanzar esos objetivos. Envíale mensajes electrónicos al maestro periódicamente, para saber cómo marcha el niño, y [85] que éste sepa que hay contacto constante entre tú y el maestro. También asegúrate de que el niño tenga un "espacio para hacer tareas" en casa. Debe consistir en una superficie para escribir, ubicada en una zona tranquila de la casa, alejada de cualquier distracción. [90] El niño necesitará bolígrafos y lápices, hojas rayadas y lisas, una calculadora y un diccionario. Su espacio de estudio debe estar alejado del televisor y el teléfono, pero cerca de ti, en caso de que necesite ayuda. Deja que el niño decore este espacio especial a su gusto. [95] Luego, decide la cantidad de tiempo que debe reservar para hacer la tarea cada noche. El establecimiento de un horario regular le ayudará a crear una rutina. Incluso si no tiene tarea en una noche determinada, estimúlalo a que use el tiempo disponible para leer [100] o terminar problemas adicionales. Mientras más se acostumbre a trabajar cada noche, más fácil le será terminar sus tareas. Finalmente, asegúrate de concentrarse en lo que el niño aprende, en vez de estar tan pendiente de las calificaciones. Si bien [105] estas últimas pueden ser una medida del éxito, es más importante que el niño adquiera buenos hábitos de estudio y nuevas destrezas. Y concentrarte en las calificaciones puede inclinarte a la tentación de "ayudar" demasiado al niño en sus tareas y proyectos. [110] Hazle saber que estás orgulloso de sus progresos, y con toda seguridad llegarán las buenas calificaciones. En breve, ¡tu hijo será un alumno estrella!

www.laraza.com

41 ¿Qué significa?

Escriba una definición en sus propias palabras de cada una de las expresiones que aparecen en rojo en el artículo anterior.

42 Amplíe su vocabulario

¿Cuál es la mejor traducción?

1. fomentar
   a. to encourage
   b. to form
   c. to teach
   d. to help

2. destreza
   a. report
   b. school subject
   c. class
   d. skill

3. inculcar
   a. to prevent
   b. to help
   c. to instill
   d. to develop

4. por placer
   a. outside of class
   b. sophisticated
   c. for pleasure
   d. required

5. hogareño
   a. required
   b. home
   c. for pleasure
   d. timed

6. exhortar
   a. to urge
   b. to form
   c. to require
   d. to develop

7. derramar
   a. to use
   b. to pour
   c. to mix
   d. none of these

8. encomio
   a. gift
   b. ideal
   c. entirety
   d. praise

continúa

9. reto
   a. challenge
   b. difficulty
   c. reward
   d. skill

10. plumero
   a. vacuum cleaner
   b. broom
   c. duster
   d. none of these

11. rendimiento
   a. skill
   b. performance
   c. success
   d. report

12. medida
   a. measure
   b. goal
   c. exception
   d. summary

43 ¿Ha comprendido?

1. Según el artículo, ¿cómo ayuda la lectura en el éxito académico?
   a. Ayuda en las clases donde es necesario leer en voz alta.
   b. Ayuda en las clases donde es necesario discutir la tarea.
   c. Las respuestas a y b
   d. Ninguna de las respuestas anteriores

2. ¿Qué se recomienda ante todo?
   a. Se recomienda que el niño tenga buen vocabulario.
   b. Se recomienda que al niño le guste leer.
   c. Se recomienda que el adulto sea buen ejemplo para el niño con respecto a la lectura.
   d. Las respuestas a y b

3. ¿Qué recomienda el Departamento de Educación en cuanto a la televisión?
   a. Se recomienda que el niño no mire la televisión por más de ciento veinte minutos al día.
   b. Se recomienda que el niño no mire la televisión durante la semana, solamente durante los fines de semana.
   c. Se recomienda que el niño mire programas educativos de televisión.
   d. Las respuestas a y c

4. ¿Qué indica la actitud de un niño que no resuelve el más mínimo problema?
   a. Indica que va a fracasar en la escuela.
   b. Indica que va a tener dificultades en realizar proyectos en la escuela.
   c. Indica que va a tener dificultades en colaborar en proyectos en la escuela.
   d. Indica que ha leído mucho en su niñez.

5. ¿Por qué mencionó el autor el ejemplo de "la separación de la ropa para lavar, tender la cama y pasar el plumero"?
   a. Quería ilustrar cómo se puede leer poco a poco un texto.
   b. Quería relacionar los quehaceres con los pasos de un proyecto.
   c. Quería ilustrar cómo se puede hacer su tarea paso a paso.
   d. Quería relacionar la lectura difícil con unos quehaceres básicos.

6. ¿Cuál es una característica del espacio para leer y hacer su tarea que *no* está mencionada?
   a. No debe tener ni radio ni computadora.
   b. El niño debe decorarlo.
   c. El espacio debe tener muchos materiales para ayudar al estudiante.
   d. Dos de las tres respuestas anteriores

44 Responda brevemente

¿Hay muchos obstáculos a las sugerencias del artículo "Tu hijo y el éxito académico"? ¿Cuáles son? ¿Cómo se puede tener éxito académico a pesar de estos obstáculos?

45 Lea, escuche y escriba/presente 👥

Después de leer "Tu hijo y el éxito académico", escuche "Cómo criar niños lectores" y tome las notas necesarias. Escriba un ensayo o haga una presentación en clase sobre la importancia de leer desde la niñez. No se olvide de citar las fuentes debidamente.

Cita

La mejor receta para la novela policíaca: el detective no debe saber nunca más que el lector.
  —Agatha Christie (1890–1976), autora inglesa de novelas y obras de teatro policíacas

¿Está de acuerdo con lo que dice Agatha Christie? Escoja una novela policíaca que haya leído y describa las acciones del detective y su interés en solucionar el crimen. Hable de los aficionados a los autores de novelas policíacas como Agatha Christie. ¿Por qué cree que siguen leyendo todas las obras de estos autores? Comparta su opinión con un/a compañero/a.

¡Dato curioso!

¿Sabía que existe un sitio Web muy popular que se llama Wikipedia, una enciclopedia gratis en la Red? Wikipedia fue iniciada en 2001. Ahora tiene más de 100.000 artículos en diez idiomas como el inglés, el español y el japonés, y 10.000 artículos en casi cuarenta idiomas menos hablados como el esperanto, el griego y el estonio. El público escribe los artículos; algunos expertos los revisan; se publica casi todo. El público también puede mejorar estos artículos porque sabrán más que los expertos en el tema, porque querrán corregir un error o porque querrán ampliar un esbozo.

46 La felicidad de escribir

Primero lea las preguntas y observaciones que siguen y después escuche "La felicidad de escribir". Luego haga un resumen de las respuestas que hace Isabel Allende a estas preguntas y observaciones.

1. Para usted la familia es fundamental.
2. Qué contraste en una sociedad como la estadounidense, en la que la familia no es precisamente una estructura fuerte.
3. ¿Cómo ve su fortuna en la vida?
4. ¿Qué cosas haría diferente si volviera a empezar?
5. *El Zorro* es una novela de encargo, ¿no?
6. ¿Qué le pidieron al encargarle el libro?
7. ¿Es más flexible ahora que hace 20 ó 30 años?
8. Usted vivió el golpe de Estado que depuso a su tío, Salvador Allende, el 11 de septiembre de 1973 en Chile, y vivió aquí, en Estados Unidos, los atentados del 11 de septiembre de 2001. ¿Tienen cosas en común esos días?
9. Usted es la escritora latinoamericana más leída del mundo. Pero aquí abre la puerta de su oficina, conduce su coche, hace la comida para su familia...

La escritora chilena Isabel Allende

47 No somos más ricos por tener más letras

Primero lea las posibles respuestas y después escuche "No somos más ricos por tener más letras". Escoja la mejor respuesta para la pregunta que escuchará en la grabación.

1. (Pregunta que escuchará en la grabación.)

   a. 26
   b. 27
   c. 29
   d. Ninguna de las respuestas anteriores

2. (Pregunta que escuchará en la grabación.)

   a. Sí
   b. No
   c. Puede ser.
   d. No se menciona en el artículo.

3. (Pregunta que escuchará en la grabación.)

   a. La activación de imágenes neurofónicas
   b. La incorporación de las vocales a la escritura
   c. La identificación de las palabras
   d. Las respuestas a y b

4. (Pregunta que escuchará en la grabación.)

   a. Los semitas
   b. Los griegos
   c. Las respuestas a y b
   d. Ninguna de las respuestas anteriores

5. (Pregunta que escuchará en la grabación.)

    a. La *k*
    b. La *w*
    c. Las respuestas a y b
    d. Ninguna de las respuestas anteriores

6. (Pregunta que escuchará en la grabación.)

    a. La *k*
    b. La *w*
    c. No hay letra que se puede dejar.
    d. Ninguna de las respuestas anteriores

7. (Pregunta que escuchará en la grabación.)

    a. 25
    b. 26
    c. 27
    d. 29

48 Participe en una conversación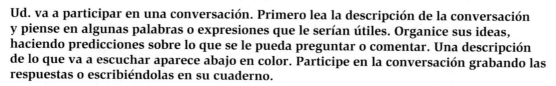

Ud. va a participar en una conversación. Primero lea la descripción de la conversación y piense en algunas palabras o expresiones que le serían útiles. Organice sus ideas, haciendo predicciones sobre lo que se le pueda preguntar o comentar. Una descripción de lo que va a escuchar aparece abajo en color. Participe en la conversación grabando las respuestas o escribiéndolas en su cuaderno.

Escena: Ud. y una compañera de clase, María Eugenia, tienen que preparar una tarea para la clase de literatura española.

María Eugenia:	Le pregunta sobre la tarea.
Ud.:	• Contéstele.
María Eugenia:	Le hace un comentario sobre la tarea y le hace una pregunta sobre un género literario.
Ud.:	• Contéstele, dándole detalles sobre este género literario.
María Eugenia:	Sigue la conversación y le hace otras preguntas sobre ciertas características de este género literario.
Ud.:	• Explíquele lo que Ud. sabe de esto.
María Eugenia:	Sigue la conversación y lee algo en voz alta. Le pregunta quién es el autor.
Ud.:	• Haga un comentario sobre lo que acaba de leer y dígale quién es el autor.
María Eugenia:	Sigue la conversación con unos datos sobre el autor.
Ud.:	• Despídase.

¡A escribir!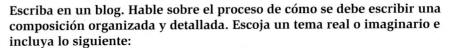

49 Texto informal: composiciones

Escriba en un blog. Hable sobre el proceso de cómo se debe escribir una composición organizada y detallada. Escoja un tema real o imaginario e incluya lo siguiente:

- La organización de la composición.
- Cómo incluir los detalles de la composición.
- Dónde incluir los hechos en la composición.
- Dónde incluir su opinión en la composición.

50 Texto informal: cómo redactar composiciones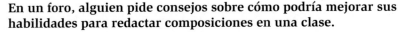

En un foro, alguien pide consejos sobre cómo podría mejorar sus habilidades para redactar composiciones en una clase.

- Dele consejos para enriquecer y variar el vocabulario de su composición.
- Dele consejos para mejorar la estructura de su composición.
- Háblele de los beneficios de usar un diccionario para comprobar la ortografía.
- Háblele de los beneficios de citar fuentes para mejorar su composición.

51 Ensayo: las experiencias personales

Escriba un ensayo contestando la pregunta, "¿Cuáles son los beneficios y obstáculos de usar experiencias personales cuando uno escribe una composición para la clase de inglés o para la clase de español?"

52 Ensayo: los bosquejos

Escriba un ensayo en el que compare los beneficios y obstáculos de preparar varios bosquejos para un trabajo antes de entregarlo.

53 En parejas

Intercambie sus ensayos con los de un/a compañero/a. Exprésele su opinión sobre el contenido y el uso del idioma.

Consejo

Antes de empezar, lea las pautas para escribir textos informales en la pág. 480 del Apéndice. Mientras escribe el texto tenga presente los objetivos. Cuando termine, verifique que ha cumplido con todo lo que se describe en la lista y reflexione sobre su trabajo.

Consejo

Antes de de empezar, lea las pautas para escribir ensayos en la pág. 480 del Apéndice. Mientras escribe el ensayo tenga presente los objetivos y no se olvide de ponerle un título original. Cuando termine, verifique que ha cumplido con todo lo que se describe en la lista y reflexione sobre su trabajo.

¡A hablar!

54 Charlemos en el café

Ud. va a debatir los siguientes temas con un/a compañero/a. Uno estará a favor de lo que se ha dicho y otro en contra. El debate durará varios minutos. El/La estudiante que esté de acuerdo comenzará el debate y hablará por unos diez segundos. Cuando el/la profesor/a lo indique, el/la otro/a estudiante tomará la palabra y expresará su opinión por otros diez segundos, y así sucesivamente.

1. El arte de escribir es una tradición que se está perdiendo en nuestra sociedad.
2. En nuestra sociedad tecnológica, ser poeta no tiene sentido porque los únicos que leen poesía son los estudiantes.
3. Es necesario que redactemos y escribamos más en nuestras clases.
4. En mi opinión, el teatro es sólo un arte para la elite.
5. Es sumamente importante guardar un diario personal.

55 ¿Qué opinan?

Converse con un/a compañero/a sobre estas situaciones o preguntas.

1. Si Ud. pudiera cambiar y revitalizar cómo se enseña a escribir en nuestras escuelas, ¿qué le gustaría cambiar y por qué? ¿Es posible revitalizar el sistema? ¿Cómo lo haría?
2. ¿Cree que nuestro lenguaje es rico por el hecho de tener muchos refranes? ¿Cómo y por qué? Dé algunos ejemplos de refranes populares y explique su significado.
3. Piense en sus clases de la escuela primaria. ¿Valía la pena pasar tanto tiempo escribiendo cada letra cuando se enseñaba la ortografía y aprender el alfabeto letra por letra? ¿Le hubiera gustado cambiar este sistema? ¿Por qué? ¿Cómo lo hubiera hecho?

> **Consejo**
>
> Antes de empezar, lea las pautas para presentaciones formales en la pág. 481 del Apéndice. Mientras formula su presentación tenga presente los objetivos. Cuando termine la presentación, verifique que ha cumplido con todo lo que se describe en la lista y reflexione sobre el trabajo que hizo.

56 Presentemos en público

Conteste una de las siguientes preguntas o haga una presentación oral sobre uno de los temas durante varios minutos en clase. Organice sus ideas antes de hacer la presentación, busque las palabras necesarias y, después de practicar, presente en clase sin mirar las notas.

1. Piense en su género literario favorito. ¿Cómo cree que un/a autor/a puede tener éxito escribiendo este género? Si Ud. fuera escritor/a, ¿a quién pediría ayuda para desarrollar este género? (Puede ser alguien que conoce o algún famoso.)
2. Si pudiera trabajar como actor o dramaturgo, ¿con quién trabajaría? ¿Por qué? ¿Qué papeles le gustaría interpretar? ¿Por qué? Describa una obra que le gustaría llevar al cine o al teatro.
3. Ud. es un gran experto de los géneros literarios y de una obra famosísima. Escoja un texto y hable de las características que lo hicieron famoso. Luego, preséntelo a sus compañeros. Hable del lenguaje y de la estructura. Algunas sugerencias de los textos son: el discurso de Gettysburg por Abraham Lincoln, cualquier cuento de Gabriel García Márquez, una obra de teatro de Federico García Lorca, los refranes de los Presidentes John Fitzgerald Kennedy o Franklin Delano Roosevelt, cualquier poema de Pablo Neruda o de Rubén Darío, un editorial de un periódico.
4. Piense en un libro que fue adaptado para el teatro o cine. Hable del impacto que ha tenido el libro, por qué y cómo se convirtió en una obra de teatro o película. ¿Qué versión es la mejor? ¿Por qué? (Por ejemplo: las obras de teatro de Shakespeare, *Don Quijote, El Rey León, My Fair Lady, Matar a un ruiseñor.*)

57 ¡Manos a la obra!

Trabaje en un grupo de cuatro o cinco estudiantes para llevar a cabo uno de los siguientes proyectos y presentarlo en clase.

- Les han encargado que planeen un nuevo Centro de Escritura en su escuela o universidad para promover el arte de escribir entre los estudiantes y la comunidad. Por lo tanto, este Centro tiene que captar el interés de los estudiantes y la comunidad. Decidan sobre cómo va a funcionar el Centro, quiénes trabajarán allí, cómo van a entrenar a los que trabajan allí, cómo van a atraer clientes y cómo juzgarán el éxito del Centro.

- Hagan un anuncio para promover el nuevo Centro de Escritura de su escuela o universidad. Decidan si va a ser un anuncio gráfico, de radio o de televisión.

- Presenten una lista de los dos mejores ejemplos de varios géneros literarios. Escojan dos poemas, dos cuentos, dos novelas, dos obras de teatro, dos editoriales y dos ensayos. Hablen de cómo se llegó a establecer la lista, quiénes son los autores y qué calidades tienen estas obras que hacen que sean las mejores.

- Imaginen que recibieron una carta en la cual una universidad los aceptó para el próximo año. Escriban o representen esta carta en cuatro géneros literarios: como editorial, como cuento, como obra de teatro y como poema. Usen la misma información en los cuatro géneros y preséntenlos en clase. Hablen de las ventajas y desventajas de presentar la carta con estos géneros literarios.

Vocabulario

Verbos

alternar	to alternate
articular	to articulate
asesorar	to advise
brotar	to put forth
capitanear	to lead
corregir	to correct
descifrar	to decode
editar	to edit
emanar	to come from
escrutar	to scrutinize
exhortar	to urge
fomentar	to encourage
inculcar	to instill
llevar a cabo	to carry out
localizar	to localize
prevalecer	to prevail
recoger	to gather, pick up
redactar	to draft; to write
reforzar (ue)	to strengthen

Verbos con preposición

verbo + a:

ayudar a	to help
contribuir a	to contribute to
exhortar a	to urge (someone) to
instar a	to urge
recurrir a	to turn to, resort to
referirse (ie) a	to refer to
remontarse a	to go back to

verbo + con:

enredarse con	to get tangled in

verbo + de:

carecer de	to be lacking
componerse de	to be composed of
constar de	to consist of
enterarse de	to find out about

verbo + por:

caracterizarse por	to be characterized by
empezar (ie) por	to start by

Sustantivos

la	burrada	nonsense, stupidity
el	cuño	stamp, mark
la	destreza	skill
la	elegía	elegy
el	elogio	praise
el	encomio	praise
el	enriquecimiento	enrichment
el	esbozo	outline
la	estrofa	stanza
el/la	filólogo/a	philologist
la	grafología	graphology
el	haikú	haiku
la	herramienta	tool
el	informe	report
el	intríngulis	difficulty
el	lenguaje	language
la	letra	letter (*of the alphabet*)
el	manejo	handling, management
el	manuscrito	manuscript
la	maqueta	model
la	medida	measure, measurement
la	metáfora	metaphor
la	métrica	meter
la	norma	standard, rule
la	papelería	stationery store
el	patrón	pattern
el	pentámetro yámbico	iambic pentameter
el	pisapapeles	paperweight
la	prosa poética	poetic prose
el	quehacer	duty
el	rendimiento	performance
el	reto	challenge
la	rima	rhyme
el	ritmo	rhythm
el	sentimiento	feeling
el	símil	simile
el	sinónimo	synonym
los	sinsabores	trouble
el	soneto	sonnet
el	sonido	sound
el	terceto	stanza with 3 verses
el	trabalenguas	tongue twister
la	versificación	versification
el	verso blanco	blank verse
el	verso libre	free verse

Adjetivos

átono, -a	unstressed
bello, -a	beautiful, lovely
cotidiano, -a	daily
efímero, -a	ephemeral, of short duration
endecasílabo, -a	with 11 syllables
epistolar	epistolary, relating to letters/correspondence
estético, -a	aesthetic
hogareño, -a	home-loving, domestic
imborrable	unforgettable
impreciso, -a	vague, imprecise
imprescindible	essential
indomable	invincible
infaltable	inevitable
intrínseco, -a	intrinsic, inherent
léxico, -a	lexical, relating to words or vocabulary
metafísico, -a	metaphysical

multitudinario, -a	heavily attended
precoz	precocious; early
preestablecido, -a	preestablished
recto, -a	straight
refractario, -a	resistant, unmanageable
restringido, -a	restricted, limited
semántico, -a	semantic
sintáctico, -a	related to syntax
tónico, -a	accentuated

Expresiones

una burrada de gente	loads of people
con acuse de recibo	(with) acknowledgment of receipt
correr a cargo de	to be headed by
de la misma manera	in the same way
enredarse de tal modo	to get mixed up in something in such a way
estar constipado, -a	to have a cold
no obstante	nevertheless
poner de relieve	to highlight
poner en marcha	to start
ponerse remedio	to remedy
por placer	for pleasure
retener datos	to retain data
sacar a la luz	to bring something to light
tirar ejemplares	to print copies
tomar cuerpo	to embody
valer la pena	to be worth the trouble

A tener en cuenta
Palabras que expresan acuerdo o desacuerdo

Acuerdo:
¡Vale!
¡Eso es!
¡De acuerdo!
Estoy de acuerdo contigo/con Ud.
Opino igual/como tú/como Ud.
En eso coincidimos.
Somos de la misma opinión.
Pensamos igual.
Lo mismo digo yo.
Conforme.

Desacuerdo:
De ningún modo.
Esto es mentira. Es falso.
¡En absoluto!
¡Ni hablar!
¡Que va!
No estoy de acuerdo (en absoluto).
Pero, ¿qué (me) dices?
¡Qué disparates dices!
Eso sí que no.
De eso, nada.
¡Claro que no!
¡Calla, hombre (mujer), calla!

Capítulo **6**

Temas

- Los deportes
- Los atletas
- Los Juegos Olímpicos

Puro deporte

301

Lección A

Objetivos

Comunicación
- Hablar de los deportes
- Comprender cómo se organizan los Juegos Olímpicos
- Discutir la pasión por el fútbol
- Entender los juegos de pelota antiguos

Gramática
- El género de los sustantivos
- El infinitivo, indicativo y subjuntivo

"Tapitas" gramaticales
- expresiones impersonales con *se*
- el progresivo
- *llegar a ser, ponerse, hacerse, volverse*
- *al* + infinitivo
- verbos con preposiciones
- adverbios
- *pero* y *sino*

Cultura
- Los atletas
- Los Juegos Olímpicos
- La popularidad del fútbol
- Deportes en la Edad Media
- Juegos de pelota

Visite la página Web de *¡A toda vela!* en www.emcp.com

1 Conteste las preguntas 👥

Piense en las respuestas a las siguientes preguntas. Ud. puede tomar notas si lo considera necesario. Cuando termine, compare sus respuestas —pero sin mirar sus notas— con las de un/a compañero/a.

1. ¿Le gustan los deportes? ¿Prefiere practicarlos o mirarlos? ¿Con qué frecuencia los practica o los mira?
2. ¿Prefiere los deportes de equipo, por pareja o individuales? ¿Por qué? Nombre un deporte de cada una de estas categorías.
3. ¿Ha asistido a algún partido profesional o amateur a nivel universitario o secundario? Describa la experiencia. Si no, describa el mejor momento deportivo que ha visto en la televisión.
4. ¿Prefiere los deportes profesionales o amateur, de nivel universitario o secundario, de hombres, de mujeres o de ambos sexos? ¿Por qué?
5. ¿Qué beneficios aporta hacer un deporte?
6. ¿Qué opina de los Juegos Olímpicos?
7. ¿Le gustaría ir a los Juegos Olímpicos o participar en ellos? ¿Por qué? ¿Qué deporte olímpico le gustaría ver o practicar? ¿Por qué?
8. ¿Qué países hispanos han organizado los Juegos Olímpicos? ¿Dónde y cuándo tuvieron lugar las Olimpiadas en estos países?
9. ¿Cuál es el deporte más popular del mundo? ¿Cómo se llama su campeonato? ¿Qué sabe de las reglas y los equipos de este deporte?
10. ¿Piensa que el deporte ha existido desde hace mucho tiempo o que es un fenómeno relativamente moderno? ¿Piensa que hay globalización en los deportes? ¿En cuáles y cómo los afecta?

Cita

El deporte delega en el cuerpo algunas de las virtudes más fuertes del alma: la energía, la audacia, la paciencia.

—Jean Giradoux (1882–1944), dramaturgo francés

👥 Dé ejemplos de cómo el deporte promueve las tres virtudes citadas. Si no está de acuerdo con esta cita, explique por qué. ¿Qué aspecto de los deportes le parece más importante: el ejercicio o la competición? ¿Por qué? Comparta sus opiniones con un/a compañero/a.

2 Mini-diálogos 👥

Va a crear un mini-diálogo con un/a compañero/a. Lea la descripción de la conversación que va a mantener. Puede tomar notas para organizar sus ideas, pero no las mire mientras conversa. Le pueden servir algunas expresiones del recuadro.

el portero / el arquero	el delantero	el medio
la defensa	el equipo contrario	el marcador
un pase de gol	el árbitro	marcar un gol

¡Dato curioso! El 50 por ciento o más de los menores de edad preescolar y escolar no realizan ninguna actividad física sistemática en su tiempo libre, y esto es más marcado en las niñas que en los niños. Muchos niños pasan 30 horas o más cada semana sentados delante de la televisión o del video.

Escena: En la calle un/a amigo/a le saluda mientras Ud. está caminando al parque para jugar un partido de fútbol con sus amigos.

A: Salúdele y pregúntele si quiere jugar con Uds.

B: Conteste afirmativamente, pero pregúntele qué tipo de jugador(a) necesita el equipo.

A: Conteste con dos opciones.

B: Reaccione negativamente a las dos opciones y explique por qué.

A: Convénzale de que debe jugar.

B: Reaccione cordialmente pero rechace la invitación.

A: Haga un comentario sobre su reacción. Despídase cordialmente.

B: Despídase cordialmente.

Vocabulario y gramática en contexto

3 Un foro 👥 📖

Túrnese con un/a compañero/a para leer los comentarios que dos personas han escrito en un foro sobre el ejercicio físico. Fíjese en las palabras que aparecen en azul (relacionadas con el vocabulario) y en rojo (relacionadas con la gramática), ya que en las siguientes actividades se le harán preguntas sobre ellas.

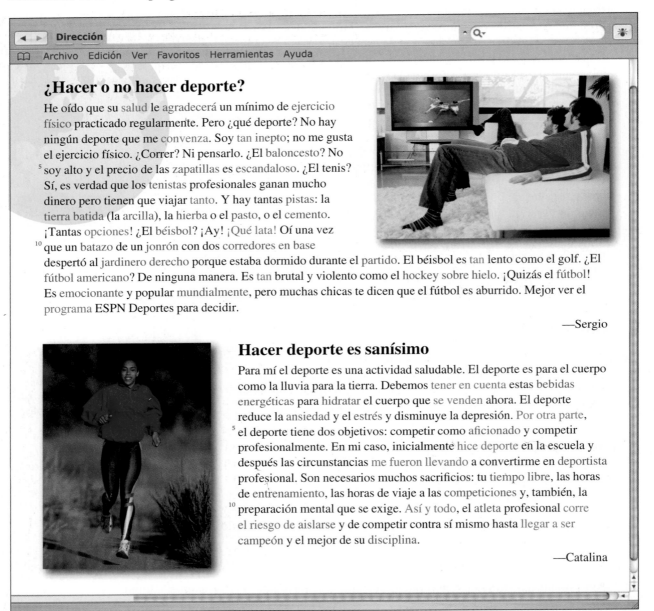

◀ ▶	**Dirección**	⌃ Q⌄	☀
📖 Archivo Edición Ver Favoritos Herramientas Ayuda			

¿Hacer o no hacer deporte?

He oído que su salud le agradecerá un mínimo de ejercicio físico practicado regularmente. Pero ¿qué deporte? No hay ningún deporte que me convenza. Soy tan inepto; no me gusta el ejercicio físico. ¿Correr? Ni pensarlo. ¿El baloncesto? No
5 soy alto y el precio de las zapatillas es escandaloso. ¿El tenis? Sí, es verdad que los tenistas profesionales ganan mucho dinero pero tienen que viajar tanto. Y hay tantas pistas: la tierra batida (la arcilla), la hierba o el pasto, o el cemento. ¡Tantas opciones! ¿El béisbol? ¡Ay! ¡Qué lata! Oí una vez
10 que un batazo de un jonrón con dos corredores en base despertó al jardinero derecho porque estaba dormido durante el partido. El béisbol es tan lento como el golf. ¿El fútbol americano? De ninguna manera. Es tan brutal y violento como el hockey sobre hielo. ¡Quizás el fútbol! Es emocionante y popular mundialmente, pero muchas chicas te dicen que el fútbol es aburrido. Mejor ver el programa ESPN Deportes para decidir.

—Sergio

Hacer deporte es sanísimo

Para mí el deporte es una actividad saludable. El deporte es para el cuerpo como la lluvia para la tierra. Debemos tener en cuenta estas bebidas energéticas para hidratar el cuerpo que se venden ahora. El deporte reduce la ansiedad y el estrés y disminuye la depresión. Por otra parte,
5 el deporte tiene dos objetivos: competir como aficionado y competir profesionalmente. En mi caso, inicialmente hice deporte en la escuela y después las circunstancias me fueron llevando a convertirme en deportista profesional. Son necesarios muchos sacrificios: tu tiempo libre, las horas de entrenamiento, las horas de viaje a las competiciones y, también, la
10 preparación mental que se exige. Así y todo, el atleta profesional corre el riesgo de aislarse y de competir contra sí mismo hasta llegar a ser campeón y el mejor de su disciplina.

—Catalina

4   Amplíe su vocabulario 🔍

Traduzca las palabras o expresiones que aparecen en azul en las lecturas anteriores, o escriba un sinónimo o expresión similar para cada una en español. Luego haga una lista de las expresiones idiomáticas que aparecen en el texto en rojo. ¿Por qué son expresiones idiomáticas? Tradúzcalas al inglés.

5   El género de los sustantivos 🔍

Conteste estas preguntas relacionadas con las lecturas de la Actividad 3.

1. ¿Cuáles son algunas reglas para determinar el género de los sustantivos? Use estos ejemplos: *la salud*, *la opción* y *el programa*. ¿Qué otras reglas hay?
2. ¿Qué pasa si el sustantivo viene directamente del inglés? Use el ejemplo de *hockey*. Escriba otros tres ejemplos, dos de los cuales deben ser del mundo de los deportes.

6   "Tapitas" gramaticales 🔍

Conteste estas preguntas basadas en las lecturas de la Actividad 3.

1. Explique el uso del subjuntivo en la oración: "No hay ningún deporte que me convenza".
2. Explique la construcción *¡Qué lata!*
3. Busque las formas del adverbio *tanto* en los foros. ¿Qué palabras modifican? ¿Que otras funciones gramaticales tiene *tanto*?
4. Busque la construcción *se venden*. ¿Por qué no se dice *se vende*? Escriba otros dos ejemplos con *se*, usando el vocabulario de las lecturas.
5. Explique el significado de *me fueron llevando*. ¿Qué es esta construcción verbal? ¿Por qué se usa en la lectura?
6. ¿Qué forma del verbo se usa después de la expresión *correr el riesgo de*? Busque otros dos ejemplos de verbos con preposiciones en las lecturas y escríbalas.
7. ¿Qué significa *llegar a ser*? Explique la diferencia entre estos verbos: *llegar a ser*, *ponerse*, *hacerse* y *volverse*.

7   ¿Qué opina? 👥

Reaccione a lo que cada persona ha escrito en el foro y comparta su opinión con un/a compañero/a. Use palabras de las lecturas que aparecen en azul.

Los jugadores del equipo paraguayo Olimpia celebran una gran victoria.

8 El fútbol americano

Lea atentamente el siguiente artículo, prestando atención a las palabras en azul, ya que se le harán preguntas sobre ellas.

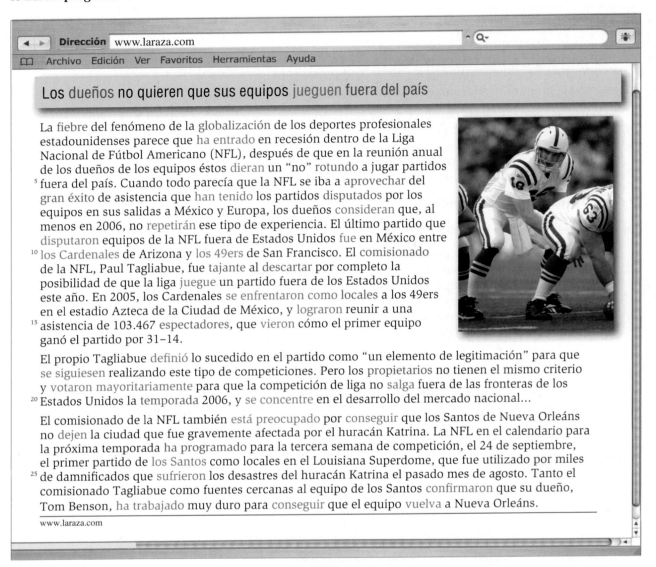

Dirección www.laraza.com

Archivo Edición Ver Favoritos Herramientas Ayuda

Los dueños no quieren que sus equipos jueguen fuera del país

La fiebre del fenómeno de la globalización de los deportes profesionales estadounidenses parece que ha entrado en recesión dentro de la Liga Nacional de Fútbol Americano (NFL), después de que en la reunión anual de los dueños de los equipos éstos dieran un "no" rotundo a jugar partidos
5 fuera del país. Cuando todo parecía que la NFL se iba a aprovechar del gran éxito de asistencia que han tenido los partidos disputados por los equipos en sus salidas a México y Europa, los dueños consideran que, al menos en 2006, no repetirán ese tipo de experiencia. El último partido que disputaron equipos de la NFL fuera de Estados Unidos fue en México entre
10 los Cardenales de Arizona y los 49ers de San Francisco. El comisionado de la NFL, Paul Tagliabue, fue tajante al descartar por completo la posibilidad de que la liga juegue un partido fuera de los Estados Unidos este año. En 2005, los Cardenales se enfrentaron como locales a los 49ers en el estadio Azteca de la Ciudad de México, y lograron reunir a una
15 asistencia de 103.467 espectadores, que vieron cómo el primer equipo ganó el partido por 31–14.

El propio Tagliabue definió lo sucedido en el partido como "un elemento de legitimación" para que se siguiesen realizando este tipo de competiciones. Pero los propietarios no tienen el mismo criterio y votaron mayoritariamente para que la competición de liga no salga fuera de las fronteras de los
20 Estados Unidos la temporada 2006, y se concentre en el desarrollo del mercado nacional...

El comisionado de la NFL también está preocupado por conseguir que los Santos de Nueva Orleáns no dejen la ciudad que fue gravemente afectada por el huracán Katrina. La NFL en el calendario para la próxima temporada ha programado para la tercera semana de competición, el 24 de septiembre, el primer partido de los Santos como locales en el Louisiana Superdome, que fue utilizado por miles
25 de damnificados que sufrieron los desastres del huracán Katrina el pasado mes de agosto. Tanto el comisionado Tagliabue como fuentes cercanas al equipo de los Santos confirmaron que su dueño, Tom Benson, ha trabajado muy duro para conseguir que el equipo vuelva a Nueva Orleáns.

www.laraza.com

9 Amplíe su vocabulario

Mire las palabras de las dos primeras columnas, que aparecen en la lectura anterior, y busque su definición o sinónimo en las dos últimas.

1. dueño
2. fuera del país
3. fiebre
4. globalización
5. rotundo
6. aprovechar
7. gran éxito

8. disputar
9. comisionado
10. descartar
11. locales
12. espectadores
13. temporada
14. programar

a. en el extranjero
b. triunfo
c. tajante
d. funcionario más importante de una liga deportiva
e. proyectar
f. integralmente en el mundo
g. propietario
h. rechazar

i. época en la que se juega un deporte
j. entusiasmo
k. equipo que recibe al equipo contrario
l. público
m. luchar
n. beneficiar

10 Soluciones 👥

Con un/a compañero/a, explique cuáles son las opiniones del comisionado y de los dueños de los equipos sobre la globalización del fútbol americano. Juntos, ofrezcan algunas soluciones al problema.

11 Los sustantivos 🔍

Conteste estas preguntas basadas en la lectura de la Actividad 8.

1. Busque los nombres de los equipos de fútbol americano en la lectura. ¿Cómo se determina el género de estos equipos? Explique la regla en general.
2. ¿Cuál es el género de *globalización*? Cite otras tres palabras que terminen en -*ión*.

12 El indicativo y el subjuntivo 🔍

Conteste estas preguntas basadas en la lectura de la Actividad 8.

1. Haga dos listas de los verbos en indicativo que aparecen en el texto; una debe indicar los verbos en presente, y la otra, en el pasado. Explique su uso en cada caso.
2. Haga dos listas de los verbos en subjuntivo que aparecen en el texto; una debe indicar los verbos en presente, y la otra, en el pasado. Explique su uso en cada caso.
3. Busque las dos oraciones con *conseguir*. ¿Por qué es necesario usar el subjuntivo en las dos oraciones?

13 "Tapitas" gramaticales 🔍

Conteste estas preguntas basadas en la lectura de la Actividad 8.

1. ¿Por qué decimos *al descartar*? ¿Cuál es el significado en inglés?
2. ¿Qué palabra se usa después de *enfrentarse*? ¿Qué quiere decir la frase de la lectura con este verbo? ¿Es posible usar la preposición *con* después de este verbo? ¿Cómo cambia el significado con esta palabra?
3. ¿Qué tiempo verbal es *se siguiesen*? ¿Cuál es la diferencia entre *se siguiesen* y *se siguieran*? Conjugue otros tres verbos de la lectura en las dos formas de este mismo tiempo verbal y en la tercera persona plural.
4. Busque la palabra *mayoritariamente*. ¿Es adjetivo, adverbio o conjunción? ¿Cuál es su significado en la oración?
5. Busque *aprovechar*, *se concentre* y *está preocupado*. ¿Qué preposición sigue a cada uno de estos verbos? Escriba otros dos verbos con cada una de estas preposiciones.

14 Escriba 🖋

Escriba un correo electrónico a su periódico local, explicando las ventajas o desventajas de la globalización de los deportes en general. Hable de la influencia de la televisión en los deportes y de la fiebre mundial por competir y ganar.

15 Los deportes

Échele una ojeada al artículo que sigue para ver de qué se trata, e intente averiguar el significado de las palabras en azul por el contexto, ya que se le harán preguntas sobre ellas. Luego lea el artículo y complételo con la forma correcta de los verbos entre paréntesis.

Dirección www.laraza.com

Archivo   Edición   Ver   Favoritos   Herramientas   Ayuda

La revista *ESPN Deportes* ahora en español

La publicación mensual viene a ser una opción de información en el mundo deportivo para el lector latino.

Entrevistas a destacados jugadores, deportes extremos e imágenes de acción, son tan sólo una parte de lo que ofrece desde agosto *ESPN Deportes La Revista*. Lino García, gerente
⁵general del canal ESPN Deportes, __1.__ (*explicar*) que ya es tiempo de que __2.__ (*haber*) una revista impresa en español que le __3.__ (*brindar*) a los fanáticos deportivos una variedad de deportes al igual
¹⁰que __4.__ (*hacerse*) por la televisión. La publicación __5.__ (*presentar*) en su primera portada de agosto al basquetbolista argentino Manú Ginóbili, con el tema central de "Los 101 ídolos con poder latino", y para este mes de
¹⁵septiembre la portada es doble: el delantero del América, Cuauhtémoc Blanco, __6.__ (*aparecer*) en la costa oeste, y el primera base de los Cardenales de San Luis, Albert Pujols, en la región del este, "una táctica que se usará de
²⁰vez en cuando", __7.__ (*añadir*) el gerente general de ESPN Deportes. *ESPN Deportes* __8.__ (*sacar*) provecho de todo su equipo editorial para __9.__ (*tener*) acceso a las mejores coberturas y __10.__ (*llevar*) la información
²⁵de primera mano. "Ha habido otras revistas que __11.__ (*enfocarse*) en diferentes deportes, pero no tienen la variedad de fuentes de información y acceso que tenemos nosotros porque __12.__ (*aprovechar*) nuestra
³⁰infraestructura, encapsulándola en una revista

de distribución mensual", __13.__ (*precisar*) Lino García. En cuanto al mercado mexicano, Lino destacó la importancia de __14.__ (*seguirlo*) de cerca, ya que tienen una
³⁵conexión profunda debido a que se produce bastante información desde México, y la prueba es la portada de "Temo" Blanco. Pero no sólo abunda la información en ese país, sino en toda América Latina donde __15.__
⁴⁰(*desarrollarse*) un deporte como el béisbol en la República Dominicana, o los grandes futbolistas brasileños.
"De esta forma el lector latino __16.__ (*tener*) la oportunidad de seguir el mundo deportivo
⁴⁵a través de la revista, que es una extensión del canal de televisión", puntualizó el gerente general de ESPN Deportes.

www.laraza.com

16 Amplíe su vocabulario

¿Cuál es la mejor traducción según el contexto del artículo?

1. mensual
   a. weekly
   b. biweekly
   c. monthly
   d. yearly
2. destacado
   a. famous
   b. outstanding
   c. unknown
   d. new
3. impresa
   a. company
   b. published
   c. printed
   d. translated
4. fanático
   a. fan
   b. out of control
   c. spirited
   d. trainer
5. portada
   a. door
   b. feature
   c. cover
   d. attraction

6. poder
   a. power
   b. to be able
   c. appeal
   d. follower
7. cobertura
   a. front cover
   b. opening
   c. press
   d. coverage
8. fuente
   a. source
   b. network
   c. bibliography
   d. panel
9. desarrollarse
   a. to develop
   b. to review
   c. to point out
   d. to highlight
10. puntualizar
   a. to underline
   b. to remind
   c. to present
   d. to point out

17 El infinitivo, el indicativo y el subjuntivo

Explique por qué usó cada uno de estos tiempos en las respuestas de la Actividad 15: el infinitivo, el indicativo y el subjuntivo.

18 "Tapitas" gramaticales

Conteste estas preguntas basadas en el artículo de la Actividad 15.

1. Dé una definición de los siguientes jugadores: *el basquetbolista, el delantero, el primera base y los futbolistas.* ¿Por qué se usa el artículo *el* o *los* con cada uno? ¿Cómo se llama al atleta que juega al béisbol?
2. ¿Cuál es la traducción de *en cuanto a*? Escriba otra expresión equivalente en español.
3. ¿Por qué se dice *el primera base* si la palabra *base* es femenina? ¿Por qué se dice *el tema* y *de primera mano*?
4. Explique por qué se usa *sino*, y no *pero*, en la frase "…no sólo abunda la información en ese país, sino en toda América Latina".

Cita

El deporte es iniciativa, perseverancia, búsqueda del perfeccionamiento, menosprecio del peligro.

—Pierre de Coubertin (1863–1937), fundador de los Juegos Olímpicos Modernos

¿Está de acuerdo con esta definición del deporte? Explique su respuesta con ejemplos que ilustren cada palabra de la definición. Comparta sus opiniones con un/a compañero/a.

¡Dato curioso!

La FIFA (Fédération Internationale de Football Association) gobierna las federaciones de fútbol a nivel internacional, supervisa las reglas del juego y organiza los campeonatos mundiales de fútbol. Se fundó el 21 de mayo de 1904 y hoy forman parte de ella doscientas siete asociaciones o federaciones de fútbol de distintos países.

19 Familia de palabras

Complete la tabla con el deporte, la persona que lo juega y la traducción correspondiente.

Deportes		Atletas	
el automovilismo	_____	el/la piloto de Fórmula 1	*Formula 1 driver*
el baloncesto, el básquetbol	_____	el/la baloncestista, el/la basquetbolista	_____
el béisbol	_____	el/la beisbolista	_____
el boxeo	*boxing*	el/la boxeador(a)	_____
el ciclismo	_____	el/la ciclista	_____
el esquí	*skiing*	el/la esquiador(a)	_____
el fútbol, el balompié	_____	_____	_____
la gimnasia	_____	_____	_____
el golf	_____		_____
la lucha libre	_____		_____
_____	_____	el/la nadador(a)	_____
el patinaje	_____	el/la patinador(a)	_____
el remo	*rowing*	el/la remero/a	_____
el surf	_____		_____
_____	_____	el/la tenista	_____

20 ¿Cuál es el deporte? 🔍

Complete las oraciones usando las palabras de la tabla.

1. Miguel Indurain, un ___ español, fue ganador del Tour de Francia durante cinco años consecutivos (1991–1995). El Tour de Francia es una competencia de ___ durante tres semanas en el mes de julio por toda Francia.

2. Hay dos tipos de ___: sobre ruedas y sobre hielo. Los ___ sobre hielo compiten en el hockey.

3. En el deporte del ___, hay un banco fijo en una embarcación y los ___ propulsan la embarcación con el torso y los brazos.

4. Rafael Nadal, un ___ español de Mallorca, ganó el campeonato de ___ en tierra batida en Roland Garros en París en 2005.

5. Se reconoce a los equipos femeninos y masculinos rusos de ___ como los mejores del mundo. Los ___ compiten en barras paralelas, anillos y barra fija.

6. La ___ es un deporte acuático muy popular, y los ___ pueden practicarla sin equipo especial.

7. Sammy Sosa nació en la República Dominicana y se le considera uno de los mejores ___ de las Grandes Ligas de ___. Tanto él como Mark McGwire batieron el récord de cuadrangulares en la temporada de 1998.

8. Severiano "Seve" Ballesteros era un destacado ___ español en las décadas de los ochenta y noventa. Otro jugador de ___ español actual es Sergio García, quien ha jugado contra Tiger Woods en varios torneos mundiales.

9. Teófilo Stevenson era un gran ___ cubano de los pesos pesados, logrando varias medallas de oro olímpicas (Munich en 1972, Montreal en 1976 y Moscú en 1980) y en diversos campeonatos mundiales del ___. Participó en 321 combates de los que ganó 301 y nunca perdió por *knockout*.

10. David Beckham de Inglaterra, Diego Armando Maradona de Argentina y Ronaldinho de Brasil son ___ que han representado a sus países en la Copa Mundial de ___. Ese deporte también se conoce como ___ en algunos países.

El golfista español Sergio García

11. Se dice que la ___ es más bien un tipo de entretenimiento que un deporte. Los ___ participan en peleas simuladas en vez de peleas de verdad.

12. En la temporada 2005, el ___ Fernando Alonso llegó a ser el primer español campeón del mundo y, además, el más joven de toda la historia del ___.

13. El ___ fue inventado en Springfield, Massachussets, en 1891 pero ahora hay ___ que juegan este deporte por todo el mundo. Dos famosos son Michael Jordan y Shaquille O'Neal. ___ es otro nombre de este deporte.

14. Hay muchas competiciones de ___ en Hawai y en Australia, donde las olas grandes retan a los ___.

15. Hay muchos tipos de ___: sobre la nieve, llamado nórdico o de fondo, y sobre el agua, llamado acuático. Los ___ se guían con bastones o con una cuerda detrás de un barco.

¡Dato curioso! En 1988, Barcelona empezó a prepararse para los Juegos Olímpicos de 1992. Construyeron y restauraron estadios, organizaron una serie de eventos para divulgar las culturas catalanas y españolas entre los turistas. Cataluña también exigió que el catalán se incluyera entre las lenguas oficiales de las Olimpiadas. El evento logró batir un récord con la asistencia de 172 delegaciones.

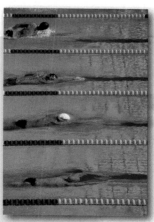

Cita

En el nombre de todos los competidores, yo prometo que nosotros participaremos en estos Juegos Olímpicos, respetando y cumpliendo las reglas que lo gobiernan, en el verdadero espíritu deportivo, por la gloria del deporte y el honor de nuestros equipos.

—Del Juramento Olímpico, escrito por el Barón de Coubertin hace más de cien años

 ¿Piensa que los atletas olímpicos modernos siguen respetando los ideales del Barón? Identifique dos o tres incidentes de los Juegos Olímpicos recientes que indiquen que los valores del juramento están en cuestión y hable con un/a compañero/a sobre esto.

21 Atenas

Échele una ojeada al artículo que sigue para ver de qué se trata, prestando atención a las palabras en azul, ya que se le harán preguntas sobre ellas. Luego lea el artículo y decida qué forma de las palabras entre paréntesis es la correcta para completar cada oración y escríbala.

Dirección www.laraza.com

Archivo   Edición   Ver   Favoritos   Herramientas   Ayuda

Lamentan que Atenas no haya "copiado" a Barcelona

La ministra **1.** (*griego*) encargada de la preparación de los Juegos Olímpicos de Atenas en 2004, Fanny Palli 5 Pétralia, deploró en la capital griega que Atenas no **2.** (*saber*) "copiar" a Barcelona para preparase mejor para recibir la justa y aprovechar 10 la oportunidad para una **3.** (*bueno*) urbanización de la ciudad. Atacando nuevamente los atrasos producidos durante el precedente gobierno **4.** 15 (*socialista*), la ministra indicó que "todos los griegos hubiéramos debido trabajar a partir del año 2000 sobre una base de planificación más 20 **5.** (*preciso*)".

"No era necesario inventar, bastaba con el precedente de Barcelona; si **6.** (*copiar*) esa planificación, se habría gastado 25 menos dinero y la ciudad **7.** (*ateniense*), al igual que el resto de Grecia, **8.** (*tener*) un aspecto diferente", agregó.

www.laraza.com

22 ¿Qué significa?

Empareje las palabras de la primera columna con su definición o sinónimo en la segunda.

1. encargado
2. deplorar
3. justa
4. atraso
5. bastar
6. ateniense
7. agregar

a. ser suficiente
b. de Atenas
c. añadir
d. a cargo de
e. competición
f. lentitud
g. lamentar

23 Lea, escriba/presente

Vuelva a leer el Dato curioso sobre Barcelona y el artículo anterior de la Actividad 21. Luego escriba una tabla en la cual exponga las buenas preparaciones que hicieron en Barcelona para los Juegos Olímpicos. A continuación, escriba tres oraciones que empiecen así: "Si yo hubiera sido el/la ministro/a griego/a encargado/a de los Juegos Olímpicos de Atenas 2004, yo..." Termine las oraciones analizando las buenas preparaciones barcelonesas que Ud. indicó en la tabla. Por último, presente su trabajo a sus compañeros de clase.

24 Londres

Échele una ojeada al artículo que sigue para ver de qué se trata, prestando atención a las palabras en azul, ya que se le harán preguntas sobre ellas. Luego lea el artículo y decida qué forma de las palabras entre paréntesis es la correcta para completar cada oración y escríbala.

Dirección www.laraza.com

Archivo   Edición   Ver   Favoritos   Herramientas   Ayuda

Londres arrebata sede olímpica de 2012

París, la cuna del olimpismo moderno, ha sido __1.__ (*humillar*) por __2.__ (*tercero*) vez en 20 años. Los Juegos Olímpicos de 2012 se disputarán en Londres, después de __3.__ (*ser*) elegida en la votación de la Asamblea del
5 Comité Olímpico Internacional (COI), __4.__ (*celebrar*) en el centro de convenciones Raffles de Singapur. Sin embargo, el proyecto londinense está muy verde, tanto que aun debe construir el anillo olímpico y poner en marcha la red de transportes, pero eso no le __5.__ (*importar*) a los 54
10 miembros del COI que le __6.__ (*dar*) su voto por los 50 de París en la ronda definitiva. Londres llegó a la votación final __7.__ (*junto*) a París y antes, y por este orden, fueron __8.__ (*eliminar*) las ciudades de Moscú, Nueva York y Madrid, que en la tercera ronda quedó por debajo de Londres y París. La capital __9.__ (*británico*) organizará los Juegos de 2012, después de
15 __10.__ (*organizarlos*) ya en dos ocasiones anteriores, en 1908 y 1948. La "Gran Manzana" (Nueva York) __11.__ (*mantener*) una polémica sobre la ubicación del estadio hasta el final y en el COI no __12.__ (*olvidarse*) los discretos Juegos de Atlanta '96, además de las acusaciones de corrupción __13.__ (*protagonizar*) por los organizadores de los Juegos de Invierno de Salt Lake City.

www.laraza.com

Los londinenses reaccionan a las buenas noticias.

25 Amplíe su vocabulario

¿Cuál es la mejor traducción?

1.	arrebatar	a.	to humiliate
2.	sede	b.	related to London
3.	cuna	c.	transportation network
4.	humillar	d.	controversy
5.	disputarse	e.	to seize
6.	londinense	f.	cradle
7.	estar muy verde	g.	to take a leading part in
8.	poner en marcha	h.	headquarters
9.	red de transportes	i.	to argue
10.	polémica	j.	to be far from ready
11.	protagonizar	k.	to set into motion

26 Lea, escuche y escriba/presente

Vuelva a leer el texto completo de la Actividad 24. Luego escuche "Beijing ya se alista para las Olimpiadas" y tome las notas necesarias. Escriba un ensayo o haga una presentación en clase sobre "El proceso de organizar los Juegos Olímpicos". No se olvide de citar las fuentes debidamente.

Estrategia

Escribir un ensayo implica presentar su opinión sobre un tema con datos que convencen y que se expresan con claridad y brevedad. Trate de organizar lo que va a decir antes de empezar a escribirlo.

Cita

Si todos los días fueran fiestas deportivas, entonces el deporte sería tan aburrido como el trabajo.
—William Shakespeare (1564–1616), poeta y dramaturgo inglés

 ¿Por qué es importante tener una variedad de actividades en su vida? ¿Qué quiere decir Shakespeare cuando habla de fiestas deportivas? ¿Es el deporte solamente diversión? ¿Qué otras cosas son los deportes? Comparta sus opiniones con un/a compañero/a.

¡Dato curioso!

El maratón es una de las competencias más populares del atletismo. Dicen que en el año 450 a. de J. C. el soldado griego Filípides corrió 50 kilómetros hasta Atenas para anunciar la victoria de Grecia sobre los persas en la Batalla de Maratón. Esto inspiró la creación de una carrera de fondo que se incluyó en los primeros Juegos Olímpicos Modernos en 1896. Hoy el maratón es una de las pruebas más populares del atletismo.

El español Abel Antón ha ganado varios maratones mundiales.

27 Los Juegos Olímpicos Modernos 📖

Échele una ojeada al artículo que sigue para ver de qué se trata, prestando atención a las palabras en azul. Luego lea el artículo y decida cuál de las dos palabras entre paréntesis es la correcta para completar cada oración y escríbala.

Pensamientos y postulados del Barón Pierre de Coubertin

En doscientos tres países se está celebrando la Semana Olímpica en homenaje al Barón Pierre de Coubertin, restaurador de los Juegos Olímpicos Modernos. Coubertin __1.__ (creía /creyó) que
5 se mejoraría la formación y rendimiento de los ciudadanos de Francia, su país natal, que había sido __2.__ (derrotado / derrotados) en la guerra franco-prusiana. El 23 de junio de 1894, en la Universidad de la Sorbona de París, Coubertin
10 __3.__ (proponía / propuso) el restablecimiento de los Juegos Olímpicos fundamentado en el pasado histórico de los antiguos juegos que se habían celebrado en Grecia. El éxito de estos juegos
15 se fundamenta en principios y postulados de __4.__ (grande / gran) profundidad filosófica que han sido motivo de estudios y análisis __5.__ (por / para) mucho tiempo.
20 Coubertin decía que la actividad muscular es productora y generadora de alegría, energía y pureza, que deben ser __6.__ (puesta / puestas) también al alcance de los más
25 humildes porque el movimiento olímpico es puro, integral y democrático. "El olimpismo es una filosofía de vida que exalta y combina las cualidades del cuerpo, la voluntad y el espíritu,
30 __7.__ (basado / basados) en la alegría del esfuerzo,
el valor educativo del buen ejemplo y el respeto de los principios éticos fundamentales, y tiene como objetivo contribuir a la construcción de un mundo __8.__ (bueno / mejor) y más pacífico
35 sin discriminación de __9.__ (ningún / ninguna) clase"... Algunos de sus conceptos han quedado obsoletos como __10.__ (él / el) que dice: "Lo importante no sólo son los triunfos sino el combate, y lo esencial no es haber vencido sino
40 haber luchado __11.__ (bueno / bien)". ¿Están fuera de tiempo y de contexto? Yo digo que ahora más que nunca __12.__ (tienen / tengan) vigencia. El noble francés fue creador de la bandera
45 del Comité Olímpico Internacional, que tiene un fondo blanco con cinco anillos entrelazados que __13.__ (representa / representan) la unión de los cinco continentes
50 y el encuentro de __14.__ (los / las) atletas del mundo, con los colores que se encuentran en las banderas de cada nación. El olimpismo es la escuela de la nobleza y pureza
55 moral, que eleva el concepto del honor y respeto. Uno de los últimos mensajes de Coubertin fue: "¡Esforzaos en __15.__ (manteniendo / mantener) la llama sagrada!"

www.efdeportes.com

28 ¿Qué significa? 🔍

Empareje las palabras de la primera columna con su definición, sinónimo o descripción de la segunda columna.

1.	postulado	a.	símbolo de los Juegos Olímpicos
2.	en homenaje	b.	vencer
3.	restaurador	c.	proposición que se admite sin evidencia
4.	rendimiento	d.	hacer una propuesta
5.	derrotar	e.	ánimo, vigor
6.	proponer	f.	estar al día
7.	al alcance de	g.	se apaga después de los Juegos Olímpicos
8.	olimpismo	h.	resultado o utilidad
9.	esfuerzo	i.	en honor a una persona
10.	tener vigencia	j.	todo lo relacionado con los Juegos Olímpicos
11.	anillos entrelazados	k.	disponible a
12.	llama sagrada	l.	el que restaura

29 Lea y escriba/presente

Vuelva a leer el texto completo anterior. Luego busque más información en Internet, u otras fuentes, sobre el Barón de Coubertin y el papel que jugó en establecer los Juegos Olímpicos Modernos y tome las notas necesarias. Escriba un ensayo o haga una presentación en clase sobre "El espíritu olímpico del Barón de Coubertin: los problemas que confronta la ciudad organizadora de los Juegos Olímpicos hoy en día". No se olvide de citar las fuentes debidamente.

30 Los deportes

Échele una ojeada al artículo que sigue para ver de qué se trata, prestando atención a las palabras en azul. Luego lea el artículo y decida cuál de las palabras entre paréntesis es la correcta para completar cada oración y escríbala.

Significado y alegría en el deporte en América Latina

A través de América Latina —definida como todo lo que hay en el continente americano al sur de Estados Unidos— no hay duda de que el más __1.__ (*aburrido / popular*) participante
[5] y espectador de deportes se queda en el fútbol, aunque el baseball, el cricket, el básquetbol, el rugby, el voleyball, el boxeo, las pruebas atléticas, las carreras de caballos, las carreras de autos y otros apasionan a un __2.__ (*pequeño /*
[10] *significativo*) número de devotos en diferentes partes de esta área geográfica. Lo que no queda claro son las razones de __3.__ (*por qué / porque*) ciertos deportes en los últimos tres siglos pasaron a ser tan populares en algunos lugares
[15] y el significado que dichos deportes tienen actualmente en sus diferentes dominios... Acá hay una pequeña razón para dudar que el fútbol __4.__ (*era / fuera*) introducido en la región del Río de la Plata por una mezcla de comerciantes
[20] ingleses, ingenieros, maestros y marineros, luego esparcido, primero, entre las elites locales y, casi al __5.__ (*algún / mismo*) tiempo, entre las clases trabajadoras, a menudo entre la juventud que pateaba __6.__ (*balones / pelotas*) de trapo
[25] en los potreros, áridos espacios en ciudades emergentes como Buenos Aires y Montevideo. Específicamente en Argentina, desde 1880 __7.__ (*a / hasta*) 1910, el fútbol más manifiesto era dominado por los colegios ingleses y sus
[30] graduados, mientras los locales, __8.__ (*cuyo / cuya*) calidad fue expandida por una siempre creciente ola de inmigrantes, se empeñaron __9.__ (*de / en*) encontrar suficientes espacios abiertos (potreros) para imitar el juego de los señores
[35] ingleses, si no sus valores y significados... La

difusión del juego nacional de América, como el fútbol y otros deportes modernos, a menudo recorrió diferentes caminos __10.__ (*por / para*) diferentes lugares, y las consecuencias fueron,
[40] __11.__ (*con / por*) frecuencia, también diferentes. El baseball aparentemente llegó a distintas partes de México a través de __12.__ (*dos / tres*) caminos: hacia el norte directamente desde los Estados Unidos, llevado __13.__ (*por / para*)
[45] los ingenieros, los mineros, los comerciantes y la población local en ambas márgenes del río Grande; y hacia la península de Yucatán, principalmente __14.__ (*desde / hacia*) Cuba, intensificado por grandes inversiones
[50] estadounidenses en la importación de henequén a fines __15.__ (*de / por*) los años 1800, para pasar a ser, para muchos, "El Rey de los Deportes".

El fútbol argentino, como cualquier fútbol latinoamericano, está manipulado en parte __16.__
[55] (*por / para*) la FIFA y por los acaudalados clubes europeos.

www.efdeportes.com

31 Amplíe su vocabulario

¿Cuál es la mejor traducción?

1. prueba atlética	a. growing wave
2. carrera	b. fan
3. devoto	c. to kick
4. dominio	d. a kind of plant
5. esparcido	e. both
6. patear	f. to go through
7. de trapo	g. athletic contest
8. potrero	h. race
9. creciente ola	i. open field
10. recorrer	j. rich
11. ambos	k. made of rag
12. henequén	l. domain
13. acaudalado	m. scattered

32 Lea, escuche y escriba/presente

Vuelva a leer el texto completo anterior, y luego escuche "La historia y la geografía: dos perspectivas para entender mejor el fútbol". Escriba un ensayo o haga una presentación en clase sobre "La pasión por el fútbol en América Latina". No se olvide de citar las fuentes debidamente.

Cita

El éxito de un equipo o de una organización es el resultado de los esfuerzos colectivos de los individuos.

—Vincent Lombardi (1913–1970), jugador y entrenador de fútbol americano

 ¿Por qué es tan importante el trabajo en equipo? Cite ejemplos de la vida deportiva, de las empresas y de la política que apoyen su opinión. ¿Por qué prestamos tanta atención a las "estrellas" en el mundo de los deportes, y no al trabajo de todo el equipo? ¿Le parece bien? ¿Por qué? Comparta sus opiniones con un/a compañero/a.

¡Dato curioso!

Maradona y el equipo nacional de Argentina celebran su victoria en la Copa Mundial.

La primera Copa Mundial de Fútbol se jugó en 1930 en Uruguay porque los uruguayos habían ganado la medalla de oro en fútbol durante los Juegos Olímpicos de 1924 y 1928. Uruguay ganó esta primera Copa y la de 1950, cuando derrotó a Brasil. Brasil ganó la Copa cinco veces (1958, 1962, 1970, 1994 y 2002), e Italia, cuatro: en 1934, 1938, 1982 y 2006. Alemania obtuvo la victoria tres veces, en 1954, 1974 y 1990, y Argentina dos: en 1978 y 1986.

¡A leer!

33 Antes de leer

¿Qué sabe Ud. de los Juegos Olímpicos Antiguos? ¿Cómo serían estos juegos? ¿Dónde y por qué los realizaron? ¿Quiénes los organizaron en los años antes de Cristo (a. de J. C.)?

34 Los juegos

Lea con atención el texto que sigue. Intente averiguar el significado de las palabras en azul por el contexto, ya que se le harán preguntas sobre ellas.

LOS JUEGOS OLÍMPICOS DE LA ANTIGÜEDAD

Lic. Mario Ramírez Alfonso, Lic. Gustavo A. Oliveros Soriano, Fausto Cabrera Martínez, Edel Martín Romo y Carlos Baños Prieto

La práctica del deporte es uno de los mejores medios que existen al alcance de los hombres para mejorar su salud y establecer contacto directo con la naturaleza (A). En los pueblos más primitivos los ejercicios corporales tenían como finalidad principal la del propio sostenimiento y desarrollo de la capacidad defensiva de los hombres (B), pues en las continuas luchas en que éstos se veían involucrados para asegurar su existencia cotidiana y para aumentar su poderío material, estaban obligados a hacer uso de sus potencialidades físicas, para imponerse en los combates que efectuaban. Sin embargo, en la antigua Grecia fue donde los ejercicios atléticos adquirieron una importancia superior, tanto en el orden educativo como en el estético, el moral y el religioso (C). Ésta fue una de las grandes y trascendentales tareas que el pueblo griego se impuso, emprendió y realizó con una eficacia y brillantez hasta entonces desconocida (D). Así surgieron los Juegos Olímpicos Antiguos (J.O.A.). Se plantea la idea que se realizaron por primera vez en el año 776 antes de nuestra era, en homenaje al dios supremo de los griegos, Zeus, y se realizaban en Olimpia.

El origen de estos juegos era místico y divino; muchos afirman que el fundador fue Pelops, pero también se le atribuye la paternidad a Hércules. Los historiadores e investigadores suponen que se realizaban entre los meses de julio, agosto y septiembre. Estos juegos olímpicos se celebraban cada cuatro años y su realización servía a los griegos como base y cómputo de los años; los años que mediaban entre unos juegos y otros se les denominaban Olimpiadas.

Los atletas que iban a tomar parte en los juegos debían inscribirse previamente en las pruebas en las que deseaban participar, después de haber demostrado y solemnemente jurado hallarse en posesión de los requisitos exigidos.

Los árbitros, jueces u oficiales de los juegos eran magistrados; sus funciones eran múltiples y comenzaban diez meses antes de la competencia; tenían que comprobar que los atletas inscritos reunían las condiciones reglamentarias, organizar las relaciones de los competidores en los distintos eventos, velar por el buen estado de la sede y estadios de los juegos, presidir los juegos, los desfiles y los banquetes oficiales, proclamar a los vencedores, otorgar los premios y hacer los sacrificios divinos.

www.efdeportes.com

35 Amplíe su vocabulario ⊚🔍

¿Cuál es la mejor traducción?

1. sostenimiento
2. involucrado
3. cotidiano
4. poderío
5. imponerse
6. estético
7. emprender
8. eficacia
9. brillantez
10. realizarse
11. místico
12. cómputo
13. mediar
14. previamente
15. jurar
16. hallarse
17. requisito exigido
18. velar por
19. otorgar

a. brilliance
b. to accomplish
c. demanded requirement
d. to uphold
e. mystic
f. to intervene, come between
g. to grant
h. maintenance
i. involved
j. aesthetics
k. to find oneself
l. power
m. to watch out for
n. to impose
o. effectiveness
p. everyday
q. to undertake
r. calculation
s. previously

Las ruinas del campo de entrenamiento de los Juegos Olímpicos Antiguos en Olimpia, Grecia

36 ¿Ha comprendido?

1. ¿Cuál es una de las mejores maneras de ponerse en contacto con la naturaleza?
   a. Seguir la vida del hombre primitivo
   b. Practicar un deporte
   c. Caminar
   d. Ser espectador de los deportes

2. ¿Para qué hacía el hombre primitivo ejercicios físicos?
   a. Para defenderse
   b. Para proteger a su familia
   c. Para sostenerse
   d. Para mantenerse en forma

3. ¿Por qué luchaba el hombre primitivo?
   a. Para defenderse
   b. Para prepararse para la guerra
   c. Para desarrollar su capacidad mental
   d. Todas las respuestas anteriores

4. ¿Cuál sería un buen resumen del primer párrafo?
   a. La vida rutinaria del hombre primitivo
   b. El hombre primitivo y el deporte
   c. Los orígenes del deporte
   d. La naturaleza y el deporte

5. ¿Qué importancia daban los griegos al ejercicio físico?
   a. Era una actividad religiosa.
   b. Era una actividad educativa.
   c. Era una actividad estética.
   d. Todas las respuestas anteriores

6. ¿Por qué surgieron los Juegos Olímpicos Antiguos?
   a. Los griegos querían unir a todos sus pueblos.
   b. Los griegos querían celebrar el verano con algo especial.
   c. Pelops y Hércules buscaban apoyo político y sugirieron la idea de competir en juegos antiguos.
   d. Los griegos querían reconocer a su dios supremo con las Olimpiadas.

7. ¿Cómo era la participación de los atletas?
   a. Mística y moral
   b. Solemne y honorable
   c. Al azar y sin preparación
   d. Basada en la política del día

8. ¿Cómo era la participación de los árbitros, jueces u oficiales?
   a. Era sencilla, pues no hacían mucho.
   b. Servía para apoyar a sus favoritos.
   c. Era al azar y sin mucha responsabilidad.
   d. Era complicada y con mucha responsabilidad.

9. ¿Cuál es el tema principal del artículo?
   a. Los primeros Juegos Olímpicos Antiguos
   b. Los griegos de 776 a. de J. C.
   c. Homenaje a Zeus
   d. Los griegos y el deporte

10. ¿Cuál sería otro buen título para este artículo?
    a. El desarrollo del hombre primitivo
    b. Los hombres primitivos y el deporte
    c. El origen de los Juegos Olímpicos
    d. Los atletas antiguos

37 ¿Cuál es la pregunta?

Según el artículo que acaba de leer, escriba una pregunta lógica para estas respuestas.

1. Mejorar su salud
2. Aumentar su poderío material
3. Con eficacia y brillantez
4. En el año 776 antes de nuestra era
5. En Olimpia
6. A Pelops y Hércules
7. Los años que mediaban entre unos juegos y otros
8. Inscribirse previamente
9. Diez meses antes de la competencia
10. Construir un estadio (¡Cuidado!)

38 ¿Qué piensa?

¿Cuáles eran las siete funciones de los árbitros, jueces u oficiales de los Juegos Olímpicos Antiguos? En su opinión, ¿cuál era la más importante? ¿La menos importante? ¿Por qué? Comparta su opinión con la de un/a compañero/a.

39 ¿Dónde va?

La siguiente frase se puede añadir al texto anterior: *porque los griegos tenían otra idea de practicar deportes.* ¿Dónde encajaría mejor la frase?

1. Posición A, línea 4
2. Posición B, línea 8
3. Posición C, línea 17
4. Posición D, línea 22

40 Antes de leer

¿Qué sabe de la Edad Media? ¿Piensa que existían deportes durante esta época? ¿Cómo serían? ¿Cómo imagina que era un torneo medieval? ¿Qué era una justa medieval?

41 La Edad Media

Lea el artículo que sigue con atención e intente averiguar el significado de las palabras en azul por el contexto, ya que se le harán preguntas sobre ellas.

Deporte en la Edad Media: reflexiones teóricas

GONZALO RAMÍREZ MACÍAS

Alfonso X el Sabio, en *El libro de los juegos,* tuvo como objetivo el enseñar a sus súbditos a llenar el ocio con actividades. Los torneos y las justas caballerescas son una
[5] auténtica manifestación lúcida incorporada a la manera de ser del guerrero medieval. Eran auténticos grandes juegos agonales de las cortes y castillos. Los ejercicios nobles invadieron el mundo de los artesanos y mercaderes,
[10] cobrando un aspecto cómico de mascarada.

El juego de la pelota, el lanzamiento de barra y otros, no sólo fueron muy populares, sino que recibieron el favor de los magnates. El deporte fue un elemento importante en la vida
[15] medieval, erigiendo una forma cultural propia que se manifestó en las muchas canciones de los juglares, las cuales narran incidencias de estas actividades y enaltecen a los héroes de las mismas.

www.efdeportes.com

42 ¿Qué significa?

Empareje las palabras de la primera columna con su definición o sinónimo de la segunda.

1. sabio	a. construir
2. súbdito	b. soldado
3. ocio	c. un deporte
4. justa caballeresca	d. adinerado
5. lúcido	e. poeta-cantante
6. guerrero	f. inteligente
7. agonal	g. claro
8. artesano	h. pieza de metal u otro material
9. mercader	i. alabar
10. juego de la pelota	j. tiempo libre
11. barra	k. combate entre señores
12. magnate	l. artista
13. erigir	m. ciudadano
14. juglar	n. comerciante
15. enaltecer	o. competitivo

43 ¿Quién es?

Describa con una oración cómo cada una de estas personas podría participar en los deportes de la Edad Media o apoyarlos.

1. Un guerrero
2. Un súbdito de Alfonso X
3. Un magnate
4. Un juglar

44 ¿Cómo termina la oración?

Termine cada una de las siguientes oraciones según el artículo "Deporte en la Edad Media: reflexiones teóricas".

1. Alfonso X el Sabio prefería que sus súbditos...
2. Las justas caballerescas manifestaron...
3. Los artesanos y los mercaderes imitaron a los...
4. Los deportes más populares de la Edad Media eran...
5. El deporte tenía también características culturales...

45 Lea y escriba/presente

Vuelva a leer los dos artículos anteriores. Luego escriba un ensayo o haga una presentación en clase sobre "La evolución de los deportes: desde los griegos hasta la Edad Media".

Cita

El deporte a mis cinco años era un juego, a mis doce, una diversión, y a mis veinte mi pasión.
—Anónimo

¿Se puede aplicar la cita sólo a ciertos deportes como, por ejemplo, el golf, el tenis, la natación, o a los deportes en general? ¿Cree que "Anónimo" se refería a un deporte en particular o a todos? ¿Cómo imagina Ud. que esta persona practicaba el deporte a las edades que menciona? Comparta sus opiniones con un/a compañero/a.

¡Dato curioso!

Solamente los hombres que hablaban griego podían competir en los Juegos Olímpicos Antiguos; las mujeres ni podían participar ni asistir. El estadio olímpico antiguo tenía una capacidad para casi 50.000 espectadores. Los atletas llegaban a Olimpia un mes antes del comienzo oficial de los juegos y pasaban un entrenamiento moral, físico y espiritual bajo la supervisión de los jueces.

¡A escuchar!

46 Antes de escuchar

Antes de escuchar la grabación de la Actividad 47, lea el artículo que sigue, pero primero repase las palabras del recuadro.

la cancha *court*	originarse *to originate*	golpear *to hit*
el codo *elbow*	las rodillas *knees*	las nalgas *buttocks*
la cadera *hip*	los hombros *shoulders*	las fuerzas opuestas *opposing forces*
la oscuridad *darkness*		

El juego de pelota en Mesoamérica

El juego de pelota era un deporte, sí, pero con un simbolismo religioso muy profundo. La cancha de juego de pelota tenía una forma de *T* o de *I* mayúscula y se encontraba en todas las ciudades mayas, excepto en las más pequeñas. Se originó hacia el 2500 a. de J. C. El juego de pelota tuvo un papel ritual, político y posiblemente económico. El juego consistía en mantener
5 la pelota en movimiento y podía ser golpeada con los codos, las rodillas, las nalgas, la cadera, los hombros, la espalda y los brazos, pero no con las manos ni con los pies. Se podía usar la mano solamente para servir la pelota. El juego de pelota simbolizaba la lucha entre las fuerzas opuestas del universo; era la lucha entre el bien y el mal o entre la luz y la oscuridad.

www.tucuate.com

47 Guerreros de la Serpiente Emplumada

Lea las posibles respuestas primero y después escuche "Pueblo defiende guerreros de la Serpiente Emplumada". Escoja la mejor respuesta para la pregunta que escuchará en la grabación.

1. (Pregunta que escuchará en la grabación.)
   a. El pueblo no quiere que el gobierno destruya un templo antiguo.
   b. El pueblo quiere usar un templo antiguo para un juego moderno.
   c. Los residentes de Tula no quieren que se muevan algunas columnas con esculturas que formaban parte de un estadio de un antiguo juego de pelota.
   d. Los pobladores de Tula exigen que el gobierno haga copias de columnas con esculturas que formaban parte de un estadio de un antiguo juego de pelota.

2. (Pregunta que escuchará en la grabación.)
   a. Los arqueólogos temen que la contaminación del aire destruya las columnas con esculturas del templo.
   b. Los arqueólogos temen que mucho tráfico de turistas destruya las columnas con esculturas del templo.
   c. Los arqueólogos temen que la antigüedad de las estructuras destruya las columnas con esculturas del templo.
   d. Los arqueólogos dicen que sin esta acción no se puede renovar las columnas con esculturas del templo.

3. (Pregunta que escuchará en la grabación.)
   a. El tráfico de turistas
   b. El tráfico de arqueólogos
   c. La contaminación del aire producida por una fábrica de productos químicos
   d. Las respuestas a y c

4. (Pregunta que escuchará en la grabación.)

    a. Recrear réplicas de las columnas con esculturas del templo
    b. Poner las columnas originales con esculturas del templo en un museo
    c. Dejar las columnas en el pueblo
    d. Las respuestas a y b

5. (Pregunta que escuchará en la grabación.)

    a. El dios del juego de pelota de Mesoamérica
    b. El dios guerrero de Mesoamérica
    c. El dios benevolente de Mesoamérica
    d. La reencarnación de Topiltzin

6. (Pregunta que escuchará en la grabación.)

    a. Por Topiltzin, una reencarnación de Quetzalcóatl
    b. Por Quetzalcóatl
    c. Una reencarnación de una serpiente emplumada
    d. El invasor barbado más feroz de Mesoamérica

7. (Pregunta que escuchará en la grabación.)

    a. Poner un observatorio de donde se pueda ver todo de lejos y no permitir a los turistas cerca de las columnas
    b. Mezclar el pasado con el presente: guardar dos columnas originales y reemplazar dos con copias
    c. Colocar un techo sobre las columnas
    d. Rediseñar el acceso a las columnas con nuevos senderos y nuevos puntos de observación

48 Antes de escuchar

Antes de escuchar la grabación de la Actividad 49, lea el artículo que sigue, pero primero repase las palabras del recuadro.

trasladar	*to transfer*	**el muro**	*wall*	**tirar**	*to throw*
la cesta	*basket*	**atrapar**	*to trap*	**apostar**	*to bet*

La pelota vasca

La pelota vasca tiene su origen en los tiempos de los aztecas. El conquistador español Hernán Cortés descubrió el juego en los templos aztecas hace unos quinientos años y lo trasladó a España. Allí, por muchos años, se conoció por el nombre *jai* ⁵*alai*, una expresión vasca que quiere decir "festival alegre". Los vascos adaptaron el juego que introdujo Cortés a España según las condiciones del momento en el norte de España. Los vascos usaron los elementos de los aztecas: una pelota muy dura, tres muros muy altos (un frontón) y dos o cuatro ¹⁰jugadores que tiraban la pelota contra un muro. Pero se tiraban la pelota tan rápidamente que los vascos introdujeron una cesta con una curva para atrapar la pelota y tirarla hacia

el muro otra vez. El *jai alai* se conoció como el juego más rápido de todo el mundo por mucho tiempo. El juego llegó a los Estados Unidos pero cambió su objetivo otra vez. En varios estados, el frontón ¹⁵estadounidense era el lugar de las apuestas en el deporte de los vascos. Debido a muchas dificultades financieras en los últimos veinte años, el frontón está desapareciendo poco a poco, y los únicos lugares para ver "la pelota vasca" son España y ciertos sectores de Europa.

www.elpais.es

49 La pelota y la televisión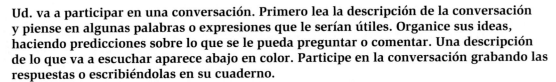

Lea las preguntas primero y después escuche "Los cambios en la pelota tienen mucho que ver con la televisión". Después, haga un resumen de las preguntas que se le hace a la antropóloga Olatz González Abrisketa. Por último, conteste las preguntas.

1. ¿Por qué la pelota es un juego tan masculino?
2. ¿Cómo explica la antropóloga que las mujeres se han ido abriendo hueco en casi todos los deportes menos en la pelota?
3. ¿Qué cambios han sido los más importantes en la pelota durante los últimos años?
4. Según González Abrisketa, ¿cómo anda de salud la pelota?
5. ¿Qué representa la pelota para los vascos?

50 Participe en una conversación

Ud. va a participar en una conversación. Primero lea la descripción de la conversación y piense en algunas palabras o expresiones que le serían útiles. Organice sus ideas, haciendo predicciones sobre lo que se le pueda preguntar o comentar. Una descripción de lo que va a escuchar aparece abajo en color. Participe en la conversación grabando las respuestas o escribiéndolas en su cuaderno.

Escena: Su hermanito tiene que escribir un informe sobre la pelota vasca y el juego de pelota de Mesoamérica y pide su ayuda. Conteste sus preguntas.

Su hermanito:	Plantea el problema y pide su ayuda.
Ud.:	• Dígale que lo ayudará.
Su hermanito:	Le hace unas preguntas.
Ud.:	• Dele detalles sobre lo que le pide.
Su hermanito:	Le hace otras preguntas.
Ud.:	• Dele detalles sobre lo que le pide.
Su hermanito:	Le hace más preguntas.
Ud.:	• Háblele sobre sus preferencias. Explique las razones.
Su hermanito:	Sigue la conversación.
Ud.:	• Haga un comentario usando una expresión nueva de la lección.

¡A escribir!

51 Texto informal: su deporte favorito

Escriba en un blog. Hable sobre su deporte favorito; puede ser profesional o universitario.

- Describa el deporte con detalles.
- Mencione cuándo lo practica o cuándo lo mira, cómo se entera de los partidos, el ranking, los entrenamientos, los campeonatos, etc.
- Mencione a sus atletas favoritos de este deporte.
- Termine con una descripción del momento más memorable del deporte.

Hinchas ecuatorianos

52 Texto informal: las becas ✎

En un foro, un/a atleta que recibió dos becas para estudios universitarios le pide consejo a Ud. Una beca es académica y ofrece mucha ayuda económica; la otra ofrece menos ayuda económica pero garantiza que el/la becario/a va a participar en uno de los mejores programas deportivos de la universidad. Las dos universidades que le han ofrecido estas becas son de semejante prestigio. Dele consejos a esta persona.

- Dele sugerencias de cómo debe evaluar las dos becas.
- Dele consejos útiles para considerar la beca académica.
- Dele consejos útiles para considerar la beca deportiva.

> **Consejo**
>
> Antes de empezar, lea las pautas para escribir textos informales en la pág. 480 del Apéndice. Mientras escribe el texto tenga presente los objetivos. Cuando termine, verifique que ha cumplido con todo lo que se describe en la lista y reflexione sobre su trabajo.

53 Ensayo: los deportes ✎

Escriba un ensayo en el que compare las diferencias y semejanzas entre los deportes profesionales y los deportes universitarios.

54 Ensayo: el papel de los deportes ✎

Escriba un ensayo contestando la pregunta, "¿Cómo sería mi vida sin deportes?"

55 En parejas

Intercambie sus ensayos con un/a compañero/a. Exprésele su opinión sobre el contenido y el uso del idioma.

> **Consejo**
>
> Antes de empezar, lea las pautas para escribir ensayos en la pág. 480 del Apéndice. Mientras escribe tenga presente los objetivos y no se olvide de ponerle un título original a su ensayo. Cuando termine, verifique que ha cumplido con todo lo que se describe en la lista y reflexione sobre su trabajo.

56 Charlemos en el café

Ud. va a debatir los siguientes temas con un/a compañero/a. Uno estará a favor de lo que se ha dicho y otro en contra. El debate durará varios minutos. El/La estudiante que esté de acuerdo comenzará el debate y hablará por unos diez segundos. Cuando el/la profesor/a lo indique, el/la otro/a estudiante tomará la palabra y expresará su opinión por otros diez segundos y así sucesivamente.

1. El deporte es una actividad física, nada más. No tiene nada que ver con lo psicológico o espiritual.
2. Los estudiantes de ambos sexos deberían tener los mismos programas deportivos en la escuela o universidad. Por ejemplo, debe existir un programa de fútbol americano para chicas. Y si una chica quiere ser parte del equipo de fútbol americano masculino, tiene derecho a participar.
3. La universidad debe distribuir las becas deportivas en la misma proporción que las becas académicas, y deben ser iguales para hombres y mujeres.
4. El deporte se divide en dos: el fútbol y el resto.

57 ¿Qué opinan?

Converse con un/a compañero/a sobre estas preguntas.

1. ¿Quiénes han sido los diez mejores atletas de la última década y por qué le parecen los mejores?
2. Hable del proceso de llegar a ser atleta profesional. ¿Cree que es cuestión de talento, buenas conexiones con el mundo profesional o debido a otra cosa? ¿Cuál?
3. ¿Piensa que en los Estados Unidos se valora demasiado a los atletas profesionales? ¿Cree que pueden ejercer una influencia positiva o negativa en los jóvenes? ¿Por qué?

58 Presentemos en público

Conteste una de las siguientes preguntas o haga una presentación oral sobre uno de los temas durante varios minutos en clase. Organice sus ideas antes de hacer la presentación, busque las palabras necesarias y, después de practicar, presente en clase sin mirar las notas.

1. ¿Cree que la televisión ha afectado demasiado a los deportes? ¿Cómo? ¿Es difícil emitir un partido entero de fútbol en la televisión norteamericana? ¿A qué se debe?
2. "La gloria no consiste en no caer nunca sino en levantarte cada vez que te caes". Relate las experiencias de un atleta (real o ficticio) que llegó a ser el número uno en su deporte después de enfrentar muchos obstáculos o fracasos.
3. "Ganar no es lo más importante, es lo único". Relate las experiencias de una persona (real o ficticia) relacionada con los deportes, como atleta, entrenador, miembro de la familia de un atleta, etc., que cree que este dicho es verdad.
4. Hable sobre los atletas jóvenes que no terminan sus estudios para dedicarse a practicar un deporte profesionalmente.
5. ¿En qué consiste una leyenda deportiva? ¿Quiénes son algunas leyendas deportivas actuales y del pasado? Descríbalos con detalles.

Consejo

Antes de empezar, lea las pautas para presentaciones formales en la pág. 481 del Apéndice. Mientras formula su presentación tenga presente los objetivos. Cuando termine la presentación, verifique que ha cumplido con todo lo que se describe en la lista y reflexione sobre el trabajo que hizo.

59 ¡Manos a la obra!

Trabaje con un grupo de cuatro o cinco estudiantes para llevar a cabo uno de los siguientes proyectos y presentarlo en clase.

- Van a ser expertos en un deporte. Investíguenlo y luego hablen de su historia, el equipo necesario para jugarlo, las posiciones de los jugadores, y si hay algunas variaciones del deporte. Prepárense para mostrar cómo jugarlo a sus compañeros.

- Piensen en los Juegos Olímpicos de 2020. ¿Cuál sería su plan ideal para organizarlos para ese verano? Hablen del lugar ideal, los deportes que incluirían, las viviendas para los atletas, el transporte, el marketing y publicidad, la seguridad de los atletas y espectadores, la imparcialidad de los jueces, etc. Organicen el plan para ganar la votación del Comité.

- Hagan un anuncio para promover la práctica de un deporte. Decidan si va a ser un anuncio para niños, jóvenes, adultos o la tercera edad. Pueden imaginar que son dueños de un gimnasio, entrenadores personales, entrenadores en un colegio, representantes encargados de la salud de los empleados de una empresa o fábrica, enfermeros en un asilo de ancianos, etc.

Detalles del estadio antiguo

Las ruinas del estadio antiguo en Olimpia, Grecia

Vocabulario

Verbos

agradecer	to thank
apostar (ue)	to bet
arrebatar	to snatch away
bastar	to be enough
deplorar → *speak against something*	to lament, deplore
derrotar	to defeat
descartar	to reject
disputarse	to fight, challenge
emprender	to set about, undertake
enaltecer	to praise
encargar	to put in charge of
erigir	to erect, build
golpear	to hit
hidratar	to hydrate
humillar	to humiliate
jurar	to swear (*an oath*)
marcar un gol	to score a goal
mediar	to intervene, come between
otorgar	to grant
patear	to kick
programar	to program
proponer	to propose
protagonizar	to take a leading part in
puntualizar	to point out
realizar	to accomplish, carry out
recorrer	to go through; to travel
sobornar	to bribe
vencer	to defeat

Verbos con preposición

verbo + a:

agregar a	to add to
venir a	to come to

verbo + de:

aislarse de	to isolate oneself from
ser parte de	to be part of
tener la oportunidad de	to have the opportunity to

verbo + en:

concentrarse en	to concentrate on
inscribirse en	to register, enroll in

verbo + por:

velar por	to watch out for

Sustantivos

el	alojamiento	accommodations
el/la	árbitro/a	referee, judge
la	arcilla	clay
el/la	arquero/a	goalie
el/la	atleta	athlete
el	atraso	delay
el	automovilismo	race-car driving

el	balompié	soccer
el/la	baloncestista	basketball player
el	baloncesto	basketball
el	básquetbol	basketball
el/la	basquetbolista	basketball player
la	bebida energética	energy drink
el/la	beisbolista	baseball player
el/la	campeón(a)	champion
el	campeonato	championship
la	carrera	race
el	cemento	cement
el	ciclismo	cycling
el/la	ciclista	cyclist
la	cobertura	coverage
el/la	comisionado/a	commissioner
la	competencia	competition, rivalry
la	competición	competition, contest
el/la	corredor(a) en base	base runner
la	cuna	cradle
la	defensa	defense (defensive player)
el	delantero	forward (player)
el	deporte de equipo	team sport
el	deporte por pareja	two-person sport
el/la	deportista	sportsman/sportswoman
el	dominio	domain
el/la	dueño/a	owner
la	eficacia	effectiveness
el	ejercicio físico	physical exercise
el	entrenamiento	training
el	equipo contrario	opposing team
el/la	espectador(a)	spectator
el/la	fanático/a	fan
la	fuente	source
la	gimnasia	gymnastics
el/la	gimnasta	gymnast
la	hierba	grass
el	hockey sobre hielo	ice hockey
el	jardinero derecho	right fielder
el	jonrón	home run
el	juego de pelota	ball game
el/la	jugador(a)	player
el	local	home team
la	lucha libre	wrestling
el/la	luchador(a)	wrestler
el/la	marcador(a)	goal scorer
el	medio	midfieldman
el/la	nadador(a)	swimmer
la	natación	swimming
el	ocio	leisure, free time
el	pasto	grass
el/la	patinador(a)	skater
el	patinaje	skating

la	**pelota vasca**	Basque ball game
el/la	**piloto de Fórmula 1**	Formula 1 race-car driver
la	**pista**	court
el	**poder**	power
la	**polémica**	controversy
la	**portada**	front page, cover (of a book)
el/la	**portero/a**	goalie
el	**postulado**	axiom
el/la	**propietario/a**	owner
el/la	**remero/a**	rower
el	**remo**	rowing
el	**rendimiento**	performance
la	**sede**	seat, headquarters
el	**sostenimiento**	maintenance, support
la	**temporada**	(sports) season
el/la	**tenista**	tennis player
la	**tierra batida**	clay
la	**zapatilla**	sneaker, tennis shoe

Adjetivos y adverbios

acaudalado, -a	wealthy
cotidiano, -a	daily
destacado, -a	outstanding, distinguished
emocionante	exciting

encargado, -a	in charge
esparcido, -a	scattered
impreso, -a	printed
involucrado, -a	involved
mensual	monthly
mundialmente	worldwide
rotundo, -a	categorical, flat (denial, statement, etc.)
súbito, -a	sudden
tajante	definitive (answer, remark)

Expresiones

al alcance de	within reach of
correr el riesgo de	to run the risk of
de primera mano	firsthand
en homenaje	in homage (in honor)
estar muy verde	to be far from ready
fuera del país	outside the country
llegar a ser campeón(a)	to become champion
poner en marcha	to set into motion
tener tiempo libre	to have free time
tener vigencia	to be in effect

A tener en cuenta

Expresiones para cartas de negocios y de amistad

Encabezamientos para cartas de negocios

Distinguido/a; Estimado/a	Dear
Estimado/a director(a)	Dear (Esteemed) Director
Muy señor mío (señora mía)	Dear Sir/Madam
Muy estimado/a Señor/Señora (+ apellido)	Dear (Esteemed) Sir/Madam/Mr./Ms (+ last name)

Terminaciones para cartas de negocios

Atentamente/Le saluda atentamente	Sincerely, Yours truly
Respetuosamente suyo/a	Respectfully yours
Cordialmente	Cordially
Su seguro/a servidora(a)	Yours faithfully

Encabezamientos para cartas de amistad

Querido/a + nombre	Dear + name
Mi querido/a + nombre	My dear + name
Hola + nombre	Hello + name
Cariño	Darling

Terminaciones para cartas de amistad

Un abrazo	A hug
Besos y abrazos	Hugs and kisses
Recibe un abrazo muy fuerte de tu amigo/a + nombre	A big hug from + name
Cariñosos saludos de	Fondly, Fond greetings from
Afectuosamente	Affectionately
Mis recuerdos a tu familia	My regards to your family
Un cordial saludo	Warm greetings

Lección B

Objetivos

Comunicación
- Hablar de la violencia en los deportes
- Hablar de los sobornos y el dopaje
- Expresar opiniones sobre las corridas de toros
- Describir el impacto de la competencia en los deportes

Gramática
- Los verbos con preposiciones
- La voz pasiva
- El presente progresivo

"Tapitas" gramaticales
- expresiones con *lo*
- *solamente, solo* y *sólo*
- verbos usados como sustantivos
- participios pasados usados como adjetivos
- *para* o *por*
- los tiempos verbales
- *aun* y *aún*
- adverbios
- las nacionalidades
- *se lo*
- el orden de las palabras

Cultura
- La mujer y el deporte
- La historia del baloncesto
- Las asociaciones deportivas
- Los deportes en Cuba
- El fútbol en Argentina
- Los toros

Visite la página Web de *¡A toda vela!* en www.emcp.com

1   Conteste las preguntas 👥

Piense en las respuestas a las siguientes preguntas. Ud. puede tomar notas si lo considera necesario. Cuando termine, compare sus respuestas —pero sin mirar sus notas— con las de un/a compañero/a.

1. ¿Cómo serán los deportes en el futuro? ¿Formarán parte de la vida de cada individuo? ¿Cuál será el papel de la ciencia, de la nutrición, de la tecnología y del ocio en los deportes del futuro?

2. Piense en los lugares públicos donde se puede practicar un deporte en su pueblo, ciudad, estado o región. ¿Tiene fácil acceso a estos lugares todo el público? ¿Se mantienen estos lugares en condición óptima? ¿Qué programas deportivos ofrece su pueblo, ciudad, estado o región? ¿Le parecen suficientes? ¿Cuáles añadiría?

3. En su opinión, ¿hay demasiada violencia en los deportes hoy? ¿Hay violencia solamente en los deportes profesionales o a todos los niveles? ¿Qué opina de la violencia o de la mala conducta de los espectadores que atacan verbal o físicamente a los árbitros? Cite ejemplos de violencia o de mala conducta en un deporte.

4. ¿En qué deportes hay más probabilidad de ser testigo de la violencia o de la mala conducta de los jugadores o de los espectadores? ¿Cómo castigaría los actos de violencia o de mala conducta durante un partido?

5. ¿Qué opina o sabe de los Juegos Olímpicos Especiales (para los atletas minusválidos)?

6. ¿Qué opina de los sobornos (*bribes*) durante los campeonatos? ¿Se debe descalificar a los atletas, al equipo y a los jueces? ¿Se debe jugar el campeonato otra vez? Cite ejemplos de un soborno en un deporte.

7. ¿Qué opina de los atletas que hacen promociones de productos deportivos o de ropa deportiva? ¿Compra estos productos? ¿Está demasiado comercializado el deporte?

8. ¿Cuáles son las ventajas de practicar un deporte? Cite también alguna posible desventaja.

9. ¿Qué sabe de las corridas de toros? ¿Las considera un deporte o un espectáculo? ¿Por qué?

10. ¿Qué piensa de los programas deportivos nacionales patrocinados por el gobierno para el entrenamiento de atletas como en China o Cuba?

2 Mini-diálogos

Va a crear un mini-diálogo con un/a compañero/a. Lea la descripción de la conversación antes de empezar. Puede tomar notas para organizar sus ideas, pero no las mire mientras conversa. Le pueden servir algunas expresiones del recuadro.

Escena: Está en su casa, mirando un partido de fútbol con su padre. El árbitro acaba de descalificar un gol muy controversial.

la defensa	un pase de gol	marcar un gol
el marcador	usar las manos	fuera del campo del partido
el portero	el equipo contrario	

A: Reaccione positivamente a lo que decidió el árbitro.

B: Reaccione negativamente a lo que decidió el árbitro.

A: Explique por qué reaccionó positivamente.

B: Explique por qué reaccionó negativamente.

A: Reaccione cordialmente pero rechace la razón que le presenta.

B: Explique con más detalles por qué piensa así y por qué el árbitro no tenía razón.

A: Explique por qué cree que el árbitro tenía razón.

B: Después de escuchar los cometarios de la televisión, decida si Ud. está de acuerdo. Haga un comentario sobre el equipo en general y su récord esta temporada.

A: Reaccione cordialmente y dígale que siga mirando el partido con Ud.

Cita

Cuando somos buenos, nadie nos recuerda, cuando somos malos, nadie nos olvida.
　　　　—Anónimo

 ¿Es verdad que se aplica esta cita a todos los deportes, o sólo a algunos? ¿A cuáles? ¿Por qué? Nombre a algunos atletas conocidos por sus acciones violentas o poco apropiadas. Explique por qué tienen esa reputación. ¿Cómo les ha afectado ese comportamiento a su carrera? Comparta sus respuestas con un/a compañero/a.

¡Dato curioso! Cuando UNICEF preguntó a casi 1.500 jóvenes "¿Crees que practicar deportes ayuda o impide a los estudiantes a tener un buen rendimiento escolar?", el 82.5% dijo que les ayuda y solamente el 17.5% dijo que les impide.

Vocabulario y gramática en contexto

3 Un foro

Túrnese con un/a compañero/a para leer los comentarios que dos personas han escrito en un foro. Fíjese en las palabras que aparecen en azul (relacionadas con el vocabulario) y en rojo (relacionadas con la gramática), ya que en las siguientes actividades se le harán preguntas sobre ellas.

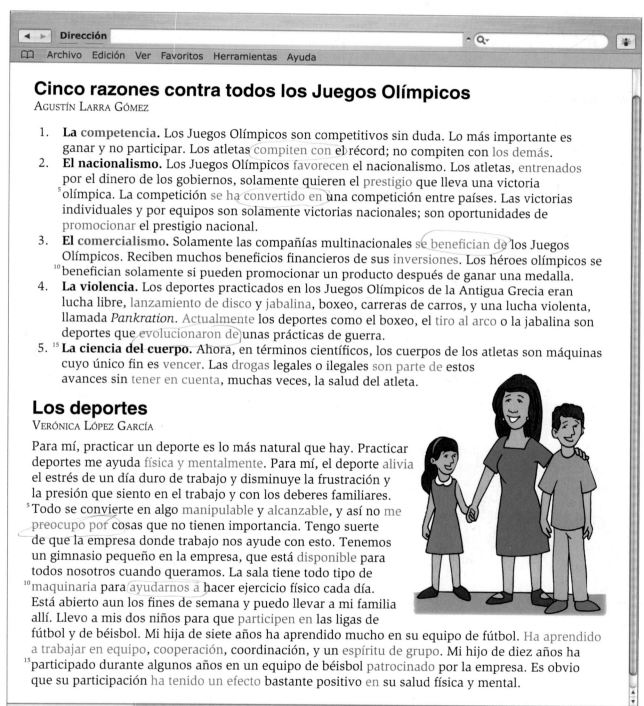

Cinco razones contra todos los Juegos Olímpicos

AGUSTÍN LARRA GÓMEZ

1. **La competencia.** Los Juegos Olímpicos son competitivos sin duda. Lo más importante es ganar y no participar. Los atletas compiten con el récord; no compiten con los demás.
2. **El nacionalismo.** Los Juegos Olímpicos favorecen el nacionalismo. Los atletas, entrenados por el dinero de los gobiernos, solamente quieren el prestigio que lleva una victoria
⁵olímpica. La competición se ha convertido en una competición entre países. Las victorias individuales y por equipos son solamente victorias nacionales; son oportunidades de promocionar el prestigio nacional.
3. **El comercialismo.** Solamente las compañías multinacionales se benefician de los Juegos Olímpicos. Reciben muchos beneficios financieros de sus inversiones. Los héroes olímpicos se
¹⁰benefician solamente si pueden promocionar un producto después de ganar una medalla.
4. **La violencia.** Los deportes practicados en los Juegos Olímpicos de la Antigua Grecia eran lucha libre, lanzamiento de disco y jabalina, boxeo, carreras de carros, y una lucha violenta, llamada *Pankration*. Actualmente los deportes como el boxeo, el tiro al arco o la jabalina son deportes que evolucionaron de unas prácticas de guerra.
5. ¹⁵**La ciencia del cuerpo.** Ahora, en términos científicos, los cuerpos de los atletas son máquinas cuyo único fin es vencer. Las drogas legales o ilegales son parte de estos avances sin tener en cuenta, muchas veces, la salud del atleta.

Los deportes

VERÓNICA LÓPEZ GARCÍA

Para mí, practicar un deporte es lo más natural que hay. Practicar deportes me ayuda física y mentalmente. Para mí, el deporte alivia el estrés de un día duro de trabajo y disminuye la frustración y la presión que siento en el trabajo y con los deberes familiares.
⁵Todo se convierte en algo manipulable y alcanzable, y así no me preocupo por cosas que no tienen importancia. Tengo suerte de que la empresa donde trabajo nos ayude con esto. Tenemos un gimnasio pequeño en la empresa, que está disponible para todos nosotros cuando queramos. La sala tiene todo tipo de
¹⁰maquinaria para ayudarnos a hacer ejercicio físico cada día. Está abierto aun los fines de semana y puedo llevar a mi familia allí. Llevo a mis dos niños para que participen en las ligas de fútbol y de béisbol. Mi hija de siete años ha aprendido mucho en su equipo de fútbol. Ha aprendido a trabajar en equipo, cooperación, coordinación, y un espíritu de grupo. Mi hijo de diez años ha
¹⁵participado durante algunos años en un equipo de béisbol patrocinado por la empresa. Es obvio que su participación ha tenido un efecto bastante positivo en su salud física y mental.

4 Amplíe su vocabulario 🔍

En su cuaderno, traduzca al inglés las palabras o expresiones que aparecen en azul, o escriba un sinónimo o expresión similar en español para cada una.

5 Los verbos con preposiciones 🔍 👥

Con un/a compañero/a, conteste estas preguntas relacionadas con las lecturas anteriores.

1. ¿Hay reglas que determinan qué preposiciones siguen a los verbos? ¿Cómo se aprenden?
2. ¿Cuáles son algunas preposiciones que se usan frecuentemente con los verbos? Escriban dos o tres ejemplos para cada preposición que citaron.
3. Hagan una lista de los verbos (en la forma del infinitivo) con la preposición que los sigue y que aparecen en el texto en rojo. Tradúzcanlas al inglés.

6 "Tapitas" gramaticales 🔍

Conteste estas preguntas basadas en las lecturas anteriores.

1. Traduzca "Lo más importante es ganar y no participar". Explique la construcción *lo más importante*. Busque otro ejemplo de *lo* con adjetivo.
2. Busque la expresión *los demás* y dé algún sinónimo.
3. Explique las diferencias entre *solamente*, *solo* y *sólo*. ¿Por qué se usó *solamente* en la lectura y no *solo* ni *sólo*?
4. Busque ejemplos de verbos usados como sustantivos en los dos foros y tradúzcalos al inglés.
5. Busque ejemplos de participios pasados usados como adjetivos. ¿Qué reglas deben seguir?
6. ¿Por qué se dice *para mí* en la lectura, y no *por mí*?
7. Busque los verbos en el presente perfecto del indicativo y explique sus usos.
8. Explique el uso de los verbos subrayados en las cláusulas subordinadas de las siguientes oraciones:
   a. Tengo suerte de que la empresa donde <u>trabajo</u> nos <u>ayude</u> con esto.
   b. Tenemos un gimnasio pequeño en la empresa, que <u>está</u> disponible para todos nosotros cuando <u>queramos.</u>
   c. Es obvio que su participación <u>ha tenido</u> un efecto bastante positivo en su salud física y mental.
9. ¿Cuál es la diferencia entre *aun* y *aún*?
10. ¿Por qué es un falso cognado *actualmente*?
11. ¿Por qué se dice *física y mentalmente* y no *físicamente y mentalmente*?

7 ¿Qué opina? ✒️

Reaccione a lo que cada persona ha escrito en los foros. Hágales un comentario sobre lo que han escrito y dígales si Ud. comparte su opinión. Incluya palabras que aparecen en azul y subráyelas.

8 Las atletas

Lea con atención el siguiente artículo, prestando atención a las palabras en azul y rojo, ya que se le harán preguntas sobre ellas.

La argentina Sabatini recibe el premio "Las mujeres y el deporte" 2006

Gabriela Sabatini

La ex tenista argentina Gabriela Sabatini fue distinguida hoy con el premio mundial "Las mujeres y el deporte" 2006, del Comité Olímpico Internacional (COI) y la Organización Internacional del Trabajo [5] (OIT), por su contribución al desarrollo de la participación de las mujeres en las actividades físicas y deportivas. "Es un honor recibir este premio y se lo dedico a toda la gente que me ha acompañado durante mi carrera, desde los [10] comienzos hasta el final, porque son una parte muy importante de mi vida y de mi trayectoria y todavía hoy me siguen dando su cariño y su apoyo", dijo Sabatini en el acto de entrega del galardón en Ginebra. "El tenis para mí es más que [15] un deporte. Me ha dado la posibilidad de conocer el mundo y diferentes culturas y con él he aprendido a manejar los obstáculos de la vida", continuó la ex tenista durante la ceremonia, que se enmarcó en la celebración del Día Internacional de la Mujer [20] en la sede de la OIT. Además del premio mundial otorgado a la argentina, se entregaron asimismo los trofeos continentales en honor al papel de las galardonadas en la promoción del deporte en sus respectivos países. El trofeo africano lo recogió la [25] senegalesa Albertine Barbosa Andrade, la única presidenta de una federación deportiva de Senegal, quien brindó la distinción "a todas las mujeres de África, para que sepan que a través del deporte se pueden desarrollar plenamente". Asimismo, el [30] europeo fue entregado a la francesa Dominique Petit, primera directora técnica de una federación nacional gala de un deporte olímpico, el voleibol, para quien ese trofeo supuso "un reconocimiento a los adelantos de todas las mujeres". La [35] condecoración asiática recayó en la coreana Elisa Lee, conocida como "la reina del ping pong", quien se comprometió a "seguir haciendo todo lo posible para que cada vez sean más las mujeres presentes en el mundo deportivo". La valoración en Oceanía [40] fue a parar a la fiyiana Lorraine Mar, considerada "un modelo para la dedicación de niñas y mujeres en el bádminton", y la americana, por otra parte, a la atleta canadiense Charmaine Brooks, quien afirmó que "cada victoria de una mujer es a la [45] vez una oportunidad para remitir un mensaje de paz y de solidaridad". La trascendencia de esas conquistas sorprendió también a la argentina, quien dijo a EFE que desde que dejó de jugar, en 1996, ha empezado a tomar conciencia de todo lo [50] que consiguió con el tenis. Sabatini figuró entre las diez mejores tenistas del mundo durante diez años consecutivos (1986–1995), se convirtió en la primera argentina en ganar un título del Grand Slam (U.S. Open en 1990) y terminó su carrera con [55] 27 torneos individuales y 14 de dobles, entre estos últimos el de Wimbledon en 1988 con la alemana Steffi Graf. "Me inicié en el tenis porque era lo que amaba hacer y aunque siempre traté de ser la mejor nunca tuve como objetivo llegar tan lejos [60] como lo he hecho", declaró.

www.laraza.com

9 Amplíe su vocabulario ⚲

Escriba la letra que corresponde a la mejor definición o sinónimo de cada palabra de la primera columna.

1.	premio	a.	conferir
2.	carrera	b.	recompensa
3.	trayectoria	c.	oficina principal
4.	apoyo	d.	tener lugar
5.	entrega	e.	profesión
6.	galardón	f.	otorgamiento
7.	enmarcarse	g.	ayuda, protección
8.	sede	h.	distinción
9.	otorgar	i.	ofrecer
10.	asimismo	j.	importancia
11.	recoger	k.	camino
12.	brindar	l.	progreso
13.	adelanto	m.	también
14.	remitir	n.	coleccionar
15.	trascendencia	o.	enviar

10 Las ganadoras 👥

Con un/a compañero/a, haga una lista de las seis ganadoras del premio "Las mujeres y el deporte" 2006. Incluya el deporte (donde se menciona) que cada ganadora representa y haga un resumen de la importancia de haber recibido este premio. Hable también del efecto que el tenis tuvo en la vida de Gabriela Sabatini.

11 ¿Qué piensa? ⚲

Conteste estas preguntas basadas en la lectura de la Actividad 8.

1. Busque las nacionalidades que se mencionan en el artículo en la forma femenina y haga una lista con las formas masculinas correspondientes.
2. Busque dos oraciones en voz pasiva. Vuelva a escribirlas usando la construcción *se*.
3. Busque el verbo en presente progresivo, y explique su uso.

12 Los verbos con preposiciones ⚲

Conteste estas preguntas basadas en la lectura de la Actividad 8.

1. Haga una lista de los verbos seguidos de *a, con, en* y *de* que aparecen en el artículo.
2. Escriba una oración con cada uno de estos verbos de la pregunta anterior que encontró, en un párrafo que se titule "Mi experiencia como futbolista en la escuela primaria" (real o imaginaria). Escríbalo usando los tiempos pasados.
3. Busque en la lectura verbos que no necesitan una preposición cuando van seguidos de otro verbo y haga una lista de ellos. ¿Tienen estos verbos algo en común? ¿Qué es?

13 "Tapitas" gramaticales ⚲

Conteste estas preguntas basadas en la lectura de la Actividad 8.

1. Explique la construcción "se lo dedico a toda la gente". ¿Por qué se usa *se*? ¿A qué se refiere *lo*?
2. Explique "desde los comienzos hasta el final". ¿Puede ser "desde el comienzo hasta el final" o "desde los comienzos a los finales"? ¿Por qué?

3. ¿Cuál es la diferencia entre *la única presidenta* y *la presidenta única*? ¿Cuál de los dos se usó en la lectura? ¿Por qué?

4. ¿Qué tiempos verbales se usaron en "para que sepan que a través del deporte se pueden desarrollar plenamente"? Explique el uso de los dos tiempos verbales.

5. Explique el uso de *lo que* en la frase "ha empezado a tomar conciencia de todo lo que consiguió con el tenis" y en la frase "era lo que amaba hacer".

14 Y la ganadora es...

Haga una lista de al menos cuatro atletas mujeres de su escuela, universidad, estado o país que hayan recibido un galardón o premio y explique por qué las escogió.

15 La paridad

Échele una ojeada al artículo que sigue para ver de qué se trata, prestando atención a las palabras en azul, ya que se le harán preguntas sobre ellas. Luego lea el artículo y decida qué preposición es la apropiada para completar cada oración y escríbala.

La mujer y el atletismo: un largo camino hacia la paridad

JUAN IGNACIO SAMPEDRO MARTÍNEZ

Ferenice de Rodas, hija de Diágoras, decidió en el año 396 antes de Cristo vestirse __1.__ hombre para aconsejar a su hijo desde el borde de la ruta. Ese gesto, contrario a la norma que [5] prohibía expresamente a las mujeres asistir como espectadoras a los Juegos masculinos, pudo costarle la vida. Gracias a los consejos de su madre, y por méritos propios, [10] Pisíropodos ganó la corona de laurel y Ferenice se precipitó __2.__ abrazarle. En ese momento se abrió su túnica, dejando al descubierto su condición [15] femenina. Sólo el prestigio de su familia libró a la mujer tan vehemente de la muerte. Las mujeres, no obstante, tenían sus propios Juegos en la Grecia [20] Clásica. Eran en el mes de septiembre, poco tiempo después de los masculinos. Se decidió que las espartanas compitiesen entre sí __3.__ "su rapidez y su fuerza". Su prueba consistía __4.__ una carrera de unos 160 metros. La ganadora [25] recibía una corona de laurel y un trozo de la vaca sacrificada a Hera, la diosa de la fecundidad.

Cuando a finales del siglo XIX el movimiento creado por el Barón de Coubertin puso __5.__ marcha los Juegos de la Era Moderna, a la mitad [30] de la población humana no se le reservaron ni unos Juegos paralelos. La primera campeona olímpica de los Juegos de la Era Moderna fue la tenista británica Charlotte Cooper. Empieza la participación femenina en atletismo, la columna [35] vertebral de los Juegos. De las veinticinco participantes en la carrera de 800 m. varias hubieron __6.__ retirarse agotadas y algunas llegaron en lamentable estado y fueron auxiliadas por los servicios médicos. Ello reavivó el debate [40] sobre la conveniencia de su participación en los Juegos y las agrias polémicas entre feministas y antifeministas. En ellas intervino hasta el Papa Pío XI. El veredicto fue que las mujeres no debieran __7.__ realizar carreras superiores a los 200 m. Y [45] ello fue así hasta 1960, en Roma.

La primera campeona olímpica fue la norteamericana Elizabeth Robinson, que ganó los [50] 100 m. en 12"2; sus dos compañeras hicieron el mismo tiempo. Hay un momento de inflexión, los Juegos de Los Ángeles [55] 1984: el programa femenino dispone __8.__ todas las distancias en carreras tras la incorporación de las pruebas de 400 vallas y el maratón. Los premios [60] para las vencedoras son sensiblemente inferiores a los que reciben los vencedores masculinos. Pocas organizaciones se mueven __9.__ criterios de paridad. Sydney 2000, donde se estrenan los saltos con pértiga y triple, y el lanzamiento de [65] martillo, supone la llegada a la paridad en el programa olímpico. Con estos tres se celebran los mismos ocho concursos que en el programa masculino. Resta la incorporación al Programa Olímpico de los 3.000 metros obstáculos, prueba [70] que lleva celebrándose varios años en torneos de menos nivel hasta que en 2008 se incorpore __10.__ los Juegos Olímpicos. En ese momento se habrá llegado __11.__ cubrir todo el programa para ambos géneros.

www.efdeportes.com

16 Amplíe su vocabulario ⚲

¿Cuál es la mejor traducción según el contexto del artículo?

1. precipitarse
   - a. to scream
   - b. to hide
   - c. to disguise
   - d. to hurry

2. librar
   - a. to free
   - b. to prevent
   - c. to condemn
   - d. to force

3. espartana
   - a. Spartan slave
   - b. Spartan woman
   - c. Greek slave
   - d. Greek woman

4. carrera
   - a. career
   - b. race
   - c. profession
   - d. obstacle course

5. trozo
   - a. horn
   - b. foot
   - c. piece
   - d. ear

6. fecundidad
   - a. virility
   - b. femininity
   - c. quickness
   - d. fertility

7. agotado
   - a. expired
   - b. exhausted
   - c. energized
   - d. animated

8. reavivar
   - a. to rekindle
   - b. to put to rest
   - c. to establish
   - d. to relive

9. conveniencia
   - a. cohabitation
   - b. coexistence
   - c. suitability
   - d. lack of conformity

10. agria polémica
    - a. sweet discussion
    - b. difficult problem
    - c. great rivalry
    - d. bitter controversy

11. disponer
    - a. to make available
    - b. to discredit
    - c. to deny
    - d. to encourage

12. valla
    - a. pole vault
    - b. hurdle
    - c. meter
    - d. lap

13. paridad
    - a. comparison
    - b. betting
    - c. equality
    - d. discrimination

14. pértiga
    - a. pole vault
    - b. hurdle
    - c. obstacle course
    - d. lap

17 Los verbos con preposiciones ⚲

Haga una lista de verbos seguidos de las preposiciones *de*, *a*, *en* y *por* en la lectura anterior y tradúzcalos.

18 "Tapitas" gramaticales ⚲

Conteste estas preguntas basadas en la lectura de la Actividad 15.

1. Traduzca la oración "En ese momento se abrió su túnica, dejando al descubierto su condición femenina". Explique los usos de *se abrió* y de *su* en la oración.

2. ¿Qué tiempo verbal es *compitiesen* en la oración "Se decidió que las espartanas compitiesen"? ¿Por qué se usa este tiempo verbal? ¿Hay otra variación de mismo verbo? ¿Cuál es?

3. ¿Qué tiempo verbal es *recibía* en la oración "La ganadora recibía una corona de laurel y un trozo de la vaca"? ¿Qué indica el uso de este tiempo verbal?

4. ¿Qué significa *tras* en la frase "todas las distancias en carreras tras la incorporación de las pruebas de 400 vallas y el maratón"? ¿Cuál es la diferencia entre *tras* y *después*?

Cita

El noventa por ciento del deporte es cincuenta por ciento mental.
—Anónimo

¿Por qué piensa que la preparación mental es tan importante cuando uno juega un deporte? ¿Qué será el otro 10% del deporte? ¿Talento? ¿Habilidad física? ¿Entrenamiento? ¿Piensa que las mujeres pueden competir con los hombres en cualquier deporte? ¿Por qué? Comparta sus opiniones con un/a compañero/a.

¡Dato curioso!

¿Sabía que Andrés Escobar, colombiano, fue asesinado a causa de una discusión acerca de un autogol? Escobar ganó el cariño y respeto de todos los colombianos. Lastimosamente, en el Mundial de 1994 tuvo mala suerte y metió el balón en su propio arco, haciendo así un autogol. Días después, y en un sitio prestigioso de su ciudad natal de Medellín, Andrés Escobar fue asesinado.

19 Familia de palabras

Complete la tabla con el verbo, sustantivo o adjetivo apropiado, y su traducción correspondiente.

Verbos		Sustantivos		Adjetivos	
apostar	to bet	la apuesta	_____	de apuestas	betting
competir	to compete	la competencia; la competición	rivalry; contest	_____	_____
contradecir	_____	la contradicción	contradiction	contradictorio	_____
entrenar(se)	to train; to coach	el entrenamiento; el/la entrenador(a)	_____; coach	de entrenamiento	_____
hacer atletismo	_____	el atletismo; el/la atleta	athletics; athlete	_____	_____
hacer deportes	_____	_____		deportivo	_____
juzgar	to judge	el/la juez; el/la árbitro/a	_____; _____	X	
participar	_____	la participación; el/la participante	_____; participant	participante; de participación	_____
permanecer	_____	la permanencia	_____	permanente	permanent
seleccionar	to select	_____	_____	selecto	selective
solucionar	_____	la solución	_____	resuelto	_____
torear	to fight bulls	el toro; el toreo; el torero; la corrida de toros	bull; bullfighting; bullfighter; _____	taurino	(related to) bullfighting

20 ¿Verbo, sustantivo o adjetivo?

Complete las oraciones usando la forma correcta de las palabras que aparecen en la tabla, ya sea verbo, sustantivo o adjetivo. En el caso del sustantivo puede que necesite artículo.

1. ¿Hay una agencia ___ (participar) que ayude a las personas que quieren inscribirse en la competición este fin de semana? Los ___ (participar) van a correr diez kilómetros por un circuito en la ciudad este domingo.

2. ¿A qué atletas van a ___ (seleccionar) para representar a este país en la próxima Copa Mundial? ___ (Seleccionar) siempre lleva mucha especulación.

3. El Museo ___ (torear) de Málaga es dedicado al gran ___ (torear) Antonio Ordóñez. En este museo se pueden admirar muchos objetos relacionados con ___ (torear).

4. ___ (Competir) entre los Mets de Nueva York y los Yankees es feroz. Cada equipo ___ (competir) en ligas diferentes. A veces, es interesante cuando hay ___ (competir) el mismo día. Muchos aficionados van al Estadio Shea o al Estadio Yankee, y la ciudad de Nueva York se convierte en la capital del béisbol por un día.

5. El *jai alai* es el nombre de la pelota vasca que llegó a los Estados Unidos como juego ___ (apostar). Los espectadores ___ (apostar) sobre los resultados de cada partido en el frontón mismo o por televisión.

continúa

La atleta mexicana Ana Guevara

6. El éxito de un equipo se debe al ___ (*entrenar*) de los atletas. El plan que tienen los ___ (*entrenar*) y los atletas juntos produce los mejores resultados. Cuando los atletas ___ (*entrenarse*) con rigor, el espíritu competitivo crece.

7. El Comité Olímpico Internacional tiene que ___ (*solucionar*) el problema del dopaje en los Juegos Olímpicos. ___ (*Solucionar*) es delicada y el Comité admite que el asunto no tendrá ___ (*solucionar*) antes de los próximos Juegos.

8. Hay muchos mensajes ___ (*contradecir*) sobre el rol de las mujeres en los deportes. Algunos deportes permiten que las mujeres ___ (*participar*) en sus competiciones. Otros las invitan, pero el espíritu ___ (*contradecir*) el resultado.

9. Algunos países proponen que los Juegos Olímpicos tengan una sede ___ (*permanecer*) en Atenas. Otros dicen que ___ (*permanecer*) de los Juegos Olímpicos en un sitio puede destruir el espíritu ___ (*competir*) de los Juegos.

10. Muchas veces los ___ (*juzgar*) deciden los resultados de las competiciones. A veces, el talento y ___ (*entrenar*) no figuran en la decisión. ___ (*Juzgar*) un partido imparcialmente es muy difícil.

21 Escriba

Con un/a compañero/a, escriba unas oraciones con las siguientes palabras: *el atletismo, el atleta, atlético, hacer deportes, deportista, deportivo.*

Cita

Entrenar duro produce cansancio, pero a la hora de la verdad da satisfacción.
   —Anónimo

¿Quién habrá dicho esto: un entrenador o un atleta? ¿Está de acuerdo? ¿Por qué? ¿Conoce un ejemplo personal o de un/a amigo/a o de un/a atleta profesional que ilustre esta cita? Comparta sus opiniones con un/a compañero/a.

¡Dato curioso!

El Comité Olímpico Internacional decidió en 1986 realizar los Juegos de Invierno los años pares en que no hubiera Juegos de Verano. El Comité comenzó con los Juegos Olímpicos de Lillehammer (Noruega) en 1994. Los últimos Juegos Olímpicos de Invierno se realizaron en Turín, Italia, en febrero de 2006. La ciudad canadiense de Vancouver será la anfitriona de los Juegos en el año 2010.

El esquiador austriaco Hermann Maier ha ganado numerosos campeonatos mundiales y olímpicos.

22 El baloncesto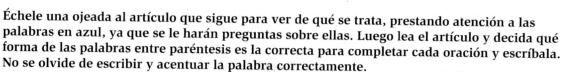

Échele una ojeada al artículo que sigue para ver de qué se trata, prestando atención a las palabras en azul, ya que se le harán preguntas sobre ellas. Luego lea el artículo y decida qué forma de las palabras entre paréntesis es la correcta para completar cada oración y escríbala. No se olvide de escribir y acentuar la palabra correctamente.

Historia del baloncesto

Licenciado Luis Felipe Contecha Carrillo

El baloncesto es un deporte con unos orígenes históricos perfectamente __1.__ (claro) y documentados relativamente
[5] recientes. La fe de bautismo del baloncesto tiene un padre, un lugar de nacimiento y casi una fecha: el padre, James Naismith, el lugar de nacimiento,
[10] Springfield, Massachusetts y la fecha el 17 de diciembre de 1891. El profesor Naismith __2.__ (nacer) en 1861 en Ontario, Canadá. Fue premiado dos __3.__
[15] (vez) como el mejor y más completo deportista por sus proezas en rugby, atletismo, fútbol americano, gimnasia y lacrosse (juego de pelota). En la
[20] Navidad de 1891 los estudiantes de Springfield difundieron localmente el nuevo deporte y decidieron promocionarlo por todo el mundo. El __4.__ (primero)
[25] equipo se conformó con nueve jugadores, alumnos de Naismith. En 1893 se aceptó que podían jugar en canchas pequeñas cinco contra cinco, y en las canchas
[30] grandes nueve contra nueve. En 1897, el número de jugadores en los equipos se __5.__ (fijar) en cinco personas. La altura del cesto no ha cambiado: 3,05
[35] metros ó 10 pies. En las reglas primitivas una cesta __6.__ (valer) tres puntos, y el tiro libre un punto; éste se producía después de una falta cometida por uno
[40] de los dos equipos. En 1894 la primitiva línea de tiro libre situada a 6 metros __7.__ (ser) colocada a 4,5 metros, y un año después la canasta recibió
[45] el valor de dos puntos. En esta primera época el baloncesto fue considerado un deporte demasiado violento, ya que por la carencia de reglas y la lógica
[50] posesión del balón __8.__ (dar) pie para grandes batallas en las que valía todo y el castigo era solamente un tiro libre. De aquí surgieron las primeras ideas
[55] de eliminar al jugador que __9.__ (cometer) 4 faltas. En 1943, se aumentó a 5 faltas. Todas estas reglas fueron promulgadas antes de la Primera Guerra Mundial,
[60] cuando el baloncesto comenzó a ser introducido en latitudes diferentes a las norteamericanas. En Francia, por ejemplo, ya era conocido en 1893. Se admite
[65] que el baloncesto sólo empezó a desarrollarse a partir de la Primera Guerra Mundial, cuando los soldados americanos lo __10.__ (introducir) en diversos
[70] países europeos. El origen del profesionalismo se debe a la creación de la Liga Nacional de Baloncesto en 1898, en la cual figuran seis equipos, tres de
[75] Filadelfia, uno de Trenton y otro de Millville, New Jersey, y el último de Camden, New Jersey. Esta liga sólo __11.__ (durar) un año, pues los apostadores
[80] y sobornadores provocaron su rápida desaparición. En 1895 un grupo de estudiantes __12.__ (crear) el equipo de los Buffalo Germans, dirigido por un
[85] entrenador de fútbol llamado Amos Alonso Stagg, pero la edad y los problemas internos hicieron que __13.__ (cambiarse) casi toda la nómina y perduraran
[90] por muchos años. Ellos ganaron 761 partidos y __14.__ (perder) 85 hasta el año 1929, cuando desaparecieron definitivamente. Los Buffalo Germans llegaron
[95] a congregar a más de cinco mil espectadores y __15.__ (convertirse) en auténticos propagadores del baloncesto.

En el campo aficionado, fue el
[100] año 1905 el que marcó el inicio y promulgación de las primeras reglas y normas oficiales. Para ese entonces ya existían varias ligas, la primera de las cuales se
[105] formó en 1901, y en __16.__ (él) intervenían las universidades. La modernización del juego había traído __17.__ (consigo) bastantes e importantes variantes táctico-
[110] técnicas, donde el entrenador tenía un __18.__ (grande) porcentaje de responsabilidad. El principal introductor de estas modalidades fue el doctor
[115] Joseph Raicroft, entrenador de la Universidad de Chicago; él fue el creador del contra ataque rápido. En 1922 se fundó el equipo de los New York Rens. Estos jugadores
[120] comenzaron a practicar un baloncesto de __19.__ (alto) fantasía y acrobacia, y __20.__ (convertir) el baloncesto en un espectáculo.
[125] Posteriormente, con el éxito obtenido cambiaron el nombre del equipo por el de Harlem Globetrotters. Era un baloncesto sin competición pero que __21.__
[130] (servir) para popularizar este deporte.

www.efdeportes.com

23 ¿Qué significa?

Según el contexto del artículo anterior, ¿cuál es la mejor traducción de cada palabra?

1. fe de bautismo
2. proeza
3. difundir
4. conformarse
5. fijar
6. valer
7. carencia
8. dar pie
9. castigo
10. promulgado
11. apostador
12. sobornador
13. nómina
14. perdurar
15. propagador
16. modalidad

a. punishment
b. person who bets, bettor
c. to produce
d. person who bribes, briber
e. feat, exploit
f. proclaimed, announced
g. payroll
h. lack
i. to spread, diffuse
j. certificate of baptism
k. to be worth
l. to be formed
m. to endure
n. to fix, establish
o. promoter
p. rule, mode

24 Lea, escuche y escriba/presente

Vuelva a leer el texto completo de "Historia del baloncesto" y luego escuche "El básquet también se juega sobre ruedas" y tome notas. Mire también la página Web sobre la WNBA, Asociación Nacional de Baloncesto de Mujeres. Escriba un informe o haga una presentación en clase sobre "El baloncesto: un deporte para todos". No se olvide de citar las fuentes.

> **Estrategia**
> Escribir un ensayo implica presentar su opinión sobre un tema con datos que convencen y que se expresan con claridad y brevedad. Trate de organizar lo que va a decir antes de empezar a escribirlo.

25 Los atletas

Échele una ojeada al artículo que sigue para ver de qué se trata, prestando atención a las palabras en azul, ya que se le harán preguntas sobre ellas. Luego lea el artículo y decida qué forma de las palabras entre paréntesis es la correcta para completar cada oración y escríbala. No se olvide de escribir y acentuar la palabra correctamente.

Atletas cautivos

En algunos países africanos existen asociaciones que __1.__ (*proteger*) a los niños que quieren ser futbolistas... Una de ellas denuncia el tráfico masivo de niños futbolistas —hasta 2.000 en un solo año [5]entre la costa atlántica africana y Europa. Durante su participación en la Copa Africana disputada en El Cairo, un joven relataba a un diario francés su propia experiencia: "__2.__ (*Llegar*) a Francia con 14 años, como casi todos los jóvenes africanos que emigran a [10]Europa sin papeles, sin nada. Estuve __3.__ (*jugar*) un tiempo en el Avignon antes de __4.__ (*instalarse*) en París, en casa de mi hermana. Como no tenía papeles, no podía ir a la escuela ni jugar al fútbol. No podía hacer nada, ni moverme. __5.__ (*Pasar*) todo el tiempo [15]en casa. Decidí volver a Camerún. Meses más __6.__

(*tarde*) conseguí una prueba en Le Havre y me encontré con papeles en regla y un contrato con el Real Madrid." Otros no han tenido tanta suerte... El trasiego de deportistas alcanza a casi todas las [20]disciplinas, aunque no __7.__ (*ser*) millonarias. En __8.__ (*el*) ochenta, el deporte rey de los Juegos Olímpicos, el atletismo, se profesionalizó hasta tal punto que la búsqueda de grandes talentos se hizo rentable... La supervivencia de __9.__ (*alguno*) deporte en los países [25]ricos __10.__ (*estar*) en manos de inmigrantes o de sus descendientes. Los jóvenes de los países más prósperos, por su estilo de vida y por el sacrificio que supone la práctica de algunas especialidades, renuncian a implicarse más a fondo en ellas.

El Periódico de Catalunya (Barcelona)

26 Amplíe su vocabulario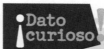

Empareje las palabras de la primera columna con su definición o sinónimo en la segunda.

1. disputar   a. transporte
2. emigrar   b. ceder
3. con papeles en regla   c. lograr
4. trasiego   d. documentado
5. alcanzar   e. contender
6. renunciar   f. expatriarse

27 Lea, escuche y escriba/presente

Vuelva a leer el texto completo anterior y luego escuche la grabación "Arantxa Sánchez Vicario: a las tenistas les falta carisma". Escriba un ensayo o haga una presentación en clase sobre el tema "Ser atleta es más que tener talento". No se olvide de citar las fuentes.

Cita

Sólo al conocer el dolor de la derrota podemos aprender a dominar la frustración de un fracaso en la vida diaria.
—Anónimo

¿Qué opina de esta cita? ¿Qué les habrán enseñado las derrotas a los atletas? Dé ejemplos concretos. Comparta sus opiniones con un/a compañero/a.

¡Dato curioso!

Los aficionados violentos y los que entraron a los estadios durante la Copa Mundial 2006 en Alemania con la intención de promover disturbios, recibieron sanciones. Los extranjeros estuvieron expuestos a la extradición inmediata, los locales recibieron multas muy fuertes, y los que se negaron a seguir los mandatos no podían volver a entrar en ningún estadio durante el Mundial.

28 La competición

Échele una ojeada al artículo que sigue para ver de qué se trata, prestando atención a las palabras en azul, ya que se le harán preguntas sobre ellas. Luego lea el artículo y decida cuál de las dos preposiciones entre paréntesis es la correcta para completar cada oración y escríbala.

¿___1.___ (Con / En) qué se ha convertido el deporte de competición?

Dicen los antropólogos que la afición del hombre por el deporte está escrita en los genes. Tiene su origen en el [5] instinto cazador, guerrero, competitivo y aventurero que está vivo ___2.___ (dentro / en) el ser humano desde el principio de los tiempos. Desde [10] entonces, en todas las culturas ha estado presente la práctica del deporte. Ha llegado ___3.___ (a / en) convertirse en un auténtico fenómeno de masas [15] que no sólo atrae al público en general, sino a intereses políticos y económicos. Si en el pasado se hizo célebre la frase de "Lo importante no es [20] ganar sino participar", hoy en el deporte de alta competición una décima de segundo o un centímetro es lo que separa el éxito del fracaso, y el deportista no se conforma sino ___4.___ (con / [25] por) ganar a cualquier precio.

Después del esquí, el ciclismo y el atletismo, el fútbol será el cuarto deporte que someta a sus jugadores a controles antidoping, como recientemente ha señalado el presidente de [30] la Comisión Médica de la FIFA. Es que los contratos millonarios, las cláusulas de rescisión, las inversiones televisivas espectaculares, Internet y la publicidad de las grandes marcas comerciales, han multiplicado los ingresos de [35] los clubes y han convertido a los deportistas en auténticos iconos rentables que están obligados ___5.___ (a / en) ofrecer un espectáculo acorde con los millones invertidos.

En el ciclismo, una diferencia de unos pocos [40] segundos, aunque sea después de cientos de kilómetros de dura competición, marca la

La gimnasta rumana Nadia Comaneci

diferencia de unos cuantos millones más o menos en el contrato. "Mantener un [45] rendimiento máximo durante 21 días en una prueba como el Tour de Francia o cualquier otra por etapas, es un objetivo que se consigue ___6.___ (a / [50] en) ocasiones con el uso de sustancias que están situadas al borde de lo permitido", asegura el médico José Antonio de Paz, especialista en medicina [55] deportiva. "Los ciclistas son víctimas de la hipocresía de la gente —asegura el doctor de Paz— que no sólo les solicita que recorran cerca de tres mil [60] kilómetros a lo largo de tres semanas, sino que, además, les exige que ganen la carrera".

El esquí y el atletismo no se libran ___7.___ (de / por) esta presión. "El deporte de alta [65] competición —asegura el doctor Berral de la Rosa, profesor de Medicina Deportiva en la Universidad de Córdoba— está provocando que el cuerpo humano esté llegando a unos límites insostenibles y que el deportista de élite se [70] convierta en un enfermo potencial que tendrá graves problemas en un futuro". La famosa Nadia Comaneci, por ejemplo, hoy sufre graves problemas en la columna vertebral. Carl Lewis padece grandes dolores a causa de una artrosis [75] progresiva, y a todos nos sorprendió la noticia de la muerte súbita de Florence Griffith (se achaca su fallecimiento al dopaje), la mujer más rápida de la historia del atletismo, después de haber conseguido tres medallas de oro en las [80] Olimpiadas de Seúl.

El Comité Olímpico Internacional elaboró una lista de sustancias prohibidas que se va actualizando cada año a medida que se descubren otras nuevas. Pueden ser elementos [85] químicos de muchos tipos o el denominado dopaje sanguíneo, que consiste __8.__ (con / en) utilizar fracciones de sangre para mejorar el rendimiento.

La responsable de todo esto es la sociedad [90] competitiva en la que vivimos, que exige permanentemente marcas, esfuerzos, sacrificios y éxitos. Después está el dinero que se mueve __9.__ (en / por) el deporte, donde se ganan millones y triunfos. Y por último, están

[95] los protagonistas, que son los que mandan. Si juegan tantos partidos —en el caso de los futbolistas—, es porque ellos quieren. ¿Quién les enseñará a los jóvenes __10.__ (a / con) soñar sin límite y a no esclavizarse por ello? Padres, [100] profesores y entrenadores tienen aquí una parte muy importante. Pero también el espectador, el periodista, el empresario, el político, el socio de un club, el deportista, los directivos, la publicidad...

vwww.revistafusion.com

29 ¿Qué significa?

Según el contexto del artículo anterior, empareje las palabras de la primera columna con su definición, sinónimo o descripción en la segunda.

1. afición
2. cazador
3. masas
4. fracaso
5. someter
6. señalar
7. rescisión
8. inversión
9. marca
10. ingresos
11. rentable
12. acorde con
13. marcar
14. rendimiento
15. insostenible
16. columna vertebral
17. artrosis
18. súbito
19. achacar
20. fallecimiento
21. a medida
22. dopaje sanguíneo
23. soñar sin límite
24. esclavizarse
25. directivo

a. ruina
b. aprisionarse
c. compañía
d. tendencia
e. muerte
f. perseguidor
g. conforme a
h. mientras
i. idealizar
j. que no se puede mantener
k. rápido
l. imponer
m. beneficioso
n. especificar
o. el público, la muchedumbre
p. problemas con las articulaciones
q. cancelación
r. drogas o sustancias ilegales en la sangre
s. productividad
t. transacción de dinero
u. sueldo, rentas
v. los huesos espinales
w. dirigente
x. indicar
y. atribuir

30 Lea y escriba/presente

Vuelva a leer el texto completo del artículo anterior y escriba un artículo o haga una presentación en clase sobre "Reflexiones acerca del efecto de la competición en el deporte hoy en día".

31 Los deportes en Cuba

Échele una ojeada al artículo que sigue para ver de qué se trata, prestando atención a las palabras en azul, ya que se le harán preguntas sobre ellas. Luego lea el artículo y decida cuál es la palabra que mejor completa cada oración y escríbala. No se olvide de escribir y acentuar las palabras correctamente.

Selección de talentos para el deporte, 27 años de experiencia en Cuba

Dr. Hermenegildo Pila Hernández

El proceso de detección y selección de prospectos para la iniciación __1.__ el entrenamiento deportivo contemporáneo no se puede ver aislado del proceso que inicia el
⁵desarrollo de habilidades y destrezas motrices. En la segunda mitad __2.__ siglo pasado evolucionaron muchas tendencias y formas para lograr una buena selección, altos índices y resultados en la competición de élite, un
¹⁰denominador común que se observa en todas
__3.__ referencias al describir *modelo de atleta* o *atleta ideal*, pero ninguno se refiere a cómo eran estos __4.__ modelos cuando tenían 8, 10 ó 12 años. ¿Cuáles eran sus características modelos?
¹⁵Elaboramos, con las experiencias que desde 1976 hemos realizado en Cuba, el presente Sistema de Selección Masiva de Talentos para la Iniciación Deportiva, con el deseo __5.__ trabajar todos, profesores de educación
²⁰física y entrenadores deportivos, unidos en el empeño de lograr altos resultados en el deporte. Actualmente existen tres formas reconocidas __6.__ seleccionar talentos; son formas que se aplican a diario por los entrenadores y
²⁵profesores de __7.__ física de una manera empírica. Estas formas son:

1. La que se produce cuando los entrenadores deportivos asisten a las competencias que se desarrollan en el ámbito escolar;
³⁰en ellas observan los rendimientos o la participación destacada de los competidores y eligen, __8.__ esta manera, los elementos que integran la selección para sus grupos de trabajo.
2. ³⁵Esta forma tiene en cuenta la opinión del profesor de educación física, cuando el entrenador de un deporte se __9.__ acerca a preguntar si posee algún alumno que reúna ciertas y determinadas
⁴⁰características requeridas para su deporte __10.__ cuestión y el profesor

El beisbolista cubano, José Contreras, juega para las Medias Blancas de Chicago.

de educación física, que conoce el desarrollo en capacidades y habilidades de la matrícula que atiende, le señala
⁴⁵particularmente aquéllos que se acercan a los requerimientos planteados.
3. Se trata __11.__ la más empírica de las formas. Es aquélla en la que el entrenador deportivo, simplemente en __12.__ lugar,
⁵⁰en la calle, un parque o una actividad social, observa en un niño o adolescente alguna disposición o aptitud que __13.__ hace determinar un posible desarrollo en su deporte.
⁵⁵Éstas son las tres formas que actualmente se aplican en cualquier latitud, todas empíricas y carentes de rigor en valoraciones con carácter científico de evaluación, que permita una consideración en proyecciones y perspectivas
⁶⁰sobre bases sólidas __14.__ establecer un diagnóstico adecuado.

www.efdeportes.com

32 Amplíe su vocabulario 🔍

¿Cuál es la mejor traducción?

1. destreza motriz
   a. manual ability
   b. motor reflex
   c. manual movement
   d. motor skill

2. empeño
   a. job
   b. goal
   c. determination
   d. pain

3. empírico
   a. sophisticated
   b. organized
   c. practical
   d. easy

4. ámbito
   a. curriculum
   b. setting
   c. extracurricular
   d. classroom

5. matrícula
   a. enrollment
   b. team
   c. unity
   d. individuality

6. requerimiento planteado
   a. planned registration
   b. presented obligation
   c. requisite put forth
   d. news put forth

7. latitud
   a. longitude
   b. limit
   c. area, part
   d. source

8. carente
   a. expensive
   b. lacking
   c. organized
   d. filled

33 Lea, escuche y escriba/presente 👥

Vuelva a leer los textos completos de las Actividades 28 y 31. Luego escuche la grabación "El doping como resultado de las presiones en los deportistas, y su relación con las adicciones". Escriba un ensayo o haga una presentación en clase sobre "Las tensiones de ser atleta profesional". No se olvide de citar las fuentes debidamente.

Cita

En esta vida no te perdonan si te dejas ganar y te odian si ganas siempre.
    —Anónimo

 ¿Está de acuerdo con esta cita? ¿Conoce algunos equipos o a algunos atletas que ilustren este refrán? ¿Quiénes son? Comparta sus opiniones con un/a compañero/a.

¡Dato curioso! La FIFA y UNICEF inauguraron el 16 de mayo de 2006 su campaña conjunta para la Copa Mundial de la FIFA Alemania 2006 bajo el lema "Únete por la niñez, únete por la paz". Esta campaña pone de manifiesto el potencial del fútbol como medio para fomentar la paz y la tolerancia tanto en el ámbito nacional como internacional, al igual que en las comunidades y entre los individuos.

34 Antes de leer

¿Qué sabe del fútbol en Argentina? ¿Conoce algunos equipos famosos de Buenos Aires, como Boca Juniors o River Plate? ¿Ha oído hablar de Diego Armando Maradona? ¿Para qué equipo jugó?

35 El fútbol

Lea con atención el artículo que sigue e intente averiguar el significado de las palabras en azul por el contexto, ya que se le harán preguntas sobre ellas.

Boca y River
Amor, muerte y aventura en la Ciudad del Fútbol

Parte 1

TULIO GUTERMAN Y CHRIS GAFFNEY

Sexta fecha del campeonato de fútbol en Argentina. Juegan Boca y River en la Bombonera. (A) Todo señala que no es sólo un partido de fútbol. Todo el país —y más allá— está atento al espectáculo y su entorno. Es en el barrio de La Boca, que la geografía señala como uno de los más característicos de los sectores populares en la Ciudad del Fútbol. (B) Una competencia programada en una Argentina con un visible aumento de la violencia: muertos y heridos… Es el partido entre Boca y River, el domingo 11 de marzo de 2002. Este artículo se trata de dos miradas reflexivas y diversas sobre el fenómeno, la de un norteamericano visitante en Buenos Aires, y la de un porteño, nacido en Buenos Aires. Entendemos al fútbol como un fenómeno esencialmente complejo, sobredeterminado por las condiciones sociales, culturales, económicas, geográficas, históricas y políticas. Hay partidos de fútbol en todos lados, prácticamente todos los días del año. Pero Boca y River invitan a un evento único y en un lugar único: la Bombonera. La experiencia comienza mucho antes de llegar. A varias cuadras ya hay puestos de venta callejera de banderas, parrillas al paso donde se cocinan chorizos, y a la distancia ya se escuchan las canciones del estadio. La aventura se inicia. (C) La sensación es emocionante, aumentan las pulsaciones

y se avanza más rápido porque se tiene la sensación de que se está por participar en un acontecimiento histórico. El espectáculo está a su vez *disneylandizado* por los medios, tanto por la prensa escrita, la radio y la televisión, que ofrecen una mirada parcializada, ideal e incompleta. Sin el público no hay partido. Y no es cualquier público. Toda la gente ha tenido la experiencia del estadio, aprendida desde muy chico. Esto significa saber los códigos del lugar, saber comportarse y relacionarse, para mejor o para peor. Saber cuándo entrar, gritar, cantar, sentarse, estar de pie y salir. Ésta es una experiencia común en el mundo, pero en Argentina la experiencia del estadio y lo que pasa adentro y en los alrededores significa mucho más que un pasatiempo o un objeto de consumo. (D) Constituye una parte integral de la cultura local, que abarca desde el presidente hasta los que duermen en la calle.

Continuará…

www.efdeportes.com

36 Amplíe su vocabulario

¿Cuál es la mejor traducción?

1. entorno
2. porteño
3. sobredeterminado
4. cuadra
5. callejero
6. parrilla
7. abarcar

a. resident of Buenos Aires
b. overly preset
c. to include
d. grill
e. environment
f. street
g. block

37 ¿Ha comprendido?

1. ¿Cómo se llama el barrio donde tuvo lugar el partido?
   a. La Bombonera
   b. La Boca
   c. River
   d. Ninguna de las respuestas anteriores

2. ¿Cómo es la Argentina de 2002?
   a. Fuerte económicamente
   b. Desorganizada
   c. Violenta
   d. Programada

3. ¿Qué condiciones determinan el fútbol en Argentina?
   a. Sociales, económicas y lingüísticas
   b. Sociales, culturales e históricas
   c. Geográficas, económicas y políticas
   d. Las respuestas b y c

4. ¿Qué hay en las calles antes de llegar al estadio?
   a. Hay comida y vendedores de banderas.
   b. Hay comida, canciones y vendedores de banderas.
   c. Hay canciones, comida y vendedores de entradas.
   d. Hay vendedores de entradas.

5. ¿Qué quiere decir *disneylandizado*?
   a. Todo está programado.
   b. Hay mucha atención de los medios de comunicación.
   c. Hay mucha actividad y espectáculo en el estadio.
   d. Todas las respuestas anteriores

6. ¿Cómo se podría describir al público en el estadio?
   a. Es agresivo.
   b. Está emocionado.
   c. Está programado por la cultura del deporte.
   d. Está tenso por la actividad en el campo.

7. ¿Por qué es diferente asistir a un partido de fútbol en Argentina?
   a. Es únicamente un pasatiempo.
   b. Es únicamente objeto de consumo.
   c. Es un pasatiempo y objeto de consumo.
   d. Es una parte integral de la cultura.

38 ¿Cuál es la pregunta?

Según lo que acaba de leer, escriba una pregunta lógica para estas respuestas.

1. Boca y River
2. En el entorno
3. Un norteamericano y un porteño
4. La Bombonera
5. Un acontecimiento histórico
6. Desde el presidente hasta los que duermen en la calle

39 ¿Qué piensa?

¿Quién cree que escribió la mayor parte del artículo: el norteamericano o el porteño? ¿Por qué? En su opinión, ¿lo escribieron con mucha atención a los detalles? ¿Qué detalles se destacan? Comparta su opinión con un/a compañero/a.

40 ¿Dónde va? 🔍

La siguiente oración se puede añadir al texto anterior: *Es el estadio de CABJ, el Club Atlético de Boca Juniors*. ¿Dónde encajaría mejor la oración?

1. Posición A, línea 3
2. Posición B, línea 8
3. Posición C, línea 28
4. Posición D, línea 47

41 Antes de leer 👥

¿Qué aprendió de los rituales de ir a un partido de fútbol en la Bombonera? Compare este ambiente con el que Ud. observa antes de un partido de su deporte favorito.

42 Los hinchas 📖

Lea con atención el artículo que sigue e intente averiguar el significado de las palabras en azul por el contexto, ya que se le harán preguntas sobre ellas.

Boca y River
Amor, muerte y aventura en la Ciudad del Fútbol

Parte 2

TULIO GUTERMAN Y CHRIS GAFFNEY

En el fútbol argentino no hay espectadores, cada persona es protagonista esencial del espectáculo. Sus acciones en el colectivo determinan el acontecer final. La experiencia
5 en las tribunas significa que cada persona debe integrar su propio cuerpo en un cuerpo colectivo, el de la hinchada. Es absurdo gritar cualquier cosa en la popular. Hay que poner la voz al unísono con todo lo demás, hay que pensar en la misma
10 cosa, hay que unificarse detrás de los símbolos (verbales, gestuales, colores y banderas) de la muchedumbre. La experiencia del estadio, y de las tribunas populares en particular, es algo que nos puede informar sobre la cultura del país y sobre
15 la vida de los argentinos. En la tribuna popular todos los hinchas están parados, apretados codo con codo. Llegan dos horas antes del partido y se retiran media hora después. Son casi cinco horas saltando y gritando. El fútbol representa
20 aquí entonces la lucha por la ocupación del espacio, que se constituye con los colores propios, las canciones y por supuesto los goles y los triunfos deportivos. Los hinchas de un equipo se ubican todos en un sector contenido, protegido,
25 delimitado, separado, del cual no se puede salir ni entrar. Además, también está predeterminado el espacio de acceso de cada divisa. Este territorio (las calles, los colectivos, las estaciones de tren)

está demarcado por la presencia de la policía,
30 que a su vez ocupa su propio territorio. Los colores se extienden a los cuerpos, las caras y las cabezas de los hinchas. La hinchada se viste con la camiseta de un jugador favorito, o de una época pasada, para identificar su cuerpo, su
35 propio Yo, junto con el resto del grupo. Desde hace algunos años en Argentina, cada vez más las camisetas constituyen una parte integral de los gastos de los hinchas. Hay que lucir el último modelo que se renueva cada seis meses, y por
40 el cual se pagan 60 dólares. Llevar los colores no es algo trivial, es una inversión en el equipo. Antes del inicio del partido, no hay nada para ver en el césped. Todo sucede en las tribunas. No hay show en el campo, no hay porristas,
45 no hay música en los parlantes. El centro de la tribuna es ocupado por la barrabrava, el grupo que lidera el ritmo, la formación y el espectáculo. Son fanáticos, cruzados profesionales, financiados por los dirigentes, jugadores y directores técnicos.
50 Reciben pasajes, entradas, trabajos, viviendas, materiales, información y dinero. Son los que se enfrentan con los hinchas rivales y, en algunos casos, la policía, en el cuerpo a cuerpo, tanto a golpes de puño, o utilizando palos, armas blancas
55 y armas de fuego. Los barrabrava provienen de todos los sectores sociales y no son ajenos al club. Muchos figuran a veces como empleados, o son funcionarios de bajo rango en la administración pública del distrito, de la provincia o de la nación.
60 Lo que pasa dentro del estadio es mucho más que lo que leemos en los diarios o lo que nos muestran por televisión.

www.efdeportes.com

43 Amplíe su vocabulario 🔍

Según el contexto del artículo anterior, empareje cada palabra de la primera columna con su definición o sinónimo de la segunda.

1. acontecer
2. integrar
3. hinchada
4. muchedumbre
5. hincha
6. divisa
7. colectivo
8. porrista
9. barrabrava
10. cruzado
11. vivienda
12. a golpes de puño
13. ajeno

a. sector
b. autobús
c. fanático
d. pegar con la mano
e. hacer parte
f. soldado
g. extraño
h. animador(a)
i. grupo de fanáticos
j. muchas personas
k. suceder
l. los líderes de la hinchada
m. domicilio

44 Complete 🔍

Complete las oraciones según la segunda parte de "Boca y River. Amor, muerte y aventura en la Ciudad del Fútbol".

1. Nadie grita solo en el estadio...
2. El espacio de acceso al estadio de cada grupo está determinado por... porque...
3. La experiencia típica de un espectador dura casi cinco horas porque...
4. Llevar una camiseta del equipo al estadio es importante porque...
5. No hay show en el campo, no hay porristas, no hay música en los parlantes antes del inicio del partido pero...

45 Lea, escuche y escriba/presente 👥

Vuelva a leer las dos partes del artículo sobre el fútbol en la Bombonera y luego escuche "Las contradicciones del fútbol brasileño" y tome notas. Escriba un ensayo o haga una presentación en clase sobre el nacionalismo en el fútbol. No se olvide de citar las fuentes.

Cita

En el básquetbol, lo importante de un jugador no es lo alto que sea, sino lo alto que juegue.
—Anónimo

¿Está de acuerdo con la cita? ¿Se puede aplicar a otros deportes? Escriba la cita refiriéndose a otros dos o tres deportes. Comparta sus opiniones con un/a compañero/a.

¡Dato curioso!

En Argentina existe un programa que se llama Pasión sin Violencia. Su objetivo es crear un espacio abierto de reflexión sobre la violencia en el deporte y en el fútbol específicamente. Busca la participación de todos: niños, jóvenes y adultos en prevenir los actos violentos en los espacios deportivos. Dicen que el fútbol, los otros deportes y los encuentros en las canchas son espacios para disfrutar con fiestas populares que promueven la amistad, el encuentro, el intercambio, la sana competencia y la pasión por la camiseta.

¡A escuchar!

46 Los fármacos

¿Qué sabe del dopaje, o doping, en los deportes? Lea las posibles respuestas primero y después escuche "Un doble enfoque de la utilización de los fármacos: ¿dopaje o salud?" Escoja la mejor respuesta para la pregunta que escuchará en la grabación.

1. (Pregunta que escuchará en la grabación.)

   a. Para mejorar su cuerpo
   b. Para transformar los buenos hombres en los mejores
   c. Para transformar los hombres normales en muy buenos y los discapacitados en personas capaces
   d. Todas las respuestas anteriores

2. (Pregunta que escuchará en la grabación.)

   a. Hay mucha desinformación entre los que usan productos naturales y productos artificiales.
   b. Hay mucha desinformación entre los atletas y las empresas.
   c. Hay mucha desinformación entre los entrenadores y los atletas.
   d. Hay mucha desinformación en toda la industria farmacéutica.

3. (Pregunta que escuchará en la grabación.)

   a. Bajo la supervisión de un entrenador
   b. Bajo la supervisión de un doctor
   c. Sin supervisión
   d. Las respuestas a y b

4. (Pregunta que escuchará en la grabación.)

   a. Es un producto natural con el que se obtienen resultados.
   b. Es un producto que ayuda en los deportes de resistencia.
   c. Es un producto que ayuda en el transporte de oxígeno hasta el músculo.
   d. Las respuestas b y c

5. (Pregunta que escuchará en la grabación.)

   a. Los aficionados, los deportistas profesionales y los deportistas jóvenes
   b. Los atletas del ciclismo profesional y esquí de fondo
   c. Los culturistas y levantadores de pesas
   d. Ningún grupo específico

6. (Pregunta que escuchará en la grabación.)

   a. Obtener una ventaja sobre los demás
   b. Aumentar el desempeño del atleta en una competición
   c. Obtener ayuda para competir mejor
   d. Todas las respuestas anteriores

47 La UNESCO

¿Qué sabe de la UNESCO (la Organización de las Naciones Unidas para la Educación, la Ciencia y la Cultura)? ¿Piensa que esta organización tiene mucho poder en el mundo deportivo? Escuche la grabación "UNESCO se dispone a adoptar primer texto vinculante contra dopaje" y luego conteste las siguientes preguntas.

1. ¿Cuándo votará La Conferencia General de la UNESCO un Convenio? ¿De qué se trata el Convenio?
2. ¿Cómo va a entrar en vigor el Convenio?
3. ¿Cuál es la única excepción que admite el Convenio para contar con sustancias prohibidas?
4. ¿Qué acciones propone el Convenio para prevenir el uso de sustancias prohibidas?
5. ¿Qué sugerencias ofrece el Convenio para persuadir que no se usen las sustancias prohibidas?

48 Un resumen

Vuelva a escuchar la grabación anterior y escriba un resumen de ella.

49 Participe en una conversación

Ud. va a participar en una conversación. Primero lea la descripción de la conversación y piense en algunas palabras o expresiones que le serían útiles. Organice sus ideas, haciendo predicciones sobre lo que se le pueda preguntar o comentar. Una descripción de lo que va a escuchar aparece abajo en color. Participe en la conversación grabando las respuestas o escribiéndolas en su cuaderno.

Escena: Se ha anunciado un nuevo programa de antidopaje en el lugar donde estudia. Ud. es deportista y no usa fármacos, pero está preocupado/a porque una amiga —que también es deportista—, le pide su opinión.

Su amiga:	Su amiga plantea el problema.
Ud.:	• Dígale lo que piensa del nuevo programa.
Su amiga:	Sigue la conversación y le pide su opinión.
Ud.:	• Dele su opinión.
Su amiga:	Le hace una pregunta y un comentario.
Ud.:	• Contéstele.
Su amiga:	Sigue la conversación y le pide un consejo.
Ud.:	• Dele su opinión. Explique las razones.
Su amiga:	Sigue la conversación y le hace otra pregunta.
Ud.:	• Contéstele y despídase.

¡A escribir!

50 Texto informal: los deportes del futuro

Escriba en un blog, hablando del deporte en el siglo XXI.

- Mencione cómo imagina que será el deporte a finales de este siglo.
- Mencione dos o tres aspectos que Ud. espera que cambien en el deporte.
- Mencione cómo el dopaje, la violencia y el nacionalismo van a figurar en el mundo deportivo.
- Termine con el momento más memorable de un deporte.

51 Texto informal: la violencia en los deportes

En un foro editorial del periódico de su escuela o universidad, describa un incidente de violencia durante un partido de básquetbol (real o imaginario) durante el fin de semana.

- Plantee el incidente y las causas.
- Exprese su opinión.
- Ofrezca sugerencias para disminuir la posibilidad de otro incidente similar en el futuro.

> **Consejo**
>
> Antes de empezar, lea las pautas para escribir textos informales en la pág. 480 del Apéndice. Mientras escribe el texto tenga presente los objetivos. Cuando termine, verifique que ha cumplido con todo lo que se describe en la lista y reflexione sobre el trabajo que hizo.

52 Ensayo: los toros

Lea el artículo sobre los toros a continuación y piense en la siguiente cita: *Si la tauromaquia es arte, el canibalismo es gastronomía.* **Luego escriba un ensayo que explique si la corrida de toros es un deporte o no.**

El arte de torear

El arte de torear está arraigado en España desde hace muchos siglos. Ya en las prehistóricas pinturas rupestres se pueden observar dibujos de toros. Desde estos
[5] primeros contactos con el toro, se fue desarrollando poco a poco el arte de torear, hasta llegar a lo que hoy en día conocemos como *la lidia del toro bravo*. De esta manera se ha convertido al toro bravo español en
[10] una raza única y presente tan sólo en la Península Ibérica, en el sur de Francia y en Hispanoamérica...

El toreo como hoy lo conocemos se remonta a finales del siglo XVII y principios del XVIII, evolucionando desde distintas escuelas, entre las que destacaron la Sevillana y la de Navarra. Este espectáculo
[15] sin igual en el mundo, donde el hombre arriesga su vida y desata pasiones en el ritual del arte y la muerte, ha formado parte de la cultura universal, siendo base importantísima de otras manifestaciones culturales como la literatura, la pintura, la escultura, la música, el cine, etc. Destacados artistas de los últimos siglos se han fijado en la tauromaquia a la hora de desarrollar su actividad: Goya, José Ortega y Gasset, Pablo Picasso, Ernest Hemingway y
[20] Orson Welles son una buena muestra de ello.

53 Ensayo: los deportes

Escriba un ensayo que explique lo que se aprende de los deportes.

54 Ensayo: los atletas

Escriba un ensayo que explique los obstáculos y los beneficios de ser un/a atleta profesional o universitario/a.

55 En parejas

Intercambie sus ensayos con los de un/a compañero/a. Exprésele su opinión sobre el contenido y el uso del idioma.

Consejo

Antes de empezar, lea las pautas para escribir ensayos en la pág. 480 del Apéndice. Mientras escribe el ensayo tenga presente los objetivos y no se olvide de ponerle un título original. Cuando termine, verifique que ha cumplido con todo lo que se describe en la lista y reflexione sobre su trabajo.

¡A hablar!

56 Charlemos en el café

Ud. va a debatir los siguientes temas con un/a compañero/a. Uno estará a favor de lo que se ha dicho y otro en contra. El debate durará varios minutos. El/La estudiante que esté de acuerdo comenzará el debate y hablará por unos diez segundos. Cuando el/la profesor/a lo indique, el/la otro/a estudiante tomará la palabra y expresará su opinión por otros diez segundos y así sucesivamente.

1. Los atletas profesionales y/o famosos merecen el prestigio que tienen y el dinero que ganan.
2. El tráfico de niños atletas es positivo en los países desarrollados, porque en estos países los jóvenes no quieren ser atletas profesionales.
3. Los porristas juegan un papel muy importante en una competición deportiva.
4. El número y el apoyo de los espectadores siempre le da la ventaja al equipo que juega en su propio estadio.
5. Los gobiernos deben financiar todos los gastos de los atletas en las competiciones como los Juegos Olímpicos.

57 ¿Qué opinan?

Converse con un/a compañero/a sobre estas situaciones o preguntas.

1. Ud. es universitario/a y también atleta. Si le ofrecieran la oportunidad de hacerse atleta profesional pero con la condición de abandonar los estudios, ¿lo haría? Explique por qué.
2. ¿Existe discriminación en los deportes? ¿Piensa que hay paridad de acceso a todos los deportes entre hombres y mujeres? ¿Y entre jóvenes y mayores?
3. Se dice que los sobornadores y los apostadores fijan los resultados de la mayoría de las competiciones deportivas profesionales. ¿Es verdad? ¿Qué haría Ud. si supiera que había una competición fijada por un soborno?

58 Presentemos en público

Conteste una de las siguientes preguntas o haga una presentación oral sobre uno de los temas durante varios minutos en clase. Organice sus ideas antes de hacer la presentación, busque las palabras necesarias y, después de practicar, presente en clase sin mirar las notas.

Consejo

Antes de empezar, lea las pautas para presentaciones formales en la pág. 481 del Apéndice. Mientras formula su presentación tenga presente los objetivos. Cuando termine la presentación, verifique que ha cumplido con todo lo que se describe en la lista y reflexione sobre el trabajo que hizo.

1. ¿Cree que la globalización de los deportes los ha afectado demasiado? ¿Qué haría Ud. para promocionar la idea de que el deporte es una competición deportiva y no un negocio?

2. ¿Qué deporte profesional es el más exigente? ¿Por qué? Hable de los aspectos físicos (entrenamiento, talento, nivel de competencia) y la preparación mental. Mencione los sacrificios y los obstáculos (viajar y estar lejos de la familia, el dopaje, la presión por ser el número uno, los sobornos, etc.).

3. Opine sobre los contratos que reciben los atletas para promocionar productos. No se olvide de mencionar si los atletas los merecen, sobre todo el dinero que reciben para promocionar estos productos.

4. Su hermanita participa en un equipo de fútbol, pero el entrenador ha renunciado y el equipo está buscando a otro/a. Explique por qué Ud. sería (o no) el/la candidato/a ideal.

Proyectos

59 ¡Manos a la obra!

Trabaje en un grupo de cuatro o cinco estudiantes para llevar a cabo uno de los siguientes proyectos y presentarlo a la clase.

- Muchos dicen que ni las corridas de toros ni la lucha libre son deportes. Entonces, ¿en qué consiste un deporte? Establezcan unos criterios y aplíquenlos a un deporte. Después usen el ejemplo de la lucha libre o las corridas de toros y expliquen por qué no son deportes.

- ¿Recuerdan las siguientes citas de la lección?: *Cuando somos buenos, nadie nos recuerda, cuando somos malos, nadie nos olvida. En esta vida no te perdonan si te dejas ganar y te odian si ganas siempre.* Piensen en un atleta o equipo que tenga mala fama o reputación. Organicen un plan de marketing para mejorar su imagen.

- Hagan un anuncio para promover la práctica de un deporte sin violencia. Decidan qué deporte será, qué deportistas profesionales van a aparecer en el anuncio y a quiénes van a dirigir el anuncio.

Vocabulario

Verbos

aliviar	to relieve
apostar (ue)	to bet
brindar	to offer
contradecir	to contradict
descalificar	to disqualify
destacarse	to stand out
disminuir	to lessen
emigrar	to emigrate
empatar	to tie (*a score*)
enmarcar	to frame, form the backdrop
entrenar	to train, coach
estar entrenándose	to be in training
favorecer	to favor
hacer atletismo	to practice track and field
hacer competencia	to have a rivalry
hacer deporte(s)	to do/practice sports
juzgar	to judge
patrocinar	to sponsor
perdurar	to last, endure
permanecer	to stay
promocionar	to promote
reavivar	to rekindle; to revive
remitir	to send
seleccionar	to select
señalar	to point out
sobornar	to bribe
solucionar	to (re)solve
torear	to fight bulls

Verbos con preposición

verbo + a:

acercarse a	to approach, get close to
precipitarse a	to hurry to

verbo + con:

competir (i) con	to compete with

verbo + de:

evolucionar de	to evolve from

verbo + en:

enmarcarse en	to be in line with
fijarse en	to pay attention to, notice
iniciarse en	to begin
recaer en	to go to (*prize, award*)
tener un efecto en	to have an effect on

Sustantivos

el	ámbito	atmosphere
el/la	apostador(a)	bettor (person who bets)
el	apoyo	support
la	apuesta	bet
el	atletismo	track and field
el	cansancio	tiredness
la	carrera	race; career
el	castigo	punishment

la	corrida de toros	bullfight
el/la	culturista	bodybuilder
los/las	demás	the rest, others
el/la	discapacitado/a	handicapped person
el	dopaje sanguíneo	blood enhancement
el	empate	tie (*score*)
el	empeño	determination, effort
el/la	entrenador(a)	trainer
el	fármaco	medication
el	fracaso	failure
el	galardón	award, prize
el/la	galardonado/a	prizewinner
el/la	hincha	fan, supporter
la	inversión	investment
la	jabalina	javelin
el	lanzamiento de disco	discus throwing
el/la	levantador(a) de pesas	weight lifter
la	marca	brand name
la	minusvalía	handicap, disability
el/la	minusválido/a	handicapped person
el	ocio	leisure time
la	paridad	equality
la	permanencia	stay; continuance
la	pértiga	pole vault
la	polémica	controversy
el/la	porrista	cheerleader
el	premio	prize, award
el	prestigio	prestige
el/la	propagador(a)	promoter
la	receta	prescription
el	respaldo	endorsement
el/la	sobornador(a)	person who bribes
el	soborno	bribe
el/la	testigo	witness
el	tiro al arco	archery
el	toreo	(art of) bullfighting
el/la	torero/a	bullfighter
la	trayectoria	path, trajectory
la	valla	hurdle

Adjetivos

alcanzable	reachable
disponible	available
empírico, -a	empirical (from experience)
motriz	motor
taurino, -a	related to bullfighting

Expresiones

asimismo	also
ciudad organizadora	organizing (host) city
dar pie a	to take hold, allow
entrar en vigor	to go into effect

A tener en cuenta

Palabras problemáticas

to ask

to ask for something	pedir
to ask a question	preguntar, hacer una pregunta
to ask for someone	preguntar por
to wonder	preguntarse

to fail

to fail a course	suspender, reprobar (a alguien)
to be unsuccessful	fracasar
to stop doing something	dejar de
to miss; to be lacking	faltar (a)

to leave

to leave behind, abandon	dejar
to go out, depart, leave (a place)	salir
to go away	irse, marcharse

to take

to take an exam	examinarse
to take a course	seguir una asignatura
to take out	sacar
to take place	tener lugar
to take away	quitar
to take time	tardar, demorar(se)
to take something the wrong way	tomárselo mal, interpretarlo mal

time

a period or duration of time	tiempo
once, one time	una vez
all the time (constantly)	constantemente
each time	cada vez
once again	otra vez
at times	a veces
time of day	hora
a short time, a while	un rato
time during a season, historical time	época
to have a good time	divertirse, pasarlo bien
to buy time	ganar tiempo
to have time on one's hands	sobrarle tiempo
against time	contra reloj
in time	a tiempo
to have a hard time convincing someone	costarle muchísimo convencerlo/la
(to arrive) anytime now	(llegar) en cualquier momento
it's about time (you practiced a sport)	ya es hora (de que practiques un deporte)

Capítulo **7**

¡Conéctese a su mundo!

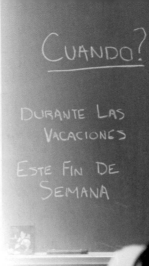

Lección
A

Objetivos

Comunicación
- Hablar del impacto de la tecnología
- Hablar de la importancia de los idiomas
- Describir los problemas ecológicos

Gramática
- Repaso de los tiempos verbales
- El comparativo y el superlativo
- *Por* y *para*
- El género de los sustantivos
- Los pronombres personales y los adjetivos posesivos
- El subjuntivo

"Tapitas" gramaticales
- pronombres relativos
- la terminación *-quiera*
- reconocer ciertos tiempos verbales
- formas apócopes
- *ambos*

Cultura
- Western Union
- Los teléfonos celulares
- Estudio del español
- Estudio del chino
- Los bosques
- La Amazonia

Visite la página Web de
¡A toda vela! en
www.emcp.com

1 Conteste las preguntas 👥

Piense en las respuestas a las siguientes preguntas. Ud. puede tomar notas si lo considera necesario. Cuando termine, compare sus respuestas —pero sin mirar sus notas— con las de un/a compañero/a.

1. ¿Cómo ha cambiado nuestro mundo desde principios del siglo XX hasta principios del siglo XXI?
2. Haga una lista de los inventos más importantes del siglo XX. Incluya algún invento de este siglo.
3. ¿Tiene un teléfono celular? ¿Cuándo lo usa? ¿Por qué? ¿Cree que mucha gente abusa de los celulares? ¿Por qué?
4. ¿Qué opina en general de la educación en los Estados Unidos, en su región, estado, escuela o universidad?
5. ¿Qué opina de la necesidad de aprender español en nuestra sociedad?
6. En las carreras del futuro, ¿será importante hablar español? ¿Por qué?
7. ¿Estaría interesado/a en una carrera donde tuviera que hablar español? ¿En cuál? ¿Por qué está interesado/a en esta carrera?
8. Nombre cinco problemas ecológicos que afectan nuestro mundo actual.
9. ¿Qué piensa de los cambios meteorológicos que están afectando el clima en los últimos veinte años?
10. ¿Qué desastres naturales han ocurrido en nuestro mundo en los últimos años?

Un invento fundamental del siglo XX: la computadora portátil

2 Mini-diálogos 👥

Ud. va a crear un mini-diálogo con un/a compañero/a. Lea la descripción de la conversación en la página siguiente antes de empezar. Puede tomar notas para organizar sus ideas, pero no las mire mientras conversa. Le pueden servir algunas de las palabras del recuadro.

la oferta	hacer un convenio
el plan de llamadas	el número de minutos permitidos
sin cargo móvil a móvil	minutos al mes
el programa de mensajes	el cobro de servicio de navegación en la red inalámbrica
el ciberespacio	la Red Mundial (WWW)
la Red	el programa buscador
la factura	poner atención a las letras pequeñas del contrato

continúa

Escena: Dos amigos/as están mirando anuncios en el periódico para teléfonos celulares porque uno/a de ellos ("B") quiere comprar uno nuevo. El/La otro/a ("A") le ayuda a decidir cuál debe comprar.

A: Entable una conversación sobre los teléfonos celulares. Pregúntele a su compañero/a sobre las características que él/ella busca en su nuevo teléfono.

B: Hable sobre las características.

A: Después de mirar un anuncio del periódico, hable de las características de este teléfono y el precio.

B: Haga unos comentarios sobre este teléfono y hágale preguntas sobre otro anuncio.

A: Conteste las preguntas con información adicional de los anuncios.

B: Reaccione y pídale que mire otro anuncio.

A: Haga un comentario sobre el tercer anuncio.

B: Tome una decisión e invítelo/la a acompañarlo/la a la tienda donde se venden teléfonos celulares.

A: Reaccione a la decisión y a la invitación.

¿Qué características busca Ud. en un teléfono celular?

Proverbio

No puede impedirse el viento. Pero pueden construirse molinos.
—Proverbio holandés

¿Cómo aplicaría este proverbio a la naturaleza? ¿Y a otros ámbitos de la vida cotidiana? Comparta su opinión con un/a compañero/a.

¡Dato curioso!

Aunque hay inventos que son bastante recientes, como el taladro dental inventado por un mecánico estadounidense, esto no impidió a odontólogos como el egipcio Hesi-Re en el año 3000 a. de J. C. arreglar los dientes de los faraones, o a un médico cordobés en operar de cataratas a sus pacientes alrededor del año 800 en España. Hay muchos inventos a los que no les damos importancia; no obstante, su reciente uso ha mejorado la calidad de vida de muchas personas, como también es el caso de los pañales o el plástico entre muchos otros.

Vocabulario y gramática en contexto

3   Un foro 🛆🛆 📖

Túrnese con un/a compañero/a para leer los comentarios que dos personas han escrito en un foro sobre los inventos y la tecnología. Fíjese en las palabras que aparecen en azul (relacionadas con el vocabulario) y en rojo (relacionadas con la gramática), ya que en las siguientes actividades se le harán preguntas sobre ellas.

Dirección 〈 ◀ ▶ 〉 　　　　　　　　　　　　　　　Q▾　　　✲

📖　Archivo　Edición　Ver　Favoritos　Herramientas　Ayuda

Los inventos

Una maqueta del Sputnik 1

El ENIAC, el primer ordenador electrónico

Acabo de leer un artículo sobre algunos inventos del siglo XX. Aquí están en orden cronológico. La lavadora eléctrica y la aspiradora aparecieron en 1901. En 1907 Henry Ford empezó a fabricar tractores en serie con
5 piezas de automóviles y en 1908 introdujo el modelo T. En 1912 se perfeccionó la cremallera o el cierre; hoy existe una infinidad de modelos sobre todo para la industria textil. En 1931 se construyó el primer radar para enviar impulsos de radio detectores de barcos.
10 En 1934 se empezó a utilizar el filamento doblemente enrollado que dio origen a las bombillas actuales, de las cuales existen muchísimos modelos y formas. En 1935 una empresa inventó una banda plástica cubierta de una película magnética y nació la primera
15 grabadora. En 1937 se inició la comercialización de los calentadores de aire. El bolígrafo moderno, práctico, desechable y de poco costo, fue inventado en 1940. En 1945 se patentó un aparato que luego se convertiría en

el horno de microondas. En 1946 quedaba concluida
20 la construcción del ENIAC, el que se considera el primer ordenador electrónico de la historia. La primera grabación en video se realizó en 1951. En 1957 la ex Unión Soviética lanzó con un cohete el primer satélite artificial, el Sputnik 1. En 1974 se inauguró en
25 Japón la línea del Nuevo Tokaido con sus trenes que alcanzaban una velocidad de 200 kilómetros por hora. En 1979 dos empresas, Philips y Sony, desarrollaron discos compactos. Hacia 1980 las compañías RCA, Sharp y Xerox se lanzaron a la tarea de perfeccionar
30 el fax. En 1982 al dentista jubilado, Barney Clark, se le implantó un órgano mecánico hecho de plástico y metal para sustituir su corazón. En 1983 se fabricaron los primeros teléfonos móviles. ¿Cómo sería nuestro mundo sin estos inventos? No sé si podría vivir sin
35 muchos de ellos.

—Susana

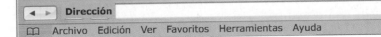

La tecnología

Yo reconozco que la tecnología ha proporcionado numerosas ventajas y beneficios; entre otros, ha proporcionado mejores condiciones de vida al permitir a
5 los seres humanos ser más independientes de la naturaleza, poder sobrevivir en ambientes hostiles y disponer de alimentos. La tecnología también ha mejorado las comunicaciones. La medicina ha
10 prolongado la esperanza de vida para muchos; los avances arquitectónicos y tecnológicos nos han ayudado a vivir en los desiertos, en las zonas antárticas o en la selva; la comida deshidratada y la congelada
15 nos ayuda a alimentarnos dondequiera. Nuestro mundo es muy cómodo para muchos. Por otra parte, la utilización inadecuada de la tecnología ha provocado la

Las plataformas petrolíferas han invadido los mares.

aparición de numerosos problemas:
20 el deterioro del medio ambiente; la sobreexplotación de recursos naturales como la madera, el petróleo y aun el agua; y la aparición de nuevas enfermedades como el SIDA y las grandes
25 diferencias económicas que dan lugar a problemas sociales, en algunos casos, de consecuencias imprevisibles. ¿Hasta dónde se aprovechará la tecnología? Unas organizaciones ecológicas y humanitarias
30 como Greenpeace y algunos comités de las Naciones Unidas luchan por el bienestar del ser humano en armonía con la tecnología y la naturaleza.

—Gonzalo

La deforestación contribuye al deterioro del medio ambiente.

4   Amplíe su vocabulario

Clasifique las palabras que aparecen en azul y rojo en las lecturas anteriores según sean sustantivos, adjetivos, verbos o expresiones relacionados con inventos y tecnología.

5 Repaso 🔍

Conteste estas preguntas basadas en las lecturas de la Actividad 3.

1. Haga una lista de todos los verbos en el pretérito.
2. Explique el uso de *se* con los verbos del pretérito en los artículos y cite todos los ejemplos.
3. Busque los dos verbos en el imperfecto. Contraste el uso del imperfecto con el pretérito de la lectura.
4. Busque los tres verbos en el condicional y explique su uso en la lectura.
5. Explique el cambio que sufren en el presente los verbos que terminan en *-cer*. Cite un ejemplo de la lectura.
6. ¿Cuándo se usa el presente perfecto?
7. ¿Qué adjetivo tiene una forma irregular en el comparativo y en el superlativo? Escriba estas dos formas del adjetivo.
8. Busque tres usos diferentes del infinitivo en los comentarios del foro y cítelos.
9. Explique los usos de *por* y *para* en los comentarios del foro.
10. En los comentarios, ¿qué sustantivo femenino lleva artículo masculino? ¿Por qué?
11. ¿Qué verbo se usa en el futuro? ¿Hay otra manera de expresar lo mismo con distinto tiempo o expresión verbal? ¿Cuál?

6 Más repaso 🧍🧍 🔍

Con un/a compañero/a haga las siguientes actividades.

1. Hagan una lista de los verbos seguidos de una preposición en los foros de la Actividad 3.
2. Ya han identificado en la Actividad 5 un adjetivo con formas irregulares en el comparativo y superlativo. Hagan una lista de las formas irregulares de otros adjetivos en el comparativo y superlativo. (No tienen por qué estar en los foros.)
3. Expliquen los usos del futuro.

7 "Tapitas" gramaticales 🔍

Conteste estas preguntas basadas en las lecturas de la Actividad 3.

1. ¿Qué significa en inglés *las cuales* en la frase "dio origen a las bombillas actuales, de las cuales existen muchísimos modelos y formas"? Explique el uso del pronombre relativo *cual*.
2. Explique la construcción verbal *fue inventado*. ¿Hay otra manera de escribir la oración "El bolígrafo moderno, práctico, desechable y de poco costo, fue inventado en 1940"? ¿Cuál es?
3. ¿Qué significa *al permitir*? ¿Tiene otro significado? ¿Cuál es?
4. ¿Qué significa *dondequiera* en inglés? Explique la terminación *-quiera*.

8 ¿Qué opina? 🧍🧍

Reaccione a lo que cada persona ha escrito en el foro de la Actividad 3 y comparta su opinión con un/a compañero/a. Incluya palabras del vocabulario nuevo que aparecen en azul.

9 Por qué estudiar español 📖

Lea con atención el siguiente artículo, prestando atención a las palabras en azul, ya que se le harán preguntas sobre ellas.

Por qué estudiar español

Hablar español te permite comunicarte con casi 500 millones de personas mundialmente. ¡Sueña con todas
⁵las oportunidades profesionales que eso pueda regalarte! Saber un poquito de español va a facilitar tu visita si quieres viajar a España o Latinoamérica.
¹⁰Después del chino mandarín y del inglés, el español es el tercer idioma más hablado del mundo. Hoy hay casi 500 millones de personas que lo hablan; a finales del siglo XIX había sólo 60 millones.

El Palacio de las Artes Reina Sofía (Valencia), de Santiago Calatrava

¹⁵Hay unos 350 millones de hispanohablantes en 21 países. En México hay 98 millones; en España, 39 millones; en Estados Unidos, 39 millones; en Argentina, 35 millones; en Colombia, 36 millones; en Venezuela, 22 millones; en Perú, 20 millones. El español es el segundo idioma más utilizado en la comunicación internacional y es lengua oficial de la ONU y de sus organizaciones. Según un
²⁰informe, el mundo es cada día más multilingüe, como lo demuestra la gran demanda de idiomas como el español y el árabe, ambos idiomas clave para el futuro. El dominio de las lenguas extranjeras es una ventaja significativa para quienes buscan empleo, ya que cada vez más empresas realizan negocios internacionales. La oficina del Censo de EE.UU. informa que la población hispana
²⁵del país pasará de 38.2 millones a 49.3 millones en el año 2015. El crecimiento de este grupo ha aumentado la demanda de medios de comunicación en español: radio, televisión, periódicos y revistas. Los países latinoamericanos están experimentando un fuerte crecimiento económico y se han convertido en poderosos vínculos comerciales en el mundo. Por otro lado, la cultura latina
³⁰sigue teniendo una influencia mundial en la arquitectura, con arquitectos como el español Santiago Calatrava, constructor del recinto olímpico de Atenas 2004 y la nueva sede del World Trade Center en Nueva York; en el arte con los artistas hispanos Picasso, Botero y Dalí entre otros, y en la literatura con los autores hispanos tales como Gabriel García Márquez e Isabel Allende. Para mí,
³⁵lo más importante será hacer una carrera donde pueda usar mis conocimientos de español al mismo tiempo que trato otras culturas.

10 Amplíe su vocabulario 🔍

Empareje cada palabra de la primera columna con su correspondiente definición o sinónimo de la segunda.

1.	mundialmente	a.	con muchas lenguas
2.	soñar con	b.	Naciones Unidas
3.	regalar	c.	profesión
4.	facilitar	d.	reportaje
5.	ONU	e.	centro
6.	informe	f.	registro de población
7.	multilingüe	g.	en todo el mundo
8.	dominio	h.	progresión
9.	ventaja	i.	local
10.	empleo	j.	beneficio
11.	realizar	k.	conocimiento
12.	censo	l.	pensar en
13.	crecimiento	m.	puesto
14.	vínculo	n.	ofrecer
15.	recinto	o.	ayudar
16.	sede	p.	aliado
17.	carrera	q.	ejecutar

11 El español y otras lenguas 👥

Con un/a compañero/a haga una lista de las palabras o expresiones que conozcan relacionadas con el aprendizaje de lenguas. Piensen en otras palabras o expresiones relacionadas que les gustaría saber y búsquenlas en el diccionario.

12 Los pronombres personales y los adjetivos posesivos 🔍

Conteste estas preguntas relacionadas con el artículo "Por qué estudiar español".

1. Haga una lista de los pronombres personales y de los adjetivos posesivos que aparecen en el texto.
2. Explique el uso de los pronombres personales en el artículo y en general.
3. Explique el uso de los adjetivos posesivos en el artículo y en general.

13 "Tapitas" gramaticales 🔍

Conteste estas preguntas relacionadas con el artículo anterior.

1. ¿Por qué decimos *pueda* y no *puedo* en la oración "¡Sueña con todas las oportunidades profesionales que eso pueda regalarte!"?
2. ¿Por qué se dice *el tercer idioma* y no *el tercero idioma*?
3. ¿Cómo se transforma un verbo en adjetivo (por ejemplo, de *hablar* a *hablado*)? Busque otro ejemplo en el texto. ¿Y cómo se forma el comparativo de estos adjetivos?
4. ¿Cuál es el uso de la palabra *ambos* en la frase "ambos idiomas clave para el futuro"?
5. Explique el uso de la palabra *clave* en la frase "ambos idiomas clave para el futuro".
6. ¿Qué tiempo verbal es *están experimentando*? ¿Y *sigue teniendo*? ¿Se podría sustituir el presente del indicativo en las dos oraciones donde aparecen estas frases en la lectura? ¿Qué matiz aporta a la oración este tiempo verbal que no hace el presente del indicativo?

14 Un correo electrónico ✑

En un correo electrónico explíquele a un/a amigo/a que Ud. está considerando tomar otros cursos avanzados de español. Háblele de las ventajas de estudiar español y anímele a que continúe sus estudios de este idioma también.

15 Indicativo o subjuntivo 📖

Échele una ojeada a la lectura que sigue, prestando atención a las palabras en azul, ya que se le harán preguntas sobre ellas. Luego lea el artículo y complételo con el presente del indicativo o subjuntivo de los verbos entre paréntesis.

A leer y practicar matemáticas en verano

El verano es la época para descansar de la escuela, pero los expertos advierten que los estudiantes __1.__ (*tener*) que leer y practicar matemáticas porque temen que ellos __2.__
[5] (*olvidarse*) mucho de lo aprendido durante el año. Es aconsejable que todos los alumnos __3.__ (*hacer*) caso de estudiar, pero especialmente aquéllos cuyo idioma principal no es el inglés. Se supone que todos los jóvenes __4.__ (*sufrir*)
[10] un retroceso de uno a tres meses de aprendizaje durante el verano. Algunos expertos dicen que muchos estudiantes __5.__ (*perder*) más conocimientos en matemáticas que en lectura. Es corriente que muchos estudiantes en las escuelas
[15] públicas de EE.UU. __6.__ (*completar*) la lectura de un libro asignado en el verano. Los profesores de inglés les piden que __7.__ (*presentarse*) a un examen sobre el texto, durante la primera semana que regresan a la escuela en agosto o
[20] en septiembre. Entonces, los expertos insinúan que este ejercicio los __8.__ (*obligar*) a leer por lo menos un libro durante el verano. Es imprescindible que los padres __9.__ (*ayudar*) a los hijos a mantener sus conocimientos
[25] académicos, y los expertos exigen que los padres __10.__ (*establecer*) unas reglas desde el principio. Deben dejar claro que sus hijos tienen que leer y practicar matemáticas durante el verano. Los padres necesitan que sus hijos __11.__ (*saber*) que
[30] deben hacerlo a menos que ellos __12.__ (*lograr*) mucho durante el curso escolar anterior. En el caso de estudiantes cuyo primer idioma no es inglés, ojalá que los padres __13.__ (*matricular*) a los niños en la escuela de verano para darle
[35] continuidad al inglés. Es preciso que la escuela

¿Qué estudiarán estos chicos en el verano?

de verano les __14.__ (*enriquecer*) y que les __15.__ (*acelerar*) el aprendizaje en áreas donde los jóvenes __16.__ (*mostrar*) especial interés. Si tienen recursos financieros, algunos expertos
[40] proponen que los padres __17.__ (*contratar*) a un tutor para trabajar con su hijo. Esta persona __18.__ (*poder*) ser un estudiante universitario, un profesional, un maestro que __19.__ (*querer*) trabajar durante el verano o una persona
[45] retirada. En el caso de estudiantes que quieran reforzar el aprendizaje de una segunda lengua, se recomienda que los padres __20.__ (*buscar*) algunos programas educativos en la televisión para acostumbrar el oído al idioma y escuchar
[50] la buena pronunciación. Lo importante es que la educación continuada durante el verano __21.__ (*ser*) enriquecedora y abundante pero, sobre todo, divertida.

www.laopinion.com

16 Amplíe su vocabulario 🔍

Según el contexto del artículo anterior, ¿cuál es la mejor traducción de cada palabra?

1. época
   a. epic
   b. time
   c. season
   d. opportunity

2. lo aprendido
   a. what was learned
   b. knowledge
   c. learning
   d. what was taught

3. retroceso
   a. process
   b. delay
   c. difficulty
   d. backward step

4. aprendizaje
   a. what was learned
   b. knowledge
   c. learning
   d. what was taught

5. corriente
   a. current
   b. running
   c. common
   d. advisable

6. imprescindible
   a. obvious
   b. true
   c. essential
   d. advisable

7. exigir
   a. to exhibit
   b. to require
   c. to expect
   d. to advise

8. desde el principio
   a. from the start
   b. with principles
   c. with principals
   d. from the principle

9. a menos que
   a. in spite of
   b. on the condition that
   c. unless
   d. although

10. ojalá
    a. oh my God
    b. thank goodness
    c. if it is so
    d. it is hoped

11. preciso
    a. evident
    b. challenging
    c. necessary
    d. true

12. proponer
    a. to warn
    b. to fear
    c. to demand
    d. to propose

13. oído
    a. tone
    b. vowel
    c. ear
    d. sound

14. enriquecedor
    a. enriching
    b. fruitful
    c. beneficial
    d. rich

17 El subjuntivo 🔍

Conteste estas preguntas basadas en el texto de la Actividad 15.

1. Haga una lista de los verbos y las expresiones que exigen el uso del subjuntivo.
2. Haga una lista con los casos en los que se usó el subjuntivo y explique por qué se usó. ¿Qué tendría que hacer para convertir estos verbos en el imperfecto del subjuntivo? Haga los cambios necesarios y escriba tres de estas oraciones usando el imperfecto del subjuntivo.

18 "Tapitas" gramaticales 🔍

Conteste estas preguntas basadas en el texto de la Actividad 15.

1. Traduzca la frase "especialmente aquéllos cuyo idioma principal no es el inglés". Explique el uso de *aquéllos* y *cuyo* en la frase y hable sobre el género de la palabra *idioma*.
2. Traduzca la frase *deben dejar claro*.

Cita

Si no conozco una cosa, la investigaré.
   —Louis Pasteur (1822–1895), químico y microbiólogo francés

¿Cómo describiría a una persona que hace un comentario así? ¿Qué cosas son importantes para un investigador? ¿Tiene Ud. una reacción similar cuando desconoce algo? ¿Cómo suele reaccionar? Comparta sus opiniones con un/a compañero/a.

¡Dato curioso!

Algunos habitantes de la isla española de la Gomera se comunican con... ¡silbidos! La intensidad de los sonidos producidos facilita la comunicación en los lugares remotos. Aunque hoy se usa relativamente poco, hasta mediados del siglo XX se usaba diariamente. Era la forma ideal de comunicación entre los pastores para averiguar si alguien había visto una cabra u oveja perdida.

19 Familia de palabras

Complete la tabla con el verbo, sustantivo o adjetivo apropiado, y la traducción correspondiente.

Verbos		Sustantivos		Adjetivos	
_____	to learn	_____	computer	_____	computed
computar		el/la educador(a)	_____	_____	
educar	_____		_____	_____	studious
_____	to study	_____		_____	taught
_____	to teach		speaker		
hablar		el invento, _____	invention	_____	invented
_____	to invent	el uso; el/la usuario/a		_____	used
usar	_____		_____; _____		

20 ¿Verbo, sustantivo o adjetivo?

Complete las oraciones usando la forma correcta de las palabras que aparecen en la tabla, ya sea verbo, sustantivo o adjetivo. En el caso del sustantivo puede que necesite artículo.

1. En enero de 2006, Michele Bachelet ganó la presidencia de Chile en unas elecciones contra Sebastián Piñera, un multimillonario ___ (*educar*) en la Universidad de Harvard en los Estados Unidos.
2. El quechua era la lengua del Imperio Inca y hoy día hay más de 10 millones de ___ (*hablar*).
3. Con el incremento de la globalización, ___ (*enseñar*) de lenguas extranjeras se hace más importante.
4. Se puede conceder protección legal a ___ (*inventar*) por medio de una patente.
5. Las primeras ___ (*computar*) digitales eran de gran tamaño y se utilizaban principalmente para hacer cálculos científicos.
6. Si ___ (*estudiar*) más, ella habría salido mejor en el examen.
7. El número de ___ (*usar*) de teléfonos celulares aumenta a un ritmo increíble.
8. ___ (*Aprender*) de una lengua no es obligatorio, pero es sumamente importante en nuestro mundo.
9. ¿___ (*Enseñar*) su profesor exclusivamente en español en su clase?
10. Como ellos ___ (*estudiar*) día y noche, sus amigos les llaman ___ (*estudiar*).

Cita

Recurrimos a la televisión para apagar el cerebro, y a la computadora para encenderlo.
—Steve Jobs, CEO de Apple Computer

¿Está de acuerdo con lo que dice el autor de esta cita? ¿Por qué? Hable sobre las ventajas y desventajas de la televisión y de la computadora. Comparta sus opiniones con un/a compañero/a.

Dato curioso

El prototipo más antiguo del despertador fue inventado por los griegos en torno a 250 a. de J. C. Construyeron uno que funcionaba con la marea: cuando el nivel del agua llegaba a un determinado nivel, hacía sonar un pájaro mecánico. Tal y como lo conocemos hoy, lo inventó un relojero, Levi Hutchins, en 1787. Entonces, la gente confiaba en el sol para despertarse, pero a las 4 de la mañana, la hora en que se levantaba Hutchins, no había sol. Así que el relojero colocó una palanca en el número 4 de un reloj, que a su vez hacía sonar una campana cuando la manecilla llegaba a la hora.

www.quo.es

21 El último telegrama

Échele una ojeada al artículo que sigue para ver de qué se trata, prestando atención a las palabras en azul, ya que se le harán preguntas sobre ellas. Luego lea el artículo y decida cuál de las dos palabras entre paréntesis es la correcta para completar cada oración y escríbala.

El último telegrama

CARLOS CHIRINOS DE BBC MUNDO, WASHINGTON

Western Union abandona el negocio que __1.__ (*era / fue*) su razón de existir __2.__ (*de / desde*) hace siglo y medio: el envío de mensajes __3.__ (*por / para*) telégrafo o telegramas. El telegrama tuvo
5 su apogeo durante las décadas 20 y 30. "Envíe un mensaje que diga más que palabras" fue la promesa publicitaria de Western Union por __4.__ (*más que / más de*) 150 años, cuando empezó el negocio de enviar telegramas, el primer medio de comunicación
10 instantánea. Hoy hay muchas otras y, sobre todo, mucho más baratas. Por eso la empresa __5.__ (*decidía / decidió*) eliminar el servicio que monopolizaba en el territorio estadounidense. La noticia pasó desapercibida. Un sencillo anuncio en la página web
15 de Western Union advierte __6.__ (*al fin / el fin*) de una era y agradece a los clientes por su fidelidad. Es irónico que __7.__ (*es / sea*) en la Web que se anuncie la muerte de los telegramas en EE.UU. Al fin y __8.__ (*al cabo / el cabo*) en gran parte su desaparición es
20 culpa de la internet y el correo electrónico. Pero no fue el único verdugo. El telegrama no pudo con el bajo costo de las llamadas telefónicas, la expansión de los teléfonos celulares y con ellos __9.__ (*el / la*) sistema de envío de textos y hasta con el fax, por
25 cierto otra tecnología en decadencia. Los telegramas registraron momentos históricos.

En los últimos tiempos enviar un telegrama resultaba caro. Según Western Union, se pagaba US$10 por textos cortos de no más de 20 palabras. En 2005 se
30 enviaron 55 telegramas diarios en promedio, __10.__ (*comparando / comparado*) con los más de medio millón que se manejaban diariamente en los años 30, cuando el servicio vivió sus tiempos de gloria. De ahí __11.__ (*por adelante / en adelante*) todo fue declive.
35 Incluso técnicamente el telégrafo, con sus kilómetros de tendidos entre ciudades, __12.__ (*dejaba / dejó*) de existir en los años 60, cuando los mensajes empezaron a ser enviados por microondas o satélites. Western Union no sufre por el cierre de esa división.
40 Sólo completa una transición que desde los años 60 la __13.__ (*llevó a / llevó de*) ser una empresa de servicios de comunicaciones a ser una de servicios financieros. Millones de personas mandan remesas a sus países de origen a través de la compañía, que tiene una
45 fuerte presencia en América Latina.

Aunque Western Union recibió el __14.__ (*primer / primero*) mensaje en 1844, el negocio tuvo un

Esperando fuera de Western Union en Miacatitlán (Morelos), México

repunte durante la Segunda Guerra Mundial (1939–1945) cuando el gobierno contrató a la
50 empresa para informar a las familias de la suerte de sus familiares que combatían en los varios frentes abiertos en el extranjero. Para decenas de miles de familias en EE.UU. la llegada de un mensaje de Western Union __15.__ (*anunció / anunciaba*) un
55 momento doloroso. Es una imagen algo manida por el cine. En una apartada granja se ve llegar un vehículo oficial. De él se baja un militar impecable que sin mediar palabra entrega un sobre a la madre quien, inconsolable, __16.__ (*se deja / se deja de*) caer
60 en el umbral de la casa. En el sobre iba el telegrama de Western Union.

En sus inicios, algunos veían la "corrupción del lenguaje" como un mal asociado al telegrama. Como cada letra costaba, había que decir lo más
65 con las menos posibles. __17.__ (*Ese / Eso*) llevó a abreviaciones que a algunos puristas parecían injustificables ni por la economía, ni en aras de la inmediatez de la comunicación. Desaparecido el telegrama no desaparece el problema. Porque el
70 espíritu del telegrama seguirá vivo en la manera sintética en que se redactan los mensajes de textos telefónicos que millones de personas envían cada día __18.__ (*por / desde*) sus celulares.

www.paginadigital.com

22 ¿Qué significa?

Empareje las palabras de la primera columna con su traducción correspondiente de la segunda columna.

1. apogeo	a. for the sake of
2. desapercibido	b. remittance
3. fidelidad	c. hackneyed
4. culpa	d. threshold
5. verdugo	e. solitary farm
6. resultar caro	f. cable laid
7. declive	g. to write
8. tendido	h. without saying a word
9. cierre	i. executioner
10. remesa	j. zenith, peak
11. tener un repunte	k. loyalty
12. frente	l. to have a rally
13. manido	m. decline
14. apartada granja	n. unnoticed
15. sin mediar palabra	o. blame
16. umbral	p. to turn out to be expensive
17. en aras de	q. front
18. redactar	r. closing

23 Lanzan teléfono móvil con iTunes

Échele una ojeada al artículo que sigue para ver de qué se trata, prestando atención a las palabras en azul, ya que se le harán preguntas sobre ellas. Luego lea el artículo y decida qué forma de las palabras entre paréntesis es la correcta para completar cada oración y escríbala. No se olvide de escribir y acentuar las palabras correctamente.

Lanzan teléfono móvil con iTunes

Apple, Motorola, Inc. y Cingular Wireless anunciaron el lanzamiento del primer teléfono móvil a nivel mundial en __1.__ (ofrecer) iTunes. Dicho teléfono permitirá a los amantes
[5]de la música transferir hasta 100 de sus canciones favoritas del jukebox de iTunes instalado en su Mac o PC a su teléfono móvil ROKR E1. El primer teléfono móvil con iTunes tiene menús fáciles de usar, navegación y
[10]reproducción __2.__ (sencillo), y la posibilidad de pasar fácilmente del teléfono a la música y viceversa, simplemente __3.__ (presionar) un botón. El nuevo ROKR E1 se encuentra disponible en www.cingular.com y se vende
[15]en las tiendas de Cingular. "Hemos trabajado estrechamente con Motorola para proporcionar la mejor experiencia en __4.__ (cuanto) a música en un teléfono móvil", afirmó Steve Jobs, CEO de Apple. "Asimismo, nos complace
[20]enormemente trabajar con Cingular, el mayor

¡Bárbaro! ¡Mi teléfono y mi música juntos!

portador de servicios inalámbricos de los Estados Unidos, para lanzar al mercado este teléfono de avanzada".

"El ROKR E1 causará sensación en __5.__ (este)
[25]fiestas", afirmó Ed Zander, Presidente y CEO de Motorola. "El ROKR E1 musicaliza el teléfono celular de una manera en __6.__ (el) que ninguno otro lo hace, con la insuperable facilidad de

uso que se ha convertido en una característica ³⁰distintiva de iTunes".

"Nos complace enormemente ser el primer portador de servicios inalámbricos a nivel mundial en ofrecer el primer teléfono con iTunes a nuestros clientes de todo el país", afirmó Ralph ³⁵de la Vega, Vicepresidente de Operaciones de Cingular Wireless. "A todos nos __7.__ (encantar) la música y vemos al ROKR E1 como un complemento perfecto de __8.__ (nuestro) gama de ofertas innovadoras".

⁴⁰El nuevo ROKR E1 posee una pantalla a color en la que se puede apreciar el diseño gráfico de la portada del álbum. Tiene parlantes estéreo integrados, así como auriculares estéreo que __9.__ (servir) también como audífonos móviles ⁴⁵con micrófono incluido. Los amantes de la música pueden llenar el teléfono móvil con sus canciones __10.__ (favorito), libros de audio y Podcasts desde su biblioteca iTunes, en forma automática y aleatoria, o manual, por medio ⁵⁰de una conexión USB. El ROKR E1 detiene la música de forma automática cuando los usuarios aceptan una llamada y les ofrece la posibilidad de escuchar música mientras revisan su correo electrónico o sacan una foto... El nuevo ROKR E1

⁵⁵con iTunes preinstalado se encuentra disponible en todas las tiendas de Cingular a nivel nacional al precio de $249.99 con un contrato de dos años, __11.__ (y) incluye auriculares estéreo y un cable USB. El iTunes para Mac y Windows ⁶⁰incluye la Tienda de Música iTunes y puede descargarse gratuitamente en www.apple.com/itunes. La compra y descarga de canciones desde la Tienda de Música iTunes para Mac o Windows __12.__ (requerir) una tarjeta de crédito ⁶⁵válida con una dirección de facturación en el país en el que se efectúa la compra. Apple inició la revolución de las computadoras personales en la década de los setenta con la Apple II y reinventó la computadora personal en la década ⁷⁰de los ochenta con la Macintosh. Hoy en día, Apple __13.__ (continuar) a la cabeza de la industria en innovación con sus computadoras de escritorio y portátiles, sistema operativo OS X, iLife y aplicaciones profesionales galardonadas. ⁷⁵Apple se encuentra, además, a la cabeza de la revolución de la música digital con sus reproductores de música __14.__ (portátil) iPod y la Tienda de Música en línea iTunes.

www.laraza.com

24 ¿Qué significa? ⟨¿?⟩ 🔍

Empareje las palabras de la primera columna con su traducción correspondiente de la segunda columna, según el contexto del artículo.

1. lanzamiento	a. billing address
2. dicho	b. to download
3. estrechamente	c. stereo headset
4. proporcionar	d. range
5. complacer	e. to carry out
6. inalámbrico	f. stereo speaker
7. insuperable	g. desktop
8. gama	h. such a
9. parlante estéreo	i. at random
10. auricular estéreo	j. laptop
11. aleatorio	k. to please
12. descargarse	l. wireless
13. dirección de facturación	m. award-winning
14. efectuarse	n. launch
15. de escritorio	o. closely
16. portátil	p. unbeatable
17. galardonado	q. to provide

25 Lea, escuche y escriba/presente 👥

Vuelva a leer los textos completos de las Actividades 21 y 23, y luego escuche "Hacker noruego descubre manera de piratear protección de Apple" y tome las notas necesarias. Escriba un ensayo o haga una presentación en clase contestando la pregunta, "¿Cómo ha revolucionado la tecnología a nuestro mundo?" No se olvide de citar las fuentes.

Cita

El progreso consiste en el cambio.
—Miguel de Unamuno (1864–1936), escritor y filósofo español

¿Está de acuerdo con esta cita? ¿Por qué? ¿A qué situaciones se puede aplicar? ¿Qué opina de los cambios recientes en nuestro mundo? ¿Siempre son positivos o a veces son negativos? Dé ejemplos tanto de cambios positivos como negativos. Comparta sus respuestas con un/a compañero/a.

¡Dato curioso! Una revista hispana dice que las profesiones más populares entre personas bilingües en los Estados Unidos son (en orden de popularidad): 1. Comunicación, 2. Traducciones, 3. Política, 4. Cuidado de la salud, 5. Discurso profesional, 6. Leyes y abogacía, 7. Bienes raíces, 8. Préstamos y Finanzas, 9. Educación, 10. Ventas.

26 El español en EE.UU. 📖

Échele una ojeada al artículo que sigue para ver de qué se trata, prestando atención a las palabras en azul, ya que se le harán preguntas sobre ellas. Luego lea el artículo y decida cuál de las dos palabras entre paréntesis es la correcta para completar cada oración y escríbala.

Buscan expansión del español en EE.UU.

Manuel E. Avendaño

Casi la mitad de la población de los Estados Unidos será capaz de hablar y entenderse en español __1.__ (*por / para*) el año 2050, de acuerdo __2.__ (*de / con*) una proyección anunciada __3.__ (*por / para*) el presidente de la comunidad de Castilla y León en España, Juan Vicente Herrera, revelando un plan para intensificar la enseñanza del español en coordinación con la asociación que agrupa a los profesores de esta lengua en la Unión Americana. __4.__ (*Era / Fue*) precisamente la ciudad española de Salamanca, en Castilla y León, __5.__ (*el elegido / la elegida*) por la Asociación Americana de Profesores de Español y Portugués (AATSP) para realizar su reciente Conferencia Anual, en __6.__ (*el cual / la cual*) se delinearon los

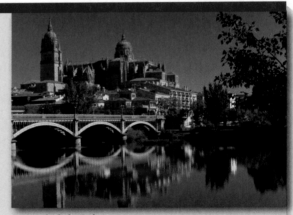

La ciudad de Salamanca

detalles para incrementar la enseñanza del español a ciudadanos estadounidenses. Herrera indicó que hoy en día se tiene a 30,000 estudiantes extranjeros que llegan a __7.__ (*esa / ese*) región española para estudiar el idioma de Cervantes. Sin embargo, la meta es ambiciosa y se espera que para el año 2010 esa cifra __8.__ (*se duplica / se duplique*), según explicó. "En este plan tenemos tres avales: la relación directa de Castilla y León con el nacimiento ³⁰del español (que nació castellano); un sistema pujante comprometido con la lengua; y un plan iniciado sólo hace __9.__ (*año / un año*) y medio para lograr los 60,000 estudiantes para el 2010, ofreciendo dentro ³⁵de nuestra 'oferta turística' la enseñanza del español", dijo Herrera Campos. "La conferencia __10.__ (*contaba / contó*) con los principales representantes de la institución que agrupa a 700 profesores titulares y un ⁴⁰total de 12,000 profesores asociados.

__11.__ (*Era / Ha sido*) un encuentro muy importante porque __12.__ (*había tenido / tendrá*) repercusiones", dijo Herrera al comentar la reunión de profesores en la ⁴⁵histórica ciudad de Salamanca. "Primero, en la relación directa con la asociación más importante de profesores en Estados Unidos y, segundo, por la relación con todos los estudiantes de español que ya sabrán que ⁵⁰el lugar más adecuado para perfeccionar el idioma que están aprendiendo es __13.__ (*viajar y realizar / viajando y realizando*) ese turismo cultural, idiomático, a Salamanca y al conjunto de Castilla y León", agregó. Herrera ⁵⁵dijo que el español es __14.__ (*lengua / una lengua*) "que hoy te permite perfectamente __15.__ (*desenvolverse / desenvolverte*) en todos los ámbitos de la vida, desde los científicos, financieros, culturales, ⁶⁰a los ámbitos más cotidianos del desenvolvimiento turístico, sin necesidad de dominar el inglés, como __16.__ (*es / está*) mi caso". Indicó a continuación que "este hecho da a entender la extraordinaria

⁶⁵presencia del español en Estados Unidos: 44 millones de hispanos censados. Pero, sobre todo, la comprensión de un mundo práctico, de un mundo inteligente —como es el mundo anglosajón— que ha entendido ⁷⁰que hoy el español es una clave, no __17.__ (*sola / solamente*) para el mercado interno de los EE.UU., __18.__ (*pero / sino*) una clave en el ámbito mundial, con esos 400 ó 600 millones de seres humanos que ya lo ⁷⁵hablamos." El presidente de Castilla y León enfatizó que actualmente "Estados Unidos __19.__ (*abre / abren*) inmensas posibilidades para la expansión del idioma español, con __20.__ (*el / los*) 60% de los estudiantes ⁸⁰universitarios que han escogido este idioma en el desarrollo de su carrera. El español es, sin duda, una realidad cultural en el mundo. Actualmente, debe considerarse que sólo ocho idiomas en todo el mundo ⁸⁵superan los 100 millones de habitantes y entre ellos figura el español". E indicó seguidamente que "Estos datos __21.__ (*les / nos*) demuestran que nos encontramos ante un fenómeno social y cultural, con ⁹⁰el aprendizaje de un español realmente dinámico y de importante crecimiento. El español __22.__ (*crecía / ha crecido*) en un 10% en los últimos ocho años, dando lugar a 32 millones de nuevos hispanohablantes, ⁹⁵sólo __23.__ (*de / desde*) 1998". El señor Herrera finalmente sentenció: "como dicen los expertos, de seguir esta tendencia, a mediados del siglo XXI, la cuarta parte de la población mundial __24.__ (*habla / hablará*) ¹⁰⁰español".

www.eldiariony.com

27 Amplíe su vocabulario 🔍

Empareje las palabras de la primera columna con su traducción correspondiente de la segunda, según el contexto del artículo.

1. agrupar	a. backing
2. delinearse	b. development
3. meta	c. area
4. aval	d. having to do with language
5. pujante	e. to gather
6. adecuado	f. in the middle of
7. idiomático	g. to declare
8. ámbito	h. to outline
9. desenvolvimiento	i. goal
10. seguidamente	j. booming
11. sentenciar	k. next
12. a mediados de	l. suitable

28 Lea, escuche y escriba/presente ✂️

Vuelva a leer el texto completo de la Actividad 26 y luego escuche "Gobierno promueve aprendizaje de idiomas". Tome notas de las dos fuentes. Escriba un ensayo o haga una presentación en clase sobre el futuro de la enseñanza de lenguas extranjeras en los Estados Unidos. No se olvide de citar las fuentes debidamente.

29 El chino se toma las aulas en EE.UU. 📖

Échele una ojeada al artículo que sigue para ver de qué se trata, prestando atención a las palabras en azul. Luego lea el artículo y decida cuáles son las palabras que mejor completan las oraciones y escríbalas. No se olvide de escribir y acentuar las palabras correctamente.

El chino se toma las aulas en EE.UU.

Veinticuatro niñitos de jardín de infantes en la __1.__ Primaria de Woodstock observan con atención mientras la maestra __2.__ muestra un círculo rojo de papel para que identifiquen
[5] su forma. No es nada difícil para los vivaces alumnos de cinco años, sólo que la maestra Shin Yen espera que se lo digan en chino mandarín. Es el idioma con mayor número de __3.__ en el mundo, aunque recién ahora está
[10] empezando a enseñarse en aulas en Estados Unidos, especialmente a nivel elemental. "Yuan", responden los niños. Luego les muestra un triángulo y el coro infantil dice "San-Jiao". Y después un cuadrado: "Zheng-fangxing".
[15] La clase de Woodstock __4.__ en la vanguardia de un esfuerzo respaldado __5.__ el gobierno estadounidense para lograr que haya más estudiantes de mandarín, en reconocimiento al surgimiento de China como superpotencia
[20] mundial del siglo XXI. Hasta ahora, el número de estudiantes que recibe clases de mandarín en Estados Unidos es minúsculo, __6.__ 24,000, en su mayoría en la secundaria. Esa cifra es insignificante ante los 3 millones que estudian
[25] español, el idioma extranjero __7.__ popular en la nación, seguido del francés y el alemán. El programa de Oregón es el primero del país que conduce a los estudiantes desde el jardín de infantes __8.__ la universidad. El distrito
[30] escolar y la Universidad de Oregón ganaron una subvención de 700,000 dólares del Departamento de Defensa por su programa. La idea es que los estudiantes pasen del sistema escolar de Portland a la universidad, donde se ofrecerán becas a los
[35] estudiantes que puedan recibir instrucción escolar regular enseñada mayormente en chino. Los estudiantes también pueden optar __9.__ pasar un año en el exterior, en la Universidad de Nankín, en China. El objetivo, dicen los organizadores,

[40] es que el programa __10.__ un modelo que otras escuelas y universidades puedan duplicar, y que los estudiantes salgan preparados para entrar en la fuerza laboral, con dominio fluido __11.__ chino. "Hace ocho años, cuando comenzó el programa
[45] de Woodstock, la mayoría de los estudiantes eran de ascendencia asiática", dijo la directora Mary Patterson. "Muchos de ellos eran hijos adoptivos cuyos padres deseaban que tuvieran alguna conexión con su __12.__ natal. Ahora el programa
[50] tiene una base étnica cada vez más variada", dijo. "Por primera __13.__ este año hay una lista de espera. Se sabe que a menor edad, es más fácil introducir a un niño a un segundo idioma", dijo Patterson. En septiembre, la mayoría de los 24
[55] pequeños alumnos de Yen no hablaban una sola palabra de mandarín, uno de los idiomas más difíciles __14.__ aprender. Pero tres meses después, los chicos cantaban canciones en mandarín, escribían laboriosamente los caracteres chinos
[60] y seguían las instrucciones de la maestra __15.__ necesidad de traducción alguna. "La enseñanza empieza lentamente", dijo Yen, "con la repetición de unos 20 a 25 caracteres chinos, puesto que el mandarín no tiene alfabeto, sino 3,500 caracteres
[65] básicos que se combinan __16.__ formar otras palabras. Cada año los estudiantes aprenden unos 150 mediante constantes repeticiones y memorización", agregó. __17.__ llegar a cuarto grado, los estudiantes ya lo hablan. Lily
[70] Rappaport, de 9 años, dijo que a veces sueña en mandarín, después de __18.__ estado cinco años en el programa. Pero agregó que tenía sus desventajas: que sus padres no __19.__ podían ayudar a hacer las tareas. "Soy la única en
[75] mi familia que lo habla de verdad", dijo. En los grados más avanzados, los estudiantes de Woodstock no solamente __20.__ recibiendo lecciones de idioma, sino también cursos de matemáticas y ciencias enseñados en mandarín.

www.eldiariony.com

30 ¿Qué significa?

Elija la mejor traducción para cada palabra, según el contexto de la lectura anterior.

1. jardín de infantes
   a. children's garden b. royal garden
   c. nursery school d. kindergarten

2. vivaz
   a. alive b. lively
   c. lovely d. violent

3. coro
   a. core b. choir
   c. course d. chorus

4. en la vanguardia
   a. on guard b. carefully
   c. in the lead d. on the van

5. respaldado
   a. financed b. backed up
   c. shouldered d. brokered

6. surgimiento
   a. suggestion b. emergence
   c. fall d. gain

7. superpotencia
   a. superpower b. super strength
   c. superpopulated d. superstrong

8. subvención
   a. invention b. contest
   c. subsidy d. subversion

9. optar
   a. to oversee b. to choose
   c. to work d. to have an opinion

10. fuerza laboral
    a. hard labor b. work strength
    c. forced labor d. labor force

11. dominio
    a. range b. domain
    c. command d. ownership

12. ascendencia
    a. descendants b. ancestry
    c. offspring d. race

13. laboriosamente
    a. working long b. painstakingly
    c. carelessly d. quickly

14. puesto que
    a. on top of that b. since
    c. usually d. only

15. mediante
    a. by measure b. with the help of
    c. on average d. in the middle of

31 El chino

Haga una descripción del programa de estudios de la maestra Shin Yen y las ventajas y desventajas de este programa en chino mandarín. Use una variedad de tiempos verbales e intente usar el vocabulario y algunas de las "tapitas" gramaticales que ha repasado en esta lección.

Cita

La vida es muy peligrosa. No por las personas que hacen el mal, sino por las que se sientan a ver lo que pasa.
—Albert Einstein (1879–1955), científico estadounidense de origen alemán

 ¿Qué responsabilidad tenemos con la sociedad? ¿De qué manera puede uno ayudar? Comparta sus opiniones con un/a compañero/a.

¡Dato curioso!

El español avanza fuerte en el mundo real, pero tiene menos pegue en el mundo virtual. Se dice que 550 millones de personas van a hablar español a mediados de este siglo, pero aunque el español ya tiene gran potencial de crecimiento en el mundo digital, el inglés es el idioma que goza de una especie de monopolio en la Red.

32 Antes de leer

¿Piensa que es importante conservar la biodiversidad terrestre? ¿Por qué? ¿Qué sabe de la deforestación? ¿Qué podemos o debemos hacer para reducirla?

33 Los bosques

Lea con atención el siguiente artículo e intente averiguar el significado de las palabras en azul por el contexto, ya que se le harán preguntas sobre ellas.

Árboles para la Tierra

Los bosques, tanto primarios como secundarios, ofrecen a la humanidad toda una serie de beneficios insuficientemente valorados y pueden ser grandes aliados en la batalla contra el cambio climático y el
[5] calentamiento del planeta; siempre que la sociedad en su conjunto comience a plantarlos y cuidarlos y que deje de destruirlos. Los árboles y otras plantas verdes, que utilizan únicamente la luz solar como fuente de energía, absorben de la atmósfera el dióxido
[10] de carbono, causante del cambio climático; liberan oxígeno, fuente de vida y almacenan el carbono —el efecto invernadero— de forma segura y útil, mientras armonizan y mejoran la calidad de vida de los habitantes de las ciudades y ofrecen las condiciones
[15] ideales para el ecoturismo (A) y la apreciación de la naturaleza en zonas apartadas. La deforestación, fenómeno que se registra con intensidad y descaro en Panamá y en todo el mundo (B), tiene un efecto doblemente nocivo: reduce el número de árboles que
[20] pueden recuperar el dióxido de carbono producido por las actividades humanas, y libera en la atmósfera el carbono contenido en los árboles que se talan, aumentando el calentamiento global sin obviar la reducción inmediata de flora y fauna. El valor de
[25] los árboles como fuente de madera y leña, y el de la tierra que ocupan y que puede utilizarse para viviendas o actividades agrícolas, suele ser de corta duración e insostenibles en el tiempo. De hecho, estos beneficios suelen ser una cuestión de supervivencia
[30] en algunas regiones y de acaparamiento por parte de algunos "empresarios" inescrupulosos. El valor de los bosques para impedir el calentamiento atmosférico, producir agua, conservar la biodiversidad terrestre y dar sosiego a los ciudadanos, por el contrario, son
[35] actividades a largo plazo, y favorecen a todos; mejor dicho, es un comportamiento humano sustentable. Tenemos que buscar el medio de conseguir que la expansión y cuidado de los bosques resulten atractivos y eficaces en función de los costos para
[40] las poblaciones locales que normalmente deciden su destino y el desarrollo económico del país en su conjunto. No importa que un bosque se encuentre en un lugar o en otro muy distante. Ello puede hacer posibles algunos mecanismos prácticos y soluciones
[45] eficientes. En el marco del Protocolo de Kyoto, los países industrializados (C) que no tienen espacio ni opciones rentables para ampliar los bosques en sus propios territorios, pueden compensar parcialmente sus emisiones de gases de efecto invernadero pagando
[50] los gastos correspondientes al establecimiento y mantenimiento de las áreas verdes protegidas o "sumideros" en nuestro país. El término poco glorioso "sumidero" es el utilizado por los climatólogos para las grandes extensiones de árboles y otras formas de
[55] vegetación verde que "eliminan" el gas del efecto invernadero más dominante. Por todo lo anterior, el mejor regalo que podemos hacerle a la Madre Tierra es el llenarla nuevamente de árboles, bosques y sumideros, protegiendo la integridad de nuestros
[60] parques nacionales y áreas protegidas. Promover la conservación de los bosques urbanos y los árboles que aun se encuentran en nuestras casas, calles y avenidas; aumentar nuestras áreas recreativas con nuevos parques, como el Eco Parque Panamá, en la cuenca
[65] oeste del canal de Panamá; promover, mediante la cultura y la ley, programas masivos de reforestación (D) dentro de nuestro sistema de áreas protegidas y detener de una vez por todas la deforestación del Darién, para así lograr un desarrollo que sea sostenible y que
[70] aumente nuestra calidad de vida en la casa de todos, el Planeta Tierra.

www.paginadigital.com

34 ¿Qué significa?

Empareje las palabras de la primera columna con su traducción correspondiente de la segunda.

1. calentamiento		a. basin	
2. dióxido de carbono		b. long run	
3. almacenar		c. harmful	
4. efecto invernadero		d. carbon dioxide	
5. apartado		e. stockpiling	
6. descaro		f. to cut down	
7. nocivo		g. to give peace	
8. talarse		h. audacity	
9. leña		i. isolated	
10. insostenible		j. warming	
11. supervivencia		k. tenable	
12. acaparamiento		l. framework	
13. dar sosiego		m. drain	
14. a largo plazo		n. greenhouse effect	
15. sustentable		o. firewood	
16. marco		p. to store	
17. sumidero		q. survival	
18. cuenca		r. untenable	

35 ¿Ha comprendido?

1. ¿Cómo puede la sociedad recibir los beneficios de los bosques?
   a. Cuando comience a plantar árboles
   b. Cuando comience a cuidar los ríos
   c. Cuando comience a impedir la destrucción del clima amazónico
   d. Todas las respuestas anteriores

2. ¿Cómo ayudan los árboles al ciclo atmosférico?
   a. Armonizan y mejoran la calidad de vida de los habitantes de las ciudades.
   b. Ofrecen las condiciones ideales para el ecoturismo.
   c. Absorben de la atmósfera el dióxido de carbono y liberan oxígeno.
   d. Todas las respuestas anteriores

3. ¿Qué doble efecto tiene la deforestación?
   a. Libera carbono en la atmósfera e impide el calentamiento atmosférico.
   b. Reduce el número de árboles e impide el ecoturismo.
   c. Libera carbono en la atmósfera e impide el ecoturismo.
   d. Reduce el número de árboles y libera carbono en la atmósfera.

4. ¿Cuál *no* es un valor de los bosques?
   a. El bosque genera agua.
   b. El bosque exaspera a los ciudadanos.
   c. El bosque mantiene la biodiversidad terrestre.
   d. El bosque interrumpe la posibilidad del calentamiento atmosférico.

5. ¿Qué solución puede ayudar a los programas de reforestación de los bosques?
   a. Se debe encontrar una manera eficaz que no cueste mucho dinero.
   b. Se debe proponer una solución que incluya todos los puntos políticos de los ciudadanos.
   c. Se debe prometer usar métodos ecológicamente compatibles con el conjunto.
   d. Se debe poner en práctica toda la tecnología disponible de las empresas multinacionales.

6. ¿Qué tipo de solución *no* está mencionado en el artículo?
   a. Una solución cultural
   b. Una solución ambiental
   c. Una solución histórica
   d. Una solución natural

36 ¿Cuál es la pregunta?

Según el artículo que acaba de leer, escriba una pregunta lógica para estas respuestas.

1. El cambio climático y el calentamiento del planeta
2. La luz solar
3. Oxígeno
4. Un efecto doblemente nocivo
5. Impiden el calentamiento atmosférico, producen agua, conservan la biodiversidad terrestre y dan sosiego a los ciudadanos.
6. El Protocolo de Kyoto
7. El mejor regalo
8. El Eco Parque Panamá
9. Mediante la cultura y la ley
10. Es la casa de todos.

37 ¿Qué piensa Ud.?

¿Qué cree que significa la expresión "lograr un desarrollo que sea sostenible"? Dé sugerencias para este tipo de desarrollo.

38 ¿Dónde va?

La siguiente frase se puede añadir al texto anterior: *como en los Estados Unidos y en muchos países de Europa.* ¿Dónde encajaría mejor la frase?

1. Posición A, línea 15
2. Posición B, línea 18
3. Posición C, línea 46
4. Posición D, línea 66

Cita

Sólo cuando el último árbol esté muerto, el último río envenenado, y el último pez atrapado, te darás cuenta de que no puedes comer dinero.
   —Sabiduría indo-americana

¿Está de acuerdo con esta cita? ¿Por qué? ¿Cree que los seres humanos se dan cuenta o no del mundo de la naturaleza que les rodea y de su importancia? ¿Qué evidencia tiene Ud. de esto? Comparta su opinión con un/a compañero/a.

Reciclar protege nuestro planeta.

¡Dato curioso! El Día de la Tierra se celebró por primera vez en 1970 en los Estados Unidos y desde entonces se busca llamar la atención sobre temas que afectan al medio ambiente. Uno de estos temas es el calentamiento global y los cambios atmosféricos que son consecuencia del descongelamiento de la capa de hielo en los polos. Este fenómeno, a su vez, puede determinar el alza del nivel de los océanos.

¿Qué sabe de la selva amazónica y su importancia? ¿Qué sabe de la soja? ¿Qué opina de la biodiversidad y de la deforestación?

40 La Amazonia 📖

Lea con atención el siguiente artículo, fijándose en las palabras en azul.

Arrasando la Amazonia en nombre del progreso (de las multinacionales)

Hernán L. Giardini

Destrucción de la selva amazónica por el avance del monocultivo de soja

La selva amazónica es la mayor extensión de Bosque Primario del planeta y en ella viven el 50% de las especies vegetales y animales conocidas, y 220.000 indígenas de 180 pueblos diferentes. Pero está
[5] desapareciendo a un ritmo alarmante. Todas las medidas que se han tomado para atajar esta situación se están revelando inútiles, ya que la tasa de deforestación continúa aumentando. Este aumento se debe, en buena parte, a un nuevo agente de deforestación, que se suma a la actividad
[10] maderera ilegal, y que se ha agravado durante los últimos años: la plantación de soja transgénica en zonas de selva previamente deforestadas.
El viaje en avión desde Manaus hacia Santarém fue de lo más revelador: pude comprobar la inmensidad
[15] de la Amazonia y deslumbrarme con el imponente río Amazonas y sus brazos; pero también pude observar con mis propios ojos la destrucción de miles de hectáreas de bosque. La vastísima y
[20] compleja red fluvial que configura el río Amazonas y sus innumerables afluentes es el mayor reducto de biodiversidad intacta que queda en el mundo
[25] y su reducción es un problema de escala global. Cubriendo el 5% de la superficie terrestre, la Amazonia se extiende por aproximadamente 7,8 millones
[30] de kilómetros cuadrados en nueve países (Brasil, Bolivia, Colombia, Ecuador, Guayana, Perú, Surinam, Guayana Francesa y Venezuela). Del total, más de 5 millones de km² se concentran en Brasil. La región amazónica posee 25 mil kilómetros de ríos navegables y contiene cerca del
[35] 20% del agua dulce del planeta, y se estima que allí viven el 50% de las especies vegetales y animales conocidas:
• 350 especies de mamíferos, siendo 62 sólo de primates.
• 1.000 especies de pájaros.
• 60.000 especies de plantas, siendo 5.000 sólo de árboles.
[40] • 3.000 especies de peces.
• 100 variedades de anfibios.
• 30 millones de especies de insectos.
• Millones de invertebrados.
En las profundidades de la selva amazónica habitan
[45] unos 180 pueblos originarios diferentes (unas 220.000 personas) que, junto con muchas más comunidades

tradicionales, dependen del bosque que les proporciona todo lo que necesitan, desde alimento y cobijo hasta herramientas y medicinas, y que juega un papel crucial en
[50] su vida espiritual.

La soja, nueva amenaza

El cultivo de soja se ha convertido en uno de los principales agentes de la destrucción de la selva amazónica brasileña. Se calcula que, hasta el momento, 1,2 millones de hectáreas de selva han sido arrasadas
[55] para cultivar soja. La expansión del monocultivo de soja en la Amazonia implica la pérdida de biodiversidad y en muchos casos la contaminación del agua de las reservas indígenas. Entre agosto de 2003 y agosto de 2004 se han perdido en un solo año 27.200 km² de selva amazónica, un
[60] área del tamaño de Bélgica, y tres cuartas partes de dicha destrucción fueron ilegales. Se calcula que se pierden más de 3 km² por hora.

En 2004 y 2005 se plantaron más de un millón de hectáreas de soja
[65] dentro del bioma amazónico. Soja que, por su alto valor proteico, se utiliza principalmente para producir el alimento del ganado que comen en Europa. Lo cierto
[70] es que empresas multinacionales están devorando la Amazonia para plantar soja. Y la carne alimentada con esta soja (pollos, cerdos y vacas) termina en los
[75] estantes de los supermercados europeos y en los mostradores de empresas de comida rápida como Kentucky Fried Chicken y McDonald's. El gigante agroalimentario Cargill es la mayor firma privada de los Estados Unidos, con unos ingresos cercanos a los
[80] 63.000 millones de dólares en 2003. Es el rey indiscutible del comercio mundial de grano. Compra, vende, transporta, mezcla, muele, moltura, refina y distribuye por todo el planeta. La deforestación de la Amazonia por el avance de la frontera agrícola debe ser imperiosamente
[85] detenida, tanto por lo que implica la importante pérdida de biodiversidad como por su influencia en las condiciones meteorológicas de la región y sobre el cambio climático global, dada la capacidad de los árboles de fijar el dióxido de carbono y producir oxígeno. Además, la quema
[90] de la selva, como paso previo a la plantación de soja transgénica, produce el 75% de las emisiones de efecto invernadero de Brasil.

www.eldiariony.com

41 Amplíe su vocabulario 🔍

Mire las palabras que aparecen en la primera columna y busque su correspondiente sinónimo o definición entre las palabras de la segunda.

1.	atajar	a.	pulverizar, moler
2.	tasa	b.	contener
3.	transgénico	c.	tributario
4.	imponente	d.	dominadoramente
5.	afluente	e.	relacionado con la comida y la agricultura
6.	agua dulce	f.	ámbito
7.	mamífero	g.	talado
8.	anfibio	h.	refugio
9.	cobijo	i.	agua que llena la mayoría de los ríos y lagos mundiales
10.	arrasado	j.	grandioso
11.	monocultivo	k.	ritmo
12.	bioma	l.	animal que puede vivir en tierra o sumergido en el agua
13.	agroalimentario	m.	modificado genéticamente
14.	molturar	n.	animal vertebrado cuyos críos se alimentan con leche
15.	imperiosamente	o.	cultivo único o predominante de una especie vegetal

42 ¿Ha comprendido?

1. ¿Por qué no han tenido éxito en detener la deforestación de la selva amazónica?
   a. Se ha hecho todo a un ritmo alarmante.
   b. Han hecho cosas inútiles.
   c. Se ha hecho todo lo posible, pero no es suficiente.
   d. Han hecho poco porque hay mucha oposición.

2. ¿Qué ha aumentado la deforestación de la selva amazónica?
   a. Se ha plantado soja.
   b. Se ha talado más árboles.
   c. Se ha inundado el río Amazonas.
   d. Las respuestas a y c

3. ¿Por qué se puede decir que la Amazonia es una región enriquecida?
   a. Porque tiene muchos brazos del río Amazonas, mucha vegetación y mucha soja
   b. Porque tiene la quinta parte mundial del agua dulce, y mucha flora y fauna
   c. Porque tiene muchos minerales y recursos naturales mundiales
   d. Las respuestas b y c

4. ¿Qué proporciona la Amazonia a la gente que vive allí?
   a. Comida, refugio y medicina
   b. Conexión al mundo exterior
   c. Fuente de soja para la mayoría de ellos
   d. Todas las respuestas anteriores

5. ¿Por qué la soja es la nueva amenaza para la región amazónica?
   a. Se pierde la biodiversidad con la plantación de la soja.
   b. Se contamina el agua con la plantación de la soja.
   c. Se promueve la soja como sustituto a la alimentación para el ganado.
   d. Las respuestas a y b

6. ¿Qué propone el autor?
   a. Detener el avance del frente agrícola
   b. Dar multas a las empresas multinacionales para financiar programas de reforestación
   c. Investigar métodos para mejorar las condiciones meteorológicas de la región e invertir el cambio climático global
   d. Aumentar la quema de la selva

43 Responda brevemente

¿Cree que el cultivo de la soja justifica la deforestación de la Amazonia? Si su respuesta es afirmativa, ¿por qué? Si su respuesta es negativa, ¿hay algo que justifique la deforestación? ¿Qué es? ¿Por qué opina así?

44 Se titula...

Piense en otro título para esta lectura. ¿Por qué lo ha escogido?

45 Lea, escuche y escriba/presente 🔄

Vuelva a leer "Arrasando la Amazonia en nombre del progreso (de las multinacionales)", y luego escuche "La Tierra no 'crece' más". Luego escriba un ensayo o haga una presentación en clase sobre el siguiente tema: "La Madre Tierra y el ser humano moderno". No se olvide de citar las fuentes debidamente.

Cita

Ningún hombre es una isla, algo completo en sí mismo; todo hombre es un fragmento del continente, una parte de un conjunto.
  —John Donne (1572–1631), poeta, prosista y clérigo inglés

¿Cómo cree que sus acciones pueden afectar el mundo que le rodea? ¿Cree que puede hacer algún tipo de cambio en su entorno? ¿De qué modo? Comparta sus opiniones con un/a compañero/a.

¡Dato curioso!

¿Sabía que muchos científicos sostienen que la vida empezó en el mar y que las especies primitivas se aprovecharon de la luz solar para evolucionar en la flora y fauna que existe hoy? Hay muchas zonas climáticas e infinidad de ecosistemas que aun no se han estudiado muy a fondo hasta ahora; un buen ejemplo es la selva tropical, donde hay una gran riqueza de plantas y animales. Se han identificado alrededor de 1.700.000 especies, pero algunos científicos estiman que hay unos cinco millones de especies distintas en la Tierra.

La selva amazónica

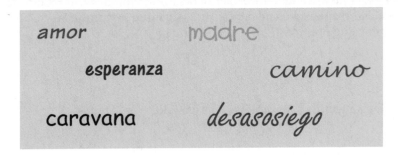

amor   madre

esperanza   camino

caravana   desasosiego

46 La palabra más bella del castellano

Lea las posibles respuestas primero y después escuche "Se busca la palabra más bella del castellano". Escoja la mejor respuesta para la pregunta que escuchará en la grabación.

1. (Pregunta que escuchará en la grabación.)

   a. El gobierno de España
   b. La Escuela de Escritores
   c. La Real Academia Española
   d. Los internautas hispanohablantes

2. (Pregunta que escuchará en la grabación.)

   a. El gobierno de España
   b. La Escuela de Escritores
   c. La Real Academia Española
   d. Los internautas hispanohablantes

3. (Pregunta que escuchará en la grabación.)

   a. Por la belleza de su construcción y sonoridad de la palabra
   b. Por el significado de la palabra
   c. Por lo que representa la palabra
   d. Todas las respuestas anteriores

4. (Pregunta que escuchará en la grabación.)

   a. Porque tiene latín, tiene mar, historia, aroma y memoria
   b. Porque es una palabra que en sí misma, sin estar inscrita entre otras, tiene mucha poesía
   c. Porque tiene cuatro sílabas sonoras, cada una terminando en una *a*
   d. Porque es donde siempre he andado y me hace pensar en tomarlo sin tener que imaginar dónde me lleve

5. (Pregunta que escuchará en la grabación.)

   a. Que es un nombre propio
   b. Que es una palabra reconocida en los diccionarios de la lengua española
   c. Que la palabra debe aparecer en la Red
   d. Que es una palabra compuesta

47 Celularmanía 💿

Lea las posibles respuestas primero y después escuche la grabación "Celularmanía".
Escoja la mejor respuesta para la pregunta que escuchará en la grabación.

1. (Pregunta que escuchará en la grabación.)

   a. Los teléfonos celulares
   b. Los planes de teléfonos celulares
   c. Los teléfonos fijos
   d. Los resultados telefónicos

2. (Pregunta que escuchará en la grabación.)

   a. Componer música
   b. Información del tiempo atmosférico
   c. Los resultados deportivos
   d. Los informes de las acciones

3. (Pregunta que escuchará en la grabación.)

   a. 10 millones
   b. 110 millones
   c. Un millón
   d. 500 millones

4. (Pregunta que escuchará en la grabación.)

   a. Verizon
   b. Sprint PCS
   c. AT&T
   d. Todas las respuestas anteriores

5. (Pregunta que escuchará en la grabación.)

   a. El gobierno
   b. Las otras compañías de telecomunicaciones
   c. Los usuarios telefónicos
   d. Las repuestas a y c

48 Participe en una conversación 💿

Ud. va a participar en una conversación. Primero lea la descripción de la conversación y piense en algunas palabras o expresiones que le serían útiles; le pueden servir algunas expresiones del recuadro. Organice sus ideas, haciendo predicciones sobre lo que se le pueda preguntar o comentar. Una descripción de lo que va a escuchar aparece abajo en color. Participe en la conversación grabando las respuestas o escribiéndolas en su cuaderno.

| el maremoto | el sismo | el terremoto | de una magnitud de (7) grados |
| la ola | el pueblo costero | ahogarse | |

Escena: Ud. y una amiga suya, Soledad, están hablando de un desastre natural.

Soledad:	Le habla de algún desastre natural que ocurrió y le hace unas preguntas.
Ud.:	• Conteste sus preguntas.
Soledad:	Le hace otra pregunta.
Ud.:	• Contéstela.
Soledad:	Hace un comentario y le hace otra pregunta.
Ud.:	• Reaccione a su comentario y conteste su pregunta.
Soledad:	Sigue la conversación y le pide información.
Ud.:	• Conteste su pregunta y hágale una sugerencia.
Soledad:	Reacciona a su sugerencia.
Ud.:	• Reaccione positivamente.

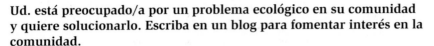

¡A escribir!

49 Texto informal: un problema ecológico

Ud. está preocupado/a por un problema ecológico en su comunidad y quiere solucionarlo. Escriba en un blog para fomentar interés en la comunidad.

- Identifique el problema.
- Describa cómo este problema puede afectar negativamente a la comunidad.
- Organice alguna reunión o manifestación.
- Pida consejos para solucionar el problema.

50 Texto informal: cómo mejorar su español

En un foro alguien pide consejos sobre cómo mejorar sus conocimientos de español. Dele consejos a esta persona.

- Dele razones para mejorar sus conocimientos de español.
- Dele consejos útiles para mejorar sus conocimientos de español.
- Háblele de los beneficios de hablar perfectamente el español.

51 Ensayo: la importancia de los idiomas

Escriba un ensayo contestando la pregunta, "¿Por qué es importante saber idiomas para tener una buena carrera en el futuro?"

52 Ensayo: los inventos

Escriba un ensayo en el que compare las ventajas y desventajas de algunos inventos nuevos.

53 En parejas 👥

Intercambie sus ensayos con los de un/a compañero/a. Exprésele su opinión sobre el contenido y el uso del idioma.

Consejo

Antes de empezar, lea las pautas para escribir textos informales en la pág. 480 del Apéndice. Mientras escribe el texto tenga presente los objetivos. Cuando termine, verifique que ha cumplido con todo lo que se describe en la lista y reflexione sobre su trabajo.

Consejo

Antes de empezar, lea las pautas para escribir ensayos en la pág. 480 del Apéndice. Mientras escribe el ensayo tenga presente los objetivos, y no se olvide de ponerle un título original. Cuando termine, verifique que ha cumplido con todo lo que se describe en la lista y reflexione sobre su trabajo.

54 Charlemos en el café

Ud. va a debatir los siguientes temas con un/a compañero/a. Uno estará a favor de lo que se ha dicho y otro en contra. El debate durará varios minutos. El/La estudiante que esté de acuerdo comenzará el debate y hablará por unos diez segundos. Cuando el/la profesor/a lo indique, el/la otro/a estudiante tomará la palabra y expresará su opinión por otros diez segundos, y así sucesivamente.

1. Los niños tienen que empezar a estudiar idiomas extranjeros a los cinco años.
2. Los estadounidenses deberían hablar más de un idioma; si no, es un atraso.
3. Hay que controlar las nuevas palabras que entran en un idioma.
4. No hay calentamiento global. Es una exageración.
5. Los inventos más necesarios ya han sido inventados. No queda nada por inventar.
6. La tecnología sólo tiene beneficios, nunca tiene desventajas.

55 ¿Qué opinan?

Converse con un/a compañero/a sobre estas preguntas.

1. Si pudiera estudiar cualquier idioma que no fuera ni inglés ni español, ¿cuál estudiaría y por qué?
2. ¿Cree que nuestro sistema de educación prepara a los estudiantes para vivir en nuestro mundo? Explique por qué.

56 Presentemos en público

Conteste una de las siguientes preguntas o haga una presentación sobre uno de los temas durante varios minutos. Organice sus ideas antes de hacer la presentación, busque las palabras necesarias y, después de practicar, presente en clase sin mirar las notas.

Consejo

Antes de empezar, lea las pautas para presentaciones formales en la pág. 481 del Apéndice. Mientras formula su presentación tenga presente los objetivos. Cuando termine la presentación, verifique que ha cumplido con todo lo que se describe en la lista y reflexione sobre el trabajo que hizo.

1. Ud. está convencido/a de que cada estudiante debe empezar a estudiar otro idioma en la escuela primaria. Describa un programa ideal (puede ser real o imaginario) de idiomas extranjeros que le gustaría introducir en las escuelas primarias de su ciudad.
2. Ud. acaba de hacer el invento del siglo. ¿Qué inventó? ¿Cómo se le ocurrió la idea? ¿Cómo lo hizo? ¿Cómo funciona? ¿Cómo va a ayudar a la humanidad?
3. Ud. es un gran experto en ecología y presenta un programa sobre el tema. Hable de su organización, su plataforma, los miembros que tiene, los proyectos que ha hecho y los que piensa hacer.
4. Piense en un problema ecológico que afecta gravemente a nuestro mundo. Hable del impacto que ha tenido este problema en la vida cotidiana y en el futuro del planeta.

Proyectos

57 ¡Manos a la obra!

Trabaje en un grupo de cuatro o cinco estudiantes para llevar a cabo uno de los siguientes proyectos y presentarlo en clase.

- Les han encargado que desarrollen un nuevo plan de estudios en su escuela o universidad. Decidan los diferentes temas; por ejemplo, el horario, las asignaturas y la metodología que deberían usar los profesores. No se olviden de incluir idiomas extranjeros en su plan.

- Hagan un anuncio para promover el Día de la Tierra en su comunidad. Decidan si va a ser un anuncio gráfico, de radio o de televisión.

- Presenten un plan para disminuir la contaminación del aire en su comunidad, ciudad, región o estado. Hablen de las causas de la contaminación del aire ahora y dé soluciones para disminuirla en los próximos cinco años.

- Hagan un cartel con los diez inventos de los últimos cincuenta años que han tenido más impacto en nuestras vidas. No se olviden de explicar un poco la historia y la importancia de cada invento.

El corazón artificial Jarvik-7, uno de los inventos clave de los últimos años

Vocabulario

Verbos

acoger	to welcome
atajar	to stop
complacer	to please
descargar	to unload, download
exigir	to require; to demand
moler (ue)	to grind
proponer	to propose
proporcionar	to provide, supply
realizar	to achieve, fulfill
redactar	to write, draft
regalar	to give away
respaldar	to back up
sentenciar	to give one's opinion
sobrevivir	to survive
talar	to cut down, to fell (*trees*)

Verbos con preposición

verbo + con:

acabar con	to eliminate
conectarse con	to connect with, relate to

verbo + de:

disponer de	to have smthng at one's disposal
manifestarse (ie) en contra de	to speak out against

Sustantivos

el	acaparamiento	monopolizing, cornering the market
el	apogeo	peak
el	aprendizaje	apprenticeship, learning
la	armonía	harmony
el	bienestar	well-being
el	cargo	charge
el	cobijo	shelter
el	cobro	charge
el	código	code
el	cohete	rocket
la	computadora (el computador)	computer
el	convenio	agreement
la	cremallera (el cierre)	zipper
la	cuenca	basin
el	descaro	shamelessness
el	deterioro	damage, deterioration
la	época	time period
la	factura	bill
la	gama	range
la	ganancia	profit
la	grabadora	tape recorder
el	informe	report
la	Internet	Internet

el	invento	invention
el	maremoto	tidal wave
el	medio ambiente	environment
la	oferta	offer
el	oído	hearing; ear
el	ordenador	computer
el	retroceso	backward step
la	sede	headquarters
el	sismo	earthquake
la	sobreexplotación	overexploitation
el	sosiego	peace, tranquillity
la	supervivencia	survival
el	terremoto	earthquake
la	ventaja	advantage

Adjetivos

aleatorio, -a	random
arquitectónico, -a	architectural
congelado, -a	frozen
corriente	common, usual
costero, -a	coastal
desapercibido, -a	unnoticed
desechable	disposable
deshidratado, -a	dehydrated, dried
enriquecedor(a)	enriching
galardonado, -a	rewarded
imponente	imposing
imprescindible	essential
imprevisible	unforeseeable
insuperable	unbeatable
jubilado, -a	retired
nocivo, -a	harmful
preciso, -a	necessary
pujante	strong, vigorous
respaldado, -a	endorsing
tecnológico, -a	technological
transgénico, -a	genetically modified
vivaz	lively

Adverbios

imperiosamente	urgently
laboriosamente	laboriously
mundialmente	worldwide, throughout the world
seguidamente	next

Expresiones

a largo plazo	in the long run
a mediados de	in the middle of
el agua dulce	fresh water
el calentador de aire	fan heater
el calentamiento global	global warming
el/la computador(a) de escritorio	desktop computer

el/la computador(a) portátil	laptop computer
dar lugar a	to provoke, give rise to
dar origen a	to give birth to (*an idea*)
el dominio de lenguas	command of languages
el efecto invernadero	greenhouse effect
la esperanza de vida	life expectancy
la fuerza laboral	labor force
el jardín de infantes	kindergarten
mediante	by means of
minutos perdidos	allowed minutes
no poder con	to be unable to cope with
el orden cronológico	chronological order
la película magnética	magnetic film (tape)
poner atención a las letras pequeñas del contrato	to pay attention to the small print of the contract
el programa buscador	search engine
los recursos naturales	natural resources
la red inalámbrica	wireless network
la Red Mundial	WWW
el teléfono celular, teléfono móvil	cell phone
el teléfono fijo	landline phone

A tener en cuenta

La puntuación

el punto [.]	se usa al final de una oración y después de algunas abreviaturas Decimos *punto seguido* para separar oraciones en un párrafo. Decimos *punto y aparte* para separar dos párrafos distintos. Decimos *punto final* para cerrar el párrafo.
la coma [,]	indica una pausa dentro de una oración separa las palabras de una enumeración, pero no antes de y, e, o, u, ni: Estudio francés, geografía, matemáticas e historia. separa los miembros de una cláusula independiente: Estudié español, preparé los ejercicios, escribí el ensayo. separa el nombre en vocativo: Juan, ven aquí. se usa con una aposición exclamativa: Celia Cruz, gran cantante cubana, murió en 2003.
el punto y coma [;]	se usa para separar los miembros de una oración que ya tienen alguna coma: No fui al café, ni al teatro, ni a la reunión; me quedé en casa leyendo.
dos puntos [:]	preceden una enumeración (Hay dos coches: uno rojo y otro azul.) y las palabras que se citan en una oración (Mari dijo: No hay que temer nada.). También siguen el encabezamiento de una carta (Estimada María:).
los puntos suspensivos [...]	indican una pausa inesperada o cuando se suprime algún texto
la interrogación [¿?]	encierra una oración interrogativa
la exclamación [¡!]	indica una oración o frase cargada de emoción
los paréntesis [( )]	aislan una observación
los corchetes [ ]	se usan como los paréntesis, pero cuando se introducen en una frase que ya va entre paréntesis
la raya [—]	se usa como los paréntesis y para indicar diálogo

Objetivos

Comunicación
- Entender algunos temas ecológicos
- Hablar del proceso de aprender idiomas

Gramática
- El subjuntivo
- El progresivo
- El participio presente y pasado
- Repaso de los tiempos verbales
- El infinitivo

"Tapitas" gramaticales
- verbos seguidos de preposiciones
- *lo* y *lo que*
- *por, por qué, para* y *para que*
- transformar adjetivos en adverbios
- los usos y omisión del artículo definido
- los adjetivos y pronombres demostrativos

Cultura
- Los teléfonos celulares
- Los temas ecológicos
- La insistencia de hablar inglés
- El idioma e Internet
- Las lenguas indígenas
- Las interacciones entre padres e hijos

Visite la página Web de
¡A toda vela! en
www.emcp.com

Para empezar

1 Conteste las preguntas

Piense en las respuestas a las siguientes preguntas. Ud. puede tomar notas si lo considera necesario. Cuando termine, compare sus respuestas —pero sin mirar sus notas— con las de un/a compañero/a.

1. ¿Piensa que todos los inventos y tecnología de los últimos cien años han mejorado nuestro mundo? ¿Por qué? ¿Nos han perjudicado alguna vez? Explique su respuesta.
2. ¿Piensa que en la actualidad es más fácil o difícil inventar algo nuevo? ¿Por qué?
3. ¿Ha mejorado la tecnología nuestra vida o solamente ha acelerado el ritmo de nuestras rutinas diarias? Explique su respuesta.
4. Los teléfonos celulares: ¿han mejorado o han complicado nuestra vida cotidiana? ¿Cómo?
5. ¿Tiene derecho a una educación universitaria todo el mundo? ¿Debe ser gratis o a un costo bajo? ¿Por qué?
6. ¿Qué opina de tener una lengua oficial en los Estados Unidos? ¿Cree que algún día tendremos dos lenguas oficiales? ¿Cuándo y cómo podría ocurrir esto?
7. En el futuro, ¿será imprescindible perfeccionar otras fuentes de energía? ¿Por qué? ¿Con qué otras energías alternativas se está ya experimentando?
8. ¿Dónde vive la mayoría de la gente en nuestro planeta: en las costas, en el interior, en áreas metropolitanas o rurales? ¿Por qué?
9. ¿Qué opina de la sobrepoblación y la hambruna mundial? ¿Qué soluciones hay?
10. ¿Piensa que después de los desastres naturales que han causado tanto daño en los últimos cinco años, estamos más preparados para enfrentarnos a ellos? ¿Por qué?

2 Mini-diálogos

Ud. va a crear un mini-diálogo con un/a compañero/a. Lea la descripción de la conversación antes de empezar. Puede tomar notas para organizar sus ideas, pero no las mire mientras conversa.

Escena: Dos amigos/as hablan del futuro mientras miran el noticiero en la televisión. Uno/a tiene una actitud pesimista, y ve un futuro muy negro.

A: Entable una conversación sobre una noticia (real) de la que están hablando estos días en los medios de comunicación. Haga un comentario pesimista.

B: Haga unos comentarios sobre la misma noticia.

A: Hable sobre otra noticia actual, y vuelva a hacer otro comentario donde muestra su pesimismo.

B: Hable sobre la misma noticia, pero búsquele el lado positivo a la situación.

A: Muestre que no le interesa lo que le está diciendo. Continúe mostrando su pesimismo al respecto.

B: Dele ejemplos para convencerle que está equivocado/a.

A: Reaccione a sus comentarios positivamente. Muestre respeto y admiración.

B: Despídase cordialmente y con un comentario positivo.

Cita

Cuando la vida te presente razones para llorar, demuéstrale que tienes mil y una razones para reír.
—Anónimo

 ¿Cómo reacciona cuando ve una noticia triste? ¿Se deprime? ¿Piensa que los noticieros muestran la realidad de nuestro entorno o, por el contrario, buscan el sensacionalismo? Comparta su opinión y experiencias con un/a compañero/a.

¡Dato curioso!

La fabricación de micro-robots para, por ejemplo, explorar el cuerpo humano, es uno de los desafíos actuales de la tecnología. Entre los problemas a resolver se encuentra el desarrollo de una fuente de energía que funcione a nivel microscópico e incluso nanoscópico.

www.quo.es

Vocabulario y gramática en contexto

3 Un foro

Túrnese con un/a compañero/a para leer los comentarios que dos personas han escrito en un foro sobre los teléfonos celulares y la contaminación. Fíjese en las palabras que aparecen en azul (relacionadas con el vocabulario) y en rojo (relacionadas con la gramática), ya que en las siguientes actividades se le harán preguntas sobre ellas.

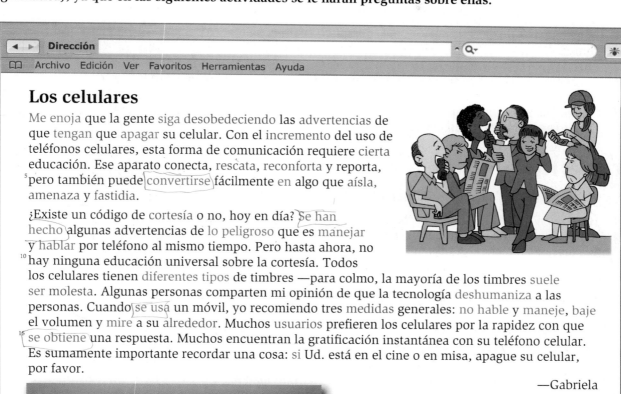

Dirección
Archivo Edición Ver Favoritos Herramientas Ayuda

Los celulares

Me enoja que la gente siga desobedeciendo las advertencias de que tengan que apagar su celular. Con el incremento del uso de teléfonos celulares, esta forma de comunicación requiere cierta educación. Ese aparato conecta, rescata, reconforta y reporta,
5 pero también puede convertirse fácilmente en algo que aísla, amenaza y fastidia.

¿Existe un código de cortesía o no, hoy en día? Se han hecho algunas advertencias de lo peligroso que es manejar y hablar por teléfono al mismo tiempo. Pero hasta ahora, no
10 hay ninguna educación universal sobre la cortesía. Todos los celulares tienen diferentes tipos de timbres —para colmo, la mayoría de los timbres suele ser molesta. Algunas personas comparten mi opinión de que la tecnología deshumaniza a las personas. Cuando se usa un móvil, yo recomiendo tres medidas generales: no hable y maneje, baje el volumen y mire a su alrededor. Muchos usuarios prefieren los celulares por la rapidez con que
15 se obtiene una respuesta. Muchos encuentran la gratificación instantánea con su teléfono celular. Es sumamente importante recordar una cosa: si Ud. está en el cine o en misa, apague su celular, por favor.

—Gabriela

La contaminación

Aconsejo que se busquen métodos para detener la contaminación del aire que provocan las plantas generadoras de electricidad y refinerías lo más pronto
5 posible. Es fundamental reducir las emisiones de gases que producen el efecto invernadero porque tenemos que pensar en lo que vamos a dejar a nuestros niños, y a los hijos de nuestros hijos. Toda la
10 contaminación es una amenaza a la calidad del aire y la salud pública. Debemos crear una agencia gubernamental y eficaz que expida un informe oficial que limite las emisiones y que establezca un sistema de seguimiento que vigile el cumplimiento de los niveles permitidos para que éstas no contribuyan más al calentamiento global. Las refinerías, plantas termoeléctricas y otras industrias liberan productos químicos que producen
15 contaminación en el aire que respiramos y también promueven el aumento de las temperaturas. El calentamiento global continúa amenazando las reservas de agua, la salud pública, y algunas de las industrias como la agricultura y el turismo. A mi juicio, esto es el tema de más relieve que hay en nuestro tiempo.

—Rafael

4 Amplíe su vocabulario (¿?)

Clasifique las palabras que aparecen en azul y rojo en las lecturas anteriores según sean sustantivos, adjetivos, verbos o expresiones, y relacionadas con teléfonos celulares o la contaminación del aire.

5 Repaso (¿?)

Conteste estas preguntas basadas en las lecturas de la Actividad 3.

1. Haga una lista de todos los verbos del subjuntivo en los comentarios del foro y explique su uso.
2. Busque los verbos con *se* (por ejemplo, *convertirse*) y explique el uso de *se* con estos verbos.
3. Busque los mandatos y compare su uso con el del subjuntivo en los comentarios.
4. Explique el uso de los verbos del presente progresivo en los comentarios.
5. Busque los usos diferentes del infinitivo en los comentarios del foro y diga cuáles son, citando ejemplos de los comentarios.

6 Más repaso (¿?) 👥

Con un/a compañero/a haga las siguientes actividades.

1. Hagan una lista de los verbos seguidos de una preposición en las lecturas anteriores.
2. Expliquen el uso de *lo* según los ejemplos de las lecturas.
3. Traduzcan la oración "Si Ud. está en el cine o en misa, apague su celular, por favor." Escriban la oración primero usando *estuviera* y luego *hubiera estado*. Hagan los otros cambios necesarios.
4. Traduzcan la oración "Es fundamental reducir las emisiones de gases" y vuelvan a escribirla usando el subjuntivo.

7 "Tapitas" gramaticales (¿?)

Conteste estas preguntas basadas en las lecturas de la Actividad 3.

1. Haga una lista de las expresiones que exigen el uso del subjuntivo.
2. Explique el uso del verbo *soler* en la frase "la mayoría de los timbres suele ser molesta".
3. Explique por qué se usa el artículo *el* con la palabra *sistema*.

8 ¿Qué opina? 👥

Reaccione a lo que cada persona ha escrito en el foro de la Actividad 3 y comparta su opinión con un/a compañero/a. Incluya palabras del vocabulario nuevo que aparecen en azul.

9 Aprender inglés

Lea con atención el siguiente artículo e intente averiguar el significado de las palabras en azul por el contexto, ya que se le harán preguntas sobre ellas.

Aprender inglés toma más tiempo de lo que se cree

El proceso de adquisición de un nuevo idioma toma tiempo: se requieren de tres a cinco años para adquirir fluidez oral en inglés y de cuatro a siete años para [5]alcanzar la capacidad lingüística necesaria para desempeñarse bien académicamente. Algunos investigadores indican que tiene más sentido pensar en los años de educación primaria e intermedia como un [10]tiempo razonable para que los estudiantes se vuelvan competentes en inglés. El estudio recomienda que se tenga una perspectiva y un grupo de expectativas a largo plazo sobre el aprendizaje. Apuntan que posiblemente es necesario iniciar programas especiales de verano y después del horario regular de clases para ayudar a que los estudiantes que están aprendiendo inglés [15]lleguen al nivel de los angloparlantes. Por eso, es importante también, afirman los investigadores, que las escuelas proporcionen un plan de estudios balanceado que satisfaga las necesidades académicas de los estudiantes. Esto podría lograrse a través de la educación bilingüe; a falta de ésta, los educadores deben esforzarse por encontrar el mejor método para alcanzar esta meta. Se halló que, al igual que en otras áreas académicas, los estudiantes en escuelas y distritos escolares más [20]ricos tienen un mejor rendimiento escolar y aprenden inglés mejor que los alumnos de escuelas más pobres. ¿Por qué tiene que ser tan complicado?

www.laopinion.com

10 Amplíe su vocabulario

Escriba la letra que corresponda a la mejor definición de cada palabra de la primera columna.

1. fluidez
2. alcanzar
3. desempeñar
4. tener sentido
5. expectativa
6. a largo plazo
7. apuntar
8. iniciar
9. angloparlante
10. a través de
11. a falta de
12. rendimiento

a. anotar
b. productividad
c. sin
d. lograr
e. por
f. después de mucho tiempo
g. persona que habla inglés
h. cumplir
i. facilidad
j. ser lógico
k. esperanza de conseguir algo
l. comenzar

11 El aprendizaje de lenguas

Con un/a compañero/a haga una lista de las palabras o expresiones que conozcan relacionadas con el aprendizaje de lenguas. Piensen en otras palabras o expresiones relacionadas que les gustaría saber y búsquenlas en el diccionario.

12 Repaso

Conteste estas preguntas basadas en el artículo anterior.

1. Explique el uso de *por, para, por qué* y *para que* que aparecen en el texto.
2. Explique cómo se transforma un adjetivo en adverbio.
3. Explique el uso y la falta del artículo en expresiones como *aprender inglés, en inglés* y *aprendiendo inglés*.
4. Haga una lista de todos los verbos del subjuntivo y explique su uso en la lectura.

13 "Tapitas" gramaticales

Conteste estas preguntas basadas en el artículo anterior.

1. Explique las diferencias gramaticales entre *esto, ésta* y *esta* en la lectura.
2. Explique el uso de *tan* en la expresión *tan complicado*.
3. ¿Qué función gramatical tiene la palabra *mejor* en la frase *aprenden inglés mejor*?

14 Escriba

Invente un plan de estudios que ayude a los que estudian inglés o español a mejorar sus conocimientos de ese idioma. Describa las asignaturas, los horarios y los profesores. Describa detalladamente las actividades culturales y los viajes que pueden hacer, y mencione también las tareas que tendrán que cumplir.

15 El fraude

Échele una ojeada al artículo que sigue, prestando atención a las palabras en azul, ya que se le harán preguntas sobre ellas. Luego lea el artículo y decida qué forma de las palabras entre paréntesis es la correcta para completar cada oración y escríbala.

Fraudes en teléfonos celulares

Lo que pensaba que en un momento le podría salvar la vida a ella o a su familia en caso de una emergencia, le ha costado a Martha Ramírez dolores de cabeza, corajes y cuentas
[5]que ni pidiendo __1.__ (*prestar*) ha podido pagar. Ahora el servicio de teléfono celular le ha sido suspendido y para restaurarlo o cancelarlo definitivamente __2.__ (*tener*) que pagar más. Ramírez hizo un convenio en marzo por tres
[10]teléfonos celulares con mil minutos al mes, sin cargo móvil a móvil y con __3.__ (*uno*) programa de 200 mensajes para su hija de 17 años, todo por 89 dólares. Parecía perfecto para la familia, hasta que le __4.__ (*llegar*) la primera factura
[15]en abril de 2005. El cobro fue de 300 dólares y luego de semanas de tratar de encontrar respuestas con los representantes de la compañía proveedora, ella terminó __5.__ (*pagar*) el total del dinero. Nadie le ayudó, ni le aclaró
[20]nada, sólo le __6.__ (*decir*) que su hija había

recibido esos mensajes. Los siguientes meses continuaron __7.__ (*igual*). Su hija afirmaba que sólo recibía dos mensajes diarios y Ramírez pagaba cantidades similares a los 300 dólares.
[25]Lo peor es que había hecho un contrato por dos años y si cancelaba el servicio __8.__ (*tener*) que pagar 175 dólares por línea cancelada, o __9.__ (*ser*) 525 dólares. Finalmente Ramírez ya no __10.__ (*poder*) pagar y la compañía le suspendió
[30]el servicio. Ahora tendrá que pagar 25 dólares para restaurarlo. En cinco meses habrá pagado cerca de 1.500 dólares y todavía debe más de 200. Elizabeth Yaeger, coordinadora de la oficina de fraude a los consumidores del Centro
[35]de Recursos Centroamericanos (CARECEN) indicó que este caso no es aislado y que en tres años tiene __11.__ (*ciento*) de quejas de personas que reportan abusos en cobros, particularmente entre la comunidad latina. De
[40]acuerdo con información de AT&T, cada año los

consumidores pagan cerca de 4.000 millones de dólares en cargos fraudulentos. Además, los latinos pagan hasta un 25% más por factura que el promedio [45]nacional. "Mientras que el teléfono celular ya es una necesidad más que un lujo, principalmente en tiempos de crisis y emergencias, más y más consumidores continúan __12.__ (firmar) contratos en [50]inglés que no entienden", dijo Yaeger. "Y lo malo es que el no poner atención a las letras más pequeñas del contrato puede llevar a pagar mensualidades estratosféricas". El Departamento del Consumidor del [55]Condado de Los Ángeles (DCA) indicó que algunas de las quejas más comunes son malos entendidos entre lo que se promete verbalmente y lo que __13.__ (decir) el contrato como servicios de llamadas [60]internacionales, número de minutos permitidos y cobro de servicio de navegación en la red inalámbrica. Pero agregó que, últimamente, con los servicios de Internet, el problema se ha extendido a [65]números de mensajes, juegos y otro tipo de servicios que en la mayoría de los casos la gente no sabe que tiene y un error al marcar __14.__ (poder) significar un cobro extra. "Si el convenio se explica verbalmente en [70]español, se puede exigir que el contrato escrito también se __15.__ (dar) en español", dijo Rigoberto Reyes, supervisor de DCA. "El cliente tiene el derecho a que le __16.__ (explicar) en forma clara los servicios [75]que está adquiriendo, pero si lo engañan, entonces se comete un fraude y aunque __17.__ (firmar), el cliente puede reclamar y posiblemente recuperar su dinero". El investigador instó a la gente a quejarse y [80]denunciar todo tipo de abuso ya sea por servicios que no autorizaron o si __18.__ (sentirse) engañados a la hora de hacer el contrato, y ahora les cobran servicios que no solicitaron. Uno de los aspectos [85]importantes de los convenios es que cualquier contrato puede terminarse al año, sin importar que __19.__ (ser) firmado por dos o tres años. "La ley los protege; la gente puede cancelar durante un período de 30 [90]días antes de terminar su primer año de servicio y sin cargos extras". La Comisión de Servicios Públicos del estado, encargada de regular las compañías de teléfono celular, indicó que el mayor número de [95]quejas es por confusión en los contratos y los cargos por rompimiento del convenio. Esta entidad subrayó que sólo se encarga de regular los términos y las condiciones del convenio, pero que si los clientes se quejan [100]y hay forma de verificar que las llamadas o el servicio no lo __20.__ (hacer) ellos, entonces la ley los apoya. Mark Siagel, portavoz de Cingular, una de las compañías acusadas, expresó que no podía comentar al [105]respecto, sólo si veía casos específicos, pero __21.__ (enfatizar) que la compañía siempre busca la satisfacción del cliente, particularmente de la comunidad latina. Indicó no saber si la empresa __22.__ (poder) [110]proveer contratos en español. Yaeger agregó que en los tres años ha investigado cientos de casos, algunos de hasta por 1.500 dólares, y es por eso que recomendó a la gente denunciar cualquier tipo de abuso. [115]Ella no especificó el nombre de cierta compañía, pero subrayó que __23.__ (todo) son parte del problema de fraude que existe en todo el país donde más de 180 millones de personas tienen un celular y un 31% de [120]los latinos lo utilizan como su única fuente de comunicación.

Es bueno saber:

- Todo contrato se puede cancelar durante los 30 días previos al término del primer año, aunque el convenio [125]__24.__ (ser) de dos años.
- Si el convenio es verbal en español, Ud. puede exigir un contrato en el mismo idioma; si se siente engañado, no dude en denunciarlo.
- [130]Muchos de los puestos en centros comerciales no trabajan para la empresa, sino que son negocios que venden el contrato a las compañías celulares y resulta más difícil arreglar [135]problemas con ellos.
- Siempre que hable para quejarse, __25.__ (pedir) el nombre completo de la persona con la que habló y su número de identificación como representante.
- [140]Todo lo que se le prometa pídalo por escrito.

www.laraza.com

16 Amplíe su vocabulario

Según el contexto del artículo anterior, ¿cuál es la mejor traducción de cada palabra?

1. coraje
   a. courage
   b. anger
   c. moment of despair
   d. moment of frustration

2. convenio
   a. promise
   b. convention
   c. agreement
   d. offer

3. sin cargo
   a. without charge
   b. without a contract
   c. without extras
   d. without debit

4. aclarar
   a. to declare
   b. to offer
   c. to order
   d. to explain

5. lo peor
   a. the poor thing
   b. the worst thing
   c. the bad thing
   d. the evil thing

6. deber
   a. to owe
   b. to have to
   c. to be in debt
   d. must

7. de acuerdo
   a. from the agreement
   b. in agreement
   c. in order
   d. from the order

8. lujo
   a. gift
   b. feature
   c. part of the contract
   d. luxury

9. al marcar
   a. when they turn on the phone
   b. when they text-message
   c. when they use the Internet
   d. when they dial

10. instar
    a. to explain
    b. to challenge
    c. to urge
    d. to demand

11. denunciar
    a. to report
    b. to protect
    c. to reject
    d. to trick

12. solicitar
    a. to accept
    b. to request
    c. to use
    d. to propose

13. al respecto
    a. respectfully
    b. with no relation
    c. in the matter
    d. about any aspect

14. 30 días previos
    a. the same 30 days
    b. the previous 30 days
    c. the first 30 days
    d. the next 30 days

15. puesto
    a. employee
    b. booth
    c. company
    d. contract

17 Un pequeño repaso

Conteste estas preguntas basadas en el texto de la Actividad 15.

1. ¿Qué participios presentes y pasados se han usado en el texto con un tiempo verbal? Haga una lista de ellos. Haga otra lista de los participios pasados usados como adjetivos.

2. Haga una lista de los verbos en el pretérito e imperfecto. ¿Qué expresan estos dos tiempos verbales?

3. Haga una lista de los verbos que aparecen en el subjuntivo en las respuestas de la Actividad 15 y explique su uso.

18 "Tapitas" gramaticales

Conteste estas preguntas basadas en el texto de la Actividad 15.

1. Explique el uso de preposiciones delante de números. Cite los casos en que los números no van precedidos por preposiciones.

2. Explique la función general de los adjetivos y cómo se determinan su género y número. Cite por lo menos quince adjetivos que se usaron en el artículo de la Actividad 15.

3. Explique los usos de la palabra *lo* y cite ejemplos del artículo.

Cita

No progresas mejorando lo que ya está hecho, sino esforzándote por lograr lo que aún queda por hacer.
—Kahlil Gibran (1883–1931), escritor y pintor libanés

¿Piensa que siempre es mejor progresar, o quedarse satisfecho con lo que hay ahora en el mundo? ¿Cómo interpreta "lo que aún queda por hacer"?

¡Dato curioso!

En junio de 2006, China tenía 420 millones de usuarios de teléfonos móviles. Es el país con más aparatos celulares del mundo. Hace sólo diez años, en China era rarísimo ver un teléfono móvil, pero ahora hay sesenta y cinco fabricantes que producen teléfonos móviles en el país.

Idioma

19 Familia de palabras

Complete la tabla con el verbo, sustantivo o adjetivo apropiado, y la traducción correspondiente.

Verbos		Sustantivos		Adjetivos	
advertir	_____	_____	threat	advertido	_____
_____	to threaten	el aumento	_____	_____	threatened increased
conectar	_____	_____	warming	calentado	_____
_____	to pollute	_____	connection	_____	connected
generar	_____	el generador	pollution	contaminado	_____
_____	to oblige	_____	_____	generado	_____
		_____	provocation	obligado	_____

20 ¿Verbo, sustantivo o adjetivo?

Complete las oraciones usando la forma correcta de las palabras que aparecen en la tabla, ya sea verbo, sustantivo o adjetivo. En el caso del sustantivo puede que necesite artículo.

1. Los problemas ___ (*generar*) por la contaminación del medio ambiente son graves.
2. Uno de los problemas de mayor importancia es ___ (*contaminar*) del aire.
3. Otro gran problema es ___ (*calentar*) global que afecta el clima en muchas partes del planeta.
4. Hace mucho tiempo que la deforestación ___ (*amenazar*) la selva amazónica.
5. Si ella fuera menor, sus padres le ___ (*obligar*) a ir acompañada.
6. Me encanta usar mi computadora inalámbrica, pero me fastidia cuando ___ (*conectar*) no funciona bien.
7. ¡Ojalá que sus comentarios no ___ (*provocar*) tal reacción!
8. ___ (*Advertir*): ¡Apague su celular!
9. Los chicos no pueden comprar un nuevo celular con cámara porque ___ (*aumentar*) el precio.
10. Hay que buscar nuevos ___ (*generar*) de energía para reemplazar la electricidad y nuestra dependencia del petróleo.

Cita

Produce una inmensa tristeza pensar que la naturaleza habla mientras el género humano no escucha.
—Víctor Hugo (1802–1885), escritor francés

Explique la cita. ¿Cómo reaccionaría el escritor con la situación de la contaminación en el siglo XXI? ¿Por qué? Comparta su opinión con un/a compañero/a.

¡Dato curioso! Hacer trabajos voluntarios en su comunidad suena para muchos estudiantes como un verdadero sacrificio, pero los que se acostumbran a hacerlo opinan todo lo contrario. Aparte de la satisfacción de hacer un bien para alguien en su comunidad sin esperar nada a cambio, las personas que llevan a cabo esta labor experimentan vivencias únicas que recuerdan toda la vida.

21 Un taxista

Échele una ojeada al artículo que sigue para ver de qué se trata, prestando atención a las palabras en azul, ya que se le harán preguntas sobre ellas. Luego lea el artículo y decida cuál de las dos palabras entre paréntesis es la correcta para completar cada oración y escríbala.

Por hablar español taxista expulsa a pasajero

En represalia por hablar español __1.__ (*adentro / dentro*) de su taxi, un conductor expulsó de su vehículo a un hombre de negocios colombiano procedente del Aeropuerto Internacional George
5 Bush. __2.__ (*El / La*) taxista Tony Mitchell interrumpió el viaje de su pasajero __3.__ (*hacia / hacía*) el Hotel Adams Mark cuando escuchó al colombiano Mauricio Camargo __4.__ (*hablar / hablando*) en español por su teléfono celular. Luego orilló su taxi fuera de la
10 carretera, sacó el portafolio del pasajero de la cajuela y utilizó la fuerza física __5.__ (*por / para*) desalojar a Camargo del automóvil. Ambos hombres llamaron a la policía, y los alguaciles del Condado de Harris que se presentaron en el lugar del incidente multaron al
15 taxista, __6.__ (*bajo el / bajo del*) cargo menor de asalto; otro taxi de la misma compañía llevó a Camargo a su hotel. Las autoridades dijeron que las acciones del taxista no violan ningún reglamento de la ciudad y que no __7.__ (*es / está*) claro si sus acciones, que
20 incluyeron la remoción del portafolio de Camargo de la cajuela, representan una violación de las leyes federales sobre los derechos civiles. "El taxista estaba haciendo declaraciones sin sentido __8.__ (*cerca de / sobre*) terroristas", dijo el capitán M.H.
25 Talton, perteneciente al Departamento de Alguaciles. Dentro del taxi, el conductor llevaba un letrero __9.__ (*advertencia / advirtiendo*): "Inglés Solamente". Citado por el *Houston Chronicle*, Camargo dijo tener "una mala impresión sobre la ciudad", adonde se
30 dirigió para acudir a una conferencia de negocios. "Es completamente absurdo que en una ciudad como Houston, tan cercana a México, una persona no __10.__ (*puede / pueda*) hablar español en un taxi. Si la ciudad está tratando de atraer negocios, __11.__
35 (*este / esto*) no es un aliciente", dijo Camargo. No es usual en Houston que los taxistas, que en su

mayoría operan como contratistas independientes para compañías que son dueñas de los vehículos, discriminen contra personas que __12.__ (*hablan /*
40 *hablen*) un idioma extranjero, pues para cerca de un tercio de la población el inglés no es su idioma materno. Mientras que el taxista no ha declarado ante los medios, la compañía para __13.__ (*el cual / la cual*) trabaja, Liberty Cab Co., finalizó su contrato
45 basándose en la violación de un reglamento municipal que prohíbe a un conductor abandonar a un pasajero en la carretera. De acuerdo con el *Chronicle*, Camargo acudió a Houston para la conferencia de la Asociación Nacional de Organizaciones Estadounidenses de
50 Colombia. Luego de __14.__ (*darse / darle*) una tarjeta con la dirección del hotel al taxista, recibió dos llamadas por su celular, una de ellas de su esposa, quien pertenece al servicio exterior colombiano en Washington, y otra de su jefe en Bogotá. Fue entonces
55 que el conductor usó la fuerza física para sacarle del taxi. La legislación federal sobre derechos civiles prohíbe que empleadores __15.__ (*oblijen / obliguen*) a sus trabajadores a hablar inglés en el trabajo, al tiempo que hace ilegal que un hotel, por ejemplo, se niegue a
60 prestar servicios debido al idioma que se habla. Hasta ahora no se han presentado casos semejantes que __16.__ (*han puesto / hayan puesto*) en tela de juicio la legalidad de acciones como la del taxista, dijeron abogados especializados en derechos civiles citados
65 por el *Chronicle*.

www.laraza.com

22 ¿Qué significa? 🔍

Según el contexto del artículo anterior, empareje cada palabra de la primera columna con su definición o sinónimo en la segunda.

1. represalia
2. procedente de
3. orillar
4. cajuela
5. desalojar
6. alguacil
7. multar
8. violar
9. remoción
10. acudir
11. aliciente
12. contratista
13. debido a
14. en tela de juicio

a. expulsar
b. a causa de
c. parar a un lado y terminar el viaje
d. desobedecer
e. estímulo
f. maletero de un automóvil
g. imponer una penalidad
h. venganza
i. funcionario del gobierno local
j. expulsión
k. asistir
l. en duda
m. proveniente de
n. empresario

23 El idioma 📖

Échele una ojeada al artículo que sigue para ver de qué se trata, prestando atención a las palabras en azul, ya que se le harán preguntas sobre ellas. Luego lea el artículo y decida qué forma de las palabras entre paréntesis es la correcta para completar cada oración y escríbala. No se olvide de escribir y acentuar la palabra correctamente.

El idioma en la era del móvil y de Internet

JORGE PLANELLÓ

En su libro *Defensa apasionada del idioma español*, Alex Grijelmo se refiere a la pobreza de un idioma que __1.__ (*evolucionar*) desde el deterioro. Carteles de aviso, subtítulos en películas y artículos de prensa son ejemplos del poco cuidado que en ocasiones se __2.__ (*prestar*)
⁵a la ortografía. En los programas de televisión infantiles, el empeño por usar expresiones modernas reduce a una sola palabra todos los __3.__ (*matiz*). Al utilizar los jóvenes las nuevas tecnologías como teléfonos móviles o Internet, el deseo de comunicar prevalece sobre las reglas gramaticales. Es interesante cómo compensan
¹⁰mediante el lenguaje la impersonalidad de una conversación en un chat o con mensajes telefónicos. Más que empobrecer el idioma lo adaptan a las nuevas circunstancias. Dos personas frente a frente se comunican además de con la palabra, con los gestos y los cambios de tono. __4.__ (*Mediante*) onomatopeyas, abreviaturas o la supresión de __5.__ (*el*) vocales,
¹⁵los jóvenes pretenden ganar inmediatez __6.__ (*y*) intensidad en su mensaje. Se trata de decir lo máximo en el menor espacio posible. Nada sucede si se concibe esta forma de expresión como algo independiente de la lengua común. "El problema no es la tecnología, sino la ignorancia", ha dicho el escritor y académico de la lengua Antonio Muñoz Molina. Los diferentes medios tecnológicos pueden coexistir. Ni la televisión ha desplazado a la radio, ni los soportes electrónicos al libro.
²⁰Tampoco una conversación por chat o a través de mensajes __7.__ (*poder*) competir con aquélla en la que las dos personas de cualquier edad se hallan presentes porque son formas de interacción __8.__ (*complementario*). Por ello el riesgo para la riqueza del idioma no es este uso lingüístico. Más bien que se utilice sin distinción, como cuando un alumno escribe en un examen igual que en un

continúa

mensaje de móvil, lo que pone de manifiesto una carencia educativa. En España más de la
25 mitad de los hogares tienen menos de 100 libros, 3 de cada 10 personas de entre 14 y 24 años
no leen y todavía menos, 6 de cada 10, entre los alumnos de primaria. Ante este panorama, la
responsabilidad del idioma se delega en gran medida a los medios de comunicación. De una
manera __9.__ (o) otra los jóvenes siempre han buscado registros propios para diferenciarse
de los más mayores. Lázaro Carreter se refería a "la sensación de vejez que rodea a ciertas
30 palabras, y la necesidad que sienten las generaciones jóvenes de sustituirlas por otras de faz
más moderna". "Los idiomas cambian, inventando voces, introduciéndolas de otros idiomas
o modificando __10.__ (el propio)", escribía. Con las nuevas tecnologías se precisan diferentes
formas de utilizar el lenguaje. Igual que nadie escribe como habla, tampoco es adecuado
escribir para los internautas como en el papel o mantener el estilo de una carta en un correo
35 electrónico o un mensaje por el móvil. Pero los jóvenes no son el único motor de cambio del
lenguaje. La comunicación no es privilegio de unos pocos. Para Lázaro Carreter "se requiere
la máxima unidad en los cambios". Así, se __11.__ (haber) de facilitar el acceso a las nuevas
tecnologías a personas de todas las edades. En el cuarto centenario de la genial obra de Miguel
de Cervantes, el lenguaje aparece como algo vivo. Somos capaces de padecer las fatigas de
40 Don Quijote y gozar de sus andanzas, aunque el estilo del texto de Cervantes resulta lejano.
Esta evolución es un síntoma de salud, en la medida en que se adapta el idioma a los últimos
avances tecnológicos y a las necesidades. Pero ha de progresar con la aportación de sus
hablantes, no con el deterioro. Perderíamos el vínculo cultural si se __12.__ (suprimir),
por ejemplo, las vocales. "Las mismas letras", dice Grijelmo, "sobre las que han descansado
45 sus ojos millones de personas en cinco continentes, en Guinea, en Filipinas, en El Salvador
o en Miami".

www.paginadigital.com

24 ¿Qué significa? 🔍

Empareje las palabras de la primera columna con su traducción correspondiente de la
segunda, según el contexto del artículo.

1. cartel de aviso	a. to find
2. ortografía	b. to suffer
3. empeño	c. lack
4. prevalecer	d. level, register
5. empobrecer	e. warning poster
6. desplazar	f. to impoverish
7. hallar	g. weariness
8. carencia	h. persistence
9. registro	i. aspect
10. faz	j. spelling
11. internauta	k. damage
12. padecer	l. to prevail
13. fatiga	m. adventures
14. andanzas	n. to displace
15. aportación	o. contribution
16. deterioro	p. Instant Messenger and e-mail users

25 Lea, escuche y escriba/presente

Después de leer los textos completos de las Actividades 21 y 23, escuche "Más de 1,5 millones de palabras del quechua en Windows y Office" y tome las notas necesarias. Escriba un ensayo sobre el mundo multilingüe en que vivimos. No se olvide de citar las fuentes debidamente.

Cita

Vivimos bajo el mismo techo, pero no tenemos el mismo horizonte.
—Konrad Adenauer (1876–1967), político alemán

 ¿Qué es lo más importante en el mundo que le rodea? ¿En qué se diferencia de los retos, los sueños y los miedos de otras comunidades en países menos desarrollados? Comparta sus opiniones con un/a compañero/a.

¡Dato curioso!

¿Sabía que un sismo que registró una magnitud de 7,2 grados causó un tsunami el 26 de diciembre de 2004, durante el cual murieron más de 220.000 personas? Un sismo que sube el nivel del mar también se llama maremoto.

26 ¡No critique a sus hijos!

Échele una ojeada al artículo que sigue para ver de qué se trata, prestando atención a las palabras en azul, ya que se le harán preguntas sobre ellas. Luego lea el artículo y decida cuál de las dos palabras entre paréntesis es la correcta para completar cada oración y escríbala.

¡No critique a sus hijos!

Son las ocho de la mañana. Su hija tiene que estar en la escuela en quince minutos y usted tiene que estar en su trabajo en veinte. Pero esta mañana, ella ha decidido peinarse **1.** (*sólo / sola*) y ponerse una cinta en el
[5] pelo que **2.** (*le / se*) toma un siglo. "¿Quieres que te **3.** (*ayuda / ayude*)?", usted le pregunta mirando el reloj y lista para agarrar el cepillo y peinarla. "No, mami, yo puedo sola", la niña contesta. Y usted comenta, "pero avanza, porque vamos a llegar tarde
[10] otra vez", sin pensar que con **4.** (*estas / éstas*) palabras está afectando a su niña. Porque en vez de elogiar el hecho de que ya la niña se puede peinar solita, está criticando cuando **5.** (*le / se*) tarda en hacerlo. Una crítica, según Jane Nelson, autora de
[15] una serie de libros titulada *Disciplina positiva*, es algo que hace que un niño **6.** (*se sienta / se siente*) menos que otros o no suficientemente capaz, o inadecuado o incompetente. Cuántas veces, quizás, sin **7.** (*darnos / darse*) cuenta, hacemos sentir de
[20] esta manera a nuestros niños **8.** (*para / por*) la forma en la cual respondemos a sus esfuerzos. Como cuando su hijo es responsable por hacer su cama todos los días y al entrar a su cuarto lo que usted encuentra

es un desastre de almohadas y sábanas debajo del
[25] colchón. Y en vez de sacar el tiempo para enseñarle cómo arreglarlo y hacerlo bien, lo que hacemos es enojarnos y **9.** (*criticarlo / criticarnos*). Según la revista *Parents*, cuando algunas veces criticamos a nuestros niños conscientemente, **10.** (*es / sea*)
[30] porque esperamos que nuestras palabras alteren su comportamiento o simplemente porque estamos molestos con lo que han hecho. Otras veces, ni tan siquiera nos damos cuenta de que los estamos criticando o corrigiendo. Por eso es importante que
[35] nos pongamos en el lugar del niño y nos imaginemos **11.** (*cuán / cuánto*) mal nos sentiríamos si alguien, digamos nuestro jefe, **12.** (*criticará / criticara*) la mitad de las cosas que hacemos en un día. Las críticas constantes hacen que los niños se sientan
[40] malhumorados y hostiles hacia los padres o hacia la persona que los critica. Además, las críticas contribuyen a que el niño se sienta mal **13.** (*consigo / con ellos*) mismo, ineficaz y despreciado. Y, según los expertos, estos sentimientos pueden, en cambio, alterar
[45] (bajar) **14.** (*el / la*) autoestima del niño y ocasionar problemas de comportamiento más serios.

www.eldiariony.com

27 ¿Qué significa?

Según el contexto del artículo anterior, empareje cada palabra de la primera columna con su definición o sinónimo en la segunda.

1. agarrar
2. elogiar
3. colchón
4. comportamiento
5. molesto
6. tan siquiera
7. ineficaz
8. ocasionar

a. inepto
b. conducta
c. coger
d. fastidiado
e. producir
f. celebrar
g. por lo menos
h. pieza que se pone sobre la cama para dormir en ella

28 Lea, escuche y escriba/presente

Después de leer el texto completo de la Actividad 26, escuche "Falta de motivación causa deserción escolar". Tome notas de las dos fuentes y escriba un ensayo o haga una presentación en clase sobre "El mundo del estudiante y su falta de motivación". No se olvide de citar las fuentes debidamente.

29 Lenguas indígenas

Échele una ojeada al artículo que sigue para ver de qué se trata, prestando atención a las palabras en azul, ya que se le harán preguntas sobre ellas. Luego lea el artículo y decida cuáles son las palabras que mejor completan las oraciones y escríbalas. No se olvide de escribir y acentuarlas correctamente.

Lenguas indígenas en agonía

DIEGO CEVALLOS

Cientos de lenguas desaparecieron en __1.__ Latina y el Caribe en los últimos 500 años, y varias de las más de 600 que aún sobreviven podrían correr la misma suerte dentro __2.__ poco. Agencias de
[5] la Organización de las Naciones Unidas (ONU) y algunos expertos sostienen que se trata de una tragedia evitable, pero hay quienes
[10] lo ven como un destino consustancial a toda lengua. Enfrentadas a la cultura occidental y a la presencia dominante del
[15] castellano, portugués e inglés, lenguas indígenas como el kiliwua en México, el ona y el puelche en Argentina, el amanayé en Brasil, el záparo en Ecuador y el mashco-piro en Perú, apenas sobreviven __3.__ el
[20] uso que hacen de ellas pequeños grupos de personas, en su mayoría ancianos. Pero también hay otras como

el quechua, aymará, guaraní, maya y náhuatl, cuyo futuro parece más halagüeño, pues en conjunto las hablan más __4.__ 10 millones de personas, y muchos
[25] gobiernos apadrinan su existencia con distintos programas educativos, culturales y sociales. En el mundo hay alrededor de siete mil lenguas en uso y cada año desaparecen veinte. Además, la mitad de las existentes están bajo amenaza de
[30] extinción, según la Organización de las Naciones Unidas para la Educación y la Cultura (UNESCO).

Esta agencia, que promueve
[35] la preservación y diversidad de las lenguas en el mundo, sostiene que la desaparición de un idioma es una tragedia, pues con ella se esfuma una
[40] cosmovisión y una cultura particulares. Pero no todos __5.__ ven así. "La extinción de lenguas es un fenómeno consustancial con la existencia misma de ellas, y ha venido sucediendo desde que el hombre emitió su primer sonido con valor lingüístico",

[45]dijo a Tierramérica José Luis Moure, filólogo de la Universidad de Buenos Aires y miembro de la Academia Argentina de Letras. __6.__ contraste, Gustavo Solís, lingüista peruano experto en lenguas vernáculas y autor de estudios sobre el tema en la [50]Amazonia, afirma que "no hay nada en las lenguas que diga que deba desaparecer una y mantenerse otra. Toda desaparición de lengua y cultura es una tragedia mayor de la humanidad. Cuando ocurre, se extingue una experiencia humana única e irrepetible", declaró [55]Solís a Tierramérica. Según __7.__ especialista, hay experiencias que indican que es posible planificar la revitalización de lenguas para que no __8.__, pero que los esfuerzos que se hacen al respecto en América Latina y el Caribe son aun pequeños. Cuando [60]llegaron los europeos a América, en el __9.__ XV, había entre 600 y 800 lenguas sólo en América del Sur, pero con el proceso colonizador "la inmensa mayoría desapareció y en este mismo momento, hay lenguas en proceso de extinción por el contacto [65]desigual entre la sociedad occidental y algunas sociedades indígenas", expresó. Fernando Nava, director del gubernamental Instituto Nacional de Lenguas Indígenas de México (INALI), señaló a Tierramérica que las lenguas desaparecen por [70]evolución natural, lo que es entendible, o por la presión cultural y por la "discriminación" que sufren sus hablantes. Es contra la segunda causa que muchos gobiernos, agencias internacionales y académicos enfocan sus esfuerzos, pues se trata __10.__ algo [75]inaceptable, declaró.

"En este campo, en América Latina y el Caribe estamos apenas transitando por una etapa de 'sensibilización'", opinó. Según la Unesco, la mitad de las lenguas existentes en el mundo podría [80]perderse dentro de "pocas generaciones", debido a su marginación de Internet, presiones culturales y económicas y el desarrollo de nuevas tecnologías que favorecen la homogeneización. El organismo difundirá __11.__ mayo un amplio estudio sobre las [85]lenguas en la Amazonia, varias de __12.__ habladas por muy pocos individuos, con lo que aspiran a llamar la atención sobre el fenómeno. En las selvas amazónicas sobreviven pueblos indígenas aislados, que se niegan __13.__ tener contacto con el mundo [90]occidental y su "progreso". Suman unas cinco mil personas pertenecientes a varias etnias, entre ellas, los tagaeri en Ecuador, los ayoreo en Paraguay, los

korubo en Brasil y los mashco-piros y ashaninkas en Perú. De acuerdo __14.__ Rodolfo Stavenhagen, [95]relator especial de la ONU sobre Derechos Humanos y Libertades Fundamentales de los Indígenas, esos nativos enfrentan un "verdadero genocidio cultural". "Me temo que en las circunstancias actuales es muy difícil que sobrevivan muchos años más, pues el [100]llamado desarrollo niega el derecho de esos pueblos a seguir __15.__ pueblos", ha dicho. Aunque el universo de idiomas y dialectos en uso en el mundo es alto, la gran mayoría de la población habla apenas un puñado de ellos, como el inglés o el español. Para [105]garantizar que la diversidad lingüística se mantenga, la comunidad internacional acordó en los últimos años una batería de instrumentos internacionales, y expertos organizan periódicas citas donde analizan el tema. Una de esas últimas reuniones se celebró [110]del 31 de marzo __16.__ 2 de abril en el central estado estadounidense de Utah, donde funcionarios y estudiosos del tema de toda América debatieron sobre cómo evitar la desaparición de docenas de lenguas en la región. Desde 1999 y por iniciativa de la Unesco, [115]cada 21 de febrero se __17.__ el Día Internacional de la Lengua Materna. Además, existen acuerdos en el sistema de la ONU, como la Declaración Universal sobre la Diversidad Cultural y su Plan de Acción, de 2001, y la Convención para la Salvaguardia del [120]Patrimonio Cultural Inmaterial, de 2003. También está la Recomendación sobre la Promoción y el Uso del Plurilingüismo y el Acceso Universal al Ciberespacio, de 2003, y la Convención sobre la Protección y Promoción de la Diversidad de las [125]Expresiones Culturales, de 2005. Según el argentino Moure, es importante __18.__ por la preservación de las lenguas, aunque el número de sus usuarios __19.__ pequeño, pues "son marcas de identidad que merecen el máximo respeto y atención científica". [130]Pero "no estoy tan seguro de que la muerte de una lengua implique necesariamente la desaparición de la cosmovisión que conlleva, porque sus hablantes nunca dejan __20.__ hablar (a menos que los extermine una enfermedad o un genocidio) sino que, después [135]de un período de bilingüismo, adoptan otra lengua que les resulta más útil por su mayor inserción en el mundo", apuntó. "Esto es un hecho de la realidad, y creo que debe admitírselo sin apelar a excesivas teorías conspirativas", añadió.

www.paginadigital.com

30 ¿Qué significa?

¿Cuál es la mejor traducción para cada palabra, según el contexto de la lectura anterior?

1. sostener
   a. to deny
   b. to maintain
   c. to keep
   d. to protect

2. consustancial
   a. innate
   b. circumstantial
   c. relevant
   d. occasional

3. halagüeño
   a. defeating
   b. hopeless
   c. flattering
   d. distant

4. apadrinar
   a. to reject
   b. to question
   c. to finance
   d. to sponsor

5. esfumarse
   a. to vanish
   b. to resolve
   c. to smoke
   d. to shade

6. cosmovisión
   a. vision of the stars
   b. galaxy
   c. vision of the world
   d. hereafter

7. vernáculo
   a. foreign language
   b. language of the Indians
   c. new language
   d. native language

8. irrepetible
   a. mentionable
   b. unrepeatable
   c. undeniable
   d. repeating often

9. lengua materna
   a. mother earth
   b. mother tongue
   c. maternal league
   d. maternal care

10. salvaguardia
    a. glory
    b. salvage
    c. safeguard
    d. promotion

11. conllevar
    a. to entail
    b. to exclude
    c. to take along
    d. to start

31 Escriba

Según el artículo anterior, "en el mundo hay alrededor de siete mil lenguas en uso y cada año desaparecen veinte". Proponga un plan para evitar la desaparición de tantos idiomas cada año. Defienda el programa y sugiera la financiación del mismo. Use una variedad de tiempos verbales e intente usar algunas de las "tapitas" gramaticales y vocabulario que ha repasado en esta lección.

Cita

En el corazón de todos los inviernos vive una primavera palpitante, y detrás de cada noche, viene una aurora sonriente.
—Kahlil Gibran (1883–1931), escritor y pintor libanés

 ¿Qué piensa de esta cita? ¿Cree que los indígenas miran al futuro con esta misma actitud? Comparta su opinion con un/a compañero/a.

¡Dato curioso!

Iberoamérica quiere estar libre de analfabetos en el año 2015. Muchos gobiernos hispanos expresaron que la educación y la cultura son el cemento para la base de sociedades más productivas, más equilibradas y más justas.

¡A leer!

32 Antes de leer

¿Piensa Ud. que el acceso al agua potable es un tema mundial importante? ¿Por qué? ¿Qué sabe de la purificación del agua?

33 El agua

Lea con atención el artículo que sigue e intente averiguar el significado de las palabras en azul por el contexto, ya que se le harán preguntas sobre ellas.

El agua, tema central de análisis internacional

KARLA WUCUAN OCHOA

La sequía, la calidad y seguridad del agua, y el uso de la tecnología para el desarrollo de infraestructura que permita su administración y abastecimiento adecuado frente a los desafíos legislativos en torno a este vital
[5] líquido, fueron los temas que dominaron la convención anual de la Asociación Estadounidense de Obras Hidráulicas (AWWA).

Andrew Hudson, jefe de relaciones públicas de la AWWA, señaló que desde los ataques terroristas del
[10] 11 de septiembre de 2001 la seguridad del agua se ha vuelto una prioridad.

"Antes de los ataques sólo nos preocupábamos por las personas que echaban algún químico en el agua —como pintura—, pero ahora tenemos que vigilar más
[15] en caso de que los terroristas quieran verter alguna sustancia dañina en el agua", dijo Hudson. Más de 500 compañías relacionadas con el agua exhibieron sus productos y avances tecnológicos para garantizar la calidad del vital líquido que llega a los hogares.

[20] "La convención estuvo abierta al público; sin embargo, la mayoría de los asistentes eran miembros de la organización AWWA, que son personas que están muy involucradas en la industria del agua (A), como empresarios o personas que trabajan para el gobierno",
[25] señaló Sabrina McKenzie, portavoz de la AWWA.

Virgilio Martínez, gerente internacional de Leopold Underdrain para América Latina, uno de los expositores más grandes en la convención, comentó que es importante dar a conocer los equipos de
[30] tratamiento de agua que se usan en las ciudades para la seguridad de sus habitantes. "Nosotros estamos en el mercado desde 1924, y año tras año mejoramos nuestros productos", dijo el gerente. "Este año trajimos un equipo que cuenta con un material de filtración,
[35] como cama de soporte, grava y arena, y cuando se introduce el agua se purifica automáticamente".

Este año más de 32 países visitaron la conferencia de la AWWA, entre los cuales se encontraban Brasil, Puerto Rico, Colombia y México. "Es la

[40] primera vez que asisto a este tipo de eventos y creo que es muy importante que todas las personas participen y se preocupen por el medio ambiente" (B), dijo Juan Felipe Serrato, de la Comisión Estatal de Servicios Públicos de Mexicali. "Además", continuó Serrato,
[45] "busco la mejor tecnología que ofrezca un buen proceso de filtración y limpieza de agua".

La conferencia anual del tratado de agua, que incluía más de 70 sesiones y 13 talleres con diferentes expertos del tratado del agua, fue inaugurada el 15 de
[50] junio y concluyó el 19 del mismo mes en el Centro de Convenciones de Anaheim. Hudson agregó que aparte de informar a las personas que están dentro de la industria del agua, también están tratando de alcanzar a todos los latinos y cambiar su cultura sobre
[55] el agua de la llave (C). Según un estudio publicado por la AWWA, los latinos son los más propensos a comparar la calidad del agua de la llave que hay en Estados Unidos con la de sus países de origen. "Los latinos por lo general no consumen el agua de la llave
[60] que hay aquí, pues temen que sea igual a la de sus países de origen, cuando la calidad del agua de aquí es muy buena y puede ser bebida sin ningún problema", comentó Hudson. Casi la mitad de los latinos toman sólo agua embotellada (D) y como grupo están
[65] dispuestos a pagar más por agua de alta calidad, según el estudio de la AWWA. Serrato agregó que espera que en el futuro se le haga más difusión a este tipo de eventos, pues en México se necesita concienciar más a la ciudadanía y al gobierno sobre la importancia de
[70] tener un buen sistema de purificación.

www.laopinion.com

34 ¿Qué significa?

Según el contexto del artículo anterior, ¿cuál es la mejor traducción para cada palabra de la primera columna?

1. sequía
2. abastecimiento
3. verter
4. dañino
5. agua de la llave
6. propenso
7. agua embotellada
8. concienciar

a. tap water
b. to pour
c. inclined to
d. drought
e. supply
f. bottled water
g. to make aware
h. harmful

35 ¿Ha comprendido?

1. ¿Cuáles fueron los temas que dominaron la convención anual de la Asociación Estadounidense de Obras Hidráulicas?
   a. La sequía y la calidad y seguridad del agua
   b. La sequía, la calidad y seguridad del agua y un plan de aprovisionamiento de agua por el gobierno federal
   c. La sequía, la calidad y seguridad del agua y un plan para aprovisionar el agua según las leyes que existen
   d. La sequía, la calidad y seguridad del agua y sugerencias de cómo transformar el agua salada en agua dulce

2. Según el artículo, ¿cuáles son dos tipos de ataques al agua que temen las autoridades?
   a. Verterle al agua algún producto químico o pintura
   b. El ataque al agua por parte de terroristas y por productos químicos
   c. Los ataques a la calidad del agua en las grandes ciudades y a nivel internacional
   d. Ninguna de las respuestas anteriores

3. ¿Qué exhibieron 500 compañías relacionadas con el agua?
   a. Productos para transformar el agua salada en agua dulce
   b. Productos para garantizar la seguridad del agua
   c. Productos para garantizar la calidad del agua
   d. Productos contra la sequía

4. ¿Qué producto ayuda a purificar el agua automáticamente?
   a. Una cama de soporte, grava y arena
   b. No hay ningún producto eficaz y no se lo menciona en el artículo.
   c. Existen algunos productos, pero son muy costosos y no se los mencionan en el artículo.
   d. Un producto que se usa también en las ciudades para la seguridad de sus habitantes

5. ¿Qué buscaba uno de los oficiales mexicanos durante la conferencia?
   a. La ayuda de otros países latinos para solucionar los problemas con el agua
   b. La ayuda de otros países latinos para purificar el agua
   c. La mejor tecnología que ofrezca un buen proceso para la seguridad del agua
   d. La mejor tecnología que ofrezca un buen proceso de filtración y limpieza del agua

6. ¿Cuál era uno de los propósitos de la conferencia?
   a. Proponer más uso del agua embotellada en las culturas latinas
   b. Proponer más uso del agua de la llave en las culturas latinas
   c. Proponer a todos los países latinos un mejor sistema de purificación del agua
   d. Ninguna de las respuestas anteriores

36 ¿Cuál es la pregunta?

Según el artículo que acaba de leer, escriba una pregunta lógica para estas respuestas.

1. Un tema central de análisis internacional
2. En la convención anual de AWWA
3. El 11 de septiembre de 2001
4. Personas que están muy involucradas en la industria del agua
5. Leopold Underdrain para América Latina
6. Brasil, Puerto Rico, Colombia y México
7. En Anaheim
8. El agua de la llave
9. El agua embotellada
10. Agua de alta calidad

37 ¿Qué piensa Ud.?

¿Cuáles son al menos cinco sinónimos, que se usan en el artículo, de *personas* en general? ¿Puede pensar en otras? Escríbalas.

38 ¿Dónde va?

La siguiente frase se puede añadir al texto anterior: *en general y por el tema de la convención del agua.* ¿Dónde encajaría mejor la frase?

1. Posición A, línea 23
2. Posición B, línea 42
3. Posición C, línea 55
4. Posición D, línea 64

Cita

Tres facultades hay en el hombre: la razón que esclarece y domina; el coraje o ánimo que actúa; y los sentidos, que obedecen.
—Platón (427–347 a. de J. C.), filósofo griego

¿Está de acuerdo con la cita? ¿En qué situaciones ha podido observar esto? ¿Qué facultades dominan al ser humano que se preocupa por el medio ambiente? Comparta sus opiniones con un/a compañero/a.

¡Dato curioso!

Las Naciones Unidas recuerda todos los años, desde 1993, que el agua es un elemento tan valioso como escaso. Más de 1.100 millones de personas no disponen de agua potable y 2.600 millones carecen de sistemas de saneamiento adecuados. Según la ONU, el agua en malas condiciones provoca la muerte cada año de unos dos millones y medio de personas.

www.quo.es

39 Antes de leer

¿Qué sabe de los océanos? ¿Qué opina de la sobreexplotación de las especies que habitan los océanos? ¿Qué sabe de los tiburones? ¿Qué son el atún, la albacora y la merluza?

40 Los océanos

Lea con atención el artículo que sigue e intente averiguar el significado de las palabras en azul por el contexto, ya que se le harán preguntas sobre ellas.

Los océanos y el planeta en peligro

RICARDO NATALICHIO

Una gran cantidad de las diferentes especies que habitan los océanos del planeta se encuentran en una situación de alerta roja. La fundación Oceana calcula que el 75% de las
⁵que el hombre consume están sobreexplotadas, o siendo explotadas al límite de su capacidad, y que el 90% de la población de los peces grandes (tiburones, atunes, albacoras, etc.) ha desaparecido de los océanos desde el
¹⁰surgimiento de la pesca industrial. Quinientas toneladas de tiburón se requieren para obtener unas 12 toneladas de aletas, las cuales son vendidas como afrodisíaco principalmente en Asia. Estos animales se cazan, se mutilan
¹⁵y se devuelven vivos al mar, donde mueren ahogados y desangrados. Por cada merluza pescada, dos son devueltas al mar por no alcanzar la talla mínima para ser vendida. Muchas veces los peces han muerto antes de
²⁰ser devueltos. Si este ritmo de sobreexplotación continúa, la FAO prevé que en cuatro años se vivirá un colapso global de las pesquerías, afectando a más de 2 mil 500 millones de personas, que obtienen del mar su principal
²⁵fuente de proteínas. La sobreexplotación pesquera está acabando con la pesca a nivel planetario, poniendo en riesgo la supervivencia de los ecosistemas, las especies, y la viabilidad del propio sector pesquero. Greenpeace
³⁰estima que cada cuatro segundos, un área marina del tamaño de 10 campos de fútbol es barrida por buques de arrastre. En el transcurso del Día Mundial de los Océanos una flota de unos 300 arrastreros que faenan
³⁵en aguas internacionales habrá barrido con

sus pesadas redes unos 1.500 km² de fondos marinos profundos, en uno de los hábitats más diversos y más frágiles del planeta. De ahí que sea tan importante una moratoria sobre
⁴⁰la pesca de arrastre en alta mar para detener la destrucción de estos ecosistemas únicos. La inmensidad de los océanos muchas veces provoca que perdamos de vista la fragilidad de sus ecosistemas, y la velocidad con la que los
⁴⁵estamos degradando es una muestra más de la forma insostenible y destructiva con la que nos estamos manejando con respecto a los recursos del planeta. La importancia de mantener saludables a los ecosistemas oceánicos es tal
⁵⁰que posiblemente su degradación llevaría a la extinción misma del ser humano entre otras especies, o al menos causaría graves efectos en varios miles de millones de personas en todo el planeta. La semana que viene Naciones Unidas
⁵⁵se reúne en Nueva York para discutir medidas urgentes de protección de las profundidades marinas. Por el momento, en el Día de los Océanos, no tenemos nada que festejar.

www.paginadigital.com

41 Amplíe su vocabulario 🔍

Mire las palabras de la primera columna y busque su correspondiente sinónimo o definición entre las palabras de la segunda.

1. sobreexplotado
2. surgimiento
3. aleta
4. ecosistema
5. pesquero
6. barrer
7. arrastre
8. faenar
9. festejar

a. comunidad de seres vivos interrelacionados por el medio ambiente
b. celebrar
c. relacionado con los peces
d. acción de tirar
e. limpiar el suelo con una escoba
f. pescar en el mar
g. extraído demasiado
h. aparición
i. apéndice que se utiliza para moverse en el agua

42 ¿Ha comprendido?

1. Según el artículo, ¿qué está en una situación de alerta roja?
   a. Los peces grandes
   b. La calidad y la seguridad del agua
   c. Muchas especies marinas
   d. Las repuestas a y c

2. ¿Qué ha desaparecido desde el surgimiento de la pesca industrial?
   a. El 25% de las especies de peces
   b. El 10% de las especies de los peces grandes
   c. El 75% de las especies de peces
   d. El 90% de las especies de los peces grandes

3. ¿En cuántos años se calcula que habrá un colapso global de las pesquerías?
   a. En doce
   b. En cuatro
   c. A finales de este siglo
   d. Ninguna de las respuestas anteriores

4. ¿Por qué no se vende la mayoría de las merluzas pescadas?
   a. No hay ningún mercado que apoye toda la merluza pescada.
   b. Su popularidad ha disminuido.
   c. Son demasiado pequeñas.
   d. Todas las respuestas anteriores

5. ¿Qué hicieron los 300 arrastreros el Día Mundial de los Océanos?
   a. Celebraron ese día en el mar.
   b. Soltaron todos los peces que habían pescado ese día.
   c. Protestaron esa celebración.
   d. Trabajaron en los océanos como siempre.

6. ¿Por qué no es tan obvia la fragilidad del ecosistema marino?
   a. Porque los océanos son muy grandes
   b. Porque la mayoría de la gente del planeta no vive cerca de un océano
   c. Porque no hay mucha información disponible sobre el tema
   d. Porque, hasta ahora, no había ninguna plataforma internacional para discutir el asunto

43 Responda brevemente

¿Cree que las reuniones en las Naciones Unidas pueden establecer medidas urgentes de protección de las profundidades marinas? ¿Por qué? ¿Tiene Ud. algunas sugerencias que hacer para mejorar la situación? ¿Cuáles son? ¿Por qué es importante proteger el ecosistema marino?

44 Se titula...

Piense en otro título para esta lectura. ¿Por qué lo ha escogido?

45 Lea, escuche y escriba/presente

Después de leer "El agua, tema central de análisis internacional" y "Los océanos y el planeta en peligro" escuche "El verdadero valor del agua" y tome las notas necesarias de las fuentes. Escriba un ensayo o haga una presentación en clase sobre el tema, "La calidad del agua, los océanos y la industria pesquera: crisis del siglo XXI". No se olvide de citar las fuentes debidamente.

Cita

Si viéramos realmente el Universo, tal vez lo entenderíamos.
—Jorge Luis Borges (1899–1986), escritor argentino

¿Por qué escribió Borges *Universo* con mayúscula? Explique lo que quiere decir Borges. ¿Está de acuerdo con él? ¿Por qué piensa que pudo haber hecho este comentario? Comparta sus opiniones con un/a compañero/a.

¡Dato curioso!

El ecoturismo consiste en viajar por áreas naturales sin perturbarlas, con el fin de disfrutar, apreciar y estudiar sus atracciones naturales: los paisajes, la flora y la fauna y las manifestaciones culturales que se puedan encontrar allí. Hay muchos países latinoamericanos donde este tipo de turismo es muy popular.

Las Torres de Paine, Chile

46 No existe relación entre celulares y tumores cerebrales 💿

Lea las posibles respuestas primero y después escuche la grabación "No existe relación entre celulares y tumores cerebrales". Escoja la mejor respuesta para la pregunta que escuchará en la grabación.

1. (Pregunta que escuchará en la grabación.)

   a. De Dinamarca
   b. De los Estados Unidos
   c. De Finlandia
   d. De Holanda

2. (Pregunta que escuchará en la grabación.)

   a. 427 personas
   b. 822 personas
   c. Más de mil personas
   d. Casi dos mil personas

3. (Pregunta que escuchará en la grabación.)

   a. Ningún cambio importante en el número de tumores cerebrales vinculado a la frecuencia del uso de celulares
   b. Ningún aumento en el número de tumores cerebrales vinculado a la frecuencia del uso de celulares
   c. Ninguna reducción importante en el número de tumores cerebrales vinculado a la frecuencia del uso de celulares
   d. Ninguna de las respuestas anteriores

4. (Pregunta que escuchará en la grabación.)

   a. Uno de Suiza
   b. Uno de los Estados Unidos
   c. Uno de Suecia
   d. Uno de Austria

5. (Pregunta que escuchará en la grabación.)

   a. Sí, con las personas que usaron su celular muy frecuentemente
   b. No, porque la mayoría de las personas entrevistadas no usaron su celular frecuentemente
   c. Sí, pero no podían atribuir la aparición de los tumores debido al uso del celular
   d. No, porque hay otros factores que podían explicar la aparición de los tumores

47 Pros y contras de restringir el uso del celular

Escuche la grabación "Pros y contras de restringir el uso del celular" y conteste las siguientes preguntas.

1. ¿Qué significa la sigla NHTSA en español?
2. ¿Por qué recomienda la NHTSA que no se conduzca mientras se usa el celular?
3. ¿Por qué se recomienda que los conductores dejen las manos libres mientras manejan?
4. ¿Cuál es un beneficio del uso sin restricciones del celular mientras se conduce?
5. ¿Cuáles son dos beneficios potenciales de la legislación con respecto al uso del celular?

48 Participe en una conversación

Ud. va a participar en una conversación. Primero lea la descripción de la conversación y piense en algunas palabras o expresiones que le serían útiles. Organice sus ideas, haciendo predicciones sobre lo que se le pueda preguntar o comentar. Una descripción de lo que va a escuchar aparece abajo en color. Participe en la conversación grabando las respuestas o escribiéndolas en su cuaderno.

Escena: Ud. y otros estudiantes están planeando un programa ecológico en su colegio o universidad. Un día, Ud. entra en la oficina del director para hablar de este asunto.

El director:	Le saluda y le pide algo.
Ud.:	• Conteste.
El director:	Le pregunta sobre el programa.
Ud.:	• Conteste su pregunta.
El director:	Le hace otra pregunta.
Ud.:	• Conteste su pregunta afirmativamente.
El director:	Le hace otra pregunta.
Ud.:	• Contéstele y dele detalles sobre lo que le pide.
El director:	Le hace más preguntas sobre el programa.
Ud.:	• Háblele sobre sus preferencias para este programa. Explique las razones.
El director:	Sigue la conversación y luego se despide.
Ud.:	• Haga un comentario y despídase.

¡A escribir!

49 Texto informal: los teléfonos celulares

Escriba en un blog. Escriba un aviso detallando cómo se deben usar los teléfonos celulares mientras está en su colegio o universidad. Incluya lo siguiente:

- Las horas del uso de los celulares.
- Las restricciones sobre el uso de los celulares.
- Las sanciones contra los estudiantes que no sigan las reglas sobre el uso de los celulares.
- Unas frases o expresiones que se puedan usar en los carteles u otros anuncios para describir esta política.

Consejo

Antes de empezar, lea las pautas para escribir textos informales en la pág. 480 del Apéndice. Mientras escribe el texto tenga presente los objetivos. Cuando termine, verifique que ha cumplido con todo lo que se describe en la lista y reflexione sobre su trabajo.

50 Texto informal: las lenguas indígenas

En un foro alguien pide consejos para aprender una lengua indígena. Contéstele e incluya lo siguiente:

- Háblele de la importancia de hablar una lengua indígena.
- Sugiérale centros donde se puede aprender una de estas lenguas.
- Enumere los beneficios de aprender una lengua indígena.
- Mencione la posibilidad de vivir entre los indígenas para aprender dicha lengua.

51 Ensayo: la importancia de hablar español

Escriba un ensayo sobre la importancia social, cultural y política de mejorar su conocimiento de español.

52 Ensayo: la ecología

Escriba un ensayo en el que describa la importancia de la ecología.

53 En parejas

Intercambie sus ensayos con los de un/a compañero/a. Exprésele su opinión sobre el contenido y el uso del idioma.

Consejo

Antes de empezar, lea las pautas para escribir ensayos en la pág. 480 del Apéndice. Mientras escribe el ensayo tenga presente los objetivos y no se olvide de ponerle un título original. Cuando termine, verifique que ha cumplido con todo lo que se describe en la lista y reflexione sobre su trabajo.

Los coches híbridos como éste son más ecológicamente correctos, puesto que gastan menos petróleo.

¡A hablar!

54 Charlemos en el café

Ud. va a debatir los siguientes temas con un/a compañero/a. Uno estará a favor de lo que se ha dicho y otro en contra. El debate durará varios minutos. El/La estudiante que esté de acuerdo comenzará el debate y hablará por unos diez segundos. Cuando el/la profesor/a lo indique, el/la otro/a estudiante tomará la palabra y expresará su opinión por otros diez segundos, y así sucesivamente.

1. Tenemos obligación de elevar la conciencia ecológica del mundo.
2. Los políticos deberían prestar más atención a los programas ecológicos que protegen el planeta.
3. Debe haber más restricciones sobre el uso de los teléfonos celulares en todos los lugares públicos.
4. El mejor ciudadano es el ciudadano que hable varios idiomas.
5. Es necesario buscar nuevas formas de energía.

55 ¿Qué opinan?

Converse con un/a compañero/a sobre estas preguntas.

1. Si pudiera inventar cualquier cosa para mejorar nuestra ecología, ¿qué le gustaría inventar y por qué?
2. ¿Cree que la educación primaria debe incluir la enseñanza de idiomas extranjeros? ¿Por qué? Si Ud. fuera director(a) de una escuela primaria, ¿qué idiomas se enseñarían en la escuela? ¿Por qué?

56 Presentemos en público

Conteste una de las siguientes preguntas o haga una presentación sobre uno de los temas durante varios minutos. Organice sus ideas antes de hacer la presentación, busque las palabras necesarias y, después de practicar, presente en clase sin mirar las notas.

1. ¿Cree que la tecnología (las computadoras, el mensajero instantáneo, los mensajes por teléfono celular, etc.) ayuda o impide la comunicación escrita formal?
2. Si pudiera cambiar un aspecto de nuestra rutina diaria y eliminar un elemento de contaminación en nuestro mundo, ¿cuáles le gustaría cambiar o eliminar? ¿Por qué? ¿Cómo lo haría?
3. Ud. es un gran experto sobre los nuevos carros híbridos. Presente una lista de los carros híbridos que existen ahora a la clase. Hable de su eficacia, los beneficios y las desventajas de estos carros.
4. Piense en un problema ecológico que afecta a su comunidad y presente un plan eficaz para solucionar el problema.

Consejo

Antes de empezar, lea las pautas para presentaciones formales en la pág. 481 del Apéndice. Mientras formula su presentación tenga presente los objetivos. Cuando termine la presentación, verifique que ha cumplido con todo lo que se describe en la lista y reflexione sobre el trabajo que hizo.

57 ¡Manos a la obra!

Trabaje en un grupo de cuatro o cinco estudiantes para llevar a cabo uno de los siguientes proyectos y presentarlo a la clase.

- Les han encargado que inventen un nuevo teléfono celular que no moleste al público cuando lo use. Decidan qué características de los celulares actuales molestan al público y reemplácenlas con una nueva tecnología.

- Hagan un anuncio para promover la discusión sobre el problema de la sobreexplotación de los peces y de los océanos. Decidan si van a hacer un anuncio gráfico, de radio o de televisión.

- Van a diseñar un programa que promueva la apreciación de la diversidad cultural y lingüística de su colegio o universidad, comunidad, ciudad, región o estado. Piensen en una buena estrategia para convencer al público (sus compañeros) y preséntenselo.

- Imaginen que en su escuela o universidad no se puede llevar teléfonos celulares. Si lo/la ven con uno, se lo quitan en seguida. Presenten a la administración una petición para poder usar teléfonos celulares durante el día escolar. Deben pensar en una buena estrategia para convencer a la administración y las consecuencias para los estudiantes que no sigan los reglamentos de la petición.

Vocabulario

Verbos

aclarar	to clarify, explain
acoger	to welcome
agarrar	to seize
aislar	to isolate
alcanzar	to reach
amenazar	to threaten
apadrinar	to sponsor
concienciar	to make aware
dejar	to leave behind
desalojar	to vacate
desempeñarse	to fulfill, make out
detener	to stop
elogiar	to praise
esfumarse	to vanish, fade away
faenar	to fish
fastidiar	to bother
festejar	to celebrate
hallar	to find
iniciar	to begin
instar	to urge
liberar	to free
manejar	to drive; to manage
multar	to fine
ocasionar	to cause, bring about
padecer	to suffer
prevalecer	to prevail
rechazar	to reject
reconfortar	to comfort
rescatar	to rescue
sobreexplotar	to overexploit
solicitar	to request
sostener	to support
verter (ie)	to pour, spill

Verbos con preposición

verbo + a:

conllevar a	to entail

verbo + por:

esforzarse (ue) por	to make an effort to

Sustantivos

el	abastecimiento	supply
la	advertencia	warning
la	albacora	albacore tuna
la	aleta	fin
el	alguacil	sheriff
el	aliciente	incentive
el	alrededor	surrounding area
la	amenaza	threat
las	andanzas	adventures
la	aportación	contribution
el	arrastre	trawling
el	atún	tuna fish
la	carencia	deficiency
el/la	contratista	contractor
el	convenio	agreement
la	cortesía	courtesy
el	cumplimiento	fulfillment
el	empeño	persistence
la	expectativa	expectation
la	fluidez	fluency

el	incremento	increase
el/la	internauta	Internet user
el	juicio	judgment
el	lujo	luxury
la	medida	measure
la	merluza	hake (whitefish)
la	ortografía	spelling
la	refinería	refinery
la	remoción	removal
el	rendimiento	performance
la	represalia	retaliation
la	salvaguardia	safeguard
el	seguimiento	tracking, monitoring
la	sequía	drought
el	surgimiento	emergence
el	tiburón	shark
el/la	usuario/a	user

Adjetivos

dañino, -a	harmful
eficaz	efficient
halagüeño, -a	flattering
ineficaz	inefficient
insostenible	unsustainable
irrepetible	unrepeatable
lejano, -a	distant

molesto, -a	bothersome
oportuno, -a	opportune, timely
propenso, -a	prone

Expresiones

a falta de	for want of
el agua de la llave	tap water
el agua embotellada	bottled water
al límite de su capacidad	to the limit of their capacity
al respecto	in the matter
la calidad del aire	air quality
el cartel de aviso	warning poster
de ahí que (+ subjuntivo)	that is why
denunciar (un abuso)	to report (abuse)
en alta mar	on the high seas
la lengua materna	mother tongue
la planta termoeléctrica	thermoelectrical plant
poner en tela de juicio	to put something in doubt
ponerse en el lugar (de alguien)	to put yourself in someone's place
procedente de	coming from
la salud pública	public health
si tan siquiera	if only

A tener en cuenta
Expresiones con *hacer/hacerse*

hacer buenas/malas migas con alguien	to hit it off well/badly with someone
hacer cargo	to take charge
hacer caso	to pay attention
hacer daño	to hurt; (*of food*) to disagree with
hacer época	to be sensational, mark a new era
hacer escala	to make a stopover
hacer las paces	to make up with someone
hacer el tonto	to play the fool
hacer la vista gorda	to turn a blind eye, pretend not to notice
hacerse + me/te/le/etc.	to get the feeling (*Se nos hace que no están aquí.* We get the feeling that they're not here.)
hacerse a algo	to get used to (*No me hago al frío.* I can't get used to the cold.)
hacerse llamar	to go by the name (*Se hacía llamar María.* She went by the name of María.)

Capítulo 8

Temas

- El arte
- El baile
- La música
- El cine, la radio y la televisión

Festival de Arte

Objetivos

Comunicación

- Hablar de las bellas artes
- Comprender el arte de varios artistas hispanos
- Entender el impacto de la población hispana en la televisión norteamericana

Gramática

- El condicional
- *Ser* y *estar*
- Los participios
- Los tiempos del pasado del indicativo
- El futuro
- El imperfecto y el presente perfecto del subjuntivo

"Tapitas" gramaticales

- el género de los sustantivos
- las preposiciones
- los artículos
- los números ordinales
- la posición de los adjetivos
- los sustantivos compuestos

Cultura

- El Museo Guggenheim Bilbao
- Fernando Botero
- La televisión hispana en Estados Unidos
- Pablo Picasso
- Frida Kahlo

Visite la página Web de
¡A toda vela! en
www.emcp.com

1 Conteste las preguntas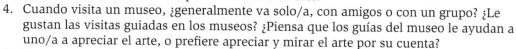

Piense en las respuestas a las siguientes preguntas. Puede tomar notas si lo considera necesario. Cuando termine, compare sus respuestas —pero sin mirar sus notas— con las de un/a compañero/a. Busque información en Internet si lo considera necesario.

1. ¿Qué son *el arte, las artes* y *las bellas artes*? Trate de dar un ejemplo de cada uno. ¿Le gusta el arte? ¿Las bellas artes? ¿Con qué frecuencia va a un museo de arte?
2. ¿Quién es su artista favorito? ¿Le gusta el arte tradicional o el moderno? ¿Le gusta la escultura? ¿Por qué? Nombre a algunos artistas o escultores hispanos. ¿Cuáles son algunos de sus cuadros o esculturas famosos?
3. ¿Qué sabe de lo siguiente: el arte clásico, el arte del Renacimiento, el arte moderno, el arte abstracto, el realismo, el surrealismo y el arte impresionista? Nombre a algunos pintores o cuadros asociados con cada período o estilo de arte.
4. Cuando visita un museo, ¿generalmente va solo/a, con amigos o con un grupo? ¿Le gustan las visitas guiadas en los museos? ¿Piensa que los guías del museo le ayudan a uno/a a apreciar el arte, o prefiere apreciar y mirar el arte por su cuenta?
5. En un museo, ¿ha visto a algunas personas pintando copias de cuadros famosos? ¿Por qué los pintarán? ¿Qué aprenden esas personas del artista y de la pintura en general? ¿Le gustaría copiar un cuadro famoso? ¿Cuál? ¿Por qué?
6. ¿Qué tipo de música le gusta? ¿Qué opina de la música hispana? Nombre a algunos cantantes hispanos y algunas de sus canciones.
7. Algunos músicos o actores cambian su nombre; por ejemplo, el puertorriqueño Raymond Ayala es mejor conocido como Daddy Yankee. Otros artistas usan su nombre verdadero como el dominicano Juan Luis Guerra. ¿Por qué será? ¿Cuáles son las ventajas y las desventajas de usar su propio nombre cuando uno es famoso?
8. ¿Qué sabe del baile profesional, del ballet clásico o del ballet folclórico? Algunos dicen que la actividad física de los bailarines es más exigente que la de los atletas profesionales. ¿Qué opina?
9. ¿Ha visto muchas películas extranjeras? ¿Y en español? ¿A qué actores o directores de cine hispanos conoce? ¿De dónde son ellos?
10. ¿Qué cadenas de televisión hispanas conoce? ¿Conoce algunos programas o actores en estas cadenas? ¿Cuáles?

2 Mini-diálogos

Va a crear un mini-diálogo con un/a compañero/a. Lea la descripción de la conversación antes de empezar. Puede tomar notas para organizar sus ideas, pero no las mire mientras conversa. Le pueden servir los artistas en el recuadro de la página siguiente, pero hay muchos más. Búsquelos en Internet e investigue algo sobre su arte.

Escena: En la clase de español, la profesora acaba de anunciar que tienen que hacer una presentación sobre un artista hispano. Ud. y un/a compañero/a de clase hablan de los artistas hispanos que conocen.

continúa

De España:
El *Greco*, Velázquez, Goya, Zurbarán, Murillo, Gaudí, Sorolla, Picasso, Miró, Gris, Dalí

De las Américas:
Botero (colombiano), Roberto Matta (chileno), Francisco Zúñiga (costarricense), Wilfredo Lam (cubano), José Guadalupe Posada (mexicano), Diego Rivera (mexicano), Frida Kahlo (mexicana), José Clemente Orozco (mexicano), David Alfaro Siqueiros (mexicano), Rufino Tamayo (mexicano), María Izquierdo (mexicana), Gil de Castro (peruano), Joaquín Torres-García (uruguayo), Juan Carlos Castagnino (argentino), Prilidiano Pueyrredón (argentino)

A: Salúdelo/la y pregúntele qué tipo de arte le gusta.

B: Contéstele, y pídale que le sugiera un par de artistas.

A: Dele el nombre de dos artistas muy conocidos y hable brevemente sobre ellos.

B: Reaccione negativamente a sus sugerencias. Muestre interés por uno menos conocido.

A: Reaccione con sorpresa. Intente convencerle de lo contrario.

B: Reaccione cordialmente, pero rechace la sugerencia y decida qué artista va a escoger.

A: Haga un comentario sobre su reacción. Despídase un poco ofendido/a.

B: Despídase cordialmente.

Cita

El arte es "la manifestación de la actividad humana mediante la cual se expresa una visión personal y desinteresada que interpreta lo real o imaginado con recursos plásticos, lingüísticos o sonoros". Y las bellas artes son "cada una de las artes que tienen por objeto expresar la belleza, y especialmente la pintura, la escultura, la arquitectura y la música".

—Diccionario de la Real Academia Española

¿Clasificaría toda pintura, escultura, arquitectura y música como bellas artes? Mucha gente no puede comprender ni quiere apreciar la pintura moderna, ni la música punk, rap o hip-hop como bellas artes. ¿Qué opina de todo esto? Comparta su opinión con un/a compañero/a.

¡Dato curioso!

¿Sabía que el pintor y escultor colombiano Fernando Botero es considerado un icono de la cultura latinoamericana? Botero nació en 1932 en Medellín, Colombia, y se conoce su obra por las figuras grandes y gordas. A partir de 1983, Botero comenzó una serie de exposiciones a nivel mundial, y en las avenidas y plazas más famosas de muchas ciudades ya se ven sus populares figuras.

Botero: *Una pareja*

3 Las bellas artes 👥 📖

Túrnese con un/a compañero/a para leer los comentarios que dos personas han escrito en un blog sobre sus intereses en el arte y la danza. Fíjese en las palabras que aparecen en azul (relacionadas con el vocabulario) y en rojo (relacionadas con la gramática), ya que en las siguientes actividades se le harán preguntas sobre ellas.

Las artes
RAMÓN

En la historia de la humanidad, muchos fueron los que se destacaron en el mundo de las artes. Sería imposible incluir aquí a todos los grandes genios de la pintura, la escultura, la arquitectura o la música, pero entre ellos hay
5 muchos hispanos que ampliaron la expresión artística del ser humano a través de los siglos. Las danzas españolas e hispanas folclóricas y la gran variedad de música hispana han mejorado la vida de muchos. Actualmente, la música no está identificada ni por regiones ni por países. La
10 globalización de los cantantes y de los ritmos, la tecnología de los instrumentos musicales y un mundo abierto a las diversas letras de las canciones han creado una música sin fronteras. Shakira Isabel Mebarak Ripoll, más conocida como Shakira, es un buen ejemplo del fenómeno musical.

Goya: *Los fusilamientos de la Moncloa*
(Madrid, Museo del Prado)

15 Ella nació en 1977 en Barranquilla, Colombia, de padre de ascendencia libanesa, y de madre colombiana. Shakira canta en español, en inglés y en árabe y tiene éxito en casi todo el mundo. Muchos de los grandes pintores, escultores y arquitectos internacionales han sido y son hispanos. Hay tres maestros españoles: Diego Rodríguez de Silva y de Velázquez (1599–1660), El Greco, cuyo nombre verdadero fue Domenikos Theotokopoulos (1541–1614) y Francisco José de Goya y Lucientes
20 (1746–1828). También hay influencias del muralista y pintor mexicano Diego Rivera (1886–1957), del pintor y escultor colombiano Fernando Botero (1932–), del impresionista español Joaquín Sorolla y Bastida (1863–1923) y del gran arquitecto barcelonés Antonio Gaudí (1852–1926), entre muchos más que han pasado por nuestro planeta. El arte es la expresión máxima del alma y muchos artistas hispanos nos han inspirado y nos seguirán inspirando. Las bellas artes embellecen nuestras vidas.

El baile
FRANCESCA

Soy estudiante de danza y quiero hacerme bailarina profesional. Desde la antigüedad, el ser humano ha bailado. Me siento conectada a la humanidad cuando bailo. El baile siempre ha sido un signo representativo del grado de cultura o civilización de un pueblo. Me siento más culta cuando bailo. A través de sus danzas, los hombres y
5 mujeres han expresado sus sentimientos religiosos, sus costumbres sociales y políticas, sus afanes agrícolas y guerreros, sus amores y pasiones, sus emociones nobles y felices. Tres de mis danzas hispanas favoritas son la salsa, el tango y el flamenco. La música salsa es música caribeña latinoamericana que mezcla ritmos tradicionales latinos con elementos del jazz según el ejemplo del mambo y del chachachá. La música del tango
10 se interpretaba en locales de Buenos Aires y Montevideo, en las dos últimas décadas del siglo XIX, con violín, flauta y guitarra, pero a comienzos del siglo XX se extendió por muchos rincones del mundo. Un argentino, Carlos Gardel, fue cantante y compositor de tangos, y es considerado el más importante tanguero de la primera mitad del siglo XX. El flamenco nació y se desarrolló en la región española de Andalucía durante el período
15 que va desde el siglo XVIII hasta el siglo XX. El flamenco es una mezcla de varios estilos musicales populares con influencia judía, morisca, gitana, castellana y africana. Además del baile, el flamenco se expresa a través del cante y las palmas.

4 Amplíe su vocabulario 🔍

Clasifique las palabras que aparecen en azul y rojo en las lecturas anteriores según sean sustantivos, adjetivos, verbos o expresiones, y relacionadas con las artes o la danza.

5 Un repaso

Conteste estas preguntas basadas en los artículos anteriores.

1. Explique el uso del condicional en la oración "Sería imposible incluir aquí a todos los grandes genios de la pintura, la escultura, la arquitectura o la música..." Hable sobre los diferentes usos del condicional.
2. Explique la construcción *la música no está identificada*. ¿Por qué se usa el verbo *estar* y no *ser*? ¿Por qué se dice *identificada* y no *identificado*? Explique los usos de *ser* y *estar* y cite otros ejemplos de los artículos que usan estos verbos.
3. ¿Qué significa *conocida como*? Explique el uso del participio pasado en este caso.
4. Explique el uso de los distintos tiempos del pasado usados en los blogs anteriores. Busque *han mejorado, han creado, han sido, han pasado, han inspirado, ha bailado, ha sido, han expresado, se interpretaba, nació* y *se desarrolló*. ¿Qué tres construcciones del pasado aparecen en la lista? ¿Por qué se usa cada una en los blogs?

6 "Tapitas" gramaticales

Conteste estas preguntas basadas en los artículos anteriores.

1. ¿Cuáles son algunas reglas que determinan el género de los sustantivos? Use estos ejemplos: *planeta* y *jazz*. ¿Qué otras reglas hay?
2. Busque dos preposiciones y un adverbio que aparecen en los artículos en azul y tradúzcalas al inglés. Escriba una oración relacionada con el arte con cada palabra.
3. ¿Cuándo se omite el artículo? Use el ejemplo *en español, en inglés* y *en árabe*. Piense en otras reglas y dé ejemplos.

7 ¿Qué opina?

Reaccione a lo que cada persona ha escrito en los blogs de la Actividad 3 y comparta su opinión con un/a compañero/a. Incluya palabras del vocabulario nuevo que aparecen en azul.

8 El Guggenheim

Lea el artículo que sigue, prestando atención a las palabras en azul y rojo, ya que se le harán preguntas sobre ellas.

El Guggenheim celebra con dos días de entrada libre su octavo aniversario

El Museo Guggenheim Bilbao

El Museo Guggenheim Bilbao no cobrará la entrada durante este fin de semana para celebrar con sus visitantes el octavo aniversario de su inauguración. El Guggenheim cumplió ocho años de vida el pasado 19 de octubre, pero ⁵la celebración del aniversario se retrasó hasta este fin de semana a la espera de que estuviese abierta al público la exposición más importante del otoño, "Arquiescultura". Los visitantes también podrán disfrutar de la muestra "Informalismo y expresionismo abstracto" en las ¹⁰colecciones Guggenheim, que finaliza el domingo, y de "La materia del tiempo", el montaje de ocho gigantescas esculturas de acero de Richard Serra, que ocupan la sala más grande. Desde su apertura en 1997, el Guggenheim ha recibido cerca de ocho millones de visitantes. En este tiempo, su oferta ha alcanzado las 80 exposiciones, entre muestras temporales y presentaciones de obras de su colección. En la actualidad, cuenta con el apoyo de 139 ¹⁵empresas e instituciones en sus programas de miembros corporativos y casi 14.500 personas forman parte del colectivo de Amigos del Museo.

www.elpais.es

9 Amplíe su vocabulario ⊚

Mire las palabras de la primera columna, que aparecen en el artículo anterior, y busque su definición o sinónimo en la segunda.

1.	entrada libre	a.	en expectativa de
2.	cobrar	b.	acto de abrir
3.	inauguración	c.	terminar
4.	retrasarse	d.	coordinación de los elementos
5.	a la espera de	e.	ayuda
6.	público	f.	metal
7.	disfrutar	g.	compañía
8.	muestra	h.	llegar tarde
9.	finalizar	i.	personas reunidas en determinado lugar
10.	montaje	j.	exposición
11.	acero	k.	recibir dinero
12.	apertura	l.	gozar
13.	actualidad	m.	grupo unido por intereses comunes
14.	apoyo	n.	tiempo presente
15.	empresa	o.	estreno
16.	colectivo	p.	permiso de entrar gratis

10 El Museo Guggenheim Bilbao 👥

Trabaje con un/a compañero/a y hablen de las personas que formarán parte del colectivo del Museo Guggenheim Bilbao o de cualquier otro museo. Hablen también de los beneficios de ofrecer entradas libres al público para visitar los museos.

11 El futuro y el imperfecto del subjuntivo ⊚

Conteste estas preguntas basadas en el artículo anterior.

1. Busque la oración "Los visitantes también podrán disfrutar de la muestra 'Informalismo y expresionismo abstracto' en las colecciones Guggenheim" y explique el uso del futuro.
2. Busque el verbo en el imperfecto del subjuntivo y explique el uso de este tiempo verbal. ¿En qué otra variación aceptable se podría conjugar este verbo? Explique la diferencia entre las dos conjugaciones.

12 El pasado ⊚ 👥

Trabaje con un/a compañero/a y haga estas actividades relacionadas con el artículo anterior.

1. Busquen los verbos en el pasado del indicativo y expliquen por qué usó cada uno.
2. Expliquen también las reglas en general para el uso de los tiempos verbales que indicaron en el ejercicio anterior.
3. Piensen en cómo se usan el imperfecto y el pluscuamperfecto. Escriban dos oraciones originales usando el imperfecto y una usando el pluscuamperfecto, e incorpórenlas a la lectura.
4. Expliquen el uso del presente perfecto del subjuntivo. Den varios ejemplos.

13 "Tapitas" gramaticales

Conteste estas preguntas basadas en el artículo anterior.

1. ¿Por qué decimos *octavo aniversario*? ¿Cuáles son los diez primeros ordinales? Hable sobre las formas que pueden tener y las apócopes de algunos.
2. ¿Qué preposición se usa después de *cuenta*? ¿Qué significa la oración donde aparece este verbo?
3. ¿Qué preposición se usa después de *forman parte*? ¿Qué significa la oración donde aparece este verbo?
4. Busque la palabra *desde*. ¿Es adjetivo, adverbio o preposición? ¿Cuál es su significado en la frase "desde su apertura en 1997"? Escriba la frase de otra manera empezándola, "Desde 1997, el Guggenheim..."

14 Escriba

Escríbale una tarjeta postal a un/a amigo/a describiendo su visita al Museo Guggenheim de Bilbao. Hable del edificio, de las obras que vio y de su impresión general del arte moderno. Compare este museo con uno que conoce mejor.

15 Fernando Botero

Échele una ojeada al siguiente artículo para ver de qué se trata, prestando atención a las palabras en azul y rojo, ya que se le harán preguntas sobre ellas. Luego lea el artículo y decida qué artículo o preposición completa de mejor manera cada oración y escríbala.

Botero tendrá su propio museo

La "Ciudad Botero", un museo con 14 esculturas monumentales y más __1.__ 100 cuadros de las famosas figuras gordas de Fernando Botero, será abierta el 15 de octubre [5] en Medellín, la ciudad natal __2.__ célebre artista. Ya están en Medellín 75 obras y __3.__ puerto de Cartagena llegaron cuatro esculturas gigantes procedentes de Italia y donadas __4.__ el pintor. "Para Medellín, esto es __5.__ más grande que le [10] ha pasado, porque aparte __6.__ la belleza y el valor de las obras donadas por Botero, esto es un proyecto de ciudad", dijo hoy Pilar Velilla, directora del Museo de Antioquia. "Estamos saliendo __7.__ ser la ciudad del cartel de [15] Medellín (el epicentro del mayor cartel de la cocaína en la década de los años 80) a ser una ciudad de cultura y creación", agregó Velilla __8.__ entrevista telefónica. Como recuerdo de aquella época de terror cuando Medellín era [20] el epicentro de carros-bomba, asesinatos y secuestros ordenados por Pablo Escobar, __9.__ finado líder del cartel de la droga, Botero envió dos cuadros: *Escobar muriendo en un tejado ante las balas de la ley* y *La explosión* [25] *de* __10.__ *carro-bomba*. Botero es el artista colombiano más conocido internacionalmente.

Sus esculturas han sido expuestas en las ciudades más importantes del orbe. __11.__ parisinos las vieron en los Campos Elíseos, estuvieron en Park [30] Avenue en Nueva York, así como en Florencia y Tokio, entre otras famosas plazas artísticas. La donación de sus obras y su colección personal de otros artistas está avaluada en más __12.__ 60 millones de dólares y será __13.__ más grande del [35] artista en el mundo. Bogotá también recibirá más __14.__ 100 cuadros y 17 esculturas de Botero, conocido __15.__ sus figuras rollizas. Botero dirigirá personalmente __16.__ montaje de sus obras tanto en Bogotá como __17.__ Medellín.

www.eldiariohoy.com

Botero: *La Venus de Broadgate*

16 Amplíe su vocabulario 🔍

Según el contexto del artículo anterior, ¿cuál es la mejor traducción de cada palabra?

1. cuadro
   a. square
   b. frame
   c. painting
   d. scene
2. natal
   a. native
   b. seaside
   c. new
   d. famous
3. donado
   a. chosen
   b. handmade
   c. donated
   d. sold
4. belleza
   a. artistic merit
   b. value
   c. richness
   d. beauty
5. valor
   a. artistic merit
   b. value
   c. richness
   d. beauty

6. recuerdo
   a. souvenir
   b. historical fact
   c. tribute
   d. remembrance
7. tejado
   a. office
   b. roof
   c. basement
   d. tenement house
8. orbe
   a. world
   b. country
   c. sphere of influence
   d. art world
9. parisino
   a. neighbor
   b. Parisian
   c. Parisian art critic
   d. Francophile
10. rollizo
    a. sickly
    b. rolled
    c. stocky, chubby
    d. dramatic

17 *Ser* y *estar* 🔍

Explique por qué se usan las siguientes palabras en "Botero tendrá su propio museo".

1. *Ser* en "La 'Ciudad Botero'... será abierta"
2. *Estar* en "Estamos saliendo..."
3. *Ser* en "cuando Medellín era el epicentro..."
4. *Estar* en "La donación... está avaluada..."

18 "Tapitas" gramaticales 🔍

Conteste estas preguntas relacionadas con el artículo sobre Botero.

1. ¿Por qué se usa *célebre artista* y no *artista célebre*? ¿Qué diferencia hay?
2. ¿Por qué se usa *para* y no *por* en la frase "Para Medellín, esto es"? ¿Qué quiere decir *esto* en este caso?
3. Hable sobre la formación de las palabras como *el carro-bomba*. ¿Cómo se determina el género de los sustantivos compuestos? ¿Cuál sería el plural de esta palabra? ¿Hay una regla en general? Explíquela.

Cita

Los espejos sirven para verse la cara, el arte para verse el alma.
—Frida Kahlo (1907–1954), pintora mexicana

 Frida empezó a pintar durante una larga convalecencia después de sufrir un trágico accidente. Pintaba imágenes de su cuerpo destrozado con expresiones alucinantes, y a veces brutales. ¿Qué revela esto del alma de Frida? Busque sus obras en Internet y úselas para contestar la pregunta. Comparta su opinión con un/a compañero/a.

¡Dato curioso!

¿Sabía que la película *El código Da Vinci* fue un éxito taquillero? Ganó 224 millones de dólares en todo el mundo durante los tres primeros días a pesar de una fuerte polémica en torno a la película. La película ha despertado la ira de la Iglesia Católica por decir que Jesucristo tuvo descendencia con María Magdalena. El código es el segundo éxito taquillero más grande de la historia, después de la película *Star Wars*. El libro de Dan Brown también fue un éxito, con más de 40 millones de copias vendidas en todo el mundo desde su publicación en 2003.

19 Familia de palabras

Complete la tabla con el arte, la persona que lo hace, el verbo asociado, y la traducción correspondiente.

Arte		Persona		Verbos	
la arquitectura	_____	el/la arquitecto/a	_____	construir, edificar; diseñar	to construct, build; _____
el baile, la danza	_____	el/la bailarín (a)	_____	_____	_____
_____	song	el/la cantante	_____		
el dibujo	_____	el/la dibujante	_____		
la escultura	_____	el/la escultor (a)	_____	esculpir	
la película;	film, movie;	el/la director (a);	_____;	filmar, rodar una película	
		el/la productor (a);	_____;		
la cinematografía;	_____	el/la cinematógrafo/a;	_____;		
el guión	_____	el/la guionista	_____		
el mural	_____	el/la muralista	_____		_____
la música	_____	_____	musician		_____
la pintura, el cuadro	painting	_____	painter		_____
la obra de teatro	_____		actor, actress	hacer/interpretar un papel	_____

20 ¿Verbo, sustantivo o adjetivo? 🔍

Complete las oraciones usando la forma correcta de las palabras que aparecen en la tabla, ya sea verbo, sustantivo o adjetivo. En el caso del sustantivo puede que necesite artículo.

1. Dan Brown, el autor de *El código Da Vinci*, también fue uno de ___ (*guión*) de la película basada en la novela que tuvo gran fama por todo el mundo.
2. Había una muestra en el Prado de Madrid de unos cincuenta ___ (*dibujar*) hechos por Goya durante sus últimos años de vida. Francisco de Goya era un gran pintor y ___ (*dibujo*).
3. ¿Sabía que ___ (*cantar*) cubana-americana, Gloria Estefan, se ha recuperado de un accidente que casi le cuesta la vida en 1990 y que le produjo graves lesiones en la espalda?
4. Muchos aficionados del ___ (*cine*) asistieron al festival de cine de Cantinflas, actor y cómico mexicano.
5. El ___ (*arquitectura*) español Antonio Gaudí nunca terminó su obra cumbre, la Catedral de la Sagrada Familia en Barcelona. Trabajó en ella hasta su muerte en 1926.
6. Sería muy interesante hablar con Fernando Botero, ___ (*pintar*) y ___ (*esculpir*) colombiano, antes de que él empezara a ___ (*escultura*) una de sus creaciones gigantescas.

7. Los bailarines del Ballet Folclórico de México presentarán ___ (*bailar*) típicos del pueblo mexicano antes de la toma de posesión del nuevo presidente mexicano.

8. ___ (*Pintar*) mexicana Frida Kahlo se casó dos veces con Diego Rivera, ___ (*mural*) mexicano: en 1932 y 1940.

9. Con películas en tres idiomas como *Volver* del director español Pedro Almodóvar, *Vanilla Sky* con Tom Cruise y *Belle Epoque*, ___ (*actor*) Penélope Cruz ha hecho diversos ___ (*actor*) que muestran su gran talento.

10. En 1997, la película y la música de *Buena Vista Social Club* mostró las vidas y las carreras de algunos ___ (*música*) cubanos de los años 40 en Cuba.

Cita

Hija de una isla rica, esclava de una sonrisa, soy calle y soy carnaval, calle, corazón y tierra, mi sangre es de azúcar negra, es amor y es música. ¡Azúcar!

—Letra de la canción "Azúcar negra" de Celia Cruz (1929–2003), cantante cubana, Reina de la Salsa

¿Conoce a Celia Cruz, su famoso grito de "¡Azúcar!" y su música? ¿Conoce a otros músicos con expresiones peculiares? ¿Quiénes son, y qué dicen? ¿En qué consiste ser "reina" o "rey" de la música? ¿Quiénes son otros reyes o reinas de la música? Comparta sus respuestas con un/a compañero/a.

¡Dato curioso!

¿Sabía que Diego de Silva y Velázquez, pintor español (1599–1660), pintaba retratos de la corte del rey Felipe IV para ganarse la vida? En la vida artística de este gran pintor hay tres nombres clave: El Greco, que tenía ya 70 años cuando el joven Velázquez lo visitó en su estudio de Toledo; el pintor italiano Caravaggio (1573–1610); y Pedro Pablo Rubens, pintor flamenco (1577–1640). De todos aprendió técnicas importantes.

Celia Cruz

Échele una ojeada al pasaje que sigue, prestando atención a las palabras en azul, ya que se le harán preguntas sobre ellas. Luego lea el artículo y decida qué forma de las palabras entre paréntesis es la correcta para completar cada oración y escríbala. No se olvide de escribir y acentuar las palabras correctamente.

Cadenas de televisión pugnan por acaparar público bilingüe

Las cadenas de televisión de Estados Unidos hacen cada vez más esfuerzos, incluso __1.__ (*presupuestario*), para atraer la audiencia hispana, en su mayoría bilingüe. No es una
5 sorpresa, ya que los hispanos superan los 42 millones de personas en EE.UU. y son la minoría de mayor y más rápido crecimiento del país, de acuerdo con cifras del Censo. De hecho, se calcula que dentro de 14 años la comunidad de
10 origen latinoamericano __2.__ (*equivaler*) al 17 por ciento de toda la población estadounidense. Y las encuestas de audiencia respaldan estas cifras. El año pasado, durante el verano, Univisión —la principal cadena de televisión en español
15 de EE.UU.— __3.__ (*sobrepasar*) a sus rivales angloparlantes más importantes, como ABC, NBC y Fox, para liderar el horario estelar con una telenovela, según Nielsen Media Research. Ante esta realidad,
20 Telemundo, el competidor directo de Univisión, __4.__ (*desarrollar*) estrategias que incluyen producciones hechas en casa, o sea, en sus estudios de Miami. Las telenovelas han sido el proyecto
25 piloto para esta empresa, junto a "reality shows" como "Protagonistas de novela" y "Protagonistas de la música". Ahora la cadena Azteca América TV intenta ganarse el mercado hispanohablante
30 de EE.UU. y tomar posiciones como contrincante directo de Telemundo y Univisión. Azteca América __5.__ (*salir*) al aire por primera vez en julio de 2001. Entonces su objetivo __6.__ (*ser*) el mercado hispano en Los Ángeles. Cinco
35 años más tarde posee filiales en 39 ciudades de Estados Unidos. Por el momento, su difusión alcanza al 81 por ciento de los hogares donde se habla español. Entre la programación que

ofrece figuran telenovelas, noticias, programas
40 de variedades y deportes, eventos especiales en el mundo del espectáculo, películas latinas y foros de opinión. La retransmisión de algunas de las series o dramas que han sido __7.__ (*exitoso*) en la televisión estadounidense en inglés, como
45 *Desperate Housewives*, *Sex and the City* y *The Simpsons*, garantizan la atención de los más __8.__ (*joven*). A pesar de que es una cadena joven, comparada con los años de transmisión __9.__ (*ininterrumpido*) de Univisión y Telemundo,
50 Azteca América intenta atender las necesidades y complacer los gustos de una audiencia mixta, pero muy latina. Su nombre, estratégicamente pensado, __10.__ (*sonar*) atractivo para la comunidad hispana más grande en EE.UU. y,
55 por tanto, el blanco perfecto para atacar: los

mexicanos, que representan el 67 por ciento de ese sector de población y en su mayoría son descendientes directos. Los centroamericanos ocupan el segundo puesto, con el 14,3 por
60 ciento; __11.__ (*seguido*) por sudamericanos, puertorriqueños y cubanos, según datos del Censo. Todas estas cifras confirman que las nuevas generaciones de hispanos en Estados

Unidos ven televisión con frecuencia y [65] representan __12.__ (*uno*) gran parte del público al que van dirigidas las nuevas propuestas televisivas. Por lo pronto, la cadena líder en audiencia es Univisión, que __13.__ (*contar*) con un contrato con el emporio mexicano Televisa [70] para retransmitir las telenovelas producidas en México, históricamente las favoritas del público. Telemundo le sigue los pasos y, de hecho, la incursión de figuras como María Antonieta Collins y María Celeste Arrarás — __14.__ (*quien*) [75] desarrollaron sus carreras en EE.UU. en

Univisión— ha atraído a sus seguidores para incrementar los números en las encuestas. Su afiliación con NBC, que la adquirió en 2001 por 2.680 millones de dólares, __15.__ (*aportar*) [80] solidez a la empresa, aunque sigue en segundo lugar de preferencia entre la audiencia. Mientras tanto, Azteca América TV intenta cambiar la tabla de posiciones con una propuesta que incluye talento joven y producciones variadas.

www.laraza.com

22 Amplíe su vocabulario ⊘

Según el contexto del artículo anterior, ¿cuál es la mejor traducción de cada palabra de la primera columna?

1. acaparar	a. subsidiary
2. presupuestario	b. empire
3. superar	c. survey
4. cifra	d. to sound
5. equivaler	e. to surpass
6. encuesta	f. number
7. respaldar	g. to corner the market
8. liderar	h. to amount to
9. horario estelar	i. uninterrupted
10. contrincante	j. to acquire
11. filial	k. to back up
12. ininterrumpido	l. budgetary
13. sonar	m. to lead
14. blanco	n. prime time
15. emporio	o. raid
16. incursión	p. to bring
17. adquirir	q. competitor
18. aportar	r. target

23 Lea, escriba/presente ⊙

Vuelva a leer el artículo anterior completo y haga una tabla en la cual exponga las tres cadenas hispanas de televisión y su programación. Mencione los programas, series y actores más representativos. Luego proponga unas estrategias para captar una mayor audiencia bilingüe en los Estados Unidos.

24 Las cadenas en español 📖

Échele una ojeada al pasaje que sigue para ver de qué se trata, prestando atención a las palabras en azul, ya que se le harán preguntas sobre ellas. Luego lea el artículo y decida qué forma de las palabras entre paréntesis es la correcta para completar cada oración y escríbala. No se olvide de escribir y acentuar las palabras correctamente.

Televisión hispana busca captar más audiencia con nueva programación

Las grandes cadenas de televisión en español de Estados Unidos presentaron esta semana una nueva programación para la próxima temporada, con __1.__ (el) que esperan aumentar su audiencia y, sobre todo,
5 sus ingresos publicitarios. Los primeros en hacerlo fueron TV Azteca y Telemundo, y hoy le __2.__ (tocar) el turno a Univisión, que durante su presentación —para __3.__ (el) cual contó con varias de sus principales figuras—, inició con un musical tipo Broadway, e
10 insistió a los representantes de agencias de publicidad que ellos son la mejor alternativa para colocar sus anuncios. Los principales ejecutivos de Univisión, desde su presidente Ray Rodríguez, destacaron las estadísticas que la colocan como la primera cadena en
15 español y __4.__ (el quinto) en EE.UU. en __5.__ (ambos) idiomas, con 2,2 millones de televidentes entre los 18 y 49 años. En ese sentido, la empresa destacó además que en 146 de las 231 noches de esta temporada hasta la fecha, Univisión superó a ABC, CBS, NBC
20 o Fox, captando la audiencia adulta entre los 18 y 34 años. Aunque las cadenas no comentan sobre el tema, analistas __6.__ (consultado) por el *Wall Street Journal* aseguran que con la presentación de hoy, Univisión busca generar hasta mil millones de dólares en
25 publicidad, __7.__ (sobrepasar) la cifra de 850 millones del año pasado. Para la nueva temporada, __8.__ (cuyo) fecha de inicio no indicaron, la cadena anunció en primer lugar su programación deportiva, en particular el Mundial del Fútbol en Alemania, aunque
30 no será hasta el verano del 2006, con una audiencia que se espera alcance los 45 millones de espectadores. También lo que ha sido su fórmula __9.__ (ganador), los melodramas, y para ello continuarán su relación con Televisa —socia fundadora de Univisión— pese a la
35 disputa que involucra a ambas compañías y que incluye renuncias y una demanda en la corte federal de Nueva York por regalías. Rodríguez recordó, en conferencia de prensa al __10.__ (culminar) la presentación, que el contrato con Televisa __11.__ (seguir) vigente hasta el
40 2017, "por lo que seguiremos transmitiendo novelas" producidas por esa empresa. Televisa, el mayor productor de contenido para la televisión hispana, suple el 70 por ciento de la programación del horario

estelar de Univisión, empresa en la que además tiene
45 una participación cerca del 10,9 por ciento. Rodríguez aseguró que las renuncias de ejecutivos de Televisa a la junta de directores de Univisión (molestos por el nombramiento de Rodríguez) no afectará la programación que ofrecen a la comunidad latina. Los
50 melodramas en horario estelar __12.__ (incluir) "El amor no tiene precio", producida en EE.UU., "Contra viento y marea", realizada en México y Latinoamérica, "Alborada", desarrollada en el México de los 1800, y "Piel de Otoño", con filmaciones en España. Mientras
55 Univisión, empresa que además incluye Galavisión y TeleFutura, presentó una programación que no produce en su totalidad, Telemundo __13.__ (basar) su estrategia publicitaria en destacar precisamente sus propias producciones. Telemundo enfatizó en su
60 presentación, también en Nueva York y un día antes que Univisión, que producirá o coproducirá los cuatro culebrones que formarán parte de su nuevo bloque en horario estelar. También producirá __14.__ (el) serie "Pedro Navaja", basada en la canción del cantautor
65 panameño Rubén Blades. Alicia Falcón, gerente de Operaciones de Univisión, dijo que la cadena produce varios programas, entre __15.__ (el) destacó "Despierta América" y otros que presentan las cadenas hermanas. "Punto de encuentro", un programa de
70 discusión y análisis que se transmite los domingos a cargo del periodista Jorge Ramos, "¡Ay qué noche!", con entrevistas exclusivas a personalidades, y los especiales "En exclusiva con Myrka Dellanos" y "Soñando contigo", que conducirá Cristina Saralegui,
75 forman parte de lo nuevo de Univisión. También los premios Grammy Latino, el próximo 3 de noviembre, cuyo contrato de exclusividad __16.__ (ser) firmado hace dos semanas, y que antes presentó CBS. En cuanto a TeleFutura, __17.__ (el) nuevo incluye el
80 espacio noticioso "En vivo y en directo", películas premiadas con un Oscar, la novela infantil "Sueños y caramelos" y deportes, mientras que en Galavisión debutarán el programa interactivo "Acceso máximo", "En profundidad", de análisis de noticias, y "El rastro
85 del crimen". El evento de Univisión culminó con la presentación de David Bisbal y contó además con la ganadora de Objetivo Fama, Anaís Martínez.

www.laraza.com

25 ¿Qué significa?

Según el contexto del artículo anterior, empareje las palabras de la primera columna con su traducción correspondiente en la segunda.

1. temporada	a.	long and melodramatic soap opera
2. ingresos publicitarios	b.	to put or place
3. tocar el turno	c.	sister channels
4. colocar	d.	come hell or high water
5. sobrepasar	e.	to continue to be in force
6. pese a	f.	singer-songwriter
7. involucrar	g.	to surpass
8. renuncia	h.	profits from ads
9. regalía	i.	to emphasize
10. seguir vigente	j.	led by
11. contra viento y marea	k.	dawn
12. alborada	l.	news slot
13. enfatizar	m.	season
14. culebrón	n.	in spite of
15. cantautor	o.	royalty
16. cadenas hermanas	p.	resignation
17. a cargo de	q.	to be next
18. espacio noticioso	r.	to involve

26 Lea, escuche y escriba/presente

Vuelva a leer los textos completos de las Actividades 21 y 24. Luego escuche "Radio hispana: un negocio que nadie se quiere perder" y tome las notas necesarias. Escriba un ensayo o haga una presentación en clase sobre "El público hispano: mercado abierto en la televisión y en la radio". No se olvide de citar las fuentes debidamente.

Cita

Un pintor es un hombre que pinta lo que vende. Un artista, en cambio, es un hombre que vende lo que pinta. Yo pinto las cosas no como las veo, sino como las pienso.
—Pablo Picasso (1881–1973), pintor español

 ¿Qué diferencia hay entre pintar lo que uno ve y pintar lo que uno piensa? Comparta opiniones con un/a compañero/a.

¡Dato curioso!

¿Sabía que después del gran éxito de *American Idol*, Sony Entertainment presenta *Latin American Idol* y así esperan unir a países latinos a través de la música? Se anticipa que toda Latinoamérica estará unida con un solo propósito: ver nacer al próximo ídolo de la canción en español. La música borra las fronteras y éste será un claro ejemplo de ello. El programa se estrenó en julio de 2006, en Buenos Aires, Argentina.

27 Picasso

Échele una ojeada al pasaje que sigue, prestando atención a las palabras en azul, ya que se le harán preguntas sobre ellas. Luego lea el artículo y decida cuál de las dos palabras entre paréntesis es la correcta para completar las oraciones y escríbala.

Un Picasso recuperado de los nazis, en subasta de arte moderno

Un retrato del período neoclásico del pintor español Pablo Picasso, robado por los nazis y luego restituido al coleccionista que lo __1.__ (*adquiría / adquirió*), es el plato fuerte de la temporada de subastas de arte
⁵moderno que se inicia esta semana en Nueva York. *Tête et Main de Femme* (1921), un "ejemplo supremo" del llamado período neoclásico del maestro español, que __2.__ (*sale / salga*) a subasta el 4 de mayo, no tiene un precio de venta estimado __3.__ (*por / para*) los expertos
¹⁰de Christie's, pero éstos creen que podría venderse por entre 13 y 15 millones de dólares. Este retrato de una mujer de enormes manos y mirada baja, __4.__ (*pintado / pintada*) con tonos ocres, __5.__ (*era / fue*) adquirido por el coleccionista francés Alphonse Kann en la Galerie
¹⁵Simon de París, en 1923, y robado de su casa por los nazis en 1940, durante la ocupación de la capital __6.__ (*francés / francesa*). La obra pasó por otras manos hasta que fue restituida a la familia Kann en 2003, año en que __7.__ (*el / la*) vendieron a un coleccionista privado
²⁰que ahora la pone a la venta, __8.__ (*explicó / explicaron*) los especialistas de Christie's en una presentación a la prensa. Sotheby's también pondrá a la venta una obra de Picasso, titulada *Les Femmes d'Alger* (1955), que __9.__ (*está / es*) parte de la serie homónima integrada
²⁵por quince lienzos que plasman harenes de mujeres del Norte de África. La obra, con un precio estimado por los expertos de entre 15 y 20 millones de dólares, fue adquirida por los coleccionistas neoyorquinos John A. Cook y su esposa en 1962, y desde entonces
³⁰no __10.__ (*salió / ha salido*) a subasta, por lo que se

espera que __11.__ (*despierta / despierte*) especial interés en el mercado. La pintura es una de las representaciones más detalladas de la serie de Picasso __12.__ (*sobre / en*) las mujeres de Argelia; en 1956 la
³⁵serie fue adquirida en su totalidad por __13.__ (*los / las*) coleccionistas Víctor y Sally Ganz por 212.000 dólares. En la venta de Christie's también destaca el óleo de Cézanne, *Les grands arbres au Jas de Bouffan*, un paisaje con valor estimado de entre 12 y
⁴⁰16 millones de dólares y que representa una ruptura con el __14.__ (*estilo anterior / anterior estilo*) de este máximo exponente del Impresionismo.

www.laraza.com

---

28 Amplíe su vocabulario

Según el contexto del artículo que acaba de leer, empareje las palabras de la primera columna con su traducción correspondiente.

1. recuperar
2. subasta
3. restituir
4. tonos ocres
5. poner a la venta
6. lienzo
7. plasmar
8. harén
9. óleo
10. ruptura
11. máximo exponente

a. oil
b. earthy tones
c. auction
d. canvas
e. break
f. to recover, retrieve
g. to put up for sale
h. major exponent
i. to give expression to
j. to restore
k. harem

29 Lea y escriba/presente

Vuelva a leer el artículo completo anterior. Luego escriba un ensayo o haga una presentación en clase sobre el tema "El valor del arte en las subastas de obras de arte".

30 Picasso

Échele una ojeada al pasaje que sigue para ver de qué se trata, prestando atención a las palabras en azul, ya que se le harán preguntas sobre ellas. Luego lea el artículo y decida cuáles son las palabras que mejor completan las oraciones y escríbalas. No se olvide de escribir y acentuar las palabras correctamente.

Picasso y sus toros

Los toros son un elemento recurrente en las obras de Pablo Picasso. Es __1.__ de las figuras sobresalientes en *Guernica* (1937), magna obra de este pintor español, 5 destacándose una cabeza y una pata de este animal en __2.__ parte superior izquierda del cuadro. Aunque el artista nunca explicó __3.__ que significaba cada una de las imágenes que incluyó en esta composición —"No __4.__ toca al 10 artista definir los símbolos. De otra manera sería mejor para ellos decirlo __5.__ palabras"—, el toro ocupa un lugar prominente en la monumental pintura, testimonio ferviente de la bestialidad de la guerra, realizada durante los turbulentos 15 __6.__ de la Guerra Civil española. En obras posteriores, Picasso no ocultó su fascinación __7.__ la tauromaquia, y exploró su diseño en varios medios, tal y como lo muestra *Picasso's Toros*, la exposición que montó el museo Norton 20 Simon de Pasadena y que se extenderá __8.__ el 18 de julio. Las imágenes representan 11 estados de una serie de litografías ejecutadas por el artista __9.__ diciembre de 1945 y enero de 1946, en las que el toro es __10.__ tema 25 central. Aproximadamente 15 trabajos en papel son expuestos, poniendo __11.__ evidencia la atracción que tenía para el pintor la simbología, la mitología y las líneas de la figura del animal, así __12.__ las diversas maneras que tenía de 30 percibirlas. Las litografías que componen la exposición __13.__ seleccionadas por Gloria Williams. *Picasso's Toros* __14.__ delimitada a las fechas antes mencionadas debido a que el artista, en el invierno de 1945, se embarcó 35 __15.__ una exploración sin precedentes en la

Picasso: *Después de la corrida*

litografía como medio artístico y por la capacidad expresiva que tiene este recurso técnico. Y Picasso, un creador sin límites, aprovechó todas las posibilidades que le ofrecía la litografía como 40 medio porque __16.__ permitía hacer mejoras progresivas a la imagen mediante la sucesión de adiciones, borrados y modificaciones. Los dibujos representan a los toros tanto con el __17.__ puro estilo cubista del pintor como en las formas 45 más simplificadas, como el caso de *El Toro*, que realizó en 1946 y que muestra con pocas y sencillas líneas curvas, reducidas al punto de la abstracción, __18.__ imponente masa del animal. También están incluidas en la exposición 50 algunas impresiones que documentan la fuerte atracción de Picasso hacia esta imagen y su simbolismo.

www.laopinion.com

31 Amplíe su vocabulario 🔍

Según el contexto del artículo anterior, ¿cuál es la mejor definición o sinónimo de cada palabra?

1. recurrente
    a. actual
    b. moderno
    c. repetido
    d. profundo

2. magna obra
    a. libro muy grande
    b. cuadro extraordinario
    c. empresa espaciosa
    d. función ilustre

3. pata
    a. pie y pierna de un animal
    b. nariz de un animal
    c. forma femenina de pato
    d. pierna pequeña

4. ocupar un lugar prominente
    a. estimar
    b. señalar sutilmente
    c. tener fama
    d. destacarse

5. testimonio ferviente
    a. confirmación apasionada
    b. justificación débil
    c. prueba sin pasión
    d. explicación ridícula

6. bestialidad
    a. amistad
    b. crueldad
    c. sensibilidad
    d. suavidad

7. ocultar
    a. aparecer
    b. mostrar
    c. descubrir
    d. esconder

8. tauromaquia
    a. relacionado con las máquinas
    b. relacionado con los toros
    c. expresión artística
    d. ninguna de las respuestas anteriores

9. medio
    a. forma
    b. condición artística
    c. artista
    d. bosquejo

10. montar
    a. pagar
    b. alquilar
    c. recoger
    d. organizar

11. litografía
    a. óleo
    b. acuarela
    c. dibujo
    d. arte de reproducir dibujos

12. expuesto
    a. protegido
    b. exhibido
    c. escondido
    d. omitido

13. simbología
    a. uso de perspectivas diferentes
    b. uso de lienzos diferentes
    c. uso de símbolos
    d. uso de colores para expresar emociones

14. percibir
    a. ignorar
    b. oler
    c. sentir
    d. distinguir

15. aprovechar
    a. emplear
    c. disminuir
    b. perder
    d. dañar
16. mediante
    a. para
    c. desde
    b. por
    d. hacia
17. borrado
    a. producto final
    c. tachado
    b. óleo
    d. raya
18. imponente masa
    a. conjunto minúsculo
    c. unidad imperceptible
    b. conjunto grandioso
    d. totalidad mediana

32 Lea, escuche y escriba/presente

Vuelva a leer los dos artículos completos sobre Picasso, y luego escuche "Moma restaura *Las señoritas de Aviñón*" y tome las notas necesarias. Escriba un ensayo o haga una presentación en clase sobre "Pablo Picasso: maestro del siglo XX". Si quiere, busque más información sobre el arte de Picasso en Internet. No se olvide de citar las fuentes debidamente.

Cita

La única diferencia entre un loco y yo, es que el loco cree que no lo está, mientras yo sé que lo estoy.
—Salvador Dalí (1904–1989), pintor surrealista español

 ¿Conoce Ud. el arte de Dalí? Si no, busque muestras de su arte en Internet. ¿Es difícil de interpretar su arte? ¿Por qué? ¿Cree que Dalí estaba loco o, por el contrario, fue un valiente por actuar y pintar de la forma en que lo hizo? Comparta su opinión con un/a compañero/a.

¡Dato curioso!

¿Sabía que Goya, además de ser pintor y dibujante, revolucionó la industria de los tapices, pintando escenas de la vida cotidiana en ellos? También fue un gran amante de las corridas de toros y en su vejez hizo una serie de grabados sobre la tauromaquia. Las figuras de estos grabados —hechas de memoria— son de un realismo increíble. Goya admiraba el peligro que afrontaba el torero y sentía cierta atracción hacia el riesgo.

Goya: *La corrida*

¡A leer!

33 Antes de leer

¿Qué sabe del arte de la pintora mexicana Frida Kahlo? Frida tuvo una vida muy difícil. ¿Qué impacto tendría esto en su arte? ¿Qué otros genios de las bellas artes conoce que han tenido grandes obstáculos en la vida?

34 Frida

Lea el siguiente artículo con atención, fijándose en las palabras en azul, ya que se le harán preguntas sobre ellas.

Los mundos de Frida Kahlo

Con un enfoque único de la obra de una de las artistas más representativas del siglo XX, el Museo de Arte de Ponce, Puerto Rico, (MAP), presenta la muestra "Frida
⁵ Kahlo y sus mundos". Más de 250 objetos presentes en esta exhibición evidencian la gran influencia que ejerció el trabajo de la mexicana en el arte popular. (A) Las 21 pinturas sobre tela, metal, madera y papel,
¹⁰ 16 dibujos, diez bocetos y dos grabados y acuarelas elaboradas por Kahlo desde 1925 integran esta muestra, además de la obra de otros artistas como Diego Rivera, Rufino Tamayo, Abraham Ángel, Hemernegildo Bustos,
¹⁵ José María Velasco, Guillermo Kahlo, entre otros. (B) "El positivismo, una enseñanza popular", "El estudio fotográfico y el retrato" y "La educación cultural y artística" son los títulos de tres de las cinco secciones que conforman la exposición. Cada una
²⁰ de ellas refleja las influencias y la evolución del arte de Kahlo. La primera presenta cómo el desarrollo del sistema educativo post revolucionario mexicano predominó en el trabajo de la artista. Dentro de las obras destacadas en esta sección se encuentran los
²⁵ bocetos de José María Velasco, que hacen alusión al desarrollo evolutivo de las especies basado en la teoría "darwiniana". (C) En "Diego Rivera, Frida Kahlo y

Kahlo: *Raíces*

el arte popular", otra de las secciones presentes, se muestran objetos de arte folklórico, trajes indígenas
³⁰ tradicionales y joyería y cerámica precolombina, que eran coleccionados por Kahlo y Rivera para posteriormente representarlos en sus trabajos. (D) También se pueden apreciar obras como *Autorretrato en la frontera de México y Estados Unidos* y *Allí*
³⁵ *cuelga mi vestido* realizados por la mexicana durante el período que acompañara a su esposo en sus viajes a Estados Unidos para pintar murales. Las dos últimas secciones están conformadas por fotografías de primera clase de Kahlo en su reconocida Casa Azul,
⁴⁰ que se convirtiera en museo después de su muerte.

www.eldiariony.com

35 Amplíe su vocabulario 🔍

¿Cuál es la mejor traducción de cada palabra de la primera columna?

1.	enfoque	a.	native dress
2.	ejercer	b.	self-portrait
3.	tela	c.	to exert
4.	boceto	d.	later
5.	grabado	e.	sketch
6.	acuarela	f.	to make up
7.	conformar	g.	completed
8.	obra destacada	h.	focus
9.	traje indígena	i.	cloth
10.	posteriormente	j.	engraving
11.	autorretrato	k.	noteworthy work
12.	realizado	l.	watercolor

36 ¿Ha comprendido?

1. ¿Por qué escogió el Museo de Arte de Ponce, Puerto Rico, la obra de Frida Kahlo?
   a. Ya tiene una gran colección de su obra en el museo y era lógico escogerla.
   b. Hay mucha variedad en la obra de Frida Kahlo.
   c. La obra de Frida Kahlo es muy exclusiva, según el museo, y quería presentar a un solo artista.
   d. La obra de Frida Kahlo influyó mucho en el arte popular.

2. ¿Cuántas secciones en total hay en la muestra?
   a. Dos
   b. Tres
   c. Cuatro
   d. Cinco

3. ¿Cuál es el tema de la primera sección de la obra de Frida Kahlo?
   a. La enseñanza como influencia sobre Frida
   b. Recuerdos de su casa donde creció
   c. La revolución mexicana
   d. El darwinismo

4. ¿Cuál es el tema de otra sección de la obra de Frida Kahlo?
   a. Los autorretratos
   b. El arte folklórico
   c. El darwinismo
   d. Todas las respuestas anteriores

5. ¿Cuántos mundos de Frida Kahlo están presentes en la muestra?
   a. Dos
   b. Tres
   c. Cinco
   d. No se precisa.

37 ¿Cuál es la pregunta? 🔍

Según el artículo que acaba de leer, escriba una pregunta lógica para estas respuestas.

1. Una de las artistas más representativas del siglo XX
2. Sobre tela, metal, madera y papel
3. Refleja las influencias y la evolución del arte de Kahlo.
4. Los bocetos de José María Velasco
5. El período que acompañara a su esposo en sus viajes a Estados Unidos
6. Para pintar murales
7. Se convirtió en museo después de su muerte.

38 ¿Qué piensan?

¿Por qué se puede decir que Frida Kahlo era una de las artistas más representativas del siglo XX? ¿Qué aspecto de su obra la lanzó a la fama? Comparta su opinión con un/a compañero/a.

39 Dónde va?

La siguiente oración ha sido extraída del texto anterior: *Los usaron para incluir más cultura mexicana en sus cuadros y en sus obras.* ¿Dónde encajaría mejor esta oración?

1. Posición A, línea 8
2. Posición B, línea 16
3. Posición C, línea 27
4. Posición D, línea 32

40 Antes de leer

¿Cómo cree que alcanzan la fama los artistas? ¿Se debe sólo al talento, o influyen también los contactos que tienen en el mundo del arte, el apoyo de la familia o la época en qué pintan? ¿Qué importancia tiene el papel de los críticos en el éxito de los artistas?

41 Frida Kahlo

Lea el artículo que sigue e intente averiguar el significado de las palabras en azul por el contexto o por ser cognados, ya que se le harán preguntas sobre ellas.

Crítica de arte reprueba comercialización de Frida Kahlo

La crítica de arte mexicana Raquel Tibol, quien conoció de cerca los últimos años de vida de la artista mexicana Frida Kahlo, reprobó la comercialización de que ha sido
[5] objeto la pintora en los últimos tiempos. En una entrevista, la escritora de origen argentino lamentó el uso que los familiares de Kahlo, en particular su sobrina nieta Mara de Anda, han hecho de los derechos que tienen sobre el
[10] nombre de "Frida", transformado en una marca. Tibol considera que la reciente comercialización de una muñeca con ese nombre es un ejemplo más de los múltiples negocios que está impulsando de forma "vulgar" y "oportunista"
[15] la familia. "Hay muchas maneras de sobrevivir sin hacer negocios tan abyectos", dijo Tibol, quien lamentó que además de tequilas y muñecas marca "Frida" se estén vendiendo incluso "calzones" (ropa interior femenina).
[20] Tibol cuenta que conoció a Frida en 1953, poco antes de que a la artista le amputaran la pierna en agosto de ese año, cuando la escritora comenzó a colaborar con Diego Rivera, esposo de la pintora, como secretaria. La de entonces

[25] "era una Frida muy dolida, que se drogaba en exceso. Sin embargo, tenía un encanto y una posibilidad de embelesar a todos a su alrededor", confesó. Para el centenario del natalicio de la pintora, Tibol está preparando
[30] una nueva edición de *Las escrituras de Frida Kahlo*, uno de sus libros. Explicó que la primera edición de ese libro se basó en 150 documentos de Frida, que luego aumentó en nuevas

ediciones y que ahora ascienden a 300. "Los [35] documentos ya están en manos de la editorial para integrarlos a la nueva edición", dijo. "Hay muchas sorpresas, pero prefiero no adelantar nada. Hay que esperar a que esté el libro", aseguró. Anoche, dentro de las actividades de [40] la Feria del Libro que se celebra en el Palacio de Minería de la capital mexicana, conversó con el público mexicano sobre otro de los que ha escrito, *Frida Kahlo en su luz más íntima* (Lumen, 2005), una reedición de *Frida Kahlo:* [45] *una vida abierta* (Oasis, 1983).

Frida Kahlo (1907–1954) nació y murió en el barrio de Coyoacán, al sur del Distrito Federal. Su verdadero nombre era Magdalena Carmen Frida Kahlo Calderón y empezó a [50] pintar durante una larga convalecencia del accidente que sufrió cuando era adolescente.

Como artista, primero fue realista y pintó retratos de amigos y familiares, flores y otros temas. Luego, a causa del dolor y los [55] nuevos sentimientos que vivió con un cuerpo destrozado por un accidente de tránsito que la dejó semi-inválida, pintó más y más su propia imagen combinada con expresiones oníricas a veces brutales. Así, se transformó en una [60] pintora surrealista, cuya obra estaba centrada en los sentimientos femeninos más íntimos y en el dolor. En 1938 montó su primera exposición individual en la Julien Levy Gallery de Nueva York. En la actualidad, instituciones [65] de la importancia del Museo de Arte Moderno de Nueva York y el Georges Pompidou de París alojan obras suyas.

www.laraza.com

42 Amplíe su vocabulario

Según el contexto del artículo anterior, empareje las palabras de la primera columna con su correspondiente sinónimo o definición entre las palabras de la segunda.

1. crítica		a. grosero
2. reprobar		b. juguete
3. lamentar		c. relativo al día de nacimiento
4. sobrina nieta		d. familiar
5. marca		e. persona que sabe aprovechar
6. muñeca		f. albergar
7. vulgar		g. atormentado
8. oportunista		h. condenar
9. abyecto		i. que juzga las cualidades de una obra
10. dolido		j. circulación
11. embelesar		k. quejarse
12. natalicio		l. despreciable
13. destrozado		m. cautivar
14. tránsito		n. fragmentado
15. alojar		o. algo de uso exclusivo

43 ¿Qué son?

Trabaje con un/a compañero/a y escriban oraciones completas que expliquen cada una de las siguientes ideas en el contexto del artículo.

1. La comercialización
2. Una marca
3. Oportunista
4. Una larga convalecencia
5. Artista realista
6. Pintora surrealista

44 ¿Ha comprendido?

1. ¿Cuándo conoció la crítica de arte a Frida Kahlo?
   a. Cuando eran niñas
   b. Cuando se casó con Diego Rivera
   c. En una muestra de su arte
   d. Poco antes de su muerte

2. ¿Qué productos comerciales llevan el nombre de Frida?
   a. Juguetes y alcohol
   b. Alcohol, juguetes y ropa
   c. Cuadros, juguetes y ropa
   d. Cuadros, juguetes, ropa y alcohol

3. ¿Quiénes se oponen a la comercialización del nombre de Frida?
   a. Los familiares
   b. Los críticos de arte
   c. Los artistas
   d. Ninguna de las respuestas anteriores

4. ¿Por qué le amputaron una pierna a Frida?
   a. Le dolía demasiado.
   b. Tenía cáncer.
   c. Usaba muchas drogas en esta época.
   d. No se precisa.

5. ¿Por qué pintó Frida escenas tan brutales?
   a. Quería mostrar cosas desagradables en sus cuadros.
   b. Quería representar su realidad en sus cuadros.
   c. Tenía el cuerpo semi-inválido y no podía pintar de otra manera.
   d. Todas las respuestas anteriores

6. ¿Qué muestran sus obras surrealistas?
   a. Sentimientos públicos
   b. Miedo
   c. Dolor
   d. Fantasía

45 Lea, escuche y escriba/presente 👥

Vuelva a leer los dos artículos anteriores sobre Frida Kahlo. Luego escuche "Inaugurada mayor exposición en España de obras de Frida Kahlo" y tome las notas necesarias. Luego escriba un ensayo o haga una presentación en clase sobre "El arte y la vida de Frida Kahlo". Si lo desea, busque más información en Internet sobre la vida y el arte de esta artista mexicana. No se olvide de citar las fuentes debidamente.

Cita

El cine latinoamericano es de los mejores que se hacen en el mundo, pues tiene contenido y calidad, aunque no cuenta con grandes presupuestos.
   —Edward James Olmos (1947–), actor estadounidense de origen mexicano

 ¿Conoce algunas de las películas de Olmos, como *American Me* (1992), *My Family* (1995) y *Selena* (1997)? ¿Conoce alguna otra película latinoamericana? ¿Y española? ¿Puede nombrarlas? ¿Está de acuerdo con lo que dice Olmos? Comparta su opinión con un/a compañero/a.

¡Dato curioso!

Pocos imaginaron que el reggaetón, un género musical nacido en Panamá en 1989 como una versión en español del reggae jamaiquino, iba a terminar convirtiéndose en todo un fenómeno de ventas para la industria musical latina. Hoy día, el reggaetón tiene fama internacional debido a estrellas puertorriqueñas como el actor y productor Daddy Yankee.

46 Cristina Saralegui

Lea las posibles respuestas primero y después escuche "Cristina Saralegui premiada como humanitaria". Escoja la mejor respuesta para cada pregunta que escuchará en la grabación.

1. (Pregunta que escuchará en la grabación.)

   a. Por su labor humanitaria y su visión mundial
   b. Por su programa para los hispanohablantes
   c. Por su organización Mujeres en el Cine y la Televisión Internacional
   d. Por su promoción del cine y la televisión latinoamericana

2. (Pregunta que escuchará en la grabación.)

   a. Un programa de televisión
   b. Una fiesta y una ceremonia
   c. Una película
   d. Todas las respuestas anteriores

3. (Pregunta que escuchará en la grabación.)

   a. Una película de la televisión hispana
   b. Un concurso de cine
   c. Una competencia hispana en la televisión
   d. Ninguna de las respuestas anteriores

4. (Pregunta que escuchará en la grabación.)

   a. Afanes del cine
   b. Invitados importantes
   c. Deportistas
   d. Las respuestas a y b

5. (Pregunta que escuchará en la grabación.)

   a. Es neozelandesa.
   b. Es hispana.
   c. Es española.
   d. No se precisa.

6. (Pregunta que escuchará en la grabación.)

   a. Cristina Saralegui
   b. Fiona Milburn
   c. Las dos señoras
   d. Ninguna de estas señoras

47 "Don Francisco"

Antes de escuchar "'Don Francisco' recibe homenaje de congresistas" repase las palabras del recuadro. Luego conteste las siguientes preguntas con oraciones completas.

la escalinata *step*	**emitir** *to broadcast*	**el compromiso** *pledge, commitment*
cerrar la brecha *to close the gap*	**merecedor** *deserving*	**entretener** *to entertain*
tras *after*	**fiel** *loyal*	

1. ¿Quién es Mario Kreutzberger?
2. ¿Por qué recibió un homenaje de los congresistas estadounidenses?
3. ¿Dónde y por cuántos años ha aparecido su programa *Sábado gigante*?
4. Según la congresista de la Florida, ¿qué brecha cierra "Don Francisco" con su programa?
5. ¿Dónde ha pasado "Don Francisco" sus 44 años en la televisión?
6. Explique la oración de "Don Francisco": "Nadie se retira".
7. ¿A qué dos grupos agradece "Don Francisco"?

48 Participe en una conversación

Ud. va a participar en una conversación. Primero lea la descripción de la conversación y piense en algunas palabras o expresiones que le serían útiles. Organice sus ideas, haciendo predicciones sobre lo que se le pueda preguntar o comentar. Una descripción de lo que va a escuchar aparece abajo en color. Participe en la conversación grabando las respuestas o escribiéndolas en su cuaderno.

Escena: Su tía, quien tiene unos cincuenta años, le habla de los cambios en la música contemporánea. Conteste sus preguntas.

Su tía:	Empieza la conversación y le hace una pregunta.
Ud.:	• Conteste negativamente.
Su tía:	Le hace un comentario sobre la música y le hace otra pregunta.
Ud.:	• Dele detalles sobre lo que le pregunta.
Su tía:	Le pregunta sobre sus gustos en la música.
Ud.:	• Dele detalles sobre lo que le pide.
Su tía:	Hace un comentario y le hace una pregunta.
Ud.:	• Conteste y háblele sobre sus preferencias. Explique las razones.
Su tía:	Se lo agradece y se despide.
Ud.:	• Despídase. Haga un comentario o use una expresión nueva de la lección.

¡A escribir!

49 Texto informal: las bellas artes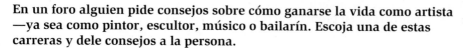

Escriba un comentario en un blog sobre las bellas artes. Describa lo que más le atrae (la pintura, la música, el baile, etc.). Incluya lo siguiente:

- Describa lo que más le gusta, con detalles.
- Mencione cómo lo disfruta y lo aprecia.
- Mencione a sus artistas favoritos de estas bellas artes.
- Termine con una recomendación para que los que no conozcan esta forma de arte la puedan llegar a conocer.

> **Consejo**
>
> Antes de empezar, lea las pautas para escribir textos informales en la pág. 480 del Apéndice. Mientras escribe el texto tenga presente los objetivos. Cuando termine, verifique que ha cumplido con todo lo que se describe en la lista y reflexione sobre su trabajo.

50 Texto informal: ganarse la vida como artista

En un foro alguien pide consejos sobre cómo ganarse la vida como artista —ya sea como pintor, escultor, músico o bailarín. Escoja una de estas carreras y dele consejos a la persona.

- Hable de los retos de quien escoge una carrera en este campo.
- Dele sugerencias de cómo puede estudiar una carrera en las artes (escuelas, academias, etc.).
- Dele consejos útiles sobre los beneficios de una vida artística.
- Explique los posibles obstáculos en una vida artística.

51 Ensayo: el arte muralista

Escriba un ensayo en el que hable del arte muralista mexicano y su impacto social.

> **Consejo**
>
> Antes de empezar, lea las pautas para escribir ensayos en la pág. 480 del Apéndice. Mientras escribe el ensayo tenga presente los objetivos y no se olvide de ponerle un título original. Cuando termine, verifique que ha cumplido con todo lo que se describe en la lista y reflexione sobre su trabajo.

52 Ensayo: mi vida sin arte

Escriba un ensayo contestando la pregunta, "¿Cómo sería mi vida sin arte?"

53 En parejas

Intercambie sus ensayos con los de un/a compañero/a. Exprésele su opinión sobre el contenido y el uso del idioma.

54 Charlemos en el café 👥

Ud. va a debatir los siguientes temas con un/a compañero/a. Uno estará a favor de lo que se ha dicho y otro en contra. El debate durará varios minutos. El/La estudiante que esté de acuerdo comenzará el debate y hablará por unos diez segundos. Cuando el/la profesor/a lo indique, el/la otro/a estudiante tomará la palabra y expresará su opinión por otros diez segundos y así sucesivamente.

1. No todos tienen el don para poder apreciar el arte.
2. Todos deberían estudiar arte de manera obligatoria hasta que se gradúen de la universidad.
3. Albert Einstein tenía razon: "los bailarines son los atletas de Dios".
4. Estoy totalmente de acuerdo con Oscar Wilde cuando dijo: "Ningún artista ve las cosas como son en realidad; si lo hiciera, dejaría de ser artista".
5. El requisito para la grandeza de un artista es su propia muerte.

55 ¿Qué opinan? 👥

En parejas conversen sobre estas situaciones o preguntas.

1. Si pudiera conocer personalmente a cualquier artista, ¿a quién le gustaría conocer y por qué? ¿Cuáles son algunas preguntas que le gustaría hacerle?
2. ¿Qué opina del ballet clásico como forma artística? ¿Le parece que es solamente para la elite o estudiantes del ballet, o es algo que todos pueden disfrutar? ¿Por qué?
3. ¿Qué opina de las películas y los programas de televisión que llevan subtítulos? ¿Es buena idea colocar subtítulos o es mejor doblar las voces? ¿Por qué?
4. ¿Qué opina del cine latinoamericano o el cine de España? ¿Quiénes son algunos actores y actrices de origen hispano? ¿Cree que serían más famosos si interpretaran papeles en inglés en el cine estadounidense? ¿Por qué?

56 Presentemos en público 🎙

Haga una presentación oral sobre uno de los temas durante varios minutos en clase. Organice sus ideas antes de hacer la presentación, busque las palabras necesarias y, después de practicar, presente en clase sin mirar las notas.

1. El arte es como un naranjo, que precisa un suelo y un clima adecuados para florecer y dar fruto. Relate sus experiencias con el arte y use este símil para hacerlo.
2. "La música no se hace, ni debe hacerse jamás, para que se comprenda, sino para que se sienta": Manuel de Falla, compositor español (1876–1946). Escoja un tipo de música; preséntelo y explíquelo según la cita de Falla.
3. Hable sobre las cinco obras de arte que Ud. más valora del mundo.
4. Hable sobre la canción más bonita que se ha escrito jamás.
5. Haga una presentación de PowerPoint sobre la obra del arquitecto Santiago Calatrava.

Consejo

Antes de empezar, lea las pautas para presentaciones formales en la pág. 481 del Apéndice. Mientras formula su presentación tenga presente los objetivos. Cuando termine la presentación, verifique que ha cumplido con todo lo que se describe en la lista y reflexione sobre el trabajo que hizo.

Proyectos

57 ¡Manos a la obra!

Trabaje en un grupo de cuatro o cinco estudiantes para llevar a cabo uno de los siguientes proyectos y presentarlo en clase.

- Uds. son grandes expertos de la vida y obras de un artista hispano. Presenten al artista, o a la artista, a sus compañeros de clase. Hablen de su vida, el arte que ha producido y su impacto en el mundo artístico.

- Uds. son grandes expertos de la vida y obras de un músico hispano. Presenten al músico, o a la música, a sus compañeros de clase. Hablen de su vida, la música que ha producido y su impacto en el mundo musical.

- Hagan un anuncio para promover las artes en su comunidad. Decidan qué medios van a usar para hacer la publicidad, y a qué grupos ésta va dirigida: a los niños, los jóvenes, los adultos, los jubilados o a todo el mundo.

- Van a crear un museo de bellas artes en su escuela o universidad. Decidan cuál de las bellas artes quieren representar y por qué, qué tipo de exposiciones piensan tener, cómo van a recaudar fondos para financiar los costos y quiénes van a exponer sus obras allí. No se olviden de ponerle un nombre al museo.

El Palacio de Bellas Artes, México, D.F.

Vocabulario

Verbos

abarcar	to embrace; to include
acaparar	to corner the market
agradecer	to thank
aportar	to contribute
construir	to build
destacarse	to stand out
dibujar	to draw
diseñar	to design
doblar	to dub
donar	to donate
edificar	to build
entretener	to entertain
equivaler	to be equivalent
esculpir	to sculpt
filmar	to film
involucrar	to involve
lograr	to attain, achieve
otorgar	to grant, give
pintar	to paint
plasmar	to create, shape
recuperar	to recover
respaldar	to endorse
restituir	to restore
retirarse	to retire
retrasar	to delay
sonar	to sound
superar	to excel

Verbos con preposición

verbo + a:

asistir a	to attend

verbo + en:

confiar en	to trust

Sustantivos

el	acero	steel
las	actualidades	current events
la	acuarela	watercolor
el	afán	zeal, eagerness
la	apertura	opening
el/la	arquitecto/a	architect
la	arquitectura	architecture
el	arte	art
las	artes	the arts
el	autorretrato	self-portrait
el/la	bailarín/bailarina	dancer
las	bellas artes	fine arts
la	belleza	beauty
el	boceto	sketch

el/la	cantante	singer
el/la	cantautor(a)	singer-songwriter
el	cante	singing, popular song
el/la	compositor(a)	composer
la	contraseña	sign, logo
el	contrincante	competitor, rival
la	crítica	critique, criticism
el/la	crítico/a	critic
el	cuadro	painting
la	danza	dance
la	encuesta	survey
el	enfoque	focus
el/la	escultor(a)	sculptor
la	escultura	sculpture
el	fenómeno	phenomenon
la	filial	subsidiary
el	foro	forum
el	genio	genius
la	globalización	globalization
el	grabado	engraving
el	lienzo	canvas
la	litografía	lithograph
el	local	site, local establishment
el/la	maestro/a	master
la	marca	brand name
el	marco	frame (*of a painting*)
el	medio	medium
el	montaje	assembly, show
la	muestra	show, sample
el/la	muralista	muralist
la	música	music
el/la	músico/a	musician
el	óleo	oil painting
el/la	pintor(a)	painter
la	pintura	painting; paint
el	premio	prize, award
el	presupuesto	budget
la	regalía	royalty
la	renuncia	resignation
el	ritmo	rhythm
la	ruptura	break
la	subasta	auction
el	subtítulo	subtitle
el/la	tanguero/a	tango singer or dancer
la	tela	cloth, fabric
la	telenovela	soap opera
la	temporada	season
el	toque	touch, beat

Adjetivos

artístico, -a	artistic
caribeño, -a	Caribbean
castellano, -a	Castilian, Spanish
culto, -a	cultured, refined
fiel	faithful, loyal
folclórico, -a	folkloric
gitano, -a	Gypsy
judío, -a	Jewish
morisco, -a	Moorish
noticioso, -a	informative
rollizo, -a	stocky, plump

Expresiones

la cadena de televisión	TV station
la entrada libre	free admittance
escribir un guión	to write a script
el éxito taquillero	box-office hit
hacer un papel	to act, play a part
el horario estelar	prime time
poner a la venta	to put up for sale
rodar una película	to film a movie
seguir vigente	to continue to be valid
sin fronteras	without limits (borders)

A tener en cuenta

Palabras compuestas

Las palabras compuestas se forman de varias maneras:

sustantivo + sustantivo:

el aguafiestas	party pooper, wet blanket
la bocacalle	street entrance
el camposanto	cemetery, graveyard
la telaraña	spider's web, cobweb

sustantivo + adjetivo:

boquiabierto	astonished, aghast
caradura	shameless, brazen
pelirrojo	redhead

verbo + sustantivo:

el abrebotellas	bottle opener
el abrecartas	letter opener
el abrelatas	can opener
el bajamar	low tide
el cascanueces	nutcracker
el paraguas	umbrella
el paracaídas	parachute
el pasamano	handrail, banister
el portafolios	briefcase
el portamonedas	pocketbook, coin purse
el portaviones	aircraft carrier
el quitamanchas	stain remover
el quitanieves	snowplow
el quitasol	sunshade, parasol
el rompecabezas	jigsaw puzzle

verbo + verbo:

el duermevela	nap, snooze
el hazmerreír	laughingstock
el vaivén	rocking, swaying motion; *pl.*, ups and downs

adverbio + verbo:

menospreciar	to despise, look down on

adverbio + adverbio:

anteayer	the day before yesterday

de varias funciones gramaticales:

el limpiaparabrisas	windshield wiper
el nomeolvides	forget-me-not
el sabelotodo	know-it-all

Lección B

Objetivos

Comunicación

- Hablar de arte
- Discutir las clasificaciones de películas
- Hablar de varios géneros de música
- Comprender aspectos del imperio azteca

Gramática

- Repaso de los tiempos verbales
- El infinitivo
- Las conjunciones
- Los pronombres relativos

"Tapitas" gramaticales

- la posición de los adjetivos
- las preposiciones
- el uso de *lo*
- los números ordinales
- el género de los sustantivos
- *sino* y *pero*
- la omisión del artículo
- formas apócopes

Cultura

- Pierre-Auguste Renoir
- La Ruta Quetzal
- La ópera
- Ciudadparaciegos
- La música punk
- Salvador Dalí
- La Oreja de Van Gogh
- El imperio azteca

Visite la página Web de
¡A toda vela! en
www.emcp.com

Para empezar

1 Conteste las preguntas 👥

Piense en las respuestas a las siguientes preguntas. Puede tomar notas si lo considera necesario. Cuando termine, compare sus respuestas —pero sin mirar sus notas— con las de un/a compañero/a.

1. ¿Existe el arte por el arte? ¿Piensa que los artistas esculpen o pintan cuadros para que las masas aprecien la vida y la belleza de nuestro mundo? ¿O piensa que lo hacen sólo para vender su arte, ganar fama y hacerse ricos?
2. ¿Cree que sólo la elite asiste a los espectáculos de las bellas artes como la ópera, conciertos de música clásica, el ballet y el teatro, o que van las masas también?
3. Para ser un artista legítimo, ¿es necesario que uno estudie en una Facultad de Arte? ¿Existe el arte callejero? ¿Son las pintadas (el graffiti) una forma de arte? ¿Por qué?
4. En general, ¿qué prefiere: el arte plástico o la música? ¿Por qué?
5. Si estuviera solo/a en una isla, ¿qué música llevaría? Identifique tres CDs que llevaría y explique por qué.
6. ¿Qué opina de las películas documentales? ¿Ha visto algunos documentales? ¿Cree que el objetivo de ellos es simplemente informar sobre un tema, o sirven de propaganda? Explique por qué piensa así. ¿Por qué no suelen tener mayor distribución?
7. ¿Qué opina de la piratería de los DVDs de películas? ¿Le parece un problema mundial o nacional? ¿Cómo se puede solucionar el problema?
8. ¿Qué opina de la piratería de los CDs de música? ¿Es un gran problema internacional? ¿Cómo se puede solucionarlo?
9. ¿Qué opina de la censura de las letras de los CDs de música? ¿Le parece bien que haya censura? ¿Por qué? ¿Cree que es buena idea incluir una advertencia en las etiquetas de los CDs si hay alguna letra "problemática"? ¿Por qué?
10. ¿Qué opina de la censura de las películas cuando las ponen en la televisión normal y corriente (o sea, no en el cable) o en los aviones? ¿Qué le parece más perjudicial para los chicos de 16 años: la desnudez (no pornográfica) o la violencia? ¿Por qué?

El Palacio de las Artes Reina Sofía, Valencia, España (obra de Santiago Calatrava)

2   Mini-diálogos 🧍🧍

Ud. va a crear un mini-diálogo con un/a compañero/a. Lea la descripción de la conversación antes de empezar. Puede tomar notas para organizar sus ideas, pero no las mire mientras conversa. Le pueden servir las palabras del recuadro.

el retrato	el autorretrato	el paisaje	la naturaleza muerta
el dibujo	la acuarela	el óleo	colores vivos
colores oscuros	el fondo		

Escena: En un museo de arte moderno, un/a amigo/a ("B") lo/la saluda mientras va caminando por las salas. Los dos tienen que escribir un informe sobre el arte para el próximo lunes.

A: Salude a su amigo/a y pregúntele por qué está en el museo.

B: Conteste, y pregúntele qué tipo de arte le gusta.

A: Conteste con dos ejemplos de cuadros que ha visto en el museo hoy.

B: Reaccione a los dos cuadros y mencione otro que le gusta mucho más y que ha visto en el museo.

A: Intente convencerle de que debe considerar uno de esos dos cuadros que Ud. mencionó.

B: Reaccione cordialmente, pero rechace la sugerencia.

A: Haga un comentario sobre su reacción. Despídase cordialmente.

B: Despídase cordialmente.

Cita

El arte es maravillosamente irracional, no tiene el menor sentido y, a pesar de todo, es necesario.
—Günter Grass (1927–), autor alemán y Premio Nobel de Literatura

 ¿Es difícil comprender el arte en general o sólo el arte moderno? ¿Le gusta el arte moderno? ¿Por qué? ¿Conoce el arte de Picasso, Dalí o Miró? ¿Le gusta? ¿Por qué? ¿Es imprescindible interpretar el arte de estos grandes maestros para apreciarlo? Comparta sus opiniones con un/a compañero/a.

¡Dato curioso!

¿Sabía que recientemente en Londres unos expertos de una casa de subastas vendieron tres cuadros "pintados" por Congo, un chimpancé, por US$22.000 a un estadounidense entusiasta del arte moderno? Congo produjo cerca de 400 obras a finales de los años 1950, las cuales fueron recibidas por el mundo del arte con una mezcla de burla y escepticismo.

3   Un blog 👥 📖

Túrnese con un/a compañero/a para leer los comentarios que dos estudiantes han escrito en un blog sobre el arte y sobre las clasificaciones de películas. Fíjese en las palabras que aparecen en azul (relacionadas con el vocabulario) y en rojo (relacionadas con la gramática), ya que en las siguientes actividades se le harán preguntas sobre ellas.

Renoir

PAULINA, ESTUDIANTE DE ARTE

Baile en Le Moulin de la Galette: Renoir, 1876

Mi pintor favorito es Pierre-Auguste Renoir (1841–1919), el gran pintor impresionista francés. Aquí he anotado unos detalles de su vida y así se puede comprender mejor
5 por qué es mi favorito. Cuando Auguste era joven, la numerosa familia de Renoir se instaló en Paris, en una casa ubicada en el recinto del Louvre, el famoso museo parisino. Renoir ingresó a los trece años
10 como aprendiz en un taller de pintura de porcelana, con la esperanza de entrar algún día en la célebre Manufactura de Sèvres. Fue allí donde Renoir aprendería a pintar con pinceles flexibles, redondos y
15 afilados, y con colores fluidos. Su jornada de trabajo en la fábrica comenzaba a las ocho y tenía un descanso de diez a doce, el cual aprovechaba Renoir para ir al Louvre y copiar telas antiguas. Siguió cursos de la Escuela de Bellas Artes de 1862 a 1864; allí conoció a Alfredo
20 Sisley y a Claude Monet, otros artistas impresionistas. A los 21 años, en un taller de otro artista francés, Charles Gleyre, aprendió a pintar. Cuando Gleyre dejó de dar clases a principios de 1864, debido a su avanzada edad, Renoir y sus amigos siguieron trabajando sin que nadie los dirigiera. Con sus nuevos amigos viajaron al bosque de Fontainebleau para hacer juntos unos estudios de la naturaleza. En el verano de 1865, Renoir tomó un bote de vela Sena abajo hasta Le Havre para contemplar allí las regatas
25 que aquellos artistas habrían de convertir años más tarde en el tema favorito de su pintura, y para pintar desde el bote el río y sus orillas. Empezaba la verdadera y ardua lucha por imponer las nuevas ideas artísticas. Los años posteriores a la guerra francoprusiana fueron sorprendentemente de una gran prosperidad económica en Francia. Los precios de los cuadros aumentaron, y hasta en algunos casos se vendieron pinturas impresionistas por grandes sumas de dinero. Los pintores formaron una cooperativa
30 y abrieron su propia exposición. La nueva escuela ya tenía en circulación su mote de impresionistas. En los últimos treinta años de su vida, la fama de Renoir había traspasado las fronteras de Francia. En 1903 en Cannes —en la costa mediterránea francesa—, el artista vivió primero en el edificio de correos, antes de que él hiciera construir una casa en un espeso olivar que se convirtió en el estudio al aire libre de sus últimos años. Pero una grave artritis reumática le causó terribles dolores, y es que los huesos se
35 le encorvaban. Al principio de la Primera Guerra Mundial, sus hijos Jean y Pierre fueron gravemente heridos y su madre los cuidó hasta que ella se murió en 1915. Cuando Renoir tenía 78 años, viajó de nuevo a París, pero tuvieron que llevarlo en una silla de ruedas para ver sus cuadros favoritos del Louvre. Pierre-Auguste Renoir falleció el 3 de diciembre de 1919, recién pasada una fuerte pulmonía, y fue enterrado a los tres días junto a su esposa.

Adaptado de: www.imageandart.com

continúa

¡No puedo creerlo, pero el Consejo Municipal piensa censurar la nueva película de *El Señor de los Anillos* en mi pueblo! Es increíble que la Oficina de Clasificación de Películas mantenga tanto control sobre las clasificaciones de películas y aun peor
5 que nuestro Consejo Municipal consolide con más rigor las decisiones suyas. Esta discusión me hace recordar la decisión que tomó la Oficina de Clasificación de Películas Británica en 2001 cuando los espectadores británicos tuvieron que conformarse con una versión "light" de *Lara Croft: Tomb*
10 *Raider*, por decisión de la Oficina de Clasificación de Películas que había decidido cortar las escenas más violentas de la cinta de acción, como las que incluyen cabezazos y golpes en la garganta, para poder autorizarla a los mayores de 12 años. En opinión de la Oficina, Lara Croft, la heroína nacida de un
15 videojuego y que ha tomado forma humana en Angelina Jolie, es la estrella de una película para niños, pero con escenas que son demasiado violentas para los espectadores más jóvenes. El público habitual de Lara Croft es de entre 12 y 15 años de edad, pero las normas de clasificación dejan claro que a los 12
20 años, la "glamourización" de las armas, como cuchillos, y la ilustración gráfica de técnicas peligrosas, como los cabezazos o los golpes en la garganta, son inaceptables. Era evidente que la oficina les había causado dificultades a muchos cineastas,

Angelina Jolie en el papel de Lara Croft

pero éstos sugirieron que el público fanático de Lara Craft encontrara manera de ver la versión inédita
25 por medio del Internet o por ventas del DVD fuera de Gran Bretaña. Intento imitarlos y comprar una versión pirateada de la nueva película de *El Señor de los Anillos* sin la censura absurda del Consejo Municipal. No es que me apetezca ver más violencia, es que quiero que me muestren las películas con su versión original, tal y como las creó el director. ¡Qué ridículo! Tengo 17 años y soy casi un adulto. Voy a votar el próximo año. ¿Por qué no puedo ver las películas como quiera?

Adaptado de: www.elmundo.es

4   Amplíe su vocabulario ⑦🔍

Clasifique las palabras que aparecen en azul y rojo en los blogs anteriores según sean sustantivos, adjetivos, verbos o expresiones relacionados con el arte o la cinematografía.

5   Los tiempos verbales ⑦🔍 👥

Trabaje con un/a compañero/a y conteste las siguientes preguntas basadas en los blogs de la Actividad 3.

1. Usen los siguientes ejemplos del blog sobre Renoir para describir los usos del pretérito e imperfecto: *era joven, se instaló, comenzaba, siguió, conoció, empezaba, se vendieron, se convirtió* y *encorvaban*. De estos verbos citados, ¿qué construcciones irregulares hay? ¿Cuáles son sus irregularidades?

2. ¿Qué indica la construcción *siguieron trabajando*? ¿Por qué se usó en el blog?

3. Busquen ejemplos del presente perfecto y pluscuamperfecto en los dos blogs y expliquen su uso. Vuelvan a escribir las oraciones donde aparecen estos verbos usando el pretérito, presente perfecto o pluscuamperfecto del subjuntivo.

4. ¿Qué tiempo verbal es *aprendería*? ¿Qué expresa aquí? ¿Qué más puede expresar este tiempo verbal? ¿Y qué tiempo verbal es *habrían de convertir*?

5. ¿Qué tiempo verbal es *dirigiera*? ¿Por qué se usó? Hay otras siete construcciones verbales de este modo en el presente y pasado en los blogs. Búsquenlas y expliquen por qué se usaron. Den más ejemplos de expresiones que dicten el uso de este modo.

6 "Tapitas" gramaticales

Conteste estas preguntas basadas en los blogs de la Actividad 3.

1. Compare el uso de la palabra *favorito* en "mi pintor favorito" y "se puede comprender mejor por qué es mi favorito". ¿Cómo cambió el adjetivo? Explique el uso del adjetivo en *¡Qué ridículo!*
2. Explique el uso de las siguientes locuciones en los blogs: *a principios de*, *debido a* y *desde (el bote)*. ¿Cómo se podría usar *por* o *de* en estas locuciones?
3. ¿Qué significa *no puedo creerlo*? ¿Podría ser *no lo puedo creer*? ¿Por qué? Busque *llevarlo*, *autorizarla* e *imitarlos*. Explique el uso de los pronombres en cada caso y ofrezca otra variación como, por ejemplo, *no lo puedo creer*, si es posible.
4. Compare los pronombres de objeto directo e indirecto.

7 ¿Qué opina?

Reaccione a lo que cada persona ha escrito en los blogs y comparta su opinión con un/a compañero/a. Incluya palabras de las lecturas que aparecen en azul.

8 La Ruta Quetzal

Lea con atención el artículo que sigue, fijándose en las palabras en azul, ya que se le harán preguntas sobre ellas.

La Ruta Quetzal acaba en el Guggenheim tras 40 días de recorrido por Perú y España

Trescientos cincuenta jóvenes de 16 y 17 años soltaron ayer su mochila tras haber andado durante 40 días en Perú y España. La 20ª edición de la Ruta Quetzal, el programa que lleva a centenares [5] de chavales de decenas de países a recorrer tierras americanas y españolas y descubrir ambas civilizaciones, acabó ayer con la entrega de sus diplomas en el museo Guggenheim. Muchos de los participantes no pudieron contener las lágrimas el [10] penúltimo día que pasaban juntos, antes de ganar Madrid y regresar a sus hogares. La palabra más repetida por los "expedicionarios" a la hora de definir lo que aprendieron era la de "tolerancia". Los jóvenes vienen de 52 países diferentes y han [15] sabido establecer vínculos transnacionales. Xavier Bernadó, un participante originario de Lleida, explica que lo importante no es el diploma, sino la amistad que ha nacido durante el viaje.

El Museo Guggenhein Bilbao

Para Carlos Berzosa, rector de la Universidad [20] Complutense de Madrid, este diploma es algo más que simbólico, la prueba de una aventura humana que podrán colocar en su currículum. El proyecto que patrocina la BBVA fue creado hace 26 años por sugerencia del Rey y el afán del periodista Miguel [25] de la Quadra Salcedo.

www.elpais.es

9 Amplíe su vocabulario 🔍

Según el contexto del artículo anterior, empareje las palabras de la primera columna con su definición o sinónimo en la segunda.

1. soltar
2. centenar
3. chaval
4. recorrer
5. entrega
6. penúltimo
7. ganar Madrid
8. expedicionario
9. vínculo
10. prueba
11. colocar
12. afán

a. chico
b. participante
c. dejar
d. distribución
e. enlace, unión
f. deseo fuerte
g. ciento
h. cruzar una región
i. indicio o señal
j. poner
k. llegar a Madrid
l. inmediatamente antes del final

10 La Ruta Quetzal 👥🖋

Con un/a compañero/a, describa cómo sería la Ruta Quetzal que hicieron los jóvenes en Perú y en España. Describan lo que aprendieron estos chicos de las culturas latinoamericanas y de la cultura española.

11 Las comas en las oraciones compuestas 🔍

Conteste estas preguntas basadas en la lectura de la Actividad 8.

1. Busque las comas que aparecen en la lectura. Explique la regla general sobre el uso de las comas en las oraciones compuestas.
2. Escoja dos de estas oraciones compuestas y vuelva a escribirlas como oraciones simples.

12 El infinitivo 🔍

Conteste estas preguntas basadas en la lectura de la Actividad 8.

1. Haga una lista de los infinitivos que aparecen en el texto.
2. Explique el uso del infinitivo después de una preposición y después de otro verbo.

13 "Tapitas" gramaticales 🔍

Conteste estas preguntas basadas en la lectura de la Actividad 8.

1. ¿De qué otra forma podríamos escribir *la 20ª edición*?
2. ¿Qué artículo definido usaríamos con la palabra *diploma*? Explique la regla en general y busque otro ejemplo de esa regla en la lectura.
3. Traduzca la oración "Muchos de los participantes no pudieron contener las lágrimas". ¿Por qué se usa el pretérito y no el imperfecto del verbo *poder*?
4. Explique a qué se refiere *lo importante* y por qué se usa *sino* y no *pero* en la oración "Xavier Bernadó, un participante originario de Lleida, explica que lo importante no es el diploma, sino la amistad que ha nacido durante el viaje".
5. Explique el uso de *para* y *podrán* en la oración "Para Carlos Berzosa,... este diploma es algo más que simbólico, la prueba de una aventura humana que podrán colocar en su currículum".

14 Escriba

Escríbale una tarjeta postal a un/a amigo/a hablando de la Ruta Quetzal como si Ud. fuera participante en ella. Hable de las amistades que hizo y lo que aprendió de la tolerancia.

15 El presente perfecto

Échele una ojeada al artículo que sigue para ver de qué se trata, prestando atención a las palabras en azul y rojo, ya que se le harán preguntas sobre ellas. Luego lea el artículo y decida qué forma del presente perfecto del verbo entre paréntesis es la correcta según el contexto y escríbala. ¡Ojo! Hay un verbo en pretérito.

La ópera

La nómina de cantantes hispanohablantes en la Ópera Metropolitana de Nueva York (Met) se __1.__ (ver) notablemente incrementada esta temporada, ya que a los célebres habituales
[5] —y ya casi decanos— Plácido Domingo y Joan Pons __2.__ (añadirse) la presencia del barítono español Carlos Álvarez, que __3.__ (cantar) ya en las anteriores cuatro
[10] temporadas, la mezzo canaria Nancy Fabiola Herrera, el director Jesús López Cobos y la soprano puertorriqueña
[15] Ana María Martínez. Domingo, con una agenda muy apretada, interviene en varias óperas, aunque destaca
[20] su papel en dos: Sansón, en la ópera de Saint-Saëns, y Cyrano de Bergerac, en la reaparición que __4.__ (llevarse) a cabo de este título del desconocido Franco Alfano. Con una voz fuerte y una disposición dulce, la soprano puertorriqueña
[25] Ana María Martínez debutó en el Met la semana

pasada y a juzgar por los aplausos, parece tener un futuro prometedor. Martínez, quien interpretó el papel de Micaela en la obra *Carmen* de Bizet, recibió una fuerte ovación por su aria
[30] del tercer acto y otra más durante los aplausos de despedida. La soprano nació en Puerto Rico pero creció en Nueva York, donde recibió varios títulos de
[35] Juilliard. Ella ya __5.__ (tener) presentaciones exitosas como Violetta en *La Traviata* de Verdi con la Ópera
[40] Real de Londres y como la Condesa en *Le Nozze di Figaro* de Mozart en la Gran Ópera de Houston.
[45] Durante algunas de las presentaciones de Martínez como Micaela, coincidirá en el escenario con la mezzo-soprano Nancy Fabiola Herrera, gran amiga suya y ex-compañera en la escuela Juilliard.

16 Amplíe su vocabulario

Según el contexto del artículo que acaba de leer, ¿cuál es la mejor traducción de cada palabra?

1. nómina
   a. nomination
   b. cast
   c. list
   d. group

2. decano
   a. decade
   b. dean
   c. upcoming talent
   d. newcomer

3. canaria
   a. alto
   b. soprano
   c. light as a bird
   d. from the Canary Islands

4. apretado
   a. full
   b. out of control
   c. disorganized
   d. empty

5. papel
   a. major theme
   b. role
   c. paper
   d. actress

6. llevar a cabo
   a. to destroy
   b. to carry out
   c. to wear thin
   d. to exemplify

7. juzgar
   a. to hear
   b. to respond
   c. to judge
   d. to react

8. crecer
   a. to grow up
   b. to learn a lot
   c. to study
   d. to travel to

9. coincidir
   a. to coin
   b. to coincide
   c. to coexist
   d. to share

10. gran amiga suya
    a. his old friend
    b. her old friend
    c. his great friend
    d. her very good friend

17 ¿Qué función gramatical tienen?

Explique qué función gramatical tienen las siguientes palabras en el artículo de la Actividad 15, y tradúzcalas.

1. *Ya que* en la línea 4
2. *Que* (cantar) en la línea 8
3. *Aunque* en la línea 19
4. *Que* (llevarse a cabo) en la línea 22
5. *Quien* en la línea 27
6. *Donde* en la línea 33

18 "Tapitas" gramaticales

Conteste estas preguntas basadas en el artículo de la Actividad 15.

1. ¿Por qué se dice *cantantes hispanohablantes* y no *cantantes en español*?
2. Explique el uso del pretérito en la oración "Martínez, quien interpretó el papel de Micaela en la obra *Carmen* de Bizet, recibió una fuerte ovación por su aria del tercer acto..." Explique también por qué decimos "el tercer acto".
3. ¿Por qué no se usó el subjuntivo en el artículo? Vuelva a escribir dos oraciones con el modo subjuntivo; haga cualquier cambio que sea necesario.

Cita

La pintura se aprende en los museos.
   —Pierre-Auguste Renoir (1841–1919), impresionista francés

¿Está de acuerdo con esta cita, o cree que sólo se aprende la pintura en la escuela o con un maestro? ¿Cree que más personas "aprenderían" arte si las entradas a los museos fueran gratis? ¿Por qué? ¿Cree que es el deber del Estado ofrecer entradas gratis a los museos? Comparta sus opiniones con un/a compañero/a.

¡Dato curioso!

¿Sabía que el esfuerzo del cantante colombiano Juanes en el concierto "Colombia sin minas" dio sus frutos, al lograr recaudar 350 mil dólares para las víctimas de las minas antipersonales en su país? Todas las colectas están relacionadas con la gala musical y la fundación "Mi sangre" de Juanes. Juanes nació Juan Esteban Aristizábal en Medellín, Colombia. Es cantante, guitarrista, productor y autor de la música y letra de todos los temas que canta. En los últimos cuatro años, Juanes ha ganado nueve Grammy Latinos, cinco Premios MTV y seis Premios Lo Nuestro, entre otros reconocimientos internacionales.

19 Familia de palabras

Complete la tabla con el verbo, sustantivo o adjetivo apropiado, y la traducción correspondiente.

Verbos		Sustantivos		Adjetivos	
aplaudir	_____	_____	_____	aplaudido	_____
_____	to attract	la atracción	_____		_____
crear	_____	el/la creador(a);	_____ ;	creativo	_____
		la creación; la creatividad	_____ ;		
donar	_____	la donación	_____		donated
enloquecer,	_____ ,	el/la loco/a; la locura	crazy person; _____		_____
estar loco/a	_____				
por					
imaginar	_____			_____	imaginative
piratear	_____	el/la pirata; la piratería	_____ ; _____		pirated
quedarse ciego	_____	el/la ciego/a, el/la invidente	blind person	ciego	
saber	_____	la sabiduría; el/la sabio/a	wisdom; wise person		
seguir	_____	el/la seguidor(a)	_____		
ver	_____	el/la vidente	clairvoyant	visto	_____

20 ¿Verbo, sustantivo o adjetivo? 🔍

Complete las oraciones usando la forma correcta de las palabras que aparecen en la tabla, ya sea verbo, sustantivo o adjetivo. En el caso del sustantivo puede que necesite artículo.

1. En muchos países se venden películas ___ (*piratear*) en la calle.
2. Cada vez que sale un nuevo CD de mi banda favorita, ___ (*enloquecer*) comprarlo lo más pronto posible.
3. Se ___ (*creación*) la cueca, el baile nacional de Chile, como recuerdo del heroísmo de los que lucharon por la independencia del país en 1810.
4. El público ___ (*aplauso*) al cantaor de flamenco cuando terminó su interpretación del cante jondo.
5. El filántropo ___ (*donación*) muchas obras de arte de su colección personal al Museo de Bellas Artes.
6. A veces las canciones y las películas fracasan a pesar de ___ (*sabio*) de los expertos.
7. Si la película tiene mucha acción y efectos especiales, ___ (*atracción*) a muchos para que vayan al cine a verla porque no querrán esperar hasta que llegue en versión DVD.
8. ONCE es la Organización Nacional de ___ (*ciego*) Españoles.
9. ___ (*Ver*) de tarot consultan sus tarjetas y la astrología de sus clientes.
10. Algunos ___ (*seguir*) de George Lucas, el director de *Star Wars*, prefieren la película *Star Wars: Episodio III—La venganza de los Sith*.
11. Me quedé aturdido cuando vi la obra musical *El Rey León* en Broadway. ___ (*Imaginar*) y ___ (*crear*) de la directora/productora Julie Taymor son tremendas.

Cita

La calidad de un pintor depende de la cantidad del pasado que lleve consigo.
—Pablo Picasso (1881–1973), pintor español

¿Piensa que la obra de un artista es su vida y su historia personal? ¿Cree que los mejores artistas son los mayores, puesto que han tenido más experiencias? Comparta su opinión con un/a compañero/a.

¡Dato curioso! ¿Sabía que se va a intentar "resucitar" al popular grupo juvenil Menudo de los años ochenta? En junio de 2006, la empresa Menudo Entertainment anunció una búsqueda internacional de jóvenes cantantes, tanto en español como en inglés, entre los 14 y 18 años. El nuevo Menudo, cuyo primer álbum será de música hip-hop urbana latina, estará enfocado también para poder tener éxito en el mercado en inglés.

21 Ciudadparaciegos 📖

Échele una ojeada al artículo que sigue para ver de qué se trata, prestando atención a las palabras en azul, ya que se le harán preguntas sobre ellas. Luego lea el artículo y decida qué forma de las palabras entre paréntesis es la correcta para completar cada oración y escríbala. No se olvide de escribir y acentuar las palabras correctamente.

Pintor cubano dedica una exposición a los ciegos

El pintor cubano Arturo Montoto, fiel a __1.__ (*vincular*) su obra con el entorno urbano, ha dedicado una singular exposición a los invidentes, "Ciudadparaciegos", una mezcla de obra pictórica, vídeo y "performance". El proyecto de Montoto es __2.__ (*el primero*) muestra colateral abierta al público de la IX Bienal de Artes Plásticas de La Habana, que será __3.__ (*inaugurar*) oficialmente mañana con el título de "Dinámicas de la cultura urbana". Muy en sintonía con la temática de la Bienal, que ocupará varios espacios y galerías de la capital cubana durante un mes, el artista __4.__ (*explicar*) que con esta exhibición pretende hacer una llamada de atención sobre los invidentes, "ese sector minoritario de la población que __5.__ (*andar*) en la ciudad y que casi nadie tiene en cuenta".

"__6.__ (*Hacerse*) una exposición de artes visuales y pienso que sería interesante que ellos (los ciegos) aun cuando no __7.__ (*ver*), son los principales invitados a un evento artístico, a ver a su manera, y en el que siempre van a ver por la descripción (a través del sistema braille)", señaló. Montoto apuntó que para "Ciudadparaciegos" __8.__ (*construir*) un recorrido por la ciudad, que "son fragmentos de las obras __9.__ (*mío*), de __10.__ (*alguno*) modo yuxtapuestas, en los que aparecen obstáculos, que pueden hacer daño al ciego".

"Ellos con su tacto van __11.__ (*descubrir*) que hay textos descriptivos que les van __12.__ (*decir*) aquí hay una pared, un obstáculo, aquí hay sombra, luz y ellos, como van __13.__ (*leer*), se van __14.__ (*imaginar*) el paisaje", añadió. En el proyecto —instalado en el Museo de Arte Colonial del centro histórico de La Habana Vieja— __15.__ (*colaborar*) la Asociación Nacional del Ciego (ANCI), entre otras instituciones cubanas, y el Museo Tiflológico de la Organización Nacional de Ciegos Españoles (ONCE).

www.eldiariony.com

22 ¿Qué significa? 🔍

Según el contexto del artículo que acaba de leer, empareje las palabras de la primera columna con su traducción correspondiente de la segunda.

1. entorno
2. obra pictórica
3. en sintonía
4. temática
5. recorrido
6. hacer daño
7. tacto
8. colaborar

a. touch
b. pictorial work
c. to colloborate
d. to damage
e. environment
f. subject matter
g. in tune
h. journey

23 Lea, escriba/presente

Vuelva a leer el artículo anterior y piense en cómo contestaría las siguientes preguntas: ¿Cree que el arte es solamente un fenómeno visual? ¿Cómo los ayudó el pintor cubano Arturo Montoto a los ciegos a apreciar el arte? Luego escriba un ensayo o haga una presentación en clase sobre el tema.

24 La música punk

Échele una ojeada al artículo que sigue para ver de qué se trata, prestando atención a las palabras en azul, ya que se le harán preguntas sobre ellas. Luego lea el artículo y decida qué forma de las palabras entre paréntesis es la correcta para completar cada oración y escríbala. No se olvide de escribir y acentuar las palabras correctamente.

El punk se resiste a morir

Black Sabbath, Blondie y Lynyrd Skynyrd ingresan en el Salón de la Fama del Rock&Roll en un acto en Nueva York al que no asistirán __1.__ (*otro*) de los elegidos, los Sex Pistols, que rechazaron el honor
[5]en __2.__ (*el*) mejor tradición punk. No asistirán a la ceremonia formal de ingreso en el Salón, que se celebrará esta noche por todo lo alto en el Waldorf-Astoria, uno de los hoteles más exclusivos de la ciudad. "Tenemos problemas con el Salón de la Fama
[10]desde hace tiempo. Nunca __3.__ (*le*) importó quienes éramos y tampoco han corregido los errores sobre nuestra leyenda y legado en su museo. Rechazaron __4.__ (*nuestro*) nominación tres años y ahora nos quieren", señaló Rotten. ... "No tiene nada que ver
[15]con las bandas de música, es sólo una oportunidad de hacer dinero para un grupo de multimillonarios sin escrúpulos", aseguró el viejo rockero. Con su actitud, los Sex Pistols han hecho gala una vez más del carácter que les hizo famosos en __5.__ (*el*) setenta,
[20]durante su corta pero exitosa carrera de poco más de dos años en __6.__ (*el*) que editaron un álbum y cuatro discos sencillos. Ozzy Osbourne, cantante de Black Sabbath, la banda británica que a __7.__ (*final*) de los años sesenta acuñó el concepto de *heavy*
[25]*metal* y cuyo legado se considera crucial en este género, había criticado en el pasado el Salón de la Fama pero, al parecer, ha cambiado de opinión. La inclusión del trompetista de jazz Miles Davis como miembro del "olimpo del rock", ha sido otro de los
[30]focos de polémica en la elección de este año. Muchos consideran que Miles supuso una __8.__ (*grande*) influencia en el rock pero no puede ser considerado estrictamente como una estrella de ese tipo de música, debido a su formación en la música jazz. Un comité
[35]de seiscientos expertos, entre __9.__ (*el*) que figuran músicos, críticos y estudiosos del rock, deciden anualmente las incorporaciones de solistas y bandas al Salón, que se __10.__ (*crear*) en 1983. La institución tiene su sede en Cleveland (Ohio), donde
[40]__11.__ (*contar*) con un museo en el que se __12.__ (*mostrar*) los recuerdos, vestuario e instrumentos originales de las estrellas de rock a lo largo del medio siglo de vida de ese género de música.

www.laraza.com

25 Amplíe su vocabulario

Según el contexto del artículo que acaba de leer, empareje las palabras de la primera columna con su traducción correspondiente de la segunda.

1. ingresar	a. genre
2. rechazar	b. to give birth to a word
3. todo lo alto	c. due to
4. legado	d. to show off
5. sin escrúpulos	e. sources of controversy
6. hacer gala de	f. in style
7. acuñar	g. to induct
8. género	h. headquarters
9. focos de polémica	i. legacy
10. suponer	j. to reject
11. debido a	k. unscrupulous
12. sede	l. to assume

26 Lea, escuche y escriba/presente

Vuelva a leer los artículos de las Actividades 21 y 24. Luego escuche "Los tres tenores" y tome las notas necesarias. Escriba un ensayo o haga una presentación en clase sobre "El arte accesible a todos: invidentes, videntes, viejos rockeros y aficionados de la música clásica". No se olvide de citar las fuentes debidamente.

Cita

La inspiración existe, pero tiene que encontrarte trabajando.
—Pablo Picasso, (1881–1973), artista español

¿Cómo piensa que los artistas encuentran su inspiración? Mucha gente dice que su inspiración viene cuando uno menos lo piensa —por ejemplo, mientras uno se ducha por la mañana. ¿Esto le pasa a Ud.? ¿Cuál fue su última "inspiración", y cuándo le llegó? ¿Se realizó? Comparta sus opiniones y respuestas con un/a compañero/a.

¡Dato curioso!

¿Sabía que homenajearon a Frida Kahlo en México con una ópera rock en el centenario de su nacimiento? El guión de la ópera combinó música clásica con temas interpretados por roqueros y estaba integrado por distintos pasajes en la vida de Kahlo, desde su nacimiento en 1907 hasta su muerte en 1954.

27 Dalí

Échele una ojeada al artículo que sigue para ver de qué se trata, prestando atención a las palabras en azul, ya que se le harán preguntas sobre ellas. Luego lea el artículo y decida cuál de las dos palabras entre paréntesis es la correcta para completar cada oración y escríbala.

Múltiples conmemoraciones por el centenario de Salvador Dalí

El centenario del nacimiento de Salvador Dalí, quizás el personaje más excéntrico de la historia del arte español, concita
⁵ **1.** (*este / aquel*) año decenas de exposiciones, ediciones de libros y otras actividades que **2.**

(*repasa / repasan*) una vida y una obra surrealistas por excelencia.
¹⁰ Salvador Felipe Jacinto Dalí Domenech **3.** (*nacía / nació*) en Figueras, en la región de Cataluña, en la esquina **4.** (*nororiental / nororientala*) española, el 11
¹⁵ de mayo de 1904, y murió en la misma villa el 23 de enero de 1989, víctima de un paro cardíaco. **5.** (*Por / Para*) celebrar el natalicio de Dalí, diversas
²⁰ entidades públicas y privadas han reunido obras y **6.** (*recuperado / recuperados*) textos para satisfacer la gran curiosidad de los seguidores de su trabajo y
²⁵ de los que **7.** (*se acercan / se acerquen*) a él por primera vez. Tal vez la exposición más importante, por su contenido,

es la organizada en Barcelona
³⁰ por Caixaforum, "Dalí, cultura de masas", que será inaugurada el 5 de febrero **8.** (*en / con*) unas 400 obras, entre dibujos, fotografías, recortes, portadas
³⁵ de revistas, postales, objetos variopintos, manuscritos y películas. La exposición —que irá después a Madrid y luego a EE.UU. y a Holanda— explora
⁴⁰ la relación de Dalí con la cultura de masas y **9.** (*como / cómo*) su universo visual reflejó los grandes cambios tecnológicos y económicos del siglo XX, que
⁴⁵ **10.** (*le / lo*) fascinaron. Fuera de España, una muestra importante será la antológica "Dalí" —con 150 óleos representativos de todas las vertientes creativas del pintor,

50 especialmente surrealismo y __11.__ (*vanguardista / vanguardia*)—, en el Palazzo Grassi de Venecia, y que será llevada luego al Museo de Arte de Filadelfia, en Estados 55 Unidos. La Fundación Gala-Salvador Dalí ha organizado la exposición "El Quijote según Salvador Dalí", con los dibujos y acuarelas que utilizó para ilustrar 60 la obra de Cervantes, y __12.__ (*otro / otra*) de dibujos dalinianos en el Museo Municipal de Cadaqués. En Barcelona, el gobierno regional __13.__ (*promueve / promueva*) 65 "Dalí. Afinidades electivas", muestra que analizará las influencias literarias y estéticas del pintor. El Centro de Arte Reina Sofía, en Madrid, montará las 70 exposiciones "La huella de Dalí" —__14.__ (*como / cómo*) modelo seguido por otros artistas—,

"Dalí y la cultura de masas" y "Dalí lector", que hurgará en 75 las lecturas que el artista tenía en su biblioteca de Figueras. La galería madrileña Blanquerna ha reunido una serie de retratos de Dalí hechos __15.__ (*por / para*) 80 catorce autores catalanes entre 1951 y 1979 en la exposición "Dalí y el retrato cómplice". El comisario de esta exposición, Balsells, recordó la mitomanía y la 85 calculada excentricidad del genio que acostumbraba a decir a los fotógrafos: "para fotografiarme esperad a que me __16.__ (*viste / vista*) de Dalí". En el terreno 90 editorial destaca la publicación de *Rostros ocultos*, la única novela de Dalí, escrita en 1943, que ahora se publica con fragmentos que en su época __17.__ (*eran /* 95 *fueron*) censurados. Y hasta

la gastronomía catalana rinde homenaje a Dalí: treinta restaurantes y sendos cocineros regionales recuerdan el interés 100 que manifestó hacia el buen comer y por eso sirven esta __18.__ (*estación / temporada*) menús con ingredientes relacionados con su vida y obra: huevos, crustáceos, 105 ocas, patas de cerdo, caracoles y chocolate. Todas estas y muchas otras actividades previstas, entre ciclos de cine, conciertos, monográficos sobre la obra 110 daliniana, contenidos en Internet (www.salvador-dali.org o www.daliphoto.com), __19.__ (*pretenden / pretendan*) satisfacer la gran atracción que ejerce la 115 figura de Dalí.

www.eldiariony.com

28 Amplíe su vocabulario 🔍

Según el contexto del artículo que acaba de leer, empareje las palabras de la primera columna con su traducción correspondiente en la segunda.

1. concitar	a. goose	
2. por excelencia	b. affinity	
3. paro cardíaco	c. accomplice	
4. recuperar	d. magazine cover	
5. recorte	e. mark	
6. portada de revista	f. from Dalí	
7. variopinto	g. to generate	
8. vertiente	h. from Madrid	
9. vanguardia	i. tendency to create myths	
10. daliniano	j. to pay	
11. promover	k. aspect	
12. afinidad	l. to rummage	
13. huella	m. par excellence	
14. hurgar	n. snail	
15. madrileño	o. clipping	
16. cómplice	p. anticipated	
17. mitomanía	q. crustacean	
18. rendir	r. heart attack	
19. crustáceo	s. movement that is foremost in its field	
20. oca	t. to recover	
21. caracol	u. to promote	
22. previsto	v. miscellaneous	

29 Lea y escriba/presente ⚘

Vuelva a leer el texto completo sobre el centenario de Dalí y, si lo desea, consulte las fuentes citadas en el artículo u otras para aprender más sobre la vida del artista. Luego escriba un ensayo o haga una presentación en clase sobre "Salvador Dalí: el artista de las masas". No se olvide de citar las fuentes debidamente.

30 La Oreja de Van Gogh 📖

Échele una ojeada al artículo que sigue para ver de qué se trata, prestando atención a las palabras en azul, ya que se le harán preguntas sobre ellas. Luego lea el artículo y decida cuál de las dos palabras entre paréntesis es la correcta para completar cada oración y escríbala.

La Oreja de Van Gogh termina su gira de dos años y medio tocando ante más de 140.000 personas

Más de 140.000 personas __1.__ (ha / han) asistido a los conciertos que La Oreja de Van Gogh ha ofrecido en su reciente gira __2.__ (por / para) Chile, Argentina y Uruguay. Un éxito
[5] absoluto ha sido la característica común de estos recitales, en __3.__ (el / los) que el grupo donostiarra agotó todas las entradas de sus conciertos. La gira __4.__ (comenzaba / comenzó) en Chile, en la 47ª edición del Festival de Viña
[10] del Mar. __5.__ (Aquí / Allí) La Oreja de Van Gogh llenó el enorme anfiteatro y después del primer bis del concierto, la organización entregó a la banda la Antorcha de Plata. Pero al público no __6.__ (le / les) pareció suficiente. Las 20.000
[15] personas que abarrotaban el recinto de la Quinta Vergara __7.__ (pidió / pidieron) a "grito pelado" la Antorcha de Oro __8.__ (por / para) La Oreja de Van Gogh. En un ambiente de enorme emoción, el público exigió durante media hora el regreso
[20] de La Oreja de Van Gogh al escenario para recibir el trofeo más preciado del festival: la célebre Gaviota de Plata que se concede por aclamación popular. Es el público __9.__ (él / el) que otorga la Gaviota que, a lo largo de 47 años, se ha
[25] convertido en el galardón más importante del festival. La retransmisión por televisión del concierto de La Oreja de Van Gogh batió récords, alcanzando un índice de audiencia de 54 puntos. El grupo español también llenó dos días el mítico
[30] Luna Park de Buenos Aires, Argentina, __10.__ (por / con) 14.000 personas, el mismo número de personas que asistió a la primera presentación de La Oreja de Van Gogh en Montevideo, Uruguay. Más tarde el grupo regresó a Chile para actuar en
[35] La Serena, Pucón y Santiago, este último

__11.__ (antes / ante) más de 30.000 personas remató el éxito de la gira. En este país, el grupo también ganó el Premio de la Popularidad al recibir más de 100.000 votos a través de llamadas
[40] telefónicas. Con estos conciertos, La Oreja de Van Gogh cierra la gira internacional del álbum *Lo que te conté mientras te hacías la dormida*. __12.__ (Desde / Durante) dos años y medio el grupo ha actuado en 12 países: Estados Unidos,
[45] Francia, México, Puerto Rico, El Salvador, Panamá, Ecuador, Colombia, Chile, Argentina, Uruguay y Guatemala.

www.laraza.com

31 ¿Qué significa? 🔍

Según el contexto del artículo que acaba de leer, elija la mejor traducción para cada palabra.

1. gira
   - a. show
   - b. audition
   - c. tour
   - d. none of these

2. donostiarra
   - a. very generous
   - b. from San Sebastián
   - c. popular
   - d. universal

3. agotar
   - a. to sell out
   - b. to resell
   - c. to bring out
   - d. to print

4. bis
   - a. show
   - b. applause
   - c. both
   - d. encore

5. Antorcha de Plata
   - a. Silver Prize
   - b. Silver Torch
   - c. Silver Medal
   - d. Silver Reward

6. abarrotar
   - a. to applaud
   - b. to shout with approval
   - c. to sit
   - d. to jam-pack

7. grito pelado
   - a. fiery applause
   - b. subtle encouragement
   - c. wild cheers
   - d. angry screams

8. regreso al escenario
   - a. return to the audience
   - b. return to the stage
   - c. return to the scene
   - d. exit from the stage

9. conceder
   - a. to give up
   - b. to oblige
   - c. to award
   - d. to distribute

10. otorgar
    - a. to grant
    - b. to permit
    - c. to disagree
    - d. to choose

11. rematar
    - a. to kill
    - b. to prevent
    - c. to fail
    - d. to finish off

32 Lea, escuche y escriba/presente 🗣

Vuelva a leer el artículo completo sobre La Oreja de Van Gogh. Luego escuche "Guadalajara se inaugura como capital de la cultura" y tome las notas necesarias. Escriba un ensayo o haga una presentación en clase sobre "La cultura es accesible a las masas". No se olvide de citar las fuentes debidamente.

Cita

Ser director de cine en España es como ser torero en Japón.
—Pedro Almodóvar (1951–), guionista y director de cine español

Las películas de Almodóvar han ganado muchos premios en el Festival de Cannes (Francia), en los Oscar y en los Globos de Oro. Sus películas incluyen *Volver* (2006), *Hable con ella* (2003), *Todo sobre mi madre* (1999) y *Mujeres al borde de un ataque de nervios* (1989). ¿Por qué habrá dicho esto entonces? ¿Ha visto algunas de sus películas? ¿Qué opina de ellas? Comparta su opinión con un/a compañero/a.

Dato curioso

El programa *Objetivo Fama* comenzó hace poco en Univisión Puerto Rico y ahora se transmite a todo Estados Unidos por la cadena Telefutura. Con el fin de atraer al público latino en el país, la producción optó por incluir integrantes de diferentes ciudades estadounidenses en esta competencia de canto. En una reciente edición, Marlon Fernández, un participante cubano criado en Miami, triunfó frente a otros 20 candidatos de 18 ciudades diferentes. Más de dos millones de espectadores en Puerto Rico y Estados Unidos votaron para elegir al ganador.

33 Antes de leer 👥

¿Qué sabe de los aztecas y su imperio? ¿Cuándo y dónde vivieron ellos? ¿Cuáles son algunas de sus contribuciones artísticas y culturales?

34 Los aztecas 📖

Lea con atención el artículo que sigue e intente averiguar el significado de las palabras en azul por el contexto, ya que se le harán preguntas sobre ellas.

Dirección www.eldiariony.com

Archivo   Edición   Ver   Favoritos   Herramientas   Ayuda

El poder y la estética del imperio azteca

El poder, la fuerza y la refinada estética del imperio azteca son exhibidos en Roma en una espectacular muestra, que incluye unas 350 piezas, entre esculturas, máscaras y joyas, algunas de
5 ellas presentadas por primera vez en Europa. **(A)** La muestra, titulada "Los tesoros de los aztecas", que permanecerá abierta hasta el 18 de julio, fue inaugurada este jueves en el Palacio Ruspoli por
10 personalidades de ambos países, entre ellos la ministra de Cultura mexicana, Sari Bermúdez. "Creo que hemos logrado combinar para esta
15 muestra el aspecto histórico y temático con el estético, un equilibrio que permitirá a los visitantes ampliar el horizonte sobre la historia de los aztecas
20 y al final de cuentas del México actual", afirmó Sergio Arroyo, director del Instituto Nacional de Antropología e Historia de México. Los curadores de la muestra, que ya estuvo
25 en Londres y Berlín, en donde superó los 900.000 visitantes, están convencidos de que llegarán a más de un millón de espectadores. Cuarenta piezas, entre ellas piezas de oro, personajes en miniatura y una máscara con mosaicos, halladas en el curso de las
30 recientes excavaciones del Templo Mayor, la mayor pirámide azteca descubierta en la antigua capital de Tenochtitlán, hoy Ciudad de México, fueron incorporadas a la exposición romana. **(B)** El mundo

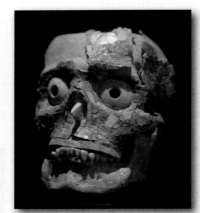

de los aztecas, repartido en siete salas, aparece desde
35 sus orígenes, con toda su cosmogonía, representada en esculturas de dioses y guerreros, estilización de serpientes, águilas y jaguares. Piezas como el dios del viento, realizada en terracota, y que mide un metro y medio, con una máscara con forma de pico
40 de pájaro, o la célebre serpiente emplumada, prestada por el museo del Vaticano, dan fe de la enorme capacidad artística del imperio azteca, que floreció en la arquitectura, la joyería y la pintura.
45 Con una escenografía sugestiva, entre paredes oscuras y luces indirectas, la tiránica religión de esa civilización, que dominó del siglo XIV hasta la conquista española en
50 1519, aparece con toda su crueldad. **(C)** Numerosas piedras sacrificiales, estatuas de hombres despellejados como ofrecimiento a los dioses, enormes piedras con labradas
55 serpientes enroscadas que servían para depositar los corazones arrancados, ilustran los ritos para alabar o aplacar a las divinidades. Organizada en forma didáctica, la muestra resulta un paseo por una brillante civilización, que poseía
60 dos calendarios, entre ellos uno astronómico y otro adivinatorio, y que con la llegada de los españoles fue desapareciendo, como ilustran dos piezas clave, ejemplo de sincretismo religioso, una cruz y un cubre cáliz, decorados con el clásico estilo de los indios de
65 Mesoamérica, que cierran el recorrido. **(D)**

www.eldiariony.com

---

35 ¿Qué significa? ¿?

Según el contexto del artículo que acaba de leer, empareje las palabras de la primera columna con su traducción correspondiente en la segunda.

1. poder		a. eagle	
2. curador		b. to praise	
3. hallar		c. bird's beak	
4. cosmogonía		d. in instructional mode	
5. estilización		e. tyrannical religion	
6. águila		f. to placate	
7. pico de pájaro		g. power	
8. serpiente emplumada		h. covered chalice	
9. tiránica religión		i. tornout hearts	
10. hombres despellejados		j. curator	
11. labradas serpientes enroscadas		k. skinned men	
12. corazones arrancados		l. plumed serpent	
13. alabar		m. intertwined carved serpents	
14. aplacar		n. combination of different systems of philosophical beliefs	
15. en forma didáctica		o. being able to foretell the future	
16. adivinatorio		p. styling	
17. sincretismo		q. theory of the universe's origin	
18. cubre cáliz		r. to find	

36 ¿Ha comprendido?

1. ¿Cómo se puede caracterizar el imperio azteca de la muestra?
   a. Fuerte y culto
   b. Poderoso y firme
   c. Fuerte e inculto
   d. Poderoso y fluido

2. ¿Qué han combinado en la muestra?
   a. El arte y la historia
   b. El poder y el arte
   c. La belleza y la historia
   d. Ninguna de las respuestas anteriores

3. ¿Cuáles son algunas de las piezas en la muestra?
   a. Máscaras, figuras en miniatura y libros
   b. Unas adquisiciones de unas excavaciones recién hechas
   c. Piezas de oro, esculturas de dioses, y modelos de reyes y dioses aztecas
   d. Todas las respuestas anteriores

4. ¿Sobre qué teoría se crearon muchas de las piezas?
   a. Sobre el origen de la creación del mundo
   b. Sobre una religión muy bélica
   c. Sobre una estética romana
   d. Sobre el espíritu guerrero del hombre

5. ¿Cómo ayuda la escenografía a apreciar la muestra?
   a. Sugiere el aspecto guerrero de la muestra.
   b. Sugiere el misterio y crueldad de la muestra.
   c. Sugiere la fuerza de la muestra.
   d. Todas las respuestas anteriores

6. ¿Dónde floreció el imperio azteca?
   a. En sus construcciones
   b. En su arte
   c. En sus joyas
   d. Todas las respuestas anteriores

7. ¿Qué muestra la crueldad del imperio azteca?
   a. Las piedras monumentales de las pirámides
   b. Los picos de pájaros y las águilas
   c. Las estatuas de hombres despellejados y las piedras de labradas serpientes enroscadas
   d. Las joyas de los dioses

8. ¿Cómo o por qué se organizó el recorrido?
   a. Para educar
   b. En orden cronológico al revés, empezando con el presente hacia el pasado
   c. En siete salas con un dios azteca como enfoque en cada sala
   d. Para sorprender al visitante

9. Uno de los calendarios se basa en las estrellas, pero ¿en qué se basa el otro?
   a. En el porvenir
   b. En la ciencia
   c. En el homenaje a los dioses
   d. En el alma

10. ¿Cuál sería una buena definición del *sincretismo*?
    a. El desarrollo del hombre primitivo
    b. El estudio del hombre primitivo y su arte
    c. La mezcla de la religión azteca y el cristianismo de los conquistadores
    d. Un sistema filosófico que trata de conciliar doctrinas diferentes

37 ¿Cuál es la pregunta?

Según el artículo que acaba de leer, escriba una pregunta lógica para estas respuestas.

1. Esculturas, máscaras y joyas
2. "Los tesoros de los aztecas"
3. Personalidades de Italia y México
4. En Londres y Berlín
5. Cuarenta piezas del Templo Mayor
6. Tenochtitlán
7. Desde sus orígenes
8. Serpientes, águilas y jaguares
9. El dios del viento
10. El museo del Vaticano
11. Paredes oscuras y luces indirectas
12. Del siglo XIV hasta la conquista española
13. Ilustran los ritos para alabar o aplacar a las divinidades
14. Objetos religiosos

38 ¿Qué piensan?

¿Por qué piensa que había más de 900.000 visitantes en las dos ciudades europeas? ¿Piensa que tuvo el mismo éxito en Roma? ¿Es esta muestra un buen ejemplo de las bellas artes? ¿Por qué? Comparta su opinión con un/a compañero/a.

39 Dónde va?

La siguiente oración ha sido extraída del artículo: *Todo el período de brutalidad azteca se ve claramente en esta muestra.* ¿Dónde encajaría mejor esta oración?

1. Posición A, línea 5
2. Posición B, línea 33
3. Posición C, línea 51
4. Posición D, línea 65

40 Antes de leer

¿Cómo era la vida cotidiana de los aztecas? ¿Cómo era su imperio antes de la llegada de Hernán Cortés y los conquistadores en el siglo XV? ¿Cómo afectó Cortés a los aztecas?

Artifactos aztecas

41 El imperio azteca 📖

Lea con atención el artículo que sigue e intente averiguar el significado de las palabras en azul por el contexto, ya que se le harán preguntas sobre ellas.

Imperio azteca de dioses, bestias y hombres

Las figuras en piedra de los dioses aztecas de la tierra y el fuego —Coatlicue y Xiuhtecuhtli—, junto a una inmensa cabeza de serpiente, capturan de inmediato la atención del visitante que ingresa a la rotonda del Museo
⁵Guggenheim de Nueva York. Con sus clásicas paredes blancas transformadas por la innovadora visión del arquitecto Enrique Norten, el edificio diseñado por Frank Lloyd Wright acoge desde el viernes la más ambiciosa exposición sobre la extraordinaria civilización azteca,
¹⁰que floreció en el altiplano central mesoamericano. "The Aztec Empire" reúne unas 440 de las figuras más representativas de dicha civilización, incluyendo descubrimientos arqueológicos de la última década que nunca se han visto fuera de México, bajo el trabajo
¹⁵curatorial de Felipe Solís Olguín, director del Museo de Antropología de Ciudad de México y uno de los más reconocidos expertos en el arte y la cultura azteca. "Es un proyecto para una generación", dijo Solís durante el recorrido previo organizado
²⁰para la prensa, enfatizando la singularidad del proyecto. Con una idea concebida hace más de una década, la exhibición es una muestra enriquecida de
²⁵"Los aztecas" —que se inició en Londres, pasó a Berlín, luego a Bonn y llega a Nueva York, desde Roma. En Bonn la muestra fue de unas 280 figuras y en Roma de unas 320, explicó
³⁰el antropólogo físico Juan Alberto Román Berrelleza, director del Museo del Templo Mayor, durante una entrevista en la capital mexicana, previa al inicio de la exhibición. Dividida en diez temáticas y organizada cronológicamente, "The Aztec Empire" retrata la vida
³⁵cotidiana de la civilización azteca, que se extendió de los siglos XIII al XVI. Mientras en una de las secciones se pueden observar la imagen idealizada del hombre común, el macehual, así como la "Venus de Texcoco", un desnudo femenino, junto a otras extraordinarias figuras
⁴⁰escultóricas, en otra se aprecian las representaciones del bestiario indígena, cuyo realismo, particularmente en las esculturas de piedra, fue pocas veces igualado en el arte antiguo de las Américas. También en la exhibición se abordan las relaciones que tenían los aztecas con sus
⁴⁵vecinos —tarascos y tlaltecas, quienes ayudaron a los españoles a sojuzgar al pueblo mexica, como se llamaban a sí mismos. A la vez, explora la influencia de sus antecesores, como los toltecas y olmecas. El audaz diseño de Norten, una pared serpentina cubierta en tono oscuro,
⁵⁰constituye el marco ideal para destacar cada una de las

sofisticadas piezas seleccionadas, que incluyen objetos elaborados en alabastro, jade, oro, piedra y madera, entre los que destacan una máscara de un rostro humano de piedra y turquesas, con incrustaciones de obsidiana en los
⁵⁵ojos así como ollas policromadas antropomórficas que muestran la cara de un hombre con bandas horizontales pintadas en los pómulos, ojos sobresalientes y dientes puntiagudos, pieza representativa de la civilización huasteca y un colgante del tamaño de la palma de la
⁶⁰mano, que representa al dios del fuego, Xiuhtecuhtli, que era reservado para el uso de un gobernante azteca. "Ésta es una de las más extraordinarias exhibiciones que el museo ha tenido", aseguró Thomas Krens, director de la Solomon Guggenheim Foundation y así lo patentiza
⁶⁵la enorme figura de Mictlantecuhtli, el dios de la muerte, que constituye, con sus costillas expuestas, su hígado al aire y enormes garras, una de las figuras más importantes de la ambiciosa muestra, junto al guerrero águila, una de dos monumentales esculturas
⁷⁰descubiertas en un salón de la Casa de las Águilas en el Templo Mayor, una zona arqueológica descubierta en pleno corazón de la capital mexicana en los años
⁷⁵70. A medida que camina por las rampas del museo, el visitante puede entender por qué Hernán Cortés quedó deslumbrado con el pueblo azteca, que para el siglo XV era un vasto
⁸⁰imperio sólo superado por el Inca del Perú. Junto a los conquistadores españoles llegaron los representantes de la iglesia católica. La tapa de un cáliz con un diseño que representa la transmisión de la palabra de Dios, es uno de los objetos que dan testimonio de la intensa
⁸⁵campaña para convertir al cristianismo a los pueblos indígenas mexicanos. Esta exposición, como afirmó el etnólogo Sergio Raúl Arroyo, director general del Instituto Nacional de Antropología e Historia de México (INAC), da la oportunidad de "mirar con ojos modernos
⁹⁰la contundencia de una civilización ya desaparecida". "The Aztec Empire" —que rescata el arte y la cultura azteca a través de variopintos trabajos de colecciones públicas y privadas y es organizada por el Guggenheim en colaboración con el Consejo Nacional para la Cultura
⁹⁵y las Artes (CONACULTA) y el Instituto Nacional de Antropología e Historia (INAH) de México— permanecerá abierta al público hasta el próximo 13 de febrero. De aquí partirá al Museo Guggenheim de Bilbao.

www.eldiariony.com

42 Amplíe su vocabulario ⓐ

Según el contexto del artículo que acaba de leer, empareje las palabras de la primera columna con su correspondiente definición o sinónimo en la segunda.

1. rotonda	a. empezar
2. acoger	b. hueso de la mejilla
3. dicho	c. hacer evidente
4. curatorial	d. recibir
5. previo	e. atrevido
6. iniciar	f. hueso largo y encorvado
7. bestiario indígena	g. adorno que cuelga
8. sojuzgar	h. muy impresionado
9. audaz	i. órgano
10. incrustaciones de obsidiana	j. anterior
11. ollas policromadas antropomórficas	k. lo que cubre
12. pómulo	l. de forma circular
13. puntiagudo	m. pata de animal de uñas fuertes y agudas
14. colgante	n. mencionado
15. patentizar	o. científico que estudia las costumbres y tradiciones de los pueblos
16. costilla	p. con puntas agudas
17. hígado	q. animales de los indios
18. garra	r. calidad de convincente
19. deslumbrado	s. relacionado con el cuidado de objetos de un museo
20. tapa	t. cosas cubiertas de roca volcánica
21. etnólogo	u. recipientes de muchos colores con atributos humanos
22. contundencia	v. dominar

43 ¿Quién es? ⓐ

Identifique con una oración completa cada una de estas personas o grupos que aparecen en el artículo anterior.

1. Coatlicue
2. Xiuhtecuhtli
3. Enrique Norten
4. Frank Lloyd Wright
5. Felipe Solís Olguín
6. Juan Alberto Román Berrelleza
7. El macehual
8. Los tarascos y tlaltecas
9. Los toltecas y olmecas
10. Los huastecas
11. Thomas Krens
12. Mictlantecuhtli
13. Hernán Cortés
14. Los incas
15. Sergio Raúl Arroyo

44 Conteste

Según la lectura anterior, conteste las siguientes preguntas con una oración completa.

1. ¿Qué capta la atención del público al entrar al museo?
2. ¿Qué obras nuevas van a incluir en la muestra?
3. ¿Por qué se puede decir que la muestra es "enriquecida"?
4. Comente sobre la organización de la muestra.
5. Explique cómo son las figuras de los hombres y animales que hay en la muestra.
6. Explique de qué materiales son los objetos que se ven en la colección.
7. Comente sobre las dos piezas más importantes y recién descubiertas en el Templo Mayor.
8. ¿Qué reacción (parecida a la del conquistador español) le espera provocar esta muestra al visitante?
9. Describa la pieza que da testimonio a la influencia del cristianismo en la vida de los aztecas.
10. Según el etnólogo mexicano, ¿qué oportunidad tiene el visitante a la muestra?

45 Lea, escuche y escriba/presente

Después de leer los dos artículos sobre los aztecas, escuche "Divina y humana" y tome las notas necesarias. Luego escriba un ensayo o haga una presentación en clase sobre "El arte y la cultura de las civilizaciones latinoamericanas antes de la conquista española". No se olvide de citar las fuentes debidamente.

Cita

Todo tiene sus límites.
—Quinto Horacio Flaco (65–8 a. de J. C.), poeta latino

¿Qué pensaría si se aplicara esta cita a las películas? Las siguientes clasificaciones se usan en Colombia: "Para todo Público; Apta para mayores de 7 años; Apta para mayores de 12 años; Apta para mayores de 15 años; Apta para mayores de 18 años". Hay dos nuevas categorías para adaptarse mejor a las edades de los niños. ¿Qué opina de este sistema? ¿Y de la clasificación de películas en los Estados Unidos? ¿Debemos tener límites para las películas, o se debe dejarlo en manos de los padres? Comparta su opinión con un/a compañero/a.

¡Dato curioso!

¿Sabía que Ricky Martin graba videos para una campaña educativa a favor de la seguridad en Internet? Son herramientas de prevención para que Internet sea un espacio seguro para los niños. El cantante puertorriqueño quiere educar a los padres, maestros y menores sobre los riesgos y abusos a que los niños están expuestos en la Red. Los videos se van a distribuir a través de Internet en un DVD que será enviado a millones de niños en toda Latinoamérica.

Ricky Martin

46 Vida de niños de la calle al cine

Primero, repase las palabras del recuadro porque le ayudarán a entender mejor la grabación. Luego lea las posibles respuestas y después escuche "Vida de niños de la calle al cine". Escoja la mejor respuesta para cada pregunta que escuchará en la grabación.

el limpiabotas *shoeshine boy*	**lucir** *to seem*	**las sobras** *leftovers*	
el pegamento *glue*	**intercaladas** *interwoven*		

1. (Pregunta que escuchará en la grabación.)

   a. La belleza del país, el folklore y la gente
   b. La pobreza del país y la personalidad de un joven
   c. El folklore y la riqueza de personalidades de allí
   d. El folklore y la malnutrición

2. (Pregunta que escuchará en la grabación.)

   a. Un pueblo
   b. El apodo del muchacho
   c. Un mercado
   d. Unos zapatos

3. (Pregunta que escuchará en la grabación.)

   a. Matriarcal con pocos hermanos
   b. Grande sin madre
   c. Patriarcal con muchos hermanos
   d. Grande y sin padre

4. (Pregunta que escuchará en la grabación.)

   a. Lo que pueden encontrar
   b. Las aves
   c. El cemento
   d. Todas las respuestas anteriores

5. (Pregunta que escuchará en la grabación.)

   a. El cemento de las llantas
   b. El cemento de exportación
   c. La goma del zapatero
   d. La goma que se usa para pegar azulejos al suelo

6. (Pregunta que escuchará en la grabación.)

   a. Mejor Drama
   b. Mejor Documental
   c. Mejor Película Cubana del Año
   d. Ninguna de las respuestas anteriores

47 La piratería musical 💿

Primero, repase las palabras del recuadro porque le ayudarán a entender mejor la grabación. Luego escuche "La piratería musical generó 4.600 millones de dólares en 2004" y conteste las preguntas que siguen.

hacer estragos	*to wreak havoc*	**avivar**	*to intensify*
la puesta en marcha	*setting in motion*	**promover**	*to promote*
superar	*to exceed*	**actuación**	*performance*

1. Normalmente se anuncia el Informe Mundial de Piratería Discográfica en Londres. ¿Por qué lo decidieron hacer en Madrid en 2004?
2. ¿Cuál es el problema en Paraguay?
3. ¿Cómo se ha tratado de solucionar el problema en Paraguay?
4. ¿Qué han hecho en Guadalajara, México, para cambiar la situación de la piratería?
5. ¿Qué ha hecho el Gobierno mexicano para cambiar la situación de la piratería?
6. Se mencionan tres efectos de la piratería. Nombre dos.
7. Se mencionan dos tipos de piratería. Una es la piratería musical. ¿Cuál es la otra?

48 Participe en una conversación 💿

Ud. va a participar en una conversación. Primero lea la descripción de la conversación y piense en algunas palabras o expresiones que le serían útiles. Organice sus ideas, haciendo predicciones sobre lo que se le pueda preguntar o comentar. Una descripción de lo que va a escuchar aparece abajo en color. Participe en la conversación grabando las respuestas o escribiéndolas en su cuaderno.

Escena: Se distribuirán los Oscar (o cualquier otro programa de premios) este domingo. Su amiga, Susana, está conversando sobre los que puedan ganar. Ella le pide sus opiniones. Conteste sus preguntas.

Susana:	Plantea el problema y le hace una pregunta.
Ud.:	• Conteste con detalles.
Susana:	Hace un comentario y pregunta sobre una categoría en particular.
Ud.:	• Dele detalles sobre lo que le ha preguntado.
Susana:	Pregunta sobre otra categoría.
Ud.:	• Dele detalles sobre otra nominación en esta categoría.
Susana:	Hace un comentario y le hace otra pregunta.
Ud.:	• Háblele sobre sus preferencias. Explique las razones y conteste su pregunta.
Susana:	Hace un comentario y se despide.
Ud.:	• Despídase. Haga un comentario e intente usar una expresión nueva de la lección.

49 Texto informal: mis músicos favoritos

Escriba en un blog. Hable sobre su grupo musical favorito para convencer a los que lean el blog de lo bueno que es el grupo.

- Nombre al grupo con detalles sobre los miembros, la nacionalidad, la fama alcanzada y los premios ganados.
- Mencione qué tipo de música tocan y los nombres de algunos de sus éxitos.
- Explique claramente por qué le gusta su música. Dé detalles.
- Termine con unas recomendaciones para convencer al público de que debe escuchar el grupo.

50 Texto informal: una película apropiada

En un foro alguien le pide consejos sobre qué película debe ir a ver este sábado por la tarde con su hermanito de doce años. Dele consejos a esta persona.

- Dele sugerencias de las películas recién estrenadas.
- Dele consejos útiles para considerar el contenido de esas películas y la clasificación de las mismas.
- Dele consejos útiles para considerar los gustos del niño.

51 Ensayo: el cine y la televisión

Escriba un ensayo en el que compare las diferencias y semejanzas entre el cine y la televisión en los Estados Unidos y el cine y la televisión en los países hispanohablantes. Busque información en Internet antes de empezar el ensayo.

52 Ensayo: los actores hispanos

Escriba un ensayo sobre "El impacto social de los actores hispanos en el cine y en la televisión hoy en día". Busque información en Internet antes de empezar el ensayo.

53 En parejas

Intercambie sus ensayos con los de un/a compañero/a. Exprésele su opinión sobre su contenido y el uso del idioma.

Consejo

Antes de empezar, lea las pautas para escribir textos informales en la pág. 480 del Apéndice. Mientras escribe el texto tenga presente los objetivos. Cuando termine, verifique que ha cumplido con todo lo que se describe en la lista y reflexione sobre su trabajo.

Consejo

Antes de empezar, lea las pautas para escribir ensayos en la pág. 480 del Apéndice. Mientras escribe el texto tenga presente los objetivos, y no se olvide de ponerle un título original. Cuando termine, verifique que ha cumplido con todo lo que se describe en la lista y reflexione sobre su trabajo.

¡A hablar!

54 Charlemos en el café

Ud. va a debatir los siguientes temas con un/a compañero/a. Uno estará a favor de lo que se ha dicho y otro en contra. El debate durará varios minutos. El/La estudiante que esté de acuerdo comenzará el debate y hablará por unos diez segundos. Cuando el/la profesor/a lo indique, el/la otro/a estudiante tomará la palabra y expresará su opinión por otros diez segundos, y así sucesivamente.

1. El arte sólo existe por el arte; no tiene otro objetivo.
2. Los críticos son los únicos que ayudan a los artistas a conseguir fama.
3. Es mucho mejor ver las películas en el cine, en vez de verlas en casa.
4. Los precios de las entradas para el cine y otros espectáculos son demasiado caros. Tienen que bajar los precios.
5. Los padres deben poner controles en los televisores para que los menores de 18 años no vean programas inapropiados.

55 ¿Qué opinan?

En parejas conversen sobre estas preguntas.

1. Si pudiera rodar un documental, ¿sobre qué tema le gustaría hacerlo? ¿Por qué? ¿Para qué objetivo?
2. ¿Qué opina de "los reality shows"? ¿Por qué tanta gente se siente atraída por este tipo de programa?
3. ¿Qué opina de la calidad y el contenido de la mayoría de las películas hoy en día? Muchos dicen que el público ideal para la gran parte de las películas hechas hoy es un chico joven de 18 años. ¿Está de acuerdo? ¿Por qué?
4. ¿Qué opina de los Oscar? ¿Siempre escogen a los mejores o hay otros factores que influyen en las decisiones? Escoja una película (o actor, actriz o director) que ha ganado un Oscar y justifique si lo ha merecido.

56 Presentemos en público

Conteste una de las siguientes preguntas durante varios minutos en clase. Organice sus ideas antes de hacer la presentación, busque las palabras necesarias y, después de practicar, presente en clase sin mirar las notas.

1. ¿Cree que la televisión ha afectado demasiado la cultura de la gente? ¿Cómo? ¿Piensa que la cultura y el aprecio por las bellas artes es solamente para la elite o es para todo el mundo?
2. ¿Cree que la música contemporánea ha afectado demasiado a los jovenes? ¿Cómo? ¿Por qué piensa que la música es tan importante en la vida de muchos jóvenes?
3. Piense en la "Ruta Quetzal" y sus objetivos. ¿Cree que es una buena manera de inculcarles en los jóvenes un interés en el arte y la cultura? Relate su experiencia con las artes y compárela con los jóvenes que hicieron la Ruta Quetzal.

Consejo

Antes de empezar, lea las pautas para presentaciones formales en la pág. 481 del Apéndice. Mientras formula su presentación tenga presente los objetivos. Cuando termine la presentación, verifique que ha cumplido con todo lo que se describe en la lista y reflexione sobre el trabajo que hizo.

57 ¡Manos a la obra!

Trabaje en un grupo de cuatro o cinco estudiantes para llevar a cabo uno de los siguientes proyectos y presentarlo en clase.

- Usando la Ruta Quetzal como modelo, planifiquen una ruta cultural por su región, estado, ciudad o comunidad. Hagan un mapa y tracen el trayectorio. Identifiquen y describan los lugares de interés cultural. Diseñen folletos y otra propaganda para despertar el interés de los ciudadanos.

- Investiguen otro aspecto interesante del imperio azteca y presenten la información. Acompañen los datos con ilustraciones y fotos.

- Diseñen un museo original. Puede ser de cuadros, esculturas o de música, cine o baile, o una combinación de todos. Describan con detalles las muestras que piensan presentar esta temporada. Denle un nombre al museo, nombren a un/a director(a) y establezcan las tarifas de las entradas.

El Museo Nacional de Antropología, México, D.F.

Vocabulario

Verbos

abarrotar	to jam-pack
alabar	to praise
aplacar	to placate
aplaudir	to applaud
avivar	to intensify
censurar	to censor
colaborar	to collaborate
colocar	to put, place
conceder	to award
crear	to create
enloquecer	to become irrational, go crazy
hallar	to find, discover
hurgar	to stir up; to rummage
ingresar	to enter, enroll
instalarse	to settle, establish oneself
patentizar	to make evident, reveal
piratear	to rob, pirate
promover	to promote
rechazar	to reject
recorrer	to travel, cross
recuperar	to recover, retrieve
sojuzgar	to subdue, subjugate, dominate
soltar	to let go of; to untie

Sustantivos

el/la	**aprendiz(a)**	apprentice
el/la	**chaval(a)**	boy, girl; kid
el/la	**curador(a)**	curator
el	**entorno**	environment
la	**entrega**	delivery, distribution
la	**estrella**	star
la	**exposición**	exposition, show
el	**fondo**	background
el	**galardón**	award, prize
la	**inversión**	investment
la	**jornada**	the (working) day
el	**legado**	legacy
la	**naturaleza muerta**	still life
la	**nómina**	list
el	**paisaje**	landscape
el	**papel**	role
el	**pincel**	paintbrush
la	**piratería**	piracy
el	**poder**	power
la	**polémica**	controversy
la	**prueba**	proof, sign, test
el	**recorte**	clipping
el	**retrato**	portrait
la	**sabiduría**	wisdom
el/la	**sabio/a**	wise person
el/la	**seguidor(a)**	follower

el	**tacto**	(*sense of*) touch
la	**tela**	cloth, fabric, material
el/la	**vidente**	clairvoyant
el	**videojuego**	videogame
el	**vínculo**	link, bond

Adjetivos

arduo, -a	hard, tough
audaz	bold
deslumbrado, -a	dazzling
intercalado, -a	inserted
penúltimo, -a	next-to-last
sórdido, -a	nasty, mean
variopinto, -a	miscellaneous

Expresiones

al aire libre	outdoors
a grito pelado	wild cheers
apta para mayores de 18 años	suitable for those over 18 years old
el arte por el arte	art for art's sake
las clasificaciones de películas	movie ratings
colores vivos	bright colors
de nuevo	again
ganar Madrid	to reach Madrid
hacer gala	to show off
las normas de clasificación	rating standards
los pros y los contras	the pros and cons
el público fanático	fans
la puesta en marcha	setting in motion
quedarse ciego	to become blind
recién pasado	just passed
la versión inédita	unedited version

A tener en cuenta
Abreviaturas y siglas

a. de J. C./a. C./a. J. C.	B.C.	ONU	Organización de las Naciones Unidas
Cía.	compañía	OTAN	Organización del Tratado del Atlántico Norte (NATO)
C.P.	código postal		
D.	don	pág., págs.	página, páginas
D.ª	doña	p. ej.	por ejemplo
d. J. C./d. C.	A.D.	Prof., Prof.ª	profesor, profesora
dcha.	derecha	S.A.	Sociedad Anónima
D.E.P.	descanse en paz	Sr., Sra.	señor, señora
Dr., Dra.	doctor, doctora	Sres., Srs.	señores
EE. UU.	Estados Unidos	Srta.	señorita
ej.	ejemplo, ejemplar	SS. MM.	Sus Majestades
etc.	etcétera	UE	Unión Europea
g	gramo/gramos		
I.V.A.	impuesto de valor añadido		
izq., izqda.	izquierda		
JJ. OO.	Juegos Olímpicos		
Km, km	kilómetro, kilómetros		
l	litro, litros		
m	metro, metros		

Apéndice

Antes de empezar

Complete este cuestionario antes de hacer la actividad.

1. ¿Cúal es mi objetivo? ¿Qué pretendo producir?
   a. Un texto escrito informal ☐
   b. Un texto escrito formal (ensayo) ☐
   c. Un diálogo ☐
   d. Una presentación oral informal ☐
   e. Una presentación oral formal ☐

2. ¿Qué necesito tener en cuenta?
   a. _____
   b. _____
   c. _____
   d. _____
   e. _____

3. ¿Cómo organizaré mis ideas: cómo comenzaré, desarrollaré y terminaré? Escriba los temas sobre los que va a escribir o hablar.
   a. _____
   b. _____
   c. _____
   d. _____
   e. _____
   f. _____

4. ¿Qué expresiones conozco que pueden servir en este contexto?
   a. _____
   b. _____
   c. _____
   d. _____

5. ¿Qué palabras o expresiones de la lección que he estudiado puedo usar?
   a. _____
   b. _____
   c. _____
   d. _____
   e. _____
   f. _____

6. ¿Hay elementos culturales presentes o alguno al que pueda referirme? ¿Cuáles son?
   a. _____
   b. _____
   c. _____
   d. _____

Pautas para textos informales

Reflexione sobre su trabajo y marque la casilla correspondiente.

	Estoy muy satisfecho/a	Estoy algo satisfecho/a	Regular	Debo mejorarlo
1. ¿Usé el registro correcto?	❏	❏	❏	❏
2. ¿Cuántas tareas debía completar? ¿Las completé todas?	❏	❏	❏	❏
3. ¿Fue buena mi organización? ¿Organicé mis ideas de forma lógica: con una introducción, oraciones completas que expresan ideas bien conectadas en párrafos coherentes y una conclusión o despedida?	❏	❏	❏	❏
4. ¿Terminé de forma adecuada?	❏	❏	❏	❏
5. Si era un texto entre varias personas, ¿mostré buenas destrezas interpersonales?	❏	❏	❏	❏
6. ¿Integré apropiadamente estructuras simples y de uso común?	❏	❏	❏	❏
7. ¿Usé correctamente algunas estructuras más complejas?	❏	❏	❏	❏
8. ¿Usé expresiones idiomáticas frecuentemente y de manera apropiada?	❏	❏	❏	❏
9. ¿Varié los tiempos verbales? ¿Cuántos usé, más o menos?	❏	❏	❏	❏
10. ¿Usé el vocabulario y la sintaxis apropiadamente?	❏	❏	❏	❏
11. ¿Revisé la ortografía, incluyendo la acentuación y la puntuación?	❏	❏	❏	❏

Pautas para ensayos

Reflexione sobre su trabajo y marque la casilla correspondiente.

	Estoy muy satisfecho/a	Estoy algo satisfecho/a	Regular	Debo mejorarlo
1. ¿Usé el registro correcto?	❏	❏	❏	❏
2. ¿Escribí un buen párrafo introductorio?	❏	❏	❏	❏
3. ¿Desarrollé mis ideas de una forma coherente?	❏	❏	❏	❏
4. ¿Usé los nexos — las palabras que unen ideas — correctamente?	❏	❏	❏	❏
5. ¿Cité todas las fuentes correctamente?	❏	❏	❏	❏
6. ¿Interpreté todas las fuentes adecuadamente: analicé la información, hice predicciones, evalué datos u opiniones y saqué conclusiones?	❏	❏	❏	❏
7. ¿Integré apropiadamente estructuras simples y de uso común?	❏	❏	❏	❏
8. ¿Usé correctamente algunas estructuras más complejas?	❏	❏	❏	❏
9. ¿Varié los tiempos verbales?	❏	❏	❏	❏
10. ¿Usé el vocabulario y la sintaxis apropiadamente?	❏	❏	❏	❏
11. ¿Reconocí elementos culturales?	❏	❏	❏	❏
12. ¿Terminé con una buena conclusión?	❏	❏	❏	❏
13. ¿Revisé la ortografía, incluyendo la acentuación y la puntuación?	❏	❏	❏	❏

Pautas para presentaciones informales

Reflexione sobre su trabajo y marque la casilla correspondiente.

	Estoy muy satisfecho/a	Estoy algo satisfecho/a	Regular	Debo mejorarlo
1. ¿Usé el registro correcto?	❏	❏	❏	❏
2. ¿Usé una buena entonación, evitando un solo tono?	❏	❏	❏	❏
3. ¿Pronuncié las palabras bien, sobre todo las con las letras *s, d, t, v, b* y *p*?	❏	❏	❏	❏
4. ¿Evité las pausas demasiado largas? ¿Uní las palabras apropiadamente para evitar sonar como un "robot"?	❏	❏	❏	❏
5. ¿Le dediqué el tiempo adecuado a cada parte de la presentación?	❏	❏	❏	❏
6. ¿Integré apropiadamente las estructuras simples y de uso común?	❏	❏	❏	❏
7. ¿Usé correctamente algunas estructuras más complejas?	❏	❏	❏	❏
8. ¿Elegí bien el vocabulario?	❏	❏	❏	❏
9. ¿Usé la sintaxis adecuadamente?	❏	❏	❏	❏
10. ¿Usé algunas expresiones nuevas de la lección?	❏	❏	❏	❏
11. ¿Incluí alguna referencia cultural?	❏	❏	❏	❏
12. ¿Mostré de forma adecuada lo que es una conversación entre dos personas — por ejemplo, al hacer las preguntas lógicas y usar expresiones que demuestran que sigo la conversación?	❏	❏	❏	❏
13. ¿Me comprendieron mis compañeros?	❏	❏	❏	❏

Pautas para presentaciones formales

Reflexione sobre su trabajo y marque la casilla correspondiente.

	Estoy muy satisfecho/a	Estoy algo satisfecho/a	Regular	Debo mejorarlo
1. ¿Logré usar el registro correcto?	❏	❏	❏	❏
2. ¿Tuvo mi presentación inicial un impacto positivo?	❏	❏	❏	❏
3. ¿Presenté la información de una manera adecuada para narrar, informar, describir, mostrar acuerdo, persuadir o refutar?	❏	❏	❏	❏
4. ¿Desarrollé mis ideas de una forma coherente?	❏	❏	❏	❏
5. ¿Hice referencia a varias fuentes?	❏	❏	❏	❏
6. ¿Interpreté las fuentes de una manera apropiada: analicé la información, hice predicciones, evalué datos u opiniones y saqué conclusiones?	❏	❏	❏	❏
7. ¿Integré apropiadamente las estructuras simples y de uso común?	❏	❏	❏	❏
8. ¿Usé correctamente algunas estructuras más complejas?	❏	❏	❏	❏
9. ¿Varié los tiempos verbales?	❏	❏	❏	❏
10. ¿Utilicé el vocabulario y la sintaxis apropiadamente?	❏	❏	❏	❏
11. ¿Hice una buena conclusión?	❏	❏	❏	❏
12. ¿Se desarrolló la presentación dentro del tiempo permitido?	❏	❏	❏	❏
13. ¿Logré conectar con la audiencia?	❏	❏	❏	❏

Vocabulario español-inglés

A

a cada rato every five minutes, very often (4A)

a falta de for want of (7B)

a grito pelado wild cheers (8B)

a la perfección perfectly (4A)

a la última up-to-date (3B)

a largo plazo in the long run, long term (7A)

a las afueras de in the outskirts of (1A)

a lo largo de along, through (1A)

a mediados de in the middle of (7A)

a menudo often (1A)

a partir de beginning from (3B)

a pesar de in spite of (2A)

el **abalorio** bead; (pl.) adornments (1B)

el **abandono** abandonment (2B)

el **abanico de posibilidades** range of possibilities (4A)

abarcar to embrace; to include (8A)

abarrotar to jam-pack, stock full (8B)

el **abastecimiento** supply (7B)

el **abecedario** alphabet (5B)

abordar to approach (2B)

abrigarse con to keep warm with (1A)

abrir el apetito to whet someone's appetite (3A)

abrocharse to fasten (1A)

absurdo, -a absurd (4B)

aburrir to bore (1B)

abusar de to abuse (2B)

acabar con to finish off, end (1B); to eliminate (7A)

acabar de + infinitivo to have just finished doing something (1A)

el **acaparamiento** monopolization, cornering (of the market) (7A)

acaparar to corner the market (8A)

el **acatamiento** compliance (5A)

acaudalado, -a wealthy (6A)

el **aceite de oliva** olive oil (3A)

el **acento** accent (5B)

la **acentuación** accentuation (5B)

acercarse a to approach, get close to (6B)

el **acero** steel (8A)

el **acierto** wise decision/move (2B)

aclamado, -a acclaimed (4B)

acogedor(a) cozy, welcoming (3A)

acoger to welcome (2B), (7A)

la **acogida** welcome, reception (1B)

acomodarse a sus anchas to make oneself at home (1A)

acontecer to happen (2B)

el **acontecimiento** event (2B)

acordar (ue) to decide (2B)

acordarse (ue) de to remember (3A)

acostumbrarse a to get accustomed to (1B)

acrecentar (ie) to increase (5A)

la **actitud** stance, attitude (2B)

actual present, current (4B)

la **actualidad** present (time), nowadays (5A); (pl.) current events (8A)

actualizarse to be up-to-date (3A)

actuar to act (4B)

la **acuarela** watercolor (8A)

el **acuerdo de paz** peace treaty (1B)

acurrucarse en to curl up in, cuddle (4B)

adecuado, -a appropriate (3A)

adelgazar to get thin, lose weight (3B)

además de besides, apart from (3A)

adepto, -a adept, initiated (2A)

adinerado, -a rich (1A)

adivinar to guess (4B)

la **admiración** admiration (4A)

admirar to admire (4A)

la **advertencia** warning (7B)

advertir (ie) to inform (3A); to warn (3B)

el **afán** zeal, eagerness (3B), (8A)

aferrarse a to cling to (5A)

el/la **aficionado/a** fan (6A)

afortunado, -a lucky, fortunate (4B)

afrontar to face, face up to (4B)

agarrar to seize (7B)

agradar to please, be pleasing (1B)

agradecer to appreciate (4B); to thank (6A)

el **agradecimiento** gratitude (2A)

agravar to make worse (2B)

agregar (a) to add (to) (2B), (6A)

el **agua de la llave** tap water (7B)

el **agua dulce** fresh water (7A)

el **agua embotellada** bottled water (7B)

aguantar to tolerate, stand, bear (4A)

ahogarse en un vaso de agua to get worked up about nothing (4A)

ahorrar to save (2B)

aislar to isolate (7B); **-se de** to isolate oneself from (6A)

ajustado, -a tight (2A)

al + infinitivo on, when + -ing form of verb (1B)

al aire libre outdoors (8B)

al alcance de within reach of (3A), (6A)

al fin y al cabo finally (2A)

al gusto (de) to order, to individual taste (3A)

al igual que like, just like (1B)

al límite de su capacidad to the limit of their capacity (7B)

al margen de separate from, on the margin (fringes) of (4B)

al menos at least (4A)

al respecto about/in regard to the matter (7B)

al verles la cara on seeing their faces (4A)

alabar to praise (3A), (8B)

alardear to boast (3A)

alarmante alarming (2B)

la **albacora** albacore tuna (7B)

albergar to house (1A)

alcanzable reachable (6B)

alcanzar to reach (1B); to catch up with (3B)

aleatorio, -a random (7A)

alegrarse (de) to be happy (about) (3B)

alejarse de to move away from (1A)

alérgico, -a allergic (4A)

la **aleta** fin (7B)

el/la **alguacil(a)** sheriff (7B)

el **aliciente** incentive (7B)

la **alimentación** nourishment, feeding (3B)

alimentario, -a nourishing (3B)

alimenticio, -a nutritious (3B)

el **alimento** food (3B)

aliviar to relieve (3B), (6B)

el **alojamiento** accommodations (1A)

alojarse en to stay in (1A)

alrededor (prep.) around (2A)

el **alrededor** surrounding area (7B)

alternar to alternate (5B)

la **altura** height (4A)

el/la **alzado/a** insurgent, rebel (5A)

alzarse to rise up (5A)

amable gracious (2B)

amargo, -a bitter (3A)

el **ámbito** atmosphere (6B)

la **amenaza** threat (4B)

amenazador(a) threatening (3A)

amenazar con to threaten to/with (1B), (3B)

amenizar to make pleasant (2A)

ameno, -a enjoyable, pleasant (4B)

la **amistad** friendship (2A)

amortiguar to lessen, cushion, absorb (2B)

amplio, -a wide (3A); complete (4A)

añadir (a) to add (to) (3A)

el/la **analista** analyst (8A)

el/la **anciano/a** elderly man/woman (2A)

andaluz(a) Andalusian (5A)

las **andanzas** adventures (7B)

el/la **anfitrión/anfitriona** host, hostess (1A)

anotar to annotate, note (5A)

el/la **antepasado/a** ancestor (4B)

anticuado, -a old-fashioned, out of style (4B)

la **antigüedad** antiquity (3B)

antojarse to have a craving for, feel like (3A)

el **antojo** craving (1B)

el **antónimo** antonym (5B)

anual annual (1B)

apadrinar to sponsor (7B)

apasionado, -a enthusiastic (1A)

apasionarse por to become very interested in (2B)

apenas barely, hardly, scarcely (1B), (5A)

la **apertura** opening (8A)

apetecer to feel like (1A); to crave, yearn for (1B)

el **apetito** appetite (3A)

aplacar to placate (8B)

aplaudir to applaud (8B)

el **apogeo** peak (7A)

la **aportación** contribution (7B)

aportar (a) to contribute (to) (3B), (8A)

el/la **apostador(a)** bettor (person who bets) (6B)

apostar (ue) to bet (6A); — **por** to bet on (3A)

apoyar to support (2B); **-se en** to lean/rely on (2A)

el **apoyo** support (6B)

apreciar to judge; to appreciate in value (4B)

aprender a to learn to (1B)

el/la **aprendiz(a)** apprentice (8B)

el **aprendizaje** apprenticeship, learning (5B), (7A)

aprovecharse de to take advantage of (1B)

apta para mayores de 18 años suitable for those over 18 years old (8B)

la **apuesta** bet (6B)

apuesto, -a good-looking (4B)

apuñalar to stab (5A)

apuntar to point out (5A)

el **apuro** jam, fix (2A)

el/la **árbitro/a** referee, judge (6A)

la **arcilla** clay (6A)

arder to burn (3A)

arduo, -a hard, tough (8B)

la **arena** sand (1A)

el **arma** (f.) weapon (2B)

la **armonía** harmony (7A)

el/la **arquero/a** goalie (6A)

el/la **arquitecto/a** architect (8A)

arquitectónico, -a architectural (7A)

la **arquitectura** architecture (8A)

arraigado, -a deeply rooted (2B)

arraigarse to take root, establish oneself in a place (1B)

arrancar to pull up/out, start (1A)

arrasar to have success, victory (4B)

el **arrastre** trawling (7B)

arrebatar to snatch away (6A)

arrepentirse (ie) de to repent; to regret (2B)

arriesgarse a to risk (2A)

arrugar(se) to wrinkle (1A)

arruinarse to ruin (4B)

el **arte por el arte** art for art's sake (8B)

las **artes** the arts (8A)

articular to articulate (5B)

artístico, -a artistic (8A)

el **asa** (f.) handle (3A)

ascender (ie) to raise (1A)

asegurar to guarantee (1A); to assure (2A), (4A)

asentir (ie, i) to agree, consent (1B)

asesorar to advise (5B)

asimismo also (4B), (6B)

asistir a to attend (8A)

asombroso, -a amazing, astonishing (1A)

asumir to assume, take on (2A)

atajar to stop (7A)

el **atasco** bottleneck (1A)

atender to take care of (4B)

el **aterrizaje** landing (1A)

el/la **atleta** athlete (6A)

el **atletismo** track and field (6B)

átono, -a unstressed (5B)

atraer to attract (4A)

el **atraso** delay (6A)

atravesar to go through (2A)

atreverse a to dare to (1A)

atrevido, -a daring (2A)

el **atún** tuna fish (7B)

la **audacia** audacity, boldness (4B)

audaz bold (8B)

la **autobiografía** autobiography (4B)

autodestructivo, -a self-destructive (5A)

la **autoestima** self-esteem (2A), (3B)

el **autógrafo** autograph (4B)

el **automovilismo** race-car driving (6A)

el **autorretrato** self-portrait (8A)

el **ave** (f.) bird (4B)

aventurero, -a adventurous (1A)

avergonzado, -a embarrassed (2B)

avergonzarse (ue) de to be ashamed of (2A)

avivar to intensify (8B)

ayudar (a) to assist (4B); to help (5B)

el **ayuno** fast, fasting (3B))

azaroso, -a risky (1B)

B

el/la **bailarín/bailarina** dancer (8A)

el **balazo** shot, blast (6A)

el **balompié** soccer (6A)

el/la **baloncestista** basketball player (6A)

el **baloncesto** basketball (6A)

el **barro** clay (3A)

el **básquetbol** basketball (6A)

el/la **basquetbolista** basketball player (6A)

bastante sufficiently, quite (1B)

bastar to be enough, suffice (1B), (6A)

batir to beat (3A)

la bebida carbónica carbonated drink (3B)

la bebida energética energy drink (6A)

el/la beisbolista baseball player (6A)

las bellas artes fine arts (8A)

la belleza beauty (1A), (8A)

bello, -a beautiful, lovely (5B)

beneficiar de to benefit from (3B)

el beneficio benefit (1B)

bien educado, -a well mannered (1B)

el bienestar well-being (2B), (7A)

la bienvenida welcome (1A)

el billete bill (of money) (1B)

la biografía biography (4B)

el/la bocazas bigmouth, blabbermouth (4B)

el boceto sketch (8A)

bombardear to bombard (3B)

el bombón chocolate candy (4A)

el bosquejo outline (5B)

brillante brilliant (4B)

brindar to provide (2B); to offer (6B)

brotar to put forth (5B)

brusco, -a abrupt (4A)

el bullicio uproar (2B)

la burla mockery, jest (4B)

burlarse de to make fun of (2A)

la burrada nonsense; una — de gente loads of people (5B)

C

cabalmente completely (5A)

caber to fit (1A)

cada cual con sus manías everyone with his/her funny little ways (4A)

cada vez que each time that (4A)

la cadena chain (4B)

la cadena de televisión TV station (8A)

la cadencia cadence, rhythm (5B)

caer rendido to surrender (4B)

caído, -a fallen; hanging, droopy (2A)

el caldo broth (3B)

la calefacción heat (1A)

el calentador de aire fan heater (7A)

el calentamiento global global warming (7A)

la calidad quality (3B)

la calidad del aire air quality (7B)

la calidez warmth (4B)

callado, -a quiet (2B)

la caminata long walk (1A)

la campaña campaign (3B), (4B)

la campaña publicitaria advertising campaign (4B)

el/la campeón/campeona champion (6A)

el campeonato championship (6A)

el/la campesino/a agricultural worker; peasant (1B)

la canela cinnamon (3B)

el cansancio tiredness (6B)

cansarse de to become tired of (2A)

el/la cantautor(a) singer-songwriter (8A)

el cante singing, popular song (8A)

la cantidad quantity (3B)

canturrear to hum (3A)

la capacidad ability (4A)

capacitado, -a qualified, trained (2A)

capaz capable (4A)

capitanear to lead (5B)

caprichoso, -a capricious, impulsive (3B)

el carácter character (2A); personality (2B)

caracterizarse por to be characterized by (5B)

carecer de to be lacking (5B)

la carencia deficiency (7B)

el cargo position, job (4B); charge (7A)

caribeño, -a Caribbean (8A)

el cariño affection; in direct speech: darling (1A)

cariñosamente affectionately (4A)

cariñoso, -a affectionate (4A)

carismático, -a charismatic (4B)

cárnico, -a relating to meat (3B)

la carrera career (2B); (sports) race (6A)

el cartel de aviso warning poster (7B)

la cáscara rind, (egg)shell (3A)

castellano, -a Castilian, Spanish (8A)

castigar to punish (2A)

el castigo punishment (6B)

celebérrimo, -a very famous (3B)

el cemento cement (6A)

la censura censorship (1B)

censurar to censor (8B)

el cerebro brain (2B)

cerrar la brecha to close the gap (8A)

cesar to cease, to stop (2B)

el/la chaval(a) boy, girl; kid (8B)

chuparse los dedos to lick one's fingers (3A)

el ciclismo cycling (6A)

el/la ciclista cyclist (6A)

la ciencia ficción science fiction (5A)

la cifra figure (1A)

el cinturón seat belt, belt (1A)

la ciudad organizadora organizing (host) city (6B)

el/la ciudadano/a citizen (1B)

las clasificaciones de películas movie ratings (8B)

la clave key (solution) (2B), (4A)

la cobertura coverage (6A)

el cobijo shelter (1B), (7A)

cobrar to charge (1B)

el cobro charge (7A)

cocer (ue) to cook (3A)

el código code (7A)

el cohete rocket (7A)

colaborar to collaborate (8B)

colgar (ue) to hang (up) (1A)

colocar to put, place (2B), (8B)

el color vivo bright color (8B)

la comedia comedy (5A)

el/la comediante comedian (4B)

el/la comensal table guest, diner (3A)

el/la comentarista commentator (4B)

cometer to commit (2B)

la comida basura (rápida) junk (fast) food (3B)

la comida exótica exotic food (3B)

la comida orgánica organic food (3B)

la comida vegetariana vegetarian food (3B)

el/la comisionado/a commissioner (6A)

¿Cómo está permitido? How is it allowed? (2B)

la compañía company, business (3B)

compartir to share (1B)

compasivo, -a sympathetic (2B)

la compatabilidad compatibility (5B)

el/la compatriota compatriot (4B)

la competencia competition, rivalry (6A)

la competición competition, contest (6A)

competir (i, i) con to compete with (6B)

complacer to please (7A)

complejo, -a complex (2A), (4A)

componerse de to be composed of (5B)

el **comportamiento** behavior (2A), (4A)

comportarse to behave (4B)

el/la **compositor(a)** composer (8A)

comprensivo, -a sympathetic (2B)

comprometerse a to promise to; — **en** to get involved in (3B)

la **computadora/el computador** computer (7A)

el/la **computador(a) de escritorio** desktop computer (7A)

el/la **computador(a) portátil** laptop computer (7A)

la **comunicación no verbal** non-verbal communication (4A)

con acuse de recibo with acknowledgment of receipt (5B)

con buena cara with good humor (4B)

con retraso delayed (1A)

con tal de que provided that (2B)

conceder to award (8B)

concentrarse en to concentrate on (6A)

concienciar to make aware (7B)

conducir a/por to drive to/by (1A)

la **conducta** conduct (4A)

conectarse con to connect with, relate to (7A)

la **conferencia** lecture (2B)

confesar (ie) to confess (2B)

la **confianza** confidence (4A)

confiar en to trust (8A)

el **conflicto armado** armed conflict (2B)

conformarse con to be satisfied with (2A)

congelado, -a frozen (3A), (7A)

el **congreso** conference (2B)

la **conjetura** conjecture (2A)

conllevar a to entail (7B)

conmemorar to commemorate (1B)

la **consagración** reputation, acclaim (4B)

conseguir (i, i) to achieve, obtain (1B)

consentido, -a spoiled (4B)

conservador(a) conservative (4B)

conservar to conserve, keep (1B)

consolar (ue) to console, comfort (2A)

constar de to consist of (5B)

construir to build (8A)

el/la **consumidor(a)** consumer (3B)

consumir to consume (3B)

el **consumo** consumption (3B)

contar (ue) con to count on (2B)

contemporáneo, -a contemporary (5A)

el **contenido** contents (5A)

contentarse con to be happy/satisfied with; to make do with (2A)

contradecir to contradict (6B)

la **contraseña** secret sign, password (8A)

contratar to contract; to hire (4A)

el/la **contratista** contractor (7B)

contribuir a to contribute to (5B)

el/la **contrincante** competitor, rival (8A)

contundente convincing, conclusive (3A)

convencer to convince (1A)

el **convenio** agreement (7A)

convenir (ie) to suit, be convenient, be advisable (1B), (4A)

convertir (ie, i) en to turn into (1A)

la **convivencia** coexistence, living together (2B)

convivir con to live with (2A), (5A)

convocar to convene, call together (3A)

copioso, -a abundant (3A)

coquetear con to flirt with (4A)

el **coraje** anger, rage (2B)

el/la **corredor(a) en base** base runner (6A)

corregir (i, i) to correct (5B)

correr a cargo de to be headed by (5B)

correr el riesgo de to run the risk of (6A)

la **corrida de toros** bullfight (6B)

corriente common, usual (7A)

cortar to cut (3A)

cortés polite (1B); gracious (4B)

la **cortesía** courtesy (7B)

la **corteza** skin (of fruit) (3A)

costar (ue) to find difficult; to cost (4A)

costero, -a coastal (7A)

el **cotejo** comparison (5B)

cotidiano, -a daily (5B)

cotizar to value (4B)

crear to create (8B)

creciente growing (2B)

el **crecimiento** growth (1B)

la **creencia** belief (2B)

la **cremallera/el cierre** zipper (7A)

el/la **crío/a** child (4A)

la **crisis económica** economic crisis (1B)

la **crítica** criticism, critique (5A)

el/la **crítico/a** critic (8A)

crudo, -a raw (3A)

cuanto antes as soon as possible (1B)

el **cuarteto** quatrain, stanza with 4 verses (5B)

el **cubierto** cover (plate, napkin, etc. set for each *comensal*) (3A)

cubierto, -a covered (3A)

la **cuenca** basin (7A)

el **cuento** short story (5A)

cuerdo, -a sane (4B)

el **cuero** leather (2A)

culpable guilty (2B)

el **cultivo** crop (3A)

culto, -a educated (2B); cultured, refined (8A)

el/la **culturista** bodybuilder (6B)

el **cumplimiento** fulfillment (7B)

cumplir con to comply with, carry out, do the right thing (4B)

la **cuna** cradle (6A)

el **cuño** stamp, mark (5B)

el/la **curador(a)** curator (8B)

curar(se) to get well (4A)

curiosamente curiously (4A)

la **curiosidad** curiosity (4B)

D

dañar to damage, harm (3B)

dañino, -a harmful (7B)

el **daño** pain, damage, harm (2B)

la **danza** dance (8A)

danzar to dance (8A)

dar hambre to make someone hungry (3A)

dar la bienvenida to welcome (1A)

dar la vuelta al mundo to go around the world (4B)

dar lugar a to provoke, give rise to (7A)

dar origen a to give birth to (an idea) (7A)

dar pánico to get scared by something (1A)

dar pie a to take hold, allow (6B)

dar saltos to jump (1A)

dar sed to make someone thirsty *(3A)*

darle asco not to stand something, make someone sick *(3A)*

darle rabia a alguien to make someone angry *(3A)*

darse cuenta de to realize *(3B)*

datar de to date from *(1A)*

de ahí que (+ *subjuntivo*) that is why *(7B)*

de carne y hueso of flesh and blood; to have feelings *(4A)*

de golpe suddenly *(4B)*

de modo que so that *(1B)*

de nuevo again *(8B)*

de otra forma in another way *(1B)*

de poco presupuesto low budget *(4B)*

de primera mano firsthand *(6A)*

de primeras at first *(1A)*

de pronto suddenly *(2A)*

de talla of considerable stature, standing *(4B)*

de tapa dura hardcover *(5A)*

de última generación most recent *(2A)*

de verdad really *(2A)*

debidamente properly *(1B)*

débil weak *(4A)*

la **debilidad** weakness *(3A)*

debutar to make one's debut *(8A)*

la **década** decade *(4B)*

el/la **decano/a** (university) dean *(1B)*

decantarse por to be inclined/ leaning toward *(4B)*

la **decena** (*unit of*) ten *(4A)*

la **decepción** disappointment *(2B)*

el **decorado** set, scenery *(5A)*

dedicarse a to devote oneself to *(4B)*

el/la **defensa** defense (defensive player) *(6A)*

la **deficiencia** deficiency *(3B)*

degradar to humiliate, degrade *(4B)*

degustar to taste, sample *(3A)*

dejar to leave behind *(7B)*

dejar de to stop, quit *(2B)*

dejar huella to leave a trace, mark *(1B)*

el/la **delantero/a** forward, offensive (player) *(6A)*

la **delincuencia** crime, delinquency *(2B)*

el/la **delincuente** delinquent, criminal *(2B)*

la **demanda** demand *(2B)*

demasiado, -a too much/many; *(adv.)* too *(1A)*

demostrar (ue) to demonstrate, show *(2B)*

denigrar to discredit *(1B)*

denunciar (*un abuso*) to report (abuse) *(7B)*

depender de to depend on *(2A)*

deplorar to lament, deplore *(6A)*

el **deporte de equipo** team sport *(6A)*

el **deporte por pareja** two-person sport *(6A)*

el/la **deportista** sportsman/woman *(6A)*

deportivo, -a sports (*before nouns*) *(2A)*

deprimido, -a depressed *(4A)*

el **derecho** law *(5A)*

los **derechos humanos** human rights *(2A)*

derogar to abolish *(5A)*

derrotar to defeat *(5A)*, *(6A)*

desafiante challenging *(1A)*

desafiar to challenge *(1A)*

el **desafuero** outrage *(5A)*

desalojar to vacate *(7B)*

desamparado, -a defenseless, vulnerable *(2B)*; deserted *(5A)*

desanimar to discourage *(2A)*

desapercibido, -a unnoticed *(3A)*, *(7A)*

desarrollar en to develop into *(1A)*

desbancar to replace *(2A)*

descalificar to disqualify *(6B)*

descargar to unload, download *(7A)*

el **descaro** shamelessness, nerve *(7A)*

descartar to eliminate, put aside *(4A)*; to reject *(6A)*

descifrar to decode *(5B)*

desconocido, -a unknown *(4B)*

el **descubrimiento** discovery *(5A)*

desear to wish *(2A)*; to want, desire *(4A)*

desechable disposable *(7A)*

desempeñar(se) to carry out, fulfill *(2B)*, *(7B)*; to play, perform *(3B)*

el **desempleo** unemployment *(2A)*

el **desequilibrio** imbalance *(3B)*

desesperado, -a desperate *(1B)*

el **desfile** parade *(1B)*

desgarrador(a) heartbreaking *(5A)*

deshidratado, -a dehydrated, dried *(7A)*

deslumbrado, -a dazzling *(8B)*

desmesurado, -a excessive *(2B)*; vast, enormous *(3B)*

desnivelado, -a uneven *(1A)*

la **desnutrición** malnutrition *(3B)*

despachar to dispatch, wait on (*a customer*) *(3A)*

la **despedida** good-bye *(1A)*

despedir (i) to fire *(4A)*

despedirse (i) de to say good-bye to *(1B)*

el **despegue** takeoff *(1A)*

desplazar to displace, move *(2B)*

desplegarse (ie) to spread out *(1A)*

destacado, -a outstanding, distinguished *(6A)*

destacarse (en) to stand out, distinguish oneself (in) *(4B)*, *(6B)*, *(8A)*

el **destino** destination *(1A)*

la **destreza** skill *(2B)*

desvelar to reveal *(1A)*

la **desventaja** disadvantage *(1B)*

desviarse to deviate *(3B)*

detener to stop *(7B)*

el **deterioro** damage, deterioration *(7A)*

el **diario** (daily) newspaper *(5A)*

diario, -a daily *(1B)*

el **dibujo animado** cartoon *(4B)*

el **diente (de ajo)** clove (of garlic) *(3A)*

difundir to spread *(2B)*

la **dignidad** dignity *(4B)*

el **dilema** dilemma *(1B)*

dimitir to quit *(2B)*

dirigirse a to go to, head toward *(1B)*

el/la **discapacitado/a** handicapped person *(6B)*

discriminado, -a discriminated *(1B)*

discurrir to go by *(1A)*

el **discurso** speech *(1B)*

diseñar to design *(8A)*

el **diseño** design *(2A)*

disfrutar (de) to enjoy (doing something) *(1A)*

disminuir to lessen *(6B)*

disparar to shoot *(2B)*

disparatado, -a absurd *(5A)*

el **disparate** silly/stupid thing or action *(2A)*

disponer to dispose *(2B)*; — **de** to have something at one's disposal *(7A)*

disponible available *(6B)*

dispuesto, -a willing *(1A)*

disputarse to fight, challenge *(6A)*

distinto, -a different *(2B)*

diurno, -a morning *(1B)*

doblar to dub *(8A)*

doler (ue) to hurt *(1B)*

el **dolor** pain *(2B)*

el **domicilio** home address, legal residence *(2B)*

el **dominio** domain, mastery *(6A)*

el **dominio de lenguas** command of languages *(7A)*

donar to donate *(5A)*

el **dopaje sanguíneo** blood enhancement *(6B)*

drástico, -a drastic *(4A)*

el/la **dueño/a** owner *(1A)*

durar to last; to take time *(2A)*

E

echar de menos to miss *(4A)*

la **economía** economy *(1B)*

la **edad adulta** adulthood *(2A)*

la **edificación** building *(1A)*

edificar to build *(8A)*

editar to edit *(5B)*

efectivamente effectively *(2A)*

el **efecto invernadero** greenhouse effect *(7A)*

la **eficacia** effectiveness *(6A)*

eficaz effective, efficient *(3A)*, *(7B)*

efímero, -a ephemeral, of short duration *(5B)*

el/la **ejecutivo/a** executive *(4B)*

el **ejercicio físico** physical exercise *(6A)*

el **ejército** army *(2B)*

el qué dirán what others will say *(4A)*

la **elegía** elegy *(5A)*

elegir (i, i) to choose *(4A)*

elogiar to praise *(7B)*

el **elogio** praise *(5B)*

eludir to elude, avoid *(4A)*

emanar to come from *(5B)*

emanciparse to emancipate, gain independence *(2B)*

embarazada pregnant *(2B)*

embarcar en to embark on something *(1B)*

emigrar to emigrate *(6B)*

eminente prominent, distinguished *(5A)*

emocionante exciting *(6A)*

empatar to tie *(a score)* *(6B)*

el **empate tie** *(score)* *(6B)*

empeñarse en to make an effort to, insist on *(2A)*

el **empeño** determination, effort *(6B)*; persistence *(7B)*

empezar (ie) a to begin to *(3B)*; — **por** to start by *(5B)*

empírico, -a empirical (from experience) *(6B)*

el **empleo** employment *(1B)*

el **emporio** market *(8A)*

emprender to set about, undertake *(3B)*, *(6A)*

la **empresa** business, company *(3B)*

el/la **empresario/a** business owner *(2B)*, *(4B)*

el **empuje** push, drive *(1B)*

en alta mar on the high seas *(7B)*

en auge on the increase *(4B)*

en el fondo deep down *(1B)*

en gran medida in great part *(3B)*

en homenaje in homage *(6A)*

en la mayoría de las ocasiones most of the time *(1B)*

en rigor strictly speaking *(5A)*

en serio seriously *(2A)*

en última instancia ultimately *(2B)*

enaltecer to praise *(6A)*

enamoradizo, -a said of someone who falls in love easily *(4A)*

enamorarse de to fall in love with *(4A)*

encabezar to lead, head *(1A)*

encajar to fit in *(2A)*

encantador(a) charming *(4B)*

encantar to delight, charm *(1B)*

encargado, -a in charge *(6A)*

encargar to put in charge, entrust *(2B)*, *(6A)*

encargarse de to take charge of *(3B)*

encomendarse (ie) a to commend oneself to *(2B)*

el **encomio** praise *(5B)*

la **encuesta** poll, survey *(2B)*

endecasílabo, -a with 11 syllables *(5B)*

el **enfoque** focus *(8A)*

enfrentar to face *(1B)*; **-se con** to face up to *(3B)*

engañar to trick, deceive *(3B)*

el **engaño** deception *(2B)*

engordar to get fat, put on weight *(3B)*

engullir to gulp, gobble *(3A)*

enloquecer to become irrational, go crazy *(8B)*

enmarcar to frame, form the backdrop *(6B)*

enmarcarse en to be in line with *(6B)*

enredarse con to get tangled in *(5B)*

enriquecedor(a) enriching *(7A)*

el **enriquecimiento** enrichment *(5B)*

el/la **ensayista** essayist *(5A)*

el **ensayo** essay *(5A)*

ensuciarse to get dirty *(3A)*

enterarse (de) to find out (about) *(4A)*

la **entereza** integrity *(4B)*

enterrar (ie) to bury *(2B)*

el **entorno** environment, setting *(1A)*, *(8B)*

la **entrada libre** free admission *(8A)*

entrar en to go into *(1B)*

(no) entrar en la cabeza to (not) understand *(3A)*

(no) entrar por los ojos to be easy (hard) on the eyes *(3A)*

entrar en vigor to take effect *(6B)*

entre la vida y la muerte between life and death *(4A)*

la **entrega** delivery, distribution *(8B)*

la **entrega a domicilio** home delivery *(3B)*

el/la **entrenador(a)** trainer *(6B)*

el **entrenamiento** training *(6A)*

entrenar to train, coach *(6B)*

entretener to entertain *(8A)*

entretenerse con to amuse oneself with *(2A)*

la **entrevista** interview *(1B)*

entroncar con to be connected with *(3B)*

entusiasmado, -a excited *(1A)*

enumerar to list *(4A)*

la **envidia** envy *(4A)*

envolverse (ue) en to become involved in *(5A)*

epistolar epistolary, relating to letters/correspondence *(5B)*

la **época** period *(of time)* *(1A)*

el **equilibrio** balance *(3B)*

el **equipaje** luggage *(1A)*

el **equipo contrario** opposing team *(6A)*

equivaler to be equivalent *(8A)*

equivocarse to be wrong, be mistaken *(1B)*

erigir to erect, build *(6A)*

erogar to distribute *(money) (3A)*

¡Es increíble! It's unbelievable! *(2B)*

¡Es una tontería! It's a silly/stupid thing! *(4A)*

el **esbozo** outline *(5B)*

la **escasez** shortage *(3B)*

el **escenario** setting *(5A)*

escoger to choose *(4B)*

escribir un guión to write a script *(8A)*

el/la **escritor(a)** writer *(5A)*

escrutar to scrutinize *(5B)*

esculpir to sculpt *(8A)*

el/la **escultor(a)** sculptor *(8A)*

la **escultura** sculpture *(8A)*

esforzarse (ue) en to try very hard to *(2A)*

esforzarse (ue) por to make an effort to *(7B)*

el **esfuerzo** effort *(2B)*

esfumarse to vanish, fade away *(7B)*

esmerado, -a careful, meticulous *(3A)*

espantoso, -a horrible *(1A)*

esparcido, -a scattered *(6A)*

espectador(a) spectator *(6A)*

espeluznante horrifying, terrifying *(3A)*

la **esperanza** hope *(2B)*

la **esperanza de vida** life expectancy *(7A)*

espeso, -a thick *(3A)*

la **espontaneidad** spontaneity *(4B)*

estable stable *(2B)*

estar a cargo de to be in charge of *(3A)*

estar a punto de to be about to *(4A)*

estar al alcance de to be reachable, obtainable *(1A)*

estar al tanto de to be up-to-date *(1A)*

estar constipado, -a to have a cold *(5B)*

estar de buen (mal) humor to be in a good (bad) mood *(4A)*

estar dispuesto, -a (a) to be willing (to) *(1A), (4B)*

estar en boga to be in vogue, fashion *(3A)*

estar en las nubes to be absent-minded *(4A)*

estar entrenándose to be in training *(6B)*

estar harto de to be fed up with *(3A)*

estar muerto de cansancio to be dead tired *(1B)*

estar muy verde to be far from ready *(6A)*

estar para chuparse los dedos to be finger-licking good *(3A)*

estar pasado, -a de moda to be out of fashion *(4B)*

la **estatura** height, stature *(4B)*

el **estereotipo** stereotype *(4B)*

la **estética** aesthetics *(8B)*

estético, -a aesthetic *(5B)*

estilizar to characterize *(3B)*

estimular to stimulate *(3B)*

la **estrategia publicitaria/de propaganda** advertising strategy *(3B)*

estrecho, -a narrow *(1A)*

la **estrella** star *(8B)*

estrenar to perform for the first time, premiere *(5A)*

estricto, -a strict *(2B)*

la **estrofa** stanza *(5B)*

estupendo, -a wonderful *(1A)*

la **etapa** stage *(2A)*

eterno, -a eternal *(4A)*

la **etnia** ethnic group *(4B)*

evolucionar de to evolve from *(6B)*

exhortar a to urge (someone) to *(5B)*

exigir to require; to demand *(7A)*

el **éxito** success *(3A)*

el **éxito taquillero** box-office hit *(8A)*

exitoso, -a successful *(4B)*

la **expectativa** expectation *(7B)*

experimentar con to experiment with *(5A)*

explorar to explore *(2B)*

exponerse a to expose oneself to *(2A)*

la **exposición** exposition, show *(8B)*

extraterrestre extraterrestrial, alien *(4B)*

F

el **fabricante** manufacturer *(3B)*

la **facha** appearance *(colloquial) (2A)*

facilitar to make easy/easier; to offer *(2B), (4A)*

la **factura** bill *(3B)*

la **facultad** school *(of a university) (8B)*

faenar to fish *(7B)*

la **falla** fault *(2A)*

fallecer to die *(4B), (5A)*

la **falta (de)** lack (of) *(1A)*

la **falta de ortografía** spelling mistake *(2A)*

faltar to lack *(1B)*

el/la **fanático/a** fan *(6A)*

fantástico, -a fantastic, fantasy *(5A)*

el **fármaco** medicine, medication *(1B), (6B)*

fascinar to fascinate *(1B)*

fastidiar to bother, annoy *(1B), (7B)*

favorecer to favor *(6B)*

el **fenómeno** phenomenon *(8A)*

festejar to celebrate *(7B)*

la **fibra** fiber *(3B)*

fichar to sign up with, sign on *(3B)*

fiel faithful, loyal *(8A)*

la **figura** figure *(4B)*

la **figura icónica** icon, symbol *(3B)*

fijarse en to pay attention to, notice *(6B)*

el/la **filántropo/a** philanthropist *(4B)*

la **filial** subsidiary *(8A)*

filmar to film *(8A)*

el/la **filólogo/a** philologist *(5B)*

el **filón** gold mine *(colloquial) (2A)*

fingir to pretend *(1B), (4A)*

florecer to flourish *(8B)*

la **fluidez** fluency *(7B)*

fluido, -a fluid, smooth *(2A)*

el **fogón** stove *(3A)*

folclórico, -a folkloric *(8A)*

fomentar to encourage *(5B)*

el **fondo** background *(8B)*

el **foro** forum *(8A)*

la **fortuna** fortune *(4B)*

forzado, -a forced *(1A)*

el **fracaso** failure *(6B)*

freír (i) to fry *(3A)*

fresquito, -a really fresh *(3B)*

fructífero, -a productive, fruitful *(5A)*

la **fuente** source *(6A)*

fuera del país outside the country *(6A)*

la **fuerza laboral** labor force *(7A)*

funcionar to work *(1B)*

G

el **galardón** award, prize *(4B)*, *(6B)*

galardonado, -a awarded *(7A)*

el/la **galardonado/a** prizewinner *(6B)*

la **gama** range *(7A)*

la **gamberrada** total lack of manners; hooliganism *(4B)*

la **gana** desire, wish *(4A)*

la **ganancia** profit *(7A)*

ganar Madrid to reach Madrid *(8B)*

el **gasto** expense *(2B)*

la **gaviota** seagull *(3A)*

el **género literario** literary genre *(5A)*

genial wonderful *(3B)*

el **genio** genius *(8A)*

la **gestión** step, action *(4B)*

el **gesto** gesture *(2B)*

la **gimnasia** gymnastics *(6A)* *(6A)*

el/la **gimnasta** gymnast *(6A)*

el/la **gitano/a** Gypsy *(8A)*

la **globalización** globalization *(8A)*

el/la **gobernante** leader *(1B)*

el **gol** (soccer) goal, scored point *(2B)*

goloso, -a having a sweet tooth *(3A)*

el **golpe de estado** coup(d'état) *(1B)*

golpear to hit *(1A)*, *(6A)*; to beat (up) *(2B)*

gozar de to enjoy *(1B)*

el **grabado** engraving *(8A)*

la **grabadora** tape recorder *(7A)*

grabar to record *(4B)*

gracioso, -a funny *(2A)*

la **grafología** graphology *(5B)*

la **grasa** fat *(3A)*

grasiento, -a greasy *(3B)*

grave solemn; serious; seriously ill *(2B)*, *(4A)*

la **gravedad** seriousness *(3B)*

grosero, -a rude *(4B)*

guiar to guide *(1A)*

el **guión** script *(1A)*, *(5A)*

H

la **habilidad** skill *(4A)*

habitar to inhabit *(2B)*

hace un rato a while ago *(3A)*

hacer atletismo to practice track and field *(6B)*

hacer caso a to pay attention to *(4B)*

hacer cola to wait in line *(1A)*

hacer competencia to have a rivalry *(6B)*

hacer deporte(s) to do/practice sports *(6B)*

hacer falta to need *(1B)*

hacer gala de algo to display something, show off *(4B)*, *(8B)*

hacer soñar a alguien to make someone dream *(4B)*

hacer todo lo posible to do whatever is possible *(1B)*

hacer un papel to act, play a part *(8A)*

hacerle gracia a uno to find something funny *(1B)*

hacerse la boca agua to make one's mouth water *(3A)*

el **haikú** haiku *(5B)*

el **halago** praise, flattery *(4A)*

halagüeño, -a flattering *(7B)*

hallar to find, discover *(7B)*, *(8B)*

el **hallazgo** discovery *(5A)*

la **hambruna** hunger, starvation *(3B)*

la **harina** flour *(3A)*

hasta el punto de to the point of *(4B)*

la **hazaña** heroic deed, exploit *(4B)*, *(5A)*

la **herencia** inheritance; heritage *(4A)*

el/la **héroe/heroína** hero, heroine *(4B)*

el **heroísmo** heroism *(4B)*

la **herramienta** tool *(1A)*, *(5B)*

hervir (ie, i) to boil *(3A)*

híbrido, -a hybrid *(5A)*

hidratar to hydrate *(6A)*

la **hierba** grass *(6A)*

el **hierro** iron *(mineral)* *(3B)*

el/la **hincha** fan, supporter *(6B)*

la **hinchada** fans, supporters *(6B)*

hipercalórico, -a with high caloric content *(3B)*

la **hipocresía** hypocrisy *(4B)*

la **hipótesis** hypothesis, unproved theory *(4A)*

el **hockey sobre hielo** ice hockey *(6A)*

el **hogar** home *(1A)*

hogareño, -a home-loving, domestic *(5B)*

la **hora de vuelo** flight time *(1A)*

el **horario** schedule *(1A)*

el **horario estelar** prime time *(8A)*

el **horno (de leña)** (wood-burning) oven *(3A)*

la **huelga de hambre** hunger strike *(4B)*

el **hueso** bone *(3B)*

huir de to run away from *(1B)*

humillar to humiliate *(6A)*

huraño, -a unsociable *(4A)*

hurgar to stir up; to rummage *(8B)*

el **hurto** robbery, theft *(2B)*

I

el **icono** icon *(3B)*

idolatrar to worship, idolize *(4B)*

ignorar to not know, be unaware of *(4B)*

la **igualdad** equality *(1B)*

imborrable unforgettable *(5B)*

impactante powerful, impressive *(4B)*

impedir (i) to impede *(2B)*; to forbid, prevent *(3B)*

impensado, -a unexpected *(3B)*

imperiosamente urgently *(7A)*

imponente imposing *(7A)*

imponer to impose *(4B)*

importar to matter *(1B)*

impreciso, -a vague, imprecise *(5B)*

imprescindible essential *(5B)*, *(7A)*

impreso, -a printed *(6A)*

imprevisible unforeseeable *(7A)*

imprimir carácter to form/build character *(4B)*

la **incidencia** effect, impact; incidence *(5A)*

incluir en to include in/on *(1B)*

inconsciente irresponsible *(4A)*

el **inconveniente** disadvantage *(4B)*

el **incremento** increase *(7B)*

inculcar to instill *(5B)*

inculto, -a uncultured, uneducated *(2A)*

incurrir to incur *(3B)*

indescriptible indescribable *(4A)*

indicar to indicate *(4B)*

indignarse to get angry *(4A)*

indomable invincible *(5B)*

ineficaz inefficient *(7B)*

inesperado, -a unexpected *(4A)*

infaltable inevitable *(5B)*

la **infancia** childhood *(2B)*

infiltrarse to infiltrate *(4B)*

influir (en) to influence, have influence *(1A)*, *(2B)*

influyente influential *(1B)*

el **informe** report *(5B)*

ingerir to ingest *(3B)*

la **ingesta** consumption *(3B)*

ingresar to enter, enroll *(8B)*

el **ingreso** entry *(2A)*

iniciar to begin *(3A)*

el **inicio** start *(5A)*

inmóvil motionless *(2B)*

inoloro, -a odorless *(3B)*

inolvidable unforgettable *(1A)*

la **inquietud** worry, concern *(4A)*

la **insalubridad del agua** unhealthiness of water *(3B)*

inscribirse en to register, enroll in *(6A)*

inseguro, -a unsafe; insecure *(2A)*

insípido, -a tasteless, insipid *(3B)*

insistir en to insist on *(3A)*

insoportable unbearable *(4A)*

insostenible unsustainable, untenable *(7B)*

instalarse to settle, establish oneself *(8B)*

instar a to urge *(5B)*, *(7B)*

insuperable unbeatable *(7A)*

integrar to integrate *(8B)*

intentar to try, attempt *(1A)*

intercalado, -a inserted *(8B)*

interesar to interest *(1B)*

interesarse por to take an interest in *(2A)*

el/la **internauta** Internet user *(7B)*

la **Internet** Internet *(7A)*

la **interpretación** acting *(4B)*

interpretar to interpret, perform *(4B)*

íntimo, -a close, intimate *(2B)*

el **intríngulis** difficulty, hidden intention/motive, ticklish problem *(5B)*

intrínseco, -a intrinsic *(5B)*

intuir to sense, intuit *(4A)*

el **invento** invention *(7A)*

inverosímil unlikely, improbable *(5A)*

la **inversión** investment *(6B)*, *(8B)*

investigar to investigate *(4A)*

involucrado, -a involved *(6A)*

involucrar to involve *(8A)*; **-se en** to be involved in *(4A)*

ir a to go to *(1A)*

ir bien/mal to go well/badly *(4B)*

la **ira** anger *(4A)*

irrecusable unchallengeable *(5A)*

irreemplazable irreplaceable *(3B)*

irrepetible unrepeatable *(7B)*

J

la **jabalina** javelin *(6B)*

el **jardín de infantes** kindergarten *(7A)*

el **jardinero derecho** right fielder *(6A)*

la **jerga** slang *(2A)*

el **jonrón** home run *(6A)*

la **jornada** workday *(8B)*

jubilado, -a retired *(7A)*

judío, -a Jewish *(8A)*

el **juego de pelota** ball game *(6A)*

el/la **jugador(a)** player *(6A)*

el **juicio** judgment *(7B)*

jurar to swear *(an oath)* *(6A)*

justificar to justify *(2B)*

la **juventud** youth *(2B)*

juzgar to judge *(6B)*

L

laboriosamente laboriously *(7A)*

lácteo, -a relating to milk, dairy *(3B)*

el **lanzamiento de disco** discus throwing *(6B)*

lanzar to throw *(1A)*

lanzar(se) a la fama to rush to fame *(4B)*

latir to beat *(4A)*

laureado, -a laureate, awarded a prize *(5A)*

el **lazo** link *(2A)*

leal loyal *(2A)*

el **legado** legacy *(8B)*

legendario, -a legendary *(4B)*

lejano, -a distant *(7B)*

el **lema** slogan, motto *(8A)*

la **lengua materna** mother tongue *(7B)*

el **lenguaje** language *(5B)*

la **lentitud** slowness *(1A)*

letal deadly *(4B)*

la **letra** letter *(of the alphabet)* *(5B)*

las **letras** Letters *(literature)* *(5A)*

el **letrero** sign *(1B)*

el/la **levantador(a) de pesas** weight lifter *(6B)*

léxico, -a lexical, relating to words or vocabulary *(5B)*

liberar to free *(7B)*

el **líder** leader *(1B)*

liderar to lead, head *(4B)*

el **lienzo** canvas *(8A)*

el/la **literato/a** writer, person of letters *(5A)*

la **litografía** lithograph *(8A)*

liviano, -a light *(3B)*

llamar la atención to attract attention *(4A)*

llano, -a flat *(3A)*

la **llegada** arrival *(1A)*

llegar a to arrive at *(1A)*

llenarse de to fill up with *(3A)*

lleno, -a full *(3A)*

llevar a cabo to carry out *(5B)*

lo absurdo de la situación the absurdity of the situation *(4A)*

lo primero que the first (thing) that *(1A)*

el **local** premises, site, local establishment *(3B)*, *(8A)*; home team *(6A)*

localizar to locate, localize *(5B)*

lógicamente logically *(1A)*

lograr to achieve, attain, obtain *(1A)*

el **logro** achievement *(4B)*

la **loncha** slice *(of meat)* *(3A)*

el **lonche** lunch *(3B)*

la **lonchería** restaurant for lunch *(3B)*

los/las demás the rest, others *(3A)*, *(6B)*

la **loza** china *(3A)*

la **lucha libre** wrestling *(6A)*

el/la **luchador(a)** wrestler *(6A)*

luchar por to fight for *(1B)*

el **lujo** luxury *(4A)*, *(7B)*

lujoso, -a luxurious *(1A)*

M

la **maca** bruise *(on fruit)* *(3B)*

madrugar to wake up early *(1B)*

madurar to mature *(4A)*

maduro, -a mature *(2A)*

el/la **maestro/a** master *(8A)*

magro, -a lean *(3B)*

la **mala educación** rudeness *(4B)*

la **maldad** evil *(4A)*

maleducado, -a rude *(4B)*

la **maleta** suitcase *(1A)*

maltratar to mistreat, abuse *(4A)*

manchar to spot, soil *(4B)*

el **mando** remote control *(2A)*

mandón/mandona bossy *(4A)*

manejar to handle, manage; to drive *(2A)*, *(4A)*, *(7B)*

el **manejo** handling, management *(5B)*

la **manía** quirk, funny little way *(4A)*

manifestarse (ie) en contra de to speak out against *(7A)* manipular to manipulate (2B)

el **manjar** special dish, delicacy (3A)

manos a la obra let's get to work (3A)

mantener to maintain (5A)

el **manuscrito** manuscript (5B)

la **maqueta** model, mock-up (4B), (5B)

la **máquina dispensadora** vending machine (3B)

la **marca** brand (name) (2A)

marcado, -a distinct (2B)

el **marcador** goal scorer (6A)

marcar un gol to score a goal (6A)

marcharse de to leave, go away from (1A)

el **marco** frame (of a painting) (8A)

mareado, -a dizzy (1A)

el **maremoto** tidal wave (7A)

el **más allá** the other world (5A)

la **masa** dough (3A)

la **mascota** pet, mascot (3B)

masificado, -a overcrowded (1A)

máximo, -a ultimate (4B)

la **mayor calidad** best quality (3B)

la **mayoría de las veces** most of the time (1B)

la **mayúscula** capital letter (2A)

la **mazorca** corncob (3A)

¡Me parece fatal! It seems terrible/awful! (2B)

mediante by means of (7A)

mediar to intervene, come between (6A)

el **medicamento** medicine (4A)

la **medida** measure, measurement (5B), (7B)

el **medio** midfielder (6A); medium (8A)

el **medio ambiente** environment (7A)

los **medios** means (4B)

los **medios (de comunicación)** media (2B)

la **mejora** improvement (2B)

melenudo, -a long-haired (4B)

mendaz lying, untruthful (5A)

el/la **menor** minor, underage person (2B)

menos mal thank goodness (1B)

mensual monthly (1B)

la **mente** mind (4A)

mentiroso, -a lying; as noun, liar (4A)

merecer la pena to be worth it (3A)

la **merluza** hake (whitefish) (7B)

mero, -a mere, simple (5A)

la **meta** goal (1B)

metafísico, -a metaphysical (5B)

la **metáfora** metaphor (5B)

meter la pata to make a mistake, stick one's foot in one's mouth (4B)

meterse en to get in/into (1B)

la **métrica** meter (in poetry) (5B)

la **mezcla** mixture (3A)

mezclado, -a mixed (4B)

mezclar to mix (3A)

la **miga (de pan)** inside part of bread (3A)

mimado, -a spoiled (4A)

minuciosamente thoroughly (2B)

la **minusvalía** handicap, disability (6B)

el/la **minusválido/a** handicapped person (6B)

los **minutos permitidos** allowed minutes (7A)

la **mirada** look (4A)

mirar de reojo to look out of the corner of one's eye (4B)

el **mito** myth (4B)

módico, -a moderate (1B)

el **modo** way (2B)

mojar to soak, wet (3A)

moler (ue) to grind (7A)

molestar to bother (1B)

molesto, -a bothersome (7B)

monoparental relating to a single parent (3B)

el **montaje** assembly, show (8A)

mordisquear to nibble (3A)

morisco, -a Moorish (8A)

la **mortalidad** mortality (2B)

motriz motor (6B)

muchas gracias de antemano to thank beforehand (1A)

la **muchedumbre** crowd (1A)

la **muestra** sample (3A)

multar to fine (7B)

la **multitud** crowd (2B)

multitudinario, -a heavily attended (5B)

mundialmente worldwide, throughout the world (6A), (7A)

el/la **muralista** muralist (8A)

el **murmullo** murmur (2B)

el/la **músico/a** musician (8A)

N

nacer to be born (2B)

nada de nada nothing at all (4A)

el/la **nadador(a)** swimmer (6A)

nadie en su sano juicio no one in his/her right mind (4B)

la **natación** swimming (6A)

la **naturaleza muerta** still life (8B)

la **niebla** fog (1A)

la **niñez** childhood (2A)

ni tan siguiera if only (7B)

no dar abasto to not cope (3B)

no estar para bromas not to be in a joking mood (2A)

¡No faltaba más! Don't mention it! (4A)

¡No hay derecho! That's not fair! (2B)

¡No me digas! You don't say!, I don't believe it! (2B)

¡No me lo puedo creer! I just can't believe it! (2B)

no obstante nevertheless (5B)

no perder de ojo to not lose sight of (1A)

no poder con to be unable to cope with (7A)

no poder ni ver algo (o alguien) not to stand something (or someone) (3A)

no ser para tanto to not be such a big deal (2A)

no tener más remedio to have no other choice (4B)

nocivo, -a harmful (7A)

nocturno, -a night, nocturnal (1A)

la **nómina** list (of staff) (8B)

la **nominación** nomination (4B)

nominar to nominate (4B)

la **norma** standard, rule (5B)

las **normas de clasificación** rating standards (8B)

noticioso, -a informative (8A)

la **nube** cloud (1A)

el/la **nutricionista** nutritionist (3B)

nutritivo, -a nutritious (3B)

O

la **obesidad** obesity (3B)

obeso, -a obese (3B)

el **objetivo** objective (2B)

la **obra de teatro** play (5A)

las **obras benéficas** charity (2B)

las **obras literarias** literary works (5A)

obtener to obtain, procure (4B)

ocasionar to cause, bring about (7B)

el ocio leisure (time), free time (6A)

la oda ode (5A)

el odio hatred (4A)

la oferta offer (7A)

el oído hearing; ear (7A)

el óleo oil painting (8A)

oloroso, -a smelly, fragrant (3B) (4A)

olvidarse de to forget about (1B)

oponerse a to oppose (2B)

oportuno, -a opportune, timely (7B)

oprimido, -a oppressed (2B)

oprimir to oppress (2B)

opulento, -a affluent (1B)

la Oratoria Oratory (5A)

el orbe world (8A)

el orden cronológico chronological order (7A)

el ordenador computer (7A)

orgánico, -a organic (3B)

la organización sin ánimos de lucro nonprofit organization (2B)

orgulloso, -a proud (2A)

la orilla shore, riverbank (1A)

la ortografía spelling (7B)

oscilar to oscillate, sway (1B)

otorgar to grant (2A), (6A), (8A)

¡oye! hey!, excuse me (4A)

P

la paciencia patience (4A)

el pacifismo pacifism (2A)

padecer to suffer (1A), (7B)

padecer de to suffer from (3B)

el paisaje landscape, scenery (1A)

el paladar palate (3A)

paladear to savor, relish (3B)

la paloma mensajera carrier pigeon (4B)

el palomo (male) pigeon (4B)

el papel role (2B); (piece of) paper (4B)

la papelería stationery store (5B)

para colmo on top of that (4A)

para ser sincero to be sincere (2A)

para todos los gustos for all tastes (1A)

el parador roadside inn, state-owned hotel (3A)

el paraíso paradise (1A)

parecer to seem (1B)

parecerse (a) to look like (2A)

la paridad equality (6B)

el/la pariente/a relative, family member (1A)

particular distinct (2B)

partirse de risa to laugh one's head off, split one's sides laughing (4A)

la pasa raisin (3A)

pasar a la posteridad to pass on to posterity (4B)

pasar de largo to pass by (1B)

pasar hambre to endure hunger (3B)

pasar por to go by (ignore) (1A)

pasarse to go too far (2A)

pasársele rápido to get over (something) quickly (4A)

el paso step (2A)

la pastilla tablet (3A)

el pasto grass (6A)

patear to kick (6A)

patentizar to make evident, reveal (8B)

el/la patinador(a) skater (6A)

el patinaje skating (6A)

la patria homeland (4B)

el patrimonio heritage (3B)

patrocinar to sponsor (6B)

el patrón pattern (5B)

la pauta guideline (4A)

la pechuga breast (of fowl) (3A)

el pedazo piece (3A)

pegajoso, -a sticky (3A)

la película magnética magnetic film (tape) (7A)

peligroso, -a dangerous (1A)

la pelota vasca Basque ball game (6A)

la pena grief (2B)

pensar (ie) de (+ sustantivo) to think about (opinion) (4A)

pensar (ie) en to think of (4A)

penúltimo, -a next-to-last (8B)

la penumbra semidarkness, half-light (1A)

el percance accident, mishap (1A), (4A)

la pérdida loss (4B)

perdurar to last, endure (6B)

el periodismo journalism (5A)

el/la periodista journalist (5A)

la peripecia vicissitude, (pl.) ups and downs (4B)

permanecer to stay (6B)

la permanencia stay; continuance (6B)

perseguir (i, i) to pursue (1A)

la persona ideal ideal person (4A)

el personaje (literary) character (2B)

pertenecer (a) to belong (to) (1B), (2B)

la pértiga pole vault (6B)

perturbar to disturb (1B)

pese a in spite of (3B)

el peso weight (2A)

el petámetro yámbico iambic pentameter (5B)

picar to chop (3A); to snack (3B)

la piedra stone (1A)

la piel skin (3A)

el/la piloto de Fórmula 1 Formula 1 race car driver (6A)

el pincel paintbrush (8B)

la pinta appearance (2A)

pintar to paint (8A)

la pintura painting; paint (8A)

piratear to rob, pirate (8B)

la piratería piracy (8B)

el pisapapeles paperweight (5B)

la pista court (6A)

la planta termoeléctrica thermo-electrical plant (7B)

plantearse to take into consideration (2B)

plasmar to create, shape (8A)

pleno, -a full (2A)

la población town; population (2B)

poblado, -a populated (1A)

¡Pobrecitos! Poor things! (2B)

la pobreza poverty (1B)

el poder power (6A), (8B)

el poder adquisitivo purchasing power (3A)

poderoso, -a powerful (4B)

el poema poem (5A)

el poema épico epic poem (5A)

la polémica controversy (6A), (8B)

poner a la venta to put up for sale (8A)

poner atención a las letras pequeñas del contrato to pay attention to the small print of the contract (7A)

poner de relieve to highlight (5B)

poner en marcha to set into motion (6A)

poner en tela de juicio to put something in doubt (7B)

poner freno to stop, halt (3B)

poner mantel/la mesa to set the table (3A)

ponerse to become; to place oneself (2A)

ponerse a to begin to *(4A)*

ponerse en el lugar *(de alguien)* to put youself in someone's place *(7B)*

ponerse remedio to remedy *(5B)*

por ciento percent *(1B)*

por culpa de because of, through the fault of *(1B)*

por desgracia unfortunately *(1B)*

por entregas in installments *(5A)*

por este motivo for this reason, motive *(4A)*

por lo que by what *(1B)*

por lo visto apparently *(2A)*

por más que no matter how hard *(2A)*

por mucho que no matter how much *(4A)*

por placer for pleasure *(5B)*

por poco by little *(2A)*

por si acaso if by any chance *(2A)*; just in case *(4A)*

por supuesto of course *(2A)*

por todas partes everywhere *(2A)*

por último finally *(2A)*

el/la **porrista** cheerleader *(6B)*

la **portada** cover *(of a book) (2B)*, *(5A)*; front page *(of a newspaper) (6A)*

la **portadilla** title page *(5A)*

portarse to behave *(2A)*

el/la **portavoz** spokesperson *(1A)*

el/la **portero/a** goalie *(6A)*

el **postulado** axiom *(6A)*

la **postura** position *(4A)*

potenciar to promote development *(4B)*

precipitarse a to hurry to *(6B)*

preciso, -a necessary *(7A)*

precoz precocious, early *(5B)*

preestablecido, -a preestablished *(5B)*

el **prejuicio** prejudice *(4B)*

premiar to give an award, award *(4B)*

el **premio** prize, award *(2B)*

el **Premio Nobel de Literatura** Nobel Prize in Literature *(5A)*

la **prensa** press *(5A)*

preocupante worrisome, worrying *(2A)*

preocuparse to worry *(1B)*

preocuparse por to worry about *(1B)*

el **prestigio** prestige *(6B)*

prestigioso, -a prestigious, famous *(4B)*

presumir de to think one is, boast of being *(2A)*

el **presupuesto** budget *(3B)*, *(8A)*

pretender to expect; to try *(1A)*

prevalecer to prevail *(5B)*, *(7B)*

probar (ue) to taste *(3B)*

procedente de coming from *(7B)*

proceder a to proceed *(3B)*; — **de** to originate from *(3B)*

procurar to try to, endeavor to *(3B)*

prodigioso, -a marvelous *(2A)*

el **producto químico** chemical *(3B)*

la **profundidad** depth *(1A)*

profundo, -a deep *(1A)*

el **programa buscador** search engine *(7A)*

programar to program *(6A)*

el **promedio** average *(1A)*, *(5A)*

promocionar to promote *(6B)*

promover (ue) to promote *(3B)*, *(8B)*

el/la **propagador(a)** promoter *(6B)*

propenso, -a prone *(7B)*

propicio, -a favorable *(5A)*

el/la **propietario/a** owner *(3A)*, *(6A)*

propio, -a own *(1B)*

proponer to propose *(6A)*

proporcionar to supply, provide *(2B)*, *(7A)*

los pros y los contras the pros and cons *(8B)*

la **prosa** prose *(5A)*

la **prosa poética** poetic prose *(5B)*

el/la **protagonista** protagonist, main character *(4A)*

protagonizar to take a leading part in *(6A)*

provechoso, -a profitable, worthwhile *(1B)*

el/la **proveedora(a)** supplier *(3A)*

provenir de to come from *(3A)*

provocado, -a provoked; angered *(4A)*

provocar to cause *(1A)*

la **prueba** proof, sign, test *(8B)*

el **público fanático** fans *(8B)*

el **puerto** port *(3A)*

la **puesta en marcha** setting in motion *(8B)*

el **puesto** stand *(3B)*

pujante strong, vigorous *(7A)*

el **puñado** handful, fistful *(3A)*

el **punto de vista** point of view *(2A)*

puntualizar to emphasize *(6A)*

Q

¡Qué barbaridad! How terrible/awful! *(2B)*

¡Qué cruel! How cruel! *(2B)*

¡Qué injusticia! What an injustice! *(2B)*

¡Qué lata! What a bore! *(2A)*

¡Qué lío! What a mess! *(2A)*

¡Qué va! No way! *(1A)*

¡Qué vergüenza! How shameful!, How embarrassing! *(4A)*

quedar to be left *(1B)*

quedar bien/mal con to make a good/bad impression on *(2A)*

quedar con to arrange to meet with *(1A)*

quedar en + *infinitivo* to agree to do something *(1A)*

quedar en ver a alguien to agree to see someone *(4B)*

quedarse to stay *(3A)*

quedarse ciego to become blind *(8B)*

quedarse mudo, -a to be speechless *(4B)*

quedarse para to stay for *(3A)*

el **quehacer** duty *(5B)*

quejarse de to complain about *(2A)*

quemar to burn *(3A)*

quieto, -a still, calm *(2B)*

el/la **quinceañero/a** fifteen-year-old *(2A)*

la **quinua** quinoa *(Bolivian grain) (3B)*

quitar to remove *(3A)*

R

la **raíz** root *(2B)*

rara vez rarely, not usually *(1A)*

raro, -a strange *(1B)*

el **rasgo** feature *(2A)*; characteristic *(4A)*

la **raza** race *(ethnicity) (2B)*

el **realismo mágico** magical realism *(5A)*

realista realistic *(2A)*

realizar to accomplish, carry out, fulfill, achieve *(2B)*, *(6A)*

realmente really; actually *(4A)*

reavivar to rekindle; to revive *(6B)*

rebajado, -a reduced *(1A)*

rebajar to lower *(1A)*

rebelde rebellious *(2A)*

recaer en to go to *(prize, award) (6B)*

la **receta** prescription *(6B)*

rechazar to reject *(3A)*, *(8B)*

el **rechazo** denial *(1B)*

recién pasado just passed *(8B)*

reciente recent *(1A)*

recluir to confine *(5A)*

recoger to pick up, gather *(1A)*, *(5B)*

reconfortar to comfort *(7B)*

recordar (ue) to remember *(4B)*

recorrer to go through, cross; to travel *(6A)*, *(8B)*

el **recorte** clipping *(8B)*

recto, -a straight *(5B)*

el **recuerdo** memory *(2A)*

recuperar to recover *(8A)*; to retrieve *(8B)*

recurrir a to turn to, resort to *(5B)*

el **recurso natural** natural resource *(7A)*

la **red inalámbrica** wireless network *(7A)*

la **Red Mundial** WWW *(7A)*

la **redacción** written piece, writing *(1B)*

redactar to draft, write *(5B)*, *(7A)*

reducir to reduce *(4A)*

referirse (ie, i) a to refer to *(5B)*

refinado, -a refined *(3A)*

la **refinería** refinery *(7B)*

reforzar (ue) to strengthen *(5B)*

refractorio, -a resistant, unmanageable *(5B)*

regalar to give (*a present*) *(4A)*; to give away *(7A)*

la **regalía** royalty *(8A)*

regañar to scold, rebuke, tell off *(2A)*

regar (ie) to water *(3B)*

el **régimen** diet *(3B)*

el **régimen político** political regime *(1B)*

regresar a to return to; — **de** to return from *(1A)*

rehusar to refuse *(5A)*

reírse (i) de to laugh at *(1A)*

el **relato** tale, story *(1A)*

el/la **remero/a** rower *(6A)*

remitir to send *(6B)*

el **remo** rowing *(6A)*

la **remoción** removal *(7B)*

remontarse a to go back to *(5B)*

el **Renacimiento** Renaissance *(8A)*

la **rencilla** quarrel *(5A)*

el **rendimiento** performance *(5B)*, *(6A)*

reñir (i, i) to quarrel *(1A)*

rentable profitable, worthwhile *(3B)*

la **renuncia** resignation *(8A)*

renunciar (a) to resign, quit, renounce *(1B)*, *(4B)*

el **reparto** cast (*of characters*); distribution *(3B)*, *(4B)*

repentino, -a sudden *(2B)*

reponer fuerzas to recover *(2A)*

la **represalia** retaliation *(7B)*

el **requisito** requirement *(4B)*

resarcir to repay, compensate *(5A)*

rescatar to rescue *(4A)*, *(7B)*

la **reseña** critque, review *(5A)*

la **reserva de plaza** reservation *(1A)*

residir to live, reside *(1B)*

resistirse a to resist *(2B)*

respaldado, -a endorsing *(7A)*

respaldar to back up, endorse *(7A)*, *(8A)*

el **respaldo** endorsement *(6B)*

respetado, -a respected *(4B)*

restituir to restore *(8A)*

restringido, -a restricted, limited *(5B)*

retar to challenge *(2A)*

retener datos to retain data *(5B)*

retirarse to retire *(8A)*

el **reto** challenge *(1A)*, *(5B)*

retrasar to delay *(8A)*

el **retraso** delay *(4B)*

el **retrato** portrait *(8B)*

el **retroceso** backward step *(7A)*

revoltoso, -a rebellious *(2A)*

rico, -a good, delicious *(3A)*

ridículo, -a ridiculous, absurd *(4B)*

el **riesgo** risk *(1B)*

la **rima** rhyme *(5B)*

el **rincón** corner *(1B)*

el **ritmo** rhythm *(5B)*

rodar (ue) to film *(4B)*; — **una película** to film a movie *(8A)*

rodeado, -a surrounded *(1A)*

rodear(se) to surround, (be surrounded) *(4A)*

rogar (ue) to beg, plead *(3B)*

rollizo, -a stocky, plump *(8A)*

el **rollo** bore (*slang*) *(2A)*

romper con to break up with *(2A)*

el **rostro** face *(1A)*

rotundo, -a categorical, flat (*denial, statement, etc.*) *(6A)*

rudo, -a coarse *(4B)*

la **rueda de prensa** press conference *(4A)*

rumorear to rumor *(5A)*

la **ruptura** break *(8A)*

S

la **sabiduría** wisdom *(1A)*, *(8B)*

sabio, -a wise *(4B)*

el/la **sabio/a** scholar, learned/wise man/person *(5A)*

el **sabor** flavor *(3A)*

sacar a la luz to bring something to light *(5B)*

sacar partido de to profit from *(2A)*

salado, -a salty *(3A)*

la **salida** exit *(4B)*

salir bien to go well, turn out well *(2B)*

el **salón** living room *(1A)*

el **salto a la fama** jump to fame *(4B)*

la **salud pública** public health *(7B)*

saludable healthy *(2B)*

la **salvaguardia** safeguard *(7B)*

salvar to save *(2B)*

sano, -a healthy *(3B)*

saquear to loot, plunder, ransack *(5A)*

la **sátira** satire *(5A)*

la **sazón** flavoring, seasoning *(3A)*

se mire por donde se mire wherever one looks *(2A)*

seco, -a dry *(3A)*

la **sede** seat, headquarters *(6A)*, *(7A)*

sedentario, -a sedentary *(3B)*

seguidamente next *(7A)*

el/la **seguidor(a)** follower *(8B)*

el **seguimiento** tracking, monitoring *(7B)*

seguir vigente to continue to be valid *(8A)*

según according to *(1B)*

seleccionar to select *(6B)*

el **sello** stamp *(1A)*

semántico, -a semantic *(5B)*

sembrado, -a sown, seeded *(4B)*

la **semilla** seed *(3A)*

la **señal** sign, signal *(4A)*

señalar to point (to), indicate, show, point out *(2A)*

sencillo, -a simple *(1A)*; single *(8B)*

sensato, -a sensible *(2B)*

sensible sensitive *(2B)*

sentarse (ie) en to sit down on/in *(1A)*

sentenciar to give one's opinion *(7A)*

el **sentido del humor** sense of humor *(4B)*

el **sentimiento** feeling *(4A)*

la **sequía** drought *(7B)*

ser indispensable to be indispensable *(4A)*

ser parte de to be part of *(6A)*

el **ser querido** loved one *(2B)*

ser reacio a to be reluctant to *(4A)*

los **seres de otros mundos** beings from other worlds *(4B)*

servir (i, i) con to serve with *(3A)*; — **de** to serve as *(5A)*

el **seudónimo** pseudonym, pen name *(5A)*

el **siguiente paso** the next step *(1A)*

silencioso, -a quiet, silent *(2B)*

la **silla eléctrica** electric chair *(4B)*

silvestre wild *(1A)*

el **símil** simile *(5B)*

sin cesar ceaseless *(4A)*

sin embargo nevertheless *(2A)*

sin fronteras without limits (borders) *(8A)*

sin ninguna duda without (any) doubt *(2A)*

el **sinfín** great many *(5A)*

el **sinónimo** synonym *(5B)*

el **sinsabor** trouble *(5B)*

sintáctico, -a related to syntax *(5B)*

el **síntoma** symptom *(2A)*

el/la **sinvergüenza** shameless person, rascal, scoundrel *(4A)*

el **sismo** earthquake *(7A)*

el/la **soberano/a** sovereign *(4B)*

el/la **sobornador(a)** person who bribes *(6B)*

sobornar to bribe *(6A)*

el **soborno** bribe *(6B)*

sobrar to be more than enough, be too much *(1B)*

sobrecogerse to be moved, deeply affected *(4A)*

la **sobreexplotación** overexploitation *(7A)*

sobreexplotar to overexploit *(7B)*

el **sobrepeso** excessive weight *(3B)*

sobrevivir to survive *(2B)*, *(7A)*

sofreír (i) to sauté, fry lightly *(3A)*

la **soja** soy, soya; soybean *(3B)*

sojuzgar to subdue, subjugate, dominate *(8B)*

la **soledad** loneliness; solitude *(1A)*

soler (ue) to be in the habit of *(1A)*

solicitar to ask for, request *(2B)*, *(7B)*

la **solicitud** application *(1B)*

solidario, -a in solidarity, supportive *(2A)*

soltar (ue) to let go of; to untie *(8B)*

solucionar to (re)solve *(4A)*, *(6B)*

el/la **sonámbulo/a** sleepwalker *(4A)*

soñar (ue) con to dream about *(1B)*

sonar (ue) to sound *(8A)*

el **sondeo** poll *(2A)*

el **soneto** sonnet *(5B)*

el **sonido** sound *(5B)*

sonrojarse to blush *(4B)*

soportar to bear, endure *(2A)*

sórdido, -a nasty, mean *(8B)*

sorprendente surprising *(3A)*

sorprender to surprise *(1B)*

el **sosiego** serenity, peace, tranquility *(1A)*, *(7A)*

soso, -a bland *(3A)*

la **sospecha** suspicion *(2B)*

sostener to support *(7B)*

el **sostenimiento** maintenance, support *(6A)*

la **subalimentación** undernourishment *(3B)*

la **subasta** auction *(8A)*

súbito, -a sudden *(6A)*

el **subtítulo** subtitle *(8A)*

suceder to occur, happen *(2A)*

el **suceso** event *(4B)*

sudoroso, -a sweaty *(4A)*

el **sueldo** salary *(2B)*

sufrir en su propia carne to suffer in one's own skin *(4B)*

el **sujeto** subject *(person)*, individual *(2B)*

sumergirse to be submerged *(4A)*

superarse to excel *(2B)*, *(8A)*)

la **supervivencia** survival *(7A)*

el **suplicio** torture *(4B)*

supremo, -a ultimate *(4B)*

el **surgimiento** emergence *(7B)*

surgir to come up *(1A)*

T

el **tablón de anuncios** bulletin board *(1A)*

el **tacto** *(sense of)* touch *(8B)*

la **tajada** slice *(3A)*

tajante definitive *(answer, remark)* *(6A)*

tajantemente categorically *(2B)*

talar to cut down, fell *(trees)* *(7A)*

talentoso, -a talented *(4B)*

el **taller** workshop *(8B)*

el **tamaño** size *(2A)*

el/la **tanguero/a** tango singer or dancer *(8A)*

tanto, -a so much; *(pl.),* so many, as many *(1B)*

tardar en to take time to *(1B)*

tarde o temprano sooner or later *(2A)*

tartamudear to stutter *(2A)*, *(4B)*

la **tasa** rate *(3B)*

el **tatuaje** tattoo *(2A)*

taurino, -a related to bullfighting *(6B)*

tecnológico, -a technological *(7A)*

la **tela** cloth, fabric, material *(8A)*

el **teléfono celular/móvil** cell phone *(7A)*

el **teléfono fijo** landline phone *(7A)*

la **telenovela** soap opera *(4B)*

el/la **televidente** TV viewer *(4B)*

el **tema** subject *(2B)*

el **temor** fear *(2A)*, *(5A)*

la **temporada** season *(1A)*, *(6A)*

temprano early *(1A)*

tender a to tend to, incline *(3B)*

tener el alma en vilo to be worried *(2B)*

tener buen olfato to have good judgment *(4B)*

tener buena (mala) pinta to look good (bad) *(3A)*

tener éxito to succeed, be successful *(4B)*

tener falta de sueño to be deprived of sleep *(1A)*

tener ganas de to feel like *(2B)*

tener la manía to have this quirk/ funny little way *(4A)*

tener la oportunidad de to have the opportunity to *(6A)*

tener lugar to take place *(2B)*

tener mala cara to look bad *(1A)*

tener motivos para to have reasons for *(2A)*

tener por to take for, considered *(2A)*

tener un don to have a special gift *(for doing something)* *(4A)*

tener un efecto en to have an effect on *(6B)*

tener un éxito rotundo to have a resounding success (4B)

tener vigencia to be in effect (6A)

tenerlo claro to understand (it) (1B)

teñido, -a dyed (2A)

el/la **tenista** tennis player (6A)

tenso, -a tense, stressed (2B)

el **terceto** stanza with 3 verses (5B)

el **tercio** one-third (1A)

terminar por to end up (2B)

la **ternura** tenderness (4B), (5A)

el **terremoto** earthquake (7A)

el **terreno** field (2A)

el **tesón** determination, tenacity (4B)

el/la **testigo** witness (6B)

el **tiburón** shark (7B)

el **tiempo** *(verbal)* tense (of a verb) (2B)

el **tiempo libre** free time (6A)

la **tierra batida** clay court (6A)

la **timidez** shyness (4A)

tímido, -a timid, shy (4A)

el **tino** common sense (2A)

el **tipo** type, sort, guy (2A)

tirar ejemplares to print copies (5B)

el **tiro al arco** archery (6B)

tolerante tolerant (2A)

tolerar to tolerate (2B)

tomar cuerpo to embody (5B)

tomar en cuenta to take into account (3B)

tónico, -a accentuated (5B)

la **tontería** silly/stupid thing (4A)

toparse con to bump into (5A)

el **toque** touch; beat (1A), (8A)

torear to fight bulls (6B)

el **toreo** *(art of)* bullfighting (6B)

el **torero** bullfighter (6B)

torpe clumsy (4B)

tosco, -a rude (4B)

el **trabajo** (term) paper (4B)

el **trabalenguas** tongue twister (5B)

la **tragedia** tragedy (5A)

la **trampa** trap (4A)

tranquilo, -a calm (4A)

transgénico, -a genetically modified (7A)

tras after, behind (5A)

el **trastorno** disorder (4A)

tratar de to try to (1B); **-se de** to be about (3B)

el **trato** deal, treatment (4B)

la **travesura** prank (3B)

la **trayectoria** trajectory, path (4B)

trazar to outline, describe (1B)

el/la **treintañero/a** thirty-year-old (2A)

tremendo, -a terrible, tremendous (4A)

tres cuartos de three-quarters of (1A)

triunfar to triumph (2B)

tropezar (ie) con to bump into (4B)

tumbarse to lie down (2A)

U

últimamente lately (2B)

último, -a last (1A)

unirse a to join (5A)

el/la **usuario/a** user (7B)

V

la **valentía** valor (4B)

valer la pena to be worth it, worth the trouble (3A)

valiente brave (4B)

la **valla** hurdle (6B)

el **valor** courage (2B)

valorar to value (1B)

valorizar to value (3B)

vanguardista modernist (5A)

variopinto, -a miscellaneous (8B)

el **varón** male (4B)

vasto, -a vast, immense (3B)

el/la **veinteañero/a** twenty-year-old (2A)

la **vejez** old age (2B)

la **velada** evening (get-together) (3A)

velar to watch over (3B)

velar por to watch out for (6A)

vencer to defeat (6A)

¡venga ya! are you kidding/serious? (4B)

venidero, -a future (3B)

venir a to come to (6A)

la **ventaja** advantage (7A)

ver todo "color de rosa" to see everything through rose-colored glasses (4A)

verdadero, -a actual, true (4B)

la **vergüenza** shame, embarrassment (4A)

la **versificación** versification (5B)

la **versión inédita** unedited version (8B)

el **verso blanco** blank verse (5B)

el **verso libre** free verse (5B)

verter (ie) to pour, spill (7B)

viajar por to travel by (1B)

el/la **viajero/a** traveler (1A)

vibrar to vibrate, quiver (4A)

el **vicio** vice (4A)

el/la **vidente** clairvoyant (8B)

el **videojuego** videogame (8B)

vigilar to watch (3B)

la **vinculación** connection, link (5A)

vinculado, -a connected, linked (5A)

vincular to link (1A)

el **vínculo** link, bond (8B)

el/la **visionario/a** visionary (4B)

la **vista** view (1A)

la **viuda** widow (1A)

vivaz lively (7A)

volar (ue) to fly (1A)

el **voluntariado** voluntary service (2A)

el/la **voluntario/a** volunteer (2B)

volver(se) (ue) to go back (1A); to turn into, become (4A)

el/la **votante** voter (4B)

Y

ya no no longer (1B)

ya que since (4A)

yacer to lie (recline) (2B)

Z

la **zapatilla** sneaker, tennis shoe (6A)

English-Spanish Vocabulary

A

abandonment el abandono (2B)

ability la capacidad (4A)

to abolish derogar (5A)

about the matter al respecto (7B)

abrupt brusco, -a (4A)

to absorb amortiguar (2B)

absurd absurdo, -a (4B); disparatado, -a (5A); ridículo, -a (4B)

the absurdity of the situation lo absurdo de la situación (4A)

abundant copioso, -a (3A)

to abuse abusar de (2B); maltratar (4A)

accent el acento (5B)

accentuated tónico, -a (5B)

accentuation la acentuación (5B)

accident el percance (1A), (4B)

acclaim la consagración (4B)

acclaimed aclamado, -a (4B)

accommodations el alojamiento (1A)

to accomplish realizar (2B), (6A)

according to según (1B)

to achieve conseguir (i, i) (1B); lograr (1A); realizar (2B), (6A)

achievement el logro (4B)

acknowledgment of receipt acuse de recibo (5B)

to act actuar (4B); hacer un papel (8A)

acting la interpretación (4B)

action la gestión (4B)

actual verdadero, -a (4B)

actually realmente (4A)

to add (to) agregar (a) (2B), (6A); añadir (a) (3A)

adept adepto, -a (2A)

admiration la admiración (4A)

to admire admirar (4A)

adornments los abalorios (1B)

adulthood la edad adulta (2A)

advantage la ventaja (7A)

adventures las andanzas (7B)

adventurous aventurero, -a (1A)

advertising campaign la campaña publicitaria (4B)

advertising strategy la estrategia publicitaria/de propaganda (3B)

to advise asesorar (5B)

aesthetic estético, -a (5B)

aesthetics la estética (8B)

affection el cariño (1A)

affectionate cariñoso, -a (4A)

affectionately cariñosamente (4A)

affluent opulento, -a (1B)

after tras (5A)

again de nuevo (8B)

to agree asentir (ie, i) (1B)

to agree to do something quedar en + infinitivo (1A)

to agree to see someone quedar en ver a alguien (4B)

agreement el convenio (7A)

agricultural worker el/la campesino/a (1B)

air quality la calidad del aire (7B)

alarming alarmante (2B)

alien extraterrestre (4B)

allergic alérgico, -a (4A)

to allow dar pie a (6B)

allowed minutes los minutos permitidos (7A)

along a lo largo de (1A)

alphabet el abecedario (5B)

also asimismo (4B), (6B)

to alternate alternar (5B)

amazing asombroso, -a (1A)

to amuse oneself with entretenerse con (2A)

analyst el/la analista (8A)

ancestor el/la antepasado/a (4B)

Andalusian andaluz(a) (5A)

anger la ira (4A); el coraje (2B)

angered provocado, -a (4A)

to annotate anotar (5A)

to annoy fastidiar (1B), (7B)

annual anual (1B)

antiquity la antigüedad (3B)

antonym el antónimo (5B)

apart from además de (3A)

apparently por lo visto (2A)

appearance la facha (colloquial) (2A); la pinta (2A)

appetite el apetito (3A)

to applaud aplaudir (8B)

application la solicitud (1B)

to appreciate agradecer (4B)

to appreciate (in value) apreciar (4B)

apprentice el/la aprendiz(a) (8B)

apprenticeship el aprendizaje (5B), (7A)

to approach abordar (2B); acercarse (a) (6B)

appropriate adecuado, -a (3A)

archery el tiro al arco (6B)

architect el/la arquitecto/a (8A)

architectural arquitectónico, -a (7A)

architecture la arquitectura (8A)

are you kidding/serious? ¡venga ya! (4B)

armed conflict el conflicto armado (2B)

army el ejército (2B)

around (prep.) alrededor (2A)

to arrange to meet with quedar con (1A)

arrival la llegada (1A)

to arrive at llegar a (1A)

art for art's sake el arte por el arte (8B)

to articulate articular (5B)

artistic artístico, -a (8A)

arts las artes (8A)

as soon as possible cuanto antes (1B)

to ask for solicitar (2B), (7B)

assembly el montaje (8A)

to assist ayudar (a) (4B)

to assume asumir (2A)

to assure asegurar (2A), (4A)

astonishing asombroso, -a (1A)

at first de primeras (1A)

at least al menos (4A)

athlete el/la atleta (6A)

atmosphere el ámbito (6B)

to attain lograr (1A)

to attempt intentar (1A)

to attend asistir a (8A)

attitude la actitud (2B)

to attract atraer (4A)

to attract attention llamar la atención (4A)

auction la subasta (8A)

audacity la audacia (4B)

autobiography la autobiografía (4B)

autograph el autógrafo (4B)

available disponible (6B)

average el promedio (1A), (5A)

to avoid eludir (4A)

award el galardón (4B), (6B); el premio (2B)

to award conceder (8B); premiar (4B)

awarded galardonado, -a (7A); laureado, -a (5A)

axiom el postulado (6A)

B

to **back up** respaldar (7A), (8A)

background el fondo (8B)

backward step el retroceso (7A)

balance el equilibrio (3B)

ball game el juego de pelota (6A)

barely apenas (1B), (5A)

base runner el/la corredor(a) en base (6A)

baseball player el/la beisbolista (6A)

basin la cuenca (7A)

basketball el básquetbol, el baloncesto (6A)

basketball player el/la baloncestista, basquetbolista (6A)

Basque ball game la pelota vasca (6A)

to **be about** tratarse de (3B)

to **be about to** estar a punto de (4A)

to **be absent-minded** estar en las nubes (4A)

to **be advisable** convenir (ie) (1B), (4A)

to **be ashamed of** avergonzarse (ue) de (2A)

to **be born** nacer (2B)

to **be characterized by** caracterizarse por (5B)

to **be composed of** componerse de (5B)

to **be connected with** entroncar con (3B)

to **be convenient** convenir (ie) (1B), (4A)

to **be dead tired** estar muerto de cansancio (1B)

to **be deeply affected** sobrecogerse (4A)

to **be deprived of sleep** tener falta de sueño (1A)

to **be easy (hard) on the eyes** (no) entrar por los ojos (3A)

to **be enough** bastar (1B), (6A)

to **be equivalent** equivaler (8A)

to **be far from ready** estar muy verde (6A)

to **be fed up with** estar harto de (3A)

to **be finger-licking good** estar para chuparse los dedos (3A)

to **be happy (about)** alegrarse (de) (3B)

to **be happy/satisfied with** contentarse con (2A)

to **be headed by** correr a cargo de (5B)

to **be in a good (bad) mood** estar de buen (mal) humor (4A)

to **be in charge of** estar a cargo de (3A)

to **be in effect** tener vigencia (6A)

to **be in fashion/vogue** estar en boga (3A)

to **be in line with** enmarcarse en (6B)

to **be in the habit of** soler (ue) (1A)

to **be in training** estar entrenándose (6B)

to **be inclined/leaning toward** decantarse por (4B)

to **be indispensable** ser indispensable (4A)

to **be lacking** carecer de (5B)

to **be left** quedar (1B)

to **be mistaken** equivocarse (1B)

to **be more than enough** sobrar (1B)

to **be moved** sobrecogerse (4A)

to **be out of fashion** estar pasado, -a de moda (4B)

to **be part of** ser parte de (6A)

to **be pleasing** agradar (1B)

to **be reachable/obtainable** estar al alcance de (1A)

to **be reluctant to** ser reacio a (4A)

to **be satisfied with** conformarse con (2A)

to **be sincere** para ser sincero (2A)

to **be speechless** quedarse mudo, -a (4B)

to **be submerged** sumergirse (4A)

to **be successful** tener éxito (4B)

to **be too much** sobrar (1B)

to **be unable to cope with** no poder con (7A)

to **be unaware of** ignorar (4B)

to **be up-to-date** actualizarse (3A); estar al tanto de (1A)

to **be willing (to)** estar dispuesto, -a (a) (1A), (4B)

to **be worried** tener el alma en vilo (2B)

to **be worth it** merecer la pena (3A); valer la pena (3A)

to **be wrong** equivocarse (1B)

bead el abalorio (1B)

to **bear** aguantar (4A); soportar (2A)

beat el toque (1A), (8A)

to **beat** batir (3A); latir (4A)

to **beat (up)** golpear (2B)

beautiful bello, -a (5B)

beauty la belleza (1A), (8A)

because of por culpa de (1B)

to **become** ponerse (2A); volver(se) (ue) (4A)

to **become blind** quedarse ciego (8B)

to **become involved in** envolverse (ue) en (5A)

to **become tired of** cansarse de (2A)

to **become very interested in** apasionarse por (2B)

to **beg** rogar (ue) (3B)

to **begin** iniciar (3A)

to **begin to** empezar (ie) a (3B); ponerse a (4A)

beginning from a partir de (3B)

to **behave** comportarse (4B); portarse (2A)

behavior el comportamiento (2A), (4A)

behind tras (5A)

beings from other worlds los seres de otros mundos (4B)

belief la creencia (2B)

to **belong (to)** pertenecer (a) (1B), (2A)

belt el cinturón (1A)

benefit el beneficio (1B)

to **benefit from** beneficiar de (3B)

besides además de (3A)

best quality la mayor calidad (3B)

bet la apuesta (6B)

to **bet (on)** apostar (ue) (por) (3A), (6A)

bettor (person who bets) el/la apostador(a) (6B)

between life and death entre la vida y la muerte (4A)

bigmouth el/la bocazas (4B)

bill (currency) el billete (1B); la factura (3B)

biography la biografía (4B)

bird el ave (f.) (4B)

bitter amargo, -a (3A)

blabbermouth el/la bocazas (4B)

bland soso, -a (3A)

blank verse el verso blanco (5B)

blood enhancement (doping) el dopaje sanguíneo (6B)

to **blush** sonrojarse (4B)

to **boast** presumir de (2A); alardear (3A)

bodybuilder el/la culturista (6B)

to **boil** hervir (ie, i) (3A)

bold audaz (8B)

boldness la audacia (4B)

to **bombard** bombardear (3B)

bond el vínculo (8B)

bone el hueso (3B)

bore el rollo, la lata (*slang*) (*2A*); **What a bore!** ¡Qué rollo/lata! (*2A*)

to **bore** aburrir (*1B*)

bossy mandón/mandona (*4A*)

to **bother** fastidiar (*1B*), (*7B*); molestar (*1B*)

bothersome molesto, -a (*7B*)

bottleneck el atasco (*1A*)

box-office hit el éxito taquillero (*8A*)

brain el cerebro (*2B*)

brand (name) la marca (*2A*)

brave valiente (*4B*)

break la ruptura (*8A*)

to **break up with** romper con (*2A*)

breast (*of fowl*) la pechuga (*3A*)

bribe el soborno (*6B*)

to **bribe** sobornar (*6A*)

briber el/la sobornador(a) (*6B*)

bright color el color vivo (*8B*)

brilliant brillante (*4B*)

to **bring about** ocasionar (*7B*)

to **bring something to light** sacar a la luz (*5B*)

broth el caldo (*3B*)

bruise (*on fruit*) la maca (*3B*)

budget el presupuesto (*3B*), (*8A*)

to **build** construir (*8A*); edificar (*8A*); erigir (*6A*)

building la edificación (*1A*)

bulletin board el tablón de anuncios (*1A*)

bullfight la corrida de toros (*6B*)

bullfighter el torero (*6B*)

bullfighting el toreo (*6B*)

bullfighting (*adj.*) taurino, -a (*6B*)

to **bump into** toparse con (*5A*); tropezar (ie) con (*4B*)

to **burn** arder (*3A*); quemar (*3A*)

to **bury** enterrar (ie) (*2B*)

business la compañía (*3B*); la empresa (*3B*)

business owner el/la empresario/a (*2B*), (*4B*)

by little por poco (*2A*)

by means of mediante (*7A*)

by what por lo que (*1B*)

C

cadence la cadencia (*5B*)

to **call together** convocar (*3A*)

calm quieto, -a (*2B*); tranquilo, -a (*4A*)

campaign la campaña (*3B*), (*4B*)

canvas el lienzo (*8A*)

capable capaz (*4A*)

capital letter la mayúscula (*2A*)

capricious caprichoso, -a (*3B*)

career la carrera (*2B*)

careful esmerado, -a (*3A*)

Caribbean caribeño, -a (*8A*)

carrier pigeon la paloma mensajera (*4B*)

to **carry out** cumplir con (*4B*); desempeñar(se) (*2B*), (*7B*); llevar a cabo (*5B*); realizar (*2B*), (*6A*)

cartoon el dibujo animado (*4B*)

cast (*of characters*) el reparto (*3B*), (*4B*)

Castilian castellano, -a (*8A*)

to **catch up with** alcanzar (*3B*)

categorical (*denial, statement, etc.*) rotundo, -a (*6A*)

categorically tajantemente (*2B*)

to **cause** ocasionar (*7B*); provocar (*1A*)

to **cease** cesar (*2B*)

ceaseless sin cesar (*4A*)

to **celebrate** festejar (*7B*)

cell phone el teléfono celular/móvil (*7A*)

cement el cemento (*6A*)

to **censor** censurar (*8B*)

censorship la censura (*1B*)

chain la cadena (*4B*)

challenge el reto (*1A*), (*5B*)

to **challenge** desafiar (*1A*); disputarse (*6A*); retar (*2A*)

challenging desafiante (*1A*)

champion el/la campeón/campeona (*6A*)

championship el campeonato (*6A*)

character (*personality*) el carácter (*2A*); (*literary*) el personaje (*2B*)

characteristic el rasgo (*4A*)

to **characterize** estilizar (*3B*)

charge (*accusation*) el cargo (*7A*); (*expenses*) cobro (*7A*)

to **charge** cobrar (*1B*)

charismatic carismático, -a (*4B*)

charity las obras benéficas (*2B*)

to **charm** encantar (*1B*)

charming encantador(a) (*4B*)

cheerleader el/la porrista (*6B*)

chemical el producto químico (*3B*)

child el/la crío/a (*4A*)

childhood la infancia (*2B*); la niñez (*2A*)

china la loza (*3A*)

chocolate candy el bombón (*4A*)

to **choose** elegir (i,i) (*4A*); escoger (*4B*)

to **chop** picar (*3A*)

chronological order el orden cronológico (*7A*)

cinnamon la canela (*3A*)

citizen el/la ciudadano/a (*1B*)

clairvoyant el/la vidente (*8B*)

clay la arcilla (*6A*); el barro (*3A*)

clay (*court*) la tierra batida (*6A*)

to **cling to** aferrarse a (*5A*)

clipping el recorte (*8B*)

close íntimo, -a (*2B*)

to **close the gap** cerrar (ie) la brecha (*8A*)

cloth la tela (*8A*)

cloud la nube (*1A*)

clove (of garlic) el diente (de ajo) (*3A*)

clumsy torpe (*4B*)

to **coach** entrenar (*6B*)

coarse rudo, -a (*4B*)

coastal costero, -a (*7A*)

code el código (*7A*)

coexistence la convivencia (*2B*)

to **collaborate** colaborar (*8B*)

to **come between** mediar (*6A*)

to **come from** emanar (*5B*); provenir de (*3A*)

to **come to** venir a (*6A*)

to **come up** surgir (*1A*)

comedian el/la comediante (*4B*)

comedy la comedia (*5A*)

to **comfort** consolar (ue) (*2A*); reconfortar (*7B*)

coming from procedente de (*7B*)

command of languages el dominio de lenguas (*7A*)

to **commemorate** conmemorar (*1B*)

to **commend oneself to** encomendarse (ie) a (*2B*)

commentator el/la comentarista (*4B*)

commissioner el/la comisionado/a (*6A*)

to **commit** cometer (*2B*)

common corriente (*7A*)

common sense el tino (*2A*)

company la compañía (*3B*); la empresa (*3B*)

comparison el cotejo (*5B*)

compatibility la compatabilidad (*5B*)

compatriot el/la compatriota (*4B*)

to **compensate** resarcir (*5A*)

to **compete with** competir (i, i) con *(6B)*

competition la competencia *(6A)*; la competición *(6A)*

competitor el/la contrincante *(8A)*

to **complain about** quejarse de *(2A)*

complete amplio, -a *(4A)*

completely cabalmente *(5A)*

complex complejo, -a *(2A)*, *(4A)*

compliance el acatamiento *(5A)*

to **comply with** cumplir con *(4B)*

composer el/la compositor(a) *(8A)*

computer la computadora, el computador; el ordenador *(7A)*

to **concentrate on** concentrarse en *(6A)*

concern la inquietud *(4A)*

conclusive contundente *(3A)*

conduct la conducta *(4A)*

conference el congreso *(2B)*

to **confess** confesar (ie) *(2B)*

confidence la confianza *(4A)*

to **confine** recluir *(5A)*

conjecture la conjetura *(2A)*

to **connect with** conectarse con *(7A)*

connected vinculado, -a *(5A)*

connection la vinculación *(5A)*

to **consent** asentir (ie, i) *(1B)*

conservative conservador(a) *(4B)*

to **conserve** conservar *(1B)*

to **consist of** constar de *(5B)*

to **console** consolar (ue) *(2A)*

to **consume** consumir *(3B)*

consumer el/la consumidor(a) *(3B)*

consumption el consumo *(3B)*; la ingesta *(3B)*

contemporary contemporáneo, -a *(5A)*

contents el contenido *(5A)*

contest la competición *(6A)*

continuance la permanencia *(6B)*

to **continue to be valid** seguir vigente *(8A)*

to **contract** contratar *(4A)*

contractor el/la contratista *(7B)*

to **contradict** contradecir *(6B)*

to **contribute (to)** aportar (a) *(3B)*, *(8A)*; contribuir (a) *(5B)*

contribution la aportación *(7B)*

controversy la polémica *(6A)*, *(8B)*

to **convene** convocar *(3A)*

to **convince** convencer *(1A)*

convincing contundente *(3A)*

to **cook** cocer (ue) *(3A)*

corncob la mazorca *(3A)*

corner el rincón *(1B)*

to **corner** (*the market*) acaparar *(8A)*

cornering (*of the market*) el acaparamiento *(7A)*

to **correct** corregir (i, i) *(5B)*

to **cost** costar (ue) *(4A)*

to **count on** contar (ue) con *(2B)*

coup(d'état) el golpe de estado *(1B)*

courage el valor *(2B)*

court (*sports*) la pista *(6A)*

courtesy la cortesía *(7B)*

cover (*of a book*) la portada *(2B)*, *(5A)*

cover (*plate, napkin, etc. set for each* comensal) el cubierto *(3A)*

coverage la cobertura *(6A)*

covered cubierto, -a *(3A)*

cozy acogedor(a) *(3A)*

cradle la cuna *(6A)*

to **crave** apetecer *(1B)*

craving el antojo *(1B)*

to **create** crear *(8B)*; plasmar *(8A)*

criminal el/la delincuente *(2B)*

critic el/la crítico/a *(8A)*

criticism la crítica *(5A)*

critique la crítica *(5A)*; la reseña *(5A)*

crop el cultivo *(3A)*

to **cross** recorrer *(6A)*, *(8B)*

crowd la muchedumbre *(1A)*; la multitud *(2B)*

cultured culto, -a *(8A)*

curator el/la curador(a) *(8B)*

curiosity la curiosidad *(4B)*

curiously curiosamente *(4A)*

to **curl up (in)** acurrucarse (en) *(4B)*

current actual *(4B)*

current events las actualidades *(8A)*

to **cushion** amortiguar *(2B)*

to **cut** cortar *(3A)*

to **cut down** talar *(7A)*

cycling el ciclismo *(6A)*

cyclist el/la ciclista *(6A)*

D

daily cotidiano, -a *(5B)*; diario, -a *(1B)*

dairy lácteo, -a *(3B)*

damage el daño *(2B)*; el deterioro *(7A)*

to **damage** dañar *(3B)*

dance la danza *(8A)*

to **dance** danzar *(8A)*

dancer el/la bailarín/bailarina *(8A)*

dangerous peligroso, -a *(1A)*

to **dare to** atreverse a *(1A)*

daring atrevido, -a *(2A)*

darling (*in direct speech*) cariño *(1A)*

to **date from** datar de *(1A)*

dazzling deslumbrado, -a *(8B)*

deadly letal *(4B)*

deal el trato *(4B)*

dean (*of a university*) el/la decano/a *(1B)*

to **debut** debutar *(8A)*

decade la década *(4B)*

to **deceive** engañar *(3B)*

deception el engaño *(2B)*

to **decide** acordar (ue) *(2B)*

to **decode** descifrar *(5B)*

deep profundo, -a *(1A)*

deep down en el fondo *(1B)*

deeply rooted arraigado, -a *(2B)*

to **defeat** derrotar *(5A)*, *(6A)*; vencer *(6A)*

defense (*defensive player*) el/la defensa *(6A)*

defenseless desamparado, -a *(2B)*

deficiency la carencia *(7B)*; deficiencia *(3B)*

definitive (*answer, remark*) tajante *(6A)*

to **degrade** degradar *(4B)*

dehydrated deshidratado, -a *(7A)*

delay el atraso *(6A)*; el retraso *(4B)*

to **delay** retrasar *(8A)*

delayed con retraso *(1A)*

delicacy el manjar *(3A)*

delicious rico, -a *(3A)*

to **delight** encantar *(1B)*

delinquency la delincuencia *(2B)*

delinquent el/la delincuente *(2B)*

delivery la entrega *(8A)*

demand la demanda *(2B)*

to **demand** exigir *(7A)*

to **demonstrate** demostrar (ue) *(2B)*

denial el rechazo *(1B)*

to **depend on** depender de *(2A)*

to **deplore** deplorar *(6A)*

depressed deprimido, -a *(4A)*

depth la profundidad *(1A)*

deserted desamparado, -a *(5A)*

design el diseño *(2A)*

to **design** diseñar *(8A)*

desire la gana *(4A)*

desktop computer el/la computador(a) de escritorio *(7A)*

desperate desesperado, -a *(1B)*

destination el destino *(1A)*

deterioration el deterioro *(7A)*

determination el empeño *(6B)*; el tesón *(4B)*

to **develop into** desarrollar en *(1A)*

to **deviate** desviarse *(3B)*

to **devote oneself to** dedicarse a *(4B)*

to **die** fallecer *(4B), (5A)*

diet el régimen *(3B)*

different distinto, -a *(2B)*

difficulty el intríngulis *(5B)*

dignity la dignidad *(4B)*

dilemma el dilema *(1B)*

diner el/la comensal *(3A)*

disability la minusvalía *(6B)*

disadvantage el inconveniente *(4B)*; la desventaja *(1B)*

disappointment la decepción *(2B)*

to **discourage** desanimar *(2A)*

to **discover** hallar *(7B), (8B)*

discovery el descubrimiento *(5A)*; el hallazgo *(5A)*

to **discredit** denigrar *(1B)*

discriminated discriminado, -a *(1B)*

discus throwing el lanzamiento de disco *(6B)*

disorder el trastorno *(4A)*

to **dispatch** despachar *(3A)*

to **displace** desplazar *(2B)*

disposable desechable *(7A)*

to **dispose** disponer *(2B)*

to **disqualify** descalificar *(6B)*

distant lejano, -a *(7B)*

distinct marcado, -a *(2B)*; particular *(2B)*

to **distinguish oneself (in)** destacarse (en) *(4B)*

distinguished destacado, -a *(6A)*; eminente *(5A)*

to **distribute** *(money)* erogar *(3A)*

distribution la entrega *(8B)*; el reparto *(3B), (4B)*

to **disturb** perturbar *(1B)*

dizzy mareado, -a *(1A)*

to **do the right thing** cumplir con *(4B)*

to **do whatever is possible** hacer todo lo posible *(1B)*

domain el dominio *(6A)*

domestic hogareño, -a *(5B)*

to **dominate** sojuzgar *(8B)*

to **donate** donar *(5A)*

Don't mention it! ¡No faltaba más! *(4A)*

dough la masa *(3A)*

to **download** descargar *(7A)*

to **draft** redactar *(5B), (7A)*

drastic drástico, -a *(4A)*

to **dream about** soñar (ue) con *(1B)*

dried deshidratado, -a *(7A)*

drink: carbonated drink la bebida carbónica *(3B)*

energy drink la bebida energética *(6A)*

drive el empuje *(1B)*

to **drive** manejar *(2A), (7B)*

to **drive to/by** conducir a/por *(1A)*

droopy caído, -a *(2A)*

drought la sequía *(7B)*

dry seco, -a *(3A)*

to **dub** doblar *(8A)*

duty el quehacer *(5B)*

dyed teñido, -a *(2A)*

E

each time that cada vez que *(4A)*

eagerness el afán *(3B), (8A)*

early temprano *(1A)*

earthquake el sismo *(7A)*; el terremoto *(7A)*

economic crisis la crisis económica *(1B)*

economy la economía *(1B)*

to **edit** editar *(5B)*

educated culto, -a *(2B)*

effective eficaz *(3A), (7B)*

effectively efectivamente *(2A)*

effectiveness la eficacia *(6A)*

efficient eficaz *(3A), (7B)*

effort el esfuerzo *(2B)*; el empeño *(6B)*

eggshell la cáscara *(3A)*

elderly man/woman el/la anciano/a *(2A)*

electric chair la silla eléctrica *(4B)*

elegy la elegía *(5A)*

to **eliminate** descartar *(4A)*; acabar con *(7A)*

to **elude** eludir *(4A)*

to **emancipate** emancipar *(2B)*

to **embark (on something)** embarcar en *(1B)*

embarrassed avergonzado, -a *(2B)*

embarrassment la vergüenza *(4A)*

to **embody** tomar cuerpo *(5B)*

to **embrace** abarcar *(8A)*

emergence el surgimiento *(7B)*

to **emigrate** emigrar *(6B)*

to **emphasize** puntualizar *(6A)*

empirical *(from experience)* empírico, -a *(6B)*

employment el empleo *(1B)*

to **encourage** fomentar *(5B)*

to **end** acabar con *(1B)*

to **end up** terminar por *(2B)*

to **endeavor to** procurar *(3B)*

to **endorse** respaldar *(7A), (8A)*

endorsement el respaldo *(6B)*

endorsing respaldado, -a *(7A)*

to **endure** soportar *(2A)*; perdurar *(6B)*

to **endure hunger** pasar hambre *(3B)*

engraving el grabado *(8A)*

to **enjoy** disfrutar (de) *(1A)*; gozar de *(1B)*

enjoyable ameno, -a *(4B)*

enormous desmesurado, -a *(3B)*

enriching enriquecedor(a) *(7A)*

enrichment el enriquecimiento *(5B)*

to **enroll** ingresar *(8B)*

to **enroll in** inscribirse en *(6A)*

to **entail** conllevar a *(7B)*

to **enter** ingresar *(8B)*

to **entertain** entretener *(8A)*

enthusiastic apasionado, -a *(1A)*

to **entrust** encargar *(2B), (6A)*

entry el ingreso *(2A)*

environment el entorno *(1A), (8B)*; el medio ambiente *(7A)*

envy la envidia *(4A)*

ephemeral efímero, -a *(5B)*

epic poem el poema épico *(5A)*

epistolary epistolar *(5B)*

equality la igualdad *(1B)*; la paridad *(6B)*

to **erect** erigir *(6A)*

essay el ensayo *(5A)*

essayist el/la ensayista *(5A)*

essential imprescindible *(5B)*, *(7A)*

to **establish oneself** arraigarse *(1B)*; instalarse *(8B)*

eternal eterno, -a *(4A)*

ethnic group la etnia *(4B)*

evening (get-together) la velada *(3A)*

event el acontecimiento *(2B)*; el suceso *(4B)*

every five minutes a cada rato *(4A)*

everyone with his/her funny little ways cada cual con sus manías *(4A)*

everywhere por todas partes *(2A)*

evil la maldad *(4A)*

to **evolve from** evolucionar de *(6B)*

to **excel** superarse *(2B)*, *(8A)*

excessive desmesurado, -a *(2B)*

excessive weight el sobrepeso *(3B)*

excited entusiasmado, -a *(1A)*

exciting emocionante *(6A)*

excuse me (*to get someone's attention*) oye *(4A)*

executive el/la ejecutivo/a *(4B)*

exercise el ejercicio (físico) *(6A)*

exit la salida *(4B)*

to **expect** pretender *(1A)*

expectation la expectativa *(7B)*

expense el gasto *(2B)*

to **experiment with** experimentar con *(5A)*

exploit la hazaña *(4B)*, *(5A)*

to **explore** explorar *(2B)*

to **expose oneself to** exponerse a *(2A)*

exposition la exposición *(8B)*

extraterrestrial extraterrestre *(4B)*

F

fabric la tela *(8A)*

face el rostro *(1A)*

to **face** afrontar *(4B)*; enfrentar *(1B)*; — **up to** afrontar *(4B)*; enfrentarse con *(3B)*

failure el fracaso *(6B)*

faithful fiel *(8A)*

to **fall in love with** enamorarse de *(4A)*

fallen caído, -a; *(2A)*

family member el/la pariente/a *(1A)*

famous prestigioso, -a *(4B)*

fan el/la aficionado/a *(6A)*; el/la fanático/a *(6A)*; el/la hincha *(6B)*

fan heater el calentador de aire *(7A)*

fans la hinchada *(6B)*; el público fanático *(8B)*

fantastic fantástico, -a *(5A)*

to **fascinate** fascinar *(1B)*

fast, fasting el ayuno *(3B)*

to **fasten** abrocharse *(1A)*

fat la grasa *(3A)*

fault la falla *(2A)*

to **favor** favorecer *(6B)*

favorable propicio, -a *(5A)*

fear el temor *(2A)*, *(5A)*

feature el rasgo *(2A)*

feeding la alimentación *(3B)*

to **feel like** antojarse *(3A)*; apetecer *(1A)*; tener ganas de *(2B)*

feeling el sentimiento *(4A)*

fiber la fibra *(3B)*

field el terreno *(2A)*

fifteen-year-old el/la quinceañero/a *(2A)*

to **fight** disputarse *(6A)*

to **fight bulls** torear *(6B)*

to **fight for** luchar por *(1B)*

figure la cifra *(1A)*; la figura *(4B)*

to **fill up with** llenarse de *(3A)*

to **film** filmar *(8A)*; rodar (ue) *(4B)*

to **film a movie** rodar una película *(8A)*

fin la aleta *(7B)*

finally al fin y al cabo *(2A)*; por último *(2A)*

to **find** hallar *(7B)*, *(8B)*

to **find difficult** costar (ue) *(4A)*

to **find out (about)** enterarse (de) *(4A)*

to **find something funny** hacerle gracia a uno *(1B)*

to **fine** multar *(7B)*

fine arts las bellas artes *(8A)*

to **finish off** acabar con *(1B)*

to **fire** despedir (i) *(4A)*

the first thing that lo primero que *(1A)*

firsthand de primera mano *(6A)*

to **fish** faenar *(7B)*

fistful el puñado *(3A)*

to **fit** caber *(1A)*

to **fit in (belong)** encajar *(2A)*

fix (jam) el apuro *(2A)*

flat llano, -a *(3A)*

flat (*denial, statement, etc.*) rotundo, -a *(6A)*

flattering halagüeño, -a *(7B)*

flattery el halago *(4A)*

flavor el sabor *(3A)*

flavoring la sazón *(3A)*

flight time la hora de vuelo *(1A)*

to **flirt with** coquetear con *(4A)*

flour la harina *(3A)*

to **flourish** florecer *(8B)*

fluency la fluidez *(7B)*

fluid fluido, -a *(2A)*

to **fly** volar (ue) *(1A)*

focus el enfoque *(8A)*

fog la niebla *(1A)*

folkloric folclórico, -a *(8A)*

follower el/la seguidor(a) *(8B)*

food el alimento *(3B)*

    exotic food la comida exótica *(3B)*

    junk (fast) food la comida basura (rápida) *(3B)*

    vegetarian food la comida vegetariana *(3B)*

for all tastes para todos los gustos *(1A)*

for pleasure por placer *(5B)*

for this reason/motive por este motivo *(4A)*

for want of a falta de *(7B)*

to **forbid** impedir (i, i,) *(3B)*

forced forzado, -a *(1A)*

to **forget about** olvidarse de *(1B)*

to **form the backdrop** enmarcar *(6B)*

to **form/build character** imprimir carácter *(4B)*

Formula 1 race-car driver el/la piloto de Fórmula 1 *(6A)*

fortunate afortunado, -a *(4B)*

fortune la fortuna *(4B)*

forum el foro *(8A)*

forward (offensive) el/la delantero/a *(6A)*

fragrant oloroso, -a *(3B)*, *(4A)*

frame (*of a painting*) el marco *(8A)*

to **frame** enmarcar *(6B)*

to **free** liberar *(7B)*

free admission la entrada libre *(8A)*

free time el ocio *(6A)*; el tiempo libre *(6A)*

free verse el verso libre *(5B)*

friendship la amistad *(2A)*

front page (*of a newspaper*) la portada *(6A)*

frozen congelado, -a *(3A)*, *(7A)*

fruitful fructífero, -a *(5A)*

to **fry** freír (i) *(3A)*

to **fulfill** desempeñar(se) *(2B)*, *(7B)*; realizar *(2B)*, *(6A)*

fulfillment el cumplimiento *(7B)*

full lleno, -a *(3A)*; pleno, -a *(2A)*

funny gracioso, -a *(2A)*

future venidero, -a *(3B)*

G

to **gain independence** emanciparse *(2B)*

gap la brecha *(8A)*

to **gather** recoger *(1A)*, *(5B)*

genetically modified transgénico, -a *(7A)*

genius el genio *(8A)*

gesture el gesto *(2B)*

to **get accustomed to** acostumbrarse a *(1B)*

to **get angry** indignarse *(4A)*

to **get close to** acercarse a *(6B)*

to **get dirty** ensuciarse *(3A)*

to **get fat** engordar *(3B)*

to **get in/into** meterse en *(1B)*

to **get involved in** comprometerse en *(3B)*

to **get over (something) quickly** pasársele rápido *(4A)*

to **get scared by something** dar pánico *(1A)*

to **get tangled in** enredarse con *(5B)*

to **get thin** adelgazar *(3B)*

to **get well** curar(se) *(4A)*

to **get worked up about nothing** ahogarse en un vaso de agua *(4A)*

to **give (a present)** regalar *(4A)*

to **give an award** premiar *(4B)*

to **give away** regalar *(7A)*

to **give birth to (an idea)** dar origen a *(7A)*

to **give one's opinion** sentenciar *(7A)*

global warming el calentamiento global *(7A)*

globalization la globalización *(8A)*

to **go around the world** dar la vuelta al mundo *(4B)*

to **go away from** marcharse de *(1A)*

to **go back** volver(se) (ue) *(1A)*

to **go back to** remontarse a *(5B)*

to **go by** discurrir *(1A)*; pasar por *(1A)*

to **go crazy** enloquecer *(8B)*

to **go into** entrar en *(1B)*

to **go through** atravesar *(2A)*; recorrer *(6A)*, *(8B)*

to **go to** dirigirse a *(1B)*; ir a *(1A)*; (*prize, award*) recaer en *(6B)*

to **go too far** pasarse *(2A)*

to **go well** salir bien *(2B)*

to **go well/badly** ir bien/mal *(4B)*

goal la meta *(1B)*

goal (*sports*) el gol *(2B)*

goal scorer el marcador *(6A)*

goalie el/la arquero/a *(6A)*; el/la portero/a *(6A)*

to **gobble** engullir *(3A)*

gold mine (*colloquial*) el filón *(2A)*

good-bye la despedida *(1A)*

(with) good humor con buena cara *(4B)*

good-looking apuesto, -a *(4B)*

gracious amable *(2B)*; cortés *(4B)*

to **grant** otorgar *(2A)*, *(6A)*, *(8A)*

graphology la grafología *(5B)*

grass la hierba *(6A)*; el pasto *(6A)*

gratitude el agradecimiento *(2A)*

greasy grasiento, -a *(3B)*

great many el sinfín *(5A)*

greenhouse effect el efecto invernadero *(7A)*

grief la pena *(2B)*

to **grind** moler (ue) *(7A)*

growing creciente *(2B)*

growth el crecimiento *(1B)*

to **guarantee** asegurar *(1A)*

to **guess** adivinar *(4B)*

to **guide** guiar *(1A)*

guideline la pauta *(4A)*

guilty culpable *(2B)*

to **gulp** engullir *(3A)*

guy el tipo *(2A)*

gymnast el/la gimnasta *(6A)*

gymnastics la gimnasia *(6A)*

Gypsy el/la gitano/a *(8A)*

H

haiku el haikú *(5B)*

half-light la penumbra *(1A)*

to **halt** poner freno *(3B)*

handful el puñado *(3A)*

handicap la minusvalía *(6B)*

handicapped person discapacitado/a *(6B)*; el/la minusválido/a *(6B)*

handle el asa (*f.*) *(3A)*

to **handle** manejar *(2A)*, *(4A)*, *(7B)*

handling el manejo *(5B)*

to **hang (up)** colgar (ue) *(1A)*

hanging caído, -a *(2A)*

to **happen** acontecer *(2B)*; suceder *(2A)*

hard arduo, -a *(8B)*

hardcover de tapa dura *(5A)*

hardly apenas *(1B)*, *(5A)*

harm el daño *(2B)*

to **harm** dañar *(3B)*

harmful dañino, -a *(7B)*; nocivo, -a *(7A)*

harmony la armonía *(7A)*

hatred el odio *(4A)*

to **have a cold** estar constipado, -a *(5B)*

to **have a craving for** antojarse *(3A)*

to **have a resounding success** tener un éxito rotundo *(4B)*

to **have a rivalry** hacer competencia *(6B)*

to **have a special gift** (*for doing something*) tener un don *(4A)*

to **have an effect on** tener un efecto en *(6B)*

to **have good judgment** tener buen olfato *(4B)*

to **have just finished doing something** acabar de + *infinitive* *(1A)*

to **have no other choice** no tener más remedio *(4B)*

to **have reasons for** tener motivos para *(2A)*

to **have something at one's disposal** disponerse de *(7A)*

to **have success, victory** arrasar *(4B)*

to **have the opportunity to** tener la oportunidad de *(6A)*

to **have this little quirk/obsession** tener la manía de *(4A)*

to **head** encabezar *(1A)*; liderar *(4B)*

to **head toward** dirigirse a *(1B)*

headquarters la sede *(6A)*, *(7A)*

healthy saludable *(2B)*; sano, -a *(3B)*

hearing el oído *(7A)*

heartbreaking desgarrador(a) *(5A)*

heat la calefacción *(1A)*

heavily attended multitudinario, -a *(5B)*

height la altura *(4A)*; la estatura *(4B)*

to **help** ayudar (a) *(5B)*

heritage la herencia (4A); el patrimonio (3B)

hero, heroine el/la héroe/heroína (4B)

heroic deed la hazaña (4B), (5A)

heroism el heroísmo (4B)

hey! ¡oye! (4A)

hidden intention/motive el intríngulis (5B)

high caloric content hipercalórico, -a (3B)

to **highlight** poner de relieve (5B)

to **hire** contratar (4A)

to **hit** golpear (1A), (6A)

home el hogar (1A)

home address el domicilio (2B)

home delivery la entrega a domicilio (3B)

home run el jonrón (6A)

home team el local (6A)

homeland la patria (4B)

home-loving hogareño, -a (5B)

hooliganism la gamberrada (4B)

hope la esperanza (2B)

horrible espantoso, -a (1A)

horrifying espeluznante (3A)

host city la ciudad organizadora (6B)

host, hostess el/la anfitrión/anfitriona (1A)

to **house** albergar (1A)

How cruel! ¡Qué cruel! (2B)

How embarrassing! ¡Qué vergüenza! (4A)

How is it allowed? ¿Cómo está permitido? (2B)

How shameful! ¡Qué vergüenza! (4A)

How terrible/awful! ¡Qué barbaridad! (2B)

to **hum** canturrear (3A)

human rights los derechos humanos (2A)

to **humiliate** degradar (4B); humillar (6A)

hunger strike la huelga de hambre (4B)

hurdle la valla (6B)

to **hurry to** precipitarse a (6B)

to **hurt** doler (ue) (1B)

hybrid híbrido, -a (5A)

to **hydrate** hidratar (6A)

hypocrisy la hipocresía (4B)

hypothesis la hipótesis (4A)

I

I don't believe it! ¡No me digas! (2B)

I just can't believe it! ¡No me lo puedo creer! (2B)

iambic pentameter el petámetro yámbico (5B)

ice hockey el hockey sobre hielo (6A)

icon la figura icónica (3B); el icono (3B)

ideal person la persona ideal (4A)

to **idolize** idolatrar (4B)

if by any chance por si acaso (2A)

if only si tan siquiera (7B)

imbalance el desequilibrio (3B)

immense vasto, -a (3B)

to **impede** impedir (i) (2B)

to **impose** imponer (4B)

imposing imponente (7A)

imprecise impreciso, -a (5B)

impressive impactante (4B)

improbable inverosímil (5A)

improvement la mejora (2B)

impulsive caprichoso, -a (3B)

in another way de otra forma (1B)

in charge encargado, -a (6A)

in great part en gran medida (3B)

in homage en homenaje (6A)

in installments por entregas (5A)

in regard to the matter al respecto (7B)

in solidarity solidario, -a (2A)

in spite of a pesar de (2A); pese a (3B)

in the long run a largo plazo (7A)

in the middle of a mediados de (7A)

in the outskirts of a las afueras de (1A)

incentive el aliciente (7B)

incidence la incidencia (5A)

to **incline** tender a (3B)

to **include** abarcar (8A)

to **include in/on** incluir en (1B)

increase el incremento (7B)

to **increase** acrecentar (ie) (5A)

to **incur** incurrir (3B)

indescribable indescriptible (4A)

to **indicate** indicar (4B); señalar (2A)

individual el sujeto (2B)

(to) individual taste al gusto (de) (3A)

inefficient ineficaz (7B)

inevitable infaltable (5B)

to **infiltrate** infiltrarse (4B)

to **influence** influir (en) (1A), (2B)

influential influyente (1B)

to **inform** advertir (ie) (3A)

informative noticioso, -a (8A)

to **ingest** ingerir (3B)

to **inhabit** habitar (2B)

inheritance la herencia (4A)

initiated adepto, -a (2A)

insecure inseguro, -a (2A)

inserted intercalado, -a (8B)

insipid insípido, -a (3B)

to **insist on** empeñarse en (2A); insistir en (3A)

to **instill** inculcar (5B)

insurgent el/la alzado/a (5A)

to **integrate** integrar (8B)

integrity la entereza (4B)

to **intensify** avivar (8B)

to **interest** interesar (1B)

Internet la Internet (7A)

Internet user el/la internauta (7B)

to **interpret** interpretar (4B)

to **intervene** mediar (6A)

interview la entrevista (1B)

intimate íntimo, -a (2B)

intrinsic intrínseco, -a (5B)

to **intuit** intuir (4A)

invention el invento (7A)

to **investigate** investigar (4A)

investment la inversión (6B), (8B)

invincible indomable (5B)

to **involve** involucrar (8A); **be involved in** involucrarse en (4A)

involved involucrado, -a (6A)

iron (*mineral*) el hierro (3B)

irreplaceable irreemplazable (3B)

irresponsible inconsciente (4A)

to **isolate** aislar (7B); — **oneself from** aislarse de (6A)

It seems terrible/awful! ¡Me parece fatal! (2B)

It's a silly/stupid thing! ¡Es una tontería! (4A)

It's unbelievable! ¡Es increíble! (2B)

J

jam (fix) el apuro (2A)

to **jam-pack** abarrotar (8B)

javelin la jabalina (6B)

jest la burla (4B)

Jewish judío, -a (8A)

to **join** unirse a (5A)

journalism el periodismo (5A)

journalist el/la periodista (5A)

to judge juzgar (6B)

to judge (in value) apreciar (4B)

judgment el juicio (7B)

to jump dar saltos (1A)

jump to fame el salto a la fama (4B)

junk (fast) food la comida basura (rápida) (3B)

just in case por si acaso (4A)

just like al igual que (1B)

just passed recién pasado (8B)

to justify justificar (2B)

K

to keep conservar (1B)

to keep warm (with) abrigarse (con) (1A)

key (solution) la clave (2B), (4A)

to kick patear (6A)

kid (boy/girl) el/la chaval(a) (8B)

kindergarten el jardín de infantes (7A)

L

labor force la fuerza laboral (7A)

laboriously laboriosamente (7A)

lack (of) la falta (de) (1A)

to lack faltar (1B)

to lament deplorar (6A)

landing el aterrizaje (1A)

landline phone el teléfono fijo (7A)

landscape el paisaje (1A)

language el lenguaje (5B)

laptop computer el/la computador(a) portátil (7A)

last último, -a (1A)

to last durar (2A); perdurar (6B)

lately últimamente (2B)

to laugh at reírse (i) de (1A)

to laugh one's head off partirse de risa (4A)

laureate laureado, -a (5A)

law el derecho (5A)

to lead capitanear (5B); encabezar (1A); liderar (4B)

leader el/la gobernante (1B); el líder (1B)

lean magro, -a (3B)

to lean on apoyarse en (2A)

to learn to aprender a (1B)

learned/wise man/person el/la sabio/a (5A)

leather el cuero (2A)

to leave marcharse de (1A)

to leave a trace/mark dejar huella (1B)

to leave behind dejar (7B)

lecture la conferencia (2B)

legacy el legado (8B)

legal residence el domicilio (2B)

legendary legendario, -a (4B)

leisure (time) el ocio (6A)

to lessen disminuir (6B)

to let go of soltar (ue) (8B)

let's get to work manos a la obra (3A)

letter (of the alphabet) la letra (5B)

relating to letters or correspondence epistolar (5B)

Letters (literature) las letras (5A)

lexical léxico, -a (5B)

liar el/la mentiroso/a (4A)

to lick one's fingers chuparse los dedos (3A)

to lie (recline) yacer (2B)

to lie down tumbarse (2A)

life expectancy la esperanza de vida (7A)

light liviano, -a (3B)

like al igual que (1B)

(to the) limit of their capacity al límite de su capacidad (7B)

limited restringido, -a (5B)

link el lazo (2A); la vinculación (5A); el vínculo (8B)

to link vincular (1A)

linked vinculado, -a (5A)

list (of staff) la nómina (8B)

to list enumerar (4A)

literary genre el género literario (5A)

literary works las obras literarias (5A)

lithograph la litografía (8A)

to live residir (1B)

to live with convivir con (2A), (5A)

lively vivaz (7A)

living room el salón (1A)

loads of people una burrada de gente (5B)

local establishment el local (8A)

to localize localizar (5B)

to locate localizar (5B)

logically lógicamente (1A)

loneliness la soledad 1A)

long term a largo plazo (7A)

long walk la caminata (1A)

long-haired melenudo, -a (4B)

look la mirada (4A)

to look bad tener mala cara (1A)

to look good tener buena pinta (3A)

to look like parecerse (a) (2A)

to look out of the corner of one's eye mirar de reojo (4B)

to loot saquear (5A)

to lose weight adelgazar (3B)

loss la pérdida (4B)

love: said of someone who falls in love easily enamoradizo, -a (4A)

loved one el ser querido (2B)

lovely bello, -a (5B)

low budget de poco presupuesto (4B)

to lower rebajar (1A)

loyal fiel (8A); leal (2A)

lucky afortunado, -a (4B)

luggage el equipaje (1A)

lunch el lonche (3B)

luxurious lujoso, -a (1A)

luxury el lujo (4A), (7B)

lying mendaz (5A); mentiroso, -a (4A)

M

magical realism el realismo mágico (5A)

magnetic film (tape) la película magnética (7A)

main character el/la protagonista (4A)

to maintain mantener (5A)

maintenance el sostenimiento (6A)

to make an effort to empeñarse en (2A); esforzarse (ue) por (7B)

to make aware concienciar (7B)

to make do with contentarse con (2A)

to make easy/easier facilitar (2B), (4A)

to make evident patentizar (8B)

to make fun of burlarse de (2A)

to make a good/bad impression quedar bien/mal con (2A)

to make one's debut debutar (8A)

to make one's mouth water hacerse la boca agua (3A)

to make oneself at home acomodarse a sus anchas (1A)

to make pleasant amenizar (2A)

to make someone angry darle rabia a alguien (3A)

to make someone dream hacer soñar a alguien (4B)

to **make someone hungry** dar hambre *(3A)*

to **make someone sick** darle asco *(3A)*

to **make someone thirsty** dar sed *(3A)*

to **make worse** agravar *(2B)*

male el varón *(4B)*

malnutrition la desnutrición *(3B)*

to **manage** manejar *(2A), (4A), (7B)*

management el manejo *(5B)*

to **manipulate** manipular *(2B)*

manufacturer el fabricante *(3B)*

manuscript el manuscrito *(5B)*

mark (*stamp*) el cuño *(5B)*

market el emporio *(8A)*

marvelous prodigioso, -a *(2A)*

mascot la mascota *(3B)*

master el/la maestro/a *(8A)*

material la tela *(8A)*

to **matter** importar *(1B)*

mature maduro, -a *(2A)*

to **mature** madurar *(4A)*

mean sórdido, -a *(8B)*

means los medios *(4B)*

measure la medida *(5B), (7B)*

measurement la medida *(5B), (7B)*

meat: relating to meat cárnico, -a *(3B)*

media los medios (de comunicación) *(2B)*

medication el fármaco *(1B), (6B)*

medicine el fármaco *(1B), (6B)*; el medicamento *(4A)*

medium el medio *(8A)*

memory el recuerdo *(2A)*

mere mero, -a *(5A)*

mess el lío *(2A)*; **What a mess!** ¡Qué lío! *(2A)*

metaphor la metáfora *(5B)*

metaphysical metafísico, -a *(5B)*

meter (*in poetry*) la métrica *(5B)*

meticulous esmerado, -a *(3A)*

midfieldman el medio *(6A)*

milk: relating to milk lácteo, -a *(3B)*

mind la mente *(4A)*

minor el/la menor *(2B)*

miscellaneous variopinto, -a *(8B)*

mishap el percance *(1A), (4B)*

to **miss** echar de menos *(4A)*

to **mistreat** maltratar *(4A)*

to **mix** mezclar *(3A)*

mixed mezclado, -a *(4B)*

mixture la mezcla *(3A)*

mockery la burla *(4B)*

mock-up la maqueta *(4B), (5B)*

model la maqueta *(4B), (5B)*

moderate módico, -a *(1B)*

modernist vanguardista *(5A)*

monitoring el seguimiento *(7B)*

monopolization el acaparamiento *(7A)*

monthly mensual *(1B)*

Moorish morisco, -a *(8A)*

morning (*adj.*) diurno, -a *(1B)*

mortality la mortalidad *(2B)*

most of the time en la mayoría de las ocasiones *(1B)*; la mayoría de las veces *(1B)*

most recent de última generación *(2A)*

mother tongue la lengua materna *(7B)*

motionless inmóvil *(2B)*

motor (*adj.*) motriz *(6B)*

motto el lema *(8A)*

to **move** desplazar *(2B)*

to **move away from** alejarse de *(1A)*

movie ratings las clasificaciones de películas *(8B)*

muralist el/la muralista *(8A)*

murmur el murmullo *(2B)*

musician el/la músico/a *(8A)*

myth el mito *(4B)*

N

narrow estrecho, -a *(1A)*

nasty sórdido, -a *(8B)*

natural resource el recurso natural *(7A)*

necessary preciso, -a *(7A)*

to **need** hacer falta *(1B)*

nerve el descaro *(7A)*

nevertheless no obstante *(5B)*; sin embargo *(2A)*

newspaper (daily) el diario *(5A)*

next seguidamente *(7A)*

next step el siguiente paso *(1A)*

next-to-last penúltimo, -a *(8B)*

to **nibble** mordisquear *(3A)*

night nocturno, -a *(1A)*

no longer ya no *(1B)*

no matter how hard por más que *(2A)*

no matter how much por mucho que *(4A)*

no one in his/her right mind nadie en su sano juicio *(4B)*

No way! ¡Qué va! *(1A)*

Nobel Prize in Literature el Premio Nobel de Literatura *(5A)*

nocturnal nocturno, -a *(1A)*

to **nominate** nominar *(4B)*

nomination la nominación *(4B)*

nonprofit organization la organización sin ánimos de lucro *(2B)*

nonsense la burrada *(5B)*

nonverbal communication la comunicación no verbal *(4A)*

to **not be such a big deal** no ser para tanto *(2A)*

to **not cope** no dar abasto *(3B)*

to **not know** ignorar *(4B)*

to **not be in a joking mood** no estar para bromas *(2A)*

to **not stand something (or someone)** no poder ni ver algo (o alguien) *(3A)*

to **not stand something** darle asco *(3A)*

not usually rara vez *(1A)*

to **note** anotar *(5A)*

nothing at all nada de nada *(4B)*

to **notice** fijarse en *(6B)*

nourishing alimentario, -a *(3B)*

nourishment la alimentación *(3B)*

nowadays la actualidad *(5A)*

nutritionist el/la nutricionista *(3B)*

nutritious alimenticio, -a *(3B)*; nutritivo, -a *(3B)*

O

obese obeso, -a *(3B)*

obesity la obesidad *(3B)*

objective el objetivo *(2B)*

obsession la manía *(4A)*

to **obtain** conseguir (i, i) *(1B)*; lograr *(1A)*; obtener *(4B)*

to **occur** suceder *(2A)*

ode la oda *(5A)*

odorless inoloro, -a *(3B)*

of course por supuesto *(2A)*

of flesh and blood (*to have feelings*) de carne y hueso *(4A)*

of short duration efímero, -a *(5B)*

offer la oferta *(7A)*

to **offer** brindar *(6B)*; facilitar *(2B), (4A)*

often a menudo *(1A)*

oil painting el óleo *(8A)*

old age la vejez *(2B)*

old-fashioned anticuado, -a *(4B)*

olive oil el aceite de oliva *(3A)*

on + -*ing* form of verb al + *infinitivo* (1B)

on seeing their faces al verles la cara (4A)

on the high seas en alta mar (7B)

on the increase en auge (4B)

on the margin (fringes) of al margen de (4B)

on top of that para colmo (4A)

one-third el tercio (1A)

opening la apertura (8A)

opportune oportuno, -a (7B)

to oppose oponerse a (2B)

opposing team el equipo contrario (6A)

to oppress oprimir (2B)

oppressed oprimido, -a (2B)

Oratory la Oratoria (5A)

organic orgánico, -a (3B)

organic food la comida orgánica (3B)

to originate from proceder de (3B)

(the) other world el más allá (5A)

others los/las demás (3A), (6B)

out of style anticuado, -a (4B)

outdoors al aire libre (8B)

outline el bosquejo (5B); el esbozo (5B)

to outline trazar (1B)

outrage el desafuero (5A)

outside the country fuera del país (6A)

outstanding destacado, -a (6A)

(wood-burning) oven el horno (de leña) (3A)

overcrowded masificado, -a (1A)

to overexploit sobreexplotar (7B)

overexploitation la sobreexplotación (7A)

own propio, -a (1B)

owner el/la dueño/a (1A); el/la propietario/a (3A), (6A)

P

pacifism el pacifismo (2A)

pain el daño (2B); el dolor (2B)

paint la pintura (8A)

to paint pintar (8A)

paintbrush el pincel (8B)

painting la pintura (8A)

palate el paladar (3A)

(*term*) paper el trabajo (4B)

paperweight el pisapapeles (5B)

parade el desfile (1B)

paradise el paraíso (1A)

parent: relating to a single parent monoparental (3B)

to pass by (*ignore*) pasar de largo (1B)

to pass on to posterity pasar a la posteridad (4B)

password la contraseña (8A)

path la trayectoria (4B)

patience la paciencia (4A)

pattern el patrón (5B)

to pay attention to fijarse en (6B); hacer caso a (4B)

to pay attention to the small print of the contract poner atención a las letras pequeñas del contrato (7A)

payroll la nómina (8A)

peace treaty el acuerdo de paz (1B)

peak el apogeo (7A)

peasant el/la campesino/a (1B)

percent por ciento (1B)

perfectly a la perfección (4A)

to perform desempeñar (3B); interpretar (4B)

to perform for the first time estrenar (5A)

performance el rendimiento (5B), (6A)

period (*of time*) la época (1A)

persistence el empeño (7B)

person of letters el/la literato/a (5A)

personality el carácter (2B)

pet la mascota (3B)

phenomenon el fenómeno (8A)

philanthropist el/la filántropo/a (4B)

philologist el/la filólogo/a (5B)

to pick up recoger (1A), (5B)

piece el pedazo (3A)

piracy la piratería (8B)

to pirate piratear (8B)

to placate aplacar (8B)

play la obra de teatro (5A)

to play desempeñar (3B); — a part hacer un papel (8A)

player el/la jugador(a) (6A)

to plead rogar (ue) (3B)

to please agradar (1B); complacer (7A)

plump rollizo, -a (8A)

to plunder saquear (5A)

poem el poema (5A)

poetic prose la prosa poética (5B)

to point (to) señalar (2A)

point of view el punto de vista (2A)

to point out apuntar (5A); señalar (2A)

pole vault la pértiga (6B)

polite cortés (1B)

political regime el régimen político (1B)

poll el sondeo (2A); la encuesta (2B)

Poor things! ¡Pobrecitos! (2B)

popular song el cante (8A)

populated poblado, -a (1A)

population la población (2B)

port el puerto (3A)

portrait el retrato (8B)

position la postura (4A); (*job*) el cargo (4B)

posterity la posteridad (4B)

to pour verter (ie) (7B)

poverty la pobreza (1B)

power el poder (6A), (8B)

powerful poderoso, -a (4B)

to practice track and field hacer atletismo (6B)

to practice/do sports hacer deporte(s) (6B)

praise el elogio (5B); el encomio (5B); el halago (4A)

to praise alabar (3A), (8B); elogiar (7B); enaltecer (6A)

prank la travesura (3B)

precocious precoz (5B)

preestablished preestablecido, -a (5B)

pregnant embarazada (2B)

prejudice el prejuicio (4B)

to premiere estrenar (5A)

premises el local (3B)

prescription la receta (6B)

present actual (4B)

present (time) la actualidad (5A)

press la prensa (5A)

press conference la rueda de prensa (4A)

prestige el prestigio (6B)

prestigious prestigioso, -a (4B)

to pretend fingir (1B), (4A)

to prevail prevalecer (5B), (7B)

to prevent impedir (i, i) (3B)

prime time el horario estelar (8A)

to print copies tirar ejemplares (5B)

printed impreso, -a (6A)

prize el galardón (4B), (6B); el premio (2B)

prizewinner el/la galardonado/a *(6B)*

to **proceed (to)** proceder (a) *(3B)*

to **procure** obtener *(4B)*

productive fructífero, -a *(5A)*

profit la ganancia *(7A)*

to **profit from** sacar partido de *(2A)*

profitable provechoso, -a *(1B)*; rentable *(3B)*

to **program** programar *(6A)*

prominent eminente *(5A)*

to **promise to** comprometerse a *(3B)*

to **promote** promocionar *(6B)*; promover (ue) *(3B)*, *(8B)*

to **promote development** potenciar *(4B)*

promoter el/la propagador(a) *(6B)*

prone propenso, -a *(7B)*

proof la prueba *(8B)*

properly debidamente *(1B)*

to **propose** proponer *(6A)*

pros and cons los pros y los contras *(8B)*

prose la prosa *(5A)*

protagonist el/la protagonista *(4A)*

proud orgulloso, -a *(2A)*

to **provide** brindar *(2B)*; proporcionar *(2B)*, *(7A)*

provided that con tal de que *(2B)*

to **provoke** dar lugar a *(7A)*

provoked provocado, -a *(4A)*

pseudonym el seudónimo *(5A)*

public health la salud pública *(7B)*

to **pull up/out, start** arrancar *(1A)*

to **punish** castigar *(2A)*

punishment el castigo *(6B)*

purchasing power el poder adquisitivo *(3A)*

to **pursue** perseguir (i, i) *(1A)*

push el empuje *(1B)*

to **put (place)** colocar *(2B)*, *(8B)*

to **put aside** descartar *(4A)*

to **put forth** brotar *(5B)*

to **put in charge** encargar *(2B)*, *(6A)*

to **put on weight** engordar *(3B)*

to **put something in doubt** poner en tela de juicio *(7B)*

to **put up for sale** poner a la venta *(8A)*

to **put yourself in someone's place** ponerse en el lugar (de alguien) *(7B)*

Q

qualified capacitado, -a *(2A)*

quality la calidad *(3B)*

quantity la cantidad *(3B)*

quarrel la rencilla *(5A)*

to **quarrel** reñir (i, i) *(1A)*

quatrain *(stanza with 4 verses)* el cuarteto *(5B)*

quiet callado, -a *(2B)*; silencioso, -a *(2B)*

quirk la manía *(4A)*

to **quit** dejar de *(2B)*; dimitir *(2B)*; renunciar (a) *(4B)*

quite bastante *(1B)*

to **quiver** vibrar *(4A)*

R

race *(ethnicity)* la raza *(2B)*

race *(sports)* la carrera *(6A)*

race-car driving el automovilismo *(6A)*

rage el coraje *(2B)*

to **raise** ascender (ie) *(1A)*

raisin la pasa *(3A)*

random aleatorio, -a *(7A)*

range la gama *(7A)*

range of possibilities el abanico de posibilidades *(4A)*

to **ransack** saquear *(5A)*

rarely rara vez *(1A)*

rascal el/la sinvergüenza *(4A)*

rate la tasa *(3B)*

rating standards las normas de clasificación *(8B)*

raw crudo, -a *(3A)*

to **reach** alcanzar *(1B*

reachable alcanzable *(6B)*

to **realize** darse cuenta de *(3B)*

realistic realista *(2A)*

really de verdad *(2A)*; realmente *(4A)*

really fresh fresquito, -a *(3B)*

rebel el/la alzado/a *(5A)*

rebellious rebelde *(2A)*; revoltoso, -a *(2A)*

recent reciente *(1A)*

to **record** grabar *(4B)*

to **recover** recuperar *(8A)*; reponer fuerzas *(2A)*

to **reduce** reducir *(4A)*

reduced rebajado, -a *(1A)*

to **refer to** referirse (ie, i) a *(5B)*

referee el/la árbitro/a *(6A)*

refined culto, -a *(8A)*; refinado, -a *(3A)*

refinery la refinería *(7B)*

to **refuse** rehusar *(5A)*

to **register** inscribirse en *(6A)*

to **regret** arrepentirse (ie) de *(2B)*

to **reject** descartar *(6A)*; rechazar *(3A)*, *(8B)*

to **rekindle** reavivar *(6B)*

to **relate to** conectarse con *(7A)*

relative el/la pariente/a *(1A)*

to **relieve** aliviar *(3B)*, *(6B)*

to **relish** paladear *(3B)*

to **rely on** apoyarse en *(2A)*

to **remedy** ponerse remedio *(5B)*

to **remember** acordarse (ue) de *(3A)*; recordar (ue) *(4B)*

remote control el mando *(2A)*

removal la remoción *(7B)*

to **remove** quitar *(3A)*

Renaissance el Renacimiento *(8A)*

to **renounce** renunciar (a) *(4B)*

to **repay** resarcir *(5A)*

to **repent** arrepentirse (ie) de *(2B)*

to **replace** desbancar *(2A)*

report el informe *(5B)*

to **report** *(abuse)* denunciar *(un abuso)* *(7B)*

reputation la consagración *(4B)*

to **request** solicitar *(2B)*, *(7B)*

to **require** exigir *(7A)*

requirement el requisito *(4B)*

to **rescue** rescatar *(4A)*, *(7B)*

reservation la reserva de plaza *(1A)*

to **reside** residir *(1B)*

to **resign** renunciar (a) *(1B)*

resignation la renuncia *(8A)*

to **resist** resistirse a *(2B)*

resistant refractorio, -a *(5B)*

to **resolve** solucionar *(4A)*, *(6B)*

to **resort to** recurrir a *(5B)*

respected respetado, -a *(4B)*

the rest los/las demás *(3A)*, *(6B)*

restaurant for lunch la lonchería *(3B)*

to **restore** restituir *(8A)*

restricted restringido, -a *(5B)*

to **retain data** retener datos *(5B)*

retaliation la represalia *(7B)*

to **retire** retirarse *(8A)*

retired jubilado, -a *(7A)*

to **retrieve** recuperar *(8B)*

to **return to/from** regresar a/de *(1A)*

to **reveal** desvelar *(1A)*; patentizar *(8B)*

review la reseña *(5A)*

to **revive** reavivar *(6B)*

rhyme la rima *(5B)*

rhythm el ritmo *(5B)*; la cadencia *(5B)*

rich adinerado, -a *(1A)*

ridiculous ridículo, -a *(4B)*

right fielder el jardinero derecho *(6A)*

rind la cáscara *(3A)*

to **rise up** alzarse *(5A)*

risk el riesgo *(1B)*

to **risk** arriesgarse a *(2A)*

risky azaroso, -a *(1B)*

rival el/la contrincante *(8A)*

rivalry la competencia *(6A)*

riverbank la orilla *(1A)*

roadside inn el parador *(3A)*

to **rob** piratear *(8B)*

robbery el hurto *(2B)*

rocket el cohete *(7A)*

role el papel *(2B)*

root la raíz *(2B)*

rower el/la remero/a *(6A)*

rowing el remo *(6A)*

royalty la regalía *(8A)*

rude grosero, -a *(4B)*; maleducado, -a *(4B)*; tosco, -a *(4B)*

rudeness la mala educación *(4B)*

to **ruin** arruinarse *(4B)*

rule la norma *(5B)*

to **rumor** rumorear *(5A)*

to **run away from** huir de *(1B)*

to **run the risk of** correre el riesgo de *(6A)*

to **rush to fame** lanzar(se) a la fama *(4B)*

S

safeguard la salvaguardia *(7B)*

salary el sueldo *(2B)*

salty salado, -a *(3A)*

sample la muestra *(3A)*

to **sample** degustar *(3A)*

sand la arena *(1A)*

sane cuerdo, -a *(4B)*

satire la sátira *(5A)*

to **sauté** sofreír (i) *(3A*

to **save** ahorrar *(2B)*; salvar *(2B)*

to **savor** paladear *(3B)*

to **say good-bye to** despedirse (i) de *(1B)*

scarcely apenas *(1B)*, *(5A)*

scattered esparcido, -a *(6A)*

scenery el paisaje *(1A)*

schedule el horario *(1A)*

scholar el/la sabio/a *(5A)*

school (*of a university*) la facultad *(8B)*

science fiction la ciencia ficción *(5A)*

to **scold** regañar *(2A)*

to **score a goal** marcar un gol *(6A)*

script el guión *(1A)*, *(5A)*

to **scrutinize** escrutar *(5B)*

to **sculpt** esculpir *(8A)*

sculptor el/la escultor(a) *(8A)*

sculpture la escultura *(8A)*

seagull la gaviota *(3A)*

search engine el programa buscador *(7A)*

season la temporada *(1A)*, *(6A)*

seasoning la sazón *(3A)*

seat belt el cinturón *(1A)*

secret sign la contraseña *(8A)*

sedentary sedentario, -a *(3B)*

to **see everything through rose-colored glasses** ver todo "color de rosa" *(4A)*

seed la semilla *(3A)*

seeded sembrado, -a *(4B)*

to **seem** parecer *(1B)*

to **seize** agarrar *(7B)*

to **select** seleccionar *(6B)*

self-destructive autodestructivo, -a *(5A)*

self-esteem la autoestima *(2A)*, *(3B)*

self-portrait el autorretrato *(8A)*

semantic semántico, -a *(5B)*

semidarkness la penumbra *(1A)*

to **send** remitir *(6B)*

sense of humor el sentido del humor *(4B)*

to **sense** intuir *(4A)*

sensible sensato, -a *(2B)*

sensitive sensible *(2B)*

separate from al margen de *(4B)*

serenity el sosiego *(1A)*, *(7A)*

serious grave *(2B)*

seriously en serio *(2A)*

seriously ill grave *(4A)*

seriousness la gravedad *(3B)*

to **serve with** servir (i, i) con *(3A)*; **serve as** servir de *(5A)*

set (*scenery*) el decorado *(5A)*

to **set about** emprender *(3B)*, *(6A)*

to **set in motion** poner en marcha *(6A)*

to **set the table** poner mantel/la mesa *(3A)*

setting el entorno *(1A)*, *(8B)*; el escenario *(5A)*

setting in motion la puesta en marcha *(6B)*

to **settle** instalarse *(8B)*

shame la vergüenza *(4A)*

shameless person el/la sinvergüenza *(4A)*

shamelessness el descaro *(7A)*

to **shape** plasmar *(8A)*

to **share** compartir *(1B)*

shark el tiburón *(7B)*

shelter el cobijo *(1B)*, *(7A)*

sheriff el/la alguacil(a) *(7B)*

to **shoot** disparar *(2B)*

shore la orilla *(1A)*

short story el cuento *(5A)*

shortage la escasez *(3B)*

shot (blast) el balazo *(6A)*

show la exposición *(8B)*; el montaje *(8A)*

to **show** demostrar (ue) *(2B)*; señalar *(2A)*

to **show off** hacer gala de algo *(4B)*, *(8B)*

shy tímido, -a *(4A)*

shyness la timidez *(4A)*

sight: to not lose sight of no perder (ie) de ojo *(1A)*

sign el letrero *(1B)*; la prueba *(8B)*; la señal *(4A)*

to **sign on** fichar *(3B)*

to **sign up with** fichar *(3B)*

signal la señal *(4A)*

silent silencioso, -a *(2B)*

silly/stupid thing or action el disparate *(2A)*; la tontería *(4A)*

simile el símil *(5B)*

simple sencillo, -a *(1A)*

since ya que *(4A)*

singer-songwriter el/la cantautor(a) *(8A)*

singing el cante *(8A)*

single sencillo, -a *(8B)*

to **sit down on/in** sentarse (ie) en *(1A)*

site el local *(8A)*

size el tamaño *(2A)*

skater el/la patinador(a) *(6A)*

skating el patinaje *(6A)*

sketch el boceto *(8A)*

skill la destreza *(2B)*; la habilidad *(4A)*

skin (*of fruit*) la corteza *(3A)*; la piel *(3A)*

slang la jerga *(2A)*

sleepwalker el/la sonámbulo/a (4A)

slice (of meat) la loncha (3A)

slice la tajada (3A)

slogan el lema (8A)

slowness la lentitud (1A)

smelly oloroso, -a (3B), (4A)

smooth fluido, -a (2A)

to **snack** picar (3B)

to **snatch away** arrebatar (6A)

sneaker la zapatilla (6A)

so many tantos, -as (1B)

so much tanto, -a (1B)

so that de modo que (1B)

to **soak** mojar (3A)

soap opera la telenovela (4B)

soccer el balompié, el fútbol (6A)

solemn grave (4A)

solitude la soledad (1A)

to **solve** solucionar (4A), (6B)

sonnet el soneto (5B)

sooner or later tarde o temprano (2A)

sort el tipo (2A)

sound el sonido (5B)

to **sound** sonar (ue) (8A)

source la fuente (6A)

sovereign el/la soberano/a (4B)

sown sembrado, -a (4B)

soya la soja (3B)

to **speak out against** manifestarse (ie) en contra de (7A)

special dish el manjar (3A)

spectator el/la espectador(a) (6A)

speech el discurso (1B)

spelling la ortografía (7B)

spelling mistake la falta de ortografía (2A)

to **spill** verter (ie) (7B)

to **split one's sides laughing** partirse de risa (4A)

spoiled consentido, -a (4B); mimado, -a (4A)

spokesperson el/la portavoz (1A)

to **sponsor** apadrinar (7B); patrocinar (6B)

spontaneity la espontaneidad (4B)

sports (adj.) deportivo, -a (2A)

sportsman/woman el/la deportista (6A)

to **spot (soil)** manchar (4B)

to **spread** difundir (2B)

to **spread out** desplegarse (ie) (1A)

to **stab** apuñalar (5A)

stable estable (2B)

stage la etapa (2A)

stamp el sello (1A)

stance la actitud (2B)

stand el puesto (3B)

to **stand** aguantar (4A)

to **stand out** destacarse (en) (6B), (8A)

standard la norma (5B)

stanza la estrofa (5B)

stanza with 3 verses el terceto (5B)

star la estrella (8B)

start el inicio (5A)

to **start by** empezar (ie) por (5B)

starvation la hambruna (3B)

state-owned hotel el parador (3A)

stationery store la papelería (5B)

stature la estatura (4B); (of considerable) **stature/standing** de talla (4B)

stay la permanencia (6B)

to **stay** permanecer (6B); quedarse (3A)

to **stay for** quedarse para (3A)

to **stay in** alojarse en (1A)

steel el acero (8A)

step el paso (2A); la gestión (4B)

stereotype el estereotipo (4B)

to **stick one's foot in one's mouth** meter la pata (4B)

sticky pegajoso, -a (3A)

still quieto, -a (2B)

still life la naturaleza muerta (8B)

to **stimulate** estimular (3B)

to **stir up** hurgar (8B)

to **stock full** abarrotar (8B)

stocky rollizo, -a (8A)

stone la piedra (1A)

to **stop** atajar (7A); cesar (2B); dejar de (7B); detener (7B); poner freno (3B)

story el relato (1A)

stove el fogón (3A)

straight recto, -a (5B)

strange raro, -a (1B)

to **strengthen** reforzar (ue) (5B)

stressed tenso, -a (2B)

strict estricto, -a (2B)

strictly speaking en rigor (5A)

strong pujante (7A)

to **stutter** tartamudear (2A), (4B)

to **subdue** sojuzgar (8B)

subject el tema (2B)

subject (person) el sujeto (2B)

to **subjugate** sojuzgar (8B)

subsidiary la filial (8A)

subtitle el subtítulo (8A)

to **succeed** tener éxito (4B)

success el éxito (3A)

successful exitoso, -a (4B)

sudden repentino, -a (2B); súbito, -a (6A)

suddenly de golpe (4B); de pronto (2A)

to **suffer** padecer (1A), (7B)

to **suffer from** padecer de (3B)

to **suffer in one's own skin** sufrir en su propia carne (4B)

to **suffice** bastar (1B), (6A)

sufficiently bastante (1B)

to **suit** convenir (ie) (1B), (4A)

suitable for those over 18 years old apta para mayores de 18 años (8B)

suitcase la maleta (1A)

supplier el/la proveedora(a) (3A)

supply el abastecimiento (7B)

to **supply** proporcionar (2B), (7A)

support el apoyo (6B); el sostenimiento (6A)

to **support** apoyar (2B); sostener (7B)

supporter el /la hincha (6B) (pl.) la hinchada (6B)

supportive solidario, -a (2A)

to **surprise** sorprender (1B)

surprising sorprendente (3A)

to **surrender** caer rendido (4B)

to **surround/be surrounded** rodear(se) (4A)

surrounded rodeado, -a (1A)

surrounding area el alrededor (7B)

survey la encuesta (2B)

survival la supervivencia (7A)

to **survive** sobrevivir (2B), (7A)

suspicion la sospecha (2B)

to **sway** oscilar (1B)

to **swear** (an oath) jurar (6A)

sweaty sudoroso, -a (4A)

(having a) **sweet tooth** goloso, -a (3A)

swimmer el/la nadador(a) (6A)

swimming la natación (6A)

syllables; with 11 syllables endecasílabo, -a (5B)

symbol la figura icónica (3B)

sympathetic compasivo, -a (2B); comprensivo, -a (2B)

symptom el síntoma (2A)

synonym el sinónimo (5B)

(related to) **syntax** sintáctico, -a (5B)

T

table guest el/la comensal (3A)

tablet la pastilla (3A)

to **take a leading part in** protagonizar (6A)

to **take advantage of** aprovecharse de (1B)

to **take an interest in** interesarse por (2A)

to **take care of** atender (4B)

to **take charge of** encargarse de (3B)

to **take effect** entrar en vigor (6B)

to **take for/considered** tener por (2A)

to **take hold** dar pie a (6B)

to **take into account** tomar en cuenta (3B)

to **take into consideration** plantearse (2B)

take off el despegue (1A)

to **take on** asumir (2A)

to **take place** tener lugar (2B)

to **take root** arraigarse (1B)

to **take time** durar (2A)

to **take time to** tardar en (1B)

tale el relato (1A)

talented talentoso, -a (4B)

tango singer or dancer el/la tanguero/a (8A)

tape recorder la grabadora (7A)

to **taste** degustar (3A); probar (ue) (3B)

tasteless insípido, -a (3B)

tattoo el tatuaje (2A)

team sport el deporte de equipo (6A)

technological tecnológico, -a (7A)

to **tell off** regañar (2A)

(units of) **ten** la decena (4A)

tenacity el tesón (4B)

to **tend to** tender a (3B)

tenderness la ternura (4B), (5A)

tennis player el/la tenista (6A)

tennis shoe la zapatilla (6A)

tense tenso, -a (2B)

tense (of a verb) el tiempo (verbal) (2B)

terrible tremendo, -a (4A)

terrifying espeluznante (3A)

test la prueba (8B)

thank beforehand muchas gracias de antemano (1A)

thank goodness menos mal (1B)

to **thank** agradecer (6A)

that is why de ahí que (+ subjuntivo) (7B)

That's not fair! ¡No hay derecho! (2B)

theft el hurto (2B)

thermoelectrical plant la planta termoeléctrica (7B)

thick espeso, -a (3A)

to **think about** (opinion) pensar (ie) de (+ sustantivo) (4A)

to **think of** pensar (ie) en (4A)

thirty-year-old el/la treintañero/a (2A)

thoroughly minuciosamente (2B)

threat la amenaza (4B)

to **threaten to/with** amenazar con (1B), (3B)

threatening amenazador(a) (3A)

three-quarters of tres cuartos de (1A)

through a lo largo de (1A)

through the fault of por culpa de (1B)

throughout the world mundialmente (6A), (7A)

to **throw** lanzar (1A)

tidal wave el maremoto (7A)

tie (said of a score) el empate (6B)

to **tie** (a score) empatar (6B)

tight ajustado, -a (2A)

timely oportuno, -a (7B)

timid tímido, -a (4A)

tiredness el cansancio (6B)

title page la portadilla (5A)

to order al gusto (de) (3A)

to the point of hasta el punto de (4B)

tolerant tolerante (2A)

to **tolerate** aguantar (4A); tolerar (2B)

tongue twister el trabalenguas (5B)

too (adv.) demasiado (1A)

too much/many demasiado, -a (1A)

tool la herramienta (1A), (5B)

torture el suplicio (4B)

touch el tacto (8B); el toque (1A), (8A)

tough arduo, -a (8B)

town la población (2B)

track and field el atletismo (6B)

tracking el seguimiento (7B)

tragedy la tragedia (5A)

to **train** entrenar (6B)

trained capacitado, -a (2A)

trainer el/la entrenador(a) (6B)

training el entrenamiento (6A)

trajectory la trayectoria (4A)

tranquility el sosiego (1A), (7A)

trap la trampa (4A)

to **travel** recorrer (6A), (8B)

to **travel by** viajar por (1B)

traveler el/la viajero/a (1A)

trawling el arrastre (7B)

treatment el trato (4B)

tremendous tremendo, -a (4A)

to **trick** engañar (3B)

to **triumph** triunfar (2B)

trouble el sinsabor (5B)

true verdadero, -a (4B)

to **trust** confiar en (8A)

to **try** intentar (1A); pretender (1A)

to **try to** procurar (3B); tratar de (1B)

to **try very hard to** esforzarse (ue) en (2A)

tuna fish el atún (7B)

to **turn into** convertir (ie, i) en (1A); volver(se) (ue) (4A)

to **turn out well** salir bien (2B)

to **turn to** recurrir a (5A)

TV station la cadena de televisión (8A)

TV viewer el/la televidente (4B)

twenty-year-old el/la veinteañero/a (2A)

two-person sport el deporte por pareja (6A)

type el tipo (2A)

U

ultimate máximo, -a (4B); supremo, -a (4B)

ultimately en última instancia (2B)

unbearable insoportable (4A)

unbeatable insuperable (7A)

unchallengeable irrecusable (5A)

uncultured inculto, -a (2A)

underage person el/la menor (2B)

undernourishment la subalimentación (3B)

to **understand (it)** tenerlo claro (1B)

(to not) understand (no) entrar en la cabeza (3A)

to **undertake** emprender *(3B)*, *(6A)*

unedited version la versión inédita *(8B)*

uneducated inculto, -a *(2A)*

unemployment el desempleo *(2A)*

uneven desnivelado, -a *(1A)*

unexpected impensado, -a *(3B)*; inesperado, -a *(4A)*

unforeseeable imprevisible *(7A)*

unforgettable imborrable *(5B)*; inolvidable *(1A)*

unfortunately por desgracia *(1B)*

unhealthiness of water la insalubridad del agua *(3B)*

unknown desconocido, -a *(4B)*

unlikely inverosímil *(5A)*

to **unload** descargar *(7A)*

unmanageable refractorio, -a *(5B)*

unnoticed desapercibido, -a *(3A)*, *(7A)*

unrepeatable irrepetible *(7B)*

unsafe inseguro, -a *(2A)*

unsociable huraño, -a *(4A)*

unstressed átono, -a *(5B)*

unsustainable insostenible *(7B)*

untenable insostenible *(7B)*

untruthful mendaz *(5A)*

uproar el bullicio *(2B)*

ups and downs las peripecias *(4B)*

up-to-date a la última *(3B)*

to **urge (someone) to** exhortar a *(5B)*; instar a *(5B)*, *(7B)*

urgently imperiosamente *(7A)*

user el/la usuario/a *(7B)*

usual corriente *(7A)*

V

to **vacate** desalojar *(7B)*

vague impreciso, -a *(5B)*

valid vigente *(8A)*

valor la valentía *(4B)*

to **value** cotizar *(4B)*; valorar *(1B)*; valorizar *(3B)*

to **vanish** esfumarse *(7B)*

vast desmesurado, -a *(3B)*; vasto, -a *(3B)*

vegetarian food la comida vegetariana *(3B)*

vending machine la máquina dispensadora *(3B)*

versification la versificación *(5B)*

very famous celebérrimo, -a *(3B)*

very often a cada rato *(4A)*

to **vibrate** vibrar *(4A)*

vice el vicio *(4A)*

vicissitude la peripecia *(4B)*

videogame el videojuego *(8B)*

view la vista *(1A)*

vigorous pujante *(7A)*

visionary el/la visionario/a *(4B)*

voluntary service el voluntariado *(2A)*

volunteer el/la voluntario/a *(2B)*

voter el/la votante *(4B)*

vulnerable desamparado, -a *(2B)*

W

to **wait in line** hacer cola *(1A)*

to **wait on** (*a customer*) despachar *(3A)*

to **wake up early** madrugar *(1B)*

to **want** desear *(4A)*

warmth la calidez *(4B)*

to **warn** advertir (ie) *(3B)*

warning la advertencia *(7B)*

warning poster el cartel de aviso *(7B)*

to **watch** vigilar *(3B)*

to **watch out for** velar por *(6A)*

to **watch over** velar *(3B)*

water: bottled water el agua embotellada *(7B)*; **fresh water** el agua dulce *(7A)*; **tap water** el agua de la llave *(7B)*

to **water** regar (ie) *(3B)*

watercolor la acuarela *(8A)*

way el modo *(2B)*

weak débil *(4A)*

weakness la debilidad *(3A)*

wealthy acaudalado, -a *(6A)*

weapon el arma (*f.*) *(2B)*

weight el peso *(2A)*

weight lifter el/la levantador(a) de pesas *(6B)*

welcome la bienvenida *(1A)*; la acogida *(1B)*

to **welcome** dar la bienvenida *(1A)*; acoger *(2B)*, *(7A)*

welcoming acogedor(a) *(3A)*

well mannered bien educado, -a *(1B)*

well-being el bienestar *(2B)*, *(7A)*

to **wet** mojar *(3A)*

What an injustice! ¡Qué injusticia! *(2B)*

what others will say el qué dirán *(4A)*

when + -*ing* form of verb al + *infinitivo* *(1B)*

wherever one looks se mire por donde se mire *(2A)*

to **whet someone's appetite** abrir el apetito *(3A)*

(a) while ago hace un rato *(3A)*

wide amplio, -a *(3A)*

widow la viuda *(1A)*

wild silvestre *(1A)*

wild cheers a grito pelado *(8B)*

willing dispuesto, -a *(1A)*

wireless network la red inalámbrica *(7A)*

wisdom la sabiduría *(1A)*, *(8B)*

wise sabio, -a *(4B)*

wise decision el acierto *(2B)*

wise move el acierto *(2B)*

wish la gana *(4A)*

to **wish** desear *(2A)*

with good humor con buena cara *(4B)*

within reach of al alcance de *(3A)*, *(6A)*

without (any) doubt sin (ninguna) duda *(2A)*

without limits (borders) sin fronteras *(8A)*

witness el/la testigo *(6B)*

wonderful estupendo, -a *(1A)*; genial *(3B)*

word: relating to words or vocabulary léxico, -a *(5B)*

to **work** funcionar *(1B)*

workday la jornada *(8B)*

workshop el taller *(8B)*

world el orbe *(8A)*

worldwide mundialmente *(6A)*, *(7A)*

worrisome preocupante *(2A)*

worry la inquietud *(4A)*

to **worry** preocupar *(1B)*

to **worry about** preocuparse por *(1B)*

worrying preocupante *(2A)*

to **worship** (*idolize*) idolatrar *(4B)*

to **be worth the trouble** valer la pena *(3A)*

worthwhile provechoso, -a *(1B)*; rentable *(3B)*

wrestler el/la luchador(a) *(6A)*

wrestling la lucha libre *(6A)*

to **wrinkle** arrugar(se) *(1A)*

to **write** redactar *(5B)*, *(7A)*

to **write a script** escribir un guión *(8A)*

writer el/la escritor(a) *(5A)*; el/la literato/a *(5A)*

writing la redacción *(1B)*

WWW la Red Mundial *(7A)*

Y

to **yearn for** apetecer *(1B)*

You don't say! ¡No me digas! *(2B)*

youth la juventud *(2B)*

Z

zeal el afán *(3B)*, *(8A)*

zipper el cierre, la cremallera *(7A)*

Verbos

Verbos regulares

Infinitivo Participio presente Participio pasado	Presente		Pretérito		Imperfecto	
hablar hablando hablado	hablo hablas habla	hablamos habláis hablan	hablé hablaste habló	hablamos hablasteis hablaron	hablaba hablabas hablaba	hablábamos hablábais hablaban
comer comiendo comido	como comes come	comemos coméis comen	comí comiste comió	comimos comisteis comieron	comía comías comía	comíamos comíais comían
vivir viviendo vivido	vivo vives vive	vivimos vivís viven	viví viviste vivió	vivimos vivisteis vivieron	vivía vivías vivía	vivíamos vivíais vivían

Tiempos progresivos

Presente		Imperfecto	
estoy estás está estamos estáis están	hablando comiendo viviendo	estaba estabas estaba estábamos estabais estaban	hablando comiendo viviendo

Verbos reflexivos

Infinitivo Participio presente	Presente	Pretérito	Subjuntivo
levantarse levantándose	me levanto te levantas se levanta nos levantamos os levantáis se levantan	me levanté te levantaste se levantó nos levantamos os levantasteis se levantaron	me levante te levantes se levante nos levantemos os levantéis se levanten

Verbos regulares *continuación*

Futuro		Condicional		Presente del subjuntivo		Imperfecto del subjuntivo	
hablaré hablarás hablará	hablaremos hablaréis hablarán	hablaría hablarías hablaría	hablaríamos hablaríais hablarían	hable hables hable	hablemos habléis hablen	hablara/hablase hablaras/hablases hablara/hablase	habláramos/hablásemos hablarais/hablaseis hablaran/hablasen
comeré comerás comerá	comeremos comeréis comerán	comería comerías comería	comeríamos comeríais comerían	coma comas coma	comamos comáis coman	comiera/comiese comieras/comieses comiera/comiese	comiéramos/comiésemos comierais/comieseis comieran/comiesen
viviré vivirás vivirá	viviremos viviréis vivirán	viviría vivirías viviría	viviríamos viviríais vivirían	viva vivas viva	vivamos viváis vivan	viviera/viviese vivieras/vivieses viviera/viviese	viviéramos/viviésemos vivierais/vivieseis vivieran/viviesen

Tiempos perfectos

Presente perfecto		Pluscuamperfecto		Futuro perfecto	
he has ha hemos habéis han	} hablado comido vivido	había habías había habíamos habíais habían	} hablado comido vivido	habré habrás habrá habremos habréis habrán	} hablado comido vivido

Condicional perfecto		Presente perfecto del subjuntivo		Pluscuamperfecto del subjuntivo	
habría habrías habría habríamos habríais habrían	} hablado comido vivido	haya hayas haya hayamos hayáis hayan	} hablado comido vivido	hubiera/hubiese hubieras/hubieses hubiera/hubiese hubiéramos/ hubiésemos hubierais/hubieseis hubieran/hubiesen	} hablado comido vivido

Verbos con cambios en la raíz

Verbos en -ar

Infinitivo	cerrar (e > ie)		contar (o > ue)		jugar (u > ue)	
Presente del indicativo	**cierro**	cerramos	**cuento**	contamos	**juego**	jugamos
	cierras	cerráis	**cuentas**	contáis	**juegas**	jugáis
	cierra	**cierran**	**cuenta**	**cuentan**	**juega**	**juegan**
Presente del subjuntivo	**cierre**	cerremos	**cuente**	contemos	**juegue**	juguemos
	cierres	cerréis	**cuentes**	contéis	**juegues**	juguéis
	cierre	**cierren**	**cuente**	**cuenten**	**juegue**	**jueguen**
Imperativo						
afirmativo	—	cerremos	—	contemos	—	juguemos
	cierra	cerrad	cuenta	contad	juega	jugad
	cierre	cierren	cuente	cuenten	juegue	jueguen
negativo	—	no cerremos	—	no contemos	—	no juguemos
	no cierres	no cerréis	no cuentes	no contéis	no juegues	no juguéis
	no cierre	no cierren	no cuente	no cuenten	no juegue	no jueguen
Semejantes a **cerrar**:	acrecentar, apretar, calentar, comenzar, confesar, despertar, empezar, encerrar, encomendarse, enterrar, fregar, manifestarse, merendar, negar, pensar, quebrar, recomendar, regar, sentarse, temblar, tropezar					
Semejantes a **contar**:	acordar, acostarse, almorzar, apostar, colgar, consolar, costar, demostrar, encontrar, esforzarse, mostrar, probar, recordar, reforzar, rodar, rogar, sonar, soñar, volar					

Verbos en -er

Infinitivo	entender (e > ie)		mover (o > ue)	
Presente del indicativo	**entiendo**	entendemos	**muevo**	movemos
	entiendes	entendéis	**mueves**	movís
	entiende	**entienden**	**mueve**	**mueven**
Presente del subjuntivo	**entienda**	entendamos	**mueva**	movamos
	entiendas	entendáis	**muevas**	mováis
	entienda	**entiendan**	**mueva**	**muevan**
Imperativo				
afirmativo	—	entendamos	—	movamos
	entiende	entended	mueve	moved
	entienda	entiendan	mueva	muevan
negativo	—	no entendamos	—	no movamos
	no entiendas	no entendáis	no muevas	no mováis
	no entienda	no entiendan	no mueva	no muevan
Semejantes a **entender**:	ascender, defender, descender, encender, extender, perder, tender, verter			
Semejantes a **mover**:	cocer, devolver (*part. pasado*: **devuelto**), doler, envolver (*part. pasado*: **envuelto**), moler, morder, promover, resolver (*part. pasado*: **resuelto**), soler, torcer, volver (*part. pasado*: **vuelto**)			

Verbos en -ir

Infinitivo	pedir (e > i, i)		preferir (e > ie, i)		dormir (o > ue, u)	
Presente del indicativo	pido pides pide	pedimos pedís piden	prefiero prefieres prefiere	preferimos preferís prefieren	duermo duermes duerme	dormimos dormís duermen
Presente del subjuntivo	pida pidas pida	pidamos pidáis pidan	prefiera prefieras prefiera	prefiramos prefiráis prefieran	duerma duermas duerma	durmamos durmáis duerman
Imperativo afirmativo	— pide pida	pidamos pedid pidan	— prefiere prefiera	prefiramos perferid prefieran	— duerme duerma	durmamos dormid duerman
negativo	— no pidas no pida	no pidamos no pidáis no pidan	— no prefieras no prefiera	no prefiramos no prefiráis no prefieran	— no duermas no duerma	no durmamos no durmáis no duerman
Participio presente	pidiendo		prefiriendo		durmiendo	
Pretérito	pedí pediste pidió	pedimos pedisteis pidieron	preferí preferiste prefirió	preferimos preferisteis prefirieron	dormí dormiste durmió	dormimos dormisteis durmieron
Imperfecto del subjuntivo (-ra)	pidiera pidieras pidiera	pidiéramos pidierais pidieran	prefiriera prefirieras prefiriera	prefiriéramos prefirierais prefirieran	durmiera durmieras durmiera	durmiéramos durmierais durmieran
(-se)	pidiese pidieses pidiese	pidiésemos pidieseis pidiesen	prefiriese prefirieses prefiriese	prefiriésemos prefirieseis prefiriesen	durmiese durmieses durmiese	durmiésemos durmieseis durmiesen

Semejantes a **pedir**: competir, conseguir, corregir (*g > j*), despedir, elegir (*g > j*), impedir, medir, perseguir, repetir, seguir, servir, vestirse

Semejantes a **preferir**: advertir, arrepentirse, asentir, convertir, divertirse, herir, hervir, ingerir, invertir, mentir, referir, requerir, sentir, sugerir

Semejantes a **dormir**: morir (*part. pasado:* **muerto**)

Verbos con formas irregulares

Verbos con cambios ortográficos y de acento

---

1. **acercar**   **-car**   **c > qu** delante de la *e*

   Pretérito   **acerqué**, acercaste, acercó, acercamos, acercasteis, acercaron

   Pres. del subj.   **acerque, acerques, acerque, acerquemos, acerquéis, acerquen**

   Imperativo   acerca (no **acerques**), **acerque, acerquemos**, acercad (no **acerquéis**), **acerquen**

   Semejantes a **acercar**:

      abarcar, aparcar, aplacar, arrancar, atacar, buscar, chocar, colocar, complicar, comunicar, convocar, criticar, dedicar, desbancar, desembarcar, destacarse, edificar, embarcar, enmarcar, equivocarse, explicar, inculcar, indicar, justificar, marcar, pescar, picar, platicar, practicar, sacar, salpicar, secar, significar, suplicar, tocar

---

2. **agradecer**   **-cer**   **c > zc** en la primera persona singular del presente

   Presente   **agradezco**, agradeces, agradece, agradecemos, agradecéis, agradecen

   Pres. del subj.   **agradezca, agradezcas, agradezca, agradezcamos, agradezcáis, agradezcan**

   Imperativo   agradece (no **agradezcas**), **agradezca, agradezcamos**, agradeced (no **agradezcáis**), **agradezcan**

   Semejantes a **agradecer**:

      acontecer (*sólo en tercera persona*), amanecer, aparecer, apetecer, carecer, complacer, conocer, crecer, desaparecer, enaltecer, entristecerse, establecer, favorecer, merecer, nacer, obedecer, ofrecer, padecer, parecer, permanecer, pertenecer, prevalecer, reconocer

---

3. **apagar**   **-gar**   **g > gu** delante de la *e*

   Pretérito   **apagué**, apagaste, apagó, apagamos, apagasteis, apagaron

   Pres. del subj.   **apague, apagues, apague, apaguemos, apaguéis, apaguen**

   Imperativo   apaga (no **apagues**), **apague, apaguemos**, apagad (no **apaguéis**), **apaguen**

   Semejantes a **apagar**:

      agregar, ahogarse, albergar, arriesgar, arrugar, asegurar, cargar, castigar, colgar (ue), conjugar, derogar, descargar, despegar, desplegar, encargarse, entregar, erogar, fregar (ie), hurgar, jugar (ue), llegar, madrugar, navegar, negar (ie), otorgar, pagar, pegar, regar (ie), rogar (ue), sojuzgar, tragar

---

4. **averiguar**   **-guar**   **gua > güe**

   Pretérito   **averigüé**, averiguaste, averiguó, averiguamos, averiguasteis, averiguaron

   Pres. del subj.   **averigüe, averigües, averigüe, averigüemos, averigüéis, averigüen**

   Imperativo   averigua (no **averigües**), **averigüe, averigüemos**, averiguad (no **averigüéis**), **averigüen**

   Semejantes a **averiguar**:
      amortiguar, apaciguar

---

5. **conseguir**   **-guir** (e > i, i)   **gu > g** delante de la *o, a*

   Presente   **consigo, consigues, consigue**, conseguimos, conseguís, **consiguen**

   Pretérito   conseguí, conseguiste, **consiguió**, conseguimos, conseguisteis, **consiguieron**

   Pres. del subj.   **consiga, consigas, consiga, consigamos, consigáis, consigan**

   Imperf. del subj. **consiguiera, consiguieras, consiguiera, consiguiéramos, consiguierais, consiguieran**

                      consiguiese, consiguieses, consiguiese, consiguiésimos, consiguieseis, consiguiesen

   Imperativo   **consigue** (no **consigas**), **consiga, consigamos**, conseguid (no **consigáis**), **consigan**

   Semejantes a **conseguir**:
      perseguir, proseguir, seguir

---

6. **continuar**   **-uar**   **u > ú** en las formas singulares y tercera persona plural del presente

   Presente   **continúo, continúas, continúa**, continuamos, continuáis, **continúan**

   Pres. del subj.   **continúe, continúes, continúe**, continuemos, continuéis, **continúen**

   Imperativo   **continúa** (no **continúes**), **continúe**, continuemos, continuad (no continuéis), **continúen**

   Semejantes a **continuar**:
      actuar, graduarse, puntuar

Verbos con formas irregulares

Verbos con cambios ortográficos y de acento

---

7.   cruzar   **-zar**   **z > c** delante de la *e*

     Pretérito   **crucé**, cruzaste, cruzó, cruzamos, cruzasteis, cruzaron

     Pres. del subj.   **cruce, cruces, cruce, crucemos, crucéis, crucen**

     Imperativo   cruza (no **cruces**), **cruce, crucemos**, cruzad (no **crucéis**), **crucen**

Semejantes a **cruzar**:

     abrazar, alcanzar, almorzar (ue), alzar, amenazar, amenizar, analizar, aterrizar, avanzar, avergonzarse (ue), comenzar (ie), concientizar, desplazar, empezar (ie), encabezar, esforzarse, especializarse, forzar, garantizar, gozar, lanzar, localizar, protagonizar, puntualizar, realizar, rechazar, reforzar, rezar, tranquilizar, trazar, tropezar (ie), utilizar, valorizar

---

8.   dirigir   **-gir**   **g > j** delante de la *o, a*

     Presente   **dirijo**, diriges, dirige, dirigimos, dirigís, dirigen

     Pres. del subj.   **dirija, dirijas, dirija, dirijamos, dirijáis, dirijan**

     Imperativo   dirige (no **dirijas**), **dirija, dirijamos**, dirigid (no **dirijáis**), **dirijan**

Semejantes a **dirigir**:

     afligirse, exigir, fingir, surgir, sumergir

---

9.   distinguir   **-guir**   **gu > g** delante de la *o, a*

     Presente   **distingo**, distingues, distingue, distinguimos, distinguís, distinguen

     Pres. del subj.   **distinga, distingas, distinga, distingamos, distingáis, distingan**

     Imperativo   distingue (no **distingas**), **distinga, distingamos**, distinguid (no **distingáis**), **distingan**

---

10.   elegir   **-gir** (e > i, i)   **g > j** delante de la *o, a*

     Presente   **elijo, eliges, elige**, elegimos, elegís, **eligen**

     Pretérito   elegí, elegiste, **eligió**, elegimos, elegisteis, **eligieron**

     Pres. del subj.   **elija, elijas, elija, elijamos, elijáis, elijan**

     Imperativo   **elige** (no **elijas**), **elija, elijamos**, elegid (no **elijáis**), **elijan**

Semejante a **elegir**:

     corregir

---

11.   recoger   **-ger**   **g > j** delante de la *o, a*

     Presente   **recojo**, recoges, recoge, recogemos, recogéis, recogen

     Pres. del subj.   **recoja, recojas, recoja, recojamos, recojáis, recojan**

     Imperativo   recoge (no **recojas**), **recoja, recojamos**, recoged (no **recojáis**), **recojan**

Semejantes a **recoger**:

     acoger, coger, escoger, proteger

---

12.   reñir   **-ñir**   **e > i**

     Presente   **riño, riñes, riñe**, reñimos, reñís, **riñen**

     Pretérito   reñí, reñiste, **riñó**, reñimos, reñisteis, **riñeron**

     Pres. del subj.   **riña, riñas, riña, riñamos, riñáis, riñan**

     Imperf. del subj.   **riñera, riñeras, riñera, riñéramos, riñerais, riñeran**

                  riñese, riñeses, riñese, riñésemos, riñeseis, riñesen

     Imperativo   **riñe** (no **riñas**), **riña, riñamos**, reñid (no **riñáis**), **riñan**

     Part. presente   **riñendo**

Semejantes a **reñir**:

     ceñir, constreñir, desteñir, estreñir, teñir

Verbos con formas irregulares

Verbos con cambios ortográficos y de acento

13. **variar**	**-iar**	**i > í** en las formas singulares y tercera persona plural del presente
Presente		**varío, varías, varía**, variamos, variáis, **varían**
Pres. del subj.		**varíe, varíes, varíe**, variemos, variéis, **varíen**
Imperativo		**varía** (no **varíes**), **varíe**, variemos, variad (no variéis), **varíen**

Semejantes a **variar**:
   ampliar, confiar, criar, desafiar, desviar, enfriar, enviar, esquiar, fiar, guiar, resfriarse, vaciar

14. **vencer**	**-cer**	**c > z** delante de la *a*, *o*
Presente		**venzo**, vences, vence, vencemos, vencéis, vencen
Pres. del subj.		**venza, venzas, venza, venzamos, venzáis, venzan**
Imperativo		vence (no **venzas**), **venza, venzamos**, venced (no **venzáis**), **venzan**

Semejantes a **vencer**:
   convencer, esparcir, torcer (ue)

Verbos irregulares

1.	**adquirir**	
	Presente	**adquiero, adquieres, adquiere**, adquirimos, adquirís, **adquieren**
	Pres. del subj.	**adquiera, adquieras, adquiera**, adquiramos, adquiráis, **adquieran**
	Imperativo	**adquiere** (no **adquieras**), **adquiera**, adquiramos, adquirid (no adquiráis), **adquieran**

2.	**andar**	
	Pretérito	**anduve, anduviste, anduvo, anduvimos, anduvisteis, anduvieron**
	Imperf. del subj.	**anduviera, anduvieras, anduviera, anduviéramos, anduvierais, anduvieran**
		anduviese, anduvieses, anduviese, anduviésemos, anduvieseis, anduviesen

3.	**caber**	
	Presente	**quepo**, cabes, cabe, cabemos, cabéis, caben
	Pretérito	**cupe, cupiste, cupo, cupimos, cupisteis, cupieron**
	Futuro	**cabré, cabrás, cabrá, cabremos, cabréis, cabrán**
	Condicional	**cabría, cabrías, cabría, cabríamos, cabríais, cabrían**
	Pres. del subj.	**quepa, quepas, quepa, quepamos, quepáis, quepan**
	Imperf. del subj.	**cupiera, cupieras, cupiera, cupiéramos, cupierais, cupieran**
		cupiese, cupieses, cupiese, cupiésemos, cupieseis, cupiesen
	Imperativo	cabe (no **quepas**), **quepa, quepamos**, cabed (no **quepáis**), **quepan**

4.	**caer**	
	Presente	**caigo**, caes, cae, caemos, caéis, caen
	Pretérito	caí, **caíste, cayó**, caímos, caísteis, **cayeron**
	Pres. del subj.	**caiga, caigas, caiga, caigamos, caigáis, caigan**
	Imperf. del subj.	**cayera, cayeras, cayera, cayéramos, cayerais, cayeran**
		cayese, cayeses, cayese, cayésemos, cayeseis, cayesen
	Part. presente	**cayendo**
	Part. pasado	**caído**
	Imperativo	cae (no **caigas**), **caiga, caigamos**, caed (no **caigáis**), **caigan**

Semejantes a **caer**:
   decaer, recaer

5.	**dar**	
	Presente	**doy**, das, da, damos, **dais**, dan
	Pretérito	**di, diste, dio, dimos, disteis, dieron**
	Pres. del subj.	**dé, des, dé, demos, deis, den**
	Imperf. del subj.	**diera, dieras, diera, diéramos, dierais, dieran**
		diese, dieses, diese, diésemos, dieseis, diesen
	Imperativo	da (no **des**), **dé**, demos, dad (no **deis**), **den**

Verbos irregulares

---

6. decir

Presente	**digo, dices, dice**, decimos, decís, **dicen**
Pretérito	**dije, dijiste, dijo, dijimos, dijisteis, dijeron**
Futuro	**diré, dirás, dirá, diremos, diréis, dirán**
Condicional	**diría, dirías, diría, diríamos, diríais, dirían**
Pres. del subj.	**diga, digas, diga, digamos, digáis, digan**
Imperf. del subj.	**dijera, dijeras, dijera, dijéramos, dijerais, dijeran** **dijese, dijeses, dijese, dijésemos, dijeseis, dijesen**
Part. presente	**diciendo**
Part. pasado	**dicho**
Imperativo	**di** (no **digas**), **diga**, **digamos**, decid (no **digáis**), **digan**

Semejantes a **decir**:
   contradecir, predecir (*futuro*: predeciré, predecirás, etc.; *condicional*: predeciría, predecirías, etc.; *imperativo*: predice)

---

7. estar

Presente	**estoy, estás, está, estamos, estáis, están**
Pretérito	**estuve, estuviste, estuvo, estuvimos, estuviste, estuvieron**
Pres. del subj.	**esté, estés, esté, estemos, estéis, estén**
Imperf. del subj.	**estuviera, estuvieras, estuviera, estuviéramos, estuvierais, estuvieran** **estuviese, estuvieses, estuviese, estuviésemos, estuvieseis, estuviesen**
Imperativo	**está** (no **estés**), **esté**, **estemos**, estad (no **estéis**), **estén**

---

8. haber

Presente	**he, has, ha, hemos**, habéis, **han**
Pretérito	**hube, hubiste, hubo, hubimos, hubisteis, hubieron**
Futuro	**habré, habrás, habrá, habremos, habréis, habrán**
Condicional	**habría, habrías, habría, habríamos, habríais, habrían**
Pres. del subj.	**haya, hayas, haya, hayamos, hayáis, hayan**
Imperf. del subj.	**hubiera, hubieras, hubiera, hubiéramos, hubierais, hubieran** **hubiese, hubieses, hubiese, hubiésemos, hubieseis, hubiesen**

---

9. hacer

Presente	**hago**, haces, hace, hacemos, hacéis, hacen
Pretérito	**hice, hiciste, hizo, hicimos, hicisteis, hicieron**
Futuro	**haré, harás, hará, haremos, haréis, harán**
Condicional	**haría, harías, haría, haríamos, haríais, harían**
Pres. del subj.	**haga, hagas, haga, hagamos, hagáis, hagan**
Imperf. del subj.	**hiciera, hicieras, hiciera, hiciéramos, hicierais, hicieran** **hiciese, hicieses, hiciese, hiciésemos, hicieseis, hiciesen**
Part. pasado	**hecho**
Imperativo	**haz** (no **hagas**), **haga, hagamos**, haced (no **hagáis**), **hagan**

Semejante a **hacer**:
   satisfacer

Verbos irregulares

10. huir

Presente:	**huyo, huyes, huye**, huimos, huís, **huyen**
Pretérito	huí, huiste, **huyó**, huimos, huisteis, **huyeron**
Pres. del subj.	**huya, huyas, huya, huyamos, huyáis, huyan**
Imperf. del subj.	**huyera, huyeras, huyera, huyéramos, huyerais, huyeran** **huyese, huyeses, huyese, huyésemos, huyeseis, huyesen**
Imperativo	**huye** (no **huyas**), **huya, huyamos,** huid (no **huyáis**), **huyan**

Semejantes a **huir**:
atribuir, concluir, constituir, construir, contribuir, destituir, destruir, disminuir, distribuir, excluir, incluir, influir, instruir, recluir, restituir, sustituir

11. ir

Presente	**voy, vas, va, vamos, vais, van**
Imperfecto	**iba, ibas, iba, íbamos, ibais, iban**
Pretérito	**fui, fuiste, fue, fuimos, fuisteis, fueron**
Pres. del subj.	**vaya, vayas, vaya, vayamos, vayáis, vayan**
Imperf. del subj.	**fuera, fueras, fuera, fuéramos, fuerais, fueran** **fuese, fueses, fuese, fuésemos, fueseis, fuesen**
Part. presente	**yendo**
Part. pasado	**ido**
Imperativo	**ve** (no **vayas**), **vaya, vamos** (no **vayamos**), id (no **vayáis**), **vayan**

12. leer

Pretérito	leí, **leíste, leyó,** leímos, **leísteis, leyeron**
Imperf. del subj.	**leyera, leyeras, leyera, leyéramos, leyerais, leyeran** **leyese, leyeses, leyese, leyésemos, leyeseis, leyesen**
Part. presente	**leyendo**
Part. pasado	**leído**

Semejantes a **leer**:
creer, poseer, proveer (part. pasado: **provisto** o **proveído**)

13. oír

Presente	**oigo, oyes, oye,** oímos, oís, **oyen**
Pretérito	oí, oíste, **oyó,** oímos, oísteis, **oyeron**
Futuro	**oiré, oirás, oirá, oiremos, oiréis, oirán**
Condicional	**oiría, oirías, oiría, oiríamos, oiríais, oirían**
Pres. del subj.	**oiga, oigas, oiga, oigamos, oigáis, oigan**
Imperf. del subj.	**oyera, oyeras, oyera, oyéramos, oyerais, oyeran** **oyese, oyeses, oyese, oyésemos, oyeseis, oyesen**
Part. presente	**oyendo**
Part. pasado	**oído**
Imperativo	**oye** (no **oigas**), **oiga, oigamos,** oíd (no **oigáis**), **oigan**

14. oler

Presente	**huelo, hueles, huele,** olemos, oléis, **huelen**
Pres. del subj.	**huela, huelas, huela,** olamos, oláis, **huelan**
Imperativo	**huele** (no **huelas**), **huela,** olamos, oled (no oláis), **huelan**

Verbos irregulares

15. poder

Presente	**puedo, puedes, puede**, podemos, podéis, **pueden**
Pretérito	**pude, pudiste, pudo, pudimos, pudisteis, pudieron**
Futuro	**podré, podrás, podrá, podremos, podréis, podrán**
Condicional	**podría, podrías, podría, podríamos, podríais, podrían**
Pres. del subj.	**pueda, puedas, pueda**, podamos, podáis, **puedan**
Imperf. del subj.	**pudiera, pudieras, pudiera, pudiéramos, pudierais, pudieran**
	pudiese, pudieses, pudiese, pudiésemos, pudieseis, pudiesen
Part. presente	**pudiendo**

16. poner

Presente	**pongo**, pones, pone, ponemos, ponéis, ponen
Pretérito	**puse, pusiste, puso, pusimos, pusisteis, pusieron**
Futuro	**pondré, pondrás, pondrá, pondremos, pondréis, pondrán**
Condicional	**pondría, pondrías, pondría, pondríamos, pondríais, pondrían**
Pres. del subj.	**ponga, pongas, ponga, pongamos, pongáis, pongan**
Imperf. del subj.	**pusiera, pusieras, pusiera, pusiéramos, pusierais, pusieran**
	pusiese, pusieses, pusiese, pusiésemos, pusieseis, pusiesen
Part. pasado	**puesto**
Imperativo	**pon** (no **pongas**), **ponga, pongamos**, poned (no **pongáis**), **pongan**

Semejantes a **poner**:
componer, disponer, exponer, imponer, oponer, proponer, reponer, suponer

17. querer

Presente	**quiero, quieres, quiere**, queremos, queréis, **quieren**
Pretérito	**quise, quisiste, quiso, quisimos, quisisteis, quisieron**
Futuro	**querré, querrás, querrá, querremos, querréis, querrán**
Condicional	**querría, querrías, querría, querríamos, querríais, querrían**
Pres. del subj.	**quiera, quieras, quiera**, queramos, queráis, **quieran**
Imperf. del subj.	**quisiera, quisieras, quisiera, quisiéramos, quisierais, quisieran**
	quisiese, quisieses, quisiese, quisiésemos, quisieseis, quisiesen
Imperativo	**quiere** (no **quieras**), **quiera**, queramos, quered (no queráis), **quieran**

18. reír

Presente	**río, ríes, ríe, reímos, reís, ríen**
Pretérito	reí, **reíste, rió, reímos, reísteis**, rieron
Futuro	**reiré, reirás, reirá, reiremos, reiréis, reirán**
Condicional	**reiría, reirías, reiría, reiríamos, reiríais, reirían**
Pres. del subj.	**ría, rías, ría, riamos, riáis, rían**
Imperf. del subj.	**riera, rieras, riera, riéramos, rierais, rieran**
	riese, rieses, riese, riésemos, rieseis, riesen
Part. presente	**riendo**
Part. pasado	**reído**
Imperativo	**ríe** (no **rías**), **ría, riamos**, reíd (no **riáis**), **rían**

Semejantes a **reír**:
freír (*part. pasado*: **frito**), sonreír

Verbos irregulares

19.	**saber**	
	Presente	**sé**, sabes, sabe, sabemos, sabéis, saben
	Pretérito	**supe, supiste, supo, supimos, supisteis, supieron**
	Futuro	**sabré, sabrás, sabrá, sabremos, sabréis, sabrán**
	Condicional	**sabría, sabrías, sabría, sabríamos, sabríais, sabrían**
	Pres. del subj.	**sepa, sepas, sepa, sepamos, sepáis, sepan**
	Imperf. del subj.	**supiera, supieras, supiera, supiéramos, supierais, supieran**
		supiese, supieses, supiese, supiésemos, supieseis, supiesen
	Imperativo	sabe (no **sepas**), **sepa, sepamos**, sabed (no **sepáis**), **sepan**

20.	**salir**	
	Presente	**salgo**, sales, sale, salimos, salís, salen
	Futuro	**saldré, saldrás, saldrá, saldremos, saldréis, saldrán**
	Condicional	**saldría, saldrías, saldría, saldríamos, saldríais, saldrían**
	Pres. del subj.	**salga, salgas, salga, salgamos, salgáis, salgan**
	Imperativo	**sal** (no **salgas**), **salga, salgamos**, salid (no **salgáis**), **salgan**

21.	**ser**	
	Presente	**soy, eres, es, somos, sois, son**
	Imperfecto	**era, eras, era, éramos, erais, eran**
	Pretérito	**fui, fuiste, fue, fuimos, fuisteis, fueron**
	Pres. del subj.	**sea, seas, sea, seamos, seáis, sean**
	Imperf. del subj.	**fuera, fueras, fuera, fuéramos, fuerais, fueran**
		fuese, fueses, fuese, fuésemos, fueseis, fuesen
	Imperativo	**sé** (no **seas**), **sea, seamos**, sed (no **seáis**), **sean**

22.	**tener**	
	Presente	**tengo, tienes, tiene**, tenemos, tenéis, **tienen**
	Pretérito	**tuve, tuviste, tuvo, tuvimos, tuvisteis, tuvieron**
	Futuro	**tendré, tendrás, tendrá, tendremos, tendréis, tendrán**
	Condicional	**tendría, tendrías, tendría, tendríamos, tendríais, tendrían**
	Pres. del subj.	**tenga, tengas, tenga, tengamos, tengáis, tengan**
	Imperf. del subj.	**tuviera, tuvieras, tuviera, tuviéramos, tuvierais, tuvieran**
		tuviese, tuvieses, tuviese, tuviésemos, tuvieseis, tuviesen
	Imperativo	**ten** (no **tengas**), **tenga, tengamos**, tened (no **tengáis**), **tengan**

Semejantes a **tener**:
abstenerse, contener, detener, mantener, obtener, sostener

23.	**traducir**	
	Presente	**traduzco**, traduces, traduce, traducimos, traducís, traducen
	Pretérito	**traduje, tradujiste, tradujo, tradujimos, tradujisteis, tradujeron**
	Pres. del subj.	**traduzca, traduzcas, traduzca, traduzcamos, traduzcáis, traduzcan**
	Imperf. del subj.	**tradujera, tradujeras, tradujera, tradujéramos, tradujerais, tradujeran**
		tradujese, tradujeses, tradujese, tradujésemos, tradujeseis, tradujesen
	Imperativo	traduce (no **traduzcas**), **traduzca, traduzcamos**, traducid (no **traduzcáis**), **traduzcan**

Semejantes a **traducir**:
conducir, producir

Verbos irregulares

24. traer

Presente	**traigo,** traes, trae, traemos, traéis, traen
Pretérito	**traje, trajiste, trajo, trajimos, trajisteis, trajeron**
Pres. del subj.	**traiga, traigas, traiga, traigamos, traigáis, traigan**
Imperf. del subj.	**trajera, trajeras, trajera, trajéramos, trajerais, trajeran**
	trajese, trajeses, trajese, trajésemos, trajeseis, trajesen
Part. presente	**trayendo**
Part. pasado	**traído**
Imperativo	trae (no **traigas**), **traiga, traigamos,** traed (no **traigáis**), **traigan**

Semejantes a **traer**:
atraer, contraer

25. valer

Presente	**valgo,** vales, vale, valemos, valéis, valen
Futuro	**valdré, valdrás, valdrá, valdremos, valdréis, valdrán**
Condicional	**valdría, valdrías, valdría, valdríamos, valdríais, valdrían**
Pres. del subj.	**valga, valgas, valga, valgamos, valgáis, valgan**
Imperativo	vale (no **valgas**), **valga, valgamos,** valed (no **valgáis**), **valgan**

26. venir

Presente	**vengo, vienes, viene,** venimos, venís, **vienen**
Pretérito	**vine, viniste, vino, vinimos, vinisteis, vinieron**
Futuro	**vendré, vendrás, vendrá, vendremos, vendréis, vendrán**
Condicional	**vendría, vendrías, vendría, vendríamos, vendríais, vendrían**
Pres. del subj.	**venga, vengas, venga, vengamos, vengáis, vengan**
Imperf. del subj.	**viniera, vinieras, viniera, viniéramos, vinierais, vinieran**
	viniese, vinieses, viniese, viniésemos, vinieseis, viniesen
Part. presente	**viniendo**
Imperativo	**ven** (no **vengas**), **venga, vengamos,** venid (no **vengáis**), **vengan**

Semejantes a **venir**:
convenir, intervenir

27. ver

Presente	**veo,** ves, ve, vemos, veis, ven
Imperfecto	**veía, veías, veía, veíamos, veíais, veían**
Pretérito	**vi,** viste, **vio,** vimos, visteis, vieron
Pres. del subj.	**vea, veas, vea, veamos, veáis, vean**
Part. pasado	**visto**
Imperativo	ve (no **veas**), **vea, veamos,** ved (no **veáis**), **vean**

Verbos con participios pasados irregulares

abrir	**abierto**	escribir	**escrito**
cubrir	**cubierto**	imprimir	**impreso, imprimido**
describir	**descrito**	morir	**muerto**
descubrir	**descubierto**	romper	**roto**

Art Credit

p. 251, *The Don's Misadventure* by Gustave Doré, 1863; p. 252, *Don Quixote and Sancho Setting Out* by Gustave Doré, 1863; p. 256 *Don Quixote and Sancho Panza*, Honoré Daumier (1808-79); p. 420, *Guernica* by Pablo Picasso (top); p. 422, *Una pareja (A Couple)*, 1982, Fernando Botero (b. 1932); p. 423, *The Third of May, 1808* by Francisco José de Goya y Lucientes; p. 426, *Broadgate Venus* by Fernando Botero; p. 435, *After the Bullfight* by Pablo Picasso; p. 437, *The Bullfight* by Francisco de Goya; p. 438, *Raíces* (1943) by Frieda Kahlo; p. 450, (center) *The Persistence of Memory* by Salvador Dalí; p. 453, *Ball at the Moulin de la Galette, Montmartre* by Pierre-Auguste Renoir.

Photo Credit

Abad, Eduardo EFE/Corbis: 240
Adams, Peter/JAI/Corbis: 48 (b)
Agnew & Sons, London, UK/Bridgeman Art Library: 256
Amet, Jean-Pierre/BelOmbra/Corbis: 186
Angelescu, Andreea/Corbis: 464
Anzuoni, Mario/Reuters/Corbis: 206, 216
AP/World Wide Photos: 32 (bl), 33, 305, 429, 434, 458
Archivo Iconografico, S.A./Corbis: 237, 420 (t), 423 (t)
Art on File/Corbis: 214

BananaStock, Royalty Free: 282
Barton, Paul/Corbis: 179
Bejar Latonda, Mónica: 297
Bettmann/Corbis: 224, 243 (l, r), 247, 275, 314, 363 (l, r), 388, 440, 450 (c), 462
Bock, Edward/Corbis: 372, 374
Bolivia Web Photo Gallery: 46
Brindicci, Marcos/Reuters/Corbis: 348
Burstein Collection/Corbis: 435
Butchovsky-Houser, Jan/Corbis: 118 (t)
Butow, David/Corbis: 407

Cardoso, Fabio/Corbis: 330 (t)
Christie's Images/Corbis: 422
Clevenger, Steve/Corbis: 114
Cohen, Stuart/The Image Works: 315
Cole, Michael/Corbis: 335
Colita/Corbis: 428
Comstock/Royalty Free: 145 (b)
Comstock Select/Corbis: 302 (b)
Contographer/Corbis: 220
Cooke, Richard A./Corbis: 469
Cooper, Andrew/Columbia/Spyglass/Bureau L.A. Collection/Corbis: 175, 260

Cooper, Ashley/Corbis: 426
Corbis/Royalty Free: 2 (b), 3, 8, 23, 28 (t, b), 34 (t, b), 48 (t, c), 59, 60 (t, c), 69, 74, 85, 91, 102, 124 (t), 137, 145(c), 155, 170 (t), 172 (b), 176 (t, c), 177, 193, 267 (t), 287, 326, 337, 354, 360 (c), 361, 364 (t), 368, 380, 383, 391 (c, b), 392, 393, 404, 410, 412, 420 (b), 423 (b)
Corbis Sygma: 454
Corral Vega, Pablo/Corbis: 381
Cuevas, Gustavo/epa/Corbis: 215

Daemmrich, Bob/PhotoEdit: 93
Dalmau, Andreu/epa/Corbis: 457
Dannemiller, Keith/Corbis: 88 (c), 160, 371
del Pozo, Marcelo/Reuters/Corbis: 232, 359
Denny, Mary Kate/PhotoEdit: 430
Duomo/Corbis: 304 (b)

Elias, Nir/Reuters/Corbis: 450 (b)
Englebert, Victor: 32 (t)
Epa/Corbis: 249

Faris, Randy/Corbis: 304 (t)
Folkks, Rufus F./Corbis: 212
Footstock: 267 (b)
Fraile, Victor/Reuters/Corbis: 330 (b)
Francisco, Timothy: 195
Franken, Owen/Corbis: 120, 124 (b), 130, 132, 158, 323, 331 (b)
Fredrickson, Allen/Reuters/Corbis: 205 (b)
Fried, Robert: 1, 12, 13, 27, 117, 119, 131, 189, 447
Friedman, Rick/Corbis, 72
Fuste Raga, José/Corbis: 451

Gambarini, Maurizio/dpa/Corbis: 100
Gea, Albert/Reuters/Corbis: 236 (t)
Getty Images: 395
Glumak, Ben: 79
Goldberg, Beryl: 32 (r)
Greenberg, Jeff/PhotoEdit: 89, 271
Guillen, J.J./epa/Corbis: 16

Hellier, Chris/Corbis: 251, 252
Henley, John/Corbis: 60 (b),
Hillery, John/Reuters/Corbis: 415
Horner, Jeremy/Corbis: 106
Houghton, Kit/Corbis: 156
Houser, Dave G./Corbis: 9